KB174791

SPSS, EXCEL, DBSTAT

의학통계 ABC

김수녕

군자출판사

의학통계 ABC

첫째판 1쇄 인쇄 | 2014년10월 30일
첫째판 1쇄 발행 | 2014년 11월 05일
첫째판 2쇄 발행 | 2016년05월 16일
첫째판 3쇄 발행 | 2020년10월30일

지 은 이 김수녕
발 행 인 장주연
출 판 기 획 김도성
편집디자인 유현숙
표지디자인 김민경
발 행 처 군자출판사
등록 제 4-139호(1991. 6. 24)
본사 (10881) **파주출판단지** 경기도 파주시 회동길 338(서패동 474-1)
전화 (031) 943-1888 팩스 (031) 955-9545
홈페이지 | www.koonja.co.kr

ISBN 978-89-6278-935-5
정가 38,000원

Preface

근거중심의학의 시대에 통계분석은 의학 연구에서 필수적이며 분석방법도 매우 다양하다.
의학통계에 대한 기본적인 이해 없이 통계소프트웨어 사용법만 배우고 통계분석을 하고자 하는 연구자들이 많다. 이는 질병에 대한 진단 없이 치료기법만 익히는 것과 같이 결과적으로 왜곡된 연구결과를 초래할 수 있다. 통계분석 방법의 오류는 연구 결론의 오류를 뜻하는 매우 심각한 잘못임에도 불구하고 국내외 의학학술지에서 많은 통계적 오류를 범하고 있으나 저자와 심사자 모두 의학통계에 대한 지식이 부족하여 올바른 통계분석에 대한 중요성이 간과되고 있는 실정이다.

의학을 처음 배울 때에 의학용어를 이해하지 못하고는 그 다음 단계로 나아갈 수 없듯이 의학 자료를 통계분석하기 위해서는 먼저 의학통계학에 대한 기본적인 이해가 있어야만 자료분석에 적합한 올바른 통계분석 방법을 알 수 있으며 통계결과에 대한 올바른 해석을 할 수 있다.
이미 수많은 통계학 서적들이 출판되어 있으나 대다수가 통계학 이론서이거나 통계소프트웨어의 사용에 중점을 둔 사용설명서의 한계를 벗어나지 못하고 있다. 또한 대부분 통계학 서적들은 사회과학분야를 다루어 의학자료 분석에 대한 설명이 부족하여 의학통계와 통계소프트웨어를 총괄적으로 해설한 안내서는 흔하지 않아 여러 서적을 종합적으로 공부하여도 의학자료를 통계학적으로 올바르게 분석하기가 어려우며 많은 시간과 노력이 필요하다.
이 책은 단순히 통계적 기법을 서술한 이론적 교재가 아니며 통계소프트웨어에 대한 사용 설명서도 아니다. 자료처리에서부터 의학통계분석, 연구문헌의 비판적 평가, 표본크기, 메타분석에 이르기까지 필요한 내용을 의학자료를 중심으로 광범위하게 다루고 있지만 모든 단원을 도표와 삽화를 사용하여 알기 쉽게 설명하였다. 또한 EXCEL, SPSS, DBSTAT을 사용하여 분석함으로써 실제적으로 연구논문 작성에 활용할 수 있게 하였다.
이 책은 통계학에 대한 기초 지식이 없는 초보자를 위하여 만들었으며 골치 아픈 통계학의 이론보다는 가장 손쉽게 데이터를 분석하는데 필요한 길잡이 역할을 하고자 한다. 통계학에 대한 지식이 전혀 없는 독자라도 실습 예제를 통하여 통계분석 방법을 익히다 보면 어느덧 자신의 자료를 스스로 분석할 수 있는 기쁨이 생기리라 믿는다.

2014년 가을의 문턱에서

지은이

Contents

Introduction

Alice opened the door and found that it led into a small passage

CHAPTER 1

1

시작하기 Introduction

통계학의 역사

통계학(statistics)은 국가적 상태를 뜻하는 라틴어 ***status***에서 유래되었으며 16세기에 현재 사용되는statistics와 같은 *statistica*(*Italian*)로 사용되었다. 초기 통계학은 정치가(stateman)들이 국가와 관련된 상황들을 수학적으로 기술하는 정치학적 수단으로서 중요한 역할을 하였다.

통계학은 역사적으로 크게 인구동태통계(vital statistics)와 수리통계(mathematical statistics)로 나누어진다. 인구동태통계는 인구조사에서 시작되었다. 수리통계는 18세기 후반에 수학자들에 의해서 확률이론으로부터 시작되었으며 19세기 후반에서야 학문적인 형태를 갖추었다.

Mark Twain

"세상에는 3가지 거짓말이 있다. 거짓말, 새빨간 거짓말, 그리고 통계이다." 이 격언은 Benjamin Disraeli(19세기 영국 수상)이 정치 연설에서 통계를 정치적으로 조작하는 것을 풍자한 말로 Mark Twain의 자서전에 알려져서 유명해진 말이다. 연구문헌에 대한 통계적 오류를 지적할 때에 자주 인용되기도 한다.

통계학이란 무엇인가?

통계학의 정의는 한마디로 내리기 어려우나 일반적으로 다음과 같이 정의하고 있다.

통계학 Statistics

자료(data)를 수집(collection)하고, 요약(summary)하고 해석(interpretation)하는 학문이다.

의학통계학의 시작

Charles Darwin (1809-1882)

다윈은 1859년 생물학적 진화론에서 개체간의 사소한 차이(variation)가 축적된 결과로 진화과정이 이루어진다고 주장하였으며 최초로 통계학적 개념인 연속적인 변이(variation)를 도입하였다. 다윈의 아이디어인 생물학적 변이를 측정하기 위한 통계학적 방법들이 Galton, Weldon, Pearson에 의하여 개발되어 의학통계학이 시작되었다.

의학통계학을 왜 배워야 하는가?

통계학은 의학(medical science)에서 필수적인 학문이다. 기초의학 연구에서 임상시험에 이르기까지 통계학은 연구설계에서 시작하여 연구결과를 검정하여 결론을 내리는데 중대한 역할을 한다. 의학 연구논문에서 잘못된 통계학적 분석은 그릇된 결론을 내리게 되어 환자에게 오히려 해가 될 수 있다. 또한 **근거중심의학** 실천의 과정으로서 연구문헌을 이해하고 비판적으로 평가(critical appraisal)하기 위해서는 통계학적인 지식이 반드시 필요하다.

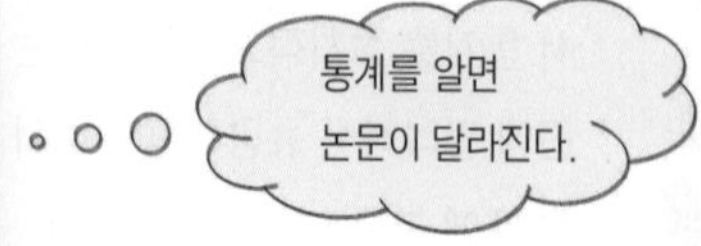

의학통계학은 왜 배우기 어려운가?

1 통계학에 대한 두려움

통계학은 어려운 학문으로 인식되어 왔다. 이는 통계 = 수학 공식을 떠올리기 때문이다.

2 의학통계학 기본지식

대다수 의학연구자들은 의학통계학의 기초를 충분히 공부할 시간적 여유가 없다.

3 의학통계학 전문서적

통계학을 처음 배울 때에 실전적인 의학통계학 전문서적으로 공부하기 어렵다. 이는 대부분 통계학 서적들이 사회과학 분야의 통계를 다루며 수학과 확률에 대한 이론에 비중을 두고 있기 때문이다. 통계소프트웨어와 이에 대한 관련서적도 의학통계보다는 사회과학 통계분석 위주가 대다수를 차지하고 있다.

4 통계소프트웨어

의학통계학에 대하여 배운 후에 논문을 작성하기 위해서는 통계소프트웨어에 대한 사용법을 공부하여야 하므로 많은 시간과 노력을 투자하여야 한다.

의학통계학 학습 방법

임상의학에서 환자의 질병을 진단하고 치료할 때에 분자생물학이나 약리학 같은 기초의학의 전문적인 지식이 없어도 되는 것처럼 의학통계학은 **응용통계학(applied statistics)**이며 수학적 공식과 이론을 몰라도 누구나 임상 자료에 대한 통계분석을 할 수 있다.
의학논문의 Data를 가지고 직접 통계분석을 해보는 실습이 가장 빠른 지름길이다.

1 통계학에 대한 접근

통계학은 Data를 다루는 학문이다. 통계 = Data 분석으로 생각하여야 한다.
통계분석을 하기 위해서 우선 Database에 대하여 공부하여야 한다.

2 의학통계학 기본지식

수학공식은 보지 말고 의학자료 분석에 필수적인 기초 지식만 공부한다.

3 의학통계학 전문서적

통계학을 처음 배울 때에는 기초 의학통계학 전문서적으로 공부하여야 한다.
통계소프트웨어 관련서적만 보고 통계분석을 하는 것은 임상의학에서 의학에 대한 기본지식 없이 수술기법만 배우고 수술하는 것과 같다.

4 통계소프트웨어

자신의 자료분석 용도에 맞는 사용하기 쉬운 통계소프트웨어를 선택한다.
논문 출판할 때에 통계소프트웨어를 기술하여야 하므로 불법 소프트웨어를 사용하여서는 안된다.

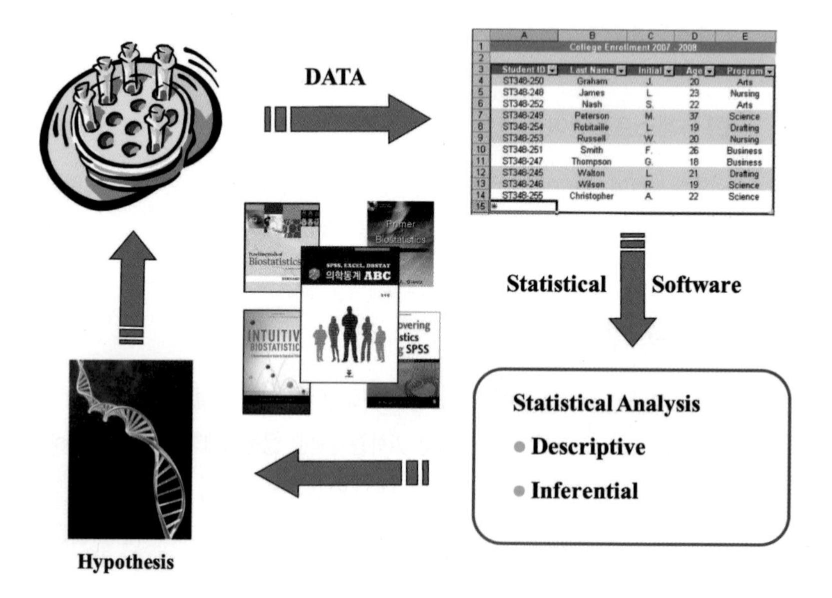

의학통계 ABC

창의적이고 독특한 구성으로 의학연구 설계에서 의학자료의 통계분석, 연구문헌의 통계적 비평에 이르기까지 필요한 내용을 광범위하게 다루고 있지만 실용적으로 활용할 수 있게 설명하고 있다.

책의 구성

DATA 분석을 실례 중심으로 설명하였으며 다음의 순서로 해설하였다.

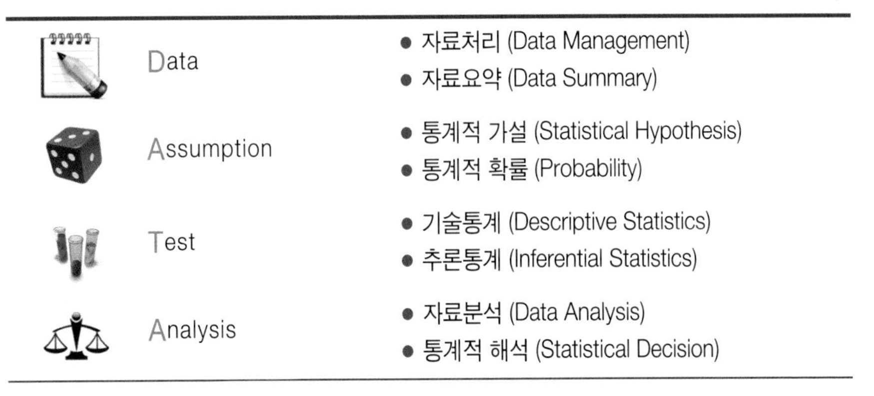

Data	• 자료처리 (Data Management) • 자료요약 (Data Summary)
Assumption	• 통계적 가설 (Statistical Hypothesis) • 통계적 확률 (Probability)
Test	• 기술통계 (Descriptive Statistics) • 추론통계 (Inferential Statistics)
Analysis	• 자료분석 (Data Analysis) • 통계적 해석 (Statistical Decision)

Data

의학자료를 예들 들어 자료처리, 자료요약에 대하여 설명하였다.

Assumption

통계적 검정을 시행하기 전에 반드시 필요한 통계적 가설, 확률에 대하여 설명하였다.

Test

통계학적 검정방법을 비교분석, 관계분석, 생존분석, 진단통계, 표본크기, 메타분석 단원으로 나누어 의학자료를 예제로 설명하였다.

Analysis

의학자료에 대한 통계학적 분석을 연구설계에서부터 통계학적 해석에까지 사례를 통하여 분석 해설하였다.

통계 소프트웨어

흔히 사용되고 있는 **EXCEL**, **SPSS**와 함께 의학통계 전문 소프트웨어 **DBSTAT**을 사용하여 실전 의학자료 예제를 통한 실습을 함으로써 확실한 이해를 할 수 있도록 하였다.

Software		Description	Website
	EXCEL	자료 입력이 쉬운 계산용 Spreadsheet	www.microsoft.com
	SPSS	기능이 매우 강력한 통계전문 소프트웨어	www.spss.com
	DBSTAT	사용하기 편리한 의학통계 소프트웨어	www.dbstat.com

그림 해설

"그림 한 장은 1000마디의 말과 같은 가치가 있다."는 격언처럼 의학통계를 시작하는 초보자들이 쉽게 이해할 수 있도록 모든 단원에 있어서 도표와 그림으로 설명하였다.

의학논문 비평

각 단원마다 의학학술지 논문에서 실제로 사용된 통계기법에 대한 해설을 하였으며 또한 의학학술지 논문 중 통계적 오류에 대한 예를 들어 비판적 평가를 함으로써 의학논문에 사용된 통계적 방법을 이해하고 논문 작성에 도움이 되도록 하였다.

의학통계 자료

의학자료를 사용한 Exercise가 있어 실습을 통하여 이해하도록 하였다.
이 책에서 사용된 자료와 강의 파일은 다음 웹사이트에서 내려 받을 수 있다.
http://www.webhard.co.kr (ID: MedStat PW: 12345)

이 책의 사용 방법

이 책은 제목처럼 의학, 간호학, 수의학, 한의학, 생물학 등 의학, 생명과학 분야에 종사하는 연구자들과 의학논문을 공부하려는 학생들 누구에게나 필요한 의학통계학 실전 교과서이다.

초보자는 『자료처리』 『자료요약』 단원을 읽은 후 『통계분석』 단원부터는 자신이 필요한 내용만 을 공부하기를 권한다.

웹주소

책의 내용을 이해하기 어렵거나 문제점을 발견하신 독자, 논문 자료 분석에 어려움이 있으신 분은 주저하지 마시고 다음 웹사이트를 방문하시거나 메일로 연락하시기 바란다.

- Website: www.MedStat.kr
- E-mail: snkim@kku.edu

Data Management

They had a large canvas bag, which tied at the mouse with strings.

2

자료처리 Data Management

Database란 무엇인가?

데이터 data

분석을 위해 체계화된 수치적 정보를 가진 자료

데이터베이스 database

데이터베이스의 의미는 다량의 자료(데이터)를 한 곳에 모아 놓은 것을 뜻한다. 예를 들어 환자 챠트, 전화번호부, 인사기록부 등이 데이터베이스이다.

Data Management를 왜 배우는가?

통계학은 데이터를 수집, 체계화하여 수학적으로 분석하는 학문이다. 통계 분석을 하려면 먼저 자료가 있어야 하며 자료의 양이 많아지게 되면 데이터베이스 형태로 저장하여야 효율적인 자료 분석이 가능하게 된다. 따라서 통계 분석에 앞서 데이터베이스의 개념 및 처리가 필수적이다. SPSS, SAS, STATA, Minitab 등 모든 통계 패키지에서 통계 분석에 앞서 자료의 입력, 수정, 삭제, 변환, 저장 등 데이터베이스에 관한 부분을 다루고 있다. 통계 소프트웨어의 초보자인 경우 통계 패키지에서 데이터를 처리하기보다 Excel 프로그램을 사용하여 자료를 입력한 후에 통계 패키지에서 읽어 들이는 방법이 용이하다.

History

Florence Nightingale (1820-1910)

Florence Nightingale은 크림전쟁(1854-1855)에 간호부 통솔자로서 참가하여 최초로 방대한 병원 데이터를 Table형태의 데이터베이스로 만들어 병사들의 사망원인을 통계학적 분석하여 병원 위생을 개선함으로써 사망률을 감소시켰다. 그 당시 여성으로서 매우 드물게 Royal Statistical Society 정회원을 하였으며 열정적인 통계학자(Passionate Statistician)로 평가받았다. 통계학의 대가인 Karl Pearson은 그녀를 응용통계학의 선구자로 평가하였다.

"Statistics is the most important science in the world. To understand God' s thought, we must study statistics for these are the measure of His purpose." - *Florence Nightingale*

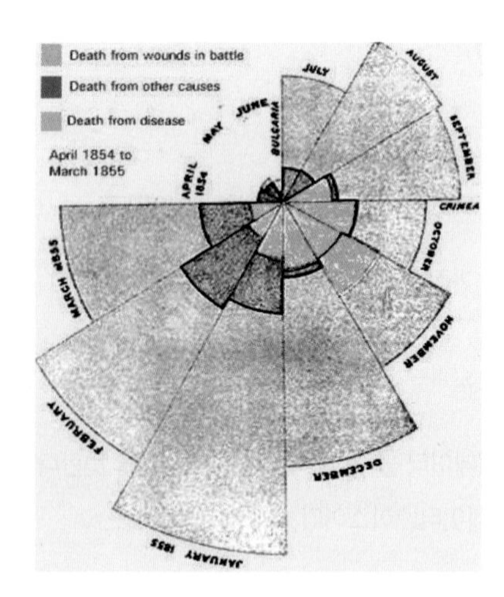

Polar-Area Diagram

Nightingale 은 크림전쟁에서 병사들의 사망원인을 분석하기 위해서 polar-area chart를 처음으로 고안해서 만들었다. 군인들의 사망원인을 전쟁에 의한 상처, 질병, 기타로 분류하여 부채꼴 모양의 그림에 원인별 빈도를 면적으로 나타내었다. 그 결과 전쟁에 의한 사망률보다 질병에 의한 사망률이 훨씬 높은 것을 발견하였으며 질병에 의한 사망 대부분이 불량한 위생상태에 기인하는 것을 밝혀내었다. Nightingale의 그래프에 의한 통계적 분석으로 의해 병원 위생이 개선되었으며 사망이 현저히 감소되었다.

1.1 자료처리 Data Management

Data 수집

통계분석에 앞서 Data를 수집하여야 한다. Data 수집은 다음과 같은 절차를 따른다.

1. 연구목적에 맞는 대상자(표본)를 선정한다.
2. 연구하려는 변수(variable)들을 정한다.
3. 데이터베이스(database) Table을 만든다.
4. 설문지, 전자의무기록(EMR), 실험자료에서 얻은 Data를 입력한다.
5. 입력된 자료의 오류를 점검하고 데이터베이스를 완성한다.

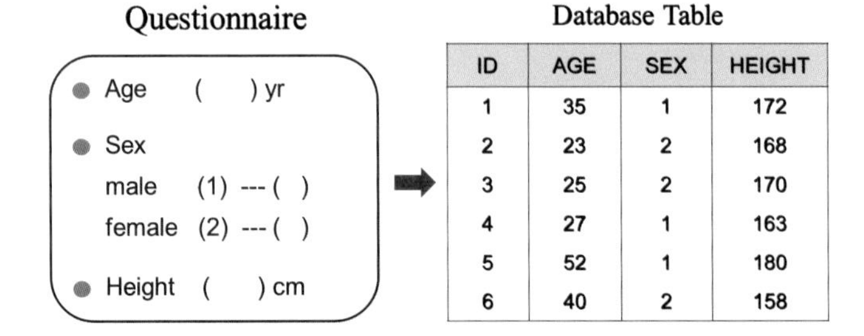

Database Table

ID	AGE	SEX	HEIGHT
1	35	1	172
2	23	2	168
3	25	2	170
4	27	1	163
5	52	1	180
6	40	2	158

Database Table

Case	Variable 1 Age	Variable Sex	Variable 3 Height
1	35	1	172
2	23	2	168
3	25	2	170
4	27	1	163

Record/Row　　Field/Column　　Cell/Value

(1) 변수(variable) : 필드(field), 열(column)

자료의 특성을 나타내는 요소들을 변수라 부른다.

Example

연령(Age), 성별(Sex), 키(Height)를 변수라 한다.

(2) 레코드(record) : case, 행(row)

하나의 개체(case)를 레코드라고 부른다.

(3) 데이터(data) : 측정값(value), 셀(cell)

각각의 레코드마다 가지는 변수를 구성하는 자료(측정값)를 뜻한다.

변수명 입력 규칙

① 10자 이내의 영문자나 숫자를 사용한다. (한글은 사용할 수 없다)

② 시작 글자는 영문자이어야 한다.

③ ! @ # $ · & * ( ) + − = : ; . “” ” / | 등의 기호를 사용할 수 없다. (_ 사용가능)

④ 중간에 공백을 두어서는 안된다.

⑤ 변수명은 중복되어서는 안된다.

변수명 입력 규칙은 인터넷 ID 입력 규칙과 동일하다.

변수의 종류 Variable Type

Database에서 사용되는 변수에는 크게 2가지 종류가 있다.

(1) 문자형 (character, string, text)

- 범주형(categorical)으로 분류되는 명목형(nominal) 데이터로 구성된다.
- 비연속적인 질적(qualitative) 변수이다.

(2) 숫자형 (numeric)

연산처리가 필요한 숫자 데이터를 저장하여 사용하는 연속적인 양적(quantitative) 변수이다.

날짜형 (date)

- 날짜는 숫자형 변수의 특수한 형태이다.
- “yyyy-mm-dd” (년도-월-일) 또는 “yyyy/mm/dd” (년도/월/일)의 형식으로 기록된다.
- 날짜 데이터 상호간에는 덧셈, 뺄셈 등의 연산이 가능하다.

Data 형태 Data Type

자료를 분석하기 위하여 통계학적 방법을 선택할 때에는 반드시 자료의 성질을 알아야 한다. 자료의 형태는 연산(계산)을 할 수 있는가 없는가에 따라서 다음과 같이 나눌 수 있다.

(1) 명목자료 (nominal data)

- 측정대상을 분류하는 역할을 하는 자료이며 연산은 할 수 없는 자료이다.
- 남녀 성별에서 간편한 자료 입력을 위하여 편의상 '남'을 '1'로 '여'를 '2'로 표시할 경우 '1', '2'는 숫자이지만 남녀로 분류하기 위한 목적뿐이며 연산은 무의미하므로 명목자료이며 문자형 변수에 속해야 한다.

(2) 순서자료 (ordinal data)

- 범주로 나누어진 명목자료를 크기의 순서대로 나열한 자료를 뜻한다. 측정 대상 간의 대소 관계, 높고 낮음 등의 순서는 알 수 있으나 양적인 비교는 할 수 없다. 명목자료와 마찬가지로 연산은 할 수 없는 자료이다.
- 순서자료는 주로 대소 관계의 비교 목적으로 사용될 때에는 숫자형 변수로 사용되지만 집단분류 목적으로 사용될 때에는 문자형 변수에 속한다.
- 통증의 정도를 '약함', '보통', '강함'으로 분류하여 점수로 표시한 통증지수는 숫자형 변수로 사용되지만 통증의 정도에 따라 구분하고자 할 때에는 문자형 변수로 사용된다.

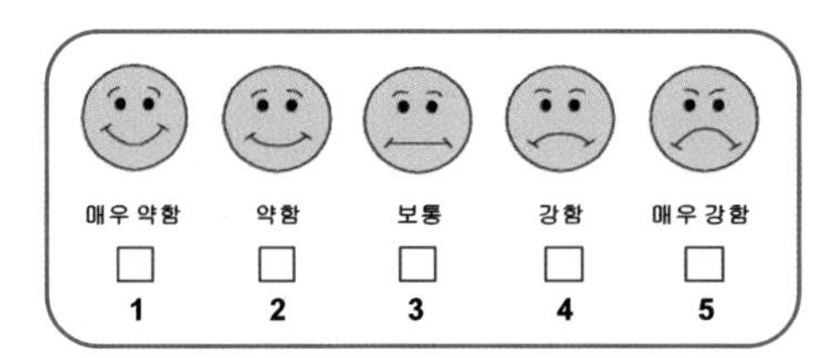

(3) 구간자료 (interval data)

- 구간자료는 등간자료라고도 불린다. 측정 대상이 가지는 속성에 따라 순서를 부여하며 순서 사이의 간격이 동일한 자료를 뜻한다.
- 구간자료에서 0은 없다는 뜻이 아니며 임의의 기준에 의하여 정해진 것이다. 예를 들어 온

도 0 °C 의미는 온도가 없다는 뜻이 아니며 빙점을 뜻한다.

- 절대 영점이 존재하지 않으므로 구간자료에서 더하기, 빼기의 계산은 의미가 있으나 비율을 나타내는 곱하기, 나누기의 계산은 의미가 없다.
- 구간자료는 숫자형 변수에 속한다.

(4) **비율자료** (ratio data)

- 비율자료는 구간자료의 특징을 모두 가지며 또한 측정하고자 하는 속성이 전혀 존재하지 않는 상태인 **절대 영점**이 있으므로 측정값 사이의 비율 계산이 가능하다.
- 키, 체중, 혈압 등 측정기기를 사용한 측정값은 비율자료이다.
- 비율자료는 숫자형 변수에 속한다.

Table. Variable Type과 Data type의 특징

Data	특징	예
명목형	범주형	성별, 인종, 혈액형, 병명, 고혈압유무
순서형	범주형 + 순서형	grade, stage, Apgar score, 통증지수, 불안지수
구간형	연속형	온도, IQ, 연도, 심리검사값
비율형	연속형 + 절대영점	연령, 혈압, 재원일수

변수의 종류와 Data 형태

- 자료의 종류는 크게 비연속적인 범주형 자료와 연속적인 계량형 자료로 분류된다.
- 명목자료와 순서자료는 범주형 자료에 속하고 구간자료와 비율자료는 계량형 자료에 속한다.

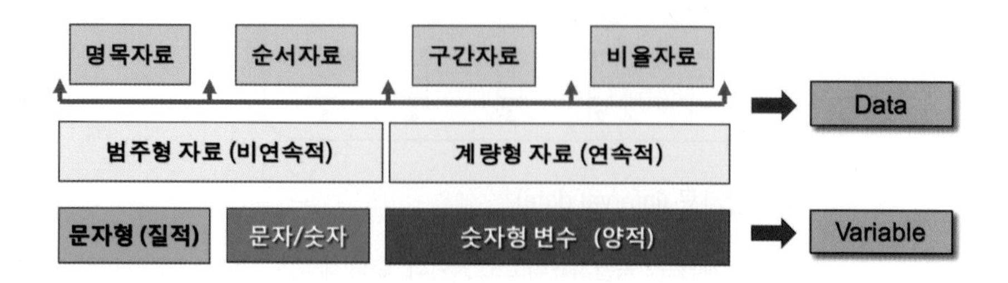

1.2 자료변환 Data Transformation

조건문

Database Table 자료 중 원하는 조건에 맞는 자료만을 선택하여 통계분석을 하거나 어떤 조건에 맞는 자료만 변형시켜야 할 필요가 있을 때가 많다. 자료 선택과 변형 작업을 하려면 조건문에 대하여 알아야 한다. 조건문이란 말 그대로 조건을 나타내는 문장(표현식 또는 연산식)이다.

연산자

조건문을 작성하기 위해서는 연산자에 대하여 알아야 한다. 연산자는 계산을 위한 산술연산자, 조건을 위한 비교연산자와 논리연산자로 구분된다.

<table>
<tr><th colspan="3">산술 연산자</th><th colspan="3">비교 연산자</th><th colspan="3">논리 연산자</th></tr>
<tr><th colspan="2">기호</th><th>기능</th><th colspan="2">기호</th><th>기능</th><th colspan="2">기호</th><th>기능</th></tr>
<tr><td colspan="2">+</td><td>덧셈</td><td colspan="2">></td><td>크다.</td><td>AND</td><td>E</td><td rowspan="3">조건을 모두 만족</td></tr>
<tr><td colspan="2" rowspan="2">-</td><td rowspan="2">뺄셈</td><td colspan="2" rowspan="2"><</td><td rowspan="2">작다.</td><td>.AND.</td><td>D</td></tr>
<tr><td>& (and)</td><td>S</td></tr>
<tr><td colspan="2" rowspan="2">*</td><td rowspan="2">곱셈</td><td colspan="2" rowspan="2">>=</td><td rowspan="2">크거나 같다.</td><td>OR</td><td>E</td><td rowspan="3">한가지 조건만 만족</td></tr>
<tr><td>.OR.</td><td>D</td></tr>
<tr><td colspan="2">/</td><td>나눗셈</td><td colspan="2"><=</td><td>작거나 같다.</td><td>| (or)</td><td>S</td></tr>
<tr><td rowspan="2">^</td><td rowspan="2">E,D</td><td rowspan="4">제곱</td><td colspan="2" rowspan="2">=</td><td rowspan="2">같다.</td><td>NOT</td><td>E</td><td rowspan="4">조건을 모두 부정</td></tr>
<tr><td>.NOT.</td><td>D</td></tr>
<tr><td rowspan="2">**</td><td rowspan="2">S,D</td><td><></td><td>E,D</td><td rowspan="2">같지 않다.</td><td rowspan="2">~(not)</td><td rowspan="2">S</td></tr>
<tr><td>~=</td><td>S</td></tr>
</table>

※ 연산자는 EXCEL, SPSS, DBSTAT 소프트웨어에서 대부분 동일하지만 차이는 E(Excel), S(SPSS), D(DBSTAT)로 표시하였다. EXCEL(E)과 DBSTAT(D)은 사용방법이 거의 동일하다.

조건문 형식

조건문은 일반적으로 다음과 같은 형식을 갖는다.

변수명	비교연산자	표현값
• AGE	>	30
• SEX	=	"1"
• HEIGHT	<	170

※ 표현값이 문자일 때에는 변수명과 구분하기 위해서 반드시 따옴표(" 또는 ')로 묶어야 한다.

Example

Database Table에서 "30세 이상의 남자(1)"를 선택하기 위한 조건문은 다음과 같다.

Software	조건문	설명
EXCEL	AND(AGE >= 30, SEX = "1")	논리함수(AND) 사용하여 두 가지 조건문을 연결
DBSTAT	AGE >= 30 .AND. SEX = "1"	논리연산자 (.AND.) 사용하여 조건문을 연결
SPSS	AGE >= 30 & SEX = "1"	논리연산자 (&) 사용하여 조건문을 연결

※ DBSTAT 논리연산자(AND) 앞뒤에는 "." 이 있어야 한다. 이는 변수명과 구분하기 위해서이다.
※ SPSS 논리연산자는 &, |, ~ 과 AND, OR, NOT을 함께 사용할 수 있다.

함수 Function

함수는 자료를 형태에 따라서 변환하는 역할을 한다.
소프트웨어에 따라 함수의 종류와 사용법이 약간씩 다르므로 적절한 함수를 선택하여야 한다.

(1) 문자열 함수

문자열 표현식에 사용된다. 즉 문자 변수를 변환하고자 할 때에 사용된다.

(2) 산술 함수

산술 표현식에 사용된다. 숫자 변수를 대상으로 연산처리를 수행하여 결과를 수치로 구한다.

(3) 날짜 함수

날짜와 관련된 표현식에서 사용된다.

산술 함수			문자열 함수		
함수	기능		함수	기능	
ABS()	절대값	ABS(-5) ➡ 5	LOWER()	소문자	LOWER("Data") ➡ "data"
SQRT()	제곱근	SQRT(4) ➡ 2	UPPER()	대문자	UPPER("Data") ➡ "DATA"
			UPCASE()*		
LOG()	자연대수	LOG(8) ➡ 2.08	TRIM()	공백 없앰	TRIM("Data ") ➡ "Data"
LN()*			RTRIM()*		

* SPSS

Exercise

Database

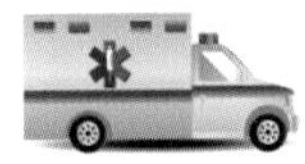

ID	Age	Sex	BT	Service	Severity	Date
H01	50	1	36.7	내과	low	2009-06-03
H02	23	2	36.8	외과	low	2009-05-28
H03	68	2	37.4	내과	low	2008-12-01
H04	22	1	37.3	산부인과	low	2008-02-28
H05	8	2	35.9	소아과	low	2008-12-28
H06	35	2	39.5	외과	high	2007-11-11
H07	80	1	38.3	내과	high	2007-04-30
H08	73	2	37.1	내과	low	2007-06-09
H09	13	1	37.8	소아과	middle	2007-05-31
H10	59	1	36.1	내과	middle	2007-05-16

- **변수명(Variable Name)** : 첫번째 행으로 Age, Sex, BT, Service, Severity, Date

Table. Sample Database Structure

Variable Name	Label	Type	Width	Value Code
ID	등록번호	문자 (String)	3	
Age	나이	숫자 (Numeric)	2	
Sex	성별	문자 (String)	1	1 = 남, 2 = 여
BT	체온	숫자 (Numeric)	4(1)*	
Service	진료과	문자 (String)	8	
Severity	중증도	문자 (String)	6	
Date	입원날짜	날짜 (Date)	10	

*길이(소수점 길이)

- **변수형태(Variable Type)** : Age, BT ⇨ 숫자, Sex, Service, Severity ⇨ 문자, Date ⇨ 날짜
- **변수길이(Variable Width)** : 가능한 범위에서 가장 큰 수로 정한다. 소수점도 길이에 포함된다.

예제 Database를 사용하여 Excel, SPSS, DBSTAT 에서 실습을 통하여 배우도록 한다.

파일은 웹사이트에서 내려 받을 수 있다. http://www.webhard.co.kr (ID: MedStat PW: 12345)

Excel

Data : Database.xlsx

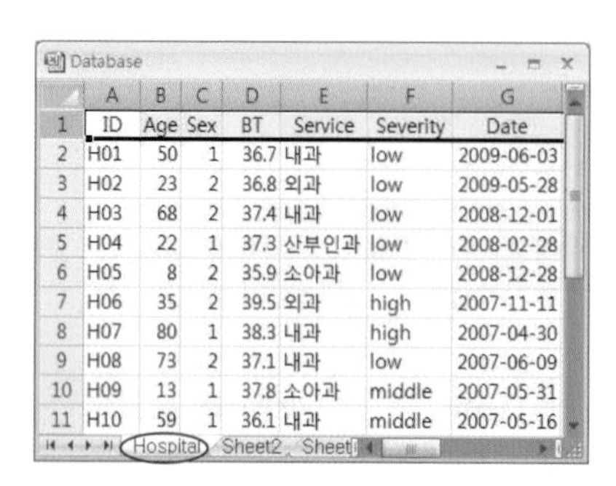

ID	Age	Sex	BT	Service	Severity	Date
H01	50	1	36.7	내과	low	2009-06-03
H02	23	2	36.8	외과	low	2009-05-28
H03	68	2	37.4	내과	low	2008-12-01
H04	22	1	37.3	산부인과	low	2008-02-28
H05	8	2	35.9	소아과	low	2008-12-28
H06	35	2	39.5	외과	high	2007-11-11
H07	80	1	38.3	내과	high	2007-04-30
H08	73	2	37.1	내과	low	2007-06-09
H09	13	1	37.8	소아과	middle	2007-05-31
H10	59	1	36.1	내과	middle	2007-05-16

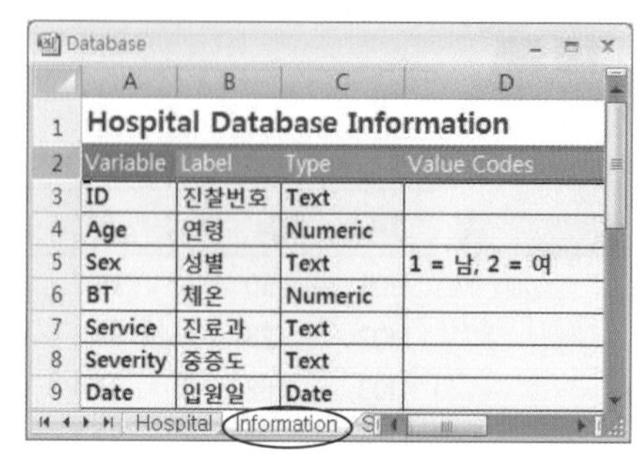

Hospital Database Information

Variable	Label	Type	Value Codes
ID	진찰번호	Text	
Age	연령	Numeric	
Sex	성별	Text	1 = 남, 2 = 여
BT	체온	Numeric	
Service	진료과	Text	
Severity	중증도	Text	
Date	입원일	Date	

1 Excel Database 생성

Excel database는 다음의 규칙에 따라 만든다.

1. 첫번째 행에 변수(필드)명을 입력한다.
2. 변수명 사이에 빈 열을 두지 않는다.
3. 변수명과 첫번째 레코드 사이에 빈 행을 두지 않는다.
4. 레코드 사이에 빈 행을 두지 않는다.
5. 각각의 변수에 맞는 데이터를 입력한다.
6. Database에 대한 설명은 별도의 워크쉬트(Information)에 저장한다.

Excel Data Type

Excel은 자료 입력시 기본형태가 "일반"으로 되어 있다. 날짜는 "yyyy-mm-dd" (년도-월-일) 형식으로 입력한다. SEX는 숫자가 아닌 텍스트 형태이므로 다음과 같이 바꾸어준다.

1 C 열을 마우스로 클릭하여 SEX 변수를 선택한다.
2 메뉴에서 [표시형식] ▶ [일반] 클릭한다.
3 선택메뉴에서 [가나다 텍스트]를 선택한다.

SEX 변수의 형태가 숫자형에서 문자형으로 바뀌면 자료가 셀의 오른쪽에서 왼쪽으로 이동하여 보이게 된다. (SEX [1] → SEX [1])

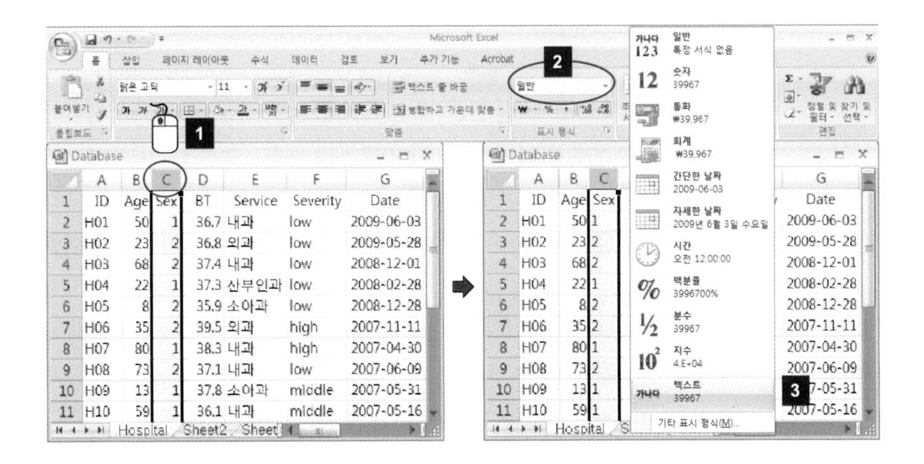

Database Table

Excel [스타일]을 이용하면 워크쉬트에 Database 기능을 추가하고 보기 좋게 만들 수 있다.

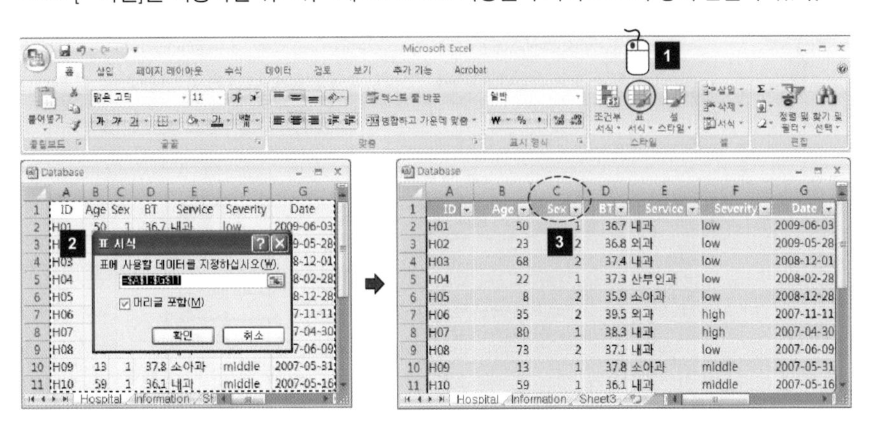

1 메뉴에서 [스타일] ▶ [표서식] 클릭한다. [표스타일] 메뉴에서 스타일을 선택한다.

2 마우스를 드래그하여 머리글(첫째 행)을 포함하여 데이터 범위($A$1 : $G$11)를 지정한다.

3 첫번째 행의 변수명 옆에 필터 버튼이 나타난다.

필터 기능

필터 기능을 해제하려면 [데이터] ▶ [필터] 버튼을 선택한다.

다시 [필터] 버튼을 누르면 필터 기능이 복구된다.

2 Data 변환

Database Table에서 자료를 변환하려면 연산식, 함수, 연산자에 대해서 알아야 한다.

EXCEL은 변수 단위로 열이 변환되지 않고 해당 변수가 속한 열에서 셀 단위로 수식을 만들어 변환시킨 다음 수식을 복사하여 열에 속한 전체 자료를 변환시킬 수 있다.

EXCEL 조건문에 사용되는 IF 조건함수를 이용하면 자료변환을 쉽게 할 수 있다.

	IF(조건문, 표현값1, 표현값2)
조건문	검사하려는 조건
표현값1	조건이 참일 때 반환되는 값
표현값2	조건이 거짓일 때 반환되는 값

Example

새로운 변수 GRADE를 만들고 SEVERITY = "low" ⇨ GRADE = 1, SEVERITY = "middle" ⇨ GRADE = 2, SEVERITY = "high" ⇨ GRADE = 3 으로 변환하여 보자.

G2 =IF(F2 = "low", 1, IF(F2 = "middle", 2, 3)) 1

	B	C	D	E	F	G
1	Age	Sex	BT	Service	Severity	Grade
2	50	1	36.7	내과	low	1
3	23	2	36.8	외과	low	
4	68	2	37.4	내과	low	
5	22	1	37.3	산부인과	low	
6	8	2	35.9	소아과	low	
7	35	2	39.5	외과	high	
8	80	1	38.3	내과	high	
9	73	2	37.1	내과	low	
10	13	1	37.8	소아과	middle	2
11	59	1	36.1	내과	middle	

Hospital / Information / Sheet3

F	G
Severity	Grade
low	1
low	1
low	1
low	1
low	1
high	3
high	3
low	1
middle	2
middle	2

1 G1 셀에 변수명 Grade를 입력한다. G2 셀에 다음 조건함수식을 입력한다.
[조건함수식] = IF(F2 = "low", 1 , IF(F2 = "middle", 2, 3))

2 G2 셀 우측 모퉁이에 마우스커서(↗)를 위치시켜 나타나는 +**표시(fill handler)**를 드래그하여 11번째 행 G11까지 조건함수식을 복사한다.

3 GRADE 변수명 아래에 변환된 값이 나타난다.

3 Data 선택 (Filter)

EXCEL에서 필터 기능을 사용하여 원하는 자료를 검색하여 선택할 수 있다. 필터 기능을 사용하여 입력된 자료를 검증할 수 있다. 예제 Database Table에서 SEX = '1' (남자) 이면서 SERVICE = '산부인과' (산부인과에 입원) case(레코드)가 있는지 검색하여 본다. 이러한 레코드가 검색되면 입력의 오류가 있음을 알 수 있다.

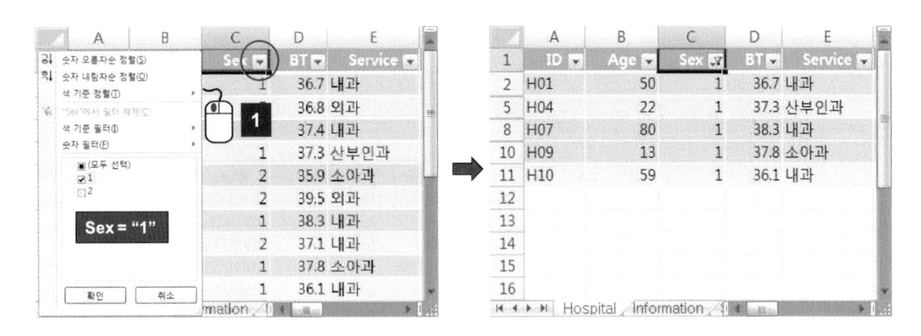

1 SEX 변수 옆에 보이는 필터버튼을 클릭하여 나타나는 선택상자에서 ■1 항목을 선택한다. 성별이 남자들인 레코드들이 선택되어 나타난다.

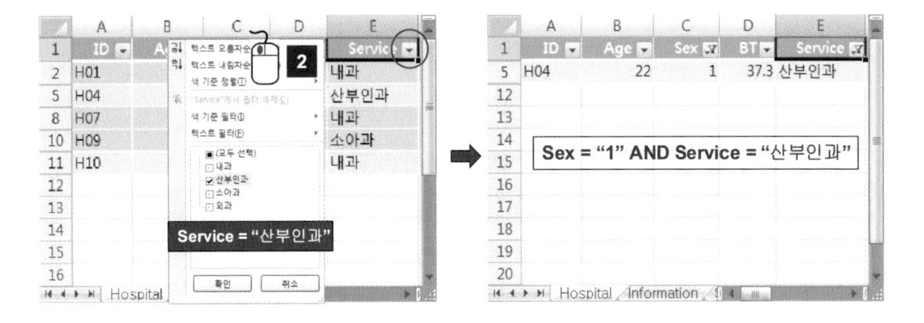

2 SERVICE 변수 옆에 보이는 필터버튼을 클릭하여 나타나는 선택상자에서 ■**산부인과** 항목을 선택하면 ID = 'H04' 인 레코드가 검색된다.

원래의 모든 자료를 선택하려면 [데이터] ▶ [필터] 버튼을 선택하여 필터 기능을 해제한다.

SPSS

Data : Database.sav

[데이터 보기]

SPSS는 [변수 보기] 창에서 Database 구조를 생성한 다음 [데이터 보기] 창에서 자료의 보기, 입력, 수정, 삭제, 변형, 검색 등을 할 수 있다.

파일(F) 편집(E) 보기(V) 데이터(D) 변환(T) 분석(A) 그래프(G) 유틸리티(U) 추가 기능(O) 창(W) 도움말(H)

1 : ID H01 표시: 7 / 7 변수

	ID	Age	Sex	BT	Service	Severity	Date	변수
1	H01	50	1	36.7	내과	low	2009/06/03	
2	H02	23	2	36.8	외과	low	2009/05/28	
3	H03	68	2	37.4	내과	low	2008/12/01	
4	H04	22	1	37.3	산부인과	low	2008/02/28	
5	H05	8	2	35.9	소아과	low	2008/12/28	
6	H06	35	2	39.5	외과	high	2007/11/11	
7	H07	80	1	38.3	내과	high	2007/04/30	
8	H08	73	2	37.1	내과	low	2007/06/09	
9	H09	13	1	37.8	소아과	middle	2007/05/31	
10	H10	59	1	36.1	내과	middle	2007/05/16	

데이터 보기 변수 보기

SPSS Statistics Processor is ready

1 SPSS Database 생성

[변수 보기] 창에서 다음의 규칙에 따라 만든다.

1. [이름] : 변수명을 입력한다. 변수명은 최대한 짧게 (10자) 의미를 갖는 단어를 택한다.
2. [유형] : 변수 형태 (문자, 숫자, 날짜) 선택한다.
3. [너비] : 입력자료의 소수점을 포함한 최대길이. 날짜형태는 10자리수로 정해져 있다.
4. [소수점] : 소수점 이하 자리수로 BT (체온) 변수는 1이다. 자리수를 입력할 때에는 소수점을 먼저 입력한 다음 소수점을 포함한 자리수를 [너비]에 입력한다.
   [예] BT = 36.8 ⇨ 너비 = 4, 소수점 = 1
5. [설명] : 각각의 변수명에 맞는 설명을 입력한다.
6. [값] : 변수에 속한 자료에 대한 설명을 뜻한다. 명목변수 SEX 에서 남녀를 'male' , 'female' 로 입력하면 설명이 필요없으나 'M' , 'F' 또는 '1' , '2' 로 입력하면 의미를 알 수 없으므로 다음과 같이 변수값을 설명한다.

[변수보기] ▶ SEX 변수 [값]을 마우스로 클릭하면 [변수값 설명] 대화상자가 열린다.

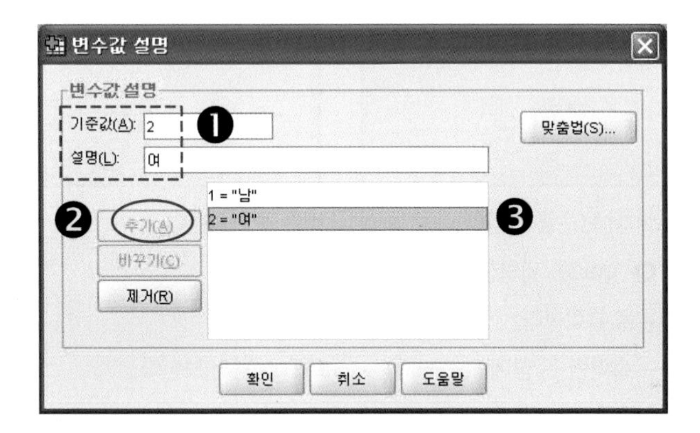

① [기준값] ➲ '1' , [설명] ➲ '남' 입력한다.

② [추가] 버튼을 클릭한다.

③ 우측 Text 창에 설명이 보인다.

①② 반복하여 2 = "여" 입력한 다음 [확인] 버튼을 클릭하여 작업을 마친다.

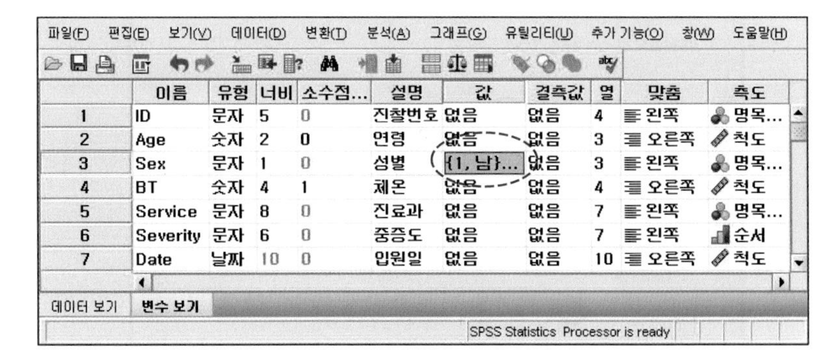

2 Data 변환

Example

SPSS는 변수 단위로 자료가 변환된다. SPSS [변환] 메뉴에서 자료변환을 할 수 있다. SPSS에서 새로운 변수 GRADE를 만들고 SEVERITY = 'low' ➡ GRADE = 1, SEVERITY = 'middle' ➡ GRADE = 2, SEVERITY = 'high' ➡ GRADE = 3 으로 변환하여 보자.

메뉴 ➜ [변환] ▶ [다른 변수로 코딩변경] ▶ [새로운 변수로 코딩변경] 대화상자가 나타난다.

➡

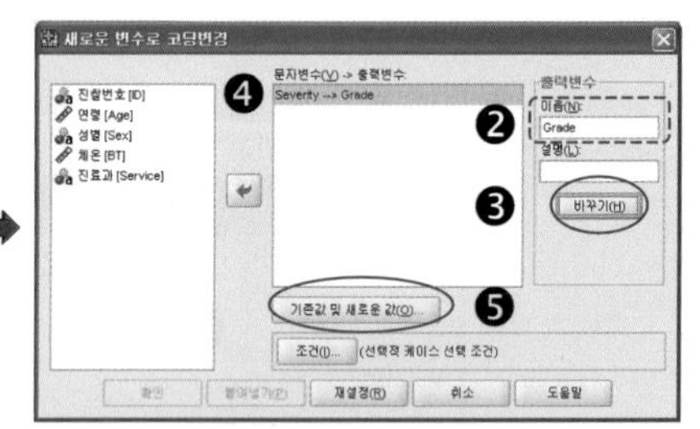

① 중증도[Severity] 변수를 선택한 다음 [화살표] 버튼을 클릭한다.

② [출력변수] ➲ 'grade' 입력한다.

③ [바꾸기] 버튼을 클릭한다.

④ [문자변수 → 출력변수] 창에 'Severity → Grade' 설명이 보인다.

⑤ [기존값 및 새로운 값] 버튼을 클릭한다.

[새로운 변수로 코딩변경 : 기존값 및 새로운 값] 대화상자가 나타난다.

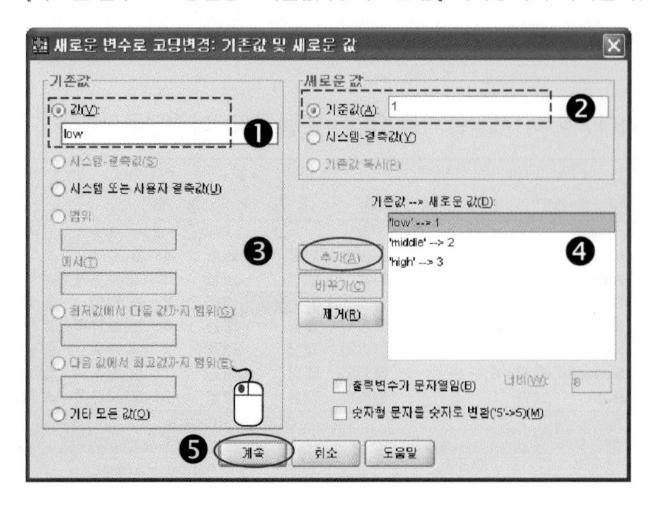

① [기존값] ➔ low 입력한다.

② [새로운 값] ▷ [기준값] ➔ 1 입력한다.

③ [추가] 버튼 클릭한다.

④ 우측 Text 창에 설명이 보인다. ①~③ 반복 입력하여 'middle' → 2 'high' → 3 코딩한다.

⑤ [계속] 버튼을 클릭한다.

이전의 [새로운 변수로 코딩변경] 대화상자에서 [확인] 버튼을 클릭하여 작업을 마친다.

	ID	Age	Sex	BT	Service	Severity
1	H01	50	1	36.7	내과	low
2	H02	23	2	36.8	외과	low
3	H03	68	2	37.4	내과	low
4	H04	22	1	37.3	산부인과	low
5	H05	8	2	35.9	소아과	low
6	H06	35	2	39.5	외과	high
7	H07	80	1	38.3	내과	high
8	H08	73	2	37.1	내과	low
9	H09	13	1	37.8	소아과	middle
10	H10	59	1	36.1	내과	middle

➡

	ID	Age	Sex	BT	Service	Severity	Grade
1	H01	50	1	36.7	내과	low	1
2	H02	23	2	36.8	외과	low	1
3	H03	68	2	37.4	내과	low	1
4	H04	22	1	37.3	산부인과	low	1
5	H05	8	2	35.9	소아과	low	1
6	H06	35	2	39.5	외과	high	3
7	H07	80	1	38.3	내과	high	3
8	H08	73	2	37.1	내과	low	1
9	H09	13	1	37.8	소아과	middle	2
10	H10	59	1	36.1	내과	middle	2

Example Database

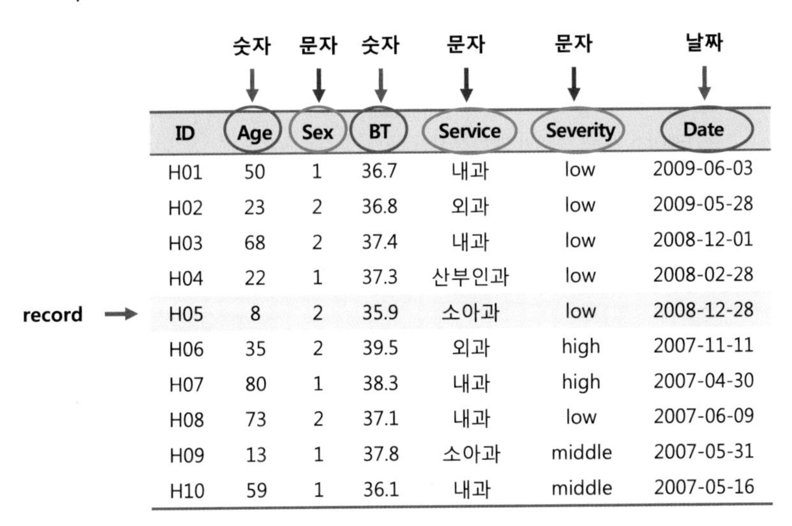

ID	Age	Sex	BT	Service	Severity	Date
H01	50	1	36.7	내과	low	2009-06-03
H02	23	2	36.8	외과	low	2009-05-28
H03	68	2	37.4	내과	low	2008-12-01
H04	22	1	37.3	산부인과	low	2008-02-28
H05	8	2	35.9	소아과	low	2008-12-28
H06	35	2	39.5	외과	high	2007-11-11
H07	80	1	38.3	내과	high	2007-04-30
H08	73	2	37.1	내과	low	2007-06-09
H09	13	1	37.8	소아과	middle	2007-05-31
H10	59	1	36.1	내과	middle	2007-05-16

- **변수명(Variable Name)** : Age, Sex (1=남, 2=여), BT, Service, Severity, Date
- **Severity**는 문자형 변수이나 자료(low, middle, high)를 1, 2, 3으로 바꾸면 순서형이 된다.

3 Data 선택

SPSS에서는 조건문을 사용하여 원하는 자료를 검색하여 선택할 수 있다. 예제 Database Table에서 SEX = '1' (남자) 이면서 SERVICE = '산부인과' (산부인과에 입원)인 case(레코드)가 있는지 검색하여 본다. 이러한 레코드가 검색되면 입력의 오류가 있음을 알 수 있다.

메뉴에서 [데이터] ▶ [케이스 선택]을 선택한다.

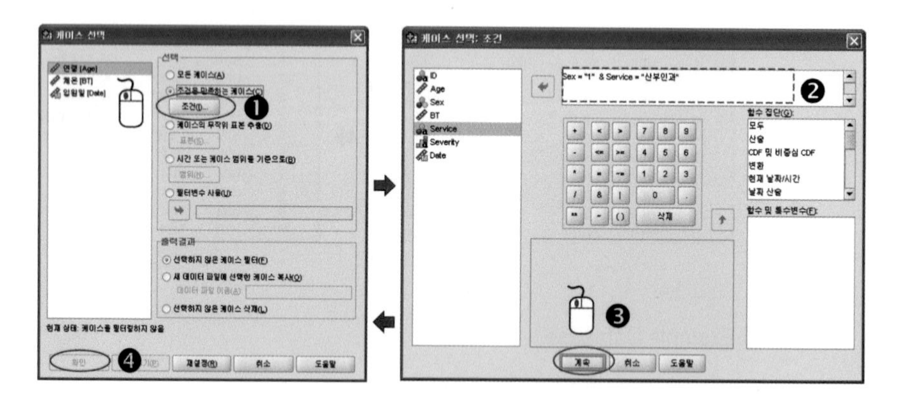

① 대화상자에서 ⊙[조건을 만족하는 케이스] 항목을 체크하고 [조건] 버튼을 클릭한다.
② [케이스 선택 : 조건] 대화상자에서 조건문에 Sex = '1' & Service = '산부인과' 입력한다.
변수명 상자와 연산자 상자에서 필요한 항목을 선택하여 조건문을 만들 수도 있다.
③ [계속] 버튼을 클릭하면 [케이스 선택] 대화상자로 되돌아간다..
④ [확인] 버튼을 클릭하여 선택 작업을 마친다.

	ID	Age	Sex	BT	Service	Severity	Date
1	H01	50	1	36.7	내과	low	2009/06/03
2	H02	23	2	36.8	외과	low	2009/05/28
3	H03	68	2	37.4	내과	low	2008/12/01
4	H04	22	1	37.3	산부인과	low	2008/02/28
5	H05	8	2	35.9	소아과	low	2008/12/28
6	H06	35	2	39.5	외과	high	2007/11/11
7	H07	80	1	38.3	내과	high	2007/04/30
8	H08	73	2	37.1	내과	low	2007/06/09
9	H09	13	1	37.8	소아과	middle	2007/05/31
10	H10	59	1	36.1	내과	middle	2007/05/16

dBSTAT

Data : Database.dbf

dBSTAT에서 Database를 생성하고 자료를 변환하는 방법은 SPSS와 유사하다.

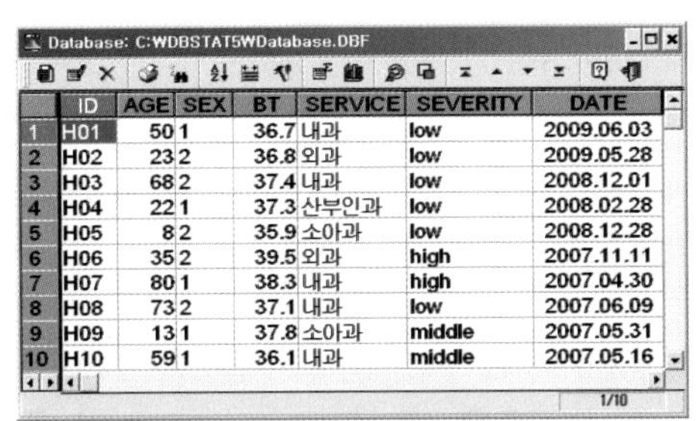

Database: C:\DBSTAT5\Database.DBF

	ID	AGE	SEX	BT	SERVICE	SEVERITY	DATE
1	H01	50	1	36.7	내과	low	2009.06.03
2	H02	23	2	36.8	외과	low	2009.05.28
3	H03	68	2	37.4	내과	low	2008.12.01
4	H04	22	1	37.3	산부인과	low	2008.02.28
5	H05	8	2	35.9	소아과	low	2008.12.28
6	H06	35	2	39.5	외과	high	2007.11.11
7	H07	80	1	38.3	내과	high	2007.04.30
8	H08	73	2	37.1	내과	low	2007.06.09
9	H09	13	1	37.8	소아과	middle	2007.05.31
10	H10	59	1	36.1	내과	middle	2007.05.16

1/10

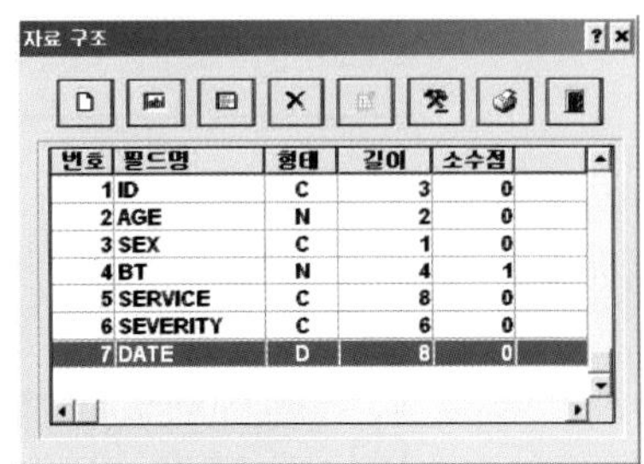

자료 구조

번호	필드명	형태	길이	소수점
1	ID	C	3	0
2	AGE	N	2	0
3	SEX	C	1	0
4	BT	N	4	1
5	SERVICE	C	8	0
6	SEVERITY	C	6	0
7	DATE	D	8	0

DBSTAT 5 (교육용 버전)과 동영상 강의 파일은 다음 주소에서 내려받을 수 있다.

http://www.webhard.co.kr (ID: MedStat PW: 12345)

1 Database 생성

[새 파일] 버튼을 선택하거나 메뉴에서 [파일] ▶ [새 파일] 선택하면 나타나는 [새로운 DBF 파일구조] 창에서 다음과 같이 새로운 Database를 만든다.

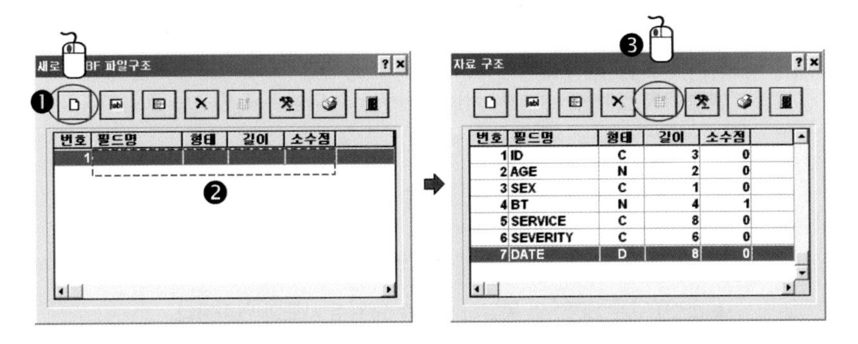

① [추가] 버튼을 클릭하여 새로운 변수를 만든다.

② [필드] 이름, 형태, 길이, 소수점을 입력한다..

③ [생성] 버튼을 클릭하면 새로운 Database File이 만들어진다.

필드(변수) 생성 규칙

1. [필드명] : 변수명을 입력한다. 변수명은 10자 이내이며 자동으로 대문자로 입력된다.
2. [형　태] : 변수 형태 (C = 문자, N = 숫자, D = 날짜) 선택한다.
3. [길　이] : 입력자료의 소수점을 포함한 최대길이. 날짜형태는 8자리수로 정해져 있다.
4. [소수점] : 소수점 이하 자리수이다. [예] BT = 36.8 → 길이 = 4, 소수점 = 1

새로운 레코드 생성

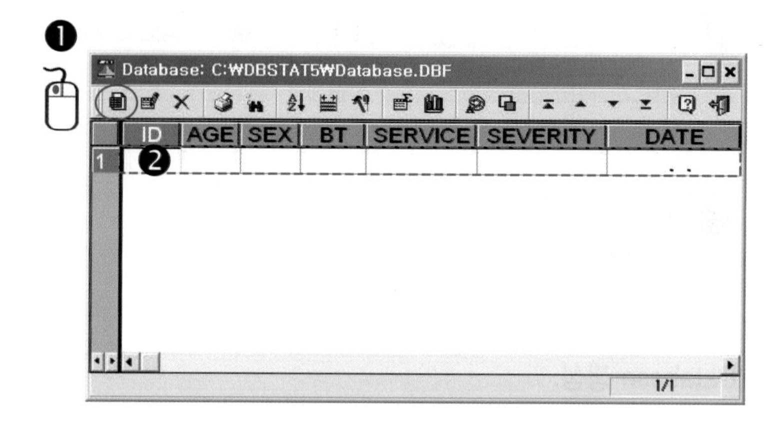

① [추가] 버튼을 클릭하여 새로운 레코드를 만든다.

② 변수의 자료를 입력한다.

셀에 자료 입력후에 [Enter] 키를 치면 커서가 다음 우측 변수로 이동하며 마지막 변수에서는 다음 레코드 첫번째 변수로 이동한다.

2 Data 변환

- dBSTAT은 SPSS와 동일하게 변수 단위로 자료가 변환된다.
- EXCEL 조건문에 사용되는 IF 조건함수와 사용법이 동일한 IF 함수를 이용하면 자료변환을 쉽게 할 수 있다.

Example

새로운 변수 GRADE를 만들고 SEVERITY = 'low' ➡ GRADE = 1, SEVERITY = 'middle' ➡ GRADE = 2, SEVERITY = 'high' ➡ GRADE = 3 으로 변환하여 보자.

새로운 변수 생성

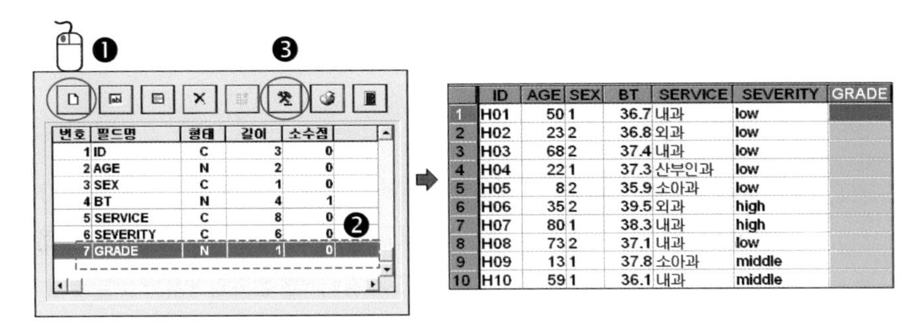

변호	필드명	형태	길이	소수점
1	ID	C	3	0
2	AGE	N	2	0
3	SEX	C	1	0
4	BT	N	4	1
5	SERVICE	C	8	0
6	SEVERITY	C	6	0
7	GRADE	N	1	0

	ID	AGE	SEX	BT	SERVICE	SEVERITY	GRADE
1	H01	50	1	36.7	내과	low	
2	H02	23	2	36.8	외과	low	
3	H03	68	2	37.4	내과	low	
4	H04	22	1	37.3	산부인과	low	
5	H05	8	2	35.9	소아과	low	
6	H06	35	2	39.5	외과	high	
7	H07	80	1	38.3	내과	high	
8	H08	73	2	37.1	내과	low	
9	H09	13	1	37.8	소아과	middle	
10	H10	59	1	36.1	내과	middle	

[필드] 버튼을 클릭하거나 [필드] ▶ [자료구조] 메뉴를 선택하면 [자료구조] 창이 보인다.

① [추가] 버튼을 클릭하여 새로운 변수 **GRADE**를 만든다.

② [필드] 이름, 형태, 길이, 소수점을 입력한다.

③ [저장] 버튼을 클릭하여 자료구조를 변경하면 새로운 변수 GRADE가 만들어진다.

변수값 변환

[변환] 버튼 클릭 또는 [자료] ▶ [자료 변환] 메뉴 선택 ➡ [자료 변환] 상자가 나타난다.

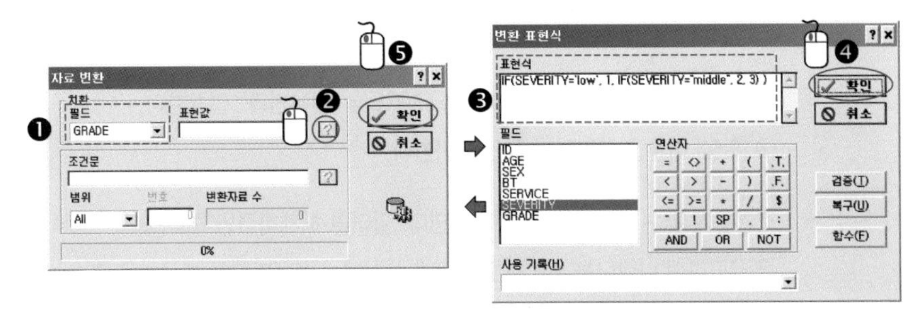

① [치환필드] → 변수 GRADE 선택한다.

② [표현값] → [?] 버튼을 클릭한다.

③ [표현식] 직접 표현식을 입력하거나 필드 상자와 연산자 상자에서 항목을 선택하여 입력한다.

[표현식] ⭘ IF(SEVERITY = 'low' , 1, IF(SEVERITY = 'middle' , 2, 3))

④ [확인] 버튼을 클릭한다.

⑤ [자료 변환] 대화상자에서 [확인] 버튼을 클릭하여 작업을 마친다.

	ID	AGE	SEX	BT	SERVICE	SEVERITY	GRADE
1	H01	50	1	36.7	내과	low	1
2	H02	23	2	36.8	외과	low	1
3	H03	68	2	37.4	내과	low	1
4	H04	22	1	37.3	산부인과	low	1
5	H05	8	2	35.9	소아과	low	1
6	H06	35	2	39.5	외과	high	3
7	H07	80	1	38.3	내과	high	3
8	H08	73	2	37.1	내과	low	1
9	H09	13	1	37.8	소아과	middle	2

3 Data 선택

dBSTAT에서는 조건문을 사용하여 원하는 자료를 검색하여 선택할 수 있다. 예제 Database Table에서 SEX = '1' (남자) 이면서 SERVICE = '산부인과' (산부인과에 입원)인 case(레코드)가 있는지 검색하여 본다. 이러한 레코드가 검색되면 입력의 오류가 있음을 알 수 있다.

[검색] 버튼을 클릭하거나 [자료] ▶ [자료 선택] 메뉴를 선택하면 [자료 선택] 대화상자가 나타난다. Data 변환에서의 [변환 표현식] 대화상자와 사용방법은 동일하다.

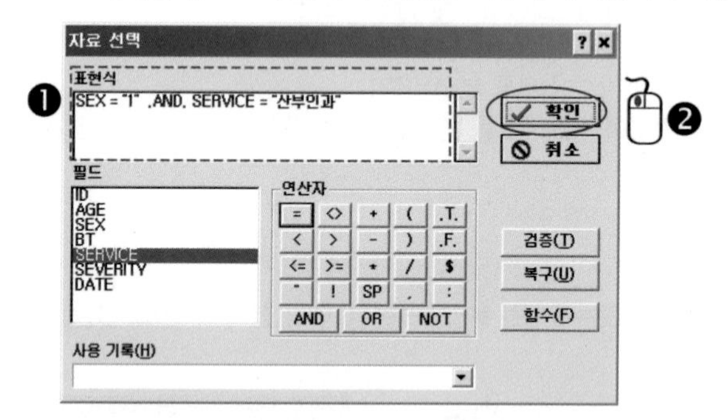

① [표현식] ➲ **SEX = '1' .AND. SERVICE = '산부인과'** 입력한다.

② [확인] 버튼을 클릭하여 작업을 마친다.

조건문에 맞는 자료가 검색되어 보인다. 필터를 해제하려면 Database Table 하단에 [선택자료]를 클릭하여 나타나는 [자료 선택 상태] 상자에서 선택마침을 체크하고 [확인] 버튼을 클릭한다.

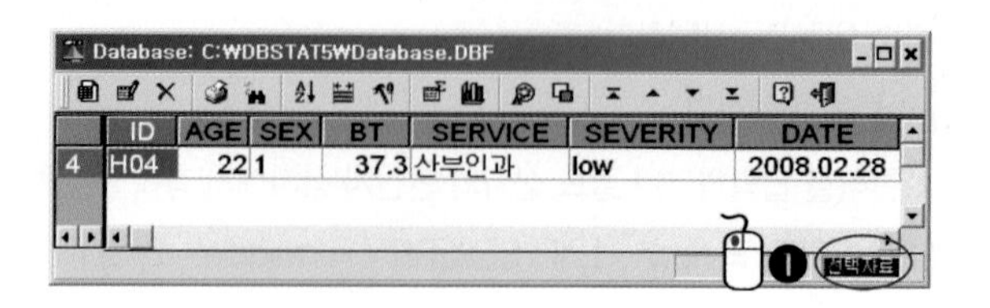

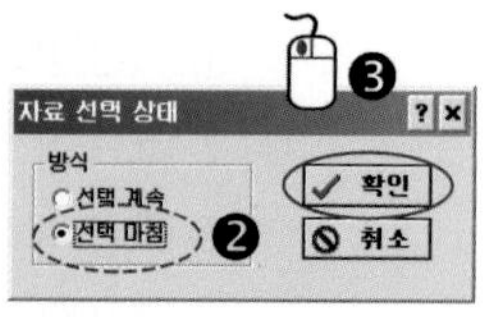

1.3 Data File 사용

EXCEL, SPSS, dBSTAT에서 생성된 데이터 파일들은 서로 호환되거나 형식을 바꾸어 사용할 수 있다.

파일명

소프트웨어 파일은 각각 고유의 확장자를 가지고 있다. 확장자란 "database.dbf" 처럼 파일명을 점(.)으로 구분한 3 자리 문자이다.

Excel ⇨ xls 또는 xlsx, SPSS ⇨ sav, dBSTAT ⇨ dbf 이다.

파일 사용

다른 프로그램의 데이터 파일을 사용하기 위해서는 메뉴 ➡ [파일 열기]에서 직접 파일을 열거나 메뉴 ➡ [다른 이름으로 저장]에서 다른 형식의 파일로 저장한 다음에 사용할 수 있다.

Word 파일 사용

첫 행에 변수를 가진 데이터 파일을 일반 SDF 텍스트 파일로 저장하여야 한다.

SDF (System Data Format) 파일이란?

① 메모장에서 읽을 수 있는 서식이 없는 일반 텍스트(Text) 파일이다.
② 필드에 해당하는 변수들은 일정한 길이를 가지며 [Tab] 공백으로 구분된다.
③ 각 행마다 〈Enter〉 (return) 키로 끝난다.

ID	Age	Sex	BT	Service	Severity	Date
H01	50	1	36.7	내과	low	2009-06-03
H02	23	2	36.8	외과	low	2009-05-28
H04	22	1	37.3	산부인과	low	2008-02-28
H07	80	1	38.3	내과	high	2007-04-30
H10	59	1	36.1	내과	middle	2007-05-16
← 3 →	← 2 →	← 1 →	← 4 →	← 8 →	← 6 →	← 10 →

Excel

Data : Database.xlsx

Excel Data File은 SPSS, dBSTAT에서 파일 열기에서 Excel 파일(*.xls, *.xlsx)을 선택하여 사용한다.

1 SPSS에서 사용하기

[데이터 문서 열기] 버튼을 클릭하거나 메뉴에서 [파일] ▶ [열기] 선택한다.

다음과 같이 [데이터 열기] 대화상자가 나타난다.

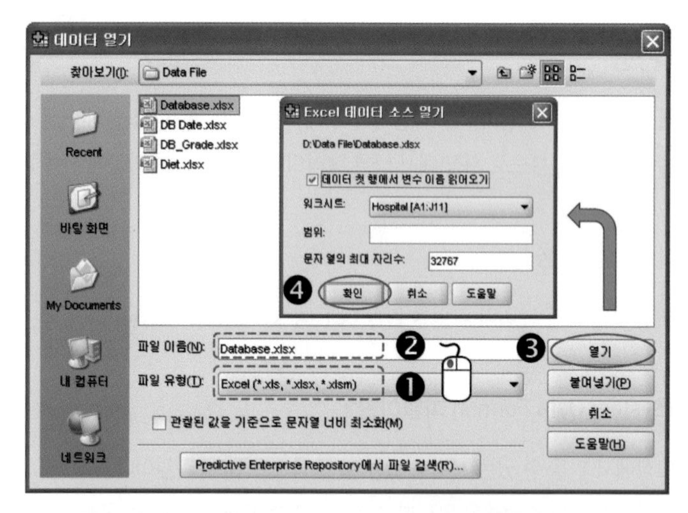

① [파일 유형] ➲ Excel (*.xls, *.xlsx, *.xlsm) 유형을 선택한다.

② [파일 이름] ➲ Excel 파일명 (예, database.xls) 입력한다.

③ [열기] 버튼을 클릭하면 [Excel 데이터 소스 열기] 대화상자가 나타난다.

④ ☑ [데이터 첫 행에서 변수 이름 읽어오기] 선택 → [확인] 버튼을 클릭하면 SPSS에서 Excel 파일이 열린다.

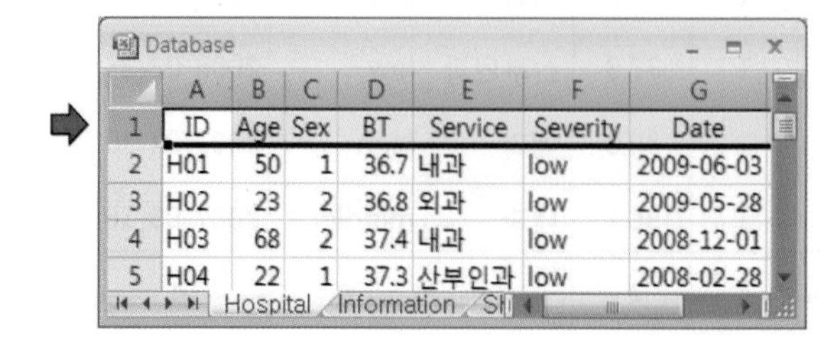

	A	B	C	D	E	F	G
1	ID	Age	Sex	BT	Service	Severity	Date
2	H01	50	1	36.7	내과	low	2009-06-03
3	H02	23	2	36.8	외과	low	2009-05-28
4	H03	68	2	37.4	내과	low	2008-12-01
5	H04	22	1	37.3	산부인과	low	2008-02-28

2 dBSTAT에서 사용하기

[새 파일] 버튼을 클릭하거나 메뉴에서 [파일] ▶ [파일 열기] 선택한다.

① [파일 형식] ⭘ Excel File (*.xls) 형식을 선택한다.

② [파일 이름] ⭘ Excel 파일명 (예, database.xls) 입력한다.

③ [열기] 버튼을 클릭하면 dBSTAT에서 Excel 파일이 열린다.

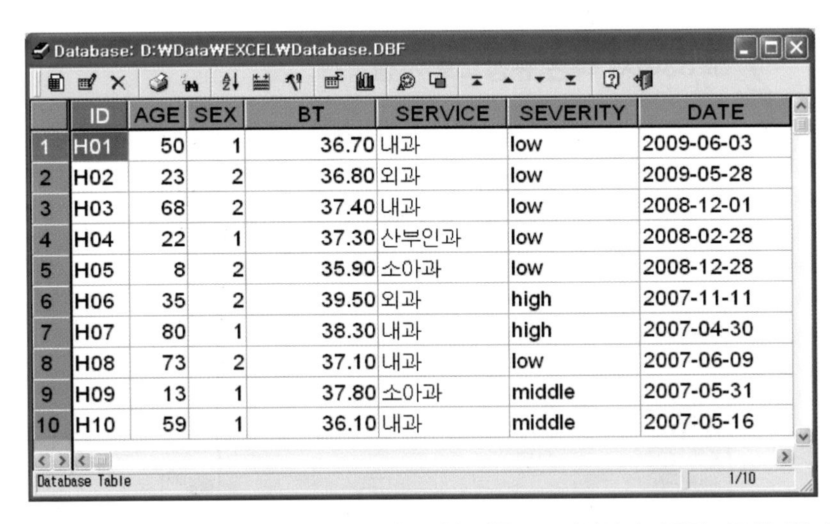
Database: D:₩Data₩EXCEL₩Database.DBF

	ID	AGE	SEX	BT	SERVICE	SEVERITY	DATE
1	H01	50	1	36.70	내과	low	2009-06-03
2	H02	23	2	36.80	외과	low	2009-05-28
3	H03	68	2	37.40	내과	low	2008-12-01
4	H04	22	1	37.30	산부인과	low	2008-02-28
5	H05	8	2	35.90	소아과	low	2008-12-28
6	H06	35	2	39.50	외과	high	2007-11-11
7	H07	80	1	38.30	내과	high	2007-04-30
8	H08	73	2	37.10	내과	low	2007-06-09
9	H09	13	1	37.80	소아과	middle	2007-05-31
10	H10	59	1	36.10	내과	middle	2007-05-16

Database Table 1/10

- dBSTAT은 Excel 데이터 첫 행을 변수 이름으로 인식하여 자동적으로 읽어온다.
- Excel 통합 문서는 첫 번째 Worksheet의 데이터만 읽을 수 있다.

SPSS

Data : Database.sav

1 SPSS 자료 복사

SPSS Data File은 Excel, dBSTAT에서 파일 열기에서 사용할 수 없으며 SPSS [데이터 보기] 창에서 데이터를 [복사]하여 Excel, dBSTAT에서 [붙여넣기] 하여 사용할 수 있다.

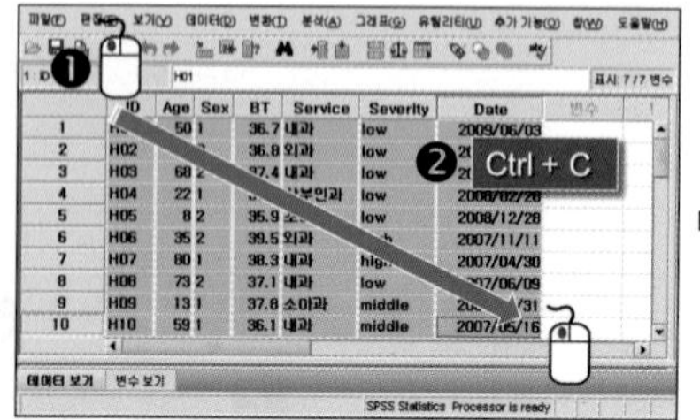

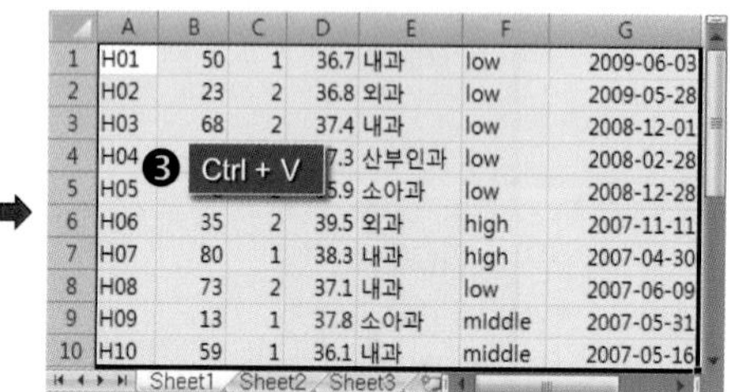

① SPSS [데이터 보기] 창에서 마우스를 드래그한다.

② [복사] ➲ 단축키 **Ctrl + C** 눌러 복사한다.

③ [붙여넣기] ➲ Excel 워크쉬트에서 **Ctrl + V** 키를 눌러 SPSS 데이터를 불러들인다.

※ SPSS 변수명은 복사되지 않으므로 Excel에서 읽을 수 없다.

2 SPSS에서 다른 유형으로 저장

SPSS에서 [파일] ▶ [다른 이름으로 저장] 메뉴 선택하여 나타나는 [데이터를 다른 이름으로 저장] 대화상자 ▷ [저장 유형] ➜ Excel 2007 (*.xlsx) 이나 dBASE III (*.dbf) 형식으로 저장한 다음 Excel, dBSTAT에서 해당 파일을 불러들이는 것이 더 좋은 방법이다.

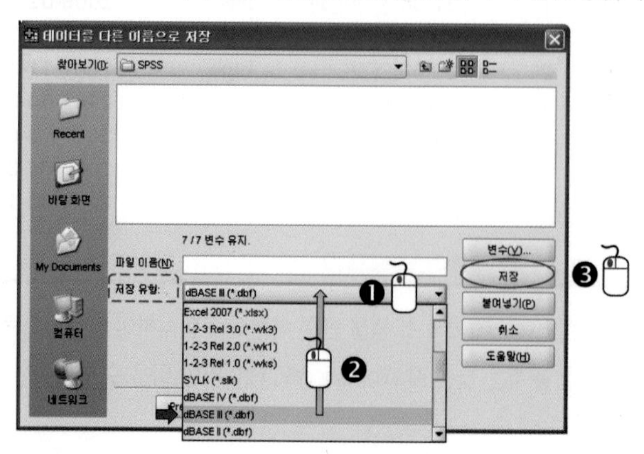

dBSTAT

Data : Database.dbf

Excel, SPSS 메뉴에서 [파일] ▶ [열기] 선택하면 [파일 열기] 대화상자가 나타난다.

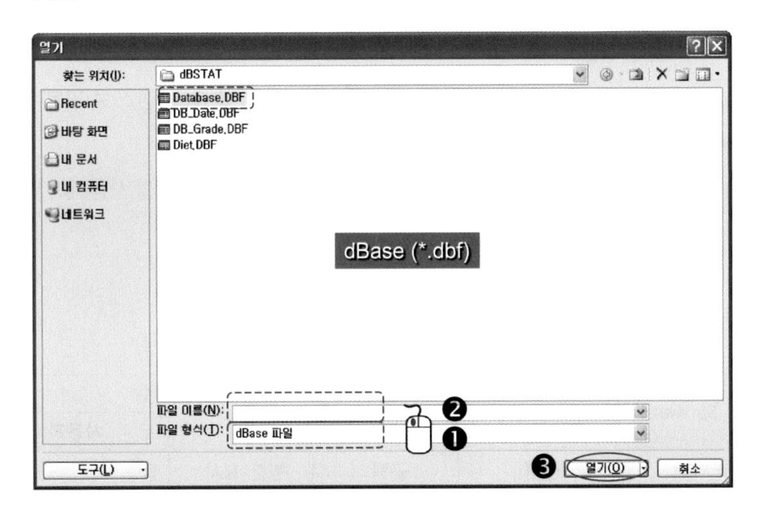

① [파일 형식] ◐ dBASE (*.dbf) 파일 형식을 선택한다.

② [파일 이름] ◐ dBSTAT 파일명 (예, database.DBF) 선택 입력한다.

③ [열기] 버튼을 클릭하면 Excel, SPSS에서 dBSTAT 파일이 열린다.

※ Excel version에 따라서는 [파일형식] 선택상자에 [dBase 파일] 형식이 안 보일 수 있다. 이 경우에는 [모든 파일] 형식을 선택하여 파일명 중에서 DBF 확장자(dbf)를 가지는 파일을 선택한다.

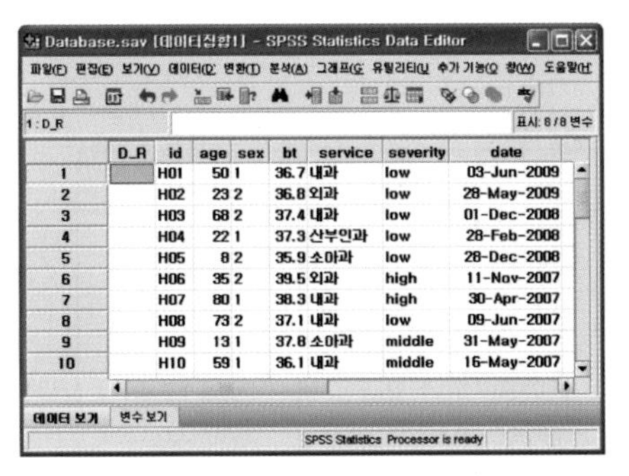

	D_R	id	age	sex	bt	service	severity	date
1		H01	50	1	36.7	내과	low	03-Jun-2009
2		H02	23	2	36.8	외과	low	28-May-2009
3		H03	68	2	37.4	내과	low	01-Dec-2008
4		H04	22	1	37.3	산부인과	low	28-Feb-2008
5		H05	8	2	35.9	소아과	low	28-Dec-2008
6		H06	35	2	39.5	외과	high	11-Nov-2007
7		H07	80	1	38.3	내과	high	30-Apr-2007
8		H08	73	2	37.1	내과	low	09-Jun-2007
9		H09	13	1	37.8	소아과	middle	31-May-2007
10		H10	59	1	36.1	내과	middle	16-May-2007

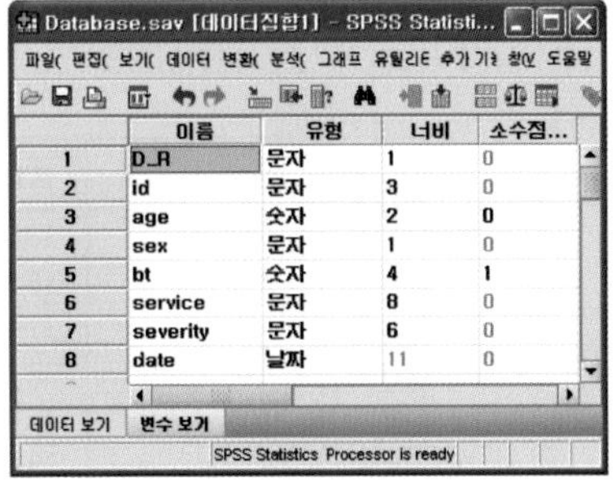

	이름	유형	너비	소수점...
1	D_R	문자	1	0
2	id	문자	3	0
3	age	숫자	2	0
4	sex	문자	1	0
5	bt	숫자	4	1
6	service	문자	8	0
7	severity	문자	6	0
8	date	날짜	11	0

- SPSS에서 dBSTAT 파일 변환 과정에서 D_R 변수가 새로 만들어진다.
- [변수보기] 폴더를 보면 dBSTAT 자료구조와 동일한 변수들이 보인다.

1.4 결측값 Missing Value

결측값 정의

- 자료가 누락되었거나 통계 분석에서 제외시키는 관측값을 결측값(분실값)이라고 한다.
- 문자형 변수는 공백인 경우 결측값으로 처리된다.
- **시스템 결측값**

  결측값은 : Excel ⇨ 공백, dBSTAT ⇨ 0 (zero), SPSS ⇨ • (점)으로 기본 설정되어 있다.
- **사용자 결측값**

  기본 설정된 결측값을 실제 자료에 없는 특정한 숫자(예, -999)를 사용하여 바꿀 수 있다.

사용자 결측값

Excel, SPSS, DBSTAT에서 결측값은 다음 Table에 설명되어 있다.

Software	문자형 변수	숫자형 변수		
		시스템 결측값		사용자 결측값
EXCEL	공백	공백	빈칸 표시	없음
DBSTAT	공백	0	빈칸 표시	제외시킬 특정한 숫자
SPSS	공백	공백	• (점) 표시	제외시킬 숫자, 특정 범위

※ DBSTAT은 기본적으로 결측값이 0(zero)으로 설정되어 있으므로 0을 통계분석에 포함시키려면 결측값을 Database에서 사용되지 않는 특정 숫자 “-999” 등으로 변경하여야 한다.

Example

다음 Database Table에서 4번째 Service = ‘산부인과’ 와 5번째 Age = 8를 통계 분석에서 제외시키도록 한다.

ID	Age	Sex	BT	Service	Severity	Date
H01	50	1	36.7	내과	low	2009-06-03
H02	23	2	36.8	외과	low	2009-05-28
H03	68	2	37.4	내과	low	2008-12-01
H04	22	1	37.3	산부인과	low	2008-02-28
H05	8	2	35.9	소아과	low	2008-12-28
H06	35	2	39.5	외과	high	2007-11-11
H07	80	1	38.3	내과	high	2007-04-30
H08	73	2	37.1	내과	low	2007-06-09
H09	13	1	37.8	소아과	middle	2007-05-31
H10	59	1	36.1	내과	middle	2007-05-16

Excel

Data : Database.xlsx

1 시스템 결측값

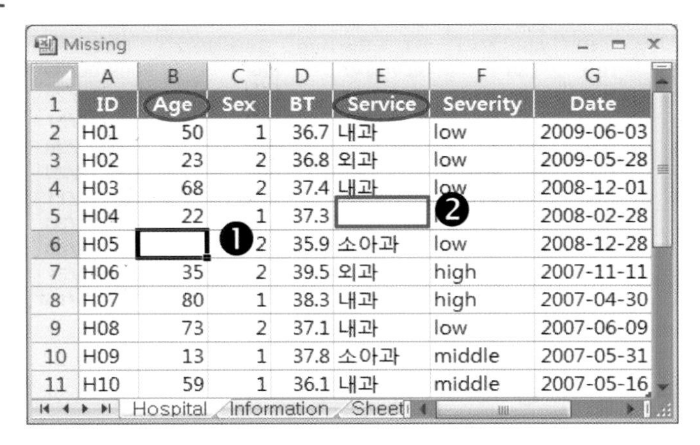

Missing

	A	B	C	D	E	F	G
1	ID	Age	Sex	BT	Service	Severity	Date
2	H01	50	1	36.7	내과	low	2009-06-03
3	H02	23	2	36.8	외과	low	2009-05-28
4	H03	68	2	37.4	내과	low	2008-12-01
5	H04	22	1	37.3			2008-02-28
6	H05		2	35.9	소아과	low	2008-12-28
7	H06	35	2	39.5	외과	high	2007-11-11
8	H07	80	1	38.3	내과	high	2007-04-30
9	H08	73	2	37.1	내과	low	2007-06-09
10	H09	13	1	37.8	소아과	middle	2007-05-31
11	H10	59	1	36.1	내과	middle	2007-05-16

Hospital / Information / Sheet

① 숫자형 변수 [Age] ➡ B6 셀을 공백으로 만들면 결측값이 된다.

② 문자형 변수 [Service] ➡ E5 셀에서 공백은 결측값이 된다.

2 사용자 정의 결측값

EXCEL에서는 사용자가 임의대로 결측값을 정할 수 없으므로 복잡한 자료 분석을 할 수 없다. EXCEL에서 필터 기능을 사용하여 결측값을 제외한 자료를 선택하여 자료 분석을 할 수 있다.

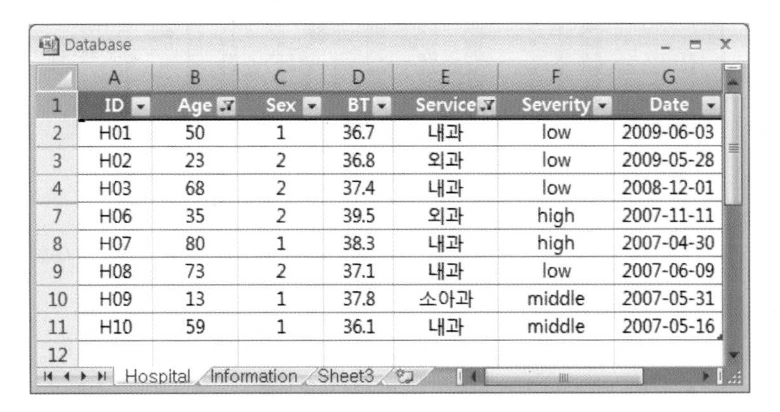

Database

	A	B	C	D	E	F	G
1	ID	Age	Sex	BT	Service	Severity	Date
2	H01	50	1	36.7	내과	low	2009-06-03
3	H02	23	2	36.8	외과	low	2009-05-28
4	H03	68	2	37.4	내과	low	2008-12-01
7	H06	35	2	39.5	외과	high	2007-11-11
8	H07	80	1	38.3	내과	high	2007-04-30
9	H08	73	2	37.1	내과	low	2007-06-09
10	H09	13	1	37.8	소아과	middle	2007-05-31
11	H10	59	1	36.1	내과	middle	2007-05-16
12							

Hospital / Information / Sheet3

SPSS

Data : Database.sav

1 시스템 결측값

	ID	Age	Sex	BT	Service	Severity	Date
1	H01	50	1	36.7	내과	low	2009/06/03
2	H02	23	2	36.8	외과	low	2009/05/28
3	H03	68	2	37.4	내과	low	2008/12/01
4	H04	22	1	37.3	❷		2008/02/28
5	H05	. ❶		35.9	소아과	low	2008/12/28
6	H06	35	2	39.5	외과	high	2007/11/11
7	H07	80	1	38.3	내과	high	2007/04/30
8	H08	73	2	37.1	내과	low	2007/06/09
9	H09	13	1	37.8	소아과	middle	2007/05/31
10	H10	59	1	36.1	내과	middle	2007/05/16

① 숫자형 변수 [Age] ➲ case 5 셀을 공백으로 만들면 시스템 결측값 • (점)이 된다.

② 문자형 변수 [Service] ➲ case 4 셀의 입력된 값을 삭제하면 결측값이 된다.

2 사용자 정의 결측값

시스템 결측값은 모든 변수에서 사용되는 결측값이며 개별 변수에서 결측값을 별도로 정할 때에는 사용자 정의 결측값을 설정하여야 한다.

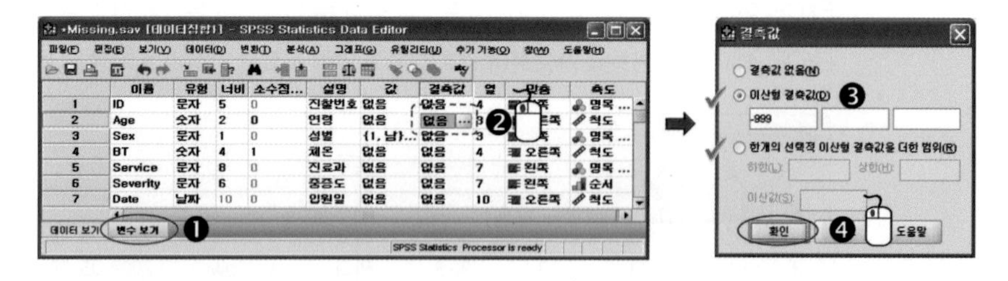

① SPSS [변수 보기] 탭을 클릭하여 데이터베이스 구조를 편집한다.

② [Age] ➞ [결측값] 없음 셀을 클릭하여 나타나는 단추를 누르면 [결측값] 대화상자가 나타난다.

③ [결측값] 대화상자

- 결측값 없음 : 기본 설정은 개별 변수에서 별도의 결측값을 사용하지 않는다.
- 이산형 결측값 : 개별 변수에서 분석시 제외시킬 숫자를 3개까지 정할 수 있다.
- 한 개의 선택적 이산형 결측값을 더한 범위 : 특정 범위에 속한 자료를 제외시킨다.

④ [확인] 버튼을 클릭하면 [변수보기] 창에서 [결측값] ➞ 새로운 결측값(예, -999)으로 바뀐다.

dBSTAT

Data : Database.dbf

1 시스템 결측값

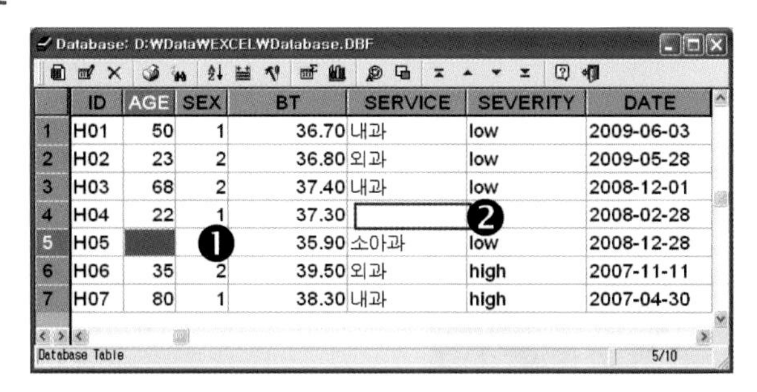

	ID	AGE	SEX	BT	SERVICE	SEVERITY	DATE
1	H01	50	1	36.70	내과	low	2009-06-03
2	H02	23	2	36.80	외과	low	2009-05-28
3	H03	68	2	37.40	내과	low	2008-12-01
4	H04	22	1	37.30		low	2008-02-28
5	H05			35.90	소아과	low	2008-12-28
6	H06	35	2	39.50	외과	high	2007-11-11
7	H07	80	1	38.30	내과	high	2007-04-30

① 숫자형 변수 [Age] ➡ record 5 셀을 0으로 만들면 시스템 결측값이 된다.

② 문자형 변수 [Service] ➡ record 4 셀의 입력된 값을 삭제하면 결측값이 된다.

※ Del 키를 누르면 전체 record가 삭제되므로 주의를 요한다.

2 사용자 정의 결측값

dBSTAT에서 기본 설정된 결측값은 0 이다. 통계분석에 0을 포함하여야 하는 경우에는 결측값을 별도로 정한다. 일반적으로 측정되지 않는 수(예, -9, 999 등)를 사용자 결측값으로 정한다.

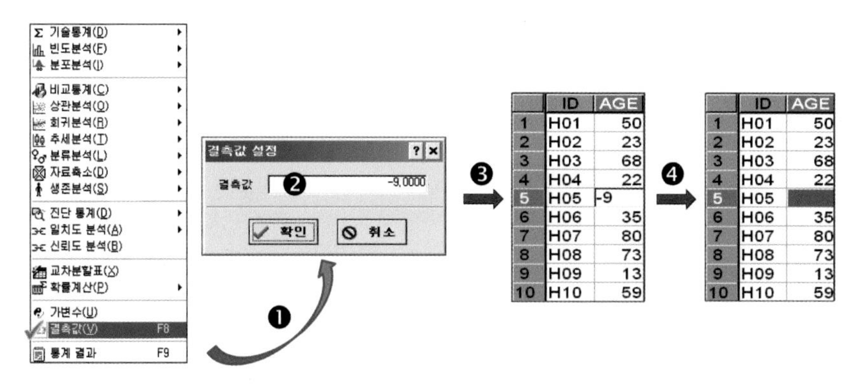

① **[통계]** ▶ **[결측값]** 메뉴를 선택하면 [결측값 설정] 대화상자가 나타난다.

② dBSTAT에서 기본 설정된 결측값 0 ➡ -9 로 바꾼 다음 [확인]을 클릭한다.

③ DatabaseTable에서 5번째 record에서 [AGE] 0 ➡ -9 로 바꾼다.

④ 변수 [Age] 5번째 record 셀의 관측값(-9)이 결측값으로 처리되어 공백으로 보인다.

자료처리

- Data Scale은 Nominal(명목), Ordinal(순서), Interval(구간), Ratio(비율)로 분류된다.
- Database는 Data를 String(문자), Numeric(숫자) 변수로 구분하여 레코드로 저장한다.

❖ Data Scale

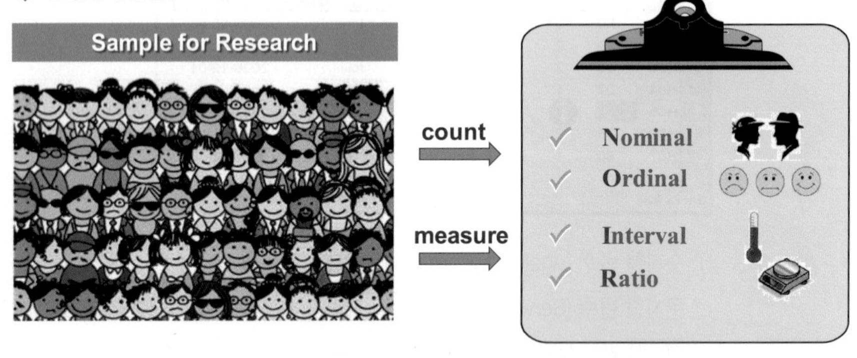

❖ Database

Variable		String	String / Numeric	Numeric	
Scale		*Nominal*	*Ordinal*	*Interval*	*Ratio*
Record #		Sex	Pain score	BT	Weight
	1	1	3	37.8	64
	2	2	2	36.4	73
	3	1	5	36.5	50
	4	1	7	38.0	67
	5	2	4	36.6	58

Cell (Value) **Sex** 1 = woman, 2 = man; **BT** =body temperature

결측값 (missing value)

Database Table 에서 빈 칸(cell)이 결측값이며 자료분석에서 제외하여야 한다.

Medical Paper

Endometrial protection from tamoxifen-stimulated changes by a levonorgestrel-releasing intrauterine system: a randomised controlled trial

Lancet **2000; 356: 1711–17**

Results

Table 1 shows the baseline characteristics of the women who completed the study. Data (not shown) were also collected and analysed for the women who did not complete study. In addition, data (not shown) were also collected on the following characteristics: ethnicity, marital status, gravidity, parity, co-morbidity, breast-cancer staging, and chemotherapy and radiotherapy treatment. There was no significant difference between women in the treatment and control groups.

Table 1. Baseline characteristics of the 99 women who completed the trial

	Control group (n=52)	Treatment group (n=47)
Age at entry to study (years)	58.0	58.5
Duration of menopause (years)	7.6	7.9
Body mass index (kg/m^2)	26.9	26.5
Age at diagnosis of breast cancer (years)	54.8	54.5
Duration of tamoxifen treatment (weeks)	152.6	148.8
Lifetime dose of tamoxifen (g)	24.1	23.3

Values are shown as mean.

Statistical Error

A randomised controlled trial of paediatric conscious sedation for dental treatment using intravenous midazolam combined with inhaled nitrous oxide or nitrous oxide/sevoflurane.

Anaesthesia. 2004 Sep;59(9):844-52.

Results

There was an even distribution of dentists across the trial arms. There was a slight imbalance with respect to anxiety at assessment. Children were less anxious in Group 1, with a mean anxiety score of 5.6 (SD 2.0) than in Group 2 (6.1 (SD 1.7)) or Group 3 (6.0 (SD 1.9)). There was also an imbalance with respect to gender (Table 1).

Table 1. Baseline characteristics and main outcome measure of the study groups.

Variable	Group 1: Air (n = 174)	Group 2: Nitrous oxide (n = 256)	Group 3: Sevoflurane (n = 267)	*P*-value for the difference
Baseline characteristics				
Male (%)	47%	50%	39%	0.03
Mean age (years)	9.1	9.5	9.6	0.11
Mean weight (kg)	36.3	37.8	37.7	0.50
Mean anxiety score	5.6	6.1	6.0	0.01
Main trial endpoint				
Percentage of children who completed surgery	54%	80%	93%	<0.001

Baseline Characteristics (기본특성)

집단 간 분포의 동일성을 보기 위하여 통계적 검정을 하여서는 안된다.

- 통계적 유의성은 표본크기에 영향을 받는다. 표본크기가 크면 사소한 차이라도 유의하게 된다.
- 기본특성 변수의 분포가 결과에 논리적인 영향을 주지 않으면 *P* value는 별 의미가 없다.

Table 1에서 Group 1, Group 3의 결과 차이는 39%(54%, 93%)인데 Male(%), 평균 anxiety score 차이는 8%, 0.4로 분포의 차이로 인한 영향이라고 보기 어렵다.

Data Summary

"I seem to see some meaning in them, after all."

3

자료요약 Data Summary

통계학은 인구동태통계(vital statistics)에서 시작되었으며 국가적 정책수립에 사용되었다. 예를 들어 출생률, 사망률, 평균수명 등이다. 이는 Data를 알아볼 수 쉽게 Table로 정리하여 요약하고 그래프로 표현하는 통계적 기법으로 **기술통계(Descriptive Statistics)**에 속한다.

자료요약이란 무엇인가?

자료가 많아지면 자료를 크기 순으로 나열하고 빈도에 따라 구간별 막대그래프를 그리면 특정한 모양의 분포를 이루게 된다. 자료가 나타내는 분포의 특성을 측정값에서 계산된 **통계량**(평균, 표준편차)으로 요약하여 기술하고 그래프로 표현하는 것을 자료요약 또는 **기술통계**라고 한다.

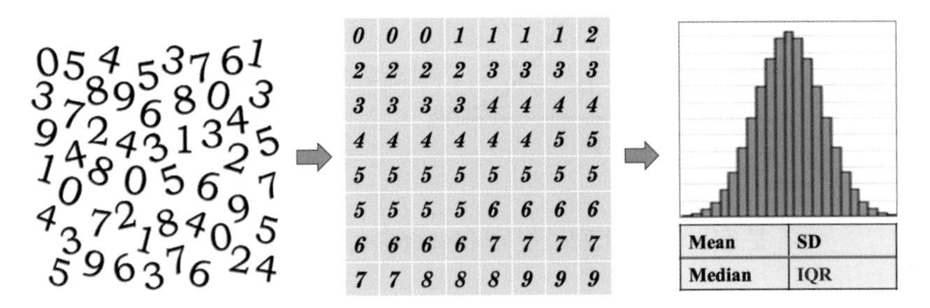

자료요약이 왜 필요한가?

통계분석 방법은 자료의 형태와 분포 형태에 따라서 달라지게 된다. 자료요약을 통하여 분포 형태를 알아야만 적절한 **통계분석** 방법을 선택할 수 있다. 자료요약을 하지 않고 통계분석을 하는 것은 임상의학에서 통증의 원인을 진단하지 않고 환자에게 진통제를 처방하는 것과 같다.

자료분포 형태는 어떻게 기술하는가?

자료요약을 하기 위해서는 먼저 자료분포의 형태를 알아야 한다.

Pearson (1857-1936)

Pearson은1892년에 최초로 통계시스템 개발을 시작하였다.

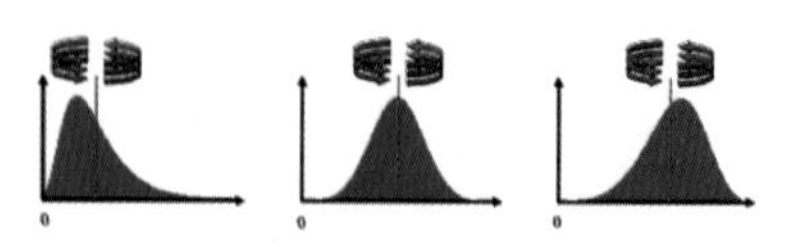

물리학에서 회전축에 작용하는 힘을 뜻하는 적률(moments)을 통계학에 적용하여 **자료분포 모양**을 기술하는 4가지 요소로 평균(중심), 표준편차(퍼짐), 왜도(대칭성), 첨도(뾰족함)를 사용하였다.

1.1 자료분포 특성

자료 분포의 특성은 3 가지로 기술된다.

1. **분포의 중심 (중심경향값, 대표값)** (central tendency, average, central mean)

자료의 중심 위치를 측정하는 방법 (measures of location) 이다.

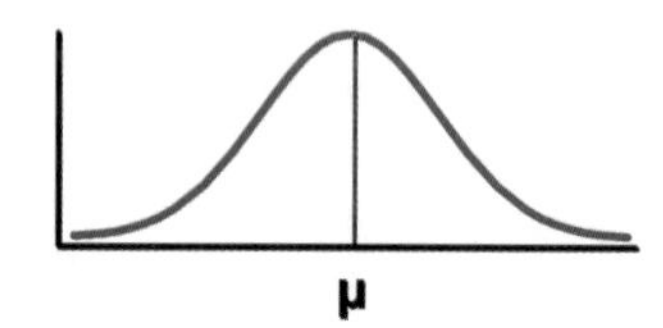

- 평균 (mean)
- 중앙값 (median)
- 최빈값 (mode)

2. **분포의 퍼짐 (산포도, 변동)** (dispersion, variation)

자료가 중심으로부터 퍼진 정도를 측정하는 방법 (measures of spread) 이다.

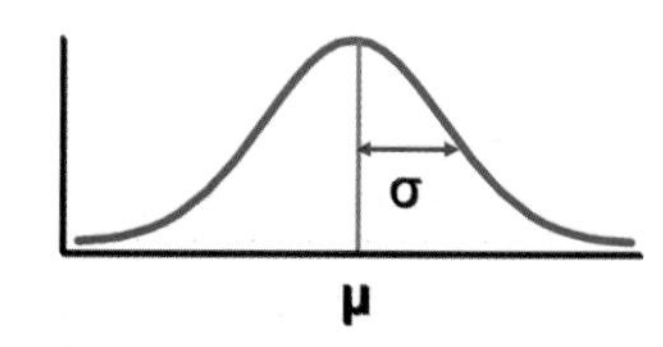

- 분산 (variance)
- 표준편차 (SD, standard deviation)
- 범위 (range)
- 사분위범위 (IQR, interquartile range)

3. 분포의 형태 (shape)

자료 분포의 대칭성과 뾰족한 정도를 측정하는 방법 (measures of shape) 이다.

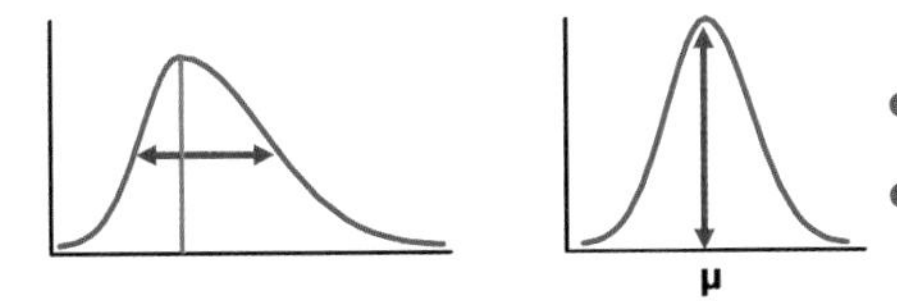

- 왜도 (skewness)
- 첨도 (kurtosis)

1. 중심경향값 central tendency

- 자료가 나타내는 분포의 특성을 알기 위해서는 먼저 분포의 중심경향을 측정하여야 한다.
- 자료의 중심위치를 대표값(average) 이라 하며 mean(평균)과 동일한 의미가 아니다.
- Average 의 통계학적 뜻은 평균, 중앙값, 최빈값을 모두 포함한다.

1) 평균 (mean)

평균에는 산술평균(arithmetic mean), 기하평균(geometric mean), 조화평균(harmonic mean)이 있는데 통계학적으로 산술평균이 가장 중요하며 일반적으로 평균은 산술평균을 가리킨다.

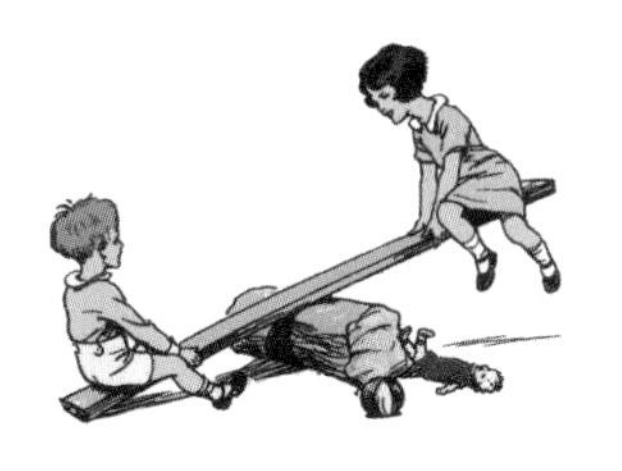

Mean

평균은 물리학에서 중력의 중앙 위치를 나타내는 점이다. 계량(metric) 자료의 수치를 무게로 환산하면 평균은 무게 중심에 해당하는 값이다.

$$\bar{x} = \frac{1}{n}\sum_{i=1}^{n} x_i = \frac{1}{n}(x_1 + x_2 \cdots + x_n)$$

산술평균

① **정의** : 자료의 합을 자료의 수로 나눈 값으로 중심점을 측정하는데 가장 널리 이용된다.

② **장점** : 모든 관측값이 고려되어 계산되므로 대표값으로 가장 신빙도가 높고 안정성이 높다.

③ **단점** : 관측값들 중에 동떨어진(unusual) 극단적인 값(이상값, 특이값; outlier)이 있는 경우 이 값에 의하여 평균이 좌우되는 경향이 크므로 대표값으로 적절하지 않다.

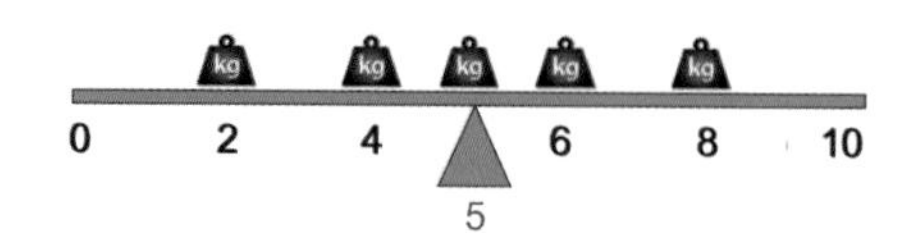

- Data [2, 4, 5, 6, 8] → 평균 = 5
- $\bar{x} = \frac{1}{5}(2+4+5+6+8) = 5$

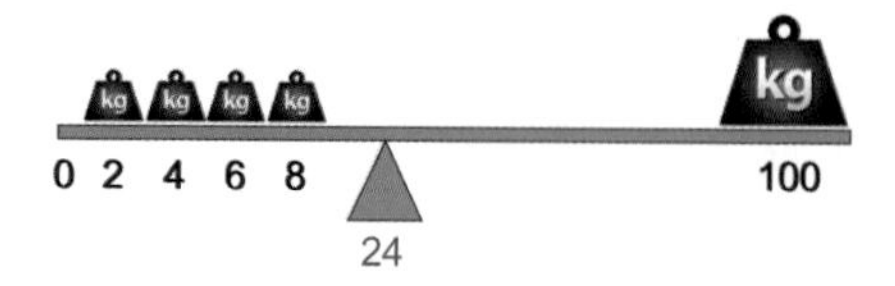

- Data [2, 4, 6, 8, 100] → 평균 = 24
- 이상값(100)이 있으면 그 방향으로 평균이 이동하므로 대표값(중심)으로 올바르지 않다.

2) 중앙값 (median)

Median

중앙값(중위수)은 자료의 분포를 50%로 나누는 점이다. Gauss가 1816년에 처음으로 시용하였으며 Galton에 의하여 평균의 복잡한 계산을 대신할 간편한 중심값으로 통계학에서 사용되었다.

① **정의** : 자료를 크기 순서대로 나열하였을 때 중앙에 위치하는 값을 말한다.

② **계산** : 자료의 수가 홀수이면 한 가운데 수가 중앙값이 되며 짝수이면 가운데 두 수의 평균이 중앙값이 된다.

③ **장점** : 중앙값은 관측값의 합계에 근거하여 계산된 것이 아니므로 관측값들 중 극단적으로 큰 값이나 작은 값에 영향을 받지 않는다. 만일 극단적인 관측값이 있을 경우 중앙값이 평균보다 중심경향을 대표하는 더 나은 통계량이다.

④ **단점** : 평균에 비하여 얻을 수 있는 정보가 적다.

중앙값은 계량 자료의 개별 수치를 동일한 면적으로 환산하여 전체 면적을 절반(50%)으로 나누는 중심에 해당하는 값이다.

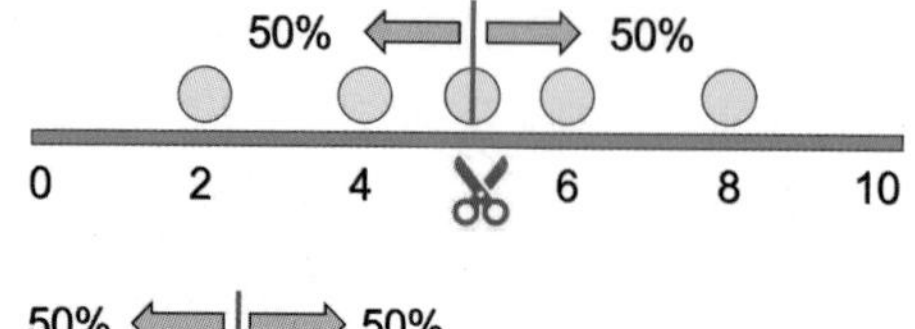

- Data [2, 4, 5, 6, 8] → 중앙값 = 5
- 중앙값(5)를 기준점으로 전체 자료의 50%는 5보다 작고 50%는 5보다 크다.

50% 50%

0 2 4 6 100

5

- Data [2, 4, 5, 6, 100] → 중앙값 = 5
- 이상값(100)에 영향을 받지 않는다.

3) 최빈값 (mode)

Mode

중심경향을 측정하는 3번째 방법으로 1894년 Pearson에 의하여 정의되었는데 광고 회사에서 유행을 조사할 때에 사용되어 왔다.

통계학에서는 전형적(대표적)인 사례(case)를 조사할 때에 가장 흔히 사용되고 있다.

① **정의** : 최빈값이란 자료들 중에서 가장 높은 빈도로 나타나는 값을 말한다.

② **사용** : 명목자료에서 가장 흔한 빈도의 범주(집단, 항목)를 나타낼 때에 사용된다.

③ **장점** : 계산이 용이하여 가장 빠르고 쉽게 어떤 분포의 대표 경향을 알 수 있다.
극단적인 값에 의하여 영향을 받지 않는다.

④ **단점** : 계량 자료의 대표값으로는 성질상 모호한 점이 많아 사용되지 않는다.

2. 산포도 dispersion

자료들 가운데는 평균은 같으면서도 평균을 중심으로 각 관측값이 퍼져 있는 정도는 매우 다양하므로 자료의 대표값 하나만으로 분포의 특성을 파악하기는 어렵다. 따라서 자료가 나타내는 분포의 퍼져있는 정도(산포도)를 측정하는 것도 대표값 못지않게 중요하다.

1) 분산 (variation)

① 분산은 평균에서 측정값을 뺀 값(편차)의 제곱을 평균한 것을 말한다.

② 표본자료에서는 편차의 제곱을 표본크기(n) - 1 로 나눈다.

$$s^2 = \frac{1}{n-1}\sum(x-\bar{x})^2$$

③ 표본크기가 클수록 분산은 작아진다.

④ 이상값이 있으면 분산이 커진다.

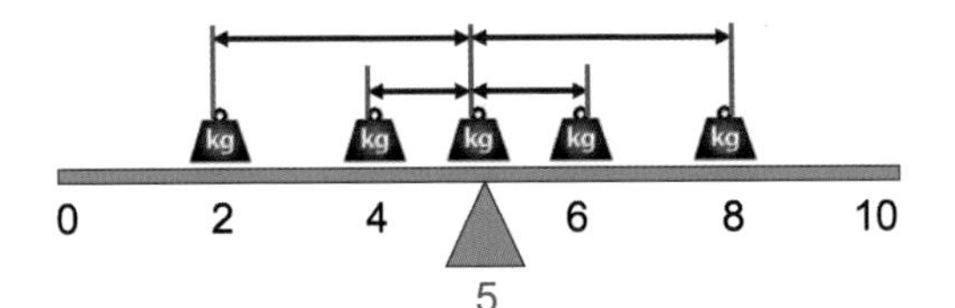

- 표본크기 = 5
- 평균 = 5
- 분산 = 5

$$s^2 = \frac{1}{4}[(2-5)^2+(4-5)^2+(5-5)^2+(6-5)^2+(8-5)^2] = 5$$

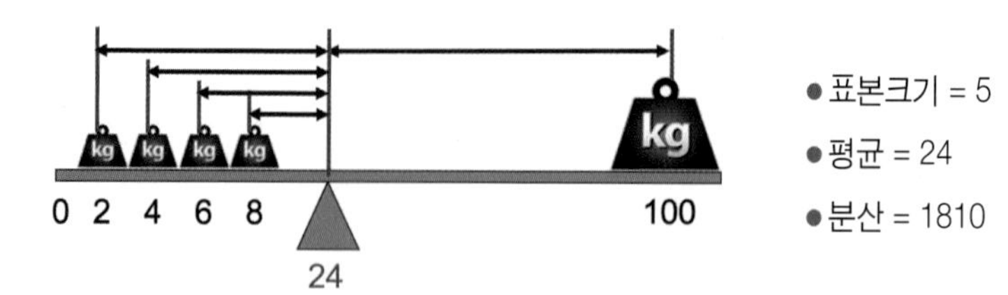

$$s^2 = \frac{1}{4}[(2-24)^2 + (4-24)^2 + (6-24)^2 + (8-24)^2 + (100-24)^2] = 1810$$

2) **표준편차** (SD, standard deviation)

① 표준편차란 분산의 제곱근이다. $s = \sqrt{s^2}$

② 분산은 원래 단위의 제곱이므로 평균과의 단위를 맞추기 위한 값이다.

③ 평균이 대표값일 때에 자료변이의 척도로 가장 많이 사용되는 것은 표준편차이다.

④ 표준편차가 클수록 표본집단의 측정값들 간의 변동이 커진다.

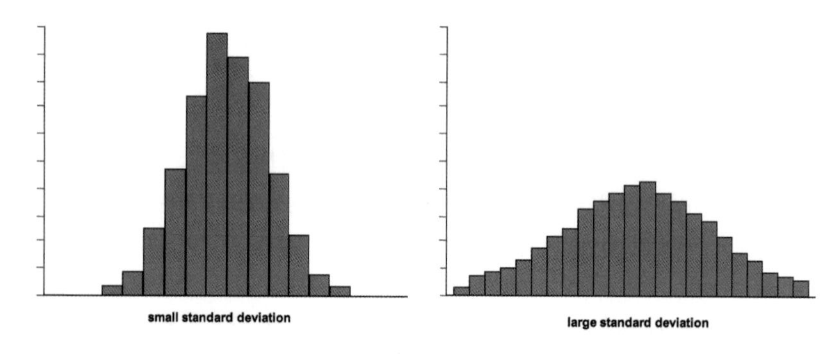

⑤ 표본크기가 클수록 표준편차는 작아진다.

⑥ 이상값이 있으면 표준편차가 커진다.

위의 예에서 각각의 표준편차 $s = \sqrt{5} = 2.24$ $s = \sqrt{1810} = 42.5$

표준오차 (SE, Standard Error)

✎ 자료요약(기술통계)에 사용되지 않으며 표준편차 대신 사용하여서는 안된다.

✎ 표준오차는 추측통계에서 사용되며 표본통계량(평균)의 표준편차를 말한다.

3) **범위** (range)

① 관측값 중에서 최대값과 최소값의 차이를 말한다.

② 최대값과 최소값 사이에 존재하는 분포 형태에 관한 정보를 얻을 수 없으며 신빙도가 낮다.

③ 이상값에 영향을 받는다.

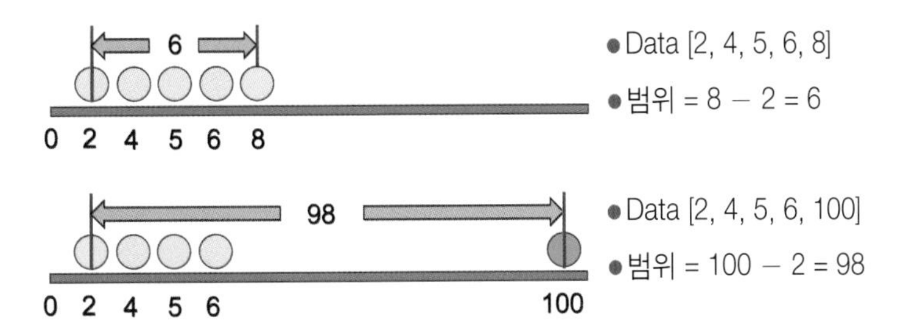

4) **사분위범위** (IQR, interquartile range)

① 중앙값이 대표값일 때 자료변이의 척도로 사용된다.

② 이상값에 영향을 받지 않는다.

③ 크기 순으로 배열한 자료를 4등분한 값을 **사분위수(quartile)**라고 한다.

- 제1 사분위수(Q_1, 1st quartile) : 중앙값보다 작은 자료를 절반(50%)으로 나누는 값이다.
- 제2 사분위수(Q_2, 2nd quartile) : 중앙값이다. 중앙값은 백분위수에서 제50백분위수이다.
- 제3 사분위수(Q_3, 3rd quartile) : 중앙값보다 큰 자료를 절반(50%)으로 나누는 값이다.
- 사분위범위 (IQR, interquartile range) : $Q_3 - Q_1$ 이다.

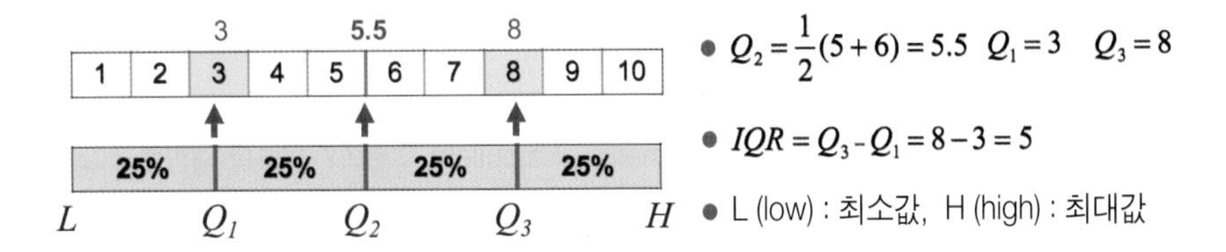

- $Q_2 = \frac{1}{2}(5+6) = 5.5 \quad Q_1 = 3 \quad Q_3 = 8$
- $IQR = Q_3 - Q_1 = 8 - 3 = 5$
- L (low) : 최소값, H (high) : 최대값

대표값 사용 주의!

Pearson은 평균의 사용을 다음과 같이 경고하였다. "평균은 장전된 총과 같아서 무경험자가 사용하게 되면 심각한 사고를 초래하게 된다. 평균의 무분별한 사용시 절망적이고 왜곡된 결과(hopelessly distorted results)를 얻게 된다." – Karl Pearson

의학통계는 대부분 표본에 대한 분석이므로 표본이 한쪽으로 치우친 분포를 이루면 평균은 대표값이 될 수 없으며 중앙값을 대표값으로 사용하여야 한다.

예를 들면 중학생의 평균 체중을 측정하는 연구에서 10명의 학생을 대상으로 평균 체중을 구할 때에 150kg의 과체중 학생이 있다면 왜곡된 결과를 초래하게 되어 잘못된 결론을 내릴 수 있다.

실제 임상에서 사용되는 의학자료는 한쪽으로 치우친 분포를 이루는 경우가 많다.

3. 분포의 형태 shape

1) 왜도 (skewness)

① 분포의 대칭성을 측정하는데 사용된다.

② 왜도란 분포의 형태가 대칭으로부터 벗어난 정도를 말한다.

③ 왜도는 평균, 중앙값과 표준편차로부터 구한다. $Skewness = \frac{3(mean - median)}{s}$

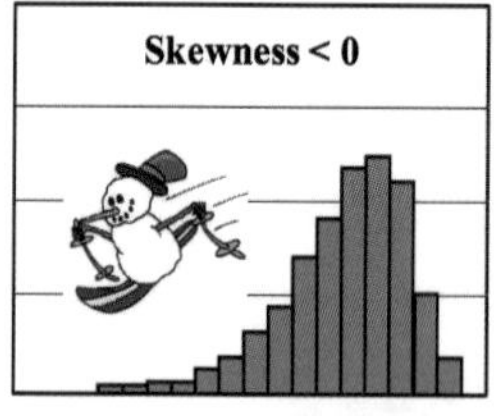

Left skewed distribution

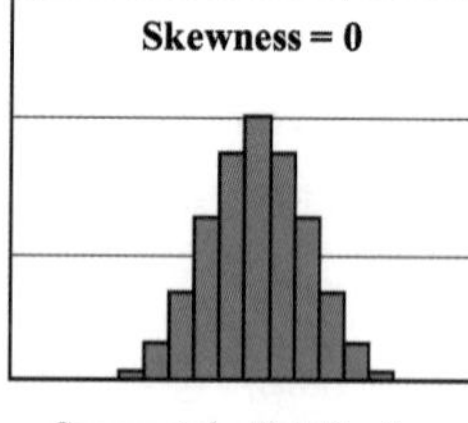

Symmetric distribution

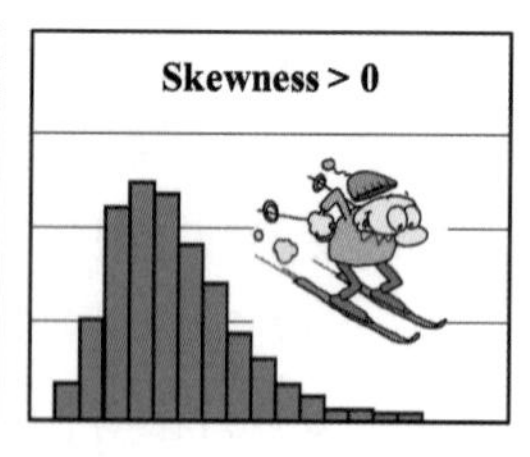

Right skewed distribution

왜도 해석

① **왜도** = 0 : 대칭분포(symmetric distribution). 0에 가까울수록 **대칭분포**이다.

② **왜도** 〈 0 : 좌측으로 기운 분포(left skewed), **부적편포**(negatively skewed distribution).

- 긴 꼬리(tail)가 좌측으로 향한다.
- 이상값이 좌측에 있어 평균이 좌측(작은쪽)으로 이동한다.
- 평균 〈 중앙값 〈 최빈값 (Mean 〈 Median 〈 Mode)

③ **왜도** 〉 0 : 우측으로 기운 분포(right skewed), **정적편포**(positively skewed distribution).

- 긴 꼬리가 우측으로 향한다.
- 이상값이 우측에 있어 평균이 우측(큰쪽)으로 이동한다.
- 평균 〉 중앙값 〉 최빈값 (Mean 〉 Median 〉 Mode)

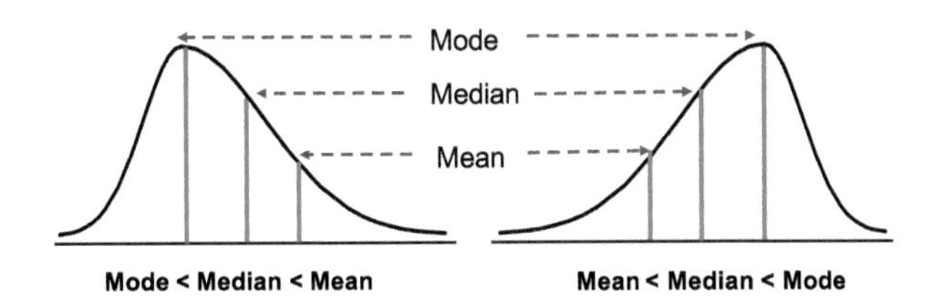

※ 비대칭분포에서 최빈값은 산 정상, 중앙값은 산 중턱, 평균은 산 기슭에 위치한다.

(1) 대칭분포 (정규분포)

Data	2	3	3	3	4	4	4	4	4	5	5	5	5	5	5	5	5	6	6	6	6	6	7	7	7	8

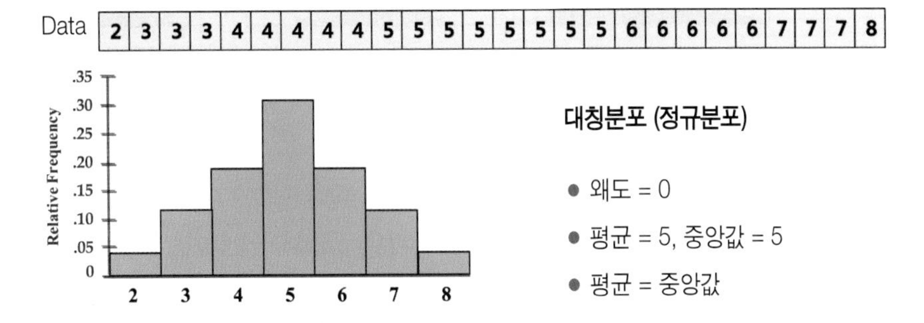

대칭분포 (정규분포)

- 왜도 = 0
- 평균 = 5, 중앙값 = 5
- 평균 = 중앙값

(2) 비대칭분포 (좌측 기운분포)

Data	2	3	3	4	4	4	5	5	5	5	6	6	6	6	6	6	6	7	7	7	7	7	8	8	8

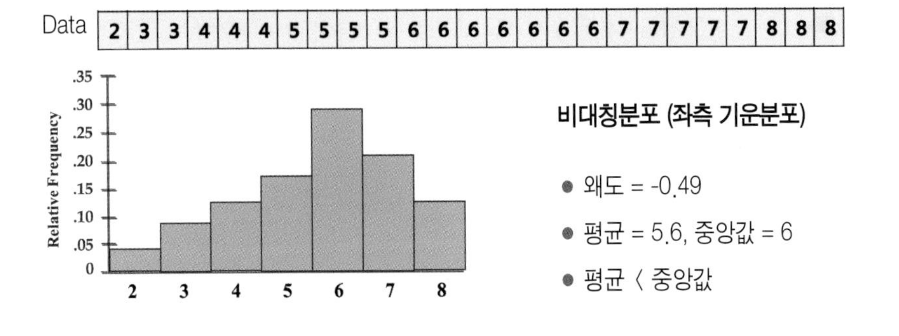

비대칭분포 (좌측 기운분포)

- 왜도 = -0.49
- 평균 = 5.6, 중앙값 = 6
- 평균 〈 중앙값

(3) 비대칭분포 (우측 기운분포)

Data	2	2	2	3	3	3	3	3	4	4	4	4	4	4	4	5	5	5	5	6	6	6	7	7	8

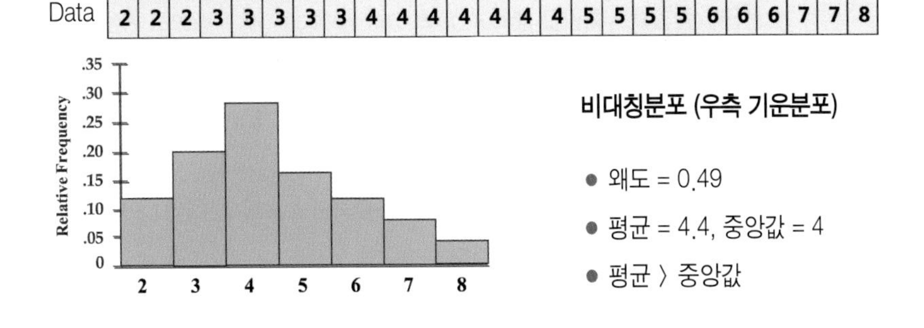

비대칭분포 (우측 기운분포)

- 왜도 = 0.49
- 평균 = 4.4, 중앙값 = 4
- 평균 〉 중앙값

2) **첨도** (kurtosis)

① 첨도란 분포의 뾰족한 정도 또는 평평한 정도를 뜻하는 말이다.

② 첨도는 평균과 표준편차로부터 구한다.

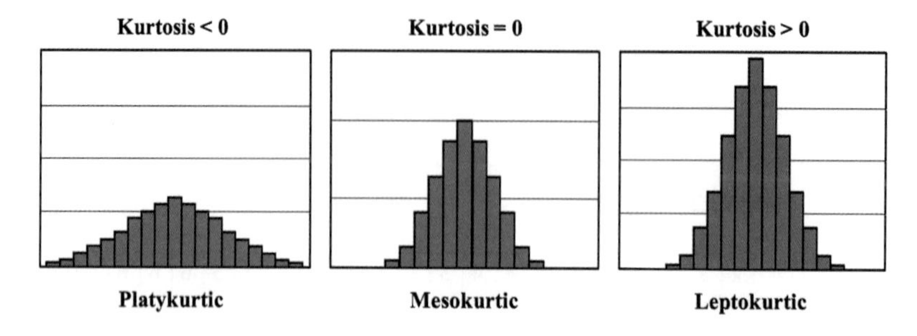

첨도 해석

① **첨도** = 0 : 정규분포 모양 (mesokurtic) 분포를 보인다.

② **첨도** 〈 0 : 정규분포에 비하여 납작한 모양 (platykurtic) 분포를 보인다.

③ **첨도** 〉 0 : 정규분포에 비하여 뾰족한 모양 (leptokurtic) 분포를 보인다.

Example

다음 자료에서 평균 = 79.2, 중앙값 = 75, 최빈값 = 72이다.

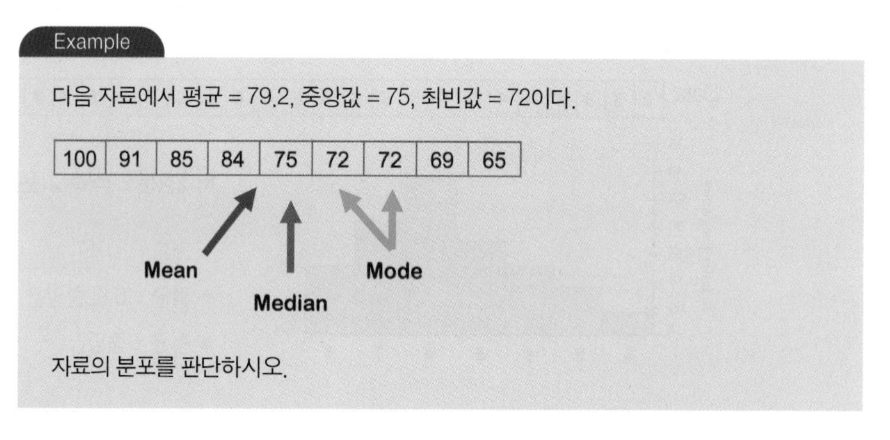

자료의 분포를 판단하시오.

[해설]

① 평균 〉 중앙값 〉 최빈값 (Mean 〉 Median 〉 Mode) ➜ 우측으로 기운 분포

② 왜도 = 0.65 〉 0 ➜ 우측으로 기운 분포

③ 첨도 = -0.50 〈 0 ➜ 납작한 모양 분포

평균, 중앙값의 차이가 작고 왜도, 첨도가 0에 가까우므로 대칭분포에 약간 납작한 모양이다.

자료 형태에 따른 자료요약

기술통계에서 일반적으로 대표값과 산포도를 사용하여 자료의 특성을 요약한다. 일반적으로 평균과 표준편차가 가장 많이 사용되지만 자료 형태와 자료 분포에 따른 전제조건이 필요하다.

1. 측정 수준 Level of Measurement

자료형태에 따라서 측정 수준이 달라진다. 명목자료에서는 최빈값만 구할 수 있으며 순서자료에서는 최빈값, 중앙값, 범위를 측정할 수 있다. 계량(구간/비율) 자료에서는 모든 통계량을 구할 수 있다.

자료형	대표값			산포도		
	최빈값	중앙값	평균	범위	IQR	표준편차
비율자료 구간자료	O	O	O	O	O	O
순서자료	O	O	X	O	X	X
명목자료	O	X	X	X	X	X

평균과 표준편차

① 계량 자료인 **구간자료** 또는 **비율자료**에서 사용된다.

② 자료 분포가 대칭형인 정규분포를 이루어야 한다.

중앙값과 사분위범위 (범위)

① 대표값으로 평균을 사용할 수 없는 경우에 사용된다.

② 비대칭형인 비정규분포를 이루는 자료에서 사용할 수 있다..

③ 이상값으로 인하여 평균이 왜곡된 자료에서는 중앙값과 사분위범위를 사용한다.

④ **순서자료**에서는 중앙값과 범위가 사용된다.

최빈값

① 평균과 중앙값을 구할 수 없는 **명목자료**에서 사용된다.

② 산포도는 함께 사용할 수 없다.

2. 자료 특징 Distribution of Data

표본분포의 특징에 따라서 사용할 수 있는 대표값과 산포도가 달라진다.

대표값	자료 특징	산포도
평균	• 대칭 분포 (정규분포) • 등간/비율자료	✓ 표준편차 ✓ 범위
중앙값	• 비대칭 분포 (비정규분포) • 이상값	✓ 사분위범위
	• 순서자료	✓ 범위
최빈값	• 명목자료	✓ 없음

- 비대칭이며 기운 분포 자료(skewed data)에서 평균과 표준편차는 신뢰할 수 없으며 중앙값과 사분위범위 또는 범위를 사용하여야 한다.
- 이상값이 있으면 범위는 신뢰할 수 없으므로 사분위범위를 사용하여야 한다.

산포도의 비교

변이계수 (변동계수, 분산계수) (CV, Coefficient of Variation)

① 표준편차의 평균에 대한 백분율(%)을 변이계수라 한다.
CV = SD / Mean

② 분산, 표준편차는 절대적 산포성을 나타내며, 변이계수는 상대적 산포성을 나타낸다.

③ 변이계수는 측정 단위가 서로 다른 분포(예; 혈압과 체중)의 변이를 비교하는데 유용하다. 또한 측정단위가 같아도 산술평균이 서로 다른 경우 분산이나 표준편차가 산술평균에 따라 달라지므로 두 변수의 산포성 크기의 비교에는 변이계수를 사용하여야 한다.

Example

다음 두 자료에서 산포성의 크기를 비교하여 보자.

Data A	1	2	4	6	8	10	12	50
Data B	1	43	43	44	45	46	47	50

	SD	Mean	CV
Data A	14.93	11.63	128
Data B	14.85	39.88	37

[해설] 표준편차(SD)는 두 자료에서 비슷하나 Data A에서 CV = 128% 로 Data B의 CV 37%보다 크므로 Data A가 평균에 비하여 산포성(표준편차)이 더 크다고 할 수 있다.

12 정규분포 Normal Distribution

계량자료를 빈도분포표로 만들어 히스토그램(histogram)으로 표시하면 표본크기가 증가함에 따라서 종모양(bell-shaped)의 분포를 보이게 된다. 이러한 모양의 분포를 정규분포라 부르며 정규분포를 이루는 그래프를 **정규곡선**(Normal curve)이라 한다.

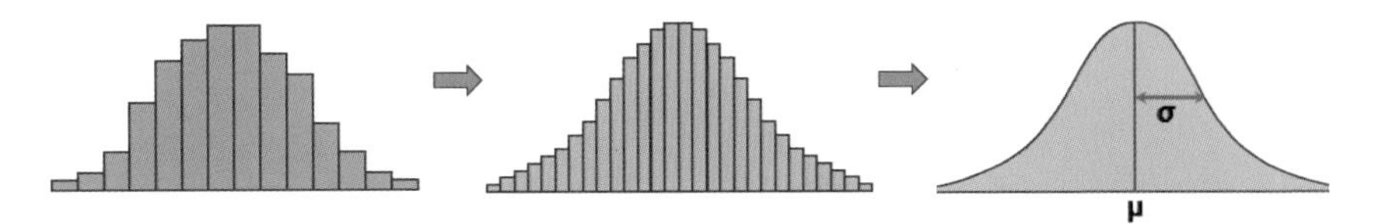

- ✓ 정규분포는 모집단에 근거하기 때문에 평균은 μ로 분산은 σ^2으로 표기한다.
- ✓ 정규분포의 곡선 모양은 평균 μ와 분산 σ^2 (또는 표준편차 σ)에 따라 변한다.
- ✓ 평균 μ는 곡선의 중심 위치를 결정하고 표준편차 σ는 곡선의 퍼진 정도를 결정한다.

정규분포란 무엇인가?

① 종 모양이다.

② 평균을 중심으로 대칭을 이룬다.

③ 평균, 중앙값, 최빈값은 동일한 값이다.

정규분포를 왜 알아야 하는가?

자료요약에서 대표값과 산포도는 자료의 분포에 따라서 달라진다. 정규분포인지 아닌지에 따라서 기술통계에서부터 추측통계까지 모든 통계방법이 결정된다.

정규분포의 통계적 중요성은 다음과 같다.

① 대부분의 자연적인 측정값(특히 생물을 대상으로 하는 측정값)들은 정규분포에 따른다.

② 기술통계 및 추측통계에서 통계방법을 선택하는데 중요한 역할을 한다.

③ 확률분포 중에는 정규분포에 근사시킬 수 있는 경우가 많다.
예를 들어 표본의 크기가 커질 때 정규분포는 이항분포나 포아송분포 같은 이산확률분포에 대하여 근사값을 제공하여 준다.

가우스 분포 (Gaussian distribution)

정규분포(Normal distribution)는 Gauss에 의하여 발견되었다 하여 Gauss 분포로 부르기도 한다. 정규분포 발견에 여러 통계학자가 관여한 사실이 밝혀짐으로써 **Normal(정규)** 분포로 부르게 되었다.

표준정규분포 standard normal distribution

정규곡선은 평균과 표준편차에 따라 모양이 달라지므로 표본 자료들간에 분포를 비교하기 위해서는 통계학적으로 기준이 되는 표준화된 정규곡선이 필요하다.

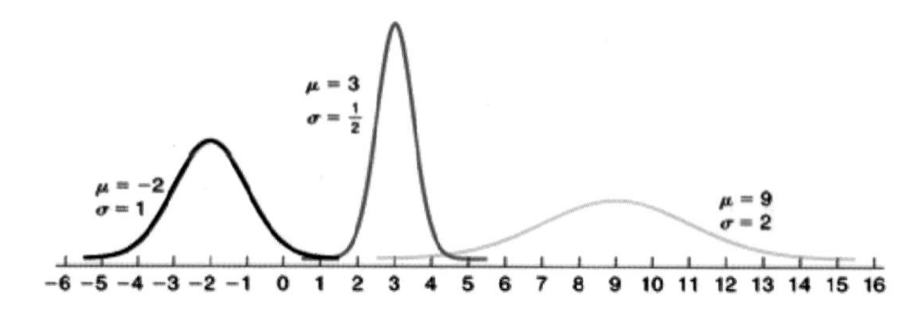

정규분포를 이루는 자료를 표준화(standardization) 하게 되면 평균 = 0, 표준편차 = 1 인 정규분포를 이루게 되는데 이를 표준정규분포라고 한다.

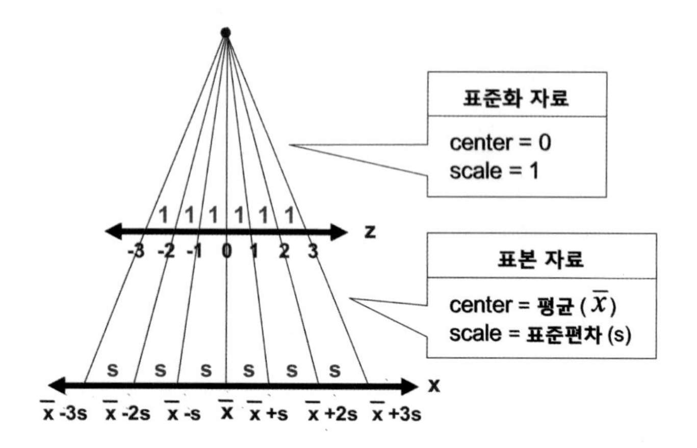

표준화 standardization

측정값을 표준편차 단위로 변환(z 변환, z-transformation)하는 것을 뜻한다. 측정값(x)에서 평균($\bar{x}$)을 뺀 값을 표준편차(s)로 나눈 값을 z 점수**(z-score)** 또는 표준점수**(standard score)**라 하며 z 점수로 변환하는 과정이 표준화이다.

$$z = \frac{x - \bar{x}}{s} \iff x = \bar{x} + zs \quad (x : \text{측정값},\ \bar{x} : \text{평균},\ s : \text{표준편차})$$

온도	Celcius	Fahrenheit
	10	50
	20	68
x	30	86
	40	104
	50	122
mean	30	86
s	15.81	28.46

Z-score
-1.26
-0.63
0.00
0.63
1.26
0
1

동일한 온도를 섭씨와 화씨로 표시하여 단위가 달라진 측정값을 표준화시키면 동일한 z 점수를 얻게 된다.

섭씨 30도, 화씨 86도에서 z 점수는

$$z = \frac{x - \bar{x}}{s} = \frac{30 - 30}{15.81} = \frac{86 - 86}{28.46} = 0$$

Z 점수의 평균 = 0, 표준편차 = 1

Z-score의 해석

① 관측값(x)이 평균으로부터 표준편차(s)의 z 배 떨어진 거리를 뜻한다.

예에서 섭씨 50도=30(평균)+1.26(z)x15.81(s) (평균에서 표준편차의 1.26배만큼 떨어진 위치)

② Z 점수는 표준편차 단위이므로 측정단위(kg, cm)가 없으며 평균=0, 표준편차=1 분포를 이룬다.

③ 정규분포에서 대부분 z 점수는 -3 ≤ z ≤ 3 에 속한다.

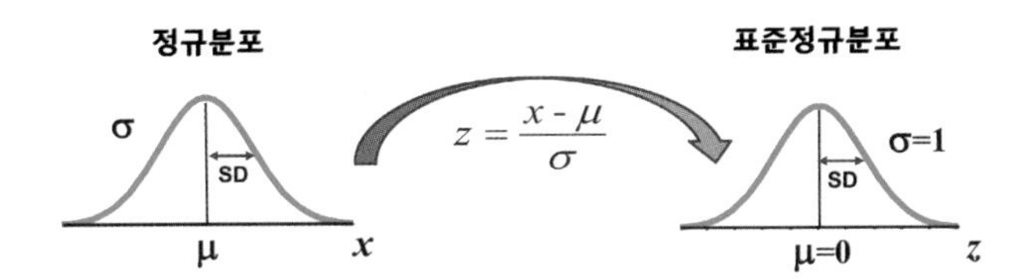

표준정규분포란 무엇인가?

① 정규분포와 같은 종 모양이다.

② 평균(0)을 중심으로 대칭을 이룬다.

③ 확률분포이므로 곡선 아래의 총 면적은 1(100%)이 된다.

④ 평균을 중심으로 ±1 표준편차 내의 면적은 68.26%, ±2 표준편차 내의 면적은 95.44%, ±3 표준편차 내의 면적은 99.74% 이다. **(68-95-99 법칙)**

68-95-99 Rule

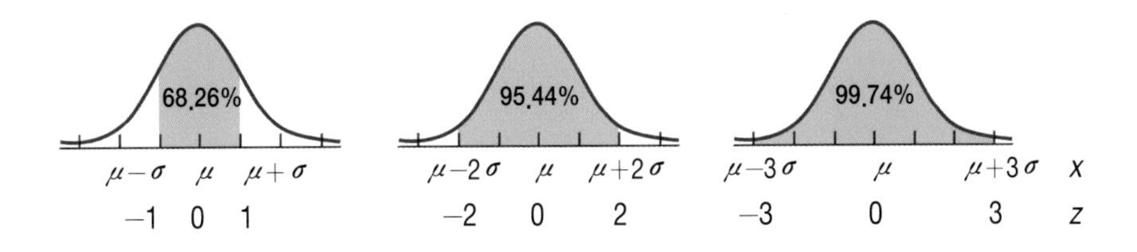

1.3 자료 위치 Data Position

자료의 형태가 결정되면 전체 자료 중 개별 측정값의 상대적 위치(location)를 측정할 수 있다. 측정값의 상대적 위치를 측정하는 방법은 순서에 의한 방법과 평균, 표준편차를 이용한 방법이 있다.

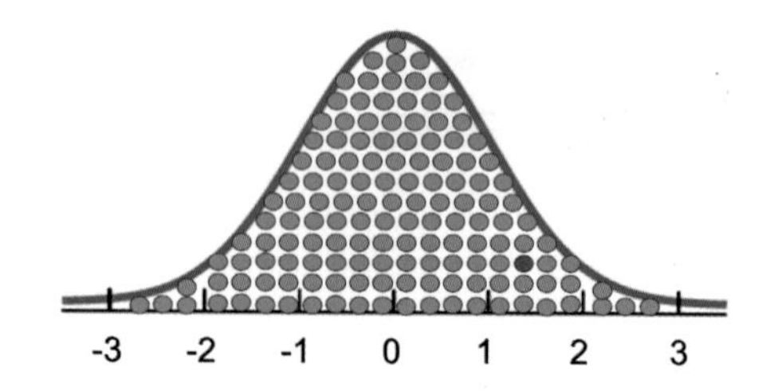

1. 백분위수 percentile, quantile

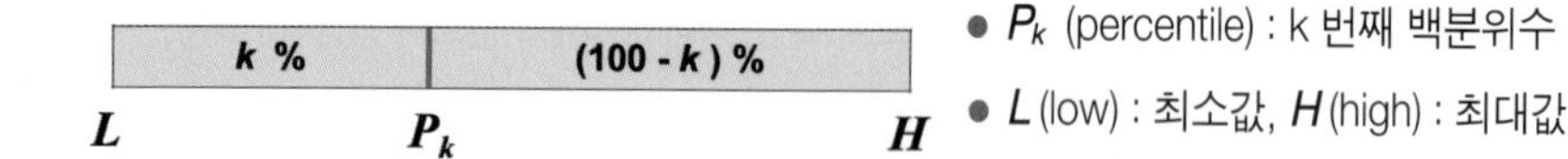

- P_k (percentile) : k 번째 백분위수
- L (low) : 최소값, H (high) : 최대값

① 순서에 따라 배열한 자료에서 상대적 위치를 측정하는 방법이다.

② 크기 순으로 배열한 자료를 100등분한 값을 **백분위수**라고 한다.

③ **사분위수(quartile)**는 백분위수의 25번째, 50번째, 75번째 측정값이다.

계량자료에서는 평균과 표준편차를 이용하여 단일표본에서 측정값의 얼마 정도가 평균의 1, 2, 3 표준편차 이내에 속해 있는가에 대하여 알 수 있다. 단일표본에서 표준편차의 해석에 관한 지침은 다음과 같다.

2. 체비셰프 법칙 Chebyshev' s Rule

분포의 모양에 무관하게 적용된다. 대개 특정분포를 가정하므로 실제로 잘 사용되지 않는다.

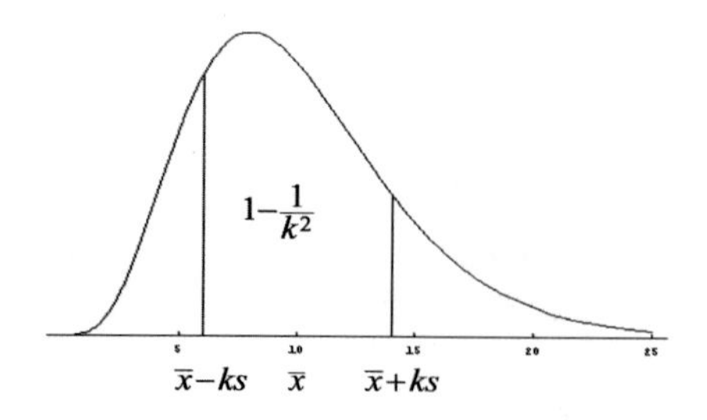

① 어떤 측정값도 평균의 ±1 표준편차 이내에 속하지 않을 수 있다.

② 측정값들의 3/4 이상은 평균의 ±2 표준편차 이내에 속하게 될 것이다.

③ 측정값들의 8/9 이상은 평균의 ±3 표준편차 이내에 속하게 될 것이다.

3. 경험적 법칙 the Empirical Rule

정규분포를 이루는 경우 적용되며 체비셰프 법칙보다 더 정확하다.

전체 자료 중에서 특정 측정값의 상대적 위치를 추정할 수 있다.

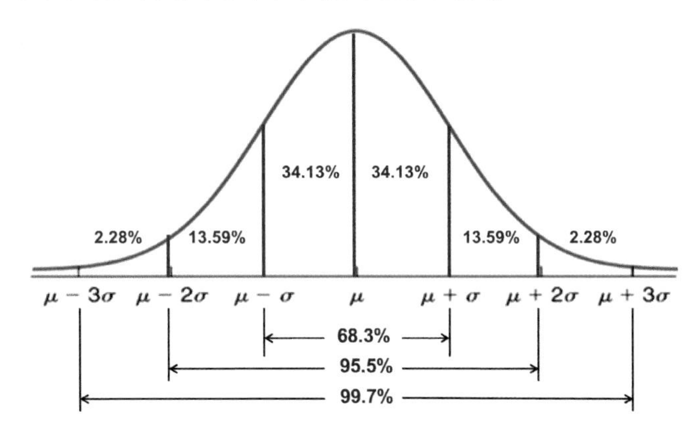

① 측정값들의 약 68%는 평균의 1 표준편차 ($\bar{X}-S$ 에서 $\bar{X}+S$) 이내에 속한다

② 측정값들의 약 95%는 평균의 2 표준편차 ($\bar{X}-2S$ 에서 $\bar{X}+2S$) 이내에 속한다.

③ 거의 모든 측정값들은 평균의 3 표준편차 ($\bar{X}-3S$ 에서 $\bar{X}+3S$) 이내에 속한다.

4. 표준 점수 standard score

표준 점수는 z-score라고도 한다.

Example

다음 자료에서 14 의 위치를 z-score로 설명하여 본다.

3	8	6	14	4	12	7	10

[해설] 평균 = 8, 표준편차(s) = 3.82 이므로 **z-score** ➲ $z=\frac{x-\bar{x}}{s}=\frac{14-8}{3.82}\approx 1.57$

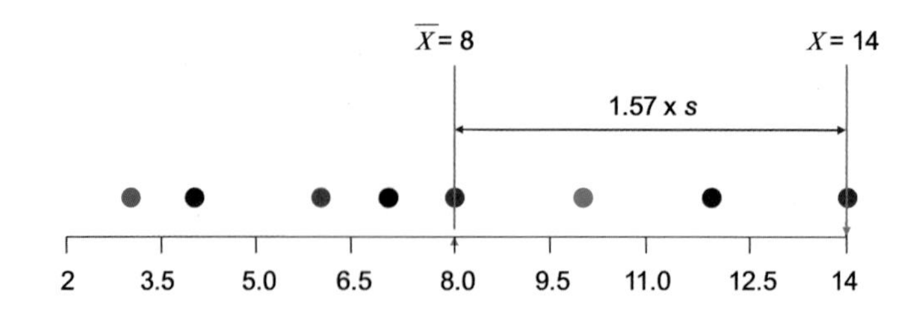

[해석] 관측값 14는 평균(8) 보다 표준편차(s)의 약1.57배 크다.

Z-score를 사용하면 측정 단위(척도)가 다른 분포들 간에도 측정값을 비교할 수 있다.

Example

두 가지 검사 Test A와 B에서 동일한 측정값(78)의 크기를 비교하여 본다.
Test A : 평균 = 70, 표준편차 = 8　Test B : 평균 = 66, 표준편차 = 6

[해설]

Test A : score 78. 평균 = 70, 표준편차 = 8 ⇨ z = (78-70) / 8 = 1.00

Test B : score 78. 평균 = 66, 표준편차 = 6 ⇨ z = (78-66) / 6 = 2.00

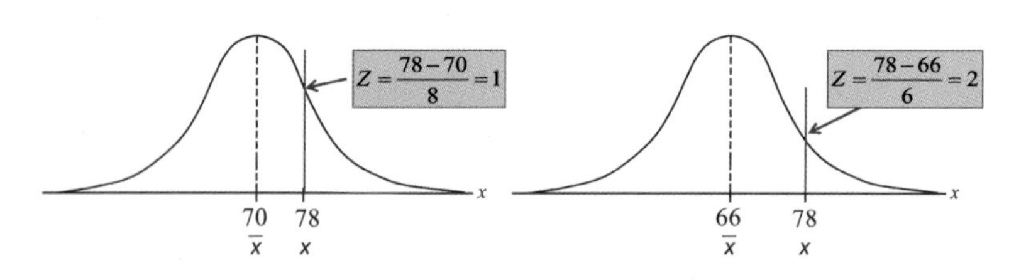

[해석] Test B에서 Test A 보다 상대적으로 평균에 비하여 더 높은 점수를 보인다.

1.4 이상값 Outlier

관측값들 중에서 다른 관찰값에 비하여 매우 작거나(extremely small), 매우 큰(extremely large) 극단적인 값을 이상값 또는 특이값이라 한다.

통계적 중요성

① 이상값은 자료 분포를 왜곡시키고 평균에 영향을 주어 통계분석 결과가 달라진다.

② 이상값이 있는 자료는 정규분포를 이루지 않는 경우가 많다.

③ 이상값이 있으면 중앙값(IQR)이 평균(표준편차)보다 자료의 대표값(산포도)로 적합하다.

이상값을 알아내는 방법

Example

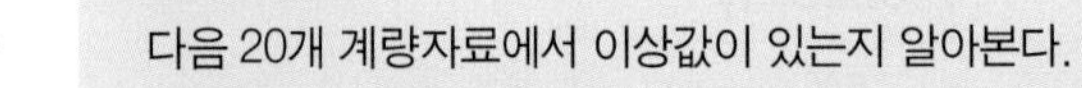

다음 20개 계량자료에서 이상값이 있는지 알아본다.

15	15	15	15	17	17	19	20	21	22
23	25	27	35	37	41	50	63	65	101

1. 그래프에 의한 방법 Graphical Approach

그래프에 의한 방법은 이상값 설정 기준이 주관적이다.

상자그림

① 사분위수 Q1, Q3를 구한 다음 사분위범위 IQR (Q3−Q1)를 계산한다.

② 측정값 중 Q1−1.5 IQR 보다 작거나 Q3+1.5 IQR 보다 큰 수를 이상값으로 정한다.

[해설]

$Q_1 = 17$, $Q_3 = 39$ ⇨ $IQR = Q_3 - Q_1 = 39 - 17 = 22$

$Q_1 - 1.5 \times IQR = 17 - (1.5 \times 22) = -16$, $Q_3 + 1.5 \times IQR = 39 + (1.5 \times 22) = 72$

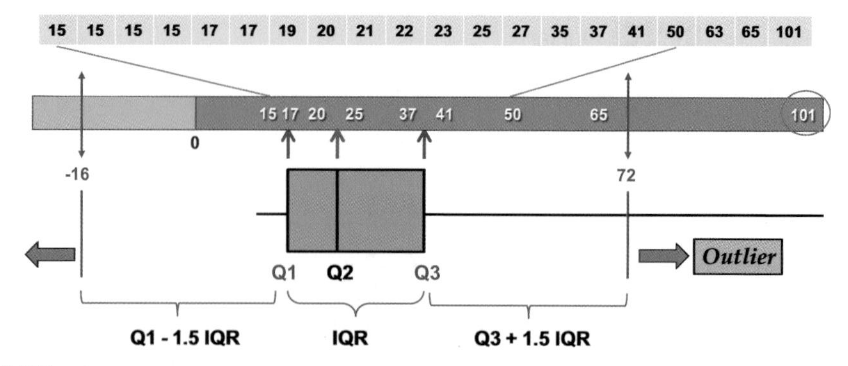

[해석]

✓ 자료 중에서 -16 보다 작거나 72 보다 큰 수를 이상값으로 정한다.

✓ 예제에서 101 〉 72 이므로 관측값 중 101은 이상값이다.

2. 통계학적 방법 Statistical Approach

1) Z-score test

① 자료의 분포는 정규분포임을 가정한다.

② 관측값을 z-score로 변환한다.

③ z-score 절대값 |z| 〉 3 (z 〈 -3, z 〉 3)이면 이상값으로 간주한다.

|z|	Probability
>1.96	5%
>2.58	1%
>3.29	0%

예제에서 101에 대한 z-score = 3.07 〉 3 이므로 이상값으로 정한다.

2) Grubbs test

① 단일 표본에서 이상값을 검정하는 통계학적 검정법이다.

② 자료의 분포는 정규분포임을 가정한다.

③ z-score에 대한 검정확률을 구한다.

예제에서 최대값 101에 대한 Grubbs test 결과 G=3.07, p=0.0042로 이상값일 확률이 매우 높다.

3) **절사평균** (trimmed mean)

① 전체 자료 중에서 백분위수의 하위 k%, 상위 k% 를 제외한 나머지 자료의 평균을 k% 절사평균이라 한다.
② 5% 절사평균은 최대값과 최소값으로부터 각각 5% 자료들을 제거하고 나머지 90%의 자료에 대한 평균이다.
③ 이상값이 있으면 원래의 평균과 절사평균의 차이가 크게 나타난다.

이상값을 어떻게 처리하는가?

이상값이 발견되면 우선 자료 입력시 오류에 의한 잘못된 수치인지 확인하여야 한다.

이상값 처리방법

1. 통계분석에서 제외

이상값을 분석에서 제외할지 여부는 이상값이 가지는 의미와 분석 목적에 의하여 결정된다.

2. 자료 변환

이상값에 의하여 비정규분포를 이루는 자료를 변환을 하여 정규분포로 바꾸어 분석한다.

 자료 변환은 『통계검정』 단원을 참고하기 바란다.

3. 척도(Score) 변경

① 이상값을 제외시킨 나머지 값 중에서 최대값+1 혹은 최소값−1 로 바꾼다.
② 이상값을 평균 ± 3SD (표준편차)로 바꾼다.

1.5 그래프 Graphic Display

자료요약은 자료분포의 특징을 통계적 수치로 기술하는 방법과 그래프로 나타내는 방법이 있다. 그래프는 수치의 시각적 표현이므로 수치적 표현보다는 직관적으로 이해하기가 쉽다. 그래프도 자료 형태에 따라서 표현 양식이 달라진다.

1. 명목자료

1) 막대그림 (Bar graph)

범주형 자료의 항목의 빈도를 막대 크기로 나타낸 그래프이다.

다음은 혈액형을 조사한 자료이다. 혈액형의 빈도를 막대그림으로 그려본다.

A	B	B	AB	O	O	O	B	AB	B	AB	A	O
B	B	O	A	O	A	O	O	O	AB	B	A	

[해설]

혈액형 A, B, O, AB에 따른 빈도를 도표로 만든 다음에 x 축은 혈액형, y 축은 빈도로 표시하는 막대그래프를 그린다. 막대들끼리는 붙이지 않고 간격을 둔다.

번호	Class	빈도	%
1	A	5	20
2	B	7	28
3	O	9	36
4	AB	4	16

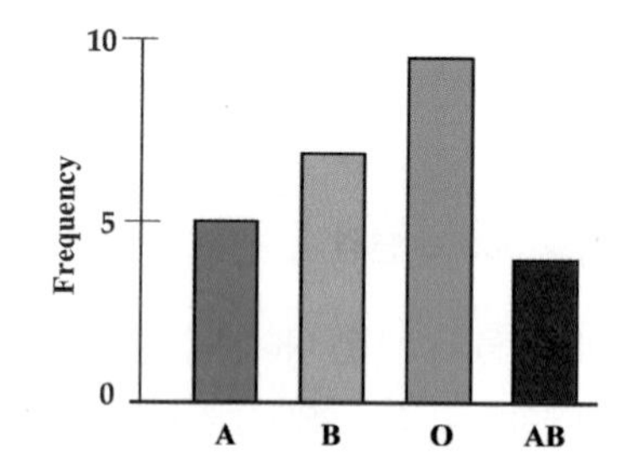

2) 원그림 (Pie chart, Circle graph)

범주형 자료의 항목의 빈도를 비율로서 파이로 나타낸 그래프이다.

번호	Class	빈도	%
1	O	9	36
2	B	7	28
3	A	5	25
4	AB	4	16

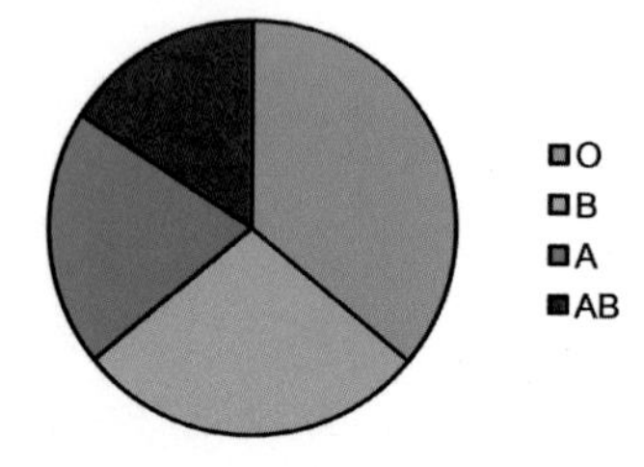

3) 파레토그림 (Pareto diagram)

막대그림의 항목을 빈도가 큰 순서대로 나타낸 그래프이다. 막대들 간에 간격은 없이 붙인다.

번호	Class	빈도	%
1	O	9	36
2	B	7	28
3	A	5	25
4	AB	4	16

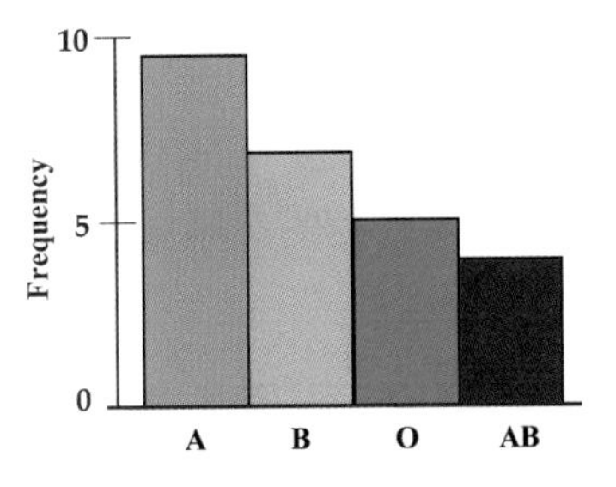

2. 순서자료

막대그림 (Bar graph)

명목자료와 같으나 막대그림의 빈도를 범주형 항목의 순서대로 나타낸다.

다음은 25명의 환자에서 중증도를 grade 1에서 grade 4 로 나누어 조사한 자료이다.

I	II	II	III	IV	IV	IV	II	III	II	III	I	IV
II	II	IV	I	IV	I	IV	IV	IV	III	II	I	

Grade는 순서자료이므로 x 축 에 I , II, III, IV 순서대로 막대그래프를 그린다.

번호	Class	빈도	%
1	I	5	20
2	II	7	28
3	III	4	16
4	IV	9	36

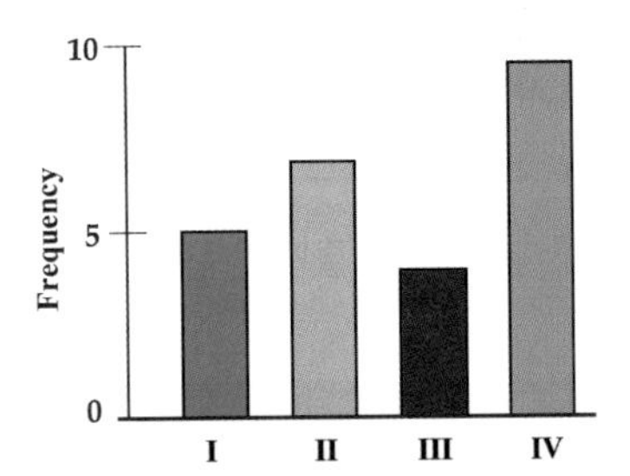

3. 계량자료 (구간/비율)

계량자료에서는 자료의 분포 모양을 그래프로 나타낸다.

1) 점그림 (Dot plot)

① X 축에 실제 관측값을 표시하고 관측값의 빈도를 점으로 표시한다.

② 자료 수가 많지 않을 때에 사용할 수 있다.

③ 컴퓨터로 그래프를 그리기 어려웠던 과거에 사용되었던 방법이다.

다음 자료를 이용하여 점그림을 그려본다.

12	14	19	18	15	15	18	17	20	27
22	23	22	21	33	28	14	18	16	13

[해설] 다음과 같은 점그림을 그린다.

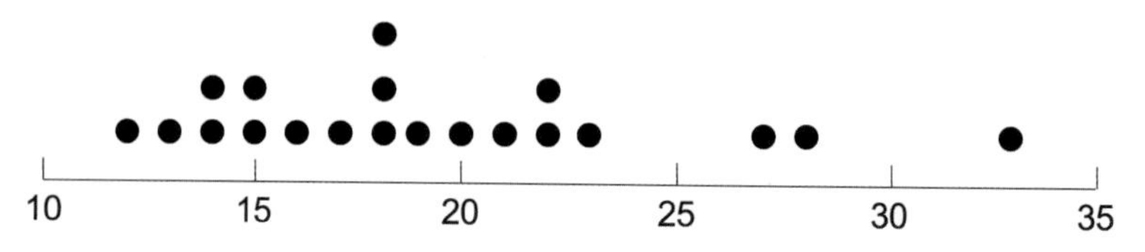

[해석] 대부분 관측값이 25 이하에 모여 있으며 우측으로 퍼진 분포를 보인다.

2) **줄기-잎그림** (Stem-and-Leaf plot)

① 줄기-잎그림은 관측값을 숫자 단위로 나누어 그래프로 표현하는 방법이다.

② 자료 수가 많지 않을 때에 사용할 수 있다.

③ 줄기는 단위 수(앞자리 수)이며 잎은 뒷자리 수이다. 예를 들어 53 에서 줄기는 5, 잎은 3이다.

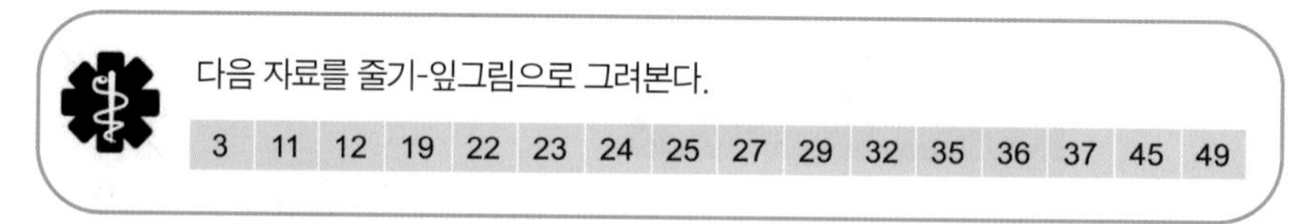

다음 자료를 줄기-잎그림으로 그려본다.

3	11	12	19	22	23	24	25	27	29	32	35	36	37	45	49

[해설] 다음과 같은 줄기-잎그림을 그린다.

줄기	잎
0	3
10	11 12 19
20	22 23 24 25 27 29
30	32 35 36 37
40	45 49

⇨

0	3
1	1 2 9
2	2 3 4 5 7 9
3	2 5 6 7
4	5 9

[해석] 줄기는 0, 1, 2, 3, 4 이고 나머지 숫자는 잎이다. 분포의 중심은 20 이며 대칭분포를 보인다.

3) 히스토그램 (Histogram)

① 히스토그램은 도수분포표(frequency distribution table)로 만들어 막대그림으로 나타낸 것이다.

② 막대그림과 차이점은 막대를 간격 없이 붙여서 그린다.

③ 히스토그램은 자료 수가 많은 경우에 개별 관측값을 하나씩 표시하는 점그림이나 줄기-잎그림에 비하여 분포의 모양을 표시하는데 효과적이다.

도수분포표

① 관찰값들을 계급(class)으로 나누어 각 계급에 속한 개체수의 빈도(도수)로 표시한 표(table)를 도수분포표라 한다.

② 계급의 간격(class interval)은 같아야 한다.

③ 계급의 중간값을 계급값(class mark, class midpoint)이라 한다

④ 계급수는 최소 5 개 이상 12 개 이하가 적당하다.

 위의 자료를 히스토그램으로 그려본다.

번호	계급	계급값	빈도
1	0~10	5	1
2	10~20	15	3
3	20~30	25	6
4	30~40	35	4
5	40~50	45	2

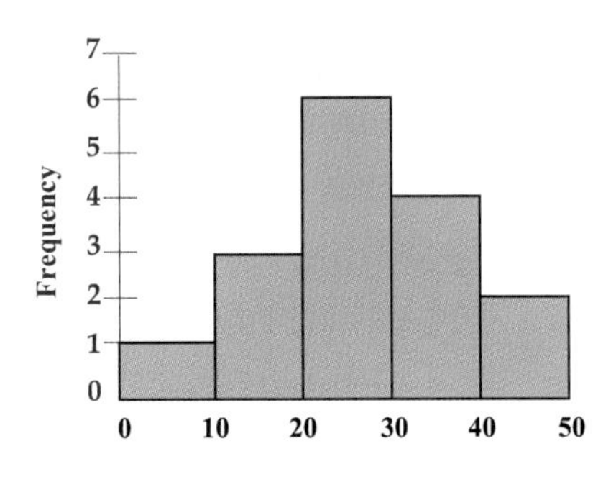

[해설]

- 계급 : 0, 10, 20, 30, 40, 50을 경계로 계급 간격은 10으로 하였다.
- 계급의 수는 5개이다.
- 계급값 : 계급 시작과 끝 구간의 중간점이다.번호 3에서 계급값은 (20+30)/2 = 25 이다.
- 계급을 X축으로, 각 계급에 속하는 수의 빈도를 Y축으로 하여 히스토그램을 그린다.
- 히스토그램은 막대그림과 달리 간격없이 붙여서 그려야 한다.

4) **상자그림** (Box plot)

상자그림은 상자수염도(Box-and-Whisker plot)라고도 하며 다섯숫자요약에 대한 그래프이다.

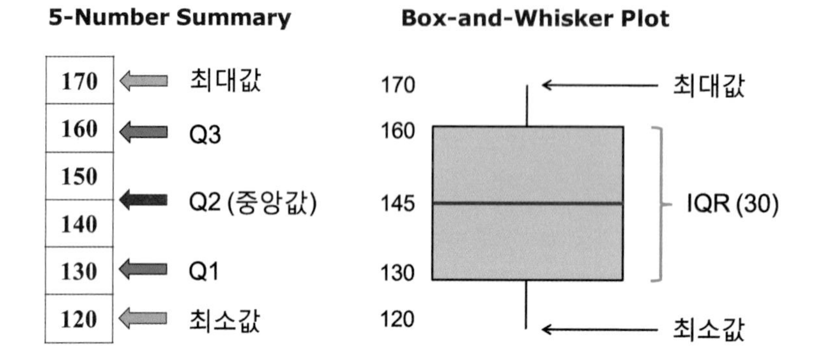

다섯숫자요약 5-Number Summary

기술통계에서 사용되는 최소값(L), 제1사분위수(Q1), 중앙값(Q2), 제3사분위수(Q3), 최대값(H) 다섯 숫자로 자료를 요약하는 방법이다.

① 상자그림에서 상자는 사분위범위 IQR로 높이를 표시한다.
② 상자 밖의 수염 모양(whisker)의 직선은 최소값과 최대값을 나타낸다.
③ 상자그림은 계량자료의 분포를 기술하는 그래프로 많이 사용된다.
④ 분포의 모양에 따라 중앙값의 위치가 달라진다.
- 정규분포에서 중앙값은 상자의 가운데에 위치하며 대칭 모양이다.
- 좌측 왜곡분포에서 중앙값은 상자의 우측(최대값 쪽)에 위치한다.
- 우측 왜곡분포에서는 중앙값이 좌측(최소값 방향)에 위치한다.

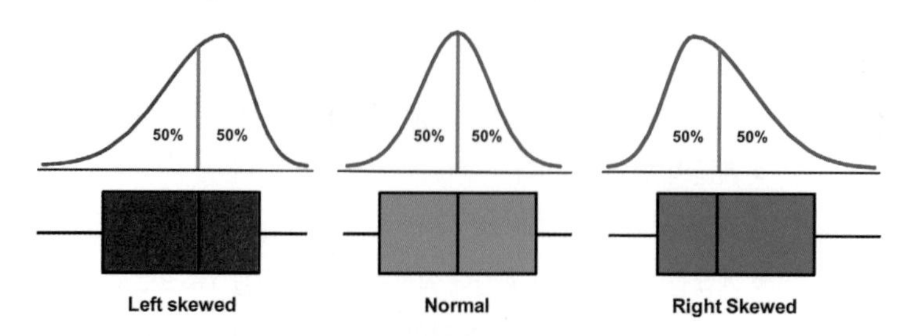

⑤ 전체 관측값 중 50%는 IQR (Q1~Q3) 범위에 속한다.

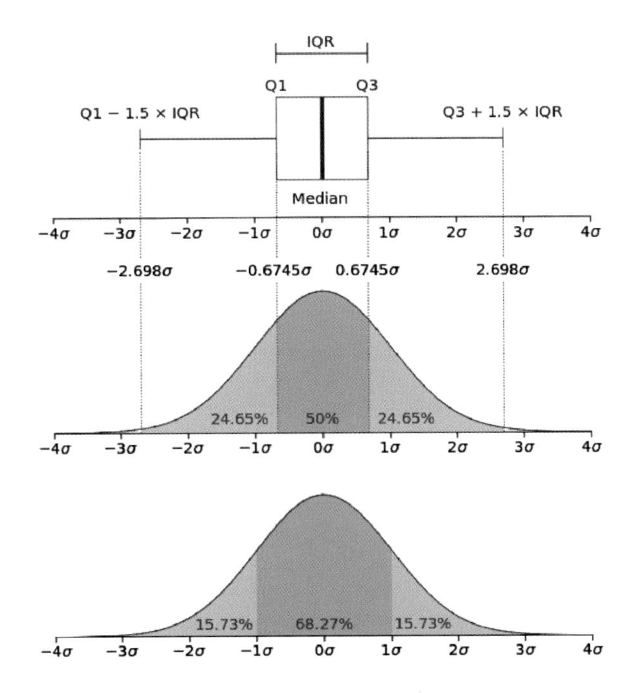

전체 관측값 거의 대부분이 Q1−1.5 IQR 에서 Q3 +1.5 IQR 범위에 속한다.

1.6 정규분포 검정 Normality Test

자료의 정규성 검정 방법은 이상값 검사처럼 크게 그래프에 의한 방법과 통계적 방법이 있다.

정규성 검정법 Normality test

1. 그래프에 의한 방법 Graphic Method

1) Histogram
2) Box plot
3) Normal Q-Q plot

2. 통계학적 방법 Statistical Method

1) 95% 범위 (평균 ± 2표준편차)
2) 왜도와 첨도
3) 이상값 검사
4) 통계학적 검정법
 ① Kolmogorov-Smirnov test
 ② Lilliefors test
 ③ Shapiro-Wilk test

다음 table은 신생아 20명의 체중(단위 : gm)을 측정한 자료이다.

ID	Weight	ID	Weight
001	3265	011	2581
002	3260	012	2481
003	3245	013	3609
004	3484	014	2838
005	5146	015	3541
006	3323	016	2759
007	3649	017	3248
008	3200	018	3314
009	3031	019	3101
010	2369	020	2834

이 자료에 대한 정규성 검정을 시행하여 본다.

1. 그래프에 의한 방법

그래프에 의한 방법은 주관적이나 자료 분포의 모양을 파악하고 이상값을 찾아내는데 유용하다.

1) Histogram

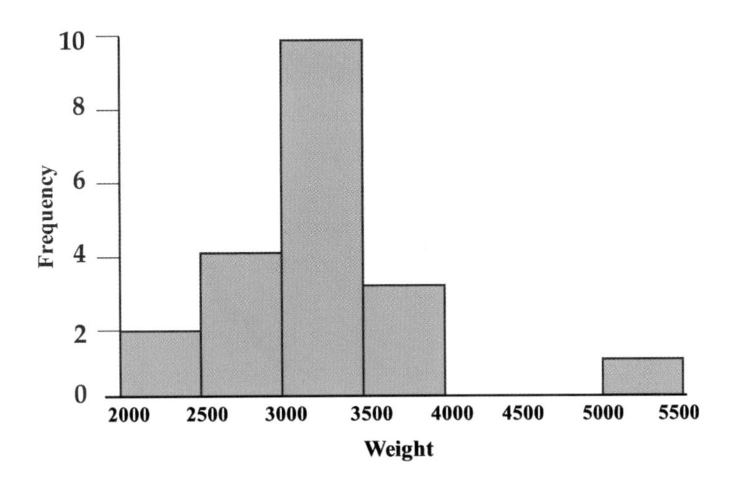

우측으로 왜곡된 분포이며 체중 5000 gm 이상인 이상값으로 보이는 자료가 1개 있다.

2) Box plot

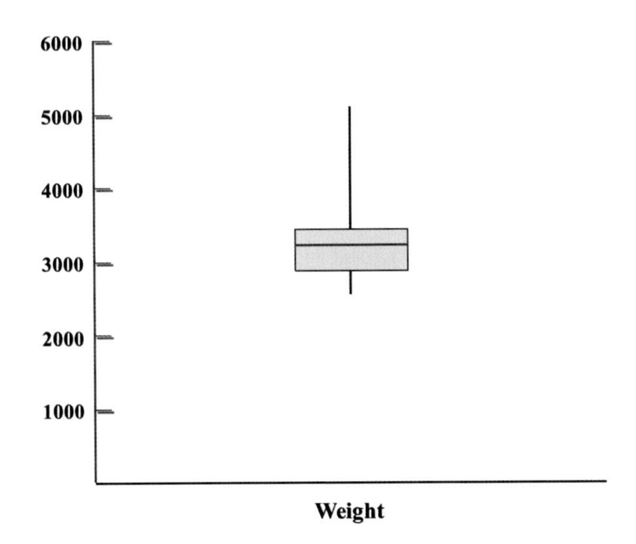

최대값 쪽으로 수염(whisker)이 긴 분포(우측 왜곡분포)이며 최대값이 5000 gm 이상으로 Q3 + 1.5 IQR 보다 크므로 이상값일 가능성이 높다.

3) Normal Q-Q plot

① Q-Q plot은 분위수-분위수 그림(quantile-quantile plot)의 약자이다.
② 관측자료의 백분위수(quantile)를 정규분포의 백분위수(quantile)들과 비교한다.
③ Q-Q도표에서 데이터의 점들이 직선에 가까울수록 정규분포에 가깝다.
④ 자료 수가 적으면 직선에서 크게 벗어나는 경우에 비정규분포로 여긴다.

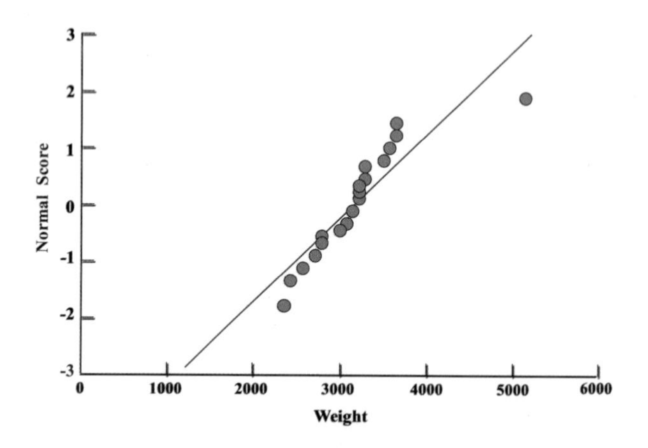

대부분 자료가 직선을 이루고 있으나 최대값이 동떨어져 있어 이상값임을 보여준다.

2. 통계학적 방법

1) 95% 범위 (평균±2표준편차)

- 정규분포를 이루면 95% 범위에 속한 관측자료는 실제 측정가능하여야 한다.

평균 = 3213.9, 표준편차(SD) = 583.9 ⇨ 평균±2표준편차의 범위는 2046.1에서 4381.7 이다. 정규분포를 이루는 자료에서 신생아 체중의 95%는 여기에 속한다고 추측할 수 있으며 실제 측정가능하므로 정규성을 위반하지 않는다고 할 수 있다.

변수	Mean±2 SD	95% 범위	최소값	최대값
weight	3213.9±(2 x 583.9)	2046.1 ~ 4381.7	2369	5146

2) 왜도와 첨도

① 왜도와 첨도의 절대값이 3 보다 크면 정규분포를 이루지 않는다.
② 표준화 왜도와 표준화 첨도의 절대값이 1.96 보다 크면 정규분포를 이루지 않는다.

표준화 왜도 = 왜도÷표준오차, 표준화 첨도 = 첨도÷표준오차

분포	왜도	표준화 왜도	첨도	표준화 첨도
• **정규분포**	-1 to +1	-1.96 to + 1.96	-1 to +1	-1.96 to + 1.96
• **비정규분포**	< -3, > +3	< -1.96, > +1.96	< -3, > +3	< -1.96, > +1.96

- 신생아 자료에서 왜도 = 1.75, 첨도 = 5.82 〉 3 이므로 정규분포를 이루지 않는다.
- 표준화 왜도 = 3.42, 표준화 첨도 = 5.86 ➞ 1.96보다 크므로 정규성을 위반한다.

변수	왜도	표준화 왜도	첨도	표준화 첨도
weight	1.75	3.42	5.82	5.86

3) 이상값 검정

① 자료가 정규분포를 이루지 않을 때에 이상값의 유무를 판정하는 방법이다.

② Z-score의 절대값이 3 보다 크면 이상값이다.

③ Grubbs test ▶ p 〈 0.05 이면 이상값이다.

신생아 자료에서 최대값 5146 ➞ z 점수 = 3.31 〉 3 이므로 이상값이다.

이상값 검정 Grubbs test 에서 p = 0.002 〈 0.05 이므로 이상값이라 할 수 있다.

변수	관측값	Z score	Grubbs test
weight	5146	3.31	P= 0.002

4) 통계학적 검정법

그래프나 다른 방법은 정규성 판정기준이 명확하지 않으므로 통계학적인 확률검정이 필요하다.

정규성 검정법은 여러가지가 있는데 가장 많이 사용되는 방법이 다음 3가지 검정법이다.

① Kolmogorov-Smirnov test

② Lilliefors test

③ Shapiro-Wilk test

[해석]

① P ≥ 0.05 이면 정규분포를 이룬다

- 정규성 검정 결과가 모두 정규분포로 나오면 (P≥0.05) 정규분포 임을 신뢰할 수 있다.
- 대표본(N≥30)인 경우 정규성에서 조금만 벗어나도 P〈0.05이므로 해석에 신중하여야 한다.

② 표본크기에 따라서 검정 결과가 달라진다.

- 표본크기가 작으면 검정력이 낮아져 $p \geq 0.05$ 가능성이 높아진다. (Shapiro-Wilk test 추천)
- 표본크기가 크면 검정력이 높아져 $p < 0.05$ 가능성이 높아진다. (Kolmogorov-Smirnov 추천)

③ 자료가 정규분포가 아닌 경우 그 원인을 제공하지는 않는다.

- 그래프, 왜도와 첨도를 사용하여 원인을 분석하여야 한다.
- 이상값이 의심되면 이상값 검정을 해야한다.

검정법	검정력	한계점
• Kolmogorov-Smirnov	낮다.	이상값에 영향을 받는다.
• Lilliefors	중간.	Kolmogorov-Smirnov 검정을 수정한 방법
• Shapiro-Wilk	높다.	대표본에서 작은 정규성 이탈에도 민감하다.

신생아 자료에 대한 3가지 검정 결과는 다음과 같다.

변수	Kolmogorov-Smirnov	Lilliefors	Shapiro-Wilk
weight	P = 0.50	P = 0.096	P = 0.004

3가지 검정 결과 Shapiro-Wilk 검정에서 $P < 0.05$ 이므로 정규분포를 이루지 않는다.

❖ 정규성 판정 기준 Criteria for Deciding Normality

1. **대칭성** : 자료의 분포가 대칭을 이루어야 한다.
2. **이상값** : 이상값이 없어야 한다.
3. **통계적 검정법**

표본크기		Skewness	Outlier	Normality test
n < 30	< 15	No	No	Yes
	15 to 30	No	No	Yes
30 n ≥ 30	30 to 50	No	No	Probably
	> 50 (100)	No	Yes/No	Probably

Rule of Thumb

정규분포의 통계적 검정법 선택 기준은 표본크기(N)에 따라서 달라진다.

① **n 〈 30** : 정규분포 통계적 검정(Normality test) 결과 p ≥ 0.05 이어야 한다.

② **n ≥ 30** : 자료분포의 왜곡, 이상값이 없어야 하며, 정규분포 통계 검정은 생략할 수 있다.

예제에서 표본크기(연구 대상자 수) n = 20이므로 정규성 판정 기준 3가지를 모두 만족하여야 정규성 분포를 이루는 자료라고 판정할 수 있다.

표본자료 분포의 정규성 여부에 따라 통계적 방법이 결정되므로 절대로 이를 무시해서는 안된다. 정규성 가정은 거의 모든 단원에서 설명되고 있다.

EXCEL, SPSS, DBSTAT 에 대하여 간략히 소개하고 앞에서 공부하였던 예제 Data를 사용하여 통계 소프트웨어를 이용한 통계분석을 하여본다.

Statistical Software

"Why", said the Dodo, "the best way to explain it is to do it."

3-1

통계 소프트웨어 Statistical Software

Excel

통계분석 도구 설치

Excel을 통계분석에 활용하기 위해서는 우선 통계분석 도구를 설치하여야 한다.

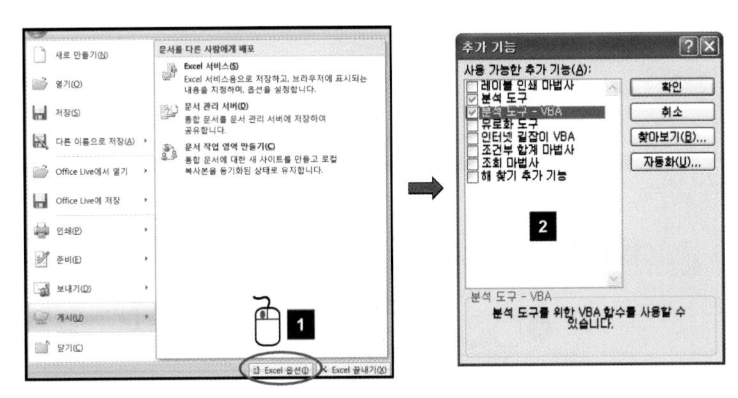

① [office 단추] ▶[Excel 옵션] 클릭한다.

② [추가기능] 대화상자에서 ■분석도구, ■분석도구-VBA 선택한다.

Excel 통계분석

Excel에서 통계분석을 하는 방법은 두가지가 있다.

1. 통계함수

[수식] 탭을 선택하여 [함수삽입] 또는 [함수추가] 버튼을 클릭하여 통계함수를 사용한다.

2. 데이터 분석

[데이터] 탭을 선택하면 [데이터분석] 버튼을 클릭하여 통계분석을 할 수 있다.

 일반적으로 EXCEL 통계분석에는 [통계함수] 보다는 [데이터 분석]을 사용한다.

1) 통계함수

통계함수는 주로 기술통계에서 사용되며 개별적인 분석결과를 셀(cell)에서 보여준다.

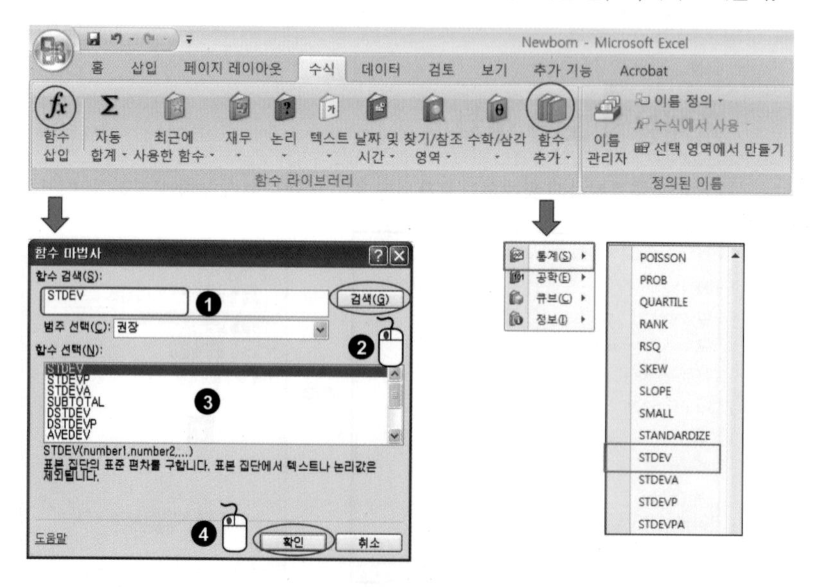

① [함수 검색] → 표준편차 함수로 검색어(STDEV)를 입력한다.

② [검색] 버튼을 클릭한다.

③ [함수 선택] 상자에서 STDEV 를 선택한다. 선택상자 아래에 함수 사용법을 보여준다.

④ [확인] 버튼을 클릭하여 STDEV 함수를 사용한다.

2) 데이터 분석

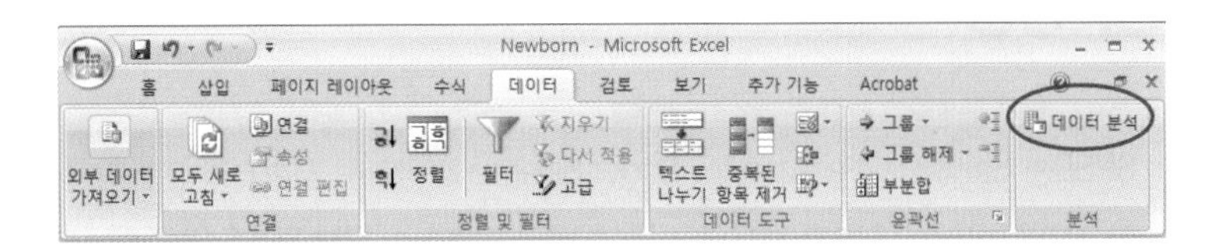

[데이터] 탭 ▶[데이터 분석]을 클릭하면 [통계데이터 분석] 대화상자가 나타난다.

[데이터 분석]에서는 통계분석 결과를 통계표(table)로 보여준다.

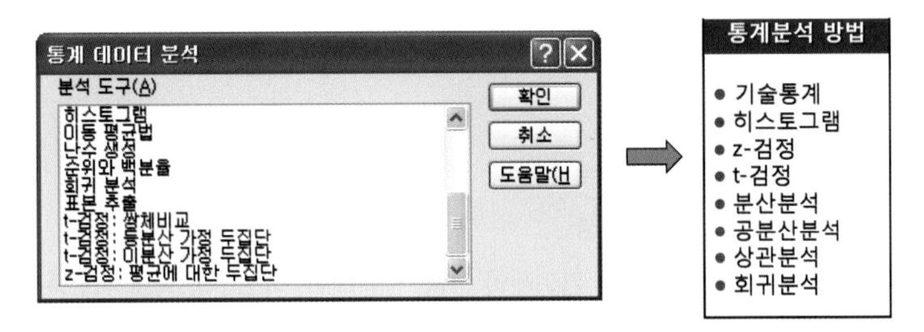

분석도구 상자에 보이는 방법 중 적절한 통계분석 방법을 선택하여 통계분석을 할 수 있다.

Excel 통계분석 제한점

Excel 은 간단한 기본통계 분석에 사용될 수 있으나 전문적인 통계소프트웨어가 아니므로 보다 전문적인 통계분석을 위해서는 추가적인 Excel 전용 통계소프트웨어를 별도로 구입하여야 한다.

- 통계분석 프로그램이 빈약하며 다음과 같은 분석을 할 수 없다.
  - ✓ 비모수통계분석 (nonparametric test)
  - ✓ 다중비교분석 (multiple comparison test)
  - ✓ 중고급통계분석 (many other tests)
  - ✓ 결측값 (missing value) 사용자 설정
- 통계분석 결과가 다른 통계소프트웨어에 비하여 불충분하다.
- 통계분석 알고리즘(algorithm) 문제점으로 때로는 부정확한 결과를 산출한다.

SPSS

SPSS는 **S**tatistical **P**ackage for **S**ocial **S**cience의 약자로 사회과학 분야의 전문 통계패키지이다. 의학분야에서도 널리 사용되고 있다. 최근에 명칭이 **IBM SPSS Statistics**로 바뀌었다.

SPSS 특징

IBM SPSS homepage (www.spss.com)에서 소개하는 SPSS 주요 기능을 다음과 같이 요약하였다.

1. **핵심 통계 및 그래프 기능**
   기술통계, t-test, ANOVA, 카이제곱 검정, 선형회귀, 비모수적 통계방법 등 기본적인 통계방법을 포함하며 시작부터 끝까지 표준 분석 프로젝트를 수행할 수 있다.
2. **비선형 회귀**
   로지스틱 회귀분석, MLR, NLR, CNLR & Probit Analysis 포함하며 예측의 정확도를 향상시킨다.
3. **고급 통계 프로시저**
   GLM(general linear models), GEE, linear mixed models, loglinear analysis, ordinal regression, actuarial life tables, Kaplan-Meier survival analysis, Cox regression 등을 포함하며 복잡한 관계들을 정확하게 식별 및 분석하는 기능을 제공한다.
4. **Python 지원 및 R 알고리즘 지원**
   스크립팅 언어로 R, Python 및 기타 환경과 원활하게 통합하여 통계 기능 및 프로그래밍 기능을 쉽고 효과적으로 확장하여 SPSS에서 제공하지 않는 통계적 분석을 수행할 수 있다.

SPSS 제한점

SPSS는 강력한 통계패키지이나 가격이 고가라서 개인용으로 사용하기 어려운 단점이 있다. 고급기능이 너무 많아 통계초보자들이 사용하기에는 다소 어려우며, 통계학에 대한 기본적인 지식없이 사용하면 통계패키지의 오용으로 인한 통계분석의 중대한 오류를 범할 수 있다.
SPSS는 의학분야에서 사용되는 통계분석방법이 사회과학분야에 비하여 상대적으로 취약하여 통계전문가들을 위하여 별도로 의학통계용 버전을 판매하고 있다.

dBSTAT

dBSTAT은 DataBase Statistics(데이터베이스 통계) 또는The BioStatistics(생물통계)의 약자를 뜻하며 의학 생물학 분야의 전문 통계소프트웨어로 사용이 매우 편리하며 통계결과에 대한 해석을 하여 주므로 통계 초보자들이 사용하기에 적합한 소프트웨어이다.

dBSTAT특징

Database

- dBSTAT에서 데이터를 처리하는 방법은 EXCEL과 비슷하여 사용법이 매우 용이하다.
- EXCEL과 SPSS파일을 읽을 수 있으며 dBSTAT파일을 EXCEL, SPSS에서 사용할 수 있다.

Statistics

- **기술통계** : 평균, 표준편차, 중앙값, 사분위범위, 범위, 빈도분석, 정규분포, 이상값 검정 등.
- **비교통계** : t-test, ANOVA, Mann-Whitney test, Wilcoxon signed rank test, Sign test, Kruskal-Wallis test, Jonckheere-Terpstra, Friedman test, ANCOVA, Repeated measures ANOVA 등.
- **관계분석** : 상관분석, 단순회귀분석, 다중회귀분석, 판별분석, 로지스틱 회귀분석 등.
- **생존분석** : Kaplan-Meier method, Life table method, Log-rank test, Cox regression 등.
- **상호관계** : 군집분석, 주성분분석, 요인분석 등.
- **진단통계** : 민감도, 특이도, 예측도, ROC, Kappa test, 급내상관, Bland-Altman method 등.
- **표본크기** : 평균, 비율, 상관분석, 생존분석, 진단통계, 우월성, 비열등성, 동등성 검정 등.
- **교차분할표** : Chi-square test, McNemar test, odds ratio, risk ratio, likelihood ratio 등.

통계마법사 다른 통계 소프트웨어에서는 찾아볼 수 없는 독특한 기능이다.
통계분석 방법을 모르는 경우에 자동으로 가장 적합한 통계분석 방법을 찾아서 통계분석하고 통계결과를 해석해준다. 통계 초보자에게 매우 유용한 기능이다.

Graphics

- 통계분석시 자동적으로 그래프가 생성되며 Word 또는PowerPoint에서 편집할 수 있다.
- 그래프 마법사가 있어 원하는 그래프 형태를 선택하면 간단히 그래프를 만들 수 있다.

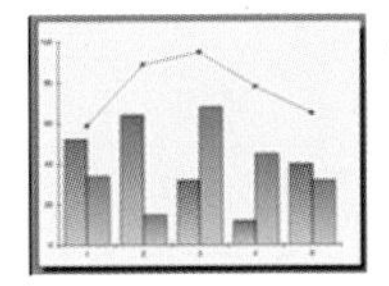

dBSTAT에서 작성할 수 있는 그래프의 종류는 크게 다음과 같다.
선그림, 면적그림, 원그림, 산점도, 상한-하한 그림, 오차막대, 상자그림, 파레토, 시계열그림, Polar 그림, Bubble, Gantt, Candlestick 그림 등.

Exercise

Data Summary

다음은 성인 25명에서 혈액형을 조사한 자료이다.

ID	Blood	ID	Blood	ID	Blood
001	A	011	AB	021	O
002	B	012	A	022	O
003	B	013	O	023	AB
004	AB	014	B	024	B
005	O	015	B	025	A
006	O	016	O		
007	O	017	A		
008	B	018	O		
009	AB	019	A		
010	B	020	O		

1. 혈액형의 빈도를 구하시오.
2. 혈액형의 빈도를 막대그래프로 표현하시오.

[해설]

예제 자료에 대한 풀이를 EXCEL, SPSS, DBSTAT을 사용하여 시행한다.

예제 파일은 다음 웹사이트에서 다운로드 받을 수 있다.

http://www.webhard.co.kr (ID: MedStat PW: 12345)

DBSTAT 5 윈도우 7 (64bit), 윈도우 8 버전에서 그래프는 EXCEL을 사용하여 출력된다. Excel Chart는 통계분석 결과 DBSTAT 실행 창과 다른 창에서 보인다.

Excel

Data : ABO.xlsx

1 명목자료에 대한 빈도분석은 피벗 테이블을 이용한다.

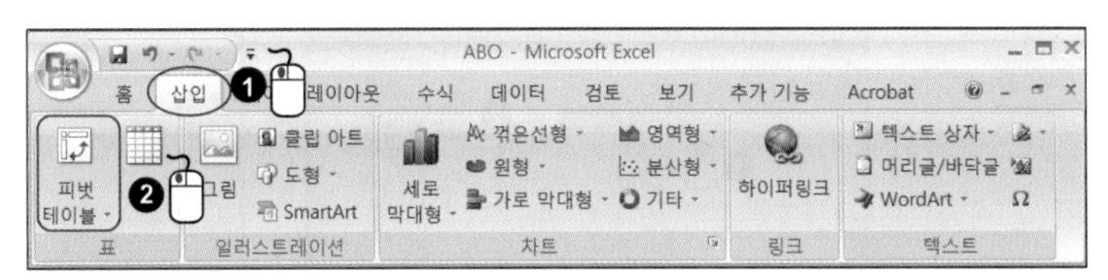

① [삽입] 탭 ▶ ② [피벗 테이블] 버튼을 클릭한다.

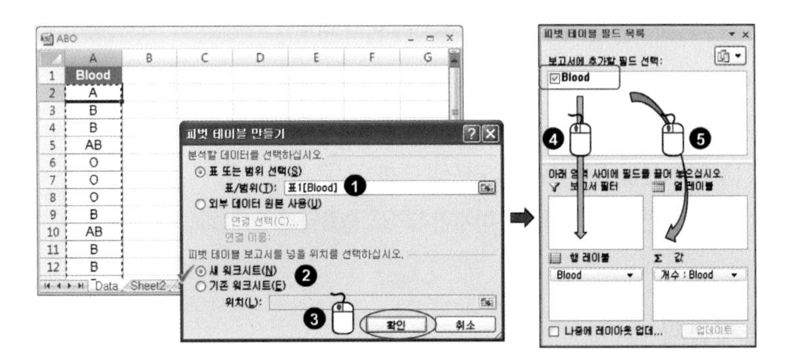

[피벗 테이블 만들기] 대화상자가 나타난다.

① [표/범위] ➲ 마우스로 분석하고자 하는 표 또는 셀의 범위를 드래그한다.

② 보고서 저장 위치를 [새 워크시트]로 선택한다.

③ [확인] 버튼을 클릭하면 [피벗테이블 필드 목록] 대화상자가 나타난다.

④ 필드(☑ blood) 를 선택한 다음 [행 레이블]의 빈 칸으로 마우스 드래그한다.

⑤ 필드(☑ blood) 를 [Σ 값]의 빈 칸 쪽으로 마우스 드래그한다.

2 새로운 워크시트에 다음과 같은 빈도분석표 결과가 보인다.

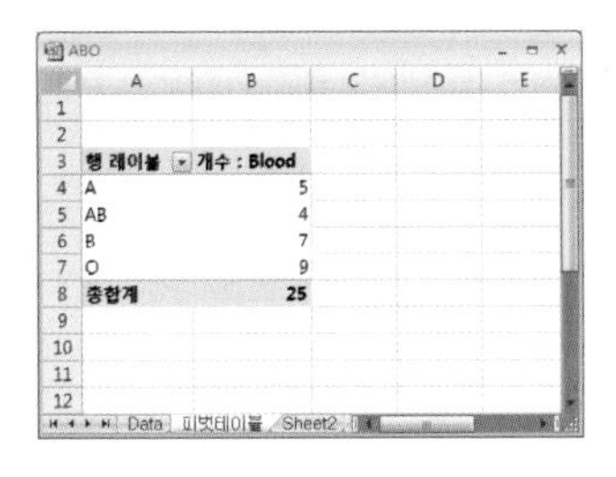

- 피벗 테이블에 행 레이블(Blood)과 개수가 보인다.
- 혈액형 A, AB, B, O 4가지 범주가 행 레이블 아래에 보이며 각각의 빈도가 계산되어 나타난다. 피벗 테이블 결과를 이용하여 메뉴에서 [삽입] 탭 ▶ 막대/원 그래프를 그릴 수 있다.

SPSS

Data : ABO.sav

1 메뉴 → [분석] ▶ [기술통계량] ▶ [빈도분석] 메뉴를 선택하면 다음 대화상자가 나타난다.

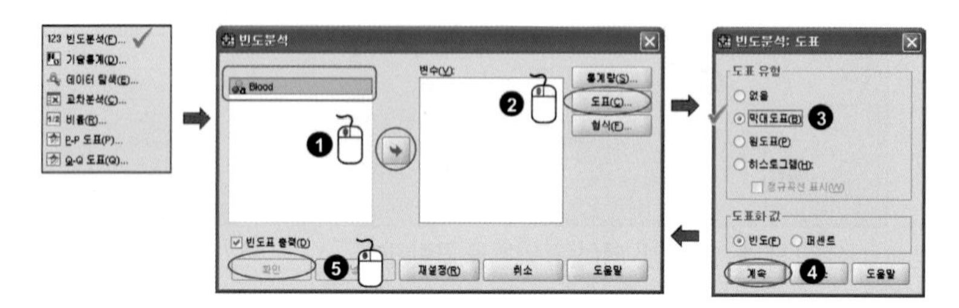

① 변수(blood)를 선택하여 [변수] 상자에 입력한다.

② [도표] 버튼을 클릭한다.

③ [막대도표]를 선택한다.

④ [계속] 버튼을 클릭하면 [빈도분석] 대화상자로 돌아간다.

⑤ [확인] 버튼을 눌러 작업을 마치면 SPSS 출력결과 창(Statistics Viewer)이 나타난다.

2 통계결과

Blood

		Frequency	Percent	Valid Percent	Cumulative Percent
Valid	A	5	20.0	20.0	20.0
	AB	4	16.0	16.0	36.0
	B	7	28.0	28.0	64.0
	O	9	36.0	36.0	100.0
	Total	25	100.0	100.0	

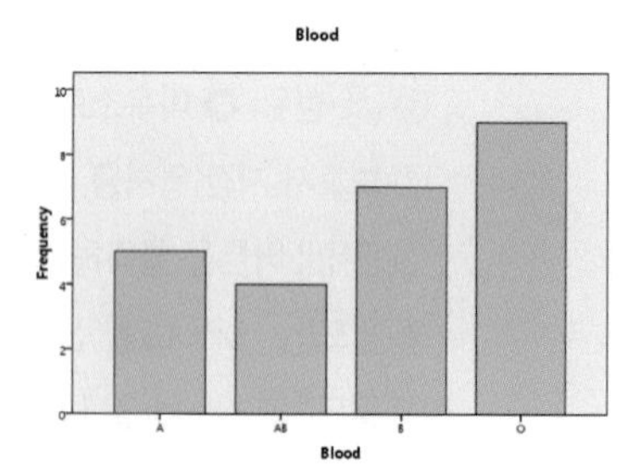

[해설]

통계 Table

Table에 Blood 빈도(Frequency)와 백분율(Percent), 누적백분률(Cumulative Percent)를 보여준다.

그래프

빈도에 관한 그래프는 막대도표로 그린다. X축은 Blood, Y축은 빈도(Frequency)를 표시한다.

dBSTAT

Data : ABO.dbf

1 메뉴 → [통계] ▶ [빈도분석] ▶ [1차빈도표] 메뉴를 선택하면 다음 대화상자가 나타난다.

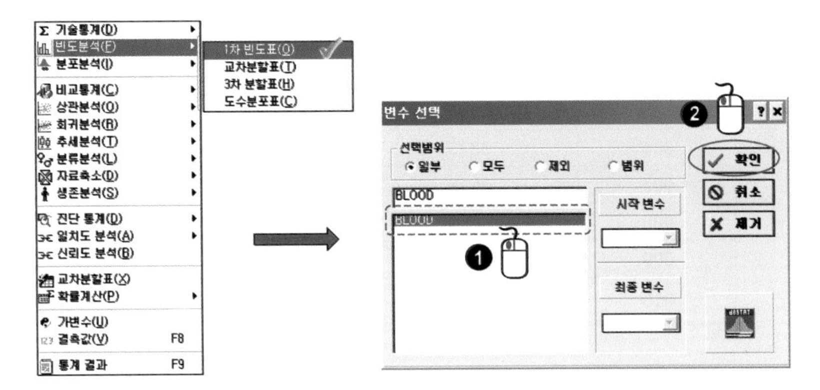

① 변수 blood를 선택한다.

② [확인] 버튼을 클릭하면 통계결과 창에 출력 결과가 보인다.

2 통계결과

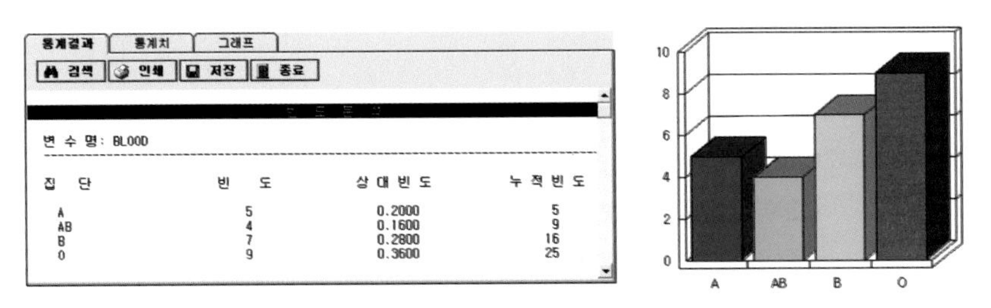

집 단	빈 도	상 대 빈 도	누 적 빈 도
A	5	0.2000	5
AB	4	0.1600	9
B	7	0.2800	16
O	9	0.3600	25

Blood 빈도, 상대빈도(Relative Frequency), 누적빈도(Cumulative Frequency)를 보여준다. 상대빈도는 백분율(percent)과 동일하나 % 대신 소수점으로 표현한 것이다.

그래프

[그래프] 폴더를 클릭하면 3D 막대도표(Bar chart)로 보여준다.

DBSTAT은 통계분석 결과에 가장 적합한 그래프를 자동적으로 보여준다.

다음 table은 신생아 20명의 체중(단위 : gm)을 측정한 자료이다.

ID	Weight	ID	Weight
001	3265	011	2581
002	3260	012	2481
003	3245	013	3609
004	3484	014	2838
005	5146	015	3541
006	3323	016	2759
007	3649	017	3248
008	3200	018	3314
009	3031	019	3101
010	2369	020	2834

1. 대표값과 산포도를 구하고 왜도와 첨도로 자료의 모양을 판단하시오.
2. 자료요약을 그래프로 표현하시오.
3. 정규성 검정을 시행하여 자료가 정규분포를 이루는지 판단하시오.
4. 이상값이 있는지 검정하시오.
5. 이상값이 있으면 분석에서 제외시킨 후에 정규성 검정을 하시오.

[해설]

- 예제 자료에 대한 풀이를 EXCEL, SPSS, DBSTAT을 사용하여 시행한다.
- EXCEL은 정규분포 그래프는 작성할 수 있으나 정규성 검정을 할 수 없다.
- SPSS에서 정규성 검정과 이상값 분석 결과의 해석에 주의를 요한다.

Excel

Data : newborn.xlsx

계량자료에 대한 기술통계 분석은 [데이터 분석] 도구를 이용한다.

기술통계

1 **메뉴** → [데이터] ▶ [데이터 분석] 메뉴를 선택하면 **[통계 데이터 분석]** 대화상자가 나타난다. **[분석 도구]** 상자에서 **[기술 통계법]**을 선택한다.

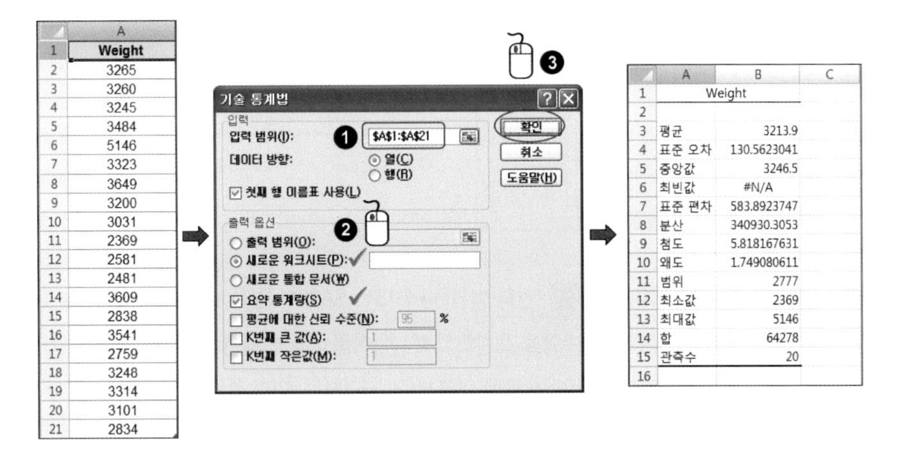

① [기술 통계법] 대화상자에서 [입력 범위] ▶ $A$1 : $A$21 (마우스를 A1→A21 드래그) 변수명 A1을 포함하므로 ☑ [첫째 행 이름표 사용]을 선택한다.

② [출력 옵션]에서 ⊙[새로운 워크시트], ☑ [요약 통계량] 항목을 선택한다.

③ [확인] 버튼을 클릭하여 선택 작업을 마치면 기술통계 분석 결과가 출력된다.

[해석]

- 왜도 = 1.7 〉 1 : 우측으로 기운 분포이다.
- 첨도 = 5.8 〉 3 : 뾰족한 모양이며 정규분포 모양이 아니다.

2 Histogram

[분석 도구] 상자에서 **[히스토그램]**을 선택한다.

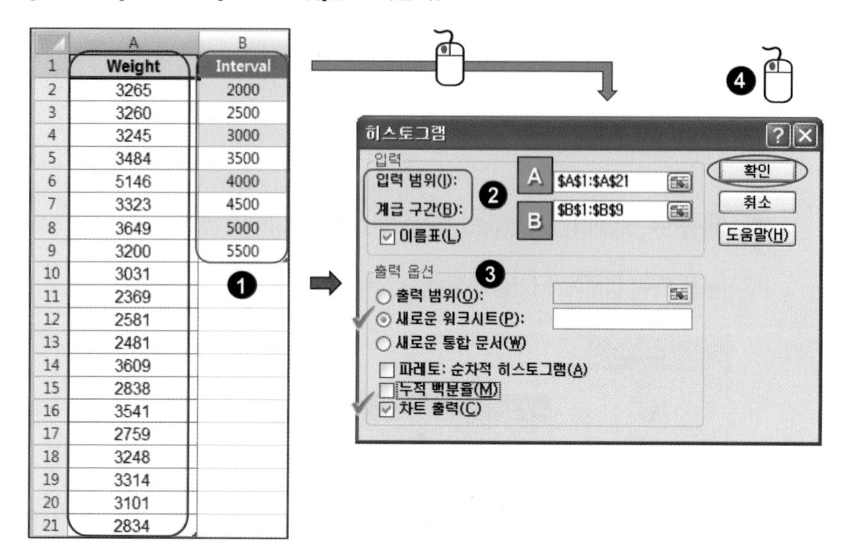

① 대화상자에서 A [입력 범위] ➜ $A$1 : $A$21, B [계급 구간] ➜ $B$1 : $B$9 입력한다.
입력 범위에 변수명을 포함하므로 ☑[이름표]을 선택한다.

② [출력 옵션]에서 ⊙[새로운 워크시트], ☑[차트 출력] 항목을 선택한다.

③ [확인] 버튼을 클릭하여 선택 작업을 마치면 히스토그램 결과가 출력된다.

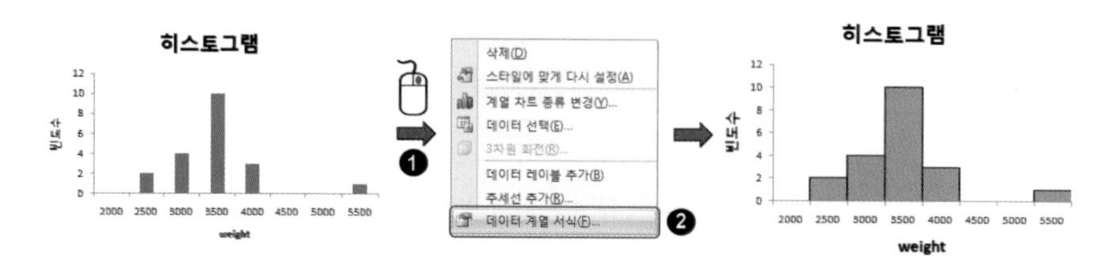

기본적으로 출력된 히스토그램은 막대그래프이므로 ① 마우스 [오른쪽] 버튼을 눌러서 나타나는 선택 상자에서 ② [데이터 계열 서식]을 선택하여 그래프 모양을 바꿀 수 있다.

3 이상값 검정

1. 사분위범위 IQR

[수식] 탭 ▶ [함수 삽입] ▶ QUARTILE 함수를 사용한다.

① [함수 인수] 대화상자에서 [Array] ➲ A$2 : A$21 (셀 범위) 입력한다.

② [Quart] ➲ 1, 2, 3 (사분위수) 에서 하나씩 입력한다.

③ [확인] 버튼을 눌러 작업을 마친다.

④ 출력결과가 셀 E2, E3, E4에 보인다. 함수식을 알면 셀에 직접 함수식을 입력할 수 있다.
예, E2 셀에 **=QUARTILE(A$2 : A$21, 1)** 함수식을 입력하면 제1사분위수를 구할 수 있다.

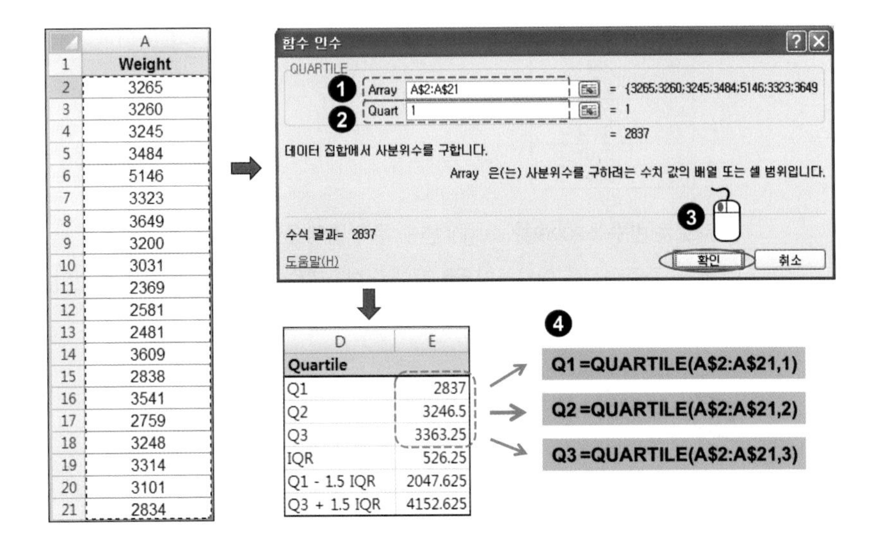

IQR = Q3−Q1 = 526.25, 이상값 하한값 Q1−1.5 IQR = 2047.6, 상한값 Q3+1.5 IQR = 4152.6 ⇨ 최대값 5146 〉 4152 이므로 이상값으로 판정한다.

2. Z-SCORE

Excel에서 z-score는 수식을 입력하여 구한다.

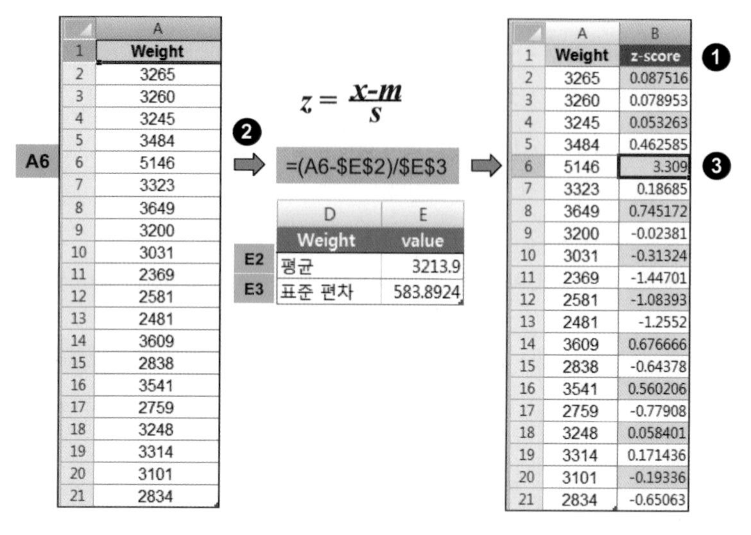

	A
1	Weight
2	3265
3	3260
4	3245
5	3484
6	5146
7	3323
8	3649
9	3200
10	3031
11	2369
12	2581
13	2481
14	3609
15	2838
16	3541
17	2759
18	3248
19	3314
20	3101
21	2834

	D	E
	Weight	value
E2	평균	3213.9
E3	표준 편차	583.8924

	A	B
1	Weight	z-score
2	3265	0.087516
3	3260	0.078953
4	3245	0.053263
5	3484	0.462585
6	5146	3.309
7	3323	0.18685
8	3649	0.745172
9	3200	-0.02381
10	3031	-0.31324
11	2369	-1.44701
12	2581	-1.08393
13	2481	-1.2552
14	3609	0.676666
15	2838	-0.64378
16	3541	0.560206
17	2759	-0.77908
18	3248	0.058401
19	3314	0.171436
20	3101	-0.19336
21	2834	-0.65063

① 새로운 변수 **z-score**를 weight 변수 우측 열에 만든다.

② 평균, 표준편차를 이용하여 **B6** 셀에 수식 **=(A6-$E$2)/$E$3**을 입력한다.

③ 최대값 5146의 **z-score(3.309)**가 **B6** 셀에 보인다.

최대값 5146 ⇨ z-score = 3.3 〉 3 이므로 이상값으로 판정한다.

이상값 제외

Excel에서 셀의 입력값을 삭제하고 공백으로 만들면 **결측값**으로 처리하여 분석에서 제외된다.

	A
1	Weight
2	3265
3	3260
4	3245
5	3484
6	5146
7	3323
8	3649
9	3200
10	3031
11	2369
12	2581
13	2481
14	3609
15	2838

❶ →

	A
1	Weight
2	3265
3	3260
4	3245
5	3484
6	
7	3323
8	3649
9	3200
10	3031
11	2369
12	2581
13	2481
14	3609
15	2838

❷ →

	A	B
1	Weight	
2		
3	평균	3112.211
4	표준 오차	86.31831
5	중앙값	3245
6	최빈값	#N/A
7	표준 편차	376.2528
8	분산	141566.2
9	첨도	-0.5801
10	왜도	-0.5377
11	범위	1280
12	최소값	2369
13	최대값	3649
14	합	59132
15	관측수	19

① A6 셀 관측값이 이상값이므로 빈칸(blank)으로 만든다.

② 기술통계 분석 결과 관측수 = 19로 이상값이 제외된 결과가 출력된다.

SPSS

Data : newborn.sav

데이터 탐색

1 **메뉴** → [분석] ▶ [기술통계량] ▶ [데이터 탐색] 선택하면 다음 대화상자가 나타난다.

① 변수(weight)를 선택하여 [종속변수] 상자에 입력한다.

② [통계량] 버튼을 클릭한다.

③ 기본 설정된 ☑ 기술통계 이외에 추가로 ☑ 이상값, ☑ 백분위수 항목을 선택한다.

④ [계속] 버튼을 클릭하면 [데이터 탐색] 대화상자로 돌아간다.

⑤ [확인] 버튼을 눌러 작업을 마친다.

통계분석 결과는 SPSS 출력결과 창(Statistics Viewer)에 보여진다.

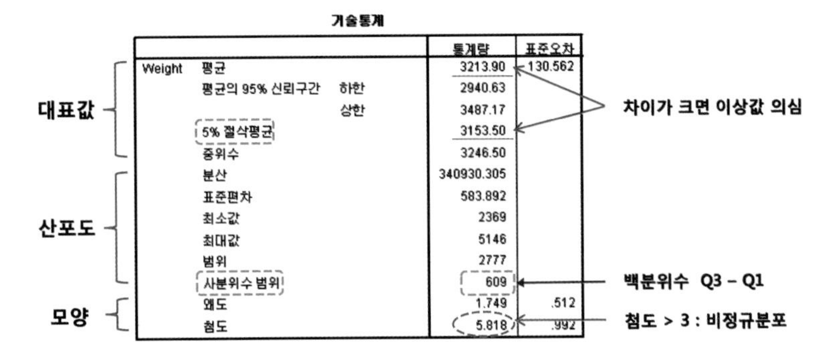

기술통계

			통계량	표준오차
Weight	평균		3213.90	130.562
	평균의 95% 신뢰구간	하한	2940.63	
		상한	3487.17	
	5% 절삭평균		3153.50	
	중위수		3246.50	
	분산		340930.305	
	표준편차		583.892	
	최소값		2369	
	최대값		5146	
	범위		2777	
	사분위수 범위		609	
	왜도		1.749	.512
	첨도		5.818	.992

✎ 사분위범위(IQR) = Q3 – Q1 (Q3 : 제3사분위수, Q1 : 제1사분위수)

✎ 왜도 = 1.7 〉 1, 첨도 = 5.8 〉 3 → 우측 왜곡분포이며 정규분포 모양이 아니다.

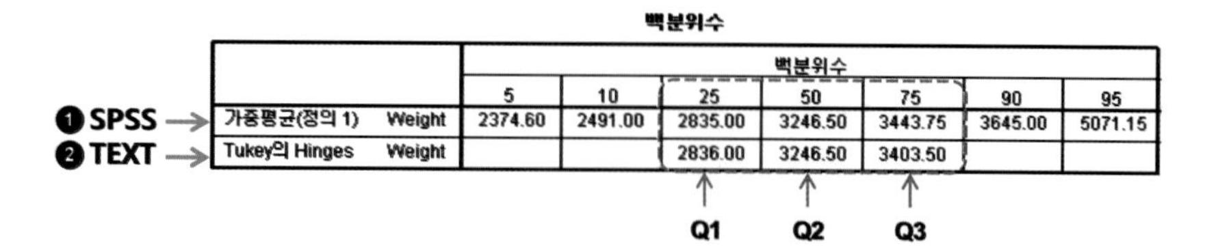

백분위수

		백분위수						
		5	10	25	50	75	90	95
가중평균(정의 1)	Weight	2374.60	2491.00	2835.00	3246.50	3443.75	3645.00	5071.15
Tukey의 Hinges	Weight			2836.00	3246.50	3403.50		

① SPSS에서 사분위범위 계산에 사용되는 백분위수 계산 방법이다.

② 통계학 서적에서 일반적으로 사용되는 백분위수 계산방법이다.

2 그래프

[분석] ▶ [기술통계량] ▶ [데이터 탐색] → [데이터 탐색] 대화상자가 나타난다.

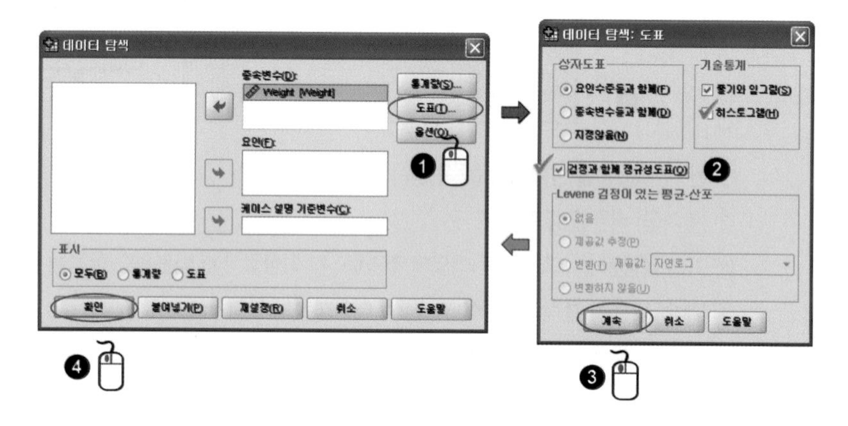

① [도표] 버튼을 클릭한다.

② 기본 설정된 항목 이외에 추가로 ☑ 히스토그램, ☑ 검정과 함께 정규성도표 항목을 선택한다.

③ [계속] 버튼을 클릭하면 [데이터 탐색] 대화상자로 돌아간다.

④ [확인] 버튼을 눌러 작업을 마친다.

통계분석 결과가 SPSS 출력결과 창에 보여진다.

✎ Histogram : 우측으로 꼬리가 긴 분포를 보이며 weight 〉 5000 이상값이 보인다.

✎ Box plot : 중앙값이 최대값 쪽으로 치우친 분포를 보이며 *5 (5번째 case)가 이상값이다.

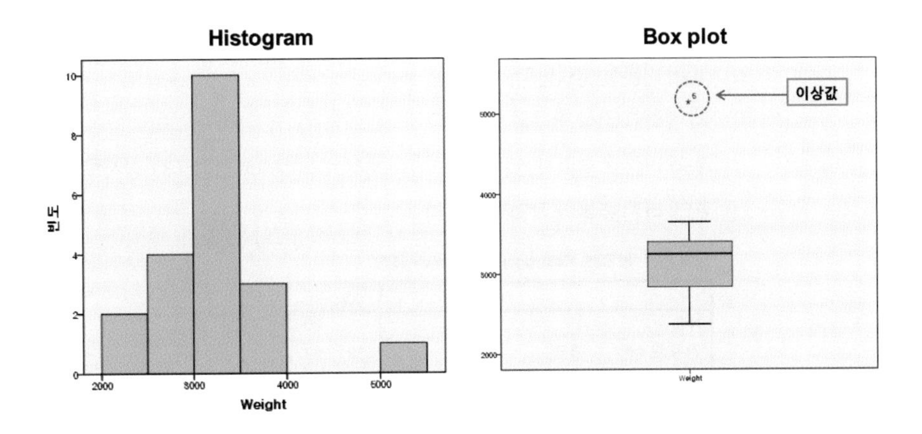

3 정규성 검정

[데이터 탐색] 메뉴에서 가능한 정규성 검정법은 Lilliefors 검정과 Shapiro-Wilk 검정법이다.

Tests of Normality

	Kolmogorov-Smirnov[a] ❶			Shapiro-Wilk ❷		
	Statistic	df	Sig.	Statistic	df	Sig.
Weight	.178	20	.096	.841	20	.004

a. Lilliefors Significance Correction

① Lilliefors 검정 : Kolmogorov-Smirnov test 의 유의확률이 수정된 검정법이다.

② Shapiro-Wilk 검정 : 검정력이 높다. ✎ P = 0.004 〈 0.05 ⇨ 정규분포가 아니다.

Kolmogorov-Smirnov 검정

[분석] ▶ [비모수 검정] ▶ [일표본 K-S(1)] 메뉴를 선택한다.

[일표본 Kolmogorov-Smirnov 검정] 대화상자가 나타난다.

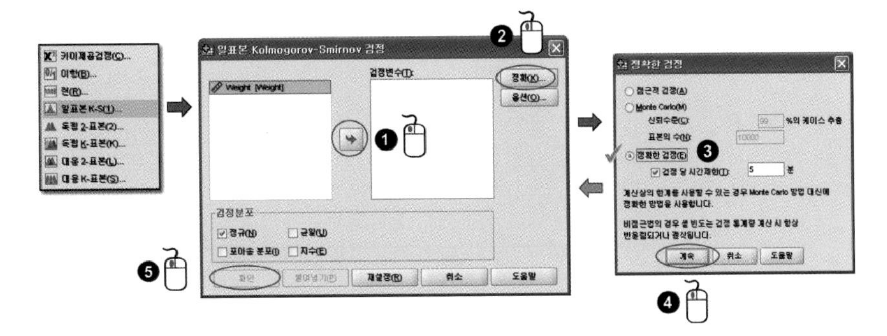

① 변수(weight)를 선택하여 [검정변수] 상자에 입력한다.

② [정확] 버튼을 클릭한다.

③ ☑ 정확한 검정 항목을 선택한다.

④ [계속] 버튼을 클릭하면 [일표본 Kolmogorov-Smirnov 검정] 대화상자로 돌아간다.

⑤ [확인] 버튼을 눌러 작업을 마친다.

일표본 Kolmogorov-Smirnov 검정

		Weight
N		20
정규 모수[a,b]	평균	3213.90
	표준편차	583.892
최대극단차	절대값	.178
	양수	.178
	음수	-.091
❶ Kolmogorov-Smirnov의 Z		.796
❷ 근사 유의확률(양측)		.550
정확한 유의확률(양측)		.495
점 확률		.000

a. 검정 분포가 정규입니다.

b. 데이터로부터 계산.

① 근사 유의확률(양측) : 대표본에서 근사적 유의확률 p = 0.550 〉 0.05

② 정확한 유의확률(양측) : 소표본에서 정확한 유의확률 p = 0.495 〉 0.05

3가지 검정 결과 Shapiro-Wilk 검정에서 비정규분포를 보인다.

Q-Q Plot

Weight의 정규 Q-Q 도표

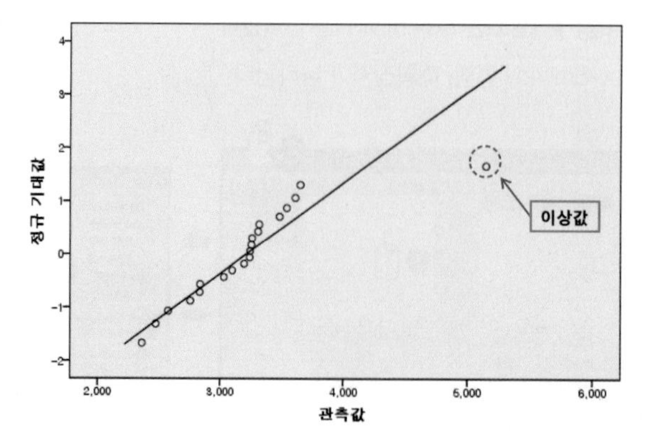

대부분 관측값들이 일직선으로 정규분포에 가까우나 최대값이 이상값으로 동떨어져 있다.

4 이상값 검정

Z-SCORE

[분석] ▶ [기술통계량] ▶ [기술통계] 메뉴를 선택한다. [기술통계] 대화상자가 나타난다.

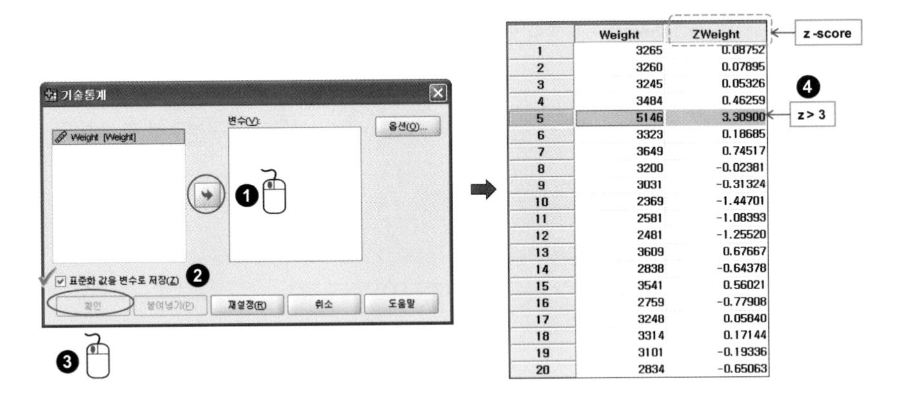

	Weight	ZWeight
1	3265	0.08752
2	3260	0.07895
3	3245	0.05326
4	3484	0.46259
5	5146	3.30900
6	3323	0.18685
7	3649	0.74517
8	3200	-0.02381
9	3031	-0.31324
10	2369	-1.44701
11	2581	-1.08393
12	2481	-1.25520
13	3609	0.67667
14	2838	-0.64378
15	3541	0.56021
16	2759	-0.77908
17	3248	0.05840
18	3314	0.17144
19	3101	-0.19336
20	2834	-0.65063

① 변수(weight)를 선택하여 [변수] 상자에 입력한다.

② ☑ 표준화 값을 변수로 저장 항목을 선택한다.

③ [확인] 버튼을 클릭하면 z-score 변수 ZWeight가 새로 만들어진다.

④ 5번째 case (5146)의 z-score = 3.3 〉 3 이므로 이상값으로 판정한다.

이상값 제외

SPSS에서 셀의 입력값을 삭제하고 빈칸으로 만들면 결측값으로 처리하여 분석에서 제외된다.

	Weight
1	3265
2	3260
3	3245
4	3484
5	5146
6	3323
7	3649
8	3200
9	3031
10	2369

❶ ➡

	Weight
1	3265
2	3260
3	3245
4	3484
5	
6	3323
7	3649
8	3200
9	3031
10	2369

❷ ➡

	Weight
1	3265
2	3260
3	3245
4	3484
5	.
6	3323
7	3649
8	3200
9	3031
10	2369

① 5번째 case 5146 을 [space bar] 또는 [Del] 키를 눌러 공백으로 만든다.

② weight ⇨ . (점) 으로 변환되어 시스템 결측값으로 바뀐다.

이상값을 통계분석에서 제외한 후 정규성 검정을 시행한 결과는 다음과 같다.

정규성 검정

	Kolmogorov-Smirnov[a]			Shapiro-Wilk		
	통계량	자유도	유의확률	통계량	자유도	유의확률
Weight	.171	19	.145	.941	19	.278

a. Lilliefors 유의확률 수정

Shapiro-Wilks 검정 : p = 0.278 〉 0.05이므로 정규분포로 판정한다.

Q-Q Plot

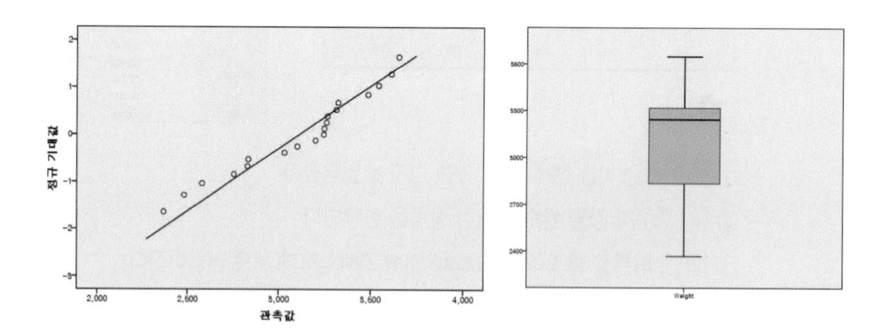

Q-Q plot : 대부분 관측값들이 일직선에 놓여 있어 정규분포에 가깝다.

dBSTAT

Data : newborn.dbf

기술통계

1 **메뉴** → [통계] ▶ [기술통계] ▶ [마법사] → [자료변수] 메뉴를 선택한다.

[변수 선택] 대화상자가 나타난다.

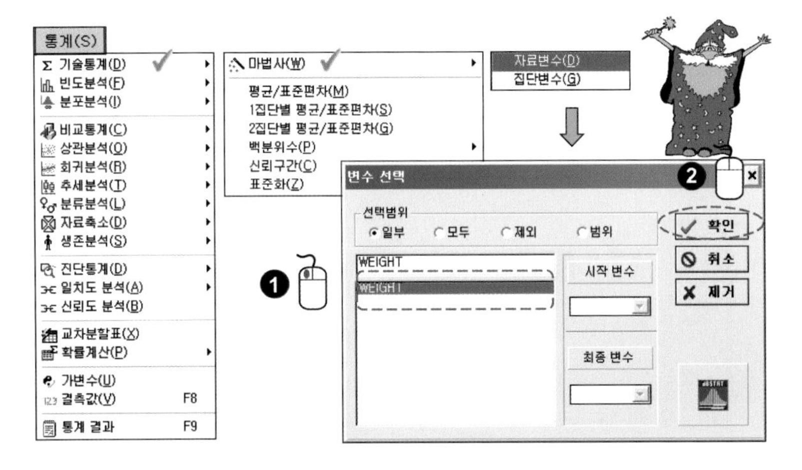

① [변수 선택] 대화상자에서 변수 weight를 선택한다.

② [확인] 버튼을 클릭하여 선택 작업을 마치면 기술통계 분석 결과가 출력된다.

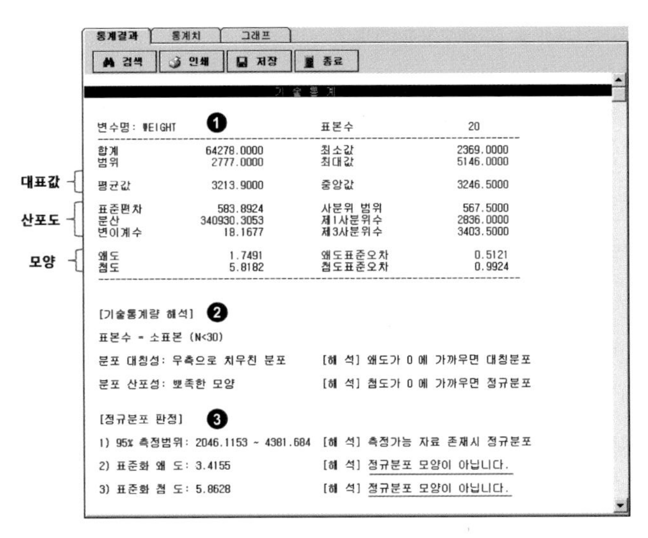

✎ [기술통계량 해석] 왜도 = 1.7 〉 1, 첨도 = 5.8 〉 3 ⇨ 우측으로 기운 뾰족한 분포

✎ [정규분포 판정] 표준화 왜도 = 3.41 〉 1.96, 표준화 첨도 = 5.86 〉 1.96 ⇨ 비정규분포

2 그래프

Box-and-Whisker Plot

출력결과 창에서 **[그래프]** 탭을 클릭하면 box-plot이 나타난다.

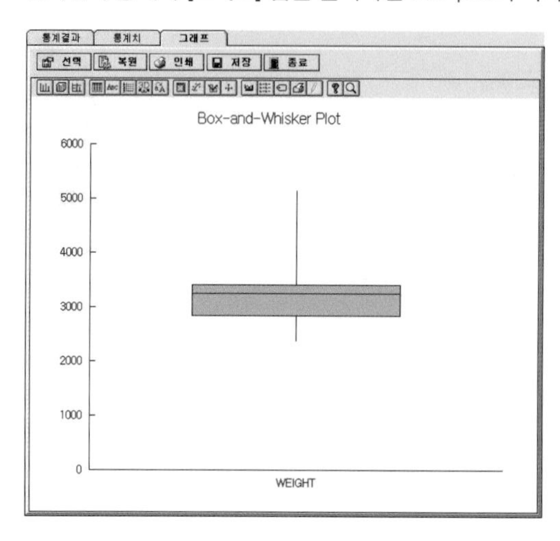

Histogram

[통계] ▶ [빈도분석] ▶ [도수분포표] 메뉴를 선택한다.

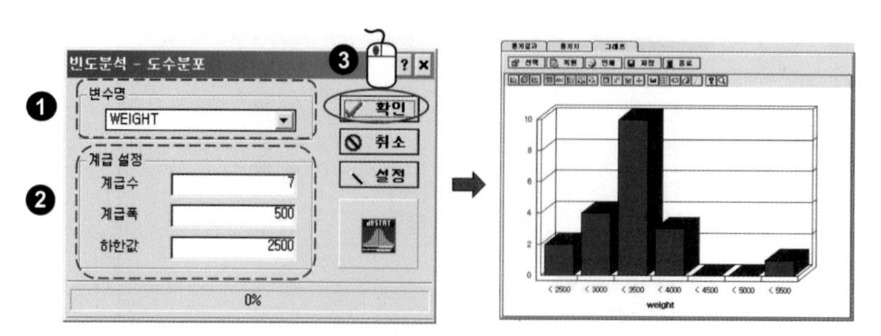

① [변수명] 상자에서 변수 weight를 선택한다.

② [계급 설정] 상자에서 [계급수] ➲ 7, [계급폭] ➲ 500, [하한값] ➲ 2500 입력한다.

③ [확인] 버튼을 클릭하여 선택 작업을 마치면 도수분포표 (frequency table), histogram이 출력된다.

3 정규성 점검

[통계] ▶ [분포분석] ▶ [정규분포] ➜ [자료변수] 메뉴를 선택한다.

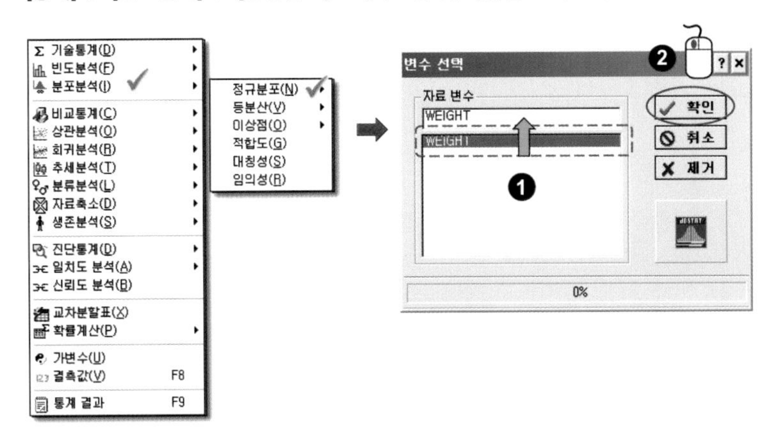

① [변수 선택] 대화상자에서 변수 weight를 선택한다.

② [확인] 버튼을 클릭하여 선택 작업을 마치면 정규분포 분석 결과가 출력된다.

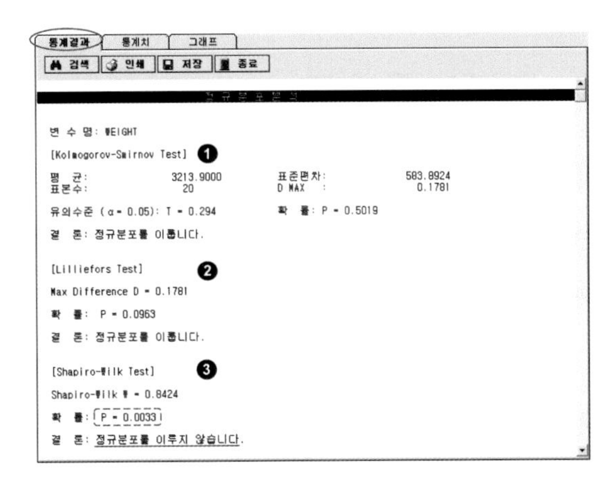

① **Kolmogorov-Smirnov** 검정 : p = 0.50 〉 0.05 ⇨ 정규분포를 이룬다.

② **Lilliefors** 검정 : p = 0.096 〉 0.05 ⇨ 정규분포를 이룬다.

③ **Shapiro-Wilk** 검정 : P = 0.003 〈 0.05 ⇨ 정규분포를 이루지 않는다.

✎ 3가지 검정법 중에서 Shapiro-Wilk 검정 결과만 비정규분포를 보인다.

✎ 소표본(N〈30)이므로 모든 검정에서 정규성을 만족하지 못하면 비정규분포로 판정한다.

출력결과 창에서 [그래프] 탭을 클릭하면 Q-Q plot이 나타난다.

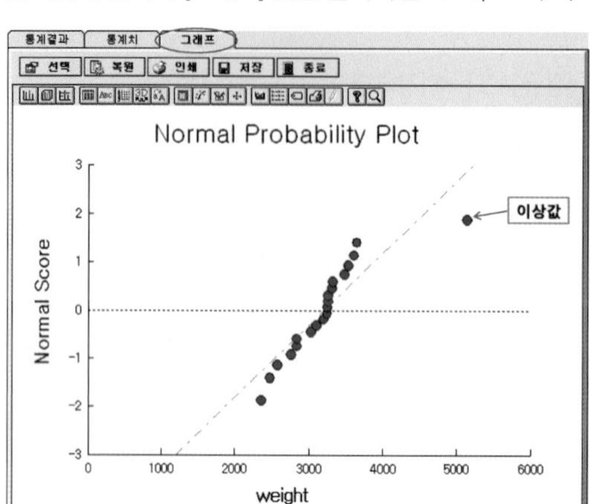

4 이상값 검정

1. 이상값 검정

[통계] ▶ [분포분석] ▶ [이상값] 메뉴를 선택한다.

[변수 선택] 대화상자에서 변수 weight를 선택한 다음 [확인] 버튼을 클릭하여 선택 작업을 마치면 분석 결과가 출력된다.

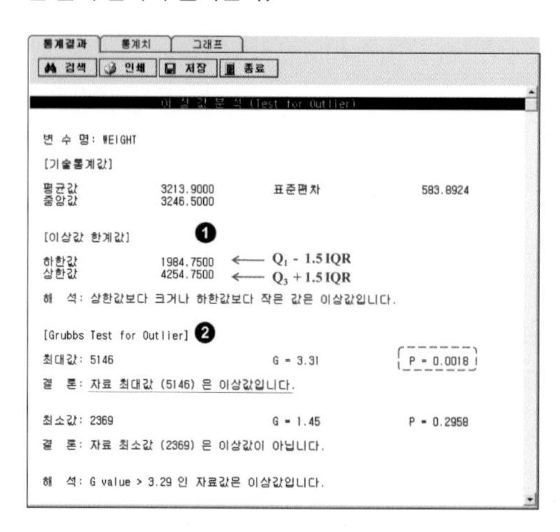

① [이상값 한계값] 사분위수와 사분위범위에 의해 하한값과 상한값을 계산한다.

② [Grubbs test] 최대값 5146 ⇨ $p = 0.0018 < 0.05$ 이므로 이상값으로 판정한다.

2. Z-SCORE

[통계] ▶ [기술통계] ▶ [표준화] 메뉴를 선택한다.

① [자료 표준화] 대화상자에서 변수 weight를 선택한다.

② [확인] 버튼을 클릭하면 z-score 값을 가진 새로운 변수 WEIGHT_Z가 생성된다.

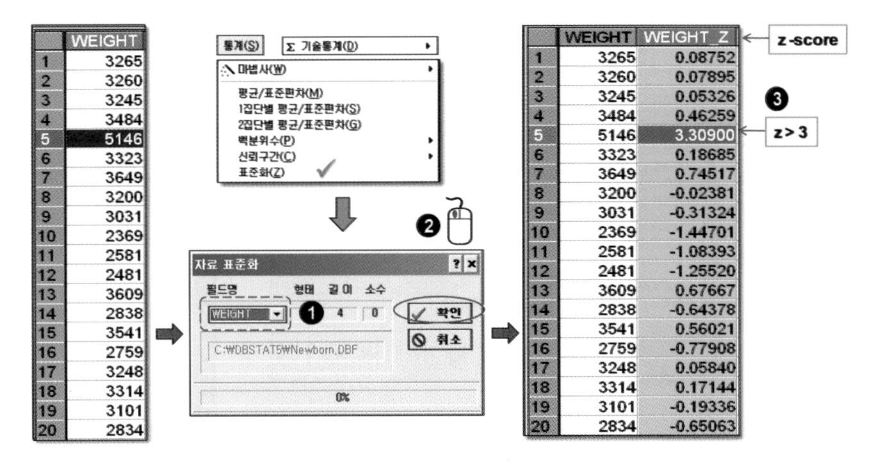

 5번째 record(5146)의 z-score = 3.3 〉 3 이므로 이상값으로 판정한다.

이상값 제외

Database Table에서 셀의 입력값을 0으로 바꾸면 **결측값**으로 처리하여 분석에서 제외된다.

	WEIGHT
1	3265
2	3260
3	3245
4	3484
5	5146
6	3323
7	3649
8	3200
9	3031
10	2369

❶ ➡

	WEIGHT
1	3265
2	3260
3	3245
4	3484
5	0
6	3323
7	3649
8	3200
9	3031
10	2369

❷ ➡

	WEIGHT
1	3265
2	3260
3	3245
4	3484
5	
6	3323
7	3649
8	3200
9	3031
10	2369

① 5번째 record 5146 을 **0**으로 만든다.

② 0 ⇨ 공백으로 변환되어 시스템 결측값으로 바뀐다.

5 결측값 설정

[통계] ▶ [결측값] 메뉴를 선택하면 [결측값 설정] 대화상자가 나타난다.

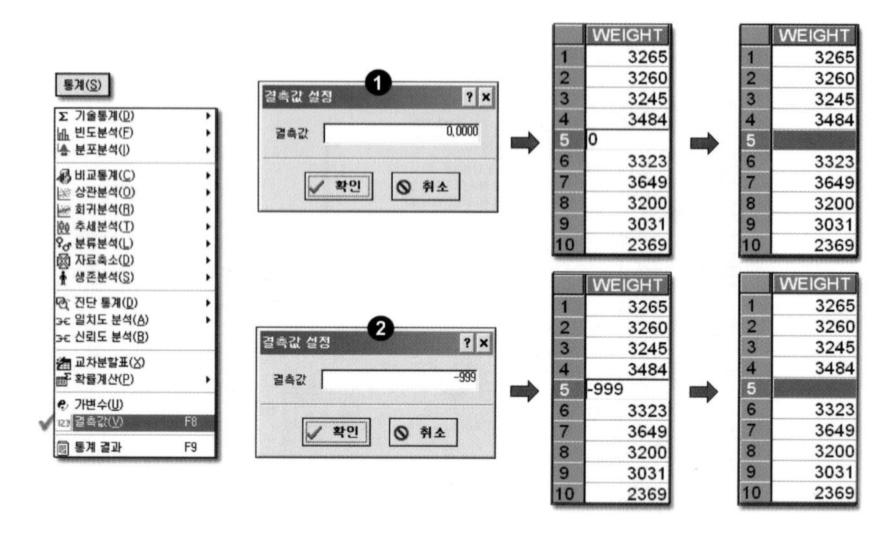

① dBSTAT에서 기본 설정된 결측값은 0 이다. 결측값은 공백으로 처리되어 분석에서 제외된다.

② 0을 분석에 포함하기 위해서는 결측값을 바꾸어야 한다. (예, -999)

이상값을 통계분석에서 제외한 후 정규분포 검정을 시행한 결과는 다음과 같다.

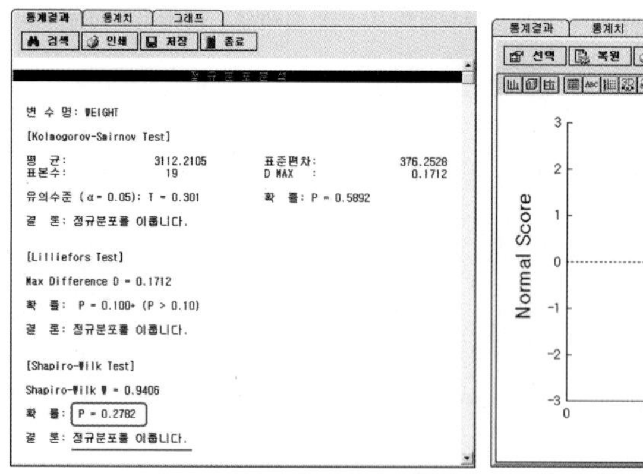

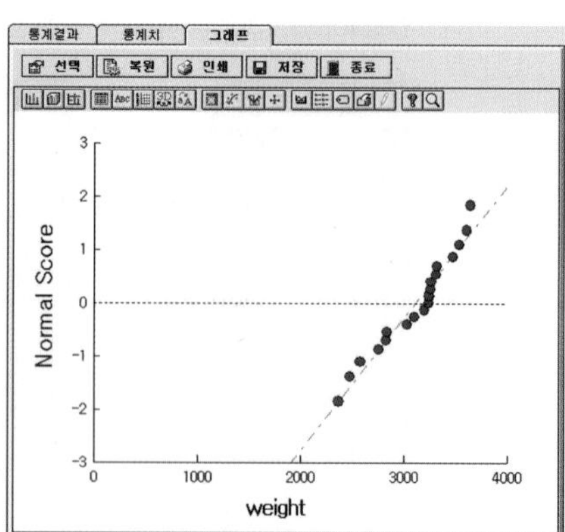

Shapiro-Wilks 검정 : p = 0.278 〉 0.05 이므로 정규분포로 판정한다.

Q-Q plot : 대부분 관측값들이 일직선을 이루게 되어 정규분포에 가깝다.

자료요약

- 자료요약(data summary)은 **기술통계(descriptive statistics)**에 속한다.
- 계량형 자료에서 자료분포가 **정규분포**인지 아닌지에 따라서 **대표값**과 **산포도**가 결정된다.

❖ 계량형 자료 (metric data) – 구간/비율자료

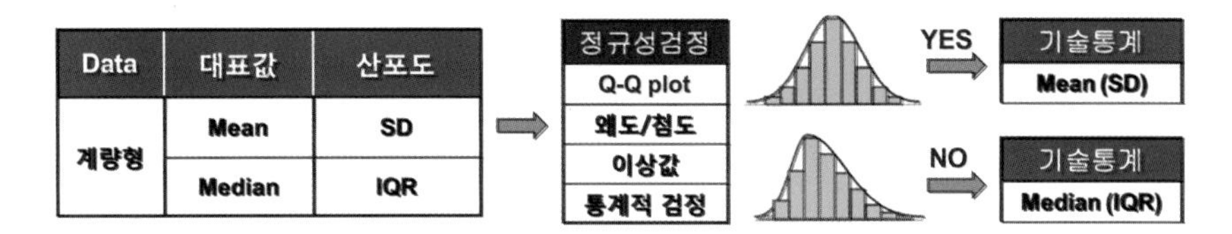

Data	대표값	산포도
계량형	Mean	SD
	Median	IQR

신생아 자료에서 적절한 대표값과 산포도를 선택하여 자료를 요약하여 보자.

표본수	대표값		산포도		Shape	
20	Mean	3213.9	SD	583.9	Skewness	1.75
	Median	3246.5	IQR	567.5	Kurtosis	5.82

NO → Median (IQR): 3246.5 (567.5)

자료분포가 대칭이 아니고 이상값이 존재하며 표본크기〈30 인 자료에서 정규성 검정 결과 정규분포를 이루지 않으므로 대표값과 산포도로, 중앙값과 사분위범위(IQR)로써 자료를 요약한다.

Variable	N	Median (IQR)
weight	20	3246.5 (567.5)

자료요약 table에서 변수명, 표본크기(N), 기술통계량(대표값, 산포도)으로 기술한다.

대표값과 산포도를 기술할 때에 ± 기호는 산술식과 혼동이 되므로 사용하지 않는다.

❖ 비계량형 자료 (non-metric data) - 명목/순서자료

명목자료와 순서자료는 범주형자료에 속하며 각각 빈도(%)와 중앙값(범위)로 기술한다.

Data	대표값	산포도	기술통계
명목형	Mode	없음	Number (%)
순서형	Median	Range	Median(Range)

Graph
Bar, Pie
Bar chart

Medical Paper

The Antepartum Glucose Values that Predict Neonatal Macrosomia Differ from Those that Predict Postpartum Prediabetes or Diabetes: Implications for the Diagnostic Criteria for Gestational Diabetes

J Clin Endocrinol Metab. March 2009, 94(3):840–845

Statistical analyses

All analyses were conducted using the Statistical Analysis System (SAS, version 9.1; SAS Institute, Cary NC). Continuous variables were tested for normality of distribution, and natural log transformations of skewed variables were used, where necessary, in subsequent analyses. In Table 1, continuous variables are presented as mean followed by SD if normally distributed or median followed by interquartile range if skewed. Categorical variables are presented as percentages.

TABLE 1. Antepartum characteristics, obstetrical outcomes, and 3-month postpartum metabolic outcomes of the study population

	n = 412
Antepartum characteristics	
Age (yr)	34.1 (4.3)
Weeks gestation at OGTT (wk)	29.8 (2.9)
Prepregnancy BMI (kg/m^2)	23.5 (21.5–27.9)
Parity	
Nulliparous (%)	49.0
Obstetrical outcomes	
Length of gestation (wk)	39.0 (38.0–40.0)

Continuous variables are presented as mean followed by SD, except for prepregnancy BMI and length of gestation (which are presented as median followed by interquartile range).

Statistical Error

GENERAL GYNECOLOGY

Transumbilical versus transvaginal retrieval of surgical specimens at laparoscopy: a randomized trial

Am J Obstet Gynecol 2012;207:112.e1-6.

TABLE 3

Pain scores on a 10-cm visual analog scale

Postoperative time, h	TU retrieval (n = 32)	TV retrieval (n = 34)	*P* value
1	2.6 ± 2.9	1.2 ± 2.0	.03
3	2.4 ± 2.0	1.4 ± 2.0	.02
24	1.1 ± 1.5	0.5 ± 1.4	.02

Values are reported as mean ± SD.
TU, transumbilical; TV, transvaginal.
Ghezzi. Transumbilical vs transvaginal specimen retrieval. Am J Obstet Gynecol 2012.

Statistical analysis

The *t* test and the Mann Whitney *U* test were used to compare continuous variables sampled from a gaussian or nongaussian distribution, respectively.

Descrptive Statistics

1) 정규성 (Normality)

- 정규분포를 이루면 **95% 범위 (Mean±2SD)**에 속한 관측자료는 실제 측정가능하여야 한다.
  Pain score mean=2.6, SD=2.9 ⇨ mean±2SD 범위는 2.6 − 2×2.9 = **-3.2**에서 2.6+2×2.9 = 8.4
  Pain score는 0~10까지의 범위를 가지므로 정규성을 위반한다 할 수 있다.
- **Skewed data**에서 mean (SD)를 사용하여서는 안되며 **median (IQR)**로 기술하여야 한다.

2) 순서자료 (Ordinal scale)

Pain score는 0~10점의 항목으로 나누어진 순서자료에 속하므로 Mean (SD)로 기술하면 안된다.

Assumption

"That is not said right." said the Caterpillar.
"Not quite right, I'm afraid." said Alice timidly.
"It is wrong from beginning to end." said the Caterpillar decidedly.

4 가정 Assumption

통계 분석을 하기에 앞서 통계학의 기초개념과 확률이 통계 분석에서 어떻게 사용되는지에 대하여 알아야 한다.

표본 sample vs. 모집단 population

Raphael Weldon (1860-1906)

다윈 진화론자인 생물학자 Weldon은 1892년에 해양생물을 관찰하여 연구자료를 수집하였으며 이를 "**sample**" 이라고 명명하였다.

"**population**" 은 이전에 사용된 "normal group"이란 용어를 대체하기 위하여 Pearson이 1896년에 최초로 사용하였으며 1903년에 population과 sample을 통계학에서 함께 사용하기 시작하였다.

모집단 population

모집단(母集團)이란 부모집단의 의미로 조사 단위의 전체 집합을 뜻한다.

모집단은 크기에 따라 크게 유한모집단과 무한모집단으로 나누어진다.

- 유한모집단 (finite population)

  모집단을 구성하는 단위가 유한개인 경우. 예, 2012년도 국내 인구수
- 무한모집단 (infinite population)

  모집단을 구성하는 단위가 무한개인 경우 예, 질병을 일으키는 세균의 수

표본 sample

- 표본(標本)이란 모집단의 일부분을 뜻한다.
- 실제 통계 분석에서 모집단을 대상으로 자료를 수집하기란 거의 불가능하고 많은 시간과 막대한 경비를 소모하여야 하므로 모집단에 관한 정보를 얻기 위하여 대부분 표본을 사용한다.

임의표본 (random sample)

모집단을 대표할 수 있도록 무작위로 추출한 확률표본을 뜻한다.

모수 parameter

모수(母數)란 모집단의 특성을 나타내는 양적인 척도를 뜻한다. 예, 모집단의 평균 → 모평균

통계량 statistic

표본의 특성을 나타내기 위하여 표본 자료에서 계산된 척도를 뜻한다. 예, **표본평균**

- **통계값** value of the statistic

  통계량의 계산된 실제 값을 뜻한다. 예, 표본평균 = 50 → 통계값 **50**

모집단과 표본의 관계

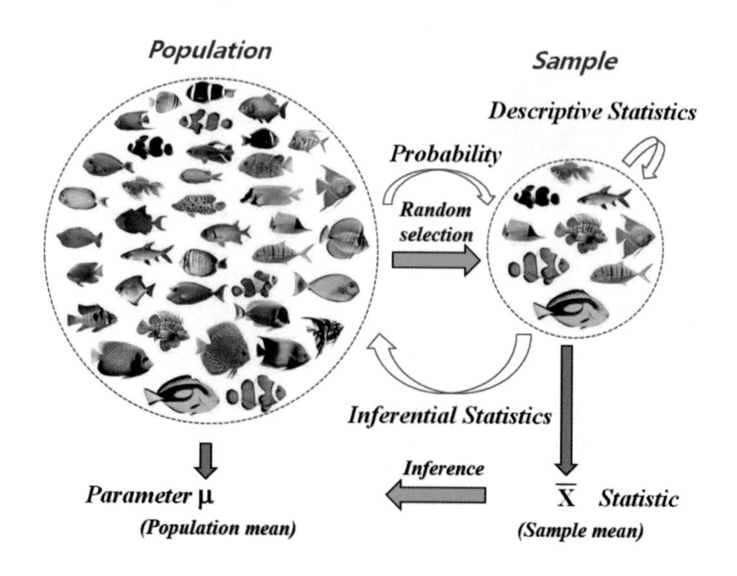

모수 및 통계량 표기법

모수는 그리스 문자로 표기하며 통계량은 로마 문자로 표기한다.

Characteristic	모집단 Parameter	표본 Statistic
관측값 수	N	n
평균 (Mean)	μ	$\overline{X}$
표준편차 (SD)	δ	s
분산 (Variance)	δ^2	s^2
상관 (Correlation)	ρ	r
비율 (Proportion)	π	p

통계학의 종류

통계학은 자료들을 묘사하거나 분석하는 방법에 따라 크게 다음 두 가지로 나눌 수 있다.

1) 기술통계학 descriptive statistics

- 자료를 수집, 분류, 정리하거나 모집단이나 표본자료를 전시(display)하는 것을 말한다.
- 기술통계에는 자료의 분포 상태를 나타내는 빈도분석과 분포의 특성을 나타내는 평균, 중앙값, 최빈값, 분산, 표준편차, 범위, 왜도, 첨도 등이 속한다.
- 자료요약은 기술통계학에 속한다.

Example

치료집단의 평균 연령은 35세이었다.

2) 추측통계학 inferential statistics

- 표본에 내포된 정보를 바탕으로 모집단의 특성을 추리하는 것을 말한다.
- 추측통계에는 적합도 검정, 비교통계, 상관분석, 회귀분석 등이 속한다.

Example

치료집단이 대조집단에 비하여 의의 있는 체중 감소를 보였다(p=0.03).

추측통계학은 분석목적에 따라 다음과 같이 나누어 진다.

(1) 비교통계 분석 comparison

표본 통계량(평균, 분산, 비율)을 표본 집단끼리 비교하거나 모집단 또는 가설 집단과 비교하려는 통계분석을 뜻한다.

(2) 관련성 분석 relationship

독립변수와 종속변수 간의 관계를 분석하는 통계 검정을 말한다.

(3) 상호관계 분석 interrelation

독립변수와 종속변수를 구분하지 않고 변수들 간의 상호 관계를 분석하여 주로 변수와 관측대상을 새로운 집단으로 분류하기 위한 통계 분석을 말한다.

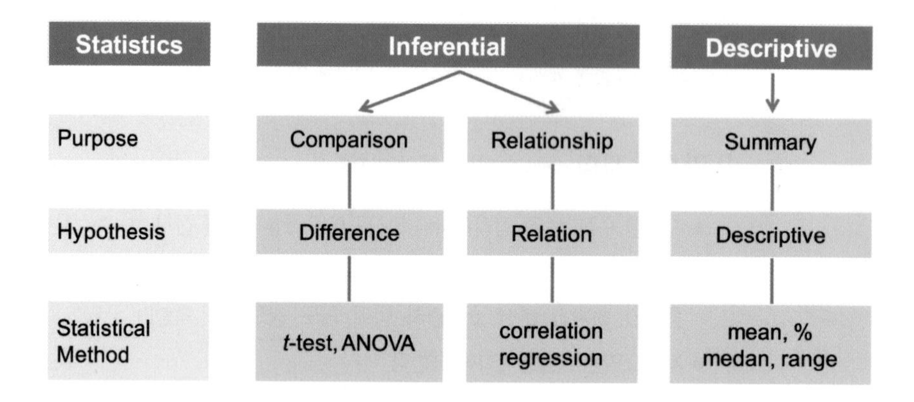

4-1 확률 Probability

확률은 인류 역사상 도박이 시작되면서부터 연구되었다.

Gerolamo Cardano (1501-1576)

르네상스 시대의 의사이자 수학자인 Cardano는 타고난 도박사로서 악명이 높았으며 때론 도박으로 생계를 유지하기도 하였다. 그는 최초로 확률에 대한 책 "Games of Chance"을 1526년에 썼으나 출판이 금지되었으며 그의 사후인 1633년에 출판되어 도박사들의 교과서로 사용되었다.

확률은 무엇인가?

- 특정한 **사건(event)**이 일어날 빈도(비율)를 확률이라고 말한다.
- 확률은 **우연(chance)**과 동일한 의미이다.
- 확률은 약자로 P **(probability)**로 표기하며, 특정 사건은 E **(event)**로 표기한다.
- 특정 사건이 일어날 확률 $0 \le P(E) \le 1$ 이며 절대로 일어날 수 없을 때 $P(E) = 0$ 이다.

확률의 유형 Type

확률에는 접근방식에 따라 3가지 유형이 있다.

1. **고전적 확률** (classical probability)
2. **경험적 확률** (empirical probability)
3. **주관적 확률** (subjective probability)

1. 고전적 확률

17세기말에는 수학의 순열과 조합을 이용하여 도박 확률에 적용하였다.

✓ 이론적 확률 (theoretical probability) 또는 수학적 확률이다.

✓ 실제 대상에 대한 실험이 없는 이론적인 접근 방식이다.

✓ 수학적 확률이론은 통계학적인 확률에 대한 법칙을 개발하는데 기여하였다.

이론적 확률은 특정 사건(event)의 수를 발생할 수 있는 모든 결과(outcome)의 수로 나누어 계산한다. 예를 들어 주사위를 1회 던져 숫자 '5' 가 나올 확률 1/6은 특정 사건 수 1을 모든 결과 수 6으로 나눈 값이다.

이론적 확률은 모든 결과가 동일하게 발생한다는 가정을 한다. 주사위의 특성과 주사위를 던지는 기술 등은 고려하지 않는다.

Pascal (1623-1662)

르네상스 시대 수학자 드므와르(DeMoivre)는 도박사들에게 고용되어 도박에 이길 확률을 연구하였는데 자신의 친구인 천재 파스칼에게 확률에 관하여 질문을 하였다. 파스칼은 자신의 동료 천재인 페르마(Fermat)에게 편지를 썼으며, 함께 현대적인 확률 이론을 구축하였다.

2. 경험적 확률

상대도수비(*relative frequency ratio*)를 이용한 통계적 확률(*statistical probability*)이다.

- ✓ 보다 더 과학적이고 객관적인 접근 방식이다.
- ✓ 특정 사건이 발생할 확률을 동일한 사건이 일어났던 과거의 발생 빈도 또는 실험적 시행에서 얻어진 결과에 근거하여 추정하는 방법이다.
- ✓ 상대도수비는 실험적 시행에서 특정 사건이 발생한 횟수를 실제 실험이 시행된 횟수로 나눈 비율이며 통계적 확률이다.
- ✓ 실험적 시행을 무한 반복하면 결국 경험적 확률은 이론적 확률에 근접하게 된다.

경마대회에서 경주마 A, B, C, D, E 5마리가 경주하는데 경주마 A의 과거 대회 출전회수 10회에 우승빈도가 5회였다면 A가 우승할 확률은 경험적 확률로는 5/10 (50%) 이다.

3. 주관적 확률

개인적인 전문 지식에 따른 주관적인 판단으로 직관적 확률이다.

경주마 A의 우승 확률을 경마 전문가의 주관적 판단으로 내리는 확률이다.

1.1 확률분포 Probability distribution

확률분포란 무엇인가?

모든 가능한 결과와 각각의 결과가 일어날 빈도를 기술하여 도수분포로 나타낸 것이다.

주사위 2개를 동시에 던졌을 때에 합이 5가 나올 확률은?
전체 결과의 수는 6 x 6 = 36 이고 두 주사위의 합이 5가 되는 경우(사건)의 수는 4 이므로 4/36 = 1/9 이다.

도수분포표의 X 축은 각각의 결과(X, 두 주사위의 합)이고 y 축의 p(X)는 상대도수비를 나타낸다.

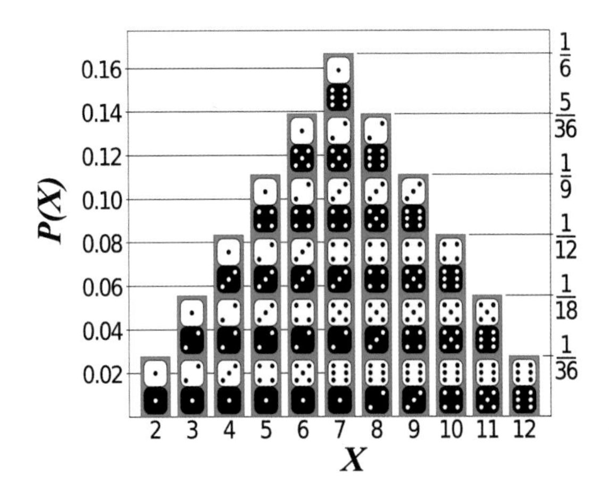

모든 결과(outcome)들의 집합을 **표본공간(sample space)**라고 말한다. 주사위 실험(experiment) 예에서 표본공간은 {2, 3, 4, 5, 6, 7, 8, 9, 10, 11, 12}로 표기한다.

확률분포가 왜 필요한가?

자료를 여러가지 통계학적 검정법에 의하여 분석할 때에 분석결과를 올바르게 해석하기 위해서 표본자료의 분포에 맞는 확률분포를 사용한다. 추측통계학은 확률분포에서 시작되었다.

확률분포의 유형

확률분포는 매우 다양한데 그 중 다음 3가지 이론적 통계적 분포(statistical distribution)가 의학통계학의 근간이 되는 중요한 확률분포이다.

1. **이항분포 (Binomial distribution)**
2. **포아송분포 (Poisson distribution)**
3. **정규분포 (Normal distribution)**

확률분포는 확률분포함수(*probability distribution function*)에 의하여 그래프로 나타낸다. X 축은 **확률변수(random variable)**이고 Y 축은 확률을 나타낸다. 모집단 확률분포는 함수에 모수(parameter)를 사용한다.

확률변수란 이미 존재하는 자료가 아닌, 확률실험에 의해 만들어지는 자료에 의한 변수이다. 확률변수는 크게 둘로 나눌 수 있다.

(1) **불연속변수** (discontinuous variable)

불연속변수는 **이산변수(discrete variable)**라고도 말하며 남자/여자의 수처럼 계수(counting)에 의한 **정수**(integer number)로만 표시되는 변수이다.

(2) **연속변수** (continuous variable)

연속변수란 체중, 키처럼 측정에 의한 관측값으로 이루어지는 소수점을 포함하는 실수로 표시되는 변수이다. 연속변수의 값인 연속자료는 측정에 의하므로 계량자료라고도 한다.
확률분포는 확률변수가 연속변수인지 불연속변수인지에 따라서 다음의 두 가지로 크게 나눈다.

1. **불연속확률분포**
   - 이항분포 (binomial distribution)
   - 포아송분포 (Poisson distribution)

2. **연속확률분포**
   - 정규분포 (Normal distribution)

이들 분포들에 대하여 간략히 살펴 보기로 하자.

1. 불연속확률분포

1) 이항분포 binomial distribution

성공-실패, 예-아니오 등 두 범주로만 분류되는 집단을 이항집단(binomial population)이라 하는데 이항집단의 도수분포를 이항분포라 하며 빈도를 확률로 표시하였을 때 이항확률분포라 한다.

3개의 동전을 던졌을 때 뒷면(Tail, T)이 나오는 빈도를 확률로 나타내면 다음과 같다.

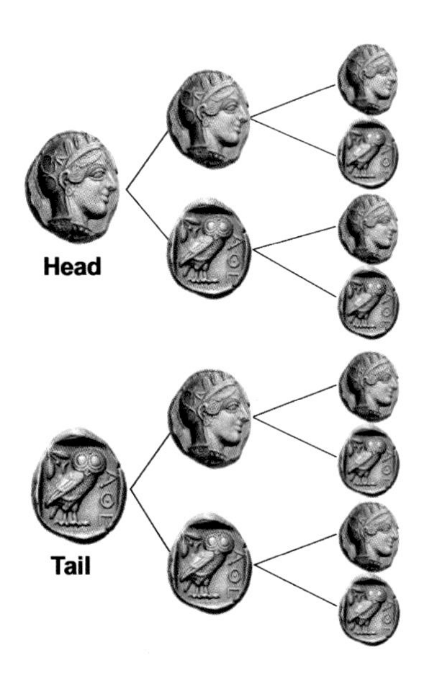

뒷면의 수	동전 배열	빈도	상대빈도
0	HHH	1	1/8
1	HHT HTH THH	3	3/8
2	HTT THT TTH	3	3/8
3	TTT	1	1/8

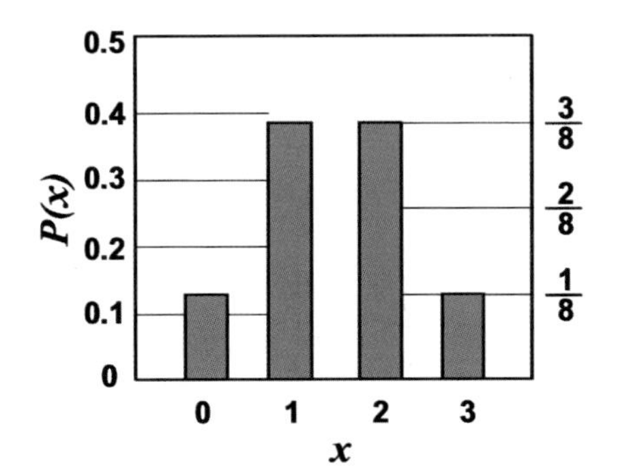

뒷면의 수 0, 1, 2, 3을 X축으로 하고 확률을 Y축으로 하여 확률분포표를 작성하였다.

- ✓ 0, 1, 2, 3을 확률변수(X)의 값이라 한다.
- ✓ 확률변수(X)의 확률분포를 기호 P(X)로 표기한다.
- ✓ 뒷면이 한번 나올 확률 P(X=1) = 3/8 = 0.375 이다.

실험결과가 "성공-실패" 두 가지만 가능할 때 이러한 시행을 **베르누이 시행**(Bernoulli trial)이라 한다. 일반적으로 베르누이 시행에서 "성공"의 확률이 ***p***일 때 "실패" 확률 ***q=1-p***가 되며 실험을 n 번 반복할 때 X 번의 성공을 가져오는 확률은 다음 공식과 같다.

$$P(x)={}_nC_x p^x q^{n-x} = \frac{n!}{(n-x)!x!} p^x q^{n-x}$$

이때 X의 확률분포를 시행횟수 n과 성공률 p를 갖는 이항분포라 한다.

위의 예에서 동전 뒷면이 나올 확률 p = 0.5이므로 3개의 동전을 던졌을 때 동전 1개에서 뒷면이 나올 확률은 동전 한 개를 3번 던졌을 때 (n=3) 뒷면이 1회 (x=1) 나올 확률과 같으므로 공식을 사용하여 구할 수 있다.

$$P(X=1) = \frac{3!}{(3-1)!1!}(\frac{1}{2})^1(1-\frac{1}{2})^{3-1} = \frac{3\times2\times1}{2\times1}(\frac{1}{2})(\frac{1}{2})^2 = \frac{3}{8} = 0.375$$

이항분포의 특성

① 이항분포는 성공률 p와 시행횟수 n에 따라서 모양이 달라진다.

② 시행횟수 n과 성공률 p를 갖는 이항분포에서

평균 μ = np, 표준편차 $\sigma = \sqrt{npq}$ 이다.

③ p = 0.5인 경우는 평균을 중심으로 좌우대칭의 모양이 된다.

④ np ≥ 5, nq ≥ 5 이면 정규분포에 근접하게 된다.

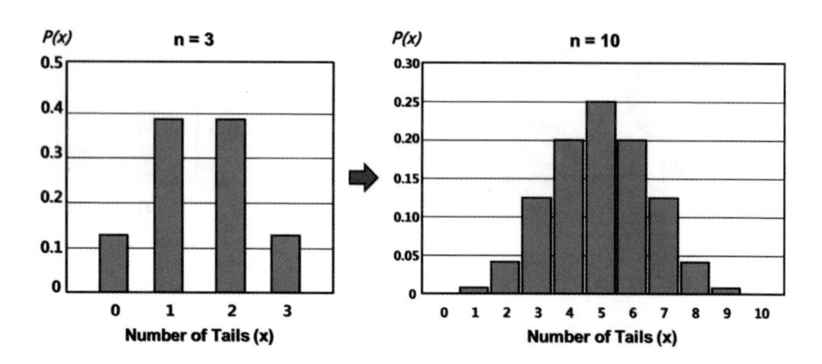

동전을 10번 던져 뒷면이 나오는 확률 실험을 시행했을 때 n = 10, p = 0.5, q = 1 - 0.5 이므로

평균 μ = 10 x 0.5 = 5, 표준편차 $\sigma = \sqrt{10\times0.5\times0.5} = \sqrt{2.5} = 1.58$ 이다.

np = 10 x 0.5 ≥ 5, nq = 10 x (1-0.5) ≥ 5 ⇨ 정규분포에 근접한다.

 이항분포 확률은 《이항분포표》(binomial probability table)에서 찾을 수도 있다.

2) 포아송분포 Poisson distribution

① 포아송분포는 시간 또는 공간 단위 당 사건의 발생 횟수(λ)가 나타내는 분포이다.

② 포아송분포는 매우 드물게 발생하는 사건에 대한 확률분포이다.

③ 포아송분포는 이항분포에서 n은 매우 큰 반면 p는 매우 작은 경우에 나타나는 분포의 모양을 갖는다.

④ λ가 커질수록 포아송분포는 정규분포에 근접하게 된다.

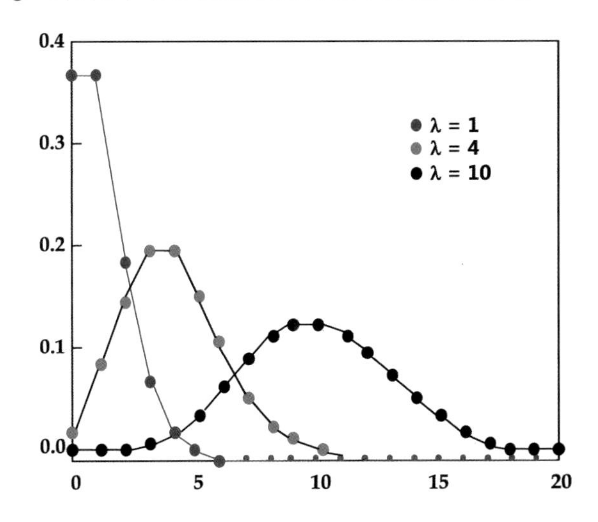

$$P(x) = \frac{e^{-\lambda}\lambda^{x}}{x!}$$

x : 확률변수 X가 일어날 수 있는 가능한 값 (0,1, 2,…)

e : 자연대수의 밑 (2.71828)

λ = np : 시간 또는 공간 단위 당 사건 평균 발생횟수 또는 기대되는 발생횟수

포아송분포가 적용되는 예를 들어보자.

Example

어느 대학병원에서 심장이식 수술의 횟수는 년간 평균 1.1회이다. 1년간 심장이식 수술이 한 건도 없을 확률은 얼마인가?

시간당 기대횟수에 대한 확률이므로 포아송분포 방정식을 이용하여 확률을 구한다. λ=1.1, x = 0 이므로 포아송 분포 방정식에 대입하여 계산한다. $P(0) = e^{-1.1} = 0.3329$

포아송분포 확률은 《포아송분포표》를 참고로 하면 쉽게 구할 수 있다.

2. 연속확률분포

정규분포 Normal distribution

이항분포에서 n을 증가시킬 경우 막대도표는 종모양의 곡선이 되며 n을 무한대로 증가시켰을 때 가상되는 이론적인 분포곡선을 정규분포곡선이라 하며 다음과 같은 식으로 표현된다.

$$f(x) = \frac{1}{\sigma\sqrt{2\pi}} \cdot e^{-\frac{1}{2}(\frac{x-\mu}{\sigma})^2}$$

μ : 모집단 평균, δ : 모집단 표준편차

상수 π = 3.14159, e = 2.71828

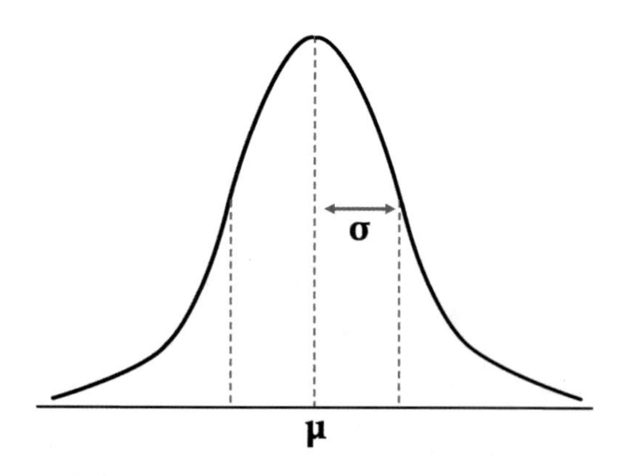

정규분포의 확률밀도 함수

①정규분포는 모집단에 근거하기 때문에 평균은 μ, 분산은 σ^2 으로 표기한다.

②정규분포의 곡선 모양은 평균 μ와 분산 σ^2 (또는 표준편차 σ)에 따라 변한다.

③평균 μ는 곡선의 중심위치를 결정하고 표준편차 σ는 곡선의 퍼진 정도를 결정한다.

④평균을 중심점으로 하는 좌우대칭인 종 모양의 분포곡선을 나타낸다.

이 분포곡선을 이용하여 어떤 측정값이 전체 관측값의 어떠한 위치에 속하는지 추측할 수 있으며 그러기 위하여 분포곡선 아래의 총면적을 1로 정하여 모평균의 위치를 중심으로 하는 이론분포를 이용하는 것이 바람직하다.

표준정규분포 standard Normal distribution

정규분포의 곡선 모양은 평균과 표준편차에 따라서 변하므로 정규모집단에서 임의의 관측값(X)에 대한 확률을 구할 경우 정규분포 곡선의 방정식을 이용하여 적분을 하여 관측값(X)에 해당하는 곡선 아래의 면적을 산출하여 확률을 구해야 하므로 매우 복잡하다.

따라서 평균과 표준편차에 따라 무한히 존재할 수 있는 정규분포의 모양을 관측값에 대한 확률 계산이 쉽게 될 수 있도록 표준화할 필요가 있다. 이를 **표준정규분포**(standardized normal distribution)라 한다. 표준정규분포는 **Z 분포**(z-distribution)라고도 부른다.

표준정규분포를 만들려면 우선 관측값(X)를 변형하여 모집단의 평균값과 표준편차에 대하여 상대적인 값(표준점수, Z)으로 만든 후 이 Z 값에 대한 분포를 구하면 된다.

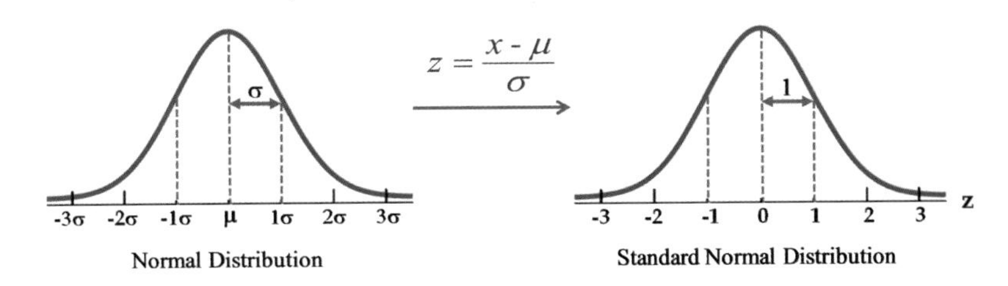

① Z의 평균은 0, 표준편차는 1이 된다.

② 표준정규분포곡선 아래의 전체 면적(확률)은 1 이다.

 정규분포에 대한 자세한 설명은 『자료요약』 단원을 참조하기 바란다.

신생아의 평균 체중은 3.5kg, 표준편차는 0.5kg으로 알려져 있다.
정규분포를 이룬다고 가정할 때에 신생아의 체중이 4.5kg 이상일 확률은?

1. 정규분포에서 68-95-99 법칙에 의해 평균±1표준편차 내의 면적은 68.26%, ±2표준편차 내의 면적은 95.44%에 해당한다.

① 68.26% ➡ 3.0kg ~ 4.0kg (3.5kg − 0.5kg ~ 3.5kg + 0.5kg)

② 95.44% ➡ 2.5kg ~ 4.5kg (3.5kg − 2 x 0.5kg ~ 3.5kg + 2 x 0.5kg)

③ 4.5kg 이상일 확률은 관측값이 평균에서부터 +2표준편차 이상에 속할 확률이다.

(1-0.9544)/2 = 0.0456/2 = 0.0228 (2.8%)

예제에서처럼 관측값이 정확히 표준편차의 2배가 되는 경우는 드물며 대부분은 표준점수 z를 구하여 아래 《표준정규분포표》에 의하여 확률을 구한다.

2. 표준정규분포

① Z = (4.5 − 3.5) / 0.5 = 2.0 ➡ Z ≥ 2.0 확률은 0.02275 (2.8%).

② Z 값에 해당하는 표준정규분포 확률은 《표준정규분포표》에서 찾아서 구할 수 있다.

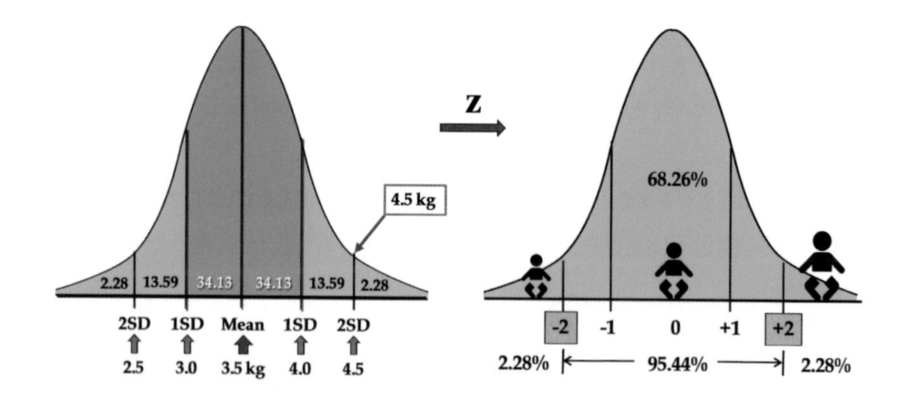

기준구간 reference interval

관측값을 정상과 비정상으로 구분하는 진단 기준이 되는 범위를 기준구간 또는 **기준범위** (reference range), **정상범위**(normal range)라 한다. 예를 들면 혈압, 체온, 혈당 등이 정상범위가 있다. 기준구간은 대규모 표본 (〉3500)을 사용하여 설정한다.

일반적으로 전체자료의 중간 95%에 속하는 구간을 정상범위(기준구간)로 정하고 정상범위 밖의 범위를 비정상으로 정한다.

① 정규분포 자료

표준편차 기준 : 평균 ± 1.96표준편차 ⇨ 전체자료의 95% 범위에 해당한다.

② 비정규분포자료

백분위수 기준 : 2.5^{th} ~ 97.5^{th} 백분위수 ⇨ 전체자료의 95% 범위에 해당한다.

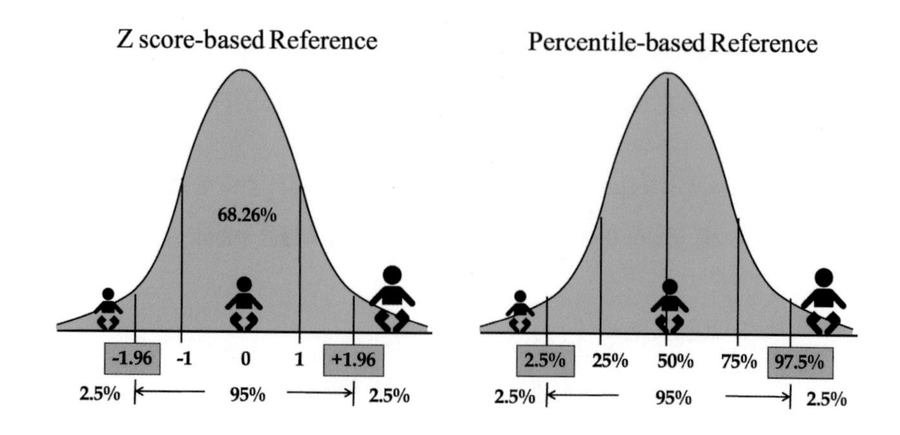

신생아의 평균 체중은 3.5kg, 표준편차는 0.5kg으로 알려져 있다.
신생아의 체중이 정규분포를 이룬다고 가정하고 기준구간을 구하시오.

① 평균 ± 1.96 표준편차 ⇨ 3.5kg − 1.96 x 0.5kg ~ 3.5kg + 1.96 x 0.5kg

② 기준구간 ⇨ 2.52kg ~ 4.48kg

세계보건기구 WHO, World Health Organization

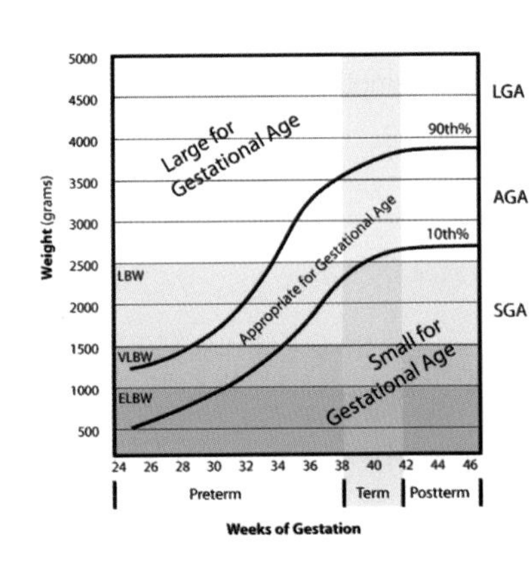

신생아 정상 체중

- 세계보건기구에서는 신생아 수백만 명을 대상으로 신생아의 정상 체중(기준구간)을 모집단의 중간 80% (10th % 이상 ~ 90th % 이하)로 정하였다.
- 저체중아를 10th 백분위수 (2.5kg) 미만으로 정의하고, 과체중아를 90th 백분위수 (4.0kg) 초과로 정의하였다.
- 세계보건기구의 기준구간에 따르면 신생아 정상 체중은 2.5kg 이상 ~ 4.0kg 이하에 속한다.

왜 정규분포인가? What is Normal?

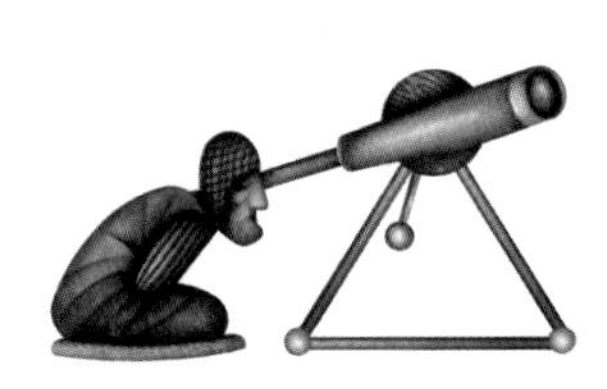

정규분포는 천문학 연구에서 시작되었으며 "Normal"은 17세기 기하학에서 사용된 T모양 직각자의 라틴어 "Norma" 에서 유래되었다고 한다. 1809년에 Gauss 가 정규분포곡선(normal curve)을 연구할 당시 대수학에서 "norm"이란 단어를 사용하였다.

19세기에 의학 분야에서 최초로 "normal" (정상) 용어가 사용되기 시작되어 유행되었으며 Pearson 은 Gaussian curve 가 이전에 Laplace 에 의해 이미 발견되었음을 알고 1893년에 "**Normal distribution**"으로 명명하여 현재까지 사용되게 되었다. 의학에서 사용하는 "normal"은 "pathological" (병리적)의 반대 개념이므로 정규분포에서 'Normal" 은 첫 글자를 대문자를 써서 구분하기도 한다.

12 표본추출 Sampling

모집단을 대상으로 직접 연구하는 것은 시간과 비용을 고려할 때 대부분 불가능하므로 모집단에서 일부 표본을 선택하여 조사하는 방법을 사용하게 된다. 표본추출은 통계적 용어로 표본수집을 의미하는 **표집(標集)**이라고도 부른다.

표본추출 방법은 확률적 방법과 비확률적 방법으로 나누어진다.

1. **확률적 방법** (probability sampling)

- 단순무작위 표본추출법 (simple random sampling, SRS)
- 체계적 표본추출법 (systematic sampling)
- 층화 표본추출법 (stratified sampling)
- 군집 표본추출법 (cluster sampling)

2. **비확률적 방법** (non-probability sampling)

- 편의 표본추출법 (convenience sampling)

1. 확률적 방법

단순무작위 표본추출법

✓ 모집단을 구성하는 각각의 개체들에서 동일한 확률로 표본을 추출하는 방법이다.

✓ 모집단을 이루는 개체들에 일련번호를 부여한 후에 난수표(random number table, 임의숫자표) 또는 컴퓨터를 이용하여 무작위로 숫자를 선택하여 그 수에 해당하는 모집단의 개체를 추출하는 방법이다.

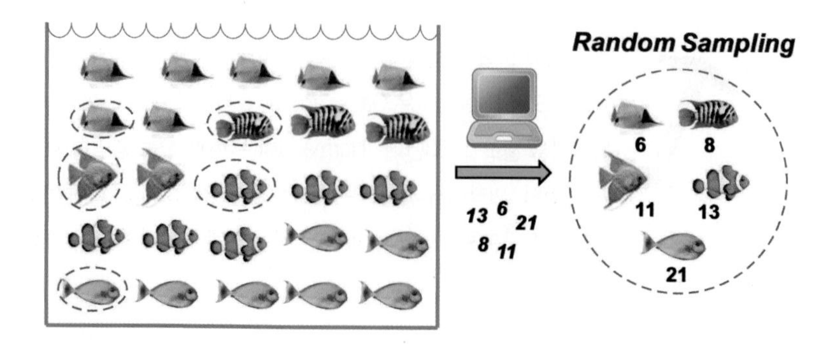

모집단의 크기(N)가 30 이라고 가정하고 표본크기(n)를 5개 추출하여 보자.

난수표 (A Random Number Table)

57245	59302	31334	37506	38477
29476	49068	67381	11834	05934
97742	89970	09674	83495	99377
82768	16459	00794	38457	98032
48572	49583	50286	66739	39567
68395	58296	96708	92663	49210

난수표에서 5자리 숫자 중 첫 두 자리 수를 선택한다. 57245에서 57은 모집단 일련번호 30을 초과하므로 그 다음 수 29476 에서 29를 선택한다. 이와 같은 방법으로 16, 09, 11, 05를 선택한다.

Excel 함수사용

① RAND( ) 함수를 사용한다.

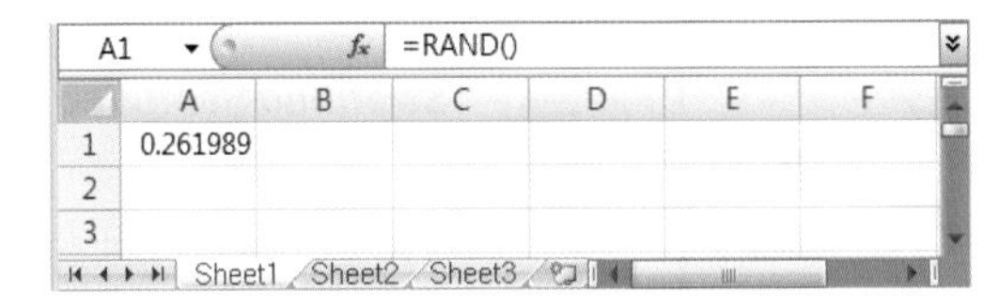

A1 셀에 =RAND( ) 입력한다. 0.261989에서 소수점 아래 두자리 수 26을 선택한다. RAND( ) 함수를 반복 사용하여 5개의 임의수를 구한다.

② RANDBETWEEN( ) 함수

특정 범위의 임의수를 산출하는 함수이다. 위의 예에서 = **RANDBETWEEN(1,30)** 입력하면 1과 30사이의 임의수를 구할 수 있다.

체계적 표본추출법

모집단을 이루는 개체들에 일련번호를 부여한 후에 무작위로 하나의 숫자를 선택한 다음 일정 간격으로 모집단의 개체를 추출하는 방법이다.

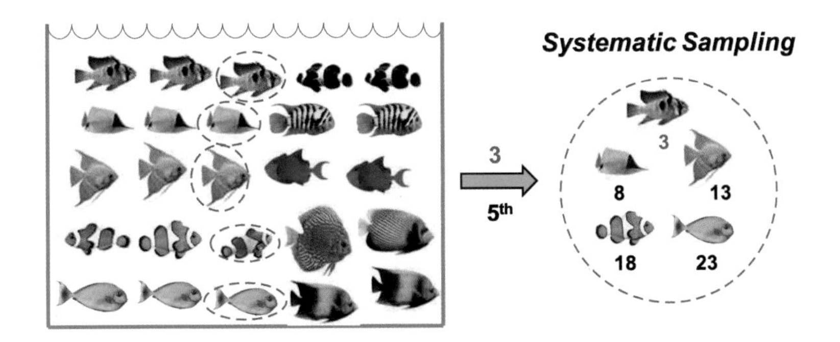

모집단 N = 25이고 표본크기(n) = 5로 정하면 간격은 N/n = 25/5 = 5 가 된다. 첫번째 임의수가 3이면 모집단에서 일련번호 3, 8, 13, 18, 23에 해당하는 표본을 뽑게 된다.

층화 표본추출법

- ✓ 모집단을 특성에 따라 서로 상이한 소집단(strata)으로 분류한 다음 각각의 소집단에서 단순무작위 표본추출법과 같은 방법으로 표본을 추출하는 방법이다.
- ✓ 소집단 분류기준은 성별, 나이 등 다양하며 2개 이상의 분류기준에 따라 소집단이 다시 부분집단(subgroup)으로 분류될 수 있다.
- ✓ 표본크기는 모든 소집단에서 동일한 수로 추출하거나 모집단에서 소집단의 구성비율과 같게 비율적으로 할당할 수 있다.
- ✓ 층화 표본추출법은 무작위 표본추출에서 표본이 편중될 수 있는 단점을 보완할 수 있으나 추가적인 시간과 경비가 필요하다.

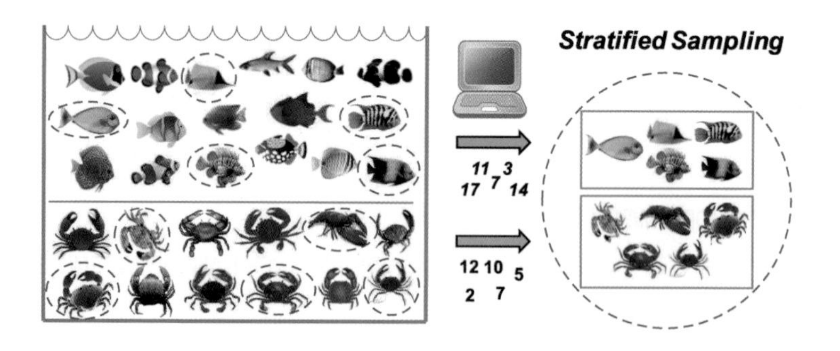

군집 표본추출법

모집단을 집단(군집)으로 나누어 개체 대신에 군집 단위로 표본을 추출하는 방법이다.
군집을 선택하는 방법은 단순무작위 표본추출법과 동일한 방법을 사용한다.

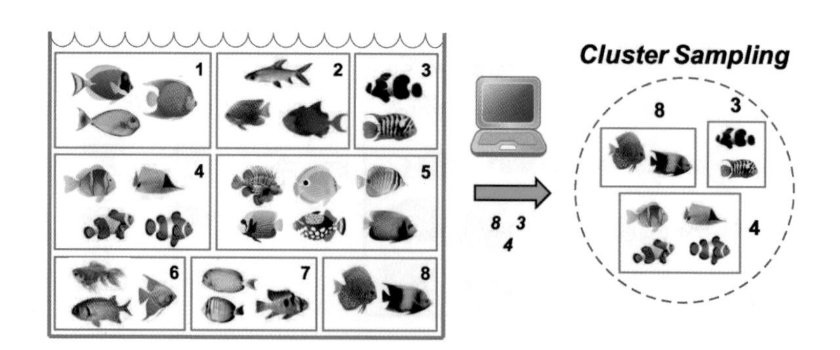

군집 표본추출법의 예로 모집단을 지역별 단위로 나누어 몇 개의 지역(군집)을 무작위로 선택하여 지역 전체에 속한 개체를 표본으로 정하는 것이다.

2. 비확률적 방법

편의 표본추출법

✓ 연구자가 임의로 특정집단을 표본으로 선정하는 방법이다.

✓ 편리성에 기준을 둔 표본선정 방법으로 모집단을 대표하기 어렵다.

✓ 호수에 있는 물고기를 모집단으로 하고 표본 5마리를 조사할 때에 낚시를 하기 쉬운 곳에서 5마리 물고기를 잡는 방법이 편의 표본추출법에 해당된다.

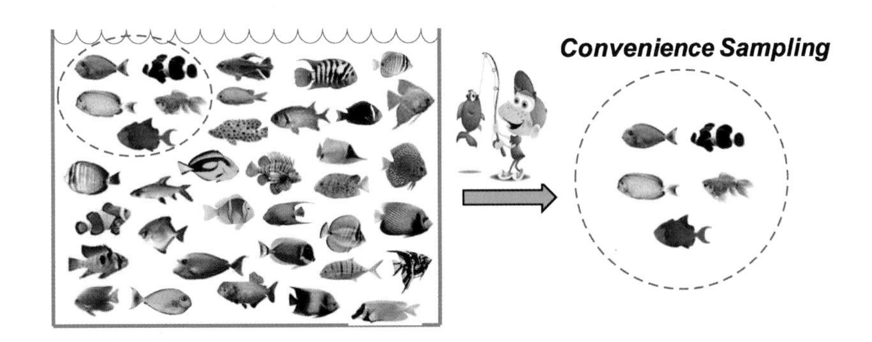

13 표본오차 Sampling error

표본을 대상으로 하는 연구는 모집단에 대한 추측이 잘못될 오류를 범할 수 있다. 표본추출에서 생기는 오차를 표본오차라 한다.

오차(error)란 무엇인가?

오차에는 계통오차(systematic error)와 임의오차(random error)가 있다.

계통오차 Bias, 치우침, 편향

- ✓ 통계학적 불확실성(uncertainty)과 무관한 오차이다.
- ✓ 표본선택, 측정기기와 관련된 오차이다.
- ✓ Bias 측정방법
  - 정확도(Accuracy), 타당도(Validity)

임의오차 확률오차, 통계적오차

- ✓ 표본자료의 변이(variability)로 인한 오차이다.
- ✓ 통계학적 불확실성을 나타낸다.
- ✓ 임의오차 측정방법
  - 정밀도(Precision) = 측정값이 퍼진 정도
  - 신뢰도(Reliability) = 측정값의 반복 재현성

정확도란 사격에서 표적에 정확하게 맞추는 정도를 뜻하며 Bias는 표적에서 멀어지는 **부정확성**을 뜻한다. 정밀도란 표적과는 상관없이 한 곳을 집중적으로 맞추는 것을 뜻한다. 통계적 오차인 **임의오차**는 사격점이 흩어져서 정밀도가 낮아지는 **비정밀성**을 뜻한다.

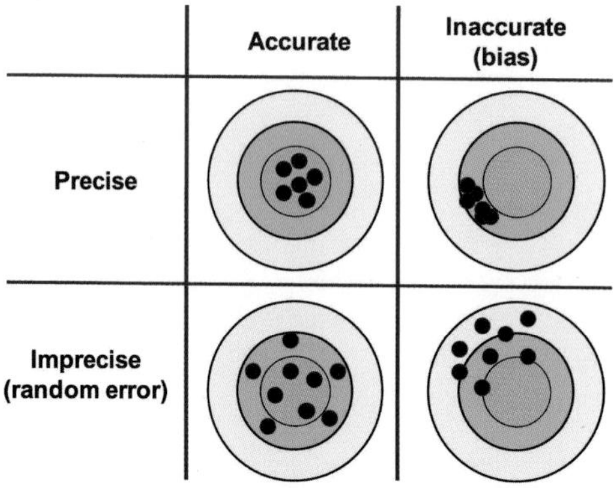

	Accurate	Inaccurate (bias)
Precise		
Imprecise (random error)		

Bias 유형 (Type)

1. 선택치우침 (selection bias)

편의 표본추출법처럼 표본이 모집단을 대표하지 못하는 경우를 뜻한다.

2. 측정치우침 (measurement or response bias)

측정기기에 의한 측정값이 모집단의 참값과 다른 경우를 뜻한다.

3. 무반응치우침 (nonresponse bias)

표본에서 측정이 안된 자료가 많아 연구에서 제외시키면 모집단을 대표하지 못한다.

- Bias 형태 중에서 선택치우침은 비임의화 연구(non-randomized study)에서 흔하며 임의화 연구(randomized study)에서 무작위 표본추출법(random sampling)을 사용함으로써 감소시킬 수 있다. 표본크기(sample size)가 클수록 선택치우침이 감소된다.

- 표본크기가 증가할수록 정밀도가 높아지며 결과적으로 임의오차를 줄일 수 있다.

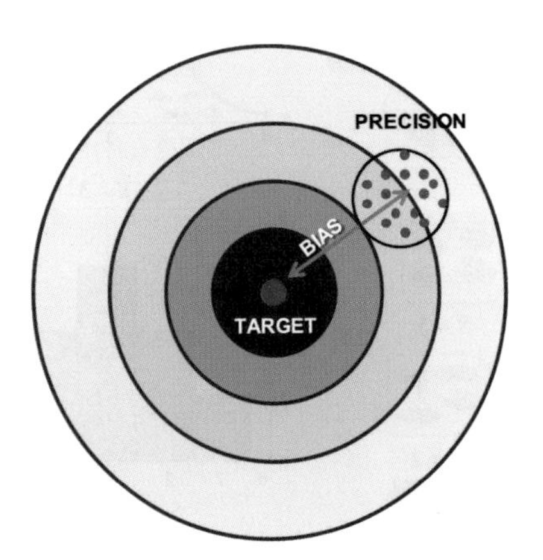

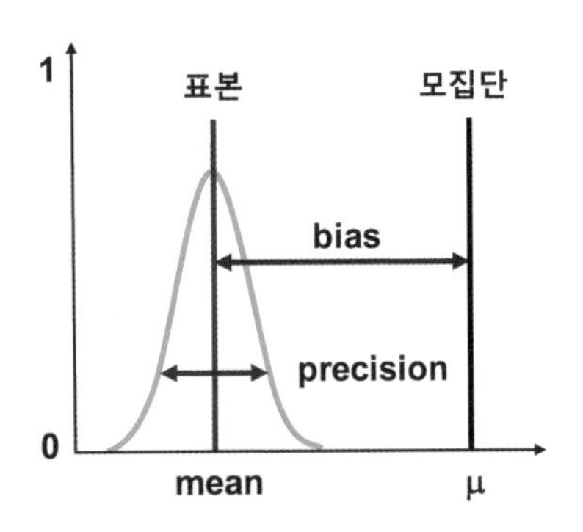

- **Bias = 치우침, 정확도**
- **Precision = 퍼짐, 정밀도**

1.4 표집분포 Sampling distribution

- 정규분포는 모집단을 대상으로 하는 확률분포이다. 표본자료를 대상으로 하는 경우 표본마다 측정값이 달라지며 표본의 크기에 따라서도 분포의 모양이 달라지게 된다.
- 표본추출 확률분포는 통계적 용어로 **표집(標集)분포**라고 불리우며 모집단으로부터 동일한 표본크기로 가능한 모든 표본추출(sampling)을 반복하는 실험에 의한 이론적 확률분포이다.
- 표집분포는 **표본통계량**(평균, 비율)에 대한 확률분포이며 모집단의 모수(평균, 비율)를 추정하기 위한 이론적 분포이다 『자료요약』 단원에서 설명하였던 단일 표본자료에 대한 빈도분포(frequency distribution)와는 다르다.

표본평균 분포 sampling distribution of sample means

✓ 모집단에서 일정한 크기의 표본들을 반복하여 추출한 다음 각각의 표본들에 대한 평균을 구하여 평균들에 대한 분포를 Histogram으로 나타낼 수 있다.

✓ 표집분포에서 각각의 표본을 이루는 개체 수 n을 **표본크기(sample size)**라 하며 표본의 추출 횟수를 **표본수(number of samples)**라고 한다.

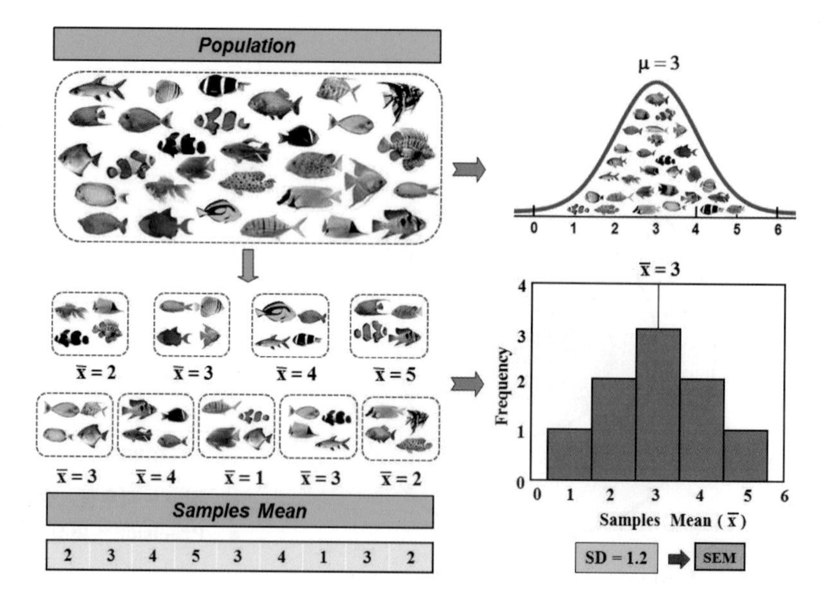

위의 예에서 물고기 4마리씩 표본을 추출하여 9회 반복하였을 때에 표본크기 n = 4, 표본수 = 9이다. 각각 표본들의 평균은 {2, 3, 4, 5, 3, 4, 1, 3, 2} 이다. 이들 평균을 관측값으로 보고 다시 평균 자료들에 대한 평균과 표준편차를 구하면 평균 = 3, 표준편차(표준오차) = 1.2 이다.

중심극한정리 Central Limit Theorem

중심극한정리는 통계학사에서 추론통계에 가장 큰 기여를 한 중요한 발견이다.

Laplace (1749-1827)

프랑스 수학자이며 천문학자인 Laplace는 자료의 측정값은 수많은 작은 오차들에 의하여 영향을 받는다는 사실을 발견하였으며 측정값의 불확실성을 수학적으로 줄이기 위한 연구를 한 결과 표본크기가 커지면 커질수록 표본자료의 분포는 정규분포에 가까워진다는 사실을 발견하였으며 1810년에 중심극한정리를 발표하였다.

중심극한정리

① **표본평균**의 분포는 표본크기가 충분히 크면 **정규분포**에 가까와진다.

② 모집단이 정규분포이면 표본평균의 분포는 표본크기와 상관없이 정규분포를 이룬다.

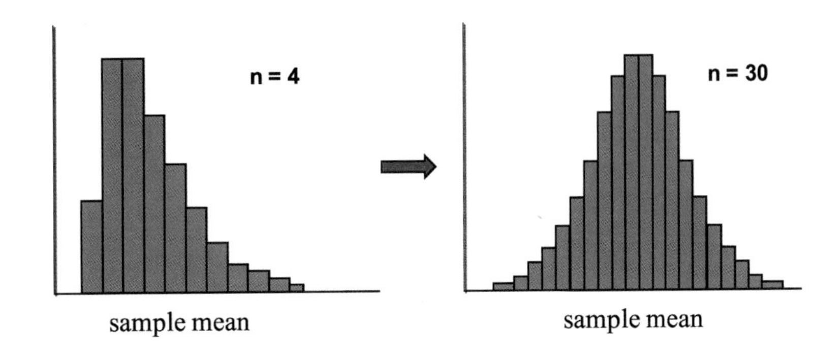

③ 표본크기가 충분히 크면 표본평균 분포의 평균($\mu_{\bar{x}}$)은 모집단 평균(μ)과 같게 된다.

④ 표본크기가 충분히 크면 표본평균 분포의 표준편차(SD)는 모집단 표준편차를 표본크기(n)의 제곱근으로 나눈 값 $\sigma/\sqrt{n}$ 과 같게 된다.

표본크기가 얼마나 커야 충분한가?

① **표본평균의 분포**는 일반적으로 표본크기 n≥30 이면 정규분포에 근접한다고 알려져 있으며 표본크기가 30 이상이면 **대표본**이라고도 한다.

② 모집단이 정규분포에서 많이 벗어나면 표본크기가 n≥50 (100) 이어야 한다.

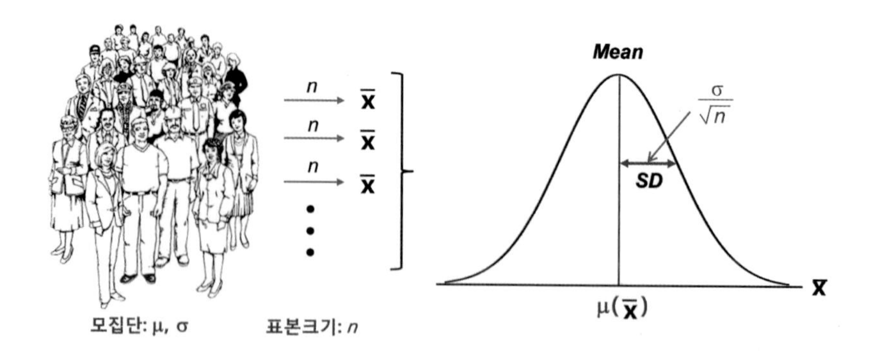

표집분포 중심 center

표집분포가 정규분포이면 평균이 대표값으로 표집분포의 중심이 된다. 표본크기(n)가 충분히 크고 추출 가능한 모든 표본들을 무작위로 추출한다고 가정하면 추출된 표본평균($\bar{X}$)들의 전체 평균 $\mu(\bar{X})$= 모집단 평균(μ)과 동일하게 된다.

표집분포 산포도 spread

표집분포에서 표본크기가 크면 분포의 중심으로부터 관측값들이 좁게 분포하게 되고 표본크기가 작으면 넓게 퍼지게 된다. 즉, 표집분포의 분산은 표본크기에 반비례한다.

표준오차 Standard Error

① 표집분포의 표준편차를 표준오차라 하며 약자 **SE**로 표기한다. 표집분포가 특히 표본평균에 대한 확률분포일 때에 표본평균의 표준편차는 **SEM(Standard Error of Mean)**으로 표기하기도 한다.

② 표본평균의 표준오차는 표본평균의 산포도를 나타내며 표본평균으로부터 모집단 평균을 추정할 때에 정밀도를 측정하는 역할을 한다. 표준오차가 작을수록 추정값의 정밀도가 높아진다.

③ 표본평균의 분산은 σ^2/n (σ^2 : 모집단 분산)이므로 표본평균의 표준오차는 다음과 같다.

$$SE = \frac{\sigma}{\sqrt{n}}$$ (σ : 모집단 표준편차, n : 표본크기)

신생아 100명에 대한 연구에서 평균 체중은 3.5kg이었다. 신생아 체중의 표준편차는 0.5kg로 알려져 있다. 신생아 평균 체중의 표준오차를 구하시오.

 $SE(\mu) = 0.5/\sqrt{100} = 0.5/10 = 0.05$ kg

실제 연구에서는 대부분 모집단 표준편차를 알 수가 없으므로 표본크기가 $n \geq 30$으로 충분히 큰 경우에는 **σ** 대신 표본 표준편차 **s(SD)**를 사용하여 표준오차를 구할 수 있다.

$SE = \frac{s}{\sqrt{n}}$ (s : 표본표준편차, n : 표본크기)

표집분포 vs. 표본자료

표집분포는 동일한 표본크기의 표본들을 여러번 반복해서 추출한 실험에 의한 이론적분포이다. 실제적인 통계분석에서 표본자료를 여러번 반복 추출하기는 어렵기 때문에 1회 표본추출한 자료만을 가지고 평균과 표준편차를 계산하여 모집단의 평균, 표준편차를 추정하게 된다.

표본비율 분포 sampling distribution for proportion

✓ 모집단에서 동일한 크기의 표본을 반복해서 추출한 표본들에서 계산된 표본 비율($\hat{P}$)들에 대한 확률적 이론분포이며 이항분포를 이룬다.

✓ 표본평균 분포와 마찬가지로 중심극한정리에 의하여 모집단 비율(p)을 추정할 수 있다.

중심극한정리

① 표본비율의 분포는 $np \geq 5$, $n(1-p) \geq 5$ 이면 **정규분포**에 가까워진다.

② 표본크기가 크면 표본비율 분포의 평균 $\mu(\hat{P})$은 모집단 비율(p)에 근접하게 된다.

③ 표본크기가 크면 표본비율 분포에서의 표준편차는 모집단 표준편차 $\sqrt{p(1-p)}$ 를 표본크기(n)의 제곱근으로 나눈 값 $\sqrt{p(1-p)}/\sqrt{n}$ 에 근접하게 된다.

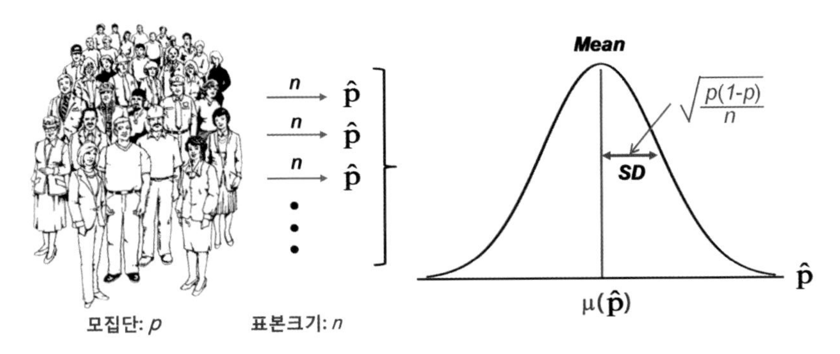

모집단: p 표본크기: n

Example

100명의 환자를 대상으로 한 연구에서 새로운 두통약의 치료효과가 80%이었다.
치료효과의 표준오차를 구하시오. $SE(p) = \sqrt{0.8(1-0.8)}/\sqrt{100} = \sqrt{0.16}/10 = 0.04$

1.5 통계적 추정 Statistical estimation

표본을 대상으로 하는 연구에서 모집단의 모수(parameter)를 알 수 없으므로 모집단에서 추출한 표본자료에서 표본통계량(statistic)을 계산하여 모수를 추정(estimation)하게 된다.

- 중심극한정리에 의하면 모집단으로부터 표본크기 30이상인 모든 표본들을 반복해서 추출하면 표본평균 분포의 평균은 모집단의 평균(모평균)과 같아진다.
- 실제 연구에서는 1회의 표본추출에 의한 단일 표본을 사용하므로 표본평균($\bar{X}$)과 모평균(μ)은 동일하지 않게 된다. 따라서 모평균의 추정에 대한 오차범위를 정하여 **신뢰구간(confidence interval, CI)**에 의한 추정을 하게 된다.

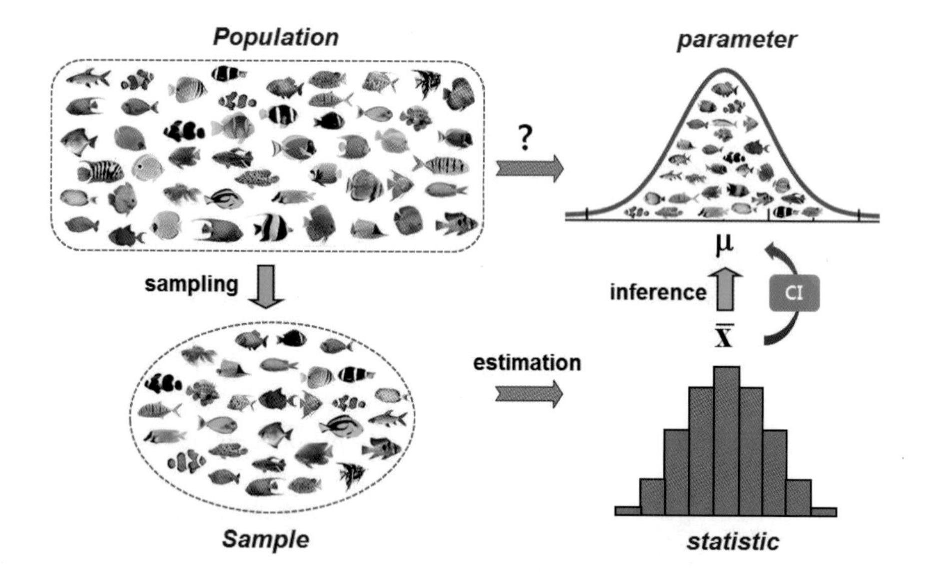

1. 점추정 point estimation

- ✓ 표집분포에서 모수를 추정하기 위한 표본통계량은 단일값이므로 **점추정값(point estimate)**이라고 한다.
- ✓ 점추정이란 점추정값으로 모수를 추정하는 것을 말한다. 예를 들어 표본평균으로 모평균을 추정하는 것이다.
- ✓ 표집분포 평균들의 95%는 모평균으로부터 $\pm 1.96 \frac{\sigma}{\sqrt{n}}$ 범위 내에 속한다.

2. 구간추정 Interval estimation

모수의 추정범위를 나타내는 값들을 **구간추정값(interval estimate)**이라 하며 **신뢰구간**을 정하는데 사용된다. 신뢰구간에 의하여 모수를 추정하는 것을 구간추정이라 한다.

신뢰구간 (confidence interval, CI)

- ✓ 신뢰구간은 추정하고자 하는 특정 모수가 포함되어 있을 범위를 말한다.
- ✓ 신뢰구간을 구성하고 있는 값을 신뢰한계(confidence limit)라 한다.
- ✓ 신뢰구간 = (하한값, 상한값)으로 표시한다.

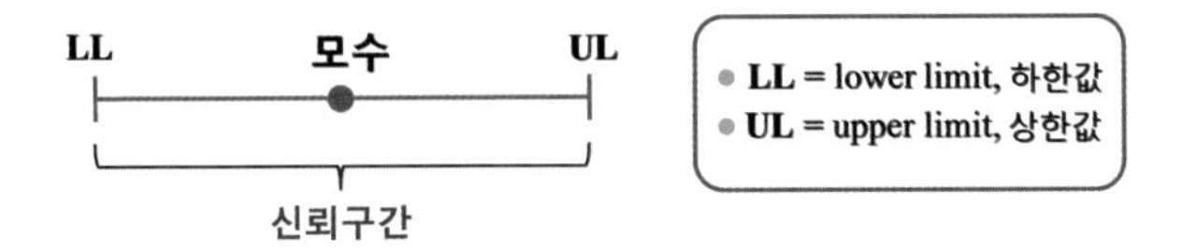

신뢰수준 (confidence level)

- ✓ 신뢰수준은 신뢰구간들이 추정하고자 하는 모집단의 특정 모수를 포함할 확률을 백분율(%)로 표시한 것이다.
- ✓ 예를 들어 모평균에 대한 95% 신뢰수준이란 표본 신뢰구간들이 100개라고 가정할 때에 그 중 95개의 신뢰구간이 모평균을 포함할 확률을 의미한다.

신뢰구간 구하기

신뢰구간은 신뢰수준과 오차한계에 따라서 구간의 범위가 결정된다.

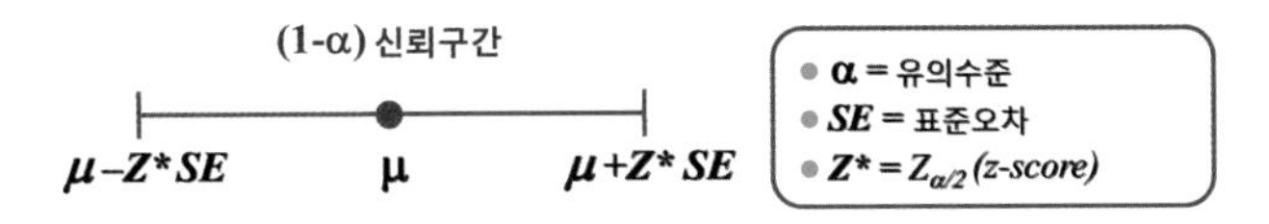

1) 오차한계 (margin of error)

신뢰구간은 모평균(μ) ± 오차한계($Z^* \times SE$)로 구하여진다. 오차한계는 신뢰수준에 따라서 통계적 오차를 허용하는 범위의 경계값이다.

2) 유의수준 (α)

✓ 유의수준은 통계적 오차를 허용하는 수준이다.
✓ 신뢰수준의 반대로 신뢰할 수 없는 수준이며 백분율(%)로 표시된다.
✓ 유의수준은 일반적으로 5%로 정한다. 신뢰수준은 $1-\alpha = 1-0.05 = 0.95$ (95%) 가 된다.

3) 표준점수 (z-score)

표집분포에서 표본 통계량으로 모집단의 모수를 추정하기 위해서는 표준편차 단위로 표준화된 표준정규분포를 이용하여야 한다.

$$Z = \frac{\bar{x} - \mu}{\sigma / \sqrt{n}} \iff \bar{x} = \mu + z\frac{\sigma}{\sqrt{n}}$$ ($\bar{x}$: 표본평균, μ : 모평균, σ: 모표준편차)

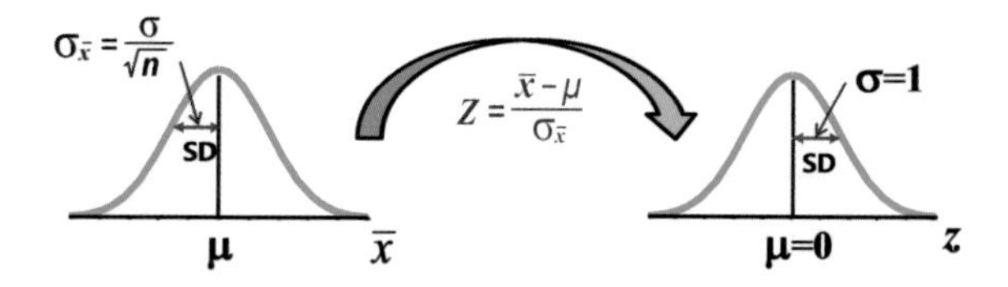

표준정규분포

① 평균 = 0, 표준편차 = 1 인 정규분포를 이룬다.
② 곡선 아래의 총 면적은 1(100%)이 된다.
③ **Z-score**는 모평균(0)으로부터 표준편차(표준오차)의 z 배 떨어진 거리를 뜻한다.
④ 평균을 중심으로 ±1 이내의 면적은 68.26%, ±2 이내의 면적은 95.44%, ±3 이내의 면적은 99.74% 이다. (68-95-99 법칙)

68-95-99 Rule

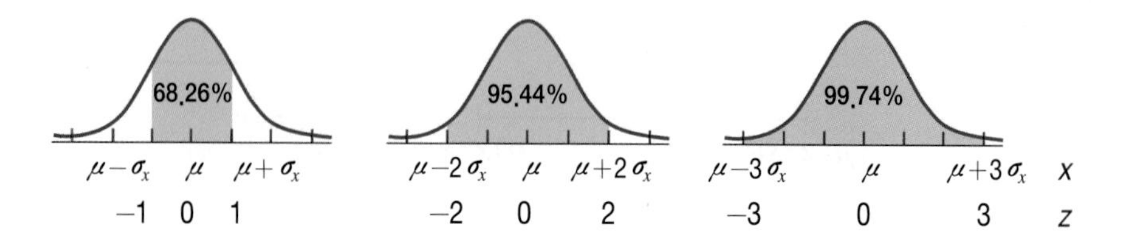

$Z_{\alpha/2}$ 란 무엇인가?

- ✓ $Z_{\alpha/2}$ 는 유의수준 α에 해당하는 Z score를 뜻한다.
- ✓ 유의수준 α가 정해지면 신뢰수준은 (1- α) %가 된다.
- ✓ 신뢰수준은 곡선 중앙 면적이므로 유의수준은 양쪽 끝부분의 면적(확률)이다.
- ✓ $Z_{\alpha/2}$ 는 한쪽 끝부분의 면적($\alpha \div 2 = \alpha/2$)에 해당하는 z-score이다.

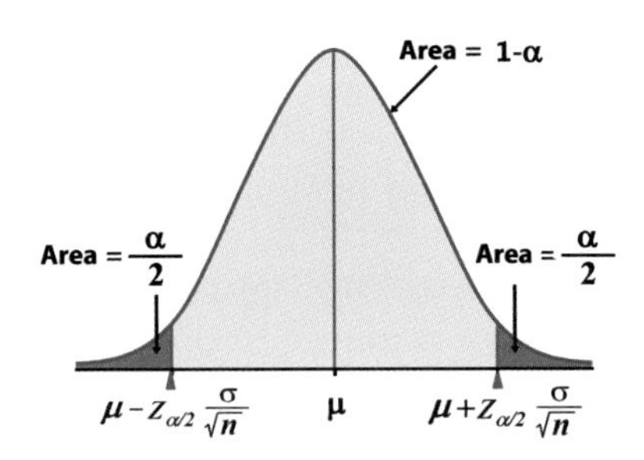

《표준정규분포표》에서 유의수준 α = 0.05 일 때 z-score는 z = 1.96 ($Z_{0.05/2}$ = 1.96)이다.

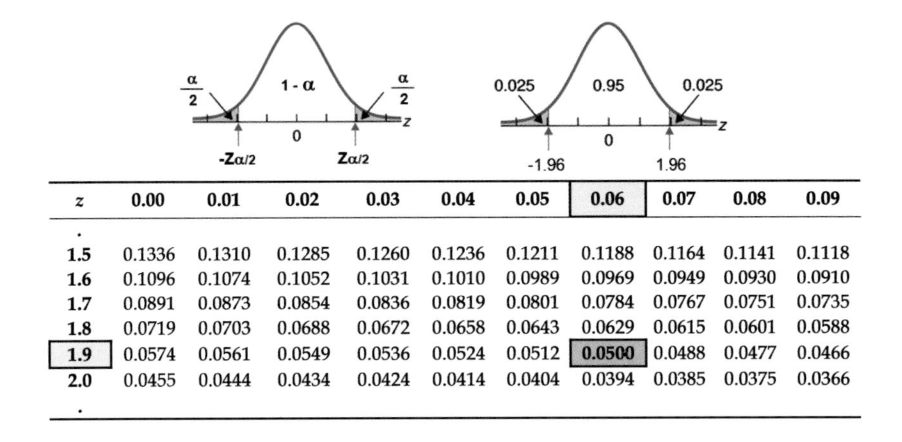

z	0.00	0.01	0.02	0.03	0.04	0.05	0.06	0.07	0.08	0.09
.										
1.5	0.1336	0.1310	0.1285	0.1260	0.1236	0.1211	0.1188	0.1164	0.1141	0.1118
1.6	0.1096	0.1074	0.1052	0.1031	0.1010	0.0989	0.0969	0.0949	0.0930	0.0910
1.7	0.0891	0.0873	0.0854	0.0836	0.0819	0.0801	0.0784	0.0767	0.0751	0.0735
1.8	0.0719	0.0703	0.0688	0.0672	0.0658	0.0643	0.0629	0.0615	0.0601	0.0588
1.9	0.0574	0.0561	0.0549	0.0536	0.0524	0.0512	0.0500	0.0488	0.0477	0.0466
2.0	0.0455	0.0444	0.0434	0.0424	0.0414	0.0404	0.0394	0.0385	0.0375	0.0366
.										

95% 신뢰구간

표본평균 분포에서 모평균 추정에 대한 95% 신뢰구간은 다음과 같이 구한다.

① 유의수준 α = 0.05 이므로 Z^* = 1.96 이다.

② 95% 신뢰구간 = (μ - 1.96 SE, μ + 1.96 SE) = ($\mu - 1.96\frac{\sigma}{\sqrt{n}}$, $\mu + 1.96\frac{\sigma}{\sqrt{n}}$) 이다.

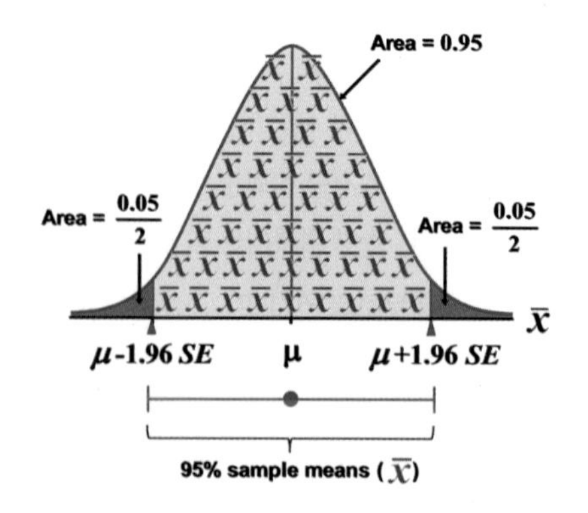

신생아 100명에 대한 연구에서 평균 체중은 3.5kg이었다. 신생아 체중의 표준편차는 0.5kg 으로 알려져 있다. 모평균 체중 추정의 95% 신뢰구간을 구하시오.

SE = $0.5/\sqrt{100}$ = 0.05, 95% CI = 3.5±1.96x0.05 = 3.5±0.098 = (3.4, 3.6)

신뢰구간 해석

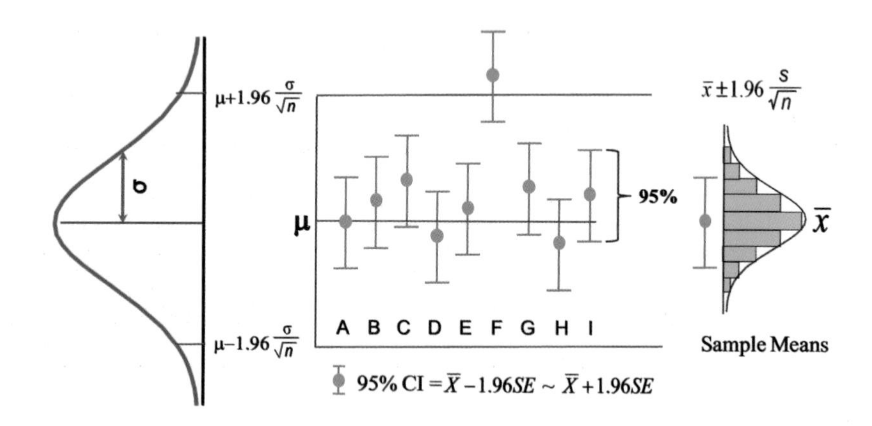

① 표집분포에서 95% 신뢰구간들의 95%는 신뢰구간 범위 내에 모평균을 포함한다.
위의 그래프에서 95% 신뢰구간 A~I 중 F는 모평균을 포함하지 않는다.

② 단일표본에서는 단일 신뢰구간으로 모수(모평균)의 포함여부를 추정하기는 어려우나 일반적으로 신뢰구간 내에 모평균이 존재할 확률이 95%라고 신뢰할 수 있는 구간으로 해석한다.

1.6 Student *t* 분포 Student's *t* distribution

- 표본크기 〈30인 소표본들의 표본평균분포는 Student *t* 분포를 따른다.
- Student *t* 분포는 간략히 *t* 분포라고 한다.
- Student *t* 분포에서는 표본표준편차를 사용하여 표준오차(SE)를 계산한다.
- *t* 분포의 산포도는 표준오차를 뜻하며 표준오차가 커질수록 분포의 폭이 넓어지게 된다.

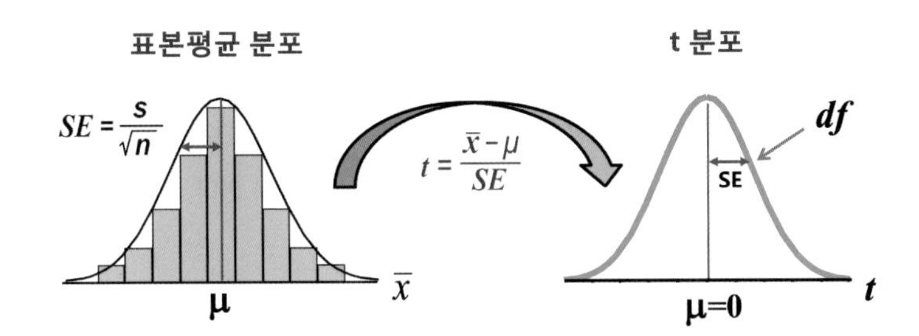

($t = \dfrac{\bar{x} - \mu}{s/\sqrt{n}}$) : $\bar{x}$ 단일 표본평균, μ 모평균, S : 표본표준편차, n : 표본크기)

표준정규분포는 오직 하나만 존재하지만 *t* 분포는 **자유도(df, degree of freedom)**에 따라서 산포도가 다른 여러 개의 분포가 존재한다. *t* 분포에서 자유도는 표본크기-1 (n-1)이다.

Student *t* 분포 특성

① 평균 = 0 인 정규분포를 이룬다.

② 곡선 아래의 총 면적은 1(100%)이 된다.

③ ***t-score***는 모평균(0)으로부터 표준오차의 t 배 떨어진 거리를 뜻한다.

④ 자유도 df 〉30 (n≥30) 이면 표준정규분포에 근접하게 된다.

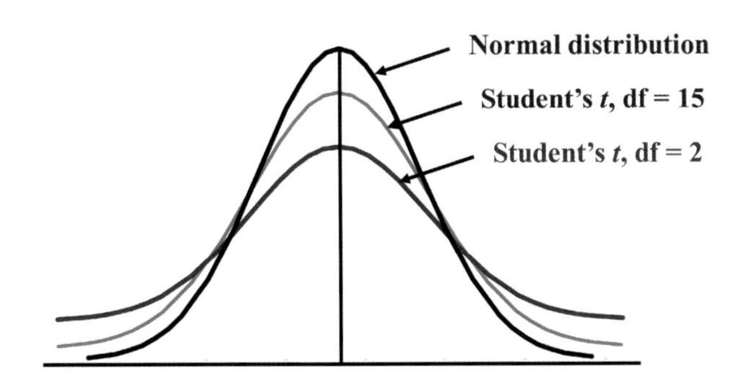

소표본 (n〈30), 모집단 표준편차를 모르는 경우

표준정규분포(z분포)는 표본크기가 크거나 (n≥30), 모집단 표준편차를 알아야만 사용이 가능하다. 표본크기가 작고 (n〈30), 모집단 표준편차를 모르는 경우에는 어떻게 해야 할까? 모표준편차 대신 표본표준편차를 사용하며 이 때의 표본평균 분포는 **Student *t* 분포**를 따른다.

자유도(df)란 무엇인가?

- Student *t* 분포의 모양은 표본평균과 표본표준편차에 의하여 결정된다.
- 표본표준편차는 표본크기에 의하여 크기가 좌우된다.
- 표본크기 n인 표본에서 평균이 정해지면 n-1개의 수를 임의로 선택할 수 있다.
- 여기서 n-1을 자유도(df, degree of freedom)라 한다.

예를 들면, 표본크기(n) = 5, 평균(mean) = 10인 자료에서 4개의 숫자가 정해지면 나머지 1개의 수는 임의로 정할 수 없으며 자동적으로 정해진다. 4개의 수는 자유롭게 정할 수 있으므로 이를 자유도(df)라 한다.

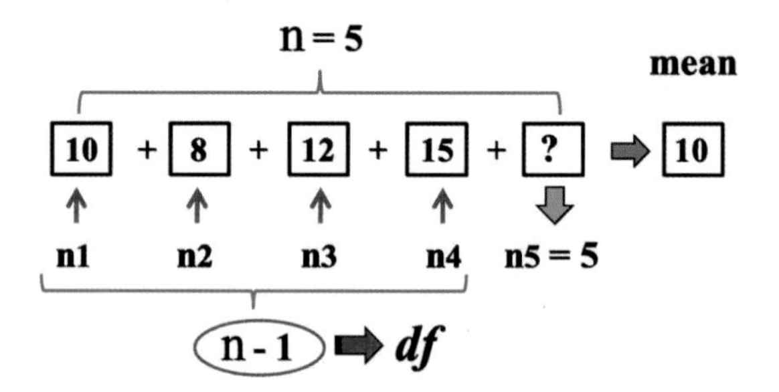

95% 신뢰구간

Student *t* 분포에서 모평균 추정에 대한 95% 신뢰구간은 다음과 같이 구한다.

① 유의수준 $\alpha = 0.05$, df = n−1 ⇨ $t^* = t_{\alpha/2,\, df}$

② 95% 신뢰구간 = $(\bar{x} - t^* SE,\ \bar{x} + t^* SE) = (\bar{x} - t_{\alpha/2,\, df}\frac{s}{\sqrt{n}},\ \bar{x} + t_{\alpha/2,\, df}\frac{s}{\sqrt{n}})$

신생아 20명에 대한 연구에서 평균 체중은 3.2kg, 표준편차는 0.6kg이었다. 신생아 모집단의 평균체중을 95% 신뢰구간으로 추정하시오.

표본크기가 20으로 소표본이므로 Student t 분포에 의하여 신뢰구간을 산출한다.

[계산]

① 평균($\bar{x}$) = 3.2, 표준편차(s) = 0.6, 표본크기(n) = 20

② 자유도 df = 20 - 1 = 19, 신뢰수준 95%에서 t-score ($t_{0.05/2,19}$)를 구한다.

③ 표준오차 $SE = \frac{s}{\sqrt{n}} = \frac{0.6}{\sqrt{20}} = 0.134$

④ 신뢰구간의 하한값 $\bar{x} - t^* SE = 3.2 - 2.093 \times 0.134 = 2.92$

⑤ 신뢰구간의 상한값 $\bar{x} + t^* SE = 3.2 + 2.093 \times 0.134 = 3.48$

∴ 95% 신뢰구간 = (2.92, 3.48) 2.92 3.2 3.48

《Student t 분포표》에서 유의수준 $\alpha = 0.05$, df = 19 일 때 t-score를 찾으면 $t^* = 2.093$ 이다.

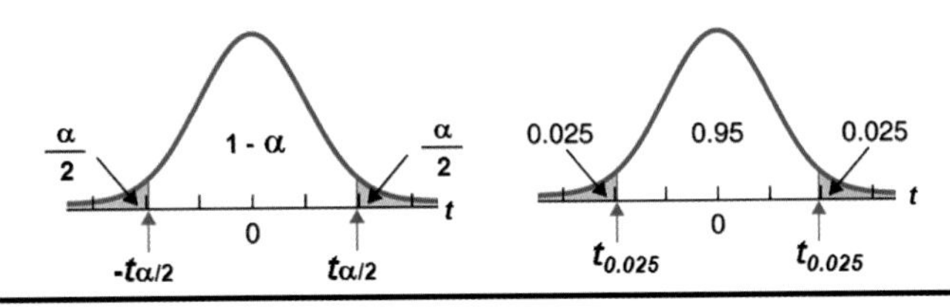

df	α		
	0.10	0.05	0.01
1	6.314	12.706	63.657
5	2.015	2.571	4.032
10	1.813	2.228	3.169
15	1.753	2.131	2.947
19	1.729	2.093	2.861
20	1.725	2.086	2.845
25	1.708	2.060	2.787
30	1.697	2.042	2.750
∞	1.645	1.960	2.576

[해석]

신생아 모집단의 평균체중이 2.92 kg와 3.48 kg 사이에 존재한다고 95% 신뢰할 수 있다.

William Gosset (1876-1937)

t-distribution은 1908년 Gosset에 의하여 발견되었다. Gosset는 Guinness 양조회사에 고용되어 맥주의 품질에 대한 실험을 통계적으로 분석하는 중에 표본크기가 작으면 중심극한정리에 의한 정규분포에 적합하지 않다는 사실을 발견하여 소표본에서의 확률분포를 발표하였다. Guinness 회사에서 익명을 요구하여 ***'Student'*** 라는 필명으로 발표하여 Student t 분포로 불리어지게 되었다. 독립 두표본 t-test를 Student t-test라고도 부른다.

Student *t* 분포의 가정 (Assumptions)

1. **정규성 (normality)** - 모집단은 정규분포를 이룬다.
2. **임의표본 (random sampling)** - 표본들은 모집단으로부터 단순임의표본추출되었다.
3. **독립성 (independence)** - 표본들은 서로 독립적으로 추출되었다.

Student t 분포는 중심극한정리에 의하여 표본크기 〈 30 인 소표본에 적합한 표본평균의 확률분포이다. 따라서 모집단이 정규분포가 아니면 표본평균들의 분포도 t 분포를 이루지 않는다.

표본크기가 30 이상이면 정규분포 검정이 필요하지 않는가?

✓ **중심극한정리**에 의하면 표본크기 $\geq$ 30 인 표본들을 모집단으로부터 가능한 모두 표본추출하면 **표본평균** 분포는 모집단 분포의 모양에 무관하게 **정규분포**를 이룬다.

✓ **실제 연구**에서는 사용하는 자료는 모집단으로부터 1회 표본추출한 **단일표본**이고 **표본자료**에 대한 빈도분포는 표본평균 분포와는 완전히 다르다.

✓ 표본크기가 모집단의 크기와 같다고 가정하면 표본자료의 분포는 모집단 분포가 된다. 따라서 단일표본에서 모집단이 비정규분포이면 표본도 비정규분포를 이룬다.

정규분포 가정이 필요하면 『**자료요약**』 단원에서처럼 **정규분포검정**을 해야 한다.

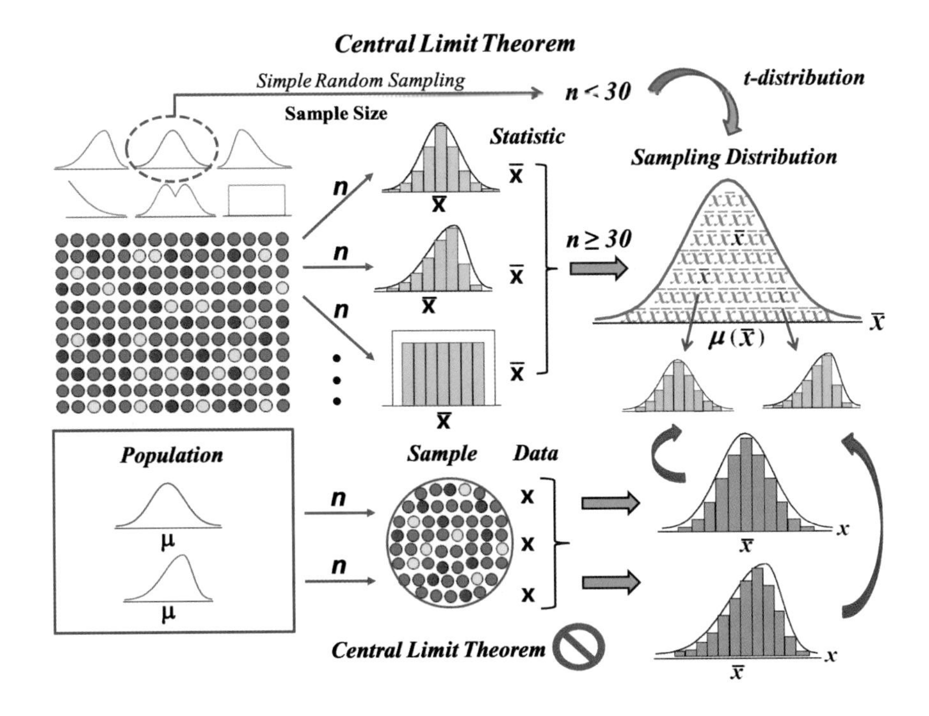

표본수와 중심극한정리

- **중심극한정리**는 모집단으로부터 추출가능한 모든 표본을 대상으로 한 이론적분포이다.
  ① 중심극한정리는 추정값 특히 **표본평균 분포**에 적용되는 추론통계의 이론적 기초이다.
  ② 표본크기 n ≥ 30 이면 모집단의 분포에 무관하게 z-분포(표준정규분포)를 따른다.
  ③ 표본크기 n 〈 30 이면 모집단이 정규분포이면 t-분포를 따른다.

- **표본수** = 1 (표본추출 1회)인 **실제 표본**에서는 중심극한정리가 적용되지 않는다.
  ① 실제 표본은 표본크기 n≥30 의 법칙이 적용되지 않는다.
  ② 실제 표본에서는 표본크기가 클수록 모집단의 분포에 따르게 된다.

1.7 표본비율 분포 신뢰구간

표본평균 분포와 마찬가지로 모집단 비율(p)에 대한 신뢰구간을 구할 수 있다.

모비율 추정에 대한 95% 신뢰구간은 다음과 같이 구한다.

① $np \geq 5$, $n(1-p) \geq 5$ 이면 표본비율 분포에서의 표준오차 $SE = \sqrt{\frac{p(1-p)}{n}}$

② 유의수준 $\alpha = 0.05$ 이므로 $Z^* = 1.96$ 이다.

③ 95% 신뢰구간 = (p - 1.96SE, p + 1.96SE) = ($p-1.96\sqrt{\frac{p(1-p)}{n}}$, $p+1.96\sqrt{\frac{p(1-p)}{n}}$)

Example

100명의 환자를 대상으로 한 연구에서 새로운 두통약의 치료효과가 80%이었다.
95% 신뢰구간를 구하시오.

SE = 0.04, 95% CI = (0.8-1.96 x 0.04, 0.8+1.96 x 0.04)

표집분포

- 표집분포는 표본통계량의 분포를 뜻한다. 각각의 표본들이 하나의 측정 단위가 된다.
- 표본확률분포는 모집단의 모수를 추론하기 위한 방법이다.
- 모수 추론은 추론통계(inferential statistics)에 속한다.

❖ 자료요약 (기술통계)

- 기술통계는 단일표본에 대한 통계량(평균, 표준편차)를 계산하여 자료의 특성을 조사한다.

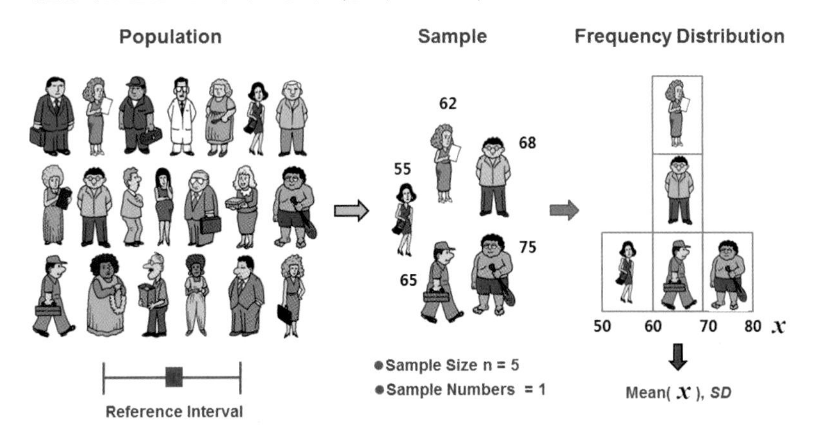

- 기준구간(reference interval)은 자료(관측값)의 정상범위를 정하는 기준으로 사용된다.

❖ 단일표본 VS. 표집분포

- 단일표본 자료분포와 표본추출에 의한 표본평균 분포를 비교하여 도표로 정리하였다.
- 단일표본에서 사용되는 표준편차와 표준오차를 혼동하여 사용하여서는 안된다.

특성	표본자료 분포	표본평균 분포
측정자료	단일표본 관측값	여러 표본들의 평균
목적	표본의 특성 요약	모집단 특성 추정
중심경향값	평균 ⇨ 단일표본 자료요약	평균들의 평균 ⇨ 모집단 평균 추정
산포도	표준편차 (SD) ⇨ 표본자료 퍼짐	표준오차 (SEM) ⇨ 모수추정 오차

❖ 표집분포 (추론통계)

- 표집분포는 여러 표본들에 대한 통계량을 계산하여 이를 토대로 새로운 확률분포를 만들어 모집단의 특성을 조사하기 위한 기준이 된다.
- 신뢰구간(confidence interval)은 모수의 추정범위를 정하는 기준으로 사용된다.
- 표본평균 분포는 z 분포와 t 분포가 있으며 표본크기가 크거나 (n≥30), 모집단 표준편차가 알려져 있으면 z 분포를 사용하고 그 외에는 정규성 검정을 만족하는 경우에 t 분포를 사용한다.

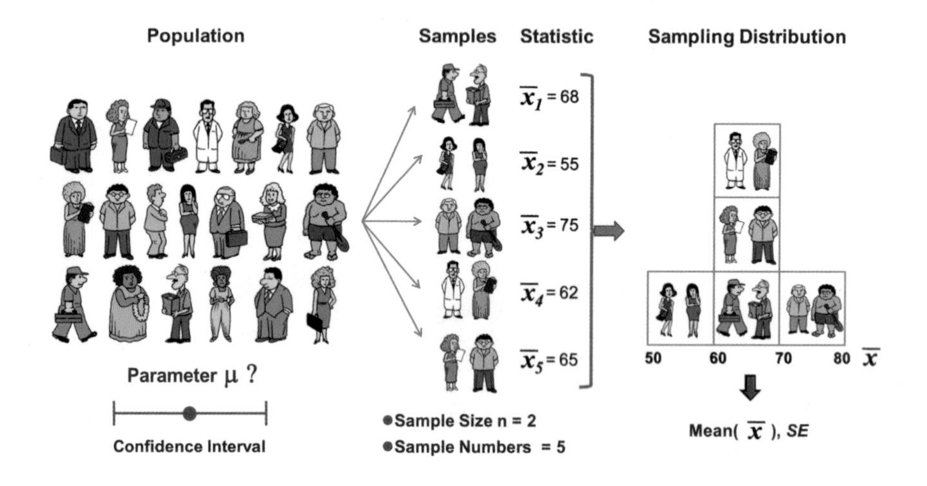

4-2 가설검정 Hypothesis Testing

2.1 통계적 가설 statistical hypothesis

연구 대상인 모집단의 특성에 관한 가정을 통계적 가설이라 한다.

Example

A 약과 B 약의 효과를 비교하는 연구에서 A 약이 B 약보다 효과가 좋다고 가정한다.

통계적 가설에는 **귀무가설**과 **대립가설**이 있다.

귀무가설 null hypothesis

- 귀무(null)이란 "없다"는 뜻이며 이는 "차이가 없다"는 의미이다.
- 귀무가설은 영가설이라고도 하며 기호 H_0으로 표기한다.
- 귀무가설은 연구자의 주장과 반대되는 가설이다.

Example

H_0 : A 약과 B 약의 효과는 차이가 없다.

대립가설 alternate hypothesis

- 귀무가설을 반대하는 가설을 말한다.
- 대립가설은 연구가설이라고도 하며 연구자의 예상 또는 주장에 대한 설명이다.
- 대립가설은 기호 H_1또는 H_a로 표기한다.

Example

H_1 : A 약이 B 약보다 효과가 좋다.

왜 복잡하게 두 가지 가설이 필요한가?

귀무가설 vs. 대립가설

통계적 가설검정은 법정에서의 재판에 비유할 수 있다. 피고인이 범죄로 기소되면 판결이 나기 전까지 피고인은 결백하다고 가정하고 재판을 진행하게 된다. 범죄사실이 없다는 피고측(변호사)의 주장이 **귀무가설**이고 이와 반대측인 원고측(검사)의 주장이 **대립가설**이다.

판사는 유죄를 입증할만한 충분한 증거가 없으면 무죄로 판결을 내리게 된다. 무죄입증은 유죄입증보다 어렵고 때론 불가능하므로 무죄(변호사의 주장)라는 가정(귀무가설)을 먼저 설정하고 이를 부정함으로써 무죄가 아니다(대립가설)라는 검사의 주장을 받아들이게 된다.

통계학적 검정에서도 처음부터 차이가 있음을 증명하는 것이 어려우므로(차이가 있다면 얼마만큼 큰가 또는 작은가에 대한 가정을 해야 한다.) 차이가 없다고 가정하고**(귀무가설)**, 통계학적 검정을 통하여 차이가 있다는 근거를 충분히 확보하면 귀무가설을 기각함으로써 **연구자의 주장(대립가설)**을 받아들이고, 충분한 근거가 없다면 귀무가설을 받아들이고 대립가설을 기각함으로써 연구자의 주장이 거짓이라고 판단하게 된다.

Type Ⅰ 오류 vs. Type Ⅱ 오류

재판에서 무고한 사람을 범죄자로 판결하는 것이 범죄자를 놓치는 것보다 훨씬 심각한 오류라고 할 수 있다. 통계학에서 실제 치료효과가 없는데도 있다고 잘못 판단하는 것을 **Type Ⅰ 오류(α error)** 라 하고 그 반대인 경우를 **Type Ⅱ 오류(β error)**라 부른다. Type Ⅰ 오류가 더 중대한 오류이므로 이를 얼마나 허용할 것인가에 따라 통계적 유의성을 판정을 하게 된다. Type Ⅰ 오류의 수준을 **유의수준(significant level)** 또는 **α level**이라 한다.

22 가설검정

통계적 가설 검정이란 통계적 가설을 검정하는 절차를 뜻한다.

가설검정의 절차는 가설 설정 (hypothesis), 유의수준 결정 (significance level), 통계적 검정 (statistical test), 통계적 의사결정 (decision rule) 단계로 나눌 수 있다.

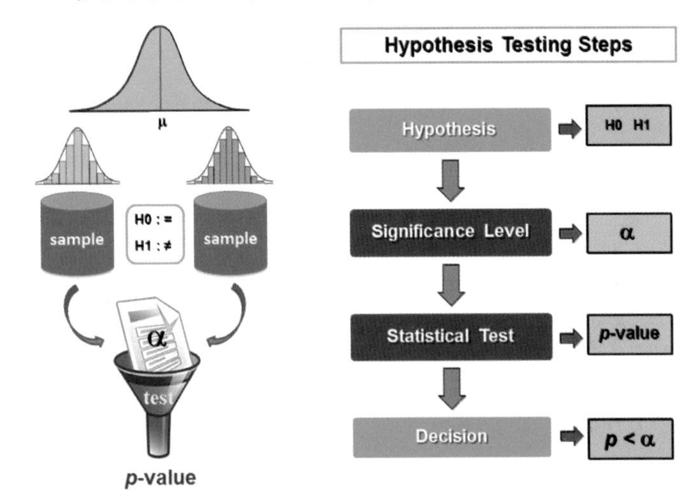

1. 가설 설정

귀무가설과 대립가설을 설정한다.

귀무가설 (H_0)

① 귀무가설은 같다는 의미로 수학적 기호 '=' 을 반드시 포함한다. (≤, =, ≥)

② 일반적으로 '=' 을 사용하여 다음과 같이 기술한다.

$H_0 : \mu = \mu_0$ (평균이 차이가 없다)

대립가설 (H_1)

① 대립가설은 작다(〈), 크다(〉), 같지 않다(≠) 3가지 기호로 표시한다.

② 대립가설은 '=' 을 포함해서는 안된다.

③ 대립가설은 다음과 같이 3가지로 나눈다.

$H_1 : \mu \neq \mu_0$ (평균이 같지 않다.)

$H_1 : \mu < \mu_0$ (평균이 비교집단보다 작다)

$H_1 : \mu > \mu_0$ (평균이 비교집단보다 크다)

2. 유의수준(α) 결정

유의수준이란 무엇인가?

① 유의수준이란 참(truth)인 귀무가설을 기각하는 확률을 말한다.

② 즉, 실제로는 차이가 없는데도 우연(chance)에 의하여, 차이가 있다는 연구자의 잘못된 주장을 받아들이는 오류를 범할 확률이다.

③ 유의수준은 **α 수준**이라고도 한다.

④ 유의수준의 사용

보통 사용되는 유의수준은 10% (0.1), 5% (0.05), 1% (0.01)이다.

일반적으로 의학통계에서는 유의수준으로 5% (0.05)를 사용한다.

왜 유의수준 5%를 사용할까?

통계학의 대가인 Fisher가 1920년대에 유의수준 5%(0.05)를 사용하였는데 아직까지 그대로 사용해오고 있다. 연구에 따라서 유의수준 0.01 또는 0.1을 사용하기도 한다.

임계값 (기각값) critical value

유의수준이 결정되면 《표본확률분포표》에서 유의수준의 확률(면적)에 해당하는 임계값을 찾을 수 있다. 임계값은 확률분포에 따라서 다르다. Z-분포에서 유의수준 5%에 해당하는 양측검정 임계값 Z = 1.96이며, t-분포에서는 자유도에 따라서 달라진다.

기각역 rejection region

귀무가설(H_0)을 기각할 확률을 뜻하며 유의수준 α보다 작은 범위를 뜻한다.

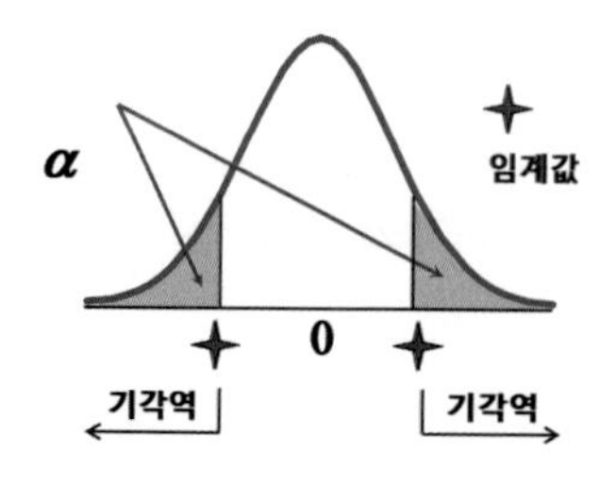

임계값과 기각역

- 임계값을 기준으로 기각역이 결정된다.
- 유의수준 α는 기각역의 합이다.
- 기각역이 양쪽에 있으면 한쪽은 $\alpha/2$가 된다.
- t 분포에서 좌측 임계값은 음수가 된다.
- t 분포에서 우측 임계값은 양수가 된다.

가설검정은 대립가설에 따라서 단측검정과 양측검정으로 나누어진다.

양측검정 (양쪽꼬리검정) two-sided test, two-tailed test

대립가설 H_1 : $\mu \neq \mu_0$ 로 양쪽 크기의 비교를 할 수 없는 경우로 기각역이 양쪽에 있다.

Example

H_1 : A 약과 B 약은 효과 차이가 있다.

- 대부분 연구에서 사전에 차이가 있는지 없는지 알 수 없으므로 양측검정을 하게 된다.
- 양측검정에서 $\alpha = 0.05$ 일 때, z-분포에서 임계값 Z_0는 $Z_{\alpha/2} = Z_{0.025} = 1.96$ 이다.
- t 분포에서 n = 20 일 때에 임계값 t_0는 $t_{\alpha/2,\, df} = t_{0.025,\, (20-1)} = 2.093$

단측검정 (한쪽꼬리검정) one-sided test, one-tailed test

대립가설에서 대소관계를 비교하는 경우이며 비교하는 방향에 따라서 다음 두가지로 나누어진다.

① **좌측검정 (왼쪽꼬리검정) (left-tailed test)**

대랍가설 H_1 : $\mu < \mu_0$ 로 비교집단에 비하여 작다고 가정하는 경우이다.

기각역이 왼쪽(작은 쪽)에 있으며 z 검정, t 검정에서 임계값은 음수이다.

Example

H_1 : A 약은 B 약보다 효과가 작다.

- 좌측검정에서 유의수준 $\alpha = 0.05$ 일 때, 임계값 Z_0는 $Z_{\alpha} = Z_{0.05} = -1.645$ 이다.
- t 검정에서 n = 20 일 때에 임계값 t_0는 $t_{\alpha,\, df} = t_{0.05,\, (20-1)} = -1.729$

② **우측검정 (오른쪽꼬리검정) (right-tailed test)**

대랍가설 H_1 : $\mu > \mu_0$ 로 비교집단에 비하여 크다고 가정하는 경우이다.

기각역이 오른쪽(큰 쪽)에 있으며 z 검정, t 검정에서 임계값은 양수이다.

Example

H_1 : A 약은 B 약보다 효과가 크다.

- 우측검정에서 유의수준 $\alpha = 0.05$ 일 때, 임계값 Z_0는 $Z_{\alpha} = Z_{0.05} = 1.645$ 이다.
- t 분포에서 n = 20 일 때에 임계값 t_0는 t_0는 $t_{\alpha,\, df} = t_{0.05,\, (20-1)} = 1.729$

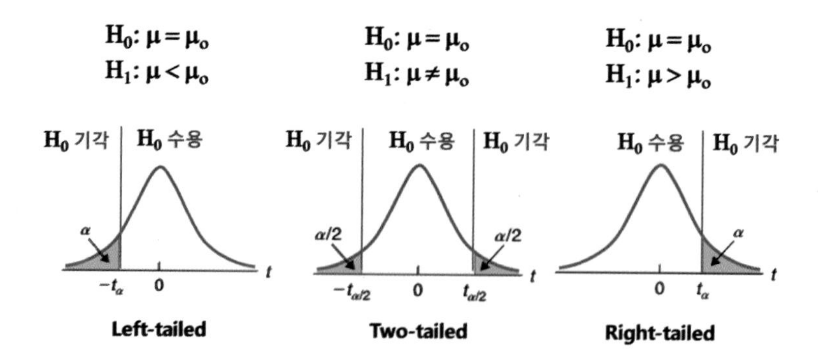

3. 통계적 검정

① 가설에 따라서 통계적 검정법을 선정한다.

② 통계적 검정법을 사용하여 **검정통계량(test statistic)**을 계산한다.

③ 검정통계량에 해당하는 **p-value (p 값)**을 구한다.

통계적 검정법

- 연구가설이 무엇인가에 따라서 통계적 검정법이 달라진다.
- 예를 들어 가설이 평균의 비교이면 z 검정이나 t 검정 등을 선택하게 된다.

검정통계량

- 통계적 검정에서 검정통계량을 계산하게 된다.
- z 검정에서의 통계량은 ***z***로 표기하며, t 검정에서의 통계량은 ***t***로 표기한다.

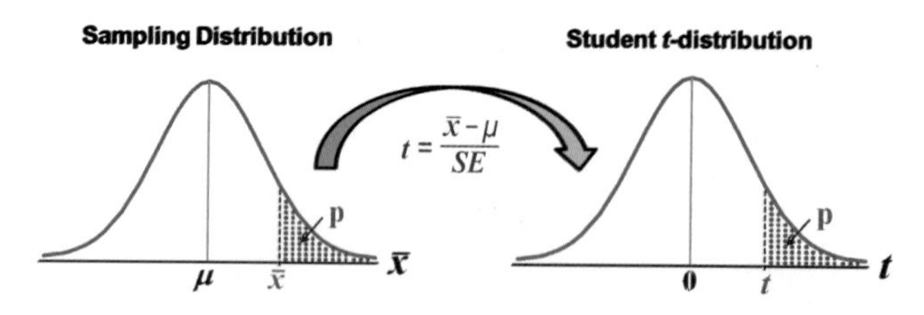

p-value (p 값)이란 무엇인가?

- Probability value의 약자이며 알파벳 소문자 p로 표시한다.
- 실제 표본에서 구한 유의수준(observed significance level)이다.
- 참인 귀무가설을 기각하는 오류를 범할 최소 유의수준(smallest level of significance)이다.
- p-value는 표집확률분포에서 검정통계량으로부터 계산되는 면적(확률)이다.

- 기각역과 마찬가지로 양측검정에서 p 값은 양쪽면적을 합친 값이다.
- P = 0.05 ⇨ 연구결과(대립가설)가 우연히 발생할 확률이 5% (5/100) 이다.

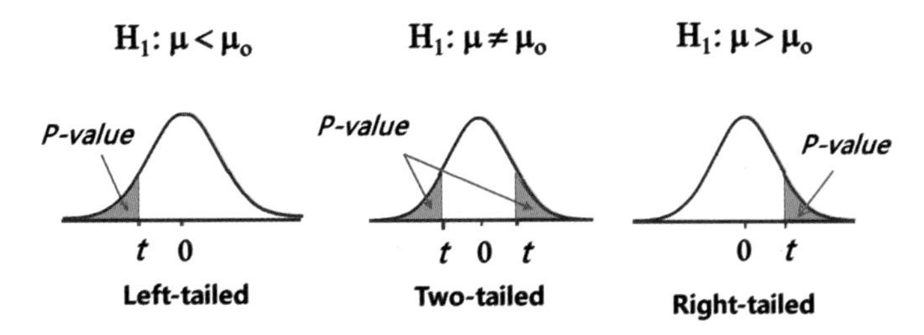

4. 통계적 의사결정

① p-value와 유의수준(α)을 비교한다.

② p-value 〈 α : 귀무가설을 기각하고 대립가설을 받아들인다.

③ p-value ≥ α : 귀무가설을 수용하고 대립가설을 기각한다.

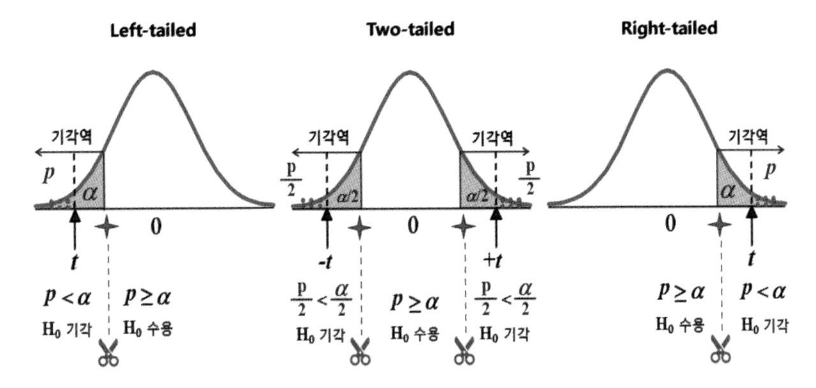

t 검정 통계량의 절대값 |t|〉|t0| (임계값)이면 p〈 α 이므로 p가 기각역에 속하게 되어 귀무가설을 기각함으로써 차이가 있다는 연구자의 주장을 받아들인다. P 값이 유의수준보다 낮다는 의미는 우연히 결과가 발생할 확률이 의미있는 수준에는 못미친다는 뜻이다. 유의수준 α =0.05, p〈0.05 이면 우연에 의해 참인 귀무가설을 기각할 오류를 범할 확률이 5% 미만이라는 의미이다.

통계적 유의성 statistical significance

- 통계적 검정으로 계산된 검정통계량의 확률(p)이 유의수준(α)보다 낮은 경우 통계적 유의성이 있다고 한다.
- 유의수준(α)=0.05로 설정하였다면 p가 0.05보다 작으면 (p〈0.05) 통계적으로 유의하다고 결론을 내린다..

각 유의수준에 따른 통계적 유의성은 일반적으로 다음과 같이 해석한다.

유의수준	통계적유의성	검정결과 해석
1%	$p < 0.01$	매우 의의있다 (highly significant)
5%	$p < 0.05$	의의있다 (significant)
10%	$p < 0.10$	의의가 별로 없다 (less significant)

유의수준은 통계적 의의를 측정하는 척도 수준(sliding scale)이다.

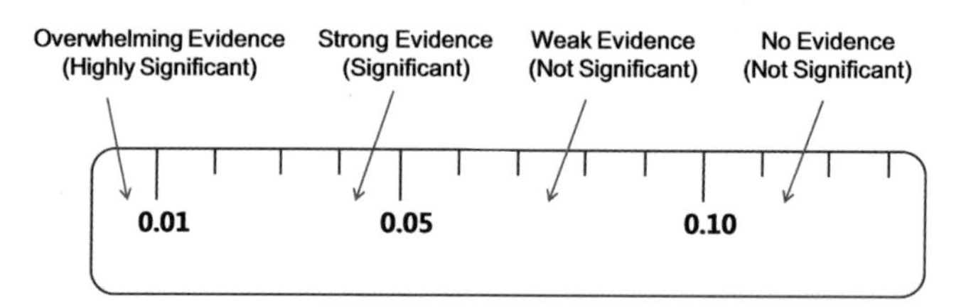

p 값이 유의수준보다 낮을수록 귀무가설을 기각할 충분한 근거가 있다고 판단을 하게 된다.

신뢰구간과 통계적 유의성

- 신뢰구간은 양측검정에서 기각역을 제외한 면적으로 $1-\alpha$에 해당한다.
- $\alpha = 0.05$ 이면 신뢰구간은 $1-0.05 = 95\%$에 해당한다.
- 신뢰구간 내에 비교집단의 평균(μ_0)이 포함되면 차이가 없다는 귀무가설을 수용하게 된다.

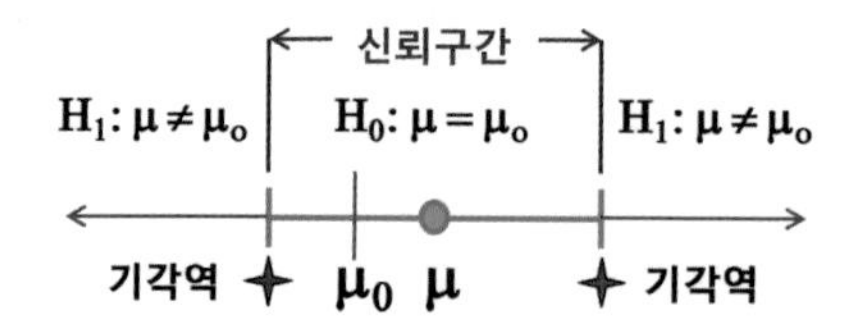

신생아 20명에 대한 연구에서 평균 체중은 3.2kg, 표준편차는 0.6kg이었다. 신생아 모집단의 평균체중이 3.5kg과 차이가 있는지 5% 유의수준으로 추정하시오.

[해설]

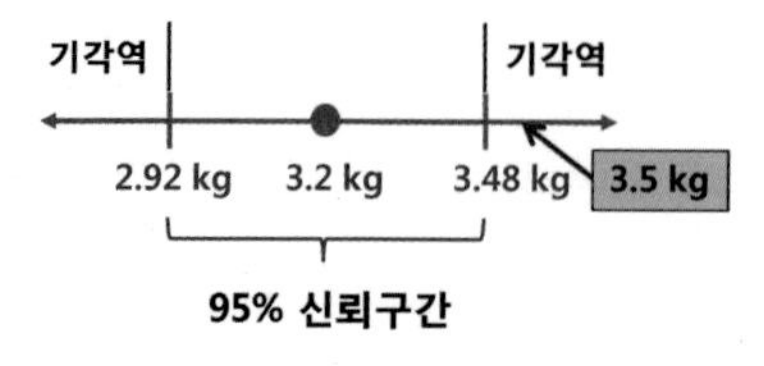

① 앞의 예제에서 신생아 20명 평균 체중의 95% 신뢰구간은 (2.92kg, 3.48kg) 이다.

② 모집단 평균 체중 3.5kg은 신뢰구간내에 포함되지 않으므로 유의한 차이가 있다고 판정한다.

4-3 일 표본 검정 One Sample Test

3.1 단일표본 t 검정법 one-sample t-test

CONTENTS

목적
표본으로부터 모평균을 추정한다.

전제조건
1. 표본이 추출된 모집단이 정규분포를 이룬다.

적용
1. 모분산을 모르며 또한 표본의 크기가 30이하인 비율형이거나 등간형인 소표본 자료에 적용된다. 대부분의 소표본 모수 통계 검정은 t 검정에 기초한다.
2. 대표본(표본크기〉30)인 경우에는 z 검정과 유사한 결과를 보인다.

단점
1. t 분포는 z 분포에 비하여 표본의 크기에 따라 변동적이다.

단일표본 검정(one-sample test)은 모집단의 평균에 대한 신뢰구간의 추정과 알려진(기대되는) 모집단의 모수와 표본과의 차이를 비교하는 모수통계 검정법 및 일반적으로 적합도 검정의 형태를 취하는 비모수 검정법으로 구분된다.

단일표본 검정을 자료의 형태에 따라 요약하면 다음 도표와 같다.

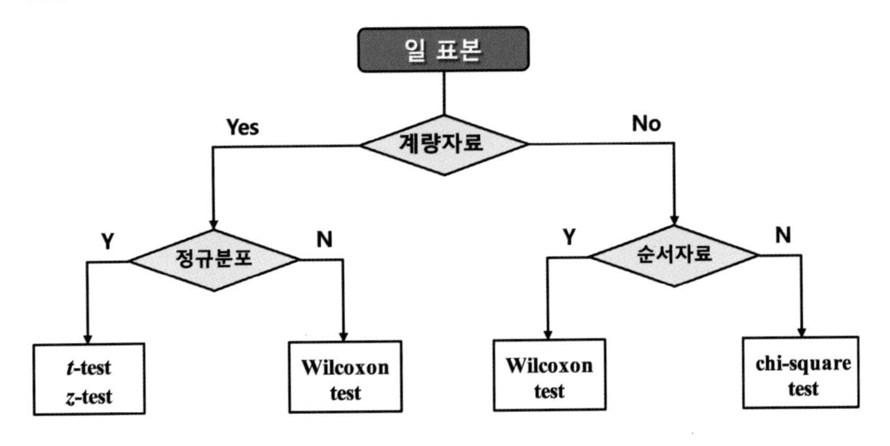

다음은 A 병원의 신생아 20명의 체중(단위 : gm)을 측정한 자료이다.

ID	Weight	ID	Weight
001	3265	011	2581
002	3260	012	2481
003	3245	013	3609
004	3484	014	2838
005	5146	015	3541
006	3323	016	2759
007	3649	017	3248
008	3200	018	3314
009	3031	019	3101
010	2369	020	2834

정상 신생아 평균 체중은 3500gm 으로 알려져 있다. A 병원 신생아의 평균 체중은 정상 신생아에 비하여 차이가 있는가? 유의수준 5%에서 통계적 검정을 하시오.

[해설]

가설검정의 절차를 위의 예를 들어서 설명하기로 한다.

1) 가설 설정

귀무가설 H_0 : $\mu = 3500$ gm (신생아 모집단의 평균 체중은 3500 gm 이다.)

대립가설 H_1 : $\mu \neq 3500$ gm (신생아 모집단의 평균 체중은 3500 gm이 아니다.)

2) 유의수준 결정

위의 예에서 유의수준을 5%로 정하였다.

3) 통계적 검정법

연구에 있어서 가설에 관한 의사결정을 내리기 위하여 여러 통계적 검정방법들 중에서 적절한 방법을 선택하여야 한다. 위의 예에서는 소표본(n〈30)에서 모평균의 추정에 사용되는 **t 검정**을 사용한다. t 검정은 사전에 전제조건인 **정규성 검정(Normality test)**을 반드시 시행하여야 한다.

검정통계량 산출

위의 예에서 표본크기 n = 20, 표본평균 = 3131.6, 표준편차 s = 376.34, 모평균 μ_0 = 3500 이므로 검정통계량 t는 다음과 같이 계산한다.

$$SE = \frac{s}{\sqrt{n}} = \frac{376.34}{\sqrt{20}} = 84.15$$

$$t = \frac{\bar{x} - \mu_0}{SE} = \frac{3131.6 - 3500}{84.15} = -4.378$$

기각역 설정

위의 예에서 대립가설 H_1 : $\mu \neq 3500$ gm 이므로 모평균이 3500보다 크거나 작다는 차이의 방향을 지적하지 않으므로 양측검정을 하게된다.

4) 통계적 의사결정

통계적 유의성 (significance)

① t 분포에서 양측검정시 유의수준이 0.05이므로 기각역은 양쪽에 0.025씩 있게 된다. t 분포 곡선에서 df = 19일 때 오른쪽 끝 면적이 0.025로 되는 값은 2.093이고 왼쪽 끝 면적이 0.025로 되는 값은 -2.093이다. $t_{0.025,\,19} = 2.093$

② 검정통계량 t의 값이 2.093보다 크거나 -2.093보다 작을 때에 귀무가설을 기각할 수 있다.

예제에서 t = -4.378 〈 -2.093 이므로 p 〈 0.05 라고 할 수 있다.

따라서 A 병원 신생아의 평균 체중은 정상 신생아의 평균 체중과 다르다는 결론을 내린다.

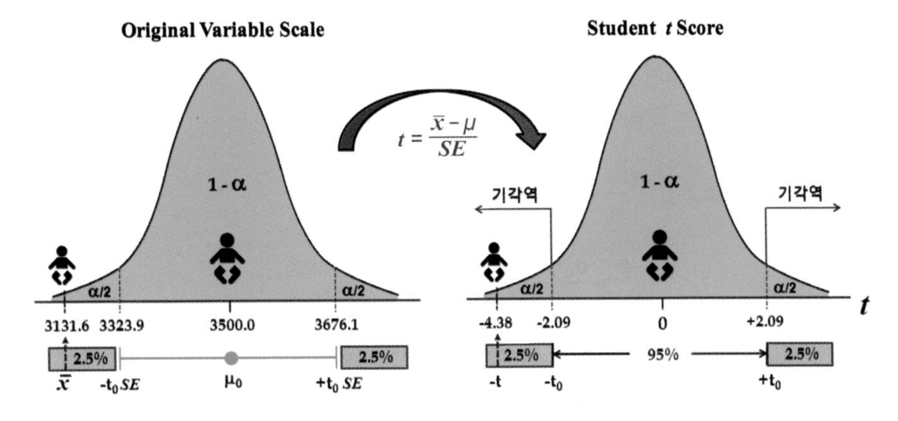

3.2 표본비율 가설검정

표본평균과 마찬가지로 모집단 비율(p)에 대한 가설검정을 하여보자.

표본비율에 대한 통계적 검정은 np ≥ 5, n(1-p) ≥ 5 를 만족하는 대표본에서 z-test를 사용하고 전제조건을 만족하지 못하면 카이제곱 검정 또는 이항검정을 사용한다.

z-test

표본비율 분포에서의 표준오차 $SE = \sqrt{\frac{p(1-p)}{n}}$ 검정통계량 $z = \frac{\hat{p} - p}{SE}$

통계적 유의성

① 유의수준 $\alpha = 0.05$ (양측검정)에서 Z* = 1.96 이다.

② z-score 〉1.96이면 통계적으로 유의하다고 판정한다.

③ 통계소프트웨어를 사용하여 z-score에 해당하는 p-value를 직접 구할 수 있다.

Example

신생아의 성별에 관한 연구에서 200명의 신생아를 조사한 결과 남아가 53%로 나타났다.
남녀 출생비율을 동일하다고 가정할 때에 출생 비율에 차이가 있는가?
유의수준 5%에서 양측검정 하시오.

[해설]

1) 가설

귀무가설 H_0 : p = 0.5 (비율이 차이가 없다)

대립가설 H_1 : p ≠ 0.5 (비율이 같지 않다.)

2) 통계적 검정법

대표본 표본비율 검정은 z-test를 사용한다.

$$SE = \sqrt{\frac{p(1-p)}{n}} = \sqrt{\frac{0.5(1-0.5)}{200}} = 0.035$$

$$z = \frac{\hat{p} - p}{SE} = \frac{0.53 - 0.50}{0.035} = 0.86$$

3) 통계적 의사결정

z = 0.86 〈 1.96 이므로 p〉0.05 이다. ∴ 귀무가설을 기각할 수 없다. 즉, 출생비율에 통계적으로 유의한 차이가 없다. z = 0.86 일 때 양측검정 p = 0.3898이다.

Exercise

One-Sample t-test

다음은 A 병원의 신생아 20명의 체중(단위 : gm)을 측정한 자료이다.

ID	Weight	ID	Weight
001	3265	011	2581
002	3260	012	2481
003	3245	013	3609
004	3484	014	2838
005	5146	015	3541
006	3323	016	2759
007	3649	017	3248
008	3200	018	3314
009	3031	019	3101
010	2369	020	2834

정상 신생아의 평균 체중은 3500gm 으로 알려져 있다. A 병원 신생아의 평균 체중은 정상 신생아에 비하여 차이가 있는가? 유의수준 5%에서 통계적 검정을 하시오.

[통계소프트웨어 사용]

앞의 예제를 통계소프트웨어를 사용하여 통계적 분석을 하여보자.

1. 통계적 검정법

① 표본평균 검정, ② 표본크기 n〈30, ③ 표본수 = 1 ⇨ **one-sample t-test** 를 선택한다.

2. 전제 조건

① t-test의 전제조건인 **자료의 정규분포**를 만족하여야 한다.

② **정규성 검정**은 t-test 하기 전에 반드시 시행하여야 한다.

예제 자료에 대한 정규성 검정을 시행한 결과 정규분포의 가정을 만족한다.

예제에 대한 통계소프트웨어 사용시 정규성 검정은 지면상 생략하기로 한다.

정규성 검정은 『자료요약』 단원에 자세히 설명되어 있으므로 참조하기 바란다.

Excel

Data : one_t.xlsx

단일표본 t 검정법은 Excel에서 직접 실행할 수 없다. 기술통계 분석 결과에 대하여 통계함수를 사용하여 t 검정을 할 수 있다.

단일표본 t 검정

1 **메뉴** → [데이터] ▶ [데이터 분석] 메뉴를 선택하면 **[통계 데이터 분석]** 대화상자가 나타난다. **[분석 도구]** 상자에서 **[기술 통계법]**을 선택한다.

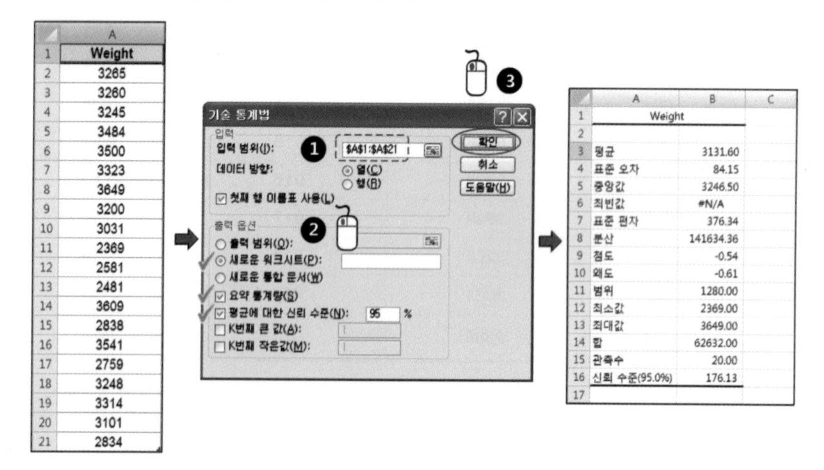

① [기술 통계법] 대화상자에서 [입력 범위] ▶ $A$1 : $A$21 (마우스를 A1→A21드래그) 변수명 A1을 포함하므로 ☑[첫째 행 이름표 사용]을 선택한다.

② [출력 옵션]에서 ⊙[새로운 워크시트], ☑[요약 통계량] 항목을 선택한다.

③ [확인] 버튼을 클릭하여 선택 작업을 마치면 기술통계 분석 결과가 출력된다.

[해석]

- 평균 = 3131.60, 표준편차(SD) = 376.34, 표준오차(SE)= 84.15
- 95% 신뢰수준 : 오차한계(margin of error) = 176.13

2 통계결과

단일표본 t 검정

Excel에서 단일표본 t 검정은 앞서 기술통계분석 결과와 통계함수를 사용하여 시행한다.

D	E	F
One Sample t-test		
	하한값	상한값
95% 신뢰구간	2955.47	3307.73
t value	-4.38	
t (0.05, df)	2.093024	
p-value	0.000322	

t-test (two-tailed)

❶ **95% CI = 평균 ± 오차한계**

❷ **t value = 평균차 ÷ 표준오차**

❸ **t(0.05,df) = TINV(0.05, 19)**

❹ **P-value = TDIST(4.38, 19, 2)**

1) 95% 신뢰구간

① 95% 신뢰구간(CI) = (평균-오차한계, 평균+오차한계)

② 예제에서 95% CI = (3131.60-176.13, 3131.60+176.13) = (2955.47, 3307.73)

③ 신뢰구간내에 3500 gm이 포함되지 않으므로 통계적으로 유의한 차이가 있다.

2) t-value

검정통계량 t = 평균차 ÷ 표준오차 = (3131.60 - 3500) ÷ 84.15 = -4.38

3) t 임계값

① **[수식]** 탭 ▶ **[함수 삽입]** ▶ **TINV(α, df)** 함수를 사용한다.

② 셀에 **=TINV(0.05, 19)** 함수식을 입력하면 유의수준 0.05, 자유도 19 에서 임계값 $t_{0.05, 19}$ = 2.093을 직접 구할 수 있다.

4) p-value

① **[수식]** 탭 ▶ **[함수 삽입]** ▶ **TDIST(t-value, df, 2)** 함수를 사용한다.

② 셀에 **=TDIST(4.38, 19, 2)** 함수식을 입력하면 p-value = 0.0003을 직접 구할 수 있다.

[해석]

✎ t-value 4.38 〉t 임계값 2.093 이므로 P〈0.05 로 통계적으로 유의한 차이가 있다고 판정한다.

✎ p = 0.0003 이므로 통계적으로 매우 유의한 차이가 있다고 판정한다.

SPSS

Data : one_t.sav

일표본 T 검정

1 **메뉴** → [분석] ▶ [평균 비교] ▶ [일표본 T 검정] 메뉴를 선택하면 대화상자가 나타난다.

① 변수 weight를 선택하여 [검정변수] 상자에 입력한다.

② [검정값] ➔ 3500 입력한다.

③ [확인] 버튼을 눌러 작업을 마친다.

2 **통계결과**

SPSS 출력결과 창에 통계분석 결과가 나타난다.

일표본 검정

	검정값 = 3500					
	❶		❷	❸	차이의 95% 신뢰구간	
	t	자유도	유의확률 (양쪽)	평균차	하한	상한
Weight	-4.378	19	.000	-368.400	-544.53	-192.27

① 검정통계량 t = -4.378

② 양측검정 유의확률 p = 0.000 이다. (SPSS에서는 기본적으로 소수점 3자리만 표시)

③ 평균차와 **차이의 95% 신뢰구간**을 제시한다. 평균차가 0이면 차이가 없으므로 차이의 95% 신뢰구간에 **0**이 포함되면 통계적으로 유의한 차이가 없다고 판정한다.

단일표본 t 검정 결과 p = 0.000 〈 0.05 이므로 두 집단의 평균이 유의한 차이가 있다.

dBSTAT

Data : one_t.dbf

단일표본 *t* 검정

1 메뉴 → [통계] ▶ [비교통계] ▶ [마법사] 메뉴를 선택한다.

[변수 선택] 대화상자가 나타난다.

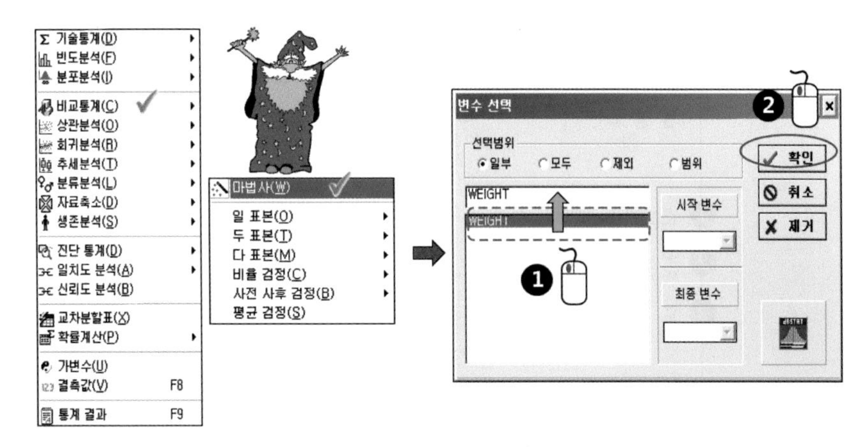

① [변수 선택] 대화상자에서 변수 weight를 선택한다.

② [확인] 버튼을 클릭하여 선택 작업을 마치면 [통계 조건] 대화상자가 나타난다.

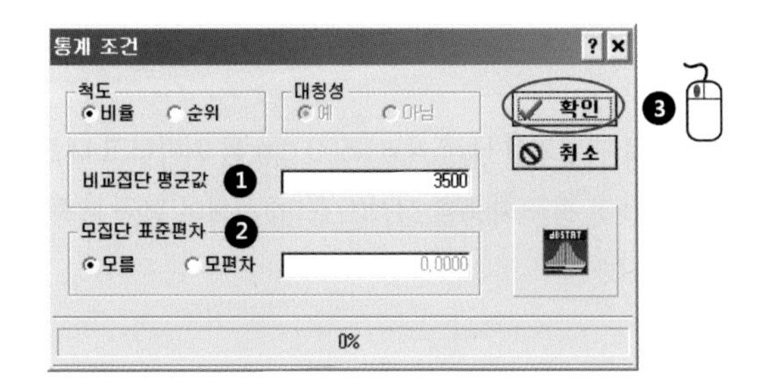

① [통계 조건] 대화상자에서 [비교집단 평균값] ◐ 3500 입력한다.

② [모집단 표준편차] ⊙[모름] 항목을 선택한다.

③ [확인] 버튼을 클릭하여 선택 작업을 마치면 통계결과가 출력된다.

2 통계결과

dBSTAT에서는 [통계 조건]에 따라서 [마법사]가 적절한 통계검정을 시행한다.

메뉴 → [통계] ▶ [비교통계] ▶ [일 표본] ▶ [t 검정] 메뉴를 선택하여도 동일하다.

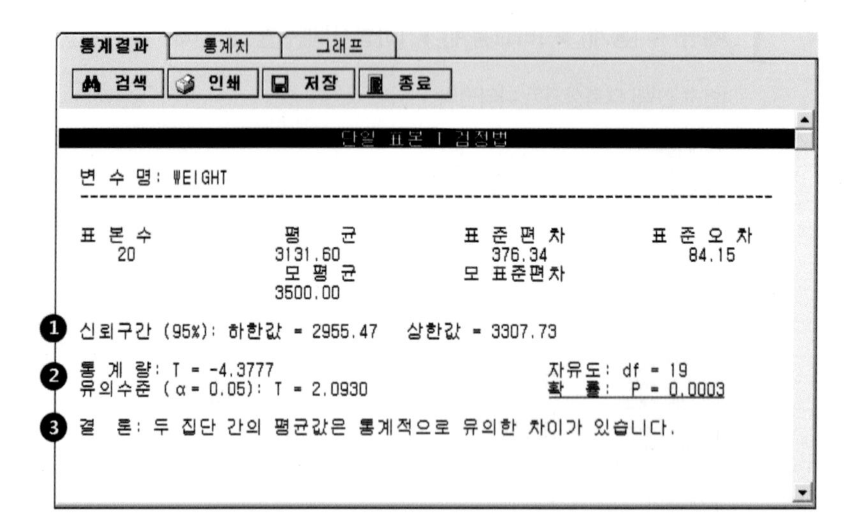

① 95% 신뢰구간 = (하한값 , 상한값) = (2955.47, 3307.73)

② 검정통계량

t-value = -4.38, 유의수준 α = 0.05, df = 19 ⇨ 임계값 $t_{0.05,\ 19}$ = 2.093

양측검정 유의확률 p = 0.0003

③ 결론

P = 0.0003 〈 0.05 이므로 귀무가설 H_0 : μ = 3500 gm 을 기각하고 대립가설을 채택하게 된다. 즉, A 병원(표본) 신생아 평균 체중은 정상(모집단) 신생아 평균 체중과 통계적으로 유의한 차이가 있다고 판정한다.

[해석]

- t-value 4.38 〉 t 임계값 2.093 이므로 p〈0.05 로 통계적으로 유의한 차이가 있다고 판정한다.
- p = 0.0003이므로 통계적으로 매우 유의한 차이가 있다고 판정한다.

가설검정

- 통계적 검정을 하기 전에 연구가설을 세워야 한다..
- 가설에는 귀무가설과 대립가설이 있다.
- 가설에 따라서 통계적 검정법이 달라진다..

❖ 가설검정의 유형

- 가설검정에는 양측검정(two-tail test)과 단측검정(one-tail test)이 있다.
- 양측검정은 대립가설에서 크다, 작다(〈, 〉)는 비교는 모르며 같지 않다(≠)는 가정을 한다.
- 단측검정은 대립가설에서 크기의 방향에 따라서 좌측검정(let-tail test)과 우측검정(right-tail test)로 나누어진다.

One-Tail Test (left tail)	Two-Tail Test	One-Tail Test (right tail)
$H_0: \mu = \mu_o$ $H_1: \mu < \mu_o$	$H_0: \mu = \mu_o$ $H_1: \mu \neq \mu_o$	$H_0: \mu = \mu_o$ $H_1: \mu > \mu_o$
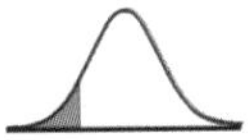	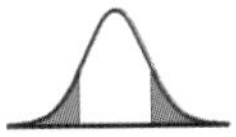	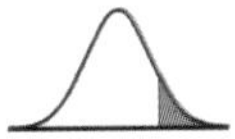

연구논문에서 통계방법 기술

양측검정인지 단측검정인지 반드시 구분하여 기술하여야 한다. 대부분 연구에서 양측검정을 하지만 임상시험 연구에서는 단측검정을 하기도 한다.

❖ 통계적 의의

- 통계적 검정법에 의하여 계산된 통계량을 사용하여 귀무가설을 기각 또는 수용하는지에 따라서 통계적인 의의가 있는지 판단하게 된다. 귀무가설을 기각하게 되면 연구자의 주장인 대립가설을 채택하게 되어 통계적인 의의가 있다고 판단한다.
- **유의수준(α)**은 귀무가설을 기각하는 기준으로 사용된다.

❖ 통계적 유의성 판정 방법

① p-value : p〈 α 이면 통계적 유의성이 있다고 판정한다.

② 신뢰구간 : 신뢰구간 내에 비교집단의 통계량(평균)을 포함하지 않으면 유의하다.

판정 방법	통계적 유의성	
	있음	없음
P-value	$P < \alpha$	$P \geq \alpha$
신뢰구간	μ, μ_0	μ, μ_0

❖ 단일표본 검정

- 표본평균

  z-검정 : 정규분포이며 대표본(n≥30)에서 사용한다.

  t-검정 : 정규분포이며 소표본(n〈30)에서 사용한다.

- 표본비율

  z-검정 : 정규분포이며 대표본(np≥5, nq≥5)에서 사용한다.

  x^2 검정 : 위의 조건을 만족하지 않을 때 사용한다.

가설 검정	검정통계량	표집분포	통계검정
평균	$\bar{\chi}$	Normal (n ≥ 30)	z-test
		Normal (n < 30)	t-test
비율	$\hat{p}$	Normal ($np \geq 5$, $nq \geq 5$)	z-test
	s^2	Chi-square	x^2 test

표본크기≥30 자료에서 t-test 를 사용해도 되는가?

Z 검정을 사용하기 위해서는 모표준편차를 알아야 하는데 실제 연구에서는 알 수가 없으며 t 분포에서 n≥30 이면 z 분포에 근접하게 되므로 t 검정을 사용할 수 있다. 대부분 연구에서는 z-test 보다 t-test를 사용한다.

Medical Paper

International Committee of Medical Journal Editors (ICMJE)

Recommendations for the Conduct, Reporting, Editing, and Publication of Scholarly Work in Medical Journals*

Updated December 2013

d. Methods

iii. Statistics

Describe statistical methods with enough detail to enable a knowledgeable reader with access to the original data to judge its appropriateness for the study and to verify the reported results. When possible, quantify findings and present them with appropriate indicators of measurement error or uncertainty (such as confidence intervals). Avoid relying solely on statistical hypothesis testing, such as *P* values, which fail to convey important information about effect size and precision of estimates. References for the design of the study and statistical methods should be to standard works when possible (with pages stated). Define statistical terms, abbreviations, and most symbols. Specify the statistical software package(s) and versions used. Distinguish prespecified from exploratory analyses, including subgroup analyses.

국제의학학술지편집인협의회 지침 (http://www.icmje.org)

연구방법 (통계학)

- 연구 내용을 이해할 만한 독자가 연구자료를 접했을 때 통계방법의 적절성과 연구결과를 확인할 수 있을 정도로 통계학적 방법을 자세하게 기술하여야 한다.
- 가능하면 연구 소견을 정량화하고 측정오차 또는 불확실성(신뢰구간 등)을 표시하는 적절한 지표를 같이 제시한다. 효과크기와 측정값의 정밀도에 관한 중요한 정보를 제시하지 못하고 단순히 통계학적 가설검정만을 위한 *P*값만 제시하는 일은 피해야 한다.
- 연구 계획과 통계방법에 대한 참고문헌은 가능하면 (지면을 할애) 표준적인 작업이 되어야 한다. 통계 용어, 약어, 기호를 설명한다. 분석에 사용된 통계소프트웨어와 버전도 명시한다. 사전 계획된 분석과 부분군분석을 포함한 탐사적 분석을 구별하여야 한다.

Statistical Error

Tissue injury caused by deposition of immune complexes is L-arginine dependent

Proc. Natl. Acad. Sci. USA 1991;88:6338-6342

Statistical Analysis

The data were analyzed by using Student's t tests. All values were ❶ expressed as mean ± SEM unless otherwise indicated. Statistical significance was defined as P < 0.05. ❷

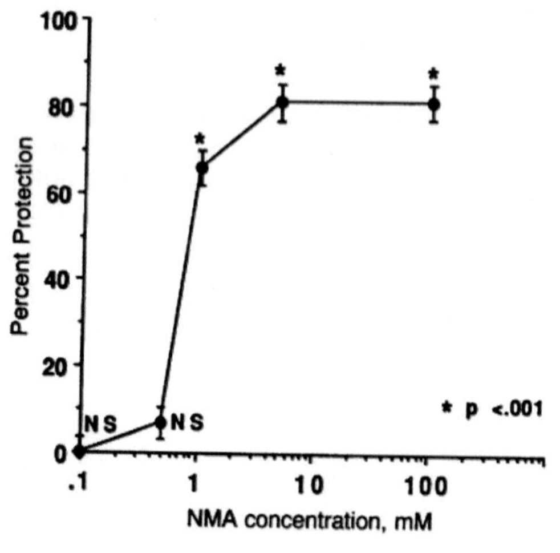

FIG. 2. The asterisks define *P* values <0.001 when NMA values were compared to the values of positive controls. (Error bars = SEM; n = 6 animals for each NMA concentration.) NS, not significant. ❸

Statistical Analysis

① 기술통계 : 표본자료 기술에 mean ± SEM을 사용하여서는 안된다. Mean(SD)를 사용한다.

② 통계적 유의성 : 양측검정인지 단측검정인지 명시하여야 한다.

③ 통계학적 확률 : P value값을 명시(예, P = 0.03) → NS, *P* 〈 0.05, *P* 〈 0.01 로 표기 금지

✎ 통계검정 : 표본크기 n = 6 → Student t test 전제조건인 정규성 검정을 반드시 하여야 한다.

✎ 오차막대(Error bar) : 평균비교에 SEM(표준오차) 보다 95% 신뢰구간을 사용하는 것이 좋다.

## CHAPTER 5

Statistical Test

"Do you mean that you can find out the answer to it?" said the Hare.

"I keep moving around, as the things get used up." said the Hatter.

"But what happens when you come to the beginning again?" said Alice.

통계검정 Statistical Test

통계 분석을 하기에 앞서 이전 단원에서 배운 통계학의 기초개념과 확률이 통계 분석에서 어떻게 사용되는지에 대하여 알아야 한다.

1.1 통계검정법 Statistical Test

통계분석법은 모수적 통계 검정(parametric statistical test)과 비모수적 통계 검정(nonparametric statistical test)으로 나누어진다. 모수적 통계 검정은 모집단에 대한 강한 가정을 전제로 하며 비모수적 통계 검정은 모집단에 대한 가정이 모수적 통계 검정에 비하여 약하다.

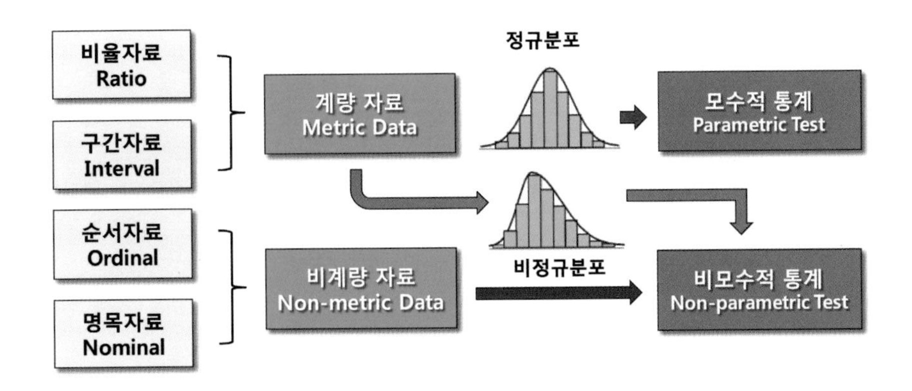

1. 모수적 통계검정 Parametric Test

모집단의 모수에 대한 추측을 하는 통계적 검정법이다. 따라서 모집단의 분포 및 모수에 대한 전제조건이 필요하다.

모수적 통계검정법의 종류

① z 검정 (z-test)
② *t* 검정 (*t*-test)
③ 분산분석 (Analysis of Variance, ANOVA)
④ 피어슨 상관분석 (Pearson correlation)
⑤ 선형회귀분석 (linear regression) 등

전제조건

① **연속변수 (continuous variable)** - 계량자료이어야 한다.
② **정규성 (Normality)** - 모집단이 정규분포를 한다고 가정한다.
③ **등분산성 (equal variance)** - 집단내의 분산은 같아야 한다.
④ **선형성 (linearity)** - 선형회귀분석에서 요구되는 가정이다.

장점

① 모집단에 대한 가정이 충족되는 경우 비모수적 통계 분석에 비하여 **검정력**이 크다.
② 통계 결과의 해석에 있어서 평균과 신뢰구간을 구하여 상세한 설명을 할 수 있다

단점

① 계량자료에만 분석이 가능하다.
② 모집단에 관한 전제 조건 검정은 일반적인 통계적 분석 과정으로는 불가능하다.

2. 비모수적 통계검정법 Nonparametric Test

비모수적 통계검정법의 종류

① 카이제곱 검정 (chi-square test)

② 피셔 정확검정 (Fisher' s exact test)

③ 맥니머 검정 (McNemar' s test)

④ 만-위트니 검정 (Mann-Whitney test)

⑤ 윌콕슨 부호순위 검정 ((Wilcoxon signed-ranks test)

⑥ 크루스칼-왈리스 검정 (Kruskal-Wallis test)

⑦ 스피어맨 순위상관 (Spearman rank correlation)

⑧ 로지스틱 회귀분석 (logistic regression) 등

비모수적 통계는 언제 사용하는가?

① **불연속형 변수** - 명목자료 또는 순서자료

② 모수적 통계에서 필요로 하는 전제조건을 충족시키지 못하는 경우

③ 모집단 분포가 관여되지 않는 통계적 검정

장점

① 모집단에서의 분포의 특성을 알 수 없을 때 특히 모집단의 분포를 정규분포로 가정할 수 없을 때에도 사용할 수 있다.

② 자료의 형태가 모수적 통계 분석이 가능한 등간, 비율자료뿐만 아니라 명목자료, 순서자료인 경우에도 사용할 수 있다.

③ 표본크기가 작은 경우(10 이하)에 모집단 분포의 성격을 정확히 몰라도 사용할 수 있다.

단점

① 검정력 낮음 - 측정자료의 순위를 위주로 통계적 검정을 하므로 통계분석시 측정값의 크기가 고려되지 않아 자료에 대한 유용한 정보를 충분히 활용하지 못한다.

② 통계 결과의 해석에 있어서 평균(효과크기)를 구할 수 없어 상세한 설명을 할 수 없다

③ 자료의 수가 많은 경우 모수적 통계에 비하여 오히려 계산 절차가 복잡하다.

모수적 통계 vs. 비모수적 통계

1. 모수적 검정은 시행하기 전에 반드시 통계방법에 따른 전제조건 검정을 하여야 한다.
   ① 정규성 ② 등분산성 ③ 선형성
2. 모수적 통계 검정의 전제조건을 충족시키는 자료에 대해서는 비모수적 통계 검정을 하여서는 안된다. 비모수적 검정은 모수적 검정에 비하여 검정력이 낮다.
3. 표본크기는 일반적으로 모수적 통계에서 비모수적 통계에 비하여 크지만 선택기준이 될 수는 없다. 예를 들면 모수적 통계방법인 *t*-test는 소표본(표본크기〈30)에서 사용하기 위해 개발된 검정이다.

통계학자에 따라서는 표본크기〈10 이면 비모수적 검정을 사용하기도 한다.

Table. 모수적 통계와 비모수적 통계의 비교

특성	모수적 검정	비모수적 검정
Data Type	등간/비율	명목/순서
Distribution	정규분포	무관함
Sample Size	크다	작다
Selection	무작위	무관함
Power	크다	작다

12 자료변환 Data transformation

정규성을 만족하지 않는 비정규성 계량자료에 대하여 모수적 통계 분석을 사용하기 위해서는 자료를 변환하여야 한다.

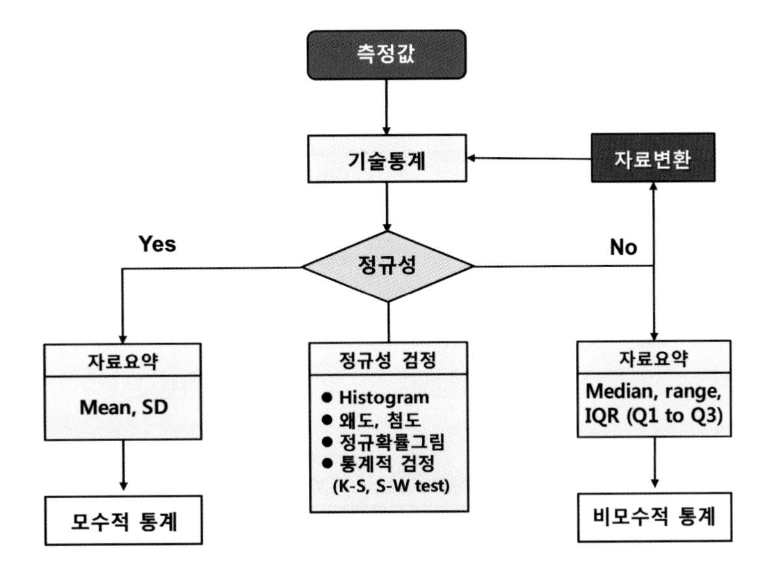

자료변환 목적

모수적 통계의 전제 조건인 ① **정규성**(Normality), ② **등분산성**(equal variance), ③ **선형성**(linearity)을 만족하지 않는 계량자료에 대하여 자료 변환을 통하여 모수적 통계를 사용할 수 있게 한다.

자료변환 원칙

- 우측이나 좌측으로 기운 분포를 보이는 자료(skewed data)에서 사용할 수 있다.
- 원래의 자료가 의미를 가지는 경우 (예, 혈압) 자료를 변환해서는 안된다.
- 변환된 자료로 통계 분석한 후에 평균과 신뢰구간은 역변환하여 해석을 하여야 한다. 표준편차(분산)는 역변환하여 해석하여서는 안된다.

자료변환 방법

자료 변환은 다음 4가지 방법이 주로 사용된다.

1. 로그 변환 (logarithmic transformation)
2. 제곱근 변환 (square root transformation)
3. 역수 변환 (reciprocal transformation)
4. 제곱 변환 (square transformation)

Transform	Effect
Log	Log x
Square root	$\sqrt{x}$
Square	x^2

1. 로그변환 log x

- 우측으로 기운(right skewed) 분포에서 사용한다.
- 가장 흔하게 사용되며 정규분포에서 심하게 벗어난 자료에 사용한다.
- 변환된 자료는 원 자료와 크기의 순서는 동일하다.
- 모든 자료는 양수이어야 한다.
- 0 인 자료는 상수 1을 더하여 양수로 바꾼 다음에 변환을 하여야 한다.
- 많은 측정값이 0 인 자료에서는 로그 변환이 적절하지 않다.
- 변환된 자료로 통계 분석한 후에 결과를 해석하기 위해서는 평균과 신뢰구간은 역로그(antilog) 하여야 한다.
- 역변환된 평균은 기하평균(geometric mean)으로 원 자료의 평균인 산술평균(arithmetic mean)과 다르다.

Example

다음은 우측으로 기운 분포를 보이는 자료이다.
이 자료를 상용로그(log10)로 변환하여 본다.

Right Skewed Data

2.7	7.4	7.4	20.1	20.1	20.1	54.6	54.6	148.4

[해설]

평균 = 37.27, 표준편차 = 45.84로 평균〈표준편차 이므로 정규분포를 이루지 않는다.
위의 자료의 측정값을 x라 하면 로그 변환 자료 $x' = \log_{10}(x)$ 가 된다.

Log-Transformed Data

0.43	0.87	0.87	1.30	1.30	1.30	1.74	1.74	2.17

로그 변환 후에는 평균 = 1.30, 표준편차 = 0.53으로 정규분포를 이룬다.

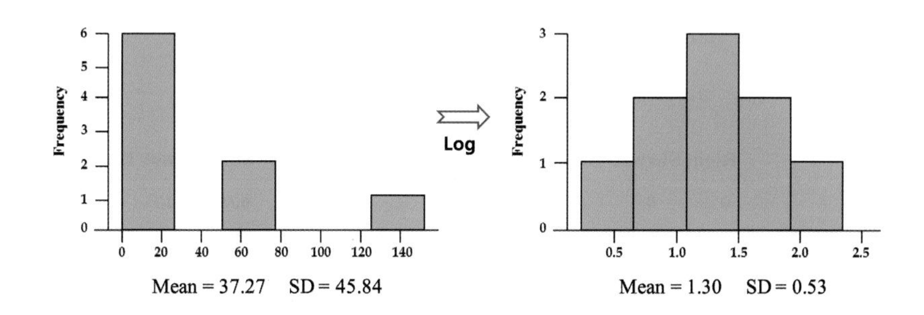

[해설]

로그 변환 후에 얻어진 평균 1.30을 anti-log 역변환 하면 기하평균(geometric mean)으로 $10^{1.3}$ = 19.95 가 된다.

[정규확률그림]

다음 정규확률그림에서도 로그 변환 후에 비정규분포에서 정규분포로 전환되어 보인다.

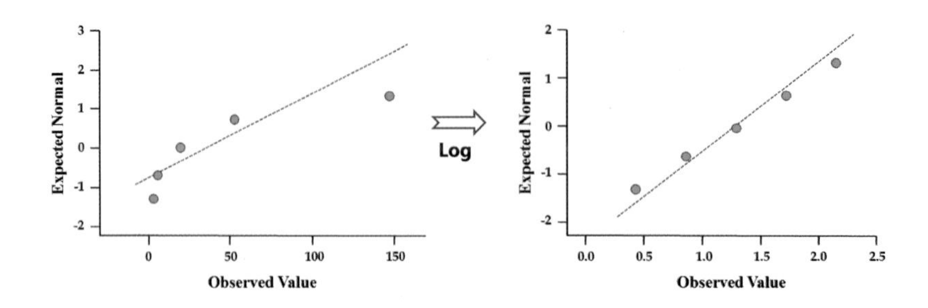

2. 제곱근 변환 $\sqrt{x}$

- 우측으로 기운(right skewed) 분포에서 사용한다.
- 로그 변환에서 보다 정규분포에서 덜 심하게 벗어난 자료에 사용한다.
- Poisson 분포와 같이 발생이 드문 빈도로 이루어진 이산형 자료의 변환에 적합하다.
- 모든 숫자는 0 이상이어야 한다.
- 자료에 0이 있으면 상수 0.5을 더하여 제곱근 $\sqrt{x+0.5}$ 을 구한다.
- 원 자료와 크기의 순서는 동일하다.
- 역변환된 결과에 대한 해석이 어렵다.

다음 자료를 제곱근 변환하여 본다.

Right Skewed Data

0	0	1	1	1
1	1	1	2	2
2	2	4	4	5

⟹ √ 변환

Square root Transformed Data

0.71	0.71	1.22	1.22	1.22
1.22	1.22	1.22	1.58	1.58
1.58	1.58	2.12	2.12	2.35

[해설]

① 원 자료에서 평균 = 1.80, 표준편차 = 1.47로 정규분포를 따르지 않는다.

② 원 자료에 0이 있으므로 제곱근 변환 자료 $x'=\sqrt{x+0.5}$ 가 된다.

③ 제곱근 변환 후에는 평균 = 1.44, 표준편차 = 0.48로 정규분포(로그-정규분포)를 따른다.

[Histogram]

Histogram에서 제곱근 변환 후에 우측으로 기운 분포의 왜곡이 감소됨을 보인다.

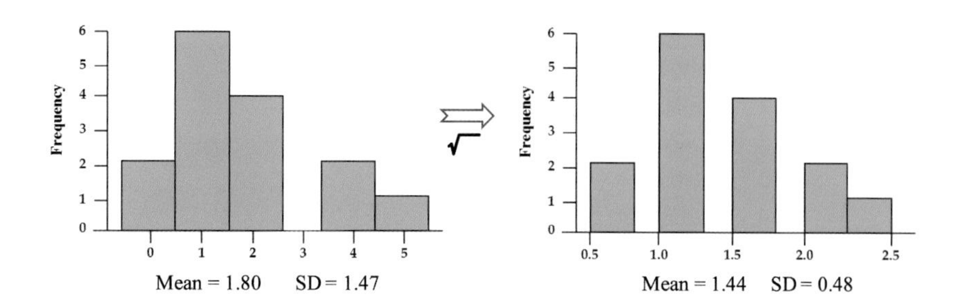

[정규확률그림]

정규확률그림에서도 제곱근 변환 후에 정규분포에 근접되어 보인다.

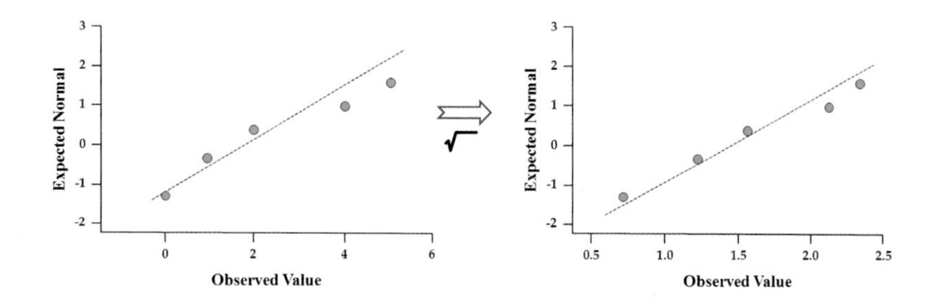

3. 역수변환 $1/x$

- 로그 변환과 비슷하나 정규분포에서 가장 심하게 벗어난 자료에 사용한다.
- 원 자료와 크기의 순서가 반대로 바뀐다.
- 원래 자료의 단위가 역으로 되어 무의미해질 수 있다.

4. 제곱변환 x^2

- 로그 변환과 반대로 좌측으로 기운(left skewed) 분포에서 사용한다.
- 회귀분석에서 선형성(linearity) 가정을 벗어난 자료의 선형화에 유용하다.

13 통계분석법 선정

CONTENTS

통계분석법은 일반적으로 다음 4가지 사항에 의하여 선정된다.
1. 분석목적
2. 변수(variable)의 수
3. 집단(group) 수
4. 자료 형태 (data type)

1. 분석목적

분석목적에 따라 다음과 같이 나누어 진다.

1) **비교분석** (Comparison)

2) **관계분석** (Relationship)

3) **상호관계** (Interrelation)

의학통계에서는 주로 비교통계 분석과 관계분석 방법이 사용되며 상호관계 분석은 잘 사용되지 않는다.

1) 비교분석 Comparison

변수의 측정값을 표본 집단으로 나누어 비교하거나 모집단 또는 가설 집단과의 차이를 비교하려는 통계 검정법을 말한다.

무엇을 비교하는가?

집단들 간의 비교는 측정값들의 대표값과 산포도를 사용한다. 따라서 **모수적** 통계분석에서는 정규분포를 가정하며 대표값으로 평균을 사용하므로 집단들 간에 **평균**의 차이를 검정한다.
비모수적 통계분석에서는 집단 간에 **중앙값** 또는 **빈도**의 차이를 검정한다.

비교통계 검정

① *t* 검정 (*t*-test)

② 분산분석 (Analysis of Variance, ANOVA)

③ 만-위트니 검정 (Mann-Whitney test)

④ 윌콕슨 부호순위 검정 (Wilcoxon signed-ranks test)

⑤ 카이제곱 검정 (chi-square test) 등

독립자료 (independent, unpaired data) vs. **짝자료** (paired, matched data)

- 비교 집단의 측정값들끼리 비교하려는 경우 자료들 간에 짝을 이루는지 여부에 따라서 통계 분석방법이 달라진다.
- 집단들을 비교하려 할 때 집단들끼리 연관성이 없으면 독립집단, 연관성이 있으면 짝집단(쌍체집단, 대응집단)이라 한다.
- 독립집단의 자료를 독립자료(비대응자료), 짝집단의 자료를 짝자료(쌍체자료, 대응자료)라고 부른다.

Example

- 독립자료 - 남녀 두 집단에서 체중을 비교할 때 남녀 간 체중은 독립자료이다.
- 쌍체자료 - 부부 간 행복지수를 비교할 때 부부 간 행복지수는 쌍체자료이다.

Independent (unmatched)

#	sex	wt
1	F	55
2	F	60
3	F	65
4	M	70
5	M	65
6	M	75

Sex	Weight
F	55 60 65
M	65 70 75

paired (matched)

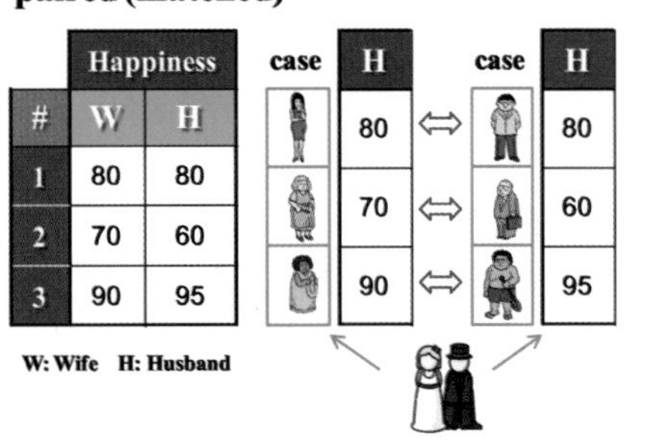

동일한 개체에 대한 반복측정 자료도 짝자료(대응자료)에 속한다. 특히 두 집단을 비교할 때에는 짝자료(쌍체자료)(paired data)라 부르고 세 집단 이상에서는 대응자료(matched data)라 부른다.

카이제곱 검정 (chi-square test)

카이제곱 검정은 연구가설에 따라 비교분석 또는 관계분석에 속할 수 있다. 비교분석은 두 변수 간에 빈도(비율)의 차이를 분석하는 것이며 연관성 분석이 목적이면 관계분석이라 할 수 있다.

2) 관계분석

독립변수와 종속변수 간의 관계를 분석하는 통계 검정법을 말한다.

관련성은 분석하고자 하는 목적과 자료형태에 따라서 세 가지로 나눌 수 있다.

(1) 연관성 (Association) - 불연속형 (명목/순서) 변수들 간의 관계

(2) 상관성 (Correlation) - 연속형 (등간/비율) 변수들 간의 관계

(3) 예측성 (Prediction) - 독립(예측)변수로써 종속(결과)변수의 결과 예측

관련성 통계 검정

① 카이제곱 검정 (chi-square test)

② 맥니머 검정 (McNemar' s test)

③ 피어슨 상관분석 (Pearson correlation)

④ 스피어맨 순위상관 (Spearman rank correlation)

⑤ 선형회귀분석 (linear regression)

⑥ 로지스틱 회귀분석 (logistic regression) 등

독립변수 (independent variable) vs. 종속변수 (dependent variable)

변수 간의 연관성을 분석하는 경우에 변수들은 독립변수와 종속변수로 나누어진다. 종속변수는 결과변수라고도 하며 독립변수(위험인자)에 의한 결과로 나타나는 자료변수이다. 독립변수는 그림(plot)에서 X 축에 표시되며 표(table)에서는 행(row)에 표시한다.

Variable	다른 명칭	Plot	Table
독립변수	● 설명변수 ● 위험인자 (Risk factor) ● 예측변수 (Predictor)	X 축	행 (Row)
종속변수	결과변수 (Outcome)	Y 축	열 (Column)

Example

흡연과 천식의 연관성을 조사하는 연구에서 흡연이 독립변수, 천식이 종속변수이다.

질병에 관한 연구에서 질병(천식)은 결과변수(종속변수)이고 위험인자(흡연)는 독립변수이다.

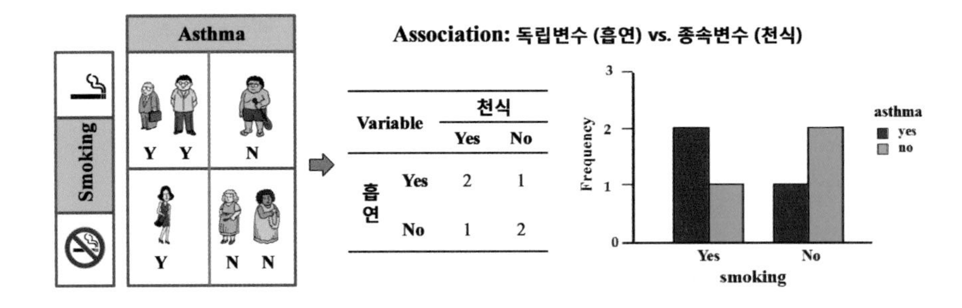

Example

체중과 혈압과의 상관성을 분석하는 연구에서 고혈압이 비만의 원인이 될 수 없으므로 체중은 독립변수(위험인자), 혈압은 종속변수(결과변수)이다.

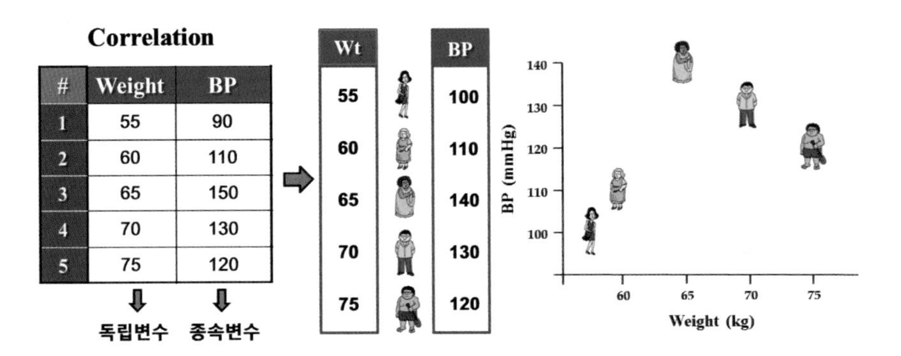

상관관계 분석에서 키와 체중의 관계처럼 독립변수와 종속변수를 구분하기 어려운 경우도 있다.

3) 상호관계

독립변수와 종속변수를 구분하지 않고 변수들 간의 상호 관계를 분석하여 주로 변수와 대상의 집단을 분류하기 위한 통계검정법을 말한다.

① 군집분석 (cluster analysis)

② 주성분분석 (principal component analysis)

③ 요인분석 (factor analysis) 등

2. 변수의 수

통계분석은 분석하고자 하는 변수의 수에 따라 다음과 같이 3가지로 나누어진다.

1) 일변량분석 Univariate Analysis

- 변수의 수가 1개이며 기술통계(자료요약) 분석만 가능하다.
- **일변수분석 (Univariable Analysis)**이라고도 한다.

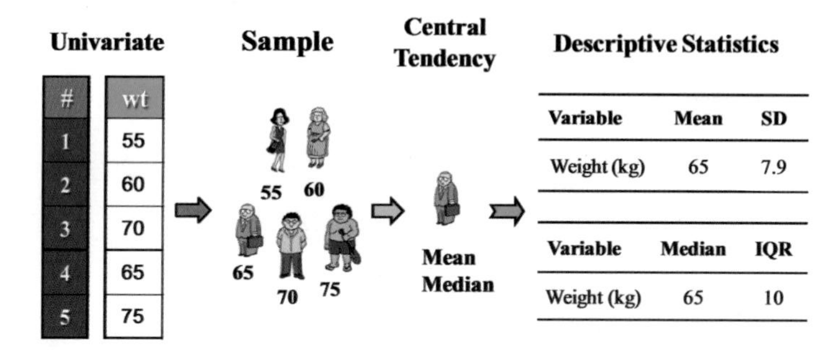

2) 이변량분석 Bivariate Analysis

- 변수의 수가 2개이며 비교통계와 관련성 분석을 할 수 있다.
- *t*-test, one-way ANOVA, chi-square test, 상관분석 등 가장 많이 사용되는 통계적 검정이 여기에 속한다.
- **이변수분석 (Bivariable Analysis)**이라고도 한다.

3) 다변량분석 Multivariate Analysis

- 3개 이상의 변수를 동시에 분석하는 고급통계 기법이며 여러 변수의 관계를 분석하여 예측하고 상호관계 분석도 가능하다.
- Factorial ANOVA, ANCOVA, 다중회귀분석, 다중로지스틱 회귀분석 등이 다변량분석에 속한다.
- **다변수분석 (Multivariable Analysis)**이라고도 한다.

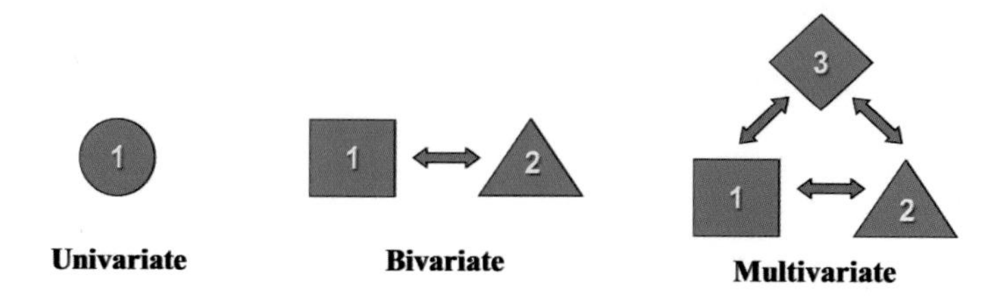

일변량 vs. 이변량 vs. 다변량 분석

통계학자에 따라서는 독립변수의 수와는 무관하게 종속변수의 수에 따라서 일변량분석, 이변량분석, 다변량분석으로 구분하기도 한다.

- 일변량분석 : 종속변수가 1개 (예, *t*-test, 분산분석)
- 이변량분석 : 종속변수만 2개인 관련성 분석 (예, 상관분석, 카이제곱분석)
- 다변량분석 : 종속변수, 독립변수 모두 둘 이상 (예, 다항로지스틱 회귀분석)

3. 집단 수

비교통계 분석에서 비교 집단(표본)의 수에 따라서 통계분석방법이 달라진다.

1) 두 집단 (두 표본) (two-group, two-sample)

비교집단(표본)의 수가 2개인 경우이며 *t*-test, Mann-Whitney test 등을 할 수 있다.

2) k 집단 (k 표본) (k-group, k-sample)

3개 이상의 집단(표본)을 k 집단(표본)이라고 표기한다.

분산분석(ANOVA), Kruskal-Wallis test 등을 할 수 있다.

4. 자료형태

변수의 수가 결정되면 독립변수와 종속변수의 자료형태에 따라서 통계분석 방법이 달라진다. 자료형태는 비계량자료에 속하는 명목자료, 순서자료와 계량자료에 속하는 구간자료, 비율자료로 나누어진다. 구간자료와 비율자료는 통계분석 방법을 선택하는데 있어서 구분할 필요가 없다.

Data	특징	예
명목형	범주형	성별, 인종, 혈액형, 병명
순서형	범주형 + 순서형	등급, 병기, 통증지수
구간형	연속형 (계량형)	온도, IQ, 연도, 심리검사값
비율형	연속형 + 절대영점	연령, 혈압, 체중, 키

통계분석법 선택

통계 분석은 분석하고자 할 변수의 수, 집단 수, 자료 형태에 따라 다음과 같이 요약할 수 있다. 예제 그림은 알고리즘을 이해하는 목적으로 사용하기 위하여 지면 관계상 표본크기를 최소화하였으므로 통계 검정에 필요한 최소 표본크기보다 작을 수 있다.

1. 비교분석

변수	집단		자료 형태		
			명목자료	순서자료	계량자료
1 일변량분석	1		빈도(비율)	중앙값 사분위범위	평균 표준편차
Statistical test			Non-parametric test		Parametric test
2 이변량분석	2	독립	Chi-square	Mann-Whitney	Student *t*-test
		대응	McNemar	Wilcoxon*	Paired *t*-test
	k (≥3)	독립	Chi-square	Kruskal-Wallis	One-Way ANOVA
		대응	Cochran Q	Friedman	Repeated ANOVA

* Wilcoxon signed rank test (interval/ratio data)

독립표본 *t* 검정 Unpaired t-test (independent, Student t-test)

- 독립 두 표본의 측정값(평균)을 비교하기 위한 모수적 통계검정이다.
- 가정 : 두 표본 집단이 모두 정규분포를 이룬다.

Example

남녀 두 집단에서 체중의 차이가 있는지 비교하는 연구. 변수 = sex, weight

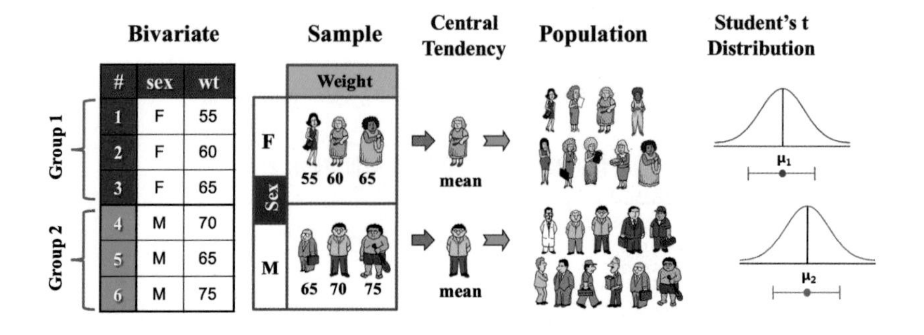

만-위트니 U 검정 Mann-Whitney U test

- 독립 두 표본의 측정값(중앙값)을 비교하기 위한 독립표본 t 검정에 해당되는 비모수적 통계 검정이다.
- **순서자료**이거나 독립표본 t 검정 전제조건을 만족하지 못하는 경우에 사용한다.
- **Wilcoxon rank sum test (윌콕슨 순위합검정)**과 동일한 검정법이다.

Example

남녀 두 집단에서 만족도(1=불만, 2=보통, 3=만족)의 차이를 비교하는 연구.

쌍체 t 검정 Paired t-test

- 짝 표본(paired sample)의 측정값(평균)을 비교하기 위한 모수적 통계검정이다.
- 가정 : 짝 표본 간의 측정값의 차이가 정규분포를 이룬다.

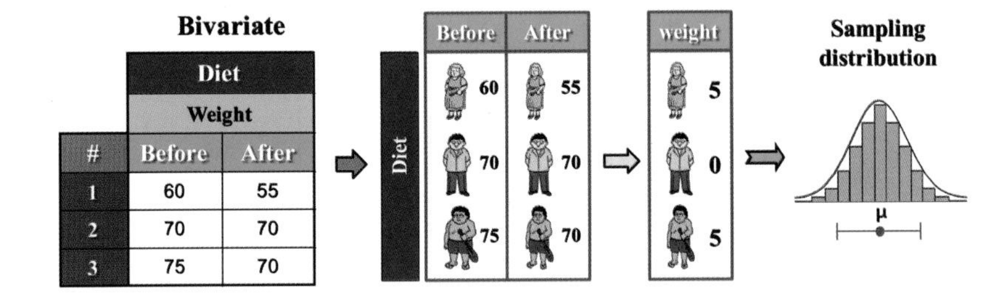

Example

성인에서 다이어트 전후에 체중의 차이를 비교하는 연구.

윌콕슨 부호순위검정 Wilcoxon signed rank test

- 짝 표본 측정값(중앙값)을 비교하기 위한 쌍체 t 검정에 해당되는 비모수적 검정이다.
- **구간/비율자료**이면서 쌍체 t 검정의 전제조건을 만족하지 않는 경우에 사용한다.

부호검정 Sign test

- 짝 표본 중앙값을 비교하기 위한 쌍체 t 검정에 해당되는 비모수적 검정이다.
- **순서자료**이거나 쌍체 t 검정의 전제조건을 만족하지 않는 경우에 사용한다.

Example

성인에서 다이어트 전후에 만족도(1=불만, 2=보통, 3=만족)를 비교하는 연구

카이제곱검정 Chi-square test

- 독립 두 변수의 측정값의 빈도(비율)을 비교하기 위한 비모수적 통계 검정이다.
- 통계적 가설에서 두 변수의 빈도의 차이에 대한 가설을 세우고 검정한다.
- 두 변수가 모두 명목자료인 경우에 사용한다.
- 가정 : 교차표(cross tabulation)에서 기대빈도(expected frequency) 〉 5
- 가정을 만족하지 못하면 **Fisher exact test (피셔 정확검정)**을 사용하여야 한다.

Example

성인 남녀 두 집단에서 흡연률을 비교하는 연구. 변수 = sex, smoking

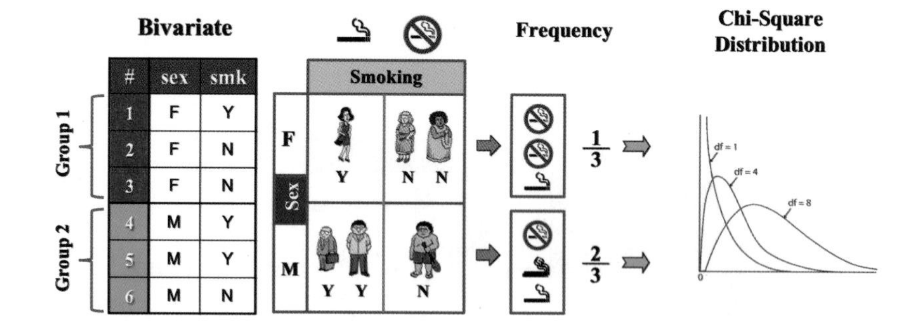

맥니머 검정 McNemar test

- 짝 표본의 측정값의 빈도(비율)을 비교하기 위한 비모수적 통계 검정이다.
- 두 변수가 모두 명목자료인 경우에 사용한다.

Example

성인 집단에서 다이어트 전후에 흡연률의 변화를 비교하는 연구.

#	Case	Before	After
1		Y	Y
2		Y	N
3		Y	N
4		N	Y
5		N	N
6		N	N

Y = Smoker, N = Non-smoker

After

Before

Frequency Changed

$\frac{2}{3}$

$\frac{1}{3}$

일원배치 분산분석 One-way ANOVA (Analysis of Variance)

- 독립 k (k≥3) 표본의 측정값(평균)을 비교하기 위한 모수적 통계검정이다.
- 가정 : k 표본 집단의 측정값이 모두 정규분포를 이룬다.

Example

세 인종(백인, 황인, 흑인) 집단에서 체중의 차이를 비교하는 연구.

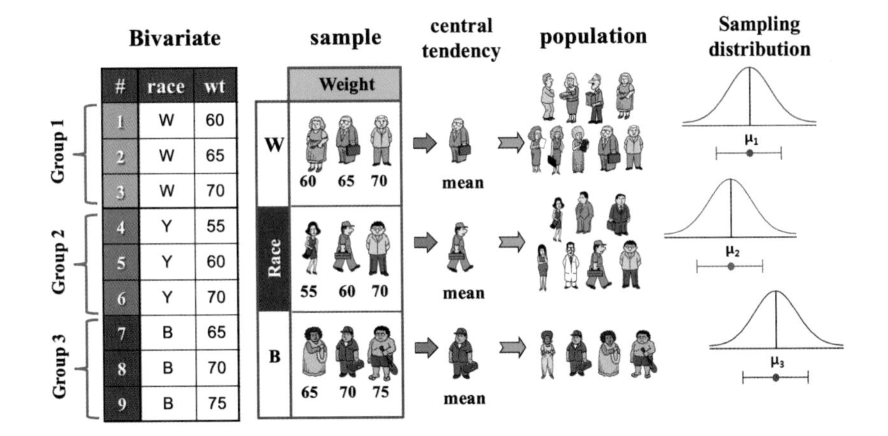

크루스칼-왈리스 검정 Kruskal-Wallis test

- 독립 k (k≥3) 표본의 측정값(중앙값)을 비교하기 위한 비모수적 통계검정이다.
- 순서자료이거나 정규성을 만족하지 않는 계량자료의 비교에 사용한다.
- One-way ANOVA에 해당하는 비모수적 검정이다.

Example

세 인종 집단에서 만족도(1=불만, 2=보통, 3=만족)의 차이를 비교하는 연구.

반복측정 분산분석 Repeated measures ANOVA

- 관련된(related) k (k≥3) 표본의 측정값(평균)을 비교하기 위한 모수적 통계검정이다.
- 가정 : k 표본 집단의 측정값이 모두 정규분포를 이룬다.

Example

성인에서 다이어트 전, 1개월 후, 3개월 후에 체중의 차이를 비교하는 연구.

Bivariate

#	Diet (Weight) Before	1 m	3 m
1	60	55	50
2	70	70	60
3	75	70	70

Diet	Before	1 m	3 m
	60	55	50
	70	70	60
	75	70	70

Sampling distribution

μ

프리드만 검정 Friedman test

- 관련된 k (k≥3) 표본의 측정값(중앙값)을 비교하기 위한 비모수적 통계검정이다.
- 순서자료이거나 표본 집단의 측정값이 비정규분포인 경우에 사용한다.
- Two-way ANOVA에 해당되는 비모수적 검정이다.

Example

성인에서 다이어트 전, 1개월 후, 3개월 후에 만족도를 비교하는 연구.

비교분석 Flow Chart

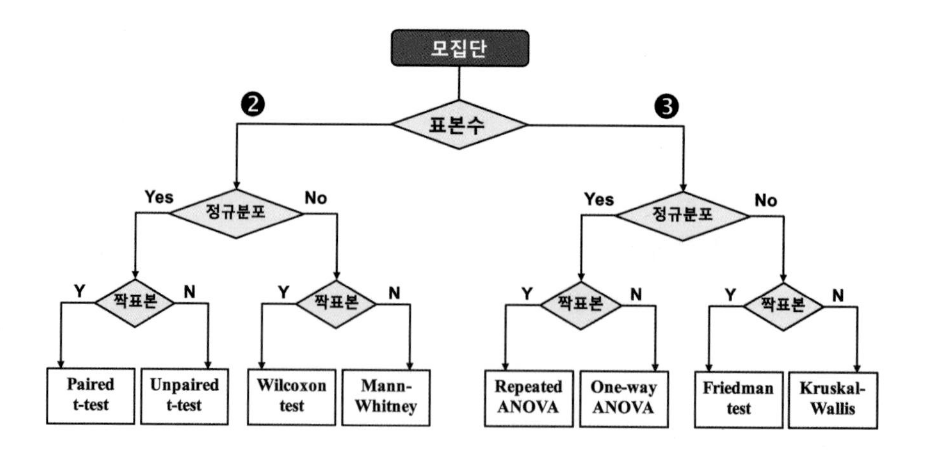

2. 관계분석

변수	독립 변수		종속변수		
			명목자료	순서자료	계량자료
Statistical test			**Non-parametric test**		**Parametric test**
2 **이변량분석**	1	**관계**	Chi-square	Spearman Correlation	Pearson Correlation
		예측	Simple Logistic Regression		Simple Linear Regression
k (≥3) **다변량분석**	≥2	**관계**	Log-linear Analysis	Kendall Concordance	Multiple Correlation
		예측	Multiple Logistic Regression		Multiple Linear Regression

1) 연관성 분석 Association

카이제곱 검정 Chi-square test

- 두 변수를 독립변수와 종속변수로 구분하여 두 변수의 연관성을 조사한다.
- 통계적 가설에서 연관성 유무에 대한 가설을 세우는 것이 비교검정에서와 차이점이다.
- 두 변수가 모두 명목자료인 경우에 사용하는 비모수적 통계검정법이다.
- 가정 : 교차표(cross tabulation)에서 기대빈도(expected frequency) 〉 5
- 가정을 만족하지 못하면 **Fisher exact test (피셔 정확검정)**을 사용하여야 한다.

Example

흡연과 천식의 연관성에 관한 연구. 독립변수 = smoking, 종속변수 = asthma

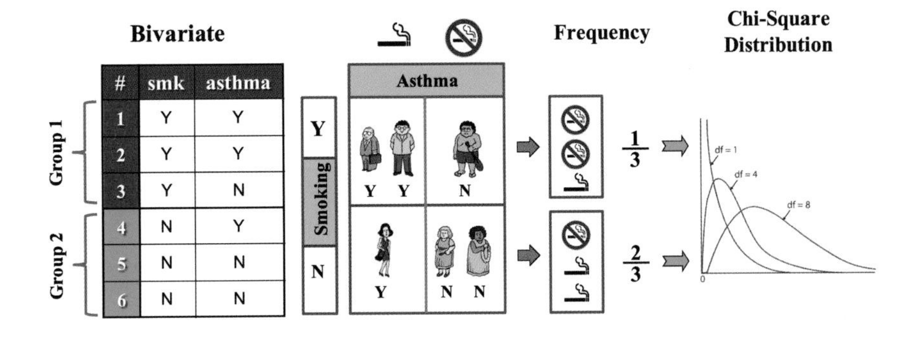

2) 상관성 분석 Correlation

피어슨 상관 Pearson correlation

- 관련된 두 변수의 상관성을 조사하기 위한 모수적 통계 검정이다.
- 두 변수가 모두 계량자료인 경우에 사용한다.
- 가정 : 두 변수의 자료는 모두 정규분포를 이룬다.

Example

성인에서 체중과 키의 상관성에 관한 연구. 변수 = weight, height

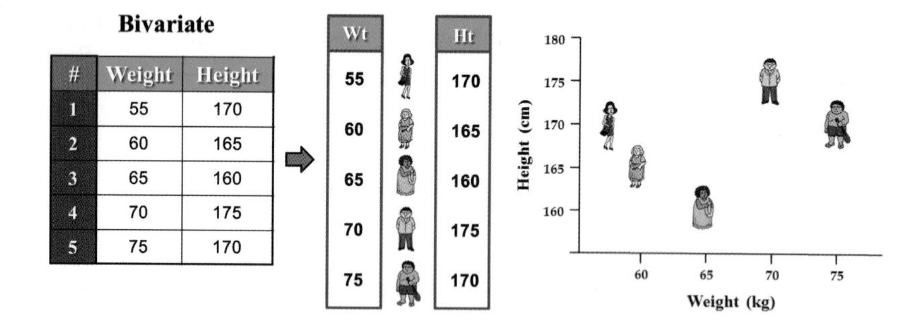

Bivariate

#	Weight	Height
1	55	170
2	60	165
3	65	160
4	70	175
5	75	170

스피어맨 순위상관 Spearman rank correlation

- 관련된 두 변수의 상관성을 조사하기 위한 비모수적 통계 검정이다.
- 순서자료이거나 비정규성 계량자료인 경우에 사용한다.
- 피어슨 상관에 해당하는 비모수적 검정이다.

Example

성인에서 체중과 만족도(1=불만, 2=보통, 3=만족)의 상관성에 관한 연구.

3) 예측성 분석 Prediction

단순선형회귀 Simple linear regression

- 1개의 독립 변수로써 1개의 종속변수를 예측하기 위한 모수적 통계 검정이다.
- 두 변수가 모두 계량자료인 경우에 사용한다.
- 가정 : 종속변수의 자료는 정규분포를 이룬다.

Example

체온으로 맥박수를 예측하고자 하는 연구. 독립변수 = 체온(BT), 종속변수 = 맥박(PR)

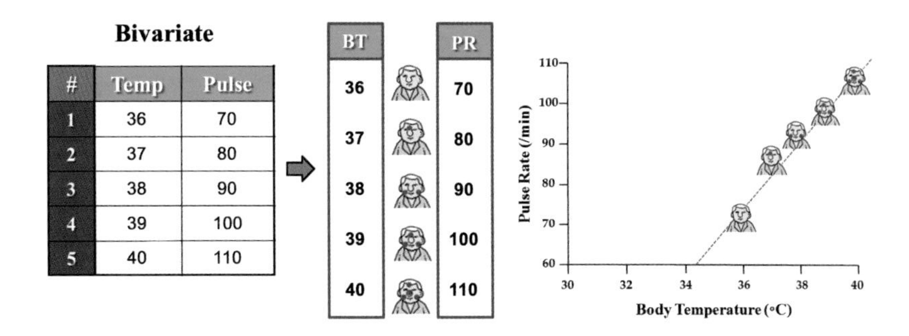

Bivariate

#	Temp	Pulse
1	36	70
2	37	80
3	38	90
4	39	100
5	40	110

다중선형회귀 Multiple linear regression

- 단순선형회귀의 확장으로 2개 이상인 독립 변수로써 1개의 종속변수를 예측한다.
- 모수적 통계검정으로 종속변수는 반드시 계량자료이어야 한다.
- 독립변수에서 범주형 명목변수는 가변수(dummy variable)로 바꾸어 사용할 수 있다.
- 가정 : 종속변수의 자료는 정규분포를 이루어야 한다.

Example

체온과 연령으로 맥박수를 예측하고자 하는 연구. 독립변수 = 체온, 연령

단순 로지스틱 회귀 Simple logistic regression

- 1개의 독립 변수로써 범주형 종속변수를 예측(분류)하기 위한 비모수적 통계 검정이다.
- 종속변수는 이항(dichotomous) 명목변수이어야 한다.
  이항변수란 두 가지 항목(예, yes, no)으로만 이루어진 변수를 뜻한다.
- 모수적 검정인 단순판별분석에 해당하는 비모수적 검정이다.

Example

체온으로 감염의 여부를 예측하는 연구. 독립변수 = 체온(BT), 종속변수 = 감염(Inf)

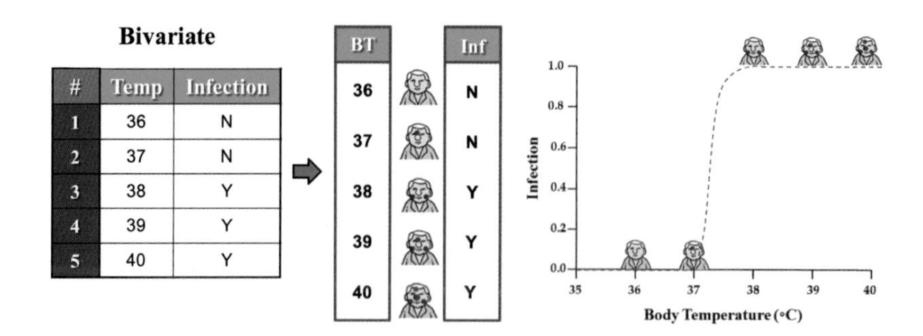

다중 로지스틱 회귀 Multiple logistic regression

- 단순 로지스틱 회귀의 확장으로 2개 이상인 독립 변수로써 1개의 종속변수를 예측(분류)하기 위한 비모수적 통계 검정이다.
- 종속변수는 이항 명목변수이어야 한다.
- 독립변수에서 범주형 명목변수는 가변수로 바꾸어 사용할 수 있다.
- 다중판별분석에 해당하는 비모수적 검정이다.

Example

체온과 백혈구 수로 감염의 여부를 예측하는 연구. 독립변수 = 체온, 백혈구 수

관계분석 Flow Chart

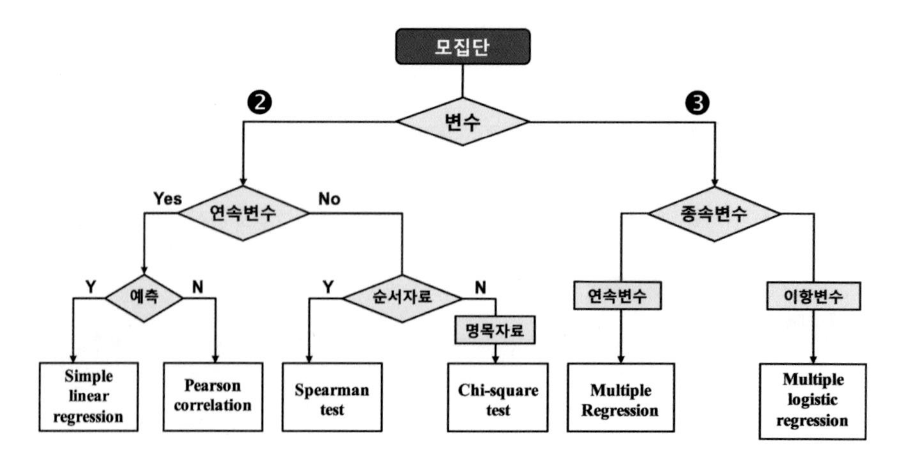

다음 Table은 병원 A, B에서 각각 환자 20명의 입원 기간(일)을 조사한 자료이다. 두 병원에서 입원한 기간의 차이가 있는지 통계적 검정을 하여 보자.

Hospital	Length of Stay (LOS)									
A	2	5	8	11	15	20	24	31	32	32
	35	40	60	70	80	90	110	150	180	200
B	16	20	23	24	25	26	28	29	30	31
	32	32	34	35	37	38	39	42	43	46

[해설]

1. 가설

H_0 : 두 병원 간에 입원기간의 차이가 없다.

H_1 : 두 병원 간에 입원기간의 차이가 있다.

차이에 대한 검정이므로 비교통계 검정을 하여야 한다.

2. 통계검정법 선택

① 변수의 수 : 병원(hospital), 입원일(Length of Stay, LOS) → 2

② 집단의 수 : 병원 A, 병원 B → 2

③ 짝 표본 : 아님 → 독립표본

④ 측정자료 : 입원일 → 계량자료

⑤ 정규성 검정

정규성 → two-sample *t*-test, 비정규성 → Mann-Whitney test

3. 정규성 검정

①기술통계

다음은 병원 A, 병원 B의 입원일을 요약한 표이다. 병원 A의 Mean(SD) = 59.8(58.9)로서 mean - 2SD 〈 0 이므로 정규분포를 하지 않는다. 따라서 병원 A의 입원일은 Median(IQR)로 요약하여야 한다.

Hospital	N	Mean	SD	Median	IQR
A	20	59.8	58.9	33.5	71
B	20	31.5	7.9	31.5	13

② Histogram

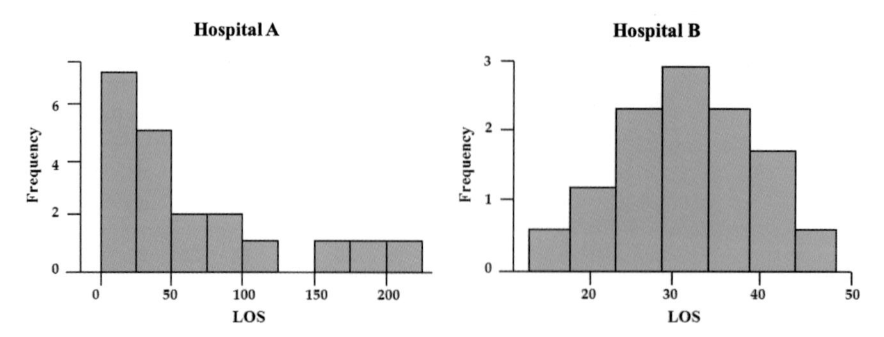

병원 A의 입원일은 우측으로 치우친(skewed) 분포를 보인다. 병원 B의 입원일은 평균을 중심으로 대칭형으로 정규분포 모양을 보인다.

③ 정규확률그림

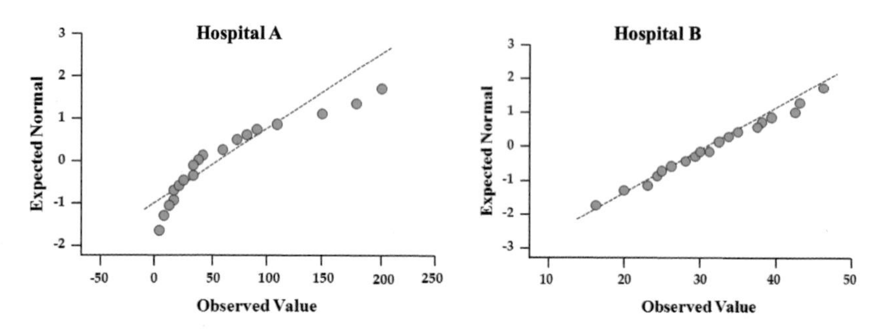

병원 A의 입원일에 대한 정규확률그림은 곡선 모양으로 비정규분포를 보인다. 병원 B 입원일의 정규확률그림은 직선 회귀선으로 나타나 정규분포 모양으로 보인다.

④ 정규성 통계검정

병원 A의 입원일은 왜도 = 1.29 〉 1, 정규성에 벗어나며 통계적 검정 Lilliefors test, Shapiro-Wilk test 에서 p〈0.05 이므로 정규분포를 하지 않는다.

Hospital	skewness	kurtosis	Normality test	
			Lilliefors	Shapiro-Wilk
A	1.29	0.75	0.006*	0.003*
B	-0.02	-0.50	0.200	0.999

*p<0.05

4. 통계적 검정

두 표본 집단 중에서 병원 A의 측정값(입원일)이 정규분포를 하지 않으므로 비모수적 검정인 Mann-Whitney test를 사용하여 검정하여야 한다.

Comparison of LOS in hospital A and B.

Variable	Hospital A	Hospital B	*P* value*
LOS (day)	33.5 (71)	31.5 (13)	0.465

Data are expressed as median(IQR).
*Data are analyzed with Mann-Whitney *U* test.

Mann-Whitney test 결과 병원 A, 병원 B 입원일의 중앙값은 33.5일, 31.5일로 통계적으로 유의한 차이를 보이지 않았다 ($p = 0.465$).

모수적 통계 검정인 independent *t*-test를 잘못 사용하였을 때 다음 표와 같이 병원 A, 병원 B의 입원일 평균은 59.8일, 31.5일이며 통계적으로 유의한 차이를 보이므로 ($p = 0.046$) 잘못된 결론을 내리게 된다.

Comparison of LOS in hospital A and B.

Variable	Hospital A	Hospital B	*P* value*
LOS (day)	59.8 (58.9)	31.5 (7.9)	0.046

Data are expressed as mean(SD).
*Data are analyzed with independent *t*-test.

5. 자료 변환 Data Transformation

병원 A의 입원일(LOS)은 정규분포를 하지 않는 우측으로 기운 분포이므로 로그 변환을 하여 정규분포 자료로 만들면 모수적 통계 검정을 사용할 수 있다.

예제 자료를 상용로그 변환을 하면 다음 표와 같아진다.

Hospital	Logarithm of LOS									
A	0.30	0.70	0.90	1.04	1.18	1.30	1.38	1.49	1.51	1.51
	1.54	1.60	1.78	1.85	1.90	2.04	2.18	2.26	2.30	1.95
B	1.30	1.20	1.38	1.57	1.40	1.41	1.45	1.46	1.48	1.49
	1.51	1.51	1.53	1.54	1.36	1.63	1.62	1.58	1.59	1.66

예제와 같이 재분석을 하여보면 병원 A, 병원 B의 상용로그 입원일은 정규분포를 이룬다.
Independent *t*-test 결과 병원 A, B의 평균차이 = 0.05, 95% 신뢰구간 = (-0.2, 0.3) 이다.
통계적으로 유의한 차이는 보이지 않는다 (p=0.678).

Comparison of LOG(LOS) in hospital A and B.

Variable	Hospital A	Hospital B	*P* value*
LOS (log-day)	1.54(0.53)	1.49(0.12)	0.678

Data are expressed as mean(SD).
*Data are analyzed with independent *t*-test.

[변환자료 해석]

Table에 보이는 변환자료의 통계결과는 반드시 환원하여 해석하여야 한다.
평균차이를 antilog 환원하면 기하평균의 비율(ratio)이 된다.

평균차이 antilog → $10^{0.05}$ = 1.12, 95% 신뢰구간 = ($10^{-0.2}$, $10^{0.3}$) = (0.63, 1.99) 이다.
즉, 병원 A의 평균 입원일이 병원 B 평균 입원일에 비하여 약 1.1배 이다.

통계검정법

- 통계분석 방법은 크게 모수적 검정과 비모수적 검정으로 분류된다.
- 자료형태, 표본수, 대응관계(related) 여부에 따라서 통계검정법이 선택된다.

❖ 비교통계 분석

Characteristics		Nonparametric tests		Parametric tests	
Sample	***Relation***	***Nominal data***	***Ordinal data***	***Interval, Ratio data***	
One		Chi-square test	Wilcoxon signed rank test	One-sample t-test One-sample Z-test	
Two	***Unpaired***	Chi-square test Fisher Exact test	Mann-Whitney test	t-test	Unpaired t-test
	Paired	McNemar's test	Wilcoxon signed rank test*		Paired t-test
***k* (>2)**	***Unpaired***	Chi-square test	Kruskal -Wallis test	ANOVA	ANOVA
	Paired	Cochran Q test	Friedman test		Repeated measures ANOVA

* Wilcoxon signed rank test (interval/ratio data)

❖ 관련성 분석

Characteristics			Nonparametric tests		Parametric tests
Goal	***DV***	***IV***	***Binomial data***	***Ordinal data***	***Interval, Ratio data***
Association	**1**	**1**	Contingency coefficients	• Spearman rho • Kendall's Tau	Pearson's Correlation
Prediction (Regression)	**1**	**1**	Simple logistic regression	Nonparametric regression	Simple linear regression
	1	**≥ 2**	Multiple logistic regression	Ordinal logistic regression	Multiple linear regression

DV: Dependent Variable, IV: Independent Variable

Medical Paper

Higher Fasting Serum Insulin Is Associated with Increased Resting Energy Expenditure in Nondiabetic Schizophrenia Patients

Biol Psychiatry 2006;60:1372–1377

Statistical Analysis

The data were analyzed by using SPSS (version 13.0; SPSS Inc., ❶ Chicago, IL). Descriptive statistics were used to describe demographics and anthropometric and laboratory measurements. Fasting serum insulin was not distributed normally and was, therefore, log transformed before analysis. Analysis of variance or ❷ independent *t* test was used for group comparison as appropriate. ❸ Pearson correlation coefficients were used to quantify relations between fasting serum insulin and other variables. Further, stepwise multiple regression was used to examine whether fasting serum insulin is an independent predictor of REE when other potential confounding variables also considered. The criteria of p = .05 for a variable to enter and p = .10 for a variable to be removed were used in the multiple regression analysis. For all ❹ statistical analyses, a p value of less than .05 (2-tailed) was used to test for statistical significance.

Statistical Test

① 기술통계 (Descriptive statistics) : Normality, log transforamtion

② 비교분석 (Comparison) : ANOVA, independent t test

③ 관계분석 (Relation) : Pearson correlation, multiple regression

④ 유의수준 : α= 0.05 (two-tailed)

Statistical Error

Prevalence of High-risk Human Papillomavirus Infection and Cytologic Result in Thailand

Asian Pacific J Cancer Prev, 11, 1465-1468

Statistical analysis

The statistical analysis was performed using the Statistical Package for the Social Sciences (SPSS 11.0, SPSS Inc., Chicago, IL, USA). ❶ A Chi-square test was used to evaluate correlation between the viral load, cytology and age of the study group. A P value of less than ❷ 0.05 was considered statistically significant.

Statistical Tests

① Chi-square test : correlation → association, age ≠ 명목변수 → x^2 test 부적합

x^2 test : 두 명목변수(nominal variable)들 간에 비교 또는 연관성 분석에 사용한다.

② 유의수준 : 단측검정(one-tailed), 양측검정(two-tailed) 명시하여야 함

③ Descriptive statistics에 대한 기술을 하여야 한다.

Enhancing the QUAlity and Transparency Of health Research

SAMPL (The "**S**tatistical **A**nalyses and **M**ethods in the **P**ublished **L**iterature")

SAMPL 은 출판된 학술지에서 통계분석과 방법에 대한 보고 지침서로 국제 의학학술지 편집인협의회에서 출간된 생의학학술지 투고 양식에서의 통계분석방법에 관하여 구체적으로 자세히 설명하고 있다. Equator-network 홈페이지에서 PDF 파일을 다운로드 받을 수 있다.

download : www.equator-network.org

Comparison

"Once," said the Mock Turtle at last, with a deep sigh, "I was a real Turtle."
Alice was thoroughly puzzled.

비교통계 Comparison

의학연구에서 실험군과 대조군 집단들 간의 결과를 비교하는 연구가 가장 많이 시행되고 있다. 비교분석이란 표본 집단들 간에 표본통계량(평균, 분산, 비율)을 비교하는 통계분석을 뜻한다.

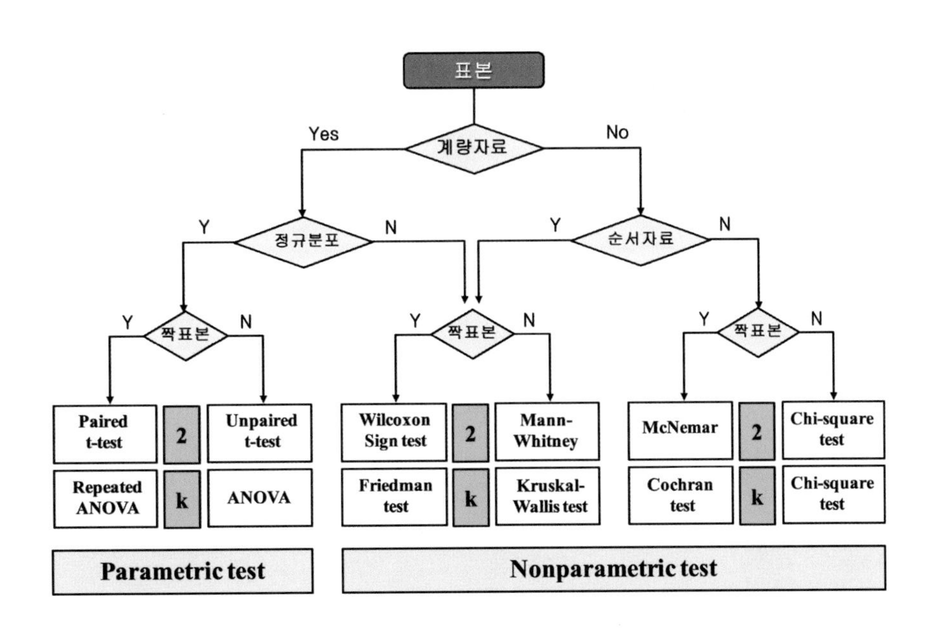

비교 통계 방법은 크게 다음과 같은 기준에 의하여 구분할 수 있다.

1. 자료형태 Data Type

연속형 **계량자료**와 비연속형인 **순서자료, 명목자료**에 따라서 통계 검정법이 달라진다.

2. 정규성 Normality

표본 자료가 정규분포를 이루면 **모수적 검정**, 비정규분포이면 **비모수적 검정**을 선택한다.

3. 표본수 Sample No.

비교하려는 표본(집단)의 수에 따라 통계분석 방법이 달라진다.
표본의 수가 2개인 **두 표본**과 3개 이상인 **k 표본**에 따라서 통계 검정법이 달라진다.

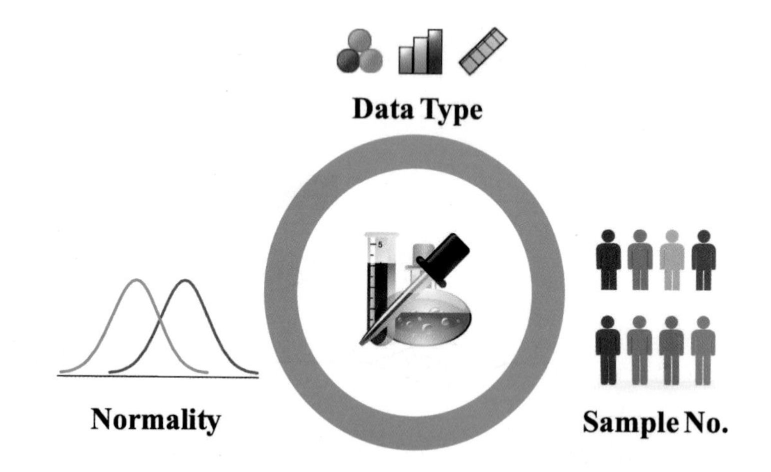

이번 단원에서는 표본수를 기준으로 비교 통계 방법을 하나씩 설명하기로 한다.

Two-Sample

6-1 두 표본 Two Sample

- 표본 집단끼리 표본 통계량(평균, 분산, 비율)을 비교하려는 통계분석을 뜻한다.
- 비교하려는 표본(집단)의 수에 따라 통계분석 방법이 달라진다.
- 일반적으로 두 표본과 셋 이상 (k) 표본으로 나눈다.

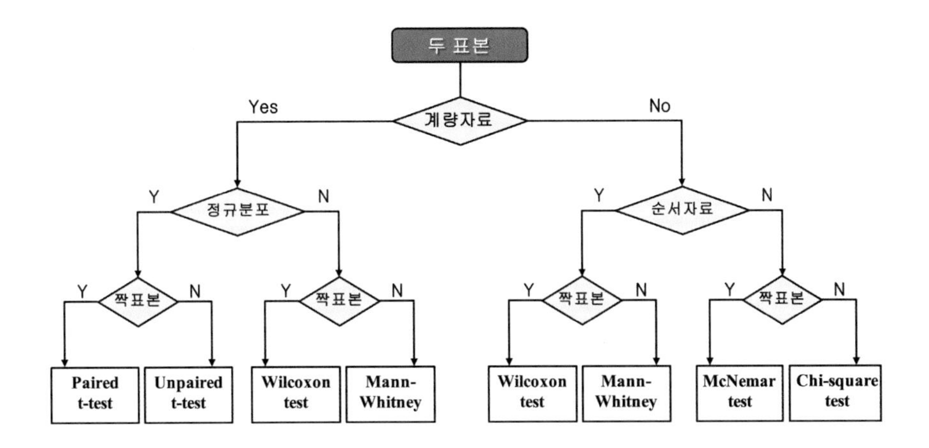

두 표본 검정(two-sample test)은 모수적 통계 검정과 모수적 통계가 적합하지 못한 경우에 적용되는 비모수적 통계 검정이 있다.

통계 검정법 선정

통계 검정법은 다음 3가지에 의하여 선택된다.

1. 결과변수(종속변수) 형태 - 계량형/순서형/명목형
2. 정규성 - 정규분포/비정규분포
3. 표본의 연관성 - 독립성/연관성

통계 검정 방법의 선택은 **『통계 검정』** 단원을 참고하시기 바란다.

1 모수적 통계

Independent *t*-test (독립 두표본 *t* 검정)

정규분포를 이루는 계량형인 두 표본이 독립적일 때 사용되며 비모수적 검정보다 검정력이 뛰어나며 흔히 사용되고 있다.

Paired *t*-test (쌍체 *t* 검정)

계량형인 두 표본이 짝을 이루는 경우에 사용되며 비모수적 검정보다 검정력이 뛰어나며 흔히 사용되고 있다.

2 비모수적 통계

Mann-Whitney U test (만휘트니 U 검정)

순서형인 두 표본이 독립적일 때는 만휘트니 U 검정이 다른 비모수적 검정보다 일반적으로 검정력이 뛰어나며 흔히 사용되고 있다.

Wilcoxon signed rank test (윌콕슨 부호순위검정)

구간/비율형인 두 표본이 짝을 이룰 때는 윌콕슨 부호순위검정이 부호검정보다 일반적으로 검정력이 뛰어나며 흔히 사용되고 있다.

Sign test (부호 검정)

부호 검정은 관측값의 짝을 기준으로 크기를 나눌 수 있는 순서자료에서 사용한다.

Chi-square test (카이제곱 검정)

독립된 두 표본의 비율의 차이를 검정한다. 명목변수로 되어있는 두 표본인 경우에 적용한다.

McNemar test (맥니머 검정)

짝을 이룬 두 표본의 비율의 차이를 검정한다. 관련되어 있는 이항변수로 되어있는 두 표본인 경우 적용한다.

6-2 독립표본 *t* 검정 Independent *t*-test

CONTENTS

목적

두 표본으로부터 모평균들의 차이를 추정한다.

전제조건

1. **독립성** - 표본들은 각각의 모집단들로부터 임의적으로 또 독립적으로 추출되었다.
2. **정규성** - 표본들이 추출된 두 모집단은 정규분포를 이루어야 한다.

적용

표본크기 〈 30인 소표본에 적합한 두 표본 평균의 차이에 대한 모수적 검정이다.

단점

정규분포를 이루는 계량자료에만 사용할 수 있다.

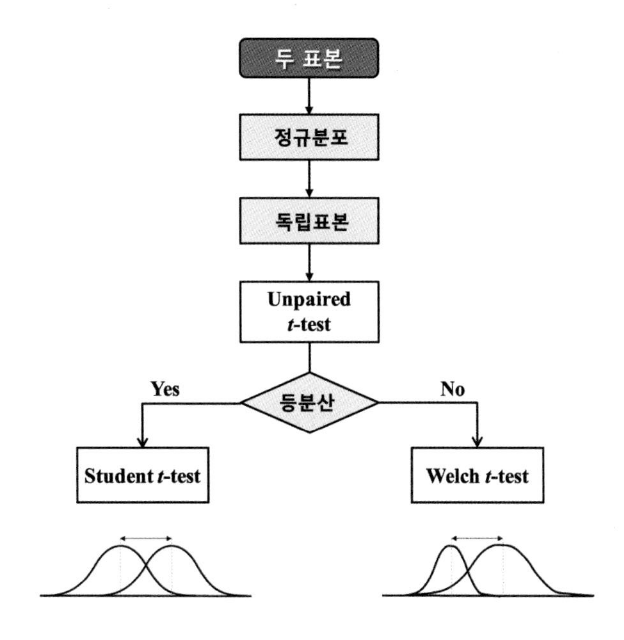

Independent (Unpaired) *t*-test는 등분산성 여부에 따라 다음과 같이 두 가지로 나눈다.

1. Student *t*-test ⇨ 등분산을 가정한다.
2. Welch *t*-test ⇨ 등분산 가정을 위배하는 경우에 사용된다.

전제조건 : Independent *t*-test

정규성과 등분산성 두 가지 가정에 대한 검정을 하여야 한다.

1. **정규성** (Normality)

   정규분포 검정은 『자료요약』 단원의 정규분포 검정을 참조하기 바란다.

2. **등분산성** (Equal Variance)

   등분산검정은 F-test와 Levene test가 있다. $P \geq 0.05$이어야 등분산을 이룬다.

Independent *t*-test

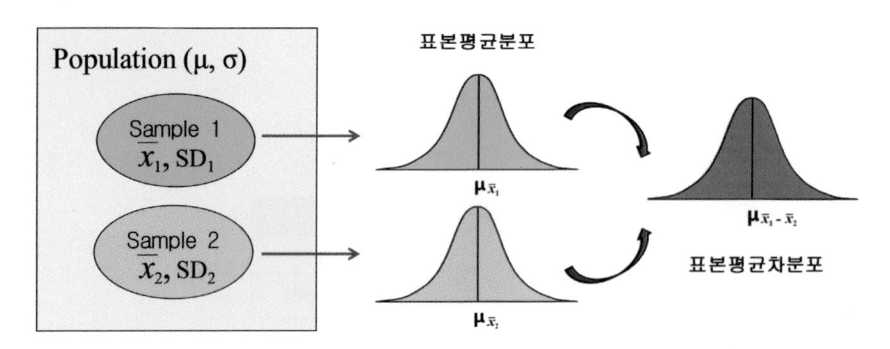

두 표본 *t*-test는 일표본 *t*-test를 확장한 것으로 두 표본의 평균차 분포는 *t* 분포를 이룬다.
두 표본 *t* 분포에서 자유도 $df=(n_1-1)+(n_2-1)=n_1+n_2-2$ 이다.

표본 1, 표본 2에서 표본크기 n_1, n_2 표본평균 $\bar{x}_1$, $\bar{x}_2$ 표준편차 S_1, S_2 라고 가정한다.

두 표본 *t* 분포에서 검정통계량 $t=\dfrac{\bar{x}_1-\bar{x}_2}{SE}$ (SE : 표준오차)

표준오차 *SE*는 등분산 여부에 따라 계산이 달라진다.

① 등분산 $SE=s\sqrt{\dfrac{1}{n_1}+\dfrac{1}{n_2}}$ $s^2=\dfrac{(n_1-1)s_1^2+(n_2-1)s_2^2}{(n_1-1)+(n_2-1)}$ $s=\sqrt{\dfrac{(n_1-1)s_1^2+(n_2-1)s_2^2}{(n_1-1)+(n_2-1)}}$

② 이분산 $SE=\sqrt{\dfrac{s_1^2}{n_1}+\dfrac{s_2^2}{n_2}}$

[해석] 검정통계량 t 〉 t* 이면 통계적으로 유의하다고 판정한다. (t 임계값 $t^* = t_{\alpha,\,df}$)

산모의 흡연이 신생아 체중에 미치는 영향을 알아 보기 위하여 임신 만기 산모 흡연자와 비흡연자 각각 25명에서 출산후 신생아 체중(단위 : kg)을 측정하였다.

신생아 체중 (kg)									
비흡연 산모					흡연 산모				
3.5	3.4	3.7	3.6	3.4	3.2	3.2	3.3	3.2	3.3
3.6	3.5	3.4	3.5	3.6	3.1	3.1	3.2	3.1	3.0
3.7	3.3	3.7	3.5	3.1	3.3	3.0	3.5	2.9	2.8
3.4	3.2	3.5	3.5	3.3	3.4	3.0	3.6	3.4	2.9
3.6	3.3	3.2	3.5	3.8	3.2	3.1	3.3	3.2	3.2

비흡연 산모의 신생아 체중이 흡연 산모의 신생아에 비하여 차이가 있는가? 유의수준 5%에서 통계적 검정을 하시오.

[해설]

1) 가설 설정

귀무가설 H_0 : $\mu_1 = \mu_2$ (비흡연 산모와 흡연 산모의 신생아 평균 체중은 차이가 없다.)

대립가설 H_1 : $\mu_1 \neq \mu_2$ (비흡연 산모와 흡연 산모의 신생아 평균 체중은 차이가 있다.)

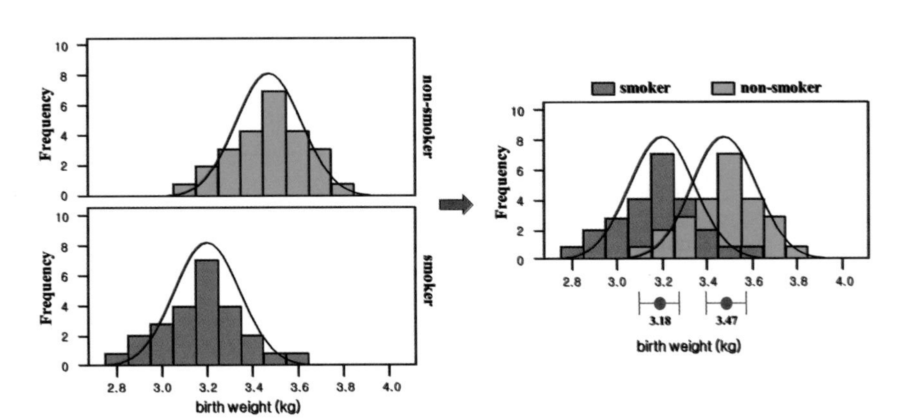

2) 유의수준 결정

위의 예에서 유의수준을 5%로 정하였다.

3) 통계적 검정법

독립 두표본의 평균 비교에 사용되는 **independent *t*-test**를 사용한다.

t 검정은 사전에 전제조건인 정규성 검정을 반드시 시행하여야 한다.

정규성 검정

① 정규확률그림

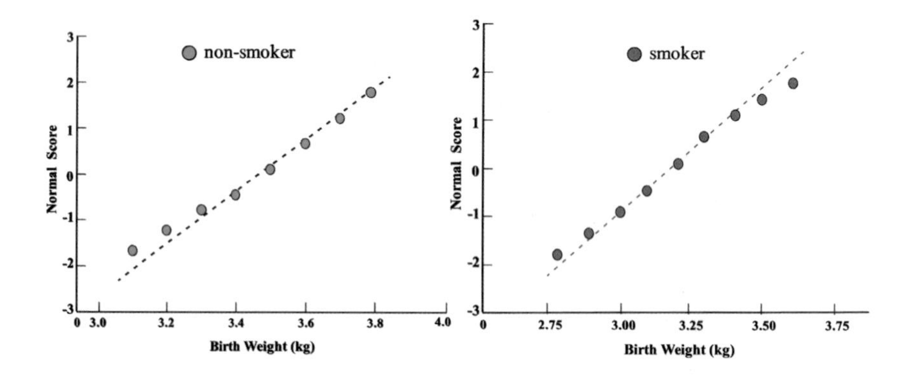

두 표본 자료 모두 직선의 형태로 정규분포에 가깝다.

② 통계적 검정

Smoking	Skewness	Kurtosis	Normality test*	
			Lilliefors	Shapiro-Wilk
Non-smoker	-0.25	-0.32	0.08	0.55
Smoker	0.11	0.07	0.20	0.75

* *p*-value

두 집단 자료 모두 skewness, kurtosis의 절대값이 1 보다 작으며 Lilliefors test, Shapiro-Wilk test 결과 $p>0.05$ 이므로 정규분포를 이룬다.

검정통계량 산출

Comparison of birth weight in non-smoker and smoker.

	Non-smoker Mean (SD)	Smoker Mean (SD)	Mean difference (95% CI)	*P* value
Birth weight (kg)	3.47 (0.17)	3.18 (0.19)	0.29 (0.19, 0.40)	<0.0001

위의 예에서 신생아 체중은 비흡연 산모에서 표본크기 n_1 = 25, 표본평균 $\bar{x}_1$= 3.47, 표준편차 s_1 = 0.17, 흡연 산모에서 표본크기 n_2 = 25, 표본평균 $\bar{x}_2$ = 3.18, 표준편차 s_2 = 0.19이다.

〈계산〉

검정통계량 t는 다음과 같이 계산한다.

분산 $s_1^2 = 0.17^2 = 0.17 \times 0.17 \approx 0.029$, $s_2^2 = 0.19^2 = 0.19 \times 0.19 \approx 0.036$

① 등분산검정

분산비 $F = \frac{s_2^2}{s_1^2} = \frac{0.036}{0.030} \approx 1.2$ ⇨ P = 0.35 (p〉0.05 이므로 등분산 가정을 만족한다)

등분산일 때 공식에 의하여 표준오차 SE를 계산한다.

$$s^2 = \frac{(25-1)0.17+(25-1)0.19}{(25-1)+(25-1)} = \frac{1.56}{48} \approx 0.033 \qquad s = \sqrt{s^2} = \sqrt{0.033} \approx 0.18$$

② 표준오차 $SE = s\sqrt{\frac{1}{n_1}+\frac{1}{n_2}} = 0.18\sqrt{\frac{1}{25}+\frac{1}{25}} \approx 0.05$

③ 검정통계량 $t = \frac{\bar{x}_1 - \bar{x}_2}{SE} = \frac{3.47-3.18}{0.05} \approx 5.68$

자유도 $df = (n_1-1)+(n_2-1) = n_1+n_2-2 = 25+25-2 = 48$

t 임계값 $t^* = t_{(\alpha,df)} = t_{(0.05,48)} = 2.01$

95% CI (신뢰구간) = $\bar{x} \pm t^* SE = 0.29 \pm 2.01 \times 0.05 = (0.19, 0.40)$

 《Student t 분포표》에서 유의수준 α = 0.05, df = 48 일 때 t^* = 2.01 이다.

4) 통계적 의사결정

통계적 유의성

① 검정통계량 t 값이 t* 보다 크면 귀무가설을 기각할 수 있다.

② 예제에서 t = 5.68 〉 2.01 (t*)이므로 p 〈 0.05라고 할 수 있다.

③ 따라서 비흡연 산모 신생아의 평균 체중은 흡연 산모 신생아의 평균 체중과 다르다(크다)는 결론을 내린다.

그래프

평균과 95% 신뢰구간으로 표현되는 오차막대가 independent *t*-test에 적합한 그래프이다.

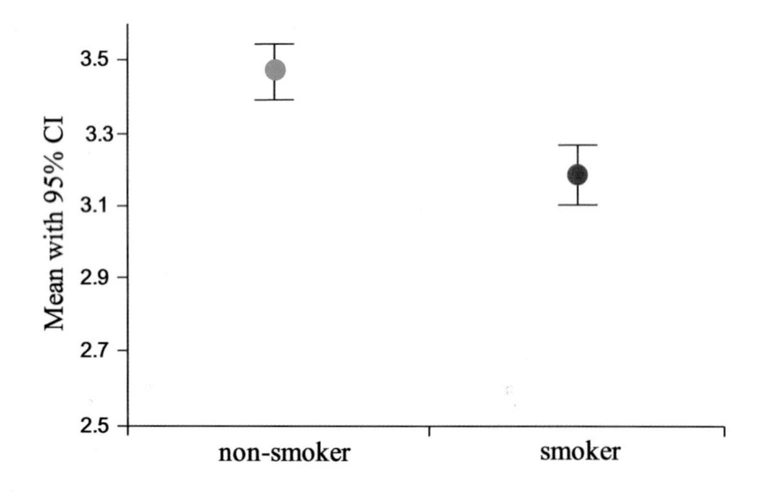

두 집단의 신뢰구간이 서로 겹치지 않으므로 통계적으로 유의한 차이가 있음을 보여준다.

오차막대 표시 (Mean ± SE 또는 Mean ± SD)

- 오차막대를 평균±표준오차 또는 평균±표준편차로 나타내는 것은 모집단 평균의 추정에 있어서 신뢰구간보다 적합하지 않다.
- 표준오차는 신뢰구간과 혼동할 수 있으며 ±SE 범위는 신뢰구간의 68% 범위에 해당한다.

Exercise

Student *t*-test

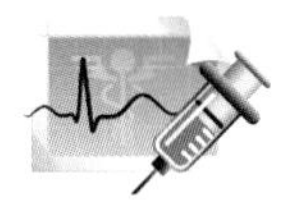

다음은 심전도(EKG) 검사에서 정상 10명과 비정상 10명에서 혈중 콜레스테롤(단위 : mg/dL)을 측정한 자료이다. 비정상 심전도 집단의 평균 콜레스테롤은 정상에 비하여 차이가 있는지 검정하시오.

Cholesterol			
정상 EKG		비정상 EKG	
141	136	202	293
189	186	256	237
173	177	283	249
198	124	194	223
204	136	184	271

[통계소프트웨어 사용]

1. 통계적 검정법

① 표본평균 검정

② 독립표본, 표본 집단수 = 2 ⇨ **independent sample *t*-test** 를 선택한다.

2. 전제 조건

① *t*-test의 전제조건인 **자료의 정규분포**를 만족하여야 한다.

② **정규성 검정**은 *t*-test 하기 전에 반드시 시행하여야 한다.

예제 자료에 대한 정규성 검정을 시행한 결과 정규분포의 가정을 만족한다.

예제에 대한 통계소프트웨어 사용시 정규성 검정은 지면 관계상 생략하기로 한다.

 정규성 검정은 『자료요약』 단원에 자세히 설명되어 있으므로 참조하기 바란다.

Excel

Data : two_t.xlsx

독립 두표본 *t* 검정법은 Excel에서 직접 실행할 수 있다. 먼저 F-test로 등분산검정을 시행한 후 등분산 여부에 따라 등분산 가정 또는 이분산 가정 t-검정을 선택한다.

독립표본 *t* 검정

1 **메뉴** → [데이터] ▶ **[데이터 분석]** 메뉴를 선택하면 **[통계 데이터 분석]** 대화상자가 나타난다.

변수명 CHOL = 콜레스테롤, EKG 1 = 정상 심전도, 2 = 비정상 심전도

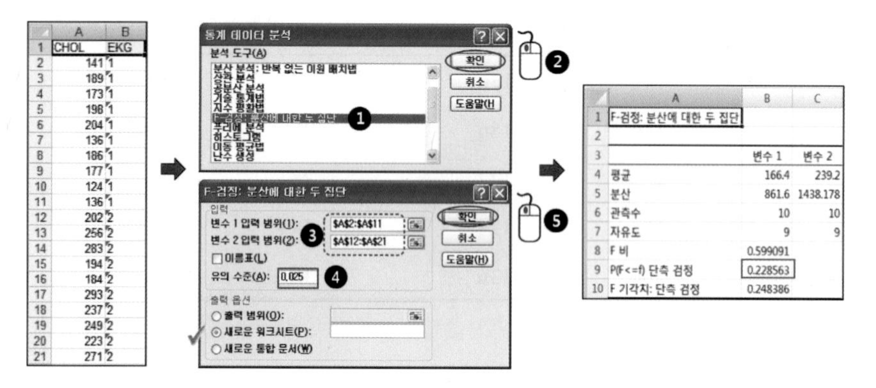

① **[분석 도구]** 상자에서 **[F-검정]**을 선택한다.

② [확인] 버튼을 클릭하여 선택 작업을 마치면 [F-검정] 대화상자가 나타난다.

③ [F-검정] 대화상자에서 [입력 범위]에 집단변수 EKG의 범위를 입력한다.

A. 변수 1 ▶ $A$2 : $A$11 (마우스를 A2→A11 드래그)

B. 변수 2 ▶ $A$12 : $A$21 (마우스를 A12→A21 드래그)

④ [유의수준] ▶ 0.025 입력한다.

[출력 옵션]에서 ⊙[새로운 워크시트] 항목을 선택한다.

⑤ [확인] 버튼을 클릭하여 선택 작업을 마치면 F-검정 분석 결과가 출력된다.

[해석]

등분산 F-검정 결과 p = 0.23 〉 0.05 이므로 등분산을 만족한다.

2 등분산 가정 t-검정

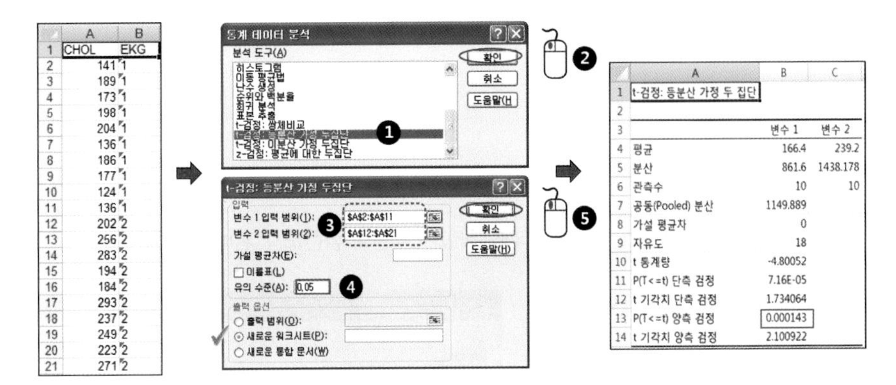

① **[분석 도구]** 상자에서 **[t-검정 : 등분산 가정 두집단]**을 선택한다.

② [확인] 버튼을 클릭하여 선택 작업을 마치면 [t-검정] 대화상자가 나타난다.

③ [t-검정] 대화상자에서 [입력 범위]에 집단변수 EKG의 범위를 입력한다.

A. 변수 1 ▶ $A$2 : $A$11 (마우스를 A2→A11 드래그)

B. 변수 2 ▶ $A$12 : $A$21 (마우스를 A12→A21 드래그)

④ [유의수준] ▶ 0.05 입력한다.

[출력 옵션]에서 ⊙[새로운 워크시트] 항목을 선택한다.

⑤ [확인] 버튼을 클릭하여 선택 작업을 마치면 t-검정 분석 결과가 출력된다.

[해석]

독립표본 *t*-검정 결과 p = 0.000143 〈 0.05 이므로 EKG = 1, 2 두 집단 간에 혈중 콜레스테롤은 통계적으로 유의한 차이가 있다.

SPSS

Data : two_t.sav

독립표본 T 검정

1 메뉴 → [분석] ▶ [평균 비교] ▶ [독립표본 T 검정] 메뉴를 선택하면 대화상자가 나타난다.

(변수명 CHOL = 콜레스테롤, EKG 1 = 정상 심전도, 2 = 비정상 심전도)

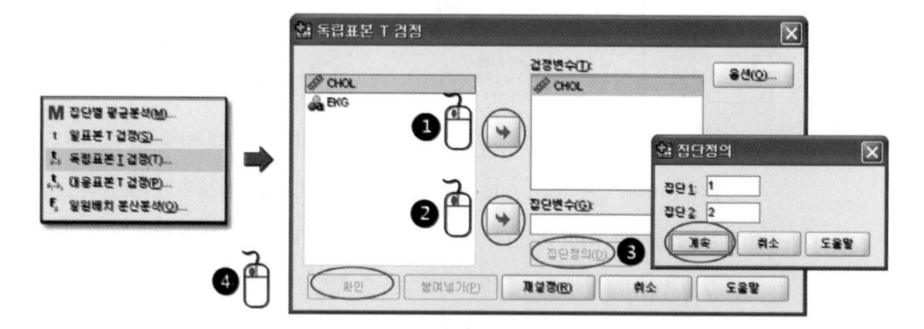

① 변수 CHOL을 선택하여 [검정변수] 상자에 입력한다.

② 변수 EKG를 선택하여 [집단변수] 상자에 입력한다.

③ [집단정의] 버튼을 눌러 나타난 대화상자에서 [집단 1] ➲ 1, [집단 2] ➲ 2 입력한다.
[계속] 버튼을 누르면 [집단변수]에 EKG('1' '2')로 입력된다.

④ [확인] 버튼을 눌러 작업을 마친다.

2 통계결과

SPSS 출력결과 창에 통계분석 결과가 나타난다.

독립표본 검정

		❶ Levene의 등분산 검정		❷ 평균의 동일성에 대한 t-검정					❸	
									차이의 95% 신뢰구간	
		F	유의확률	t	자유도	유의확률 (양쪽)	평균차	차이의 표준오차	하한	상한
CHOL	등분산이 가정됨	.622	.441	-4.801	18	.000	-72.800	15.165	-104.661	-40.939
	등분산이 가정되지 않음			-4.801	16.936	.000	-72.800	15.165	-104.805	-40.795

① 등분산검정 Levene test 결과 p = 0.441 〉 0.05 이므로 등분산이 가정된다.

② 양측검정 유의확률 p = 0.000 〈 0.05 이므로 두 집단의 평균이 유의한 차이가 있다.

③ 평균차 (-72.8)와 **차이의 95% 신뢰구간** (-104.7, -40.9)을 제시한다. 95% 신뢰구간에 **0** 이 포함되면 통계적으로 유의한 차이가 없다고 판정한다.

dBSTAT

Data : two_t.dbf

비교통계

1 **메뉴** → [통계] ▶ [비교통계] ▶ [마법사] 메뉴를 선택한다.

[변수 선택] 대화상자가 나타난다.

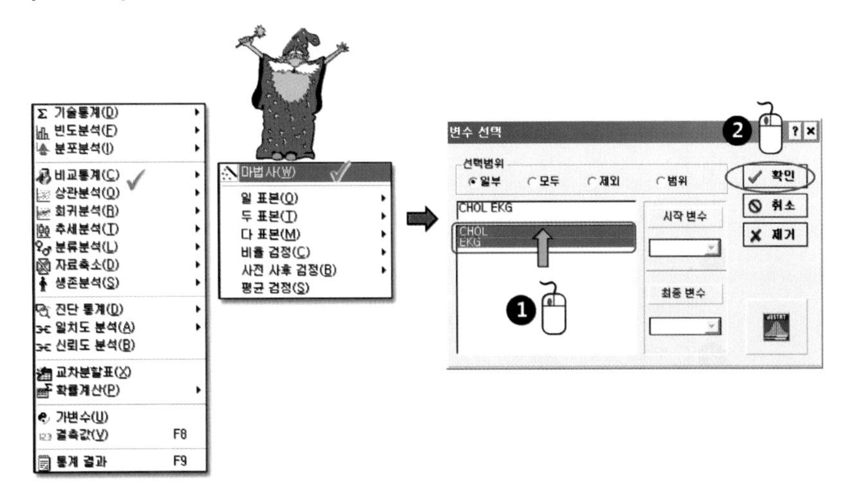

① [변수 선택] 대화상자에서 변수 CHOL, EKG를 선택한다.

② [확인] 버튼을 클릭하여 선택 작업을 마치면 [통계 조건] 대화상자가 나타난다.

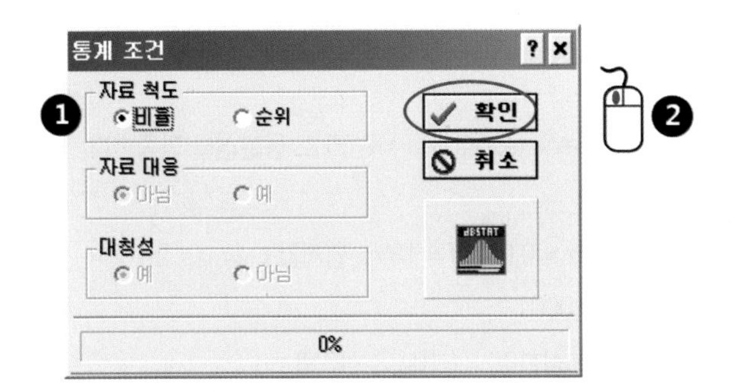

① [통계 조건] 대화상자에서 [자료 척도] ⊙ [비율] 항목을 선택한다.

② [확인] 버튼을 클릭하여 선택 작업을 마치면 통계결과가 출력된다.

2 독립 두표본 *t* 검정법

dBSTAT에서는 [통계 조건]에 따라서 [마법사]가 적절한 통계검정을 시행한다.

[통계] ▶ [비교통계] ▶ [두 표본] ▶ [독립표본 T 검정] 을 선택하여도 동일한 결과가 출력된다.

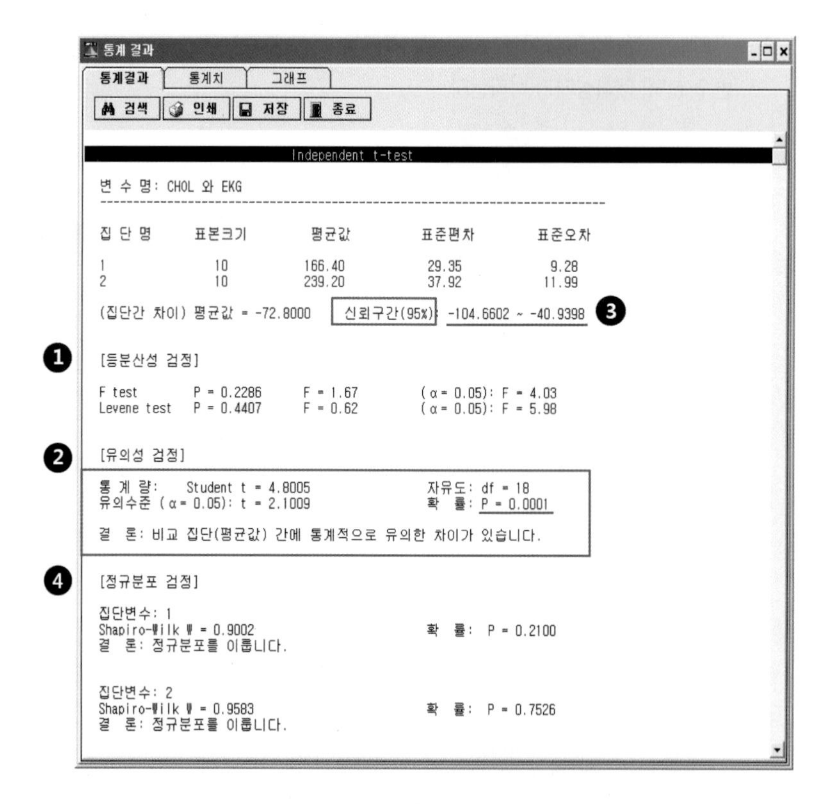

① 등분산성 검정 F-test, Levene test 결과 p 〉 0.05 로 등분산을 만족한다.

② 유의성 검정

t-value = 4.8, 유의수준 α = 0.05, df = 18 ⇨ 임계값 $t_{0.05,\ 18}$ = 2.10

양측검정 유의확률 p = 0.0001

③ 95% 신뢰구간 = (하한값 , 상한값) = (-104.7, -40.9)

④ 정규분포 검정

Shapiro-Wilk test 결과 p 〉 0.05 이므로 정규분포 가정을 만족한다.

[해석]

- t-value 4.8 〉 t 임계값 (2.10) 이므로 P〈0.05 로 통계적으로 유의한 차이가 있다고 판정한다.
- p = 0.0001이므로 통계적으로 매우 유의한 차이가 있다고 판정한다.
- 귀무가설 H_0 : $\mu_1 = \mu_2$ 을 기각하고 대립가설을 채택하게 된다. 즉, 정상 EKG 집단의 평균 콜레스테롤은 비정상 EKG 집단의 평균 콜레스테롤과 통계적으로 유의한 차이가 있다고 판정한다.

3 그래프

[그래프] 폴더를 선택하면 다음과 같이 independent *t*-test에 적합한 그래프가 나타난다.

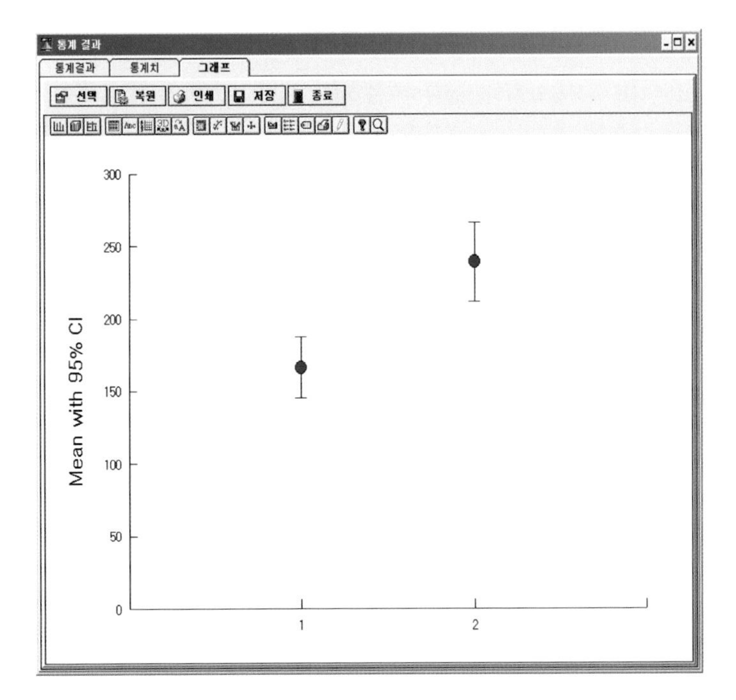

평균과 95% 신뢰구간으로 표현되는 오차막대가 적합한 그래프이다.

EKG =1 (정상)과 EKG = 2. (비정상) 집단의 신뢰구간이 서로 겹치지 않으므로 그래프에서 통계적으로 유의한 차이가 있음을 보여준다.

6-3 쌍체 *t* 검정 Paired *t*-test

CONTENTS

목적

두 표본으로부터 모평균들의 차이를 추정한다.

전제조건

1. **연관성** - 두 표본은 서로 연관성이 있다.
2. **정규성** - 두 표본들의 차이의 모집단은 정규분포를 이루어야 한다.

적용

표본크기 〈 30인 소표본에 적합한 두 표본 차이의 평균에 대한 모수적 검정이다.

단점

두 표본 자료 측정값의 차이가 정규분포를 이루는 계량자료에만 사용할 수 있다.

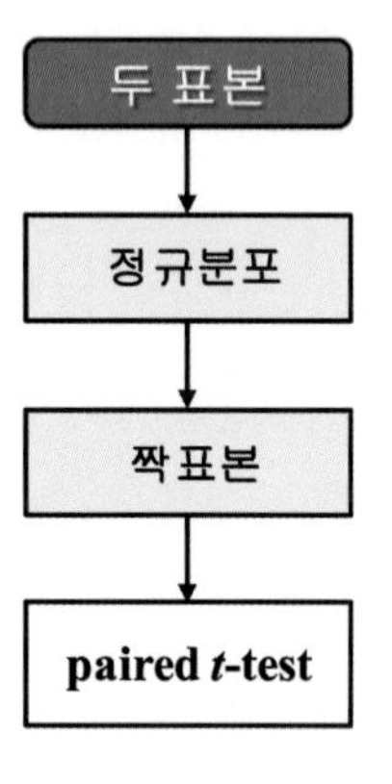

전제조건 : paired *t*-test

Paired *t*-test 검정을 시행하기 전에 다음 가정에 대한 검정을 하여야 한다.

정규성 Normality

두 표본에 대한 각각의 검정이 아니고 **짝표본** 자료의 **차이**에 대하여 정규성 검정을 한다.

 정규분포 검정은 **『자료요약』** 단원의 **정규분포 검정**을 참조하기 바란다.

Paired t-test

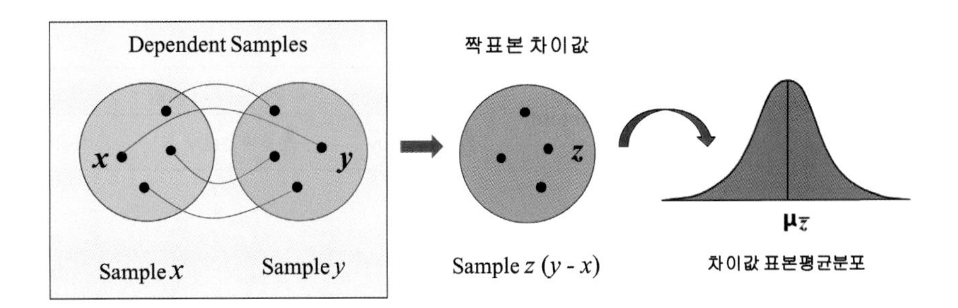

짝표본 t-test는 일 표본 t-test를 확장한 것으로 두 표본 차이의 평균분포는 t 분포를 이룬다. 짝표본 t 분포에서 자유도 $df = n - 1$ 이다.

표본 x에서 표본크기 n, 표본평균 $\bar{x}$, 표본 y에서 표본크기 n, 표본평균 $\bar{y}$ 라고 가정한다. 표본 $z = y - x$ (표본 x와 y의 차이)라 하면 표본크기 n, 표본평균 $\bar{z}$ 이다

[가설]

귀무가설 H_0 : $\mu_{difference} = 0$ (모집단 평균차이가 없다.)

대립가설 H_a : $\mu_{difference} \neq 0$ (모집단 평균차이가 있다.),

검정통계량 $t = \dfrac{\bar{z}}{SE}$ (SE : 표준오차) $SE = \dfrac{s}{\sqrt{n}}$ (s : 표준편차)

[해석]

검정통계량 t 〉 t* 이면 통계적으로 유의하다고 판정한다. (t 임계값 $t^* = t_{\alpha,df}$)

산모 25명에서 쌍생아(twins) 출산후 첫번째와 두번째 신생아 체중(단위 : kg)을 측정하였다. 출생 순서에 따른 체중 차이가 있는지 유의수준 5%에서 검정하시오.

Subject	신생아 체중 (kg)		
	1st baby	2nd baby	Difference*
1	3.0	2.9	−0.1
2	3.1	2.8	−0.3
3	3.2	2.9	−0.3
4	2.9	3.1	0.2
5	3.1	2.9	−0.2
6	2.9	3.0	0.1
7	2.8	2.8	0.0
8	2.8	3.0	0.2
9	2.4	2.8	0.4
10	2.8	2.8	0.0
11	3.0	3.0	0.0
12	2.6	2.9	0.3
13	3.2	3.2	0.0
14	3.0	3.2	0.2
15	2.7	2.8	0.1
16	2.6	2.9	0.3
17	3.0	2.8	−0.2
18	2.8	2.8	0.0
19	3.0	3.1	0.1
20	3.0	2.9	−0.1
21	2.9	3.0	0.1
22	2.8	2.7	−0.1
23	2.6	2.5	−0.1
24	2.8	2.6	−0.2
25	3.1	2.7	−0.4

** 2nd baby − 1st baby*

[해설]

1) 가설 설정

쌍생아의 둘째 신생아의 체중과 첫째 신생아의 체중 차이를 Difference라는 변수라 하면 가설은 다음과 같다.

귀무가설 H_0 : $\mu_{difference} = 0$ (쌍생아에서 첫번째와 두번째 신생아 평균 체중은 차이가 없다.)
대립가설 H_a : $\mu_{difference} \neq 0$ (쌍생아에서 첫번째와 두번째 신생아 평균 체중은 차이가 있다.)

짝표본 *t*-test는 짝지은 두 변수의 차이(difference)에 대한 검정이다.
예제에서 변수 Difference에 대한 histogram은 다음과 같이 정규분포 형태의 대칭을 이룬다.

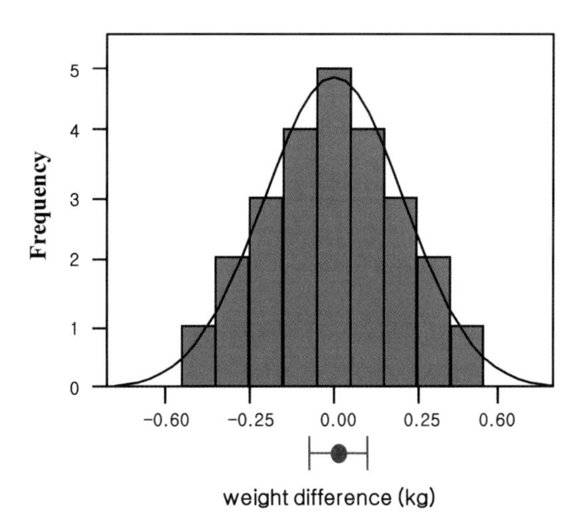

2) 유의수준 결정

위의 예에서 유의수준을 5%로 정하였다.

3) 통계적 검정법

짝표본의 평균 비교에 사용되는 **paired *t*-test**를 사용한다.

Paired *t*-test는 짝표본의 **차이(difference)**에 대한 **정규성 검정**을 시행하여야 한다.

정규성 검정

① 정규확률그림

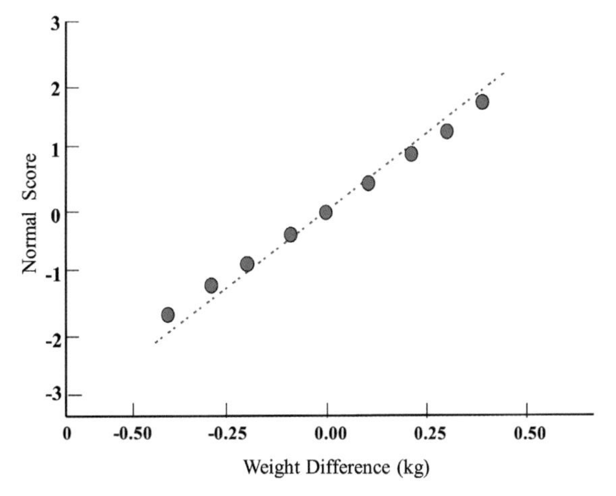

짝표본 차이값 Difference의 정규확률그림이 직선으로 정규분포에 가깝다.

② **통계적 검정**

Twins	Skewness	Kurtosis	Normality test*	
			Lilliefors	Shapiro-Wilk
Difference	0.00	-0.52	0.20	0.83

*p-value

Skewness, kurtosis의 절대값이 1 보다 작으며 정규성 검정 Lilliefors test, Shapiro-Wilk test 결과 p>0.05 이므로 정규분포를 이룬다.

검정통계량 산출

Comparison of birth weight in 1st and 2nd baby of twins.

Twins	n	Mean (SD)	95% CI		p-value
			Lower	Upper	
2nd baby – 1st baby	25	0.00 (0.20)	-0.08	0.08	1.000

첫째와 둘째 신생아 체중의 차이(d)를 분석한다.
표본크기 n = 25, 체중차이 값의 평균 $\bar{d}$ = 0.00, 표준편차 s = 0.20 이다.

〈계산〉
검정통계량 t는 다음과 같이 계산한다.

① **표준오차** $SE = \frac{s}{\sqrt{n}} = \frac{0.20}{\sqrt{25}} = 0.04$

② **검정통계량** $t = \frac{\bar{d}}{SE} = \frac{0.00}{0.04} = 0.00$

자유도 $df = n - 1 = 25 - 1 = 24$

t 임계값 $t^* = t_{(\alpha, df)} = t_{(0.05, 24)} = 2.06$

95% CI (신뢰구간) = $\bar{d} \pm t^* SE = 0.00 \pm 2.06 \times 0.04 \approx (-0.08, 0.08)$

《Student t 분포표》에서 유의수준 α = 0.05, df = 24 일 때 t* = 2.064 이다.

4) 통계적 의사결정

통계적 유의성

① 검정통계량 t 값이 t* 보다 크면 귀무가설을 기각할 수 있다.

② 예제에서 t = 0.00 〈 2.06 (t*)이므로 p 〉 0.05라고 할 수 있다.

③ 따라서 쌍생아의 평균 체중은 첫째와 둘째 신생아에서 차이가 없다는 결론을 내린다.

그래프

Paired *t*-test에 대한 그래프는 다음과 같이 그린다.

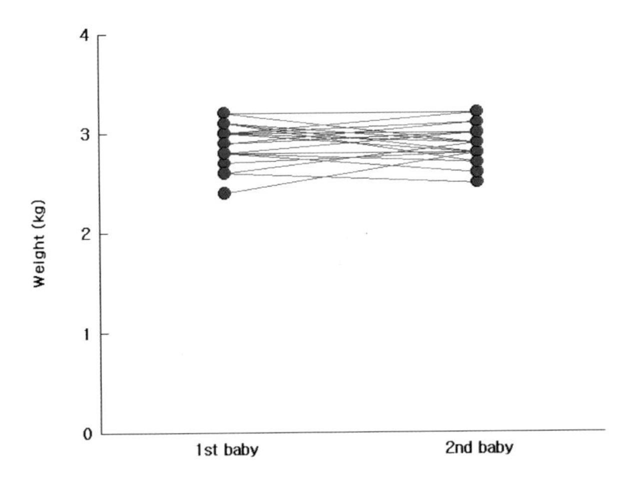

짝표본 비교에 대한 그래프는 단순히 평균과 95% 신뢰구간으로 표현되는 오차막대는 적합하지 않으며 두 표본의 자료를 점그림(dot plot)으로 짝표본끼리 연결된 그래프로 그린다.

Exercise

Paired *t*-test

사과(apple) 다이어트를 12명의 성인에게 시행하여 다이어트 하기 전과 1개월후에 혈중 콜레스테롤(단위 : mg/dL)을 측정하였다. 다이어트 전후에 평균 콜레스테롤은 차이가 있는가? 통계적 검정을 하시오.

	콜레스테롤 (mg/dL)		
	Before	After	Difference*
1	270	218	−52
2	236	234	−2
3	210	214	4
4	142	116	−26
5	280	200	−80
6	272	276	4
7	160	146	−14
8	220	182	−38
9	226	238	12
10	242	288	46
11	186	190	4
12	266	236	−30

*** *After − Before***

[통계소프트웨어 사용]

1. 통계적 검정법

① 표본평균 검정, ② 짝표본, ③ 표본수 = 2 ⇨ **paired *t*-test** 를 선택한다.

2. 전제 조건

① *t*-test의 전제조건인 자료의 정규분포를 만족하여야 한다.

② 정규성 검정은 *t*-test 하기 전에 반드시 시행하여야 한다.

예제에서 **Difference**에 대한 정규성 검정을 시행한 결과 정규분포의 가정을 만족한다.

 정규성 검정은 **『자료요약』** 단원에 자세히 설명되어 있으므로 참조하기 바란다.

Excel

Data : paired_t.xlsx

짝표본 t 검정법은 Excel에서 직접 실행할 수 있다.

쌍체비교 t 검정

1 **메뉴** → [데이터] ▶ [데이터 분석] 메뉴를 선택하면 **[통계 데이터 분석]** 대화상자가 나타난다.

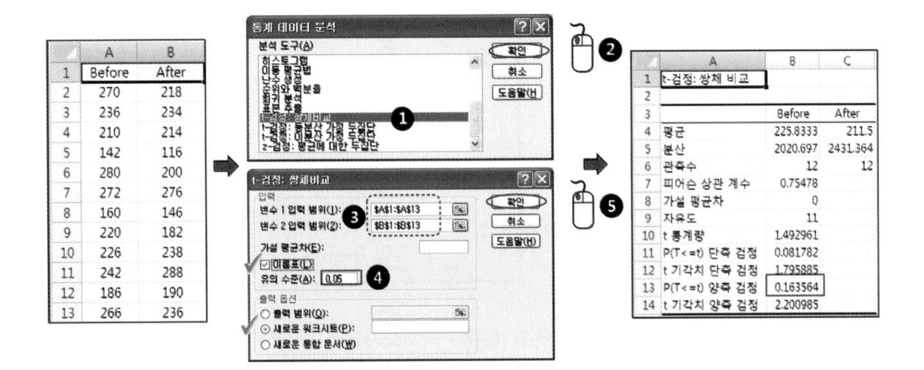

① **[분석 도구]** 상자에서 **[t-검정 : 쌍체비교]**를 선택한다.

② [확인] 버튼을 클릭하여 선택 작업을 마치면 [t-검정] 대화상자가 나타난다.

③ [t-검정] 대화상자에서 [입력 범위]에 변수 Before, After의 범위를 입력한다.

A. 변수 1 ▶ $A$1 : $A$13 (마우스를 A1→A13 드래그)

B. 변수 2 ▶ $B$1 : $B$13 (마우스를 B1→B13 드래그)

C. 입력범위에 변수이름(A1, B1)을 포함하므로 ☑ [이름표] 항목을 선택한다.

④ [유의수준] ▶ 0.05 입력한다.

[출력 옵션]에서 ⊙ [새로운 워크시트] 항목을 선택한다.

⑤ [확인] 버튼을 클릭하여 선택 작업을 마치면 t-검정 분석 결과가 출력된다.

2 **통계결과**

쌍체비교 t 검정 결과 양측검정 p = 0.16 〉 0.05 이므로 사과 다이어트 전후의 혈중 콜레스테롤은 통계적으로 유의한 차이가 없다.

SPSS

Data : paired_t.sav

대응표본 T 검정

1 **메뉴** → [분석] ▶ [평균 비교] ▶ [대응표본 T 검정] 메뉴를 선택하면 대화상자가 나타난다.

변수명 Before : 다이어트전 콜레스테롤, After : 다이어트 1개월후 콜레스테롤

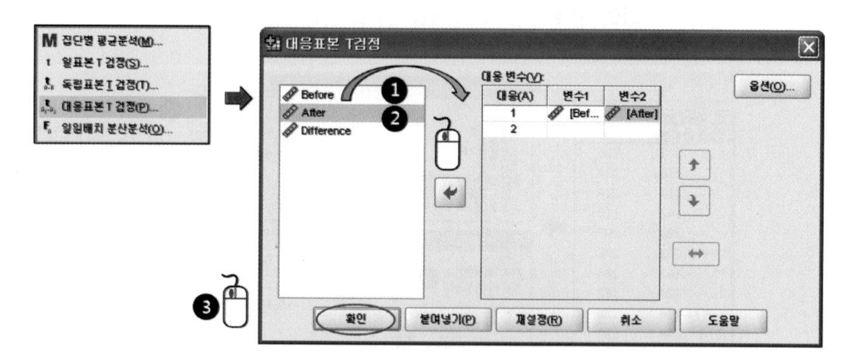

① 변수 Before를 선택하여 [대응 변수] 상자에 입력한다.

② 변수 After를 선택하여 [대응 변수] 상자에 입력한다.

③ [확인] 버튼을 눌러 작업을 마친다.

2 **통계결과**

SPSS 출력결과 창에 통계분석 결과가 나타난다.

대응표본 검정

		대응차							
					차이의 95% 신뢰구간				
		평균	표준편차	평균의 표준오차	하한	상한	t	자유도	유의확률 (양쪽)
대응 1	Before - After	14.333	33.257	9.601	-6.797	35.464	1.493	11	.164

① 짝표본 차이(Before-After)의 평균 = 14.3(mg/dL), 표준편차 = 33.3(mg/dL)이다.

② **차이의 95% 신뢰구간** (-6.8, 35.5)을 제시한다. 신뢰구간에 **0**이 포함되므로 통계적으로 유의한 차이가 없다고 판정한다.

③ 양측검정 유의확률 $p = 0.16 > 0.05$ 이므로 통계적으로 유의한 차이가 없다.

dBSTAT

Data : paired_t.dbf

비교통계

1 **메뉴** → [통계] ▶ [비교통계] ▶ [마법사] 메뉴를 선택한다.

[변수 선택] 대화상자가 나타난다.

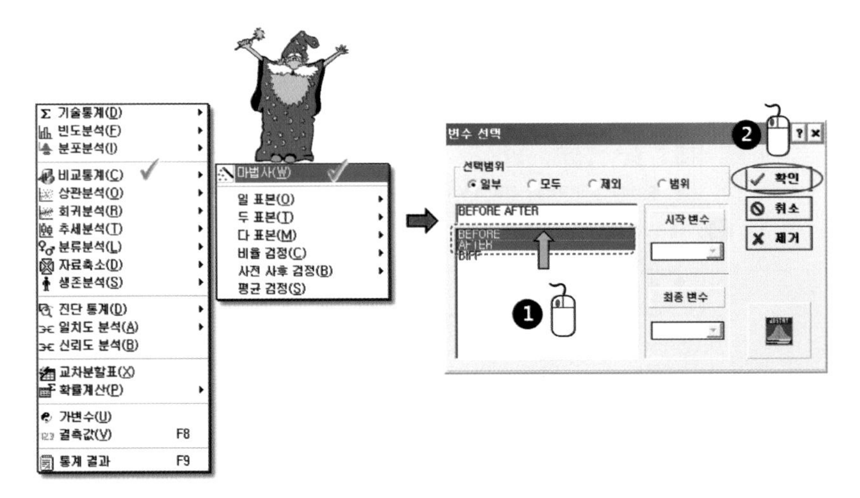

① [변수 선택] 대화상자에서 변수 BEFORE, AFTER를 선택한다.

② [확인] 버튼을 클릭하여 선택 작업을 마치면 [통계 조건] 대화상자가 나타난다.

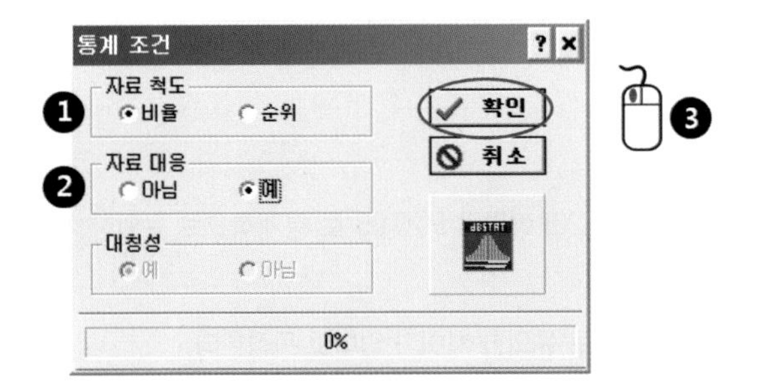

① [통계 조건] 대화상자에서 [자료 척도] ⊙ [비율] 항목을 선택한다.

② [통계 조건] 대화상자에서 [자료 대응] ⊙ [예] 항목을 선택한다

③ [확인] 버튼을 클릭하여 선택 작업을 마치면 통계결과가 출력된다.

2 짝표본 t 검정법

dBSTAT에서는 [통계 조건]에 따라서 [마법사]가 적절한 통계검정을 시행한다.

[통계] ▶ [비교통계] ▶ [두 표본] ▶ [짝표본 t 검정] 을 선택하여도 동일한 결과가 출력된다.

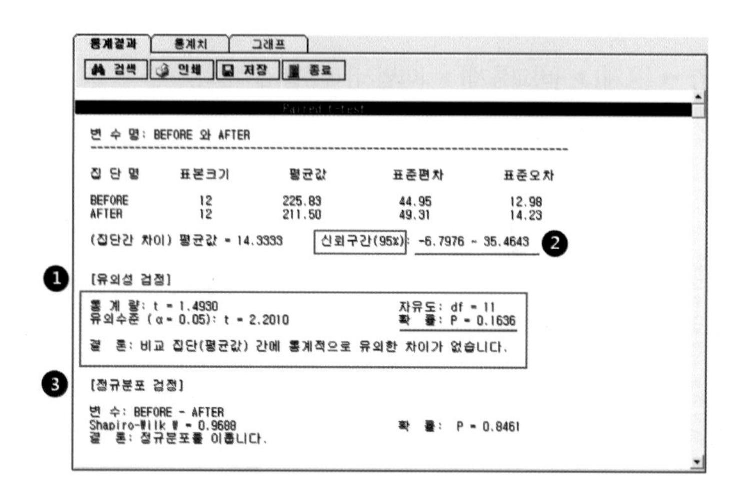

① [유의성 검정]

t-value = 1.49, 유의수준 $\alpha = 0.05$, df = 11 ⇨ 임계값 $t_{0.05,\ 11} = 2.20$

양측검정 유의확률 p = 0.16

② 95% 신뢰구간 = (하한값 , 상한값) = (-6.8, 35.5)

③ [정규분포 검정]

Shapiro-Wilk test 결과 p 〉 0.05 이므로 정규분포 가정을 만족한다.

[해석]

- t-value 1.49 〈 t 임계값 (2.20) 이므로 P〉0.05 로 통계적으로 유의한 차이가 없다고 판정한다.
- p = 0.164이므로 통계적으로 유의한 차이가 없다고 판정한다.

2 그래프

[그래프] 폴더를 선택하면 다음과 같이 paired *t*-test에 적합한 그래프가 나타난다.

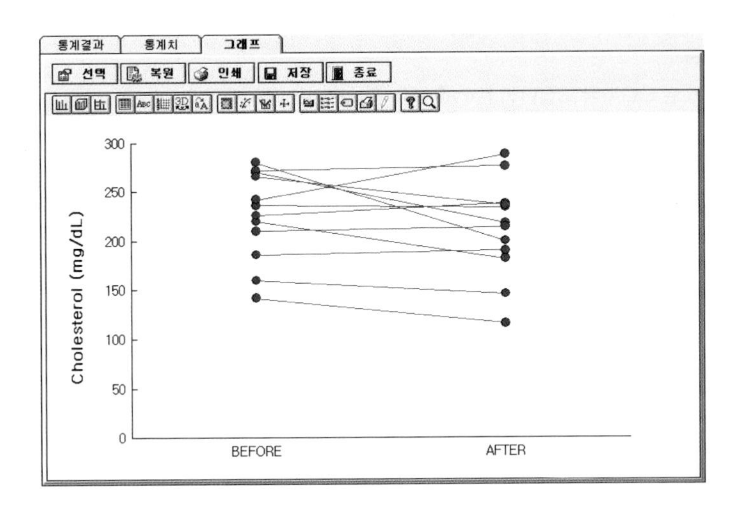

짝을 이룬 두 변수(BEFORE, AFTER)의 자료를 점으로 표시한 다음 짝끼리 서로 연결하여 그래프로 그린다.

6-4 만-위트니 U 검정 Mann-Whitney U test

CONTENTS

목적

두 표본으로부터 모집단의 분포(중앙값, 평균)의 차이를 추정한다.

전제조건

1. 표본들은 모집단들로부터 무작위적으로 추출되었다.
2. 표본들은 순서형 또는 연속형(계량형) 자료이다.

적용

1. 독립된 두 표본 집단을 비교할 때 적용되는 비모수적 통계기법이다.
2. 독립표본 *t* 검정의 전제조건을 충족시키지 못할 때에도 사용할 수 있다.

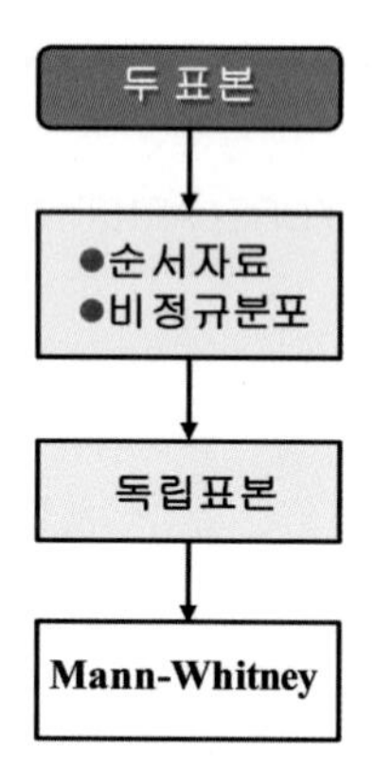

순서형인 두 표본이 독립적일 때는 Mann-Whitney 검정이 검정력이 뛰어나며 흔히 사용된다.

- 독립 두 표본의 측정값(중앙값, 평균)을 비교하기 위한 independent *t*-test에 해당되는 비모수적 통계 검정이다.
- 순서자료이거나 정규성을 만족하지 않는 계량자료의 비교에 사용한다.

Example

남녀 두 집단에서 만족도(1=불만, 2=보통, 3=만족)의 차이를 비교하는 연구.

Wilcoxon rank sum test (윌콕슨 순위합검정)

- Wilcoxon이 만들었으나, Mann-Whitney test와 계산 결과는 동일한 검정법이다.
- Mann-Whitney test와 다른 점은 가설에서 중앙값 차이에 대한 검정만을 한다.

Exercise

Mann-Whitney Test

산모의 흡연이 저체중 신생아의 건강상태에 미치는 영향을 알아 보기 위하여 흡연자와 비흡연자 각각 10명에서 저체중아 출산 1분후 아프가 점수(Apgar score)를 측정하였다. 비흡연 산모의 신생아 아프가 점수가 흡연 산모의 신생아에 비하여 차이가 있는가? 유의수준 5%에서 통계적 검정을 하시오.

Smoking	Apgar Score									
비흡연 산모	5	3	0	4	1	2	6	10	3	7
흡연 산모	5	7	1	0	3	1	0	4	2	3

[해설]

1) 가설 설정

① 귀무가설 H_0 : $Median_1 = Median_2$ (두 표본의 모집단 분포(중앙값)가 동일하다.)

② 대립가설 H_1 : $Median_1 \neq Median_2$ (두 표본의 모집단 분포(중앙값)가 다르다.)

2) 통계적 검정법

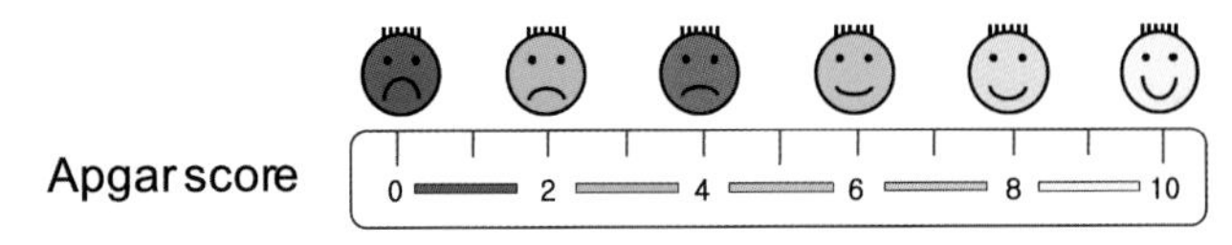

Apgar 점수는 순서자료이므로 독립 두 표본 비교에 사용되는 Mann-Whitney test를 사용한다.

3) 통계 계산

두 집단의 Apgar 점수를 순위에 의하여 점수를 주어 바꾼 표이다.

Smoking	순서										합계
(비흡연)	15.5	10.5	2	13.5	5	7.5	17	20	10.5	18.5	120
(흡연)	15.5	18.5	5	2	10.5	5	2	13.5	7.5	10.5	90

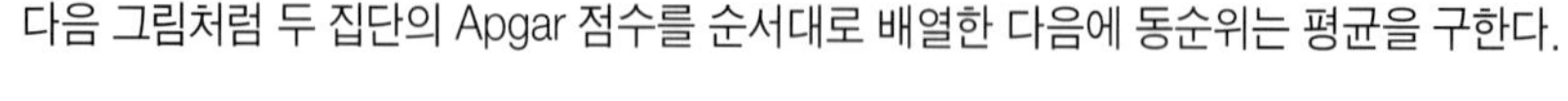

다음 그림처럼 두 집단의 Apgar 점수를 순서대로 배열한 다음에 동순위는 평균을 구한다.

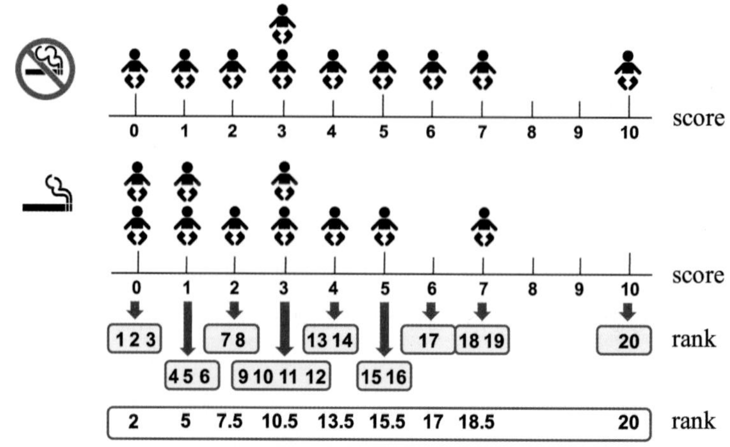

〈계산〉 Mann-Whitney 검정 통계량 U는 다음 공식에 의하여 구한다.

$$U_1 = n_1 n_2 + \frac{n_1(n_1+1)}{2} - \sum R_1 = (10)(10) + \frac{10(10+1)}{2} - 120 = 65$$

$$U_2 = n_1 n_2 + \frac{n_2(n_2+1)}{2} - \sum R_2 = (10)(10) + \frac{10(10+1)}{2} - 90 = 35$$

검정통계량 U는 U_1, U_2 중에서 작은 수 35이다.

4) 통계적 유의성

양측검정 유의수준 = 0.05, U의 임계값 $U_{\alpha/2;\,n_1,n_2} = U_{0.05/2;\,10,10} = 23$

두 집단 표본크기 $n_1 \le 10$, $n_2 \le 10$ ⇨ $U \le U_{\alpha/2;\,n_1,n_2}$ 이면 통계적으로 유의하다.

$U = 35 \rangle U_{0.05/2;\,10,10} = 23$ ⇨ 두 집단의 Apgar 점수는 통계적으로 유의한 차이가 없다.

 《Mann-Whitney U 검정표》에서 $\alpha = 0.05/2$, n_1, $n_2 = 10$ 일 때 U 임계값 ➲ 23이다.

두 집단 표본크기 $n_1 \rangle 10$ 또는 $n_2 \rangle 10$ 이면 대표본에 의한 근사적(asymptotic) 검정으로 확률을 구할 수 있다. 예제에서 근사적 검정 공식에 의하여 계산된 Z = -1.143, P = 0.253 이다.

Table. Comparison of Apgar score in non-smoker and smoker

Variable	Non-smoker (n = 10)	Smoker (n = 10)	*P* value*
Apgar score	3.5 (4)	2.5 (3)	0.25

Data are expressed as median(IQR).
*Data are analyzed with Mann-Whitney test.

SPSS

Data : Mann-Whitney.sav

Mann-Whitney 검정

1 메뉴 → [분석] ▶ [비모수검정] ▶ [독립 2-표본] 메뉴를 선택하면 대화상자가 나타난다.

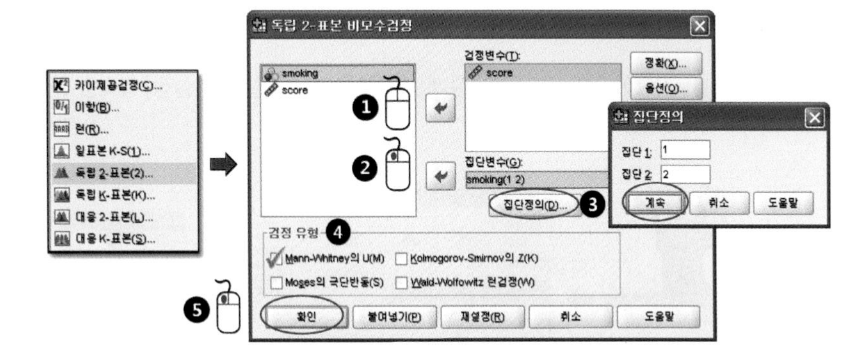

① 변수 SCORE를 선택하여 [검정변수] 상자에 입력한다.

② 변수 SMOKING을 선택하여 [집단변수] 상자에 입력한다.

③ [집단정의] 버튼을 눌러 나타난 대화상자에서 [집단 1] ➲ 1, [집단 2] ➲ 2 입력한다.
[계속] 버튼을 누르면 [집단변수]에 SMOKING(1 2)로 입력된다.

④ [검정유형]에서 ☑ Mann-Whitney 항목을 선택한다. ⑤ [확인] 버튼을 눌러 작업을 마친다

2 통계결과

검정 통계량[b]

		score
❶	Mann-Whitney의 U	35.000
	Wilcoxon의 W	90.000
	Z	-1.143
❷	근사 유의확률(양측)	.253
	정확한 유의확률 [2*(단측 유의확률)]	.280[a]

a. 동률에 대해 수정된 사항이 없습니다.

b. 집단변수: smoking

① 통계량 Mann-Whitney U = 35, Wilcoxon W = 90

② 근사검정(asymptotic) 유의확률 p = 0.253, 정확확률(exact) p = 0.280으로 유의한 차이가 없다.

dBSTAT

Data : Mann-Whitney.dbf

비교통계

1 **메뉴** → [통계] ▶ [비교통계] ▶ [마법사] 메뉴를 선택한다.

[통계] ▶ [비교통계] ▶ [두 표본] ▶ [맨-휘트니 검정] 을 선택하여도 동일한 결과가 출력된다.

자료에 0 이 있으므로 [통계] ▶ [결측값] ▶ [결측값 설정] 결측값 0 → -9 로 바꾼다.

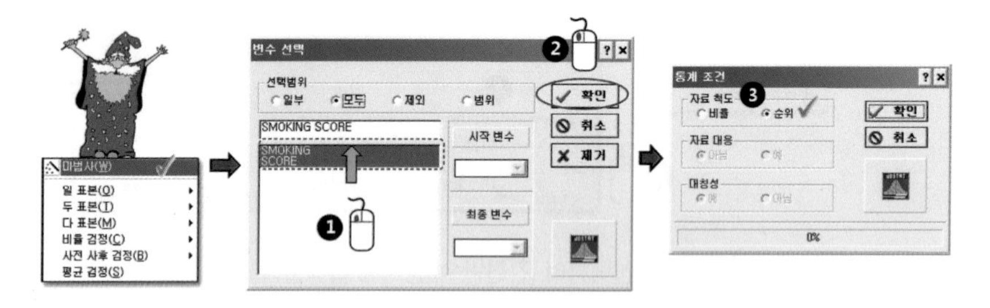

① [변수 선택] 대화상자에서 변수 SMOKING, SCORE를 선택한다.

② [확인] 버튼을 클릭하여 선택 작업을 마치면 [통계 조건] 대화상자가 나타난다.

③ [통계 조건] 대화상자에서 [자료 척도] ⊙ [순위] 항목을 선택한다. [확인] 버튼을 누른다.

2 **통계결과**

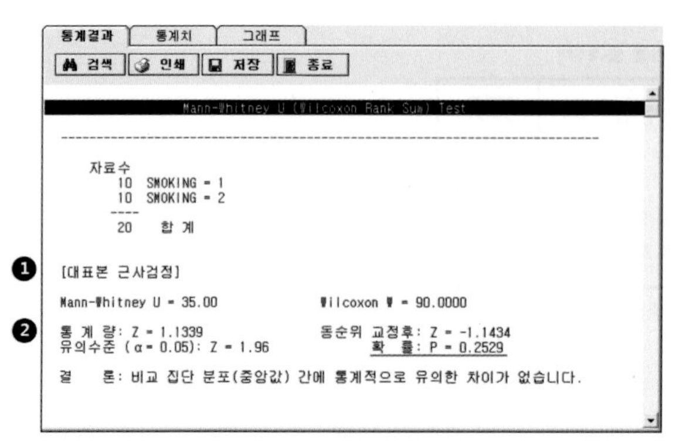

① 대표본 근사검정 Mann-Whitney U = 35, Wilcoxon W = 90

② 통계량 Z = -1.1434, p = 0.2529 (p〉0.05)로 유의한 차이가 없다고 결론을 내린다.

6-5 윌콕슨 부호순위검정 Wilcoxon signed rank test

CONTENTS

목적

두 표본으로부터 모집단의 분포(중앙값, 평균)의 차이를 추정한다.

전제조건

1. 표본들은 모집단들로부터 무작위적으로 추출되었다.
2. 표본들은 구간/비율형인 연속형(계량형) 자료이다.

적용

1. 짝 표본(paired data) 집단을 비교할 때 적용되는 비모수적 통계기법이다.
2. 쌍체 *t* 검정(paired *t*-test)의 전제조건을 충족시키지 못할 때에도 사용할 수 있다.

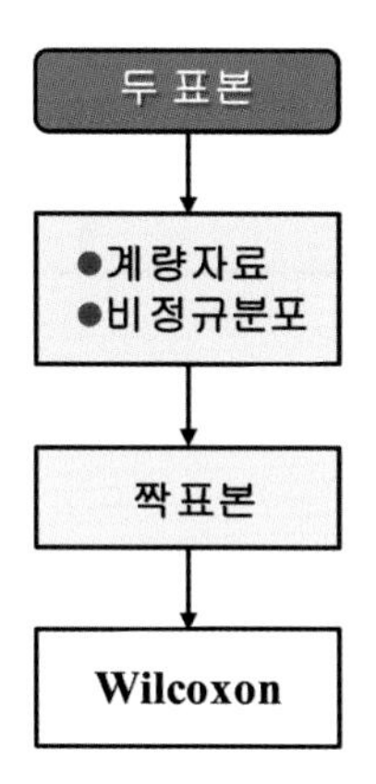

- 짝 표본의 측정값(중앙값)을 비교하기 위한 비모수적 통계 검정이다.
- 구간/비율형 자료이거나 정규성을 만족하지 않는 계량자료의 비교에 사용한다.

가설 설정

- 귀무가설 H_0 : $M_{difference} = 0$ (모집단 중앙값 차이가 없다.)
- 대립가설 H_a : $M_{difference} \neq 0$ (모집단 중앙값 차이가 있다.)

Example

운동 전후에 건강지수(0~10)를 비교하는 연구

Exercise

Wilcoxon Signed Rank Test

음악요법이 심리상태에 미치는 영향을 알아 보기 위하여 7명에서 음악요법 시행 전후에 행복지수를 측정하였다. 음악요법이 효과가 있는지 검정하시오.

	Score		
	Before	**After**	**Difference***
1	3	7	4
2	2	8	6
3	5	4	-1
4	6	9	3
5	5	10	5
6	1	9	8
7	8	9	1

* *After – Before*

[해설]

통계적 검정

다음 그림처럼 행복지수 점수차이를 순서대로 배열한 다음에 동순위(1,1)는 평균(1.5)을 구한다. 검정통계량 T는 양과 음의 순위합 중에서 작은 수 1.5이다.

	Score				Signed rank	
	Before	After	Difference	Absolute	Positive	Negative
1	3	7	**4**	4	**4**	
2	2	8	**6**	6	**6**	
3	5	4	**-1**	1		**1.5**
4	6	9	**3**	3	**3**	
5	5	10	**5**	5	**5**	
6	1	9	**8**	8	**7**	
7	8	9	**1**	1	**1.5**	
Total					**26.5**	**1.5**

통계적 유의성

T = 1.5 〈 임계값 $U_{0.05/2;\,7} = 2$ ⇨ 음악요법 전후의 행복점수는 통계적으로 유의한 차이가 있다.

 《Wilcoxon signed rank 검정표》에서 α = 0.05/2, n = 7 일 때 T임계값 ➲ 2이다.

SPSS

Data : Wilcoxon.sav

Wilcoxon Signed Ranks Test

1 메뉴 → [분석] ▶ [평균 비교] ▶ [대응 2-표본] 메뉴를 선택하면 대화상자가 나타난다.

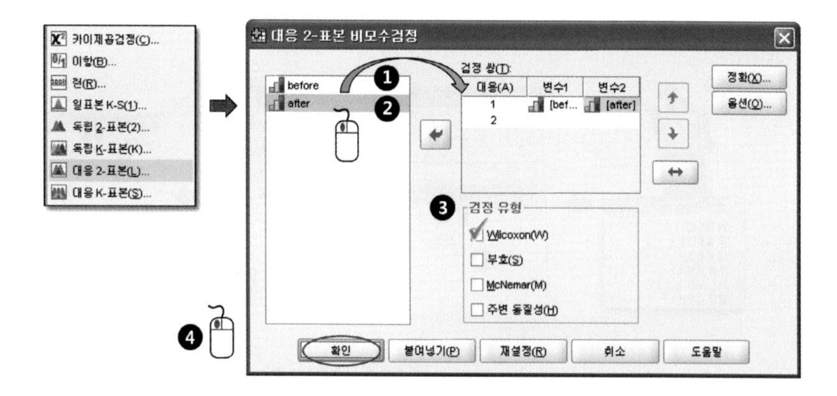

① 변수 Before를 선택하여 [대응 변수] 변수1 상자에 입력한다.

② 변수 After를 선택하여 [대응 변수] 변수2 상자에 입력한다.

③ [검정유형] 선택상자에서 ☑ Wilcoxon 항목을 선택한다.

④ [확인] 버튼을 눌러 작업을 마친다.

2 통계결과

❶ 순위

		N	평균순위	순위합
after - before	음의 순위	1[a]	1.50	1.50
	양의 순위	6[b]	4.42	26.50
	동률	0[c]		
	합계	7		

a. after < before

b. after > before

c. after = before

❷ 검정 통계량[b]

	after - before
Z	-2.117[a]
근사 유의확률(양측)	.034

a. 음의 순위를 기준으로.

b. Wilcoxon 부호순위 검정

① 짝표본 차이(Before-After)의 순위합 = 1.50, 26.50 ➡ Wilcoxon T = 1.50이다.

② 근사검정 Z = -2.117, p = 0.034 〈 0.05 이므로 통계적으로 유의한 차이가 있다.

dBSTAT

Data : Wilcoxon.dbf

비교통계

1 **메뉴** → [통계] ▶ [비교통계] ▶ [마법사] 메뉴를 선택한다.

[통계] ▶ [비교통계] ▶ [두 표본] ▶ [윌콕슨 부호순위검정] 을 선택하여도 동일하다.

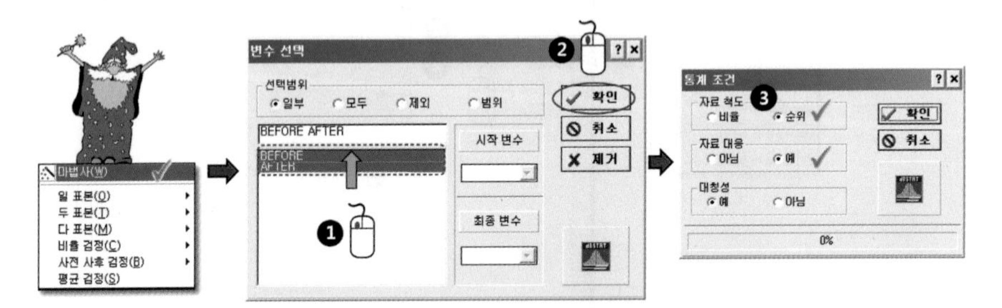

① 변수 선택] 대화상자에서 변수 BEFORE, AFTER를 선택한다.

② [확인] 버튼을 클릭하여 선택 작업을 마치면 [통계 조건] 대화상자가 나타난다.

③ [통계 조건] 대화상자에서 [자료 척도] ⊙ [순위], [자료 대응] ⊙ [예] 항목을 선택한다

2 **통계결과**

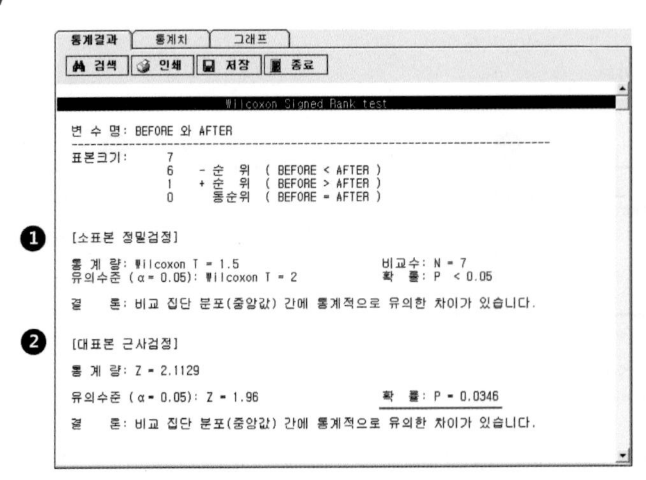

① [소표본 정밀검정] Wilcoxon T = 1.5 〈 2 (α=0.05) ➡ p〈0.05 이다.

② [대표본 근사검정] Z = 2.1129 ➡ p = 0.0346

6-6 부호검정 Sign test

CONTENTS

목적

두 표본으로부터 모집단의 분포(중앙값)의 차이를 추정한다.

전제조건

1. 표본들은 모집단들로부터 무작위적으로 추출되었다.
2. 표본들은 순서자료이다.

적용

1. 짝 표본(paired data) 집단을 비교할 때 적용되는 비모수적 통계기법이다.
2. 쌍체 t 검정(paired t-test)의 전제조건을 충족시키지 못할 때에도 사용할 수 있다.

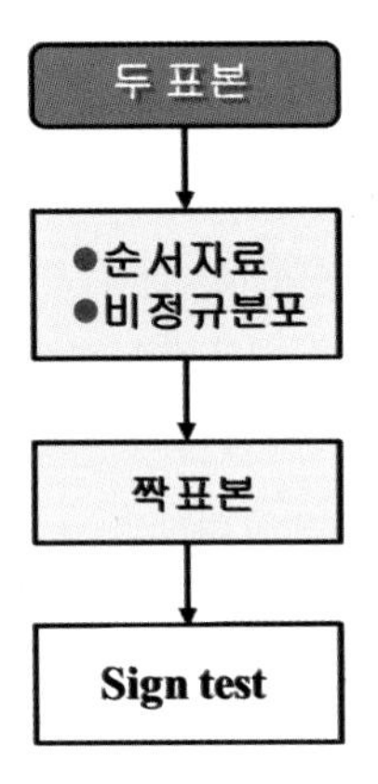

새로운 다이어트 시술의 효과를 보기위하여 다이어트 시행 전후에 만족도를 5가지 항목(1=매우 불만, 2=불만, 3=보통, 4=만족, 5=매우 만족) 으로 나누어 측정하였다. 새로운 다이어트 시술의 효과가 있는지 검정하시오.

	Happiness grade	
	Before	After
1	3	4
2	1	3
3	5	4
4	2	5
5	3	3

SPSS

Data : Sign.sav

Sign Test

1 메뉴 → [분석] ▶ [평균 비교] ▶ [대응 2-표본] 메뉴를 선택하면 대화상자가 나타난다.

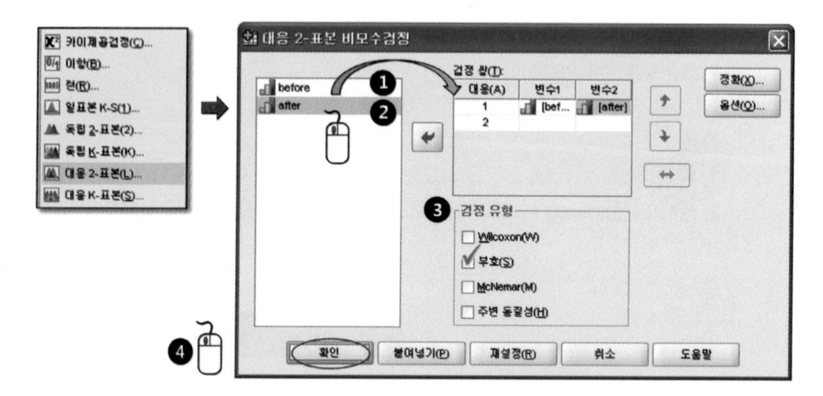

① 변수 Before를 선택하여 [대응 변수] 변수1 상자에 입력한다.

② 변수 After를 선택하여 [대응 변수] 변수2 상자에 입력한다.

③ [검정유형] 선택상자에서 ☑ 부호 항목을 선택한다.

④ [확인] 버튼을 눌러 작업을 마친다.

2 통계결과

❶ 빈도 분석

		N
after - before	음수차[a]	1
	양수차[b]	3
	동률[c]	1
	합계	5

a. after < before

b. after > before

c. after = before

❷ 검정 통계량[b]

	after - before
정확한 유의확률(양측)	.625[a]

a. 이항분포를 사용함.

b. 부호검정

① 짝표본 차이(After-Before)의 부호 (-) = 1, (+) = 3, (0) = 1 개이다.

② 정확검정 p = 0.625 〉 0.05 이므로 통계적으로 유의한 차이가 없다.

dBSTAT

Data : Sign.dbf

비교통계

1 메뉴 → [통계] ▶ [비교통계] ▶ [마법사] 메뉴를 선택한다.

[통계] ▶ [비교통계] ▶ [두 표본] ▶ [부호검정] 을 선택하여도 동일하다.

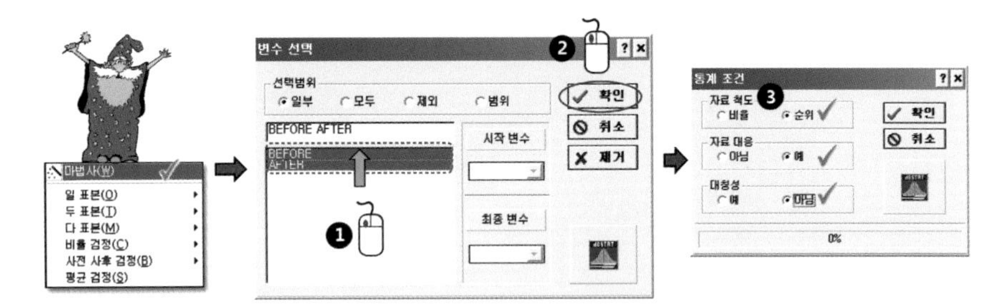

① [변수 선택] 대화상자에서 변수 BEFORE, AFTER를 선택한다.

② [확인] 버튼을 클릭하여 선택 작업을 마치면 [통계 조건] 대화상자가 나타난다.

③ [통계 조건] 대화상자에서 [자료 척도] ⊙ [순위], [자료 대응] ⊙ [예], [대칭성] ⊙ [아님] 선택한다.

2 통계결과

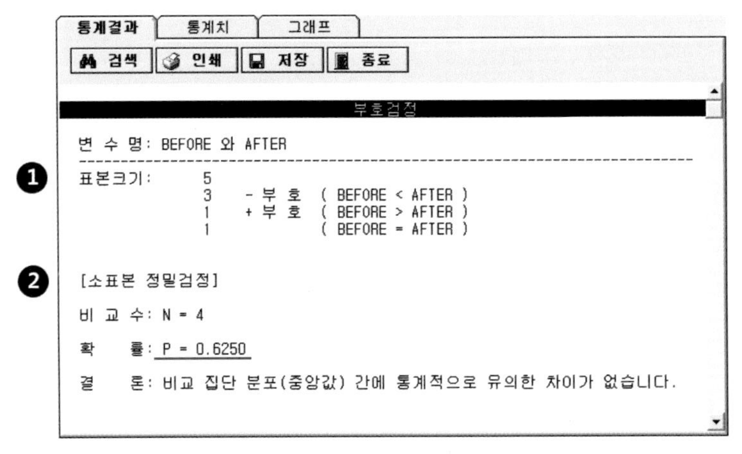

① [표본크기] n = 5, 짝표본 차이(Before-After) : (-) = 3, (+) = 1 동순위 = 1 개이다.

② [소표본 정밀검정] p = 0.625 ➲ p 〉 0.05 이므로 통계적으로 유의한 차이가 없다.

Multi-Sample

6-7 다 표본 Multi Sample

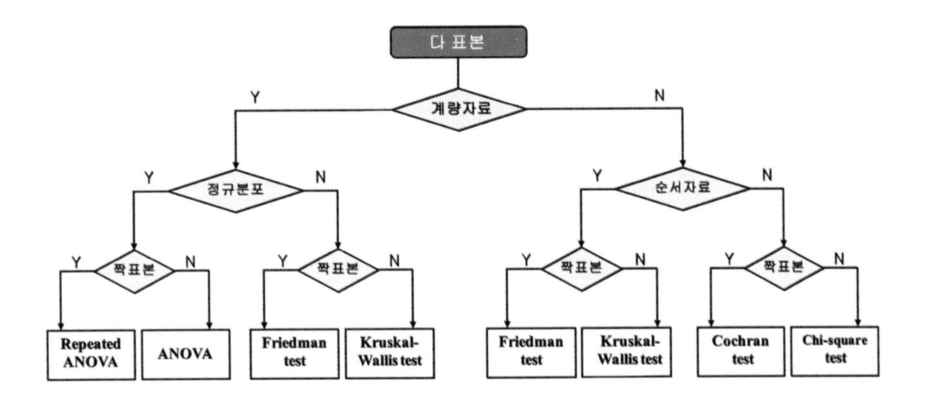

셋 이상의 다 표본검정(k-sample test)은 셋 이상의 집단의 평균에 대한 모수적 통계 검정과 모수적 통계가 적합하지 못한 경우에 적용되는 비모수적 통계 검정이 있다. 셋 이상의 표본을 k 표본(k≥3)으로 표기하기도 한다.

통계 검정법

다 표본에서 통계적 검정법은 다음 3가지에 의하여 선택된다.

① 결과변수(종속변수) 형태 - 명목자료 / 순서자료 / 계량형(구간자료, 비율자료)

② 정규성과 등분산성 ➡ 전제조건 만족시 모수적 검정 선택

③ 표본의 연관성 - 독립성(Unpaired) / 연관성(Paired)

Characteristics		Nonparametric tests		Parametric tests	
		Nominal data	***Ordinal data***	***Interval, Ratio data***	
Sample	***Relation***	Frequency (%)	Median (IQR)	Mean (SD)	
	Unpaired	Chi-square test	Kruskal -Wallis test	ANOVA	ANOVA
	Paired	Cochran Q test	Friedman test		Repeated measures ANOVA

1 모수적 통계

분산분석 ANOVA

정규분포를 이루는 계량형인 k 표본이 독립적일 때 사용되며 비모수적 검정보다 검정력이 뛰어나며 흔히 사용되고 있다. ANOVA는 **independent *t*-test**의 확장형이라 할 수 있다.

반복측정 분산분석 Repeated measures ANOVA

계량형인 k 표본이 연관되어 있는 경우에 사용되며 비모수적 검정보다 검정력이 뛰어나다.
반복측정 ANOVA는 **paired *t*-test**의 확장형이라 할 수 있다.

공분산분석 ANCOVA

공분산분석은 분산분석과 회귀분석의 방법을 이용하여 혼선변수(confounding variable)를 통계적으로 통제하는 방법이다. 영문약자로 **ANCOVA** 또는 **ANACOVA**로 표기한다.

2 비모수적 통계

크루스칼-왈리스 검정 Kruskal-Wallis test

순서형인 k 표본이 독립적일 때는 크루스칼-왈리스 검정이 다른 비모수적 검정보다 검정력이 뛰어나며 흔히 사용되고 있다. one-way ANOVA(일원분산분석)의 비모수적 검정이다.

프리드만 검정 Friedman test

순서형인 k 표본이 연관성이 있을 경우에 사용되는 비모수적 검정이다.

카이제곱 검정 Chi-square test

명목변수로 되어있는 독립된 k 표본의 비율의 차이를 검정한다.

코크란 검정 Cochran test

명목변수(이항변수)로 되어있는 연관된 k 표본의 비율의 차이를 검정한다.

6-8 분산분석 ANOVA

CONTENTS

목적
셋 이상의 독립 표본들로부터 모평균들의 차이를 추정한다.

전제조건
1. **독립성** : 표본들은 각각의 모집단들로부터 임의적으로 또 독립적으로 추출되었다.
2. **정규성** : 표본들이 추출된 모집단은 정규분포를 이루어야 한다.
3. **등분산** : 모집단 분산들은 동일하다.

적용
셋 이상의 표본간의 평균 차이를 검정할 수 있는 모수적 통계검정이다.

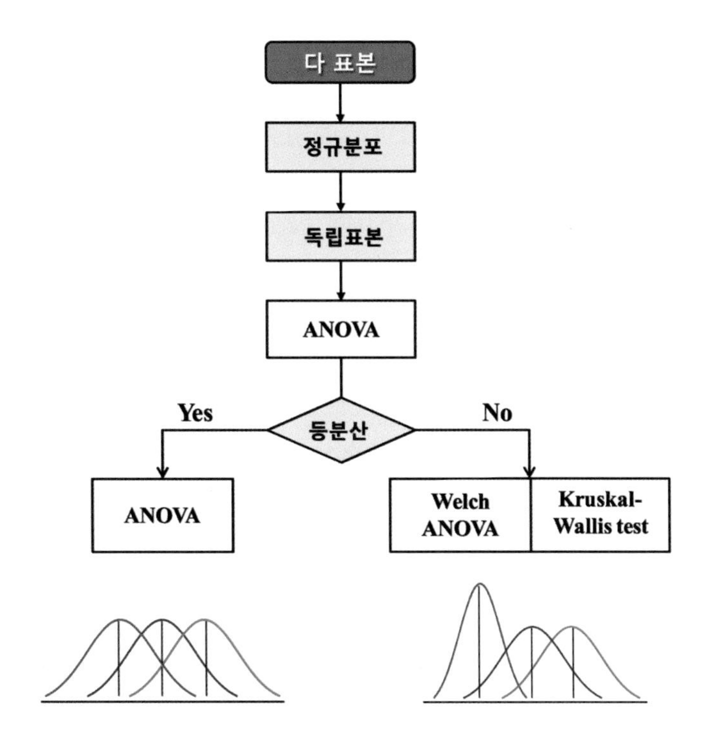

분산분석은 등분산성 여부에 따라 다음과 같이 검정방법이 결정된다.

1. 등분산성 가정 ⇨ ANOVA
2. 등분산성 위배 ⇨ Welch ANOVA, Kruskal-Wallis test

전제조건 : ANOVA

분산분석을 시행하기 전에 다음 가정에 대한 검정을 하여야 한다.

1. 정규성 검정

① 각 집단 자료가 모두 정규성를 만족하여야 한다.

② 정규분포 검정은 『자료요약』 단원에 자세히 설명되어 있으므로 참조하기 바란다.

정규분포 가정 위반시 선택방법

① **자료 변환** : 로그 변환 등을 하여 정규분포에 맞는 자료로 변환시킨다.

② **비모수적 검정** : one-way ANOVA ⇨ Kruskal-Wallis test를 시행한다.

2. 등분산 검정 (Test for Homogeneity of Variances)

셋 이상 표본집단에서 분산의 동일성에 대한 검정 방법은 다음 두 가지가 주로 사용된다.

① **Bartlett' s test**

모집단의 정규분포를 가정하고 있으며 정규성 이탈에 대하여 매우 민감하다.

② **Levene test**

정규성 이탈에 덜 민감하지만 Bartlette test에 비하여 검정력이 낮다.

등분산성 위반시 선택방법

① **자료 변환** : 로그 변환 등을 하여 등분산을 하도록 자료를 변환시킨다.

② **비모수적 검정** : one-way ANOVA ⇨ **Kruskal-Wallis test**를 시행한다.

③ **Welch ANOVA** : one-way ANOVA에서 등분산 가정을 하지 않는 방법을 사용한다.

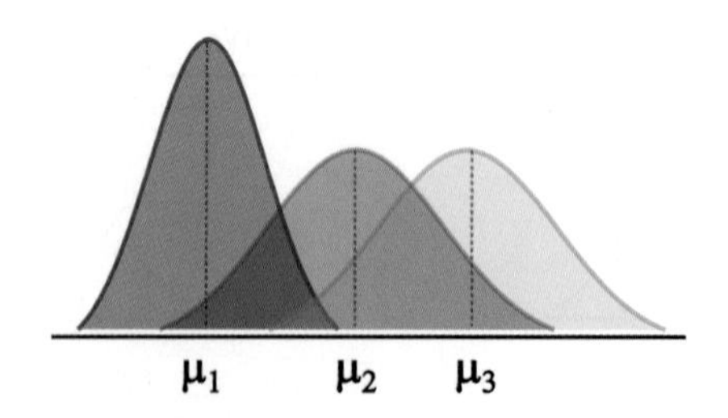

분산분석

분산분석(analysis of variance)은 셋 이상의 집단의 **평균을 비교**하기 위한 검정으로 영문 약자로 ANOVA (ANalysis Of VAriance)로 표기한다.

분산분석은 집단의 배치에 따라 다음과 같이 분류되어 통계적 검정하게 된다.

1. One-way ANOVA (**일원분산분석**) = 일원요인설계(one-way factorial design)
2. Two-Way ANOVA (**이원분산분석**) = 이원요인설계(two-way factorial design)
3. Three-Way ANOVA (**삼원분산분석**)과 삼원 이상의 Multi-Way ANOVA (다원분산분석)

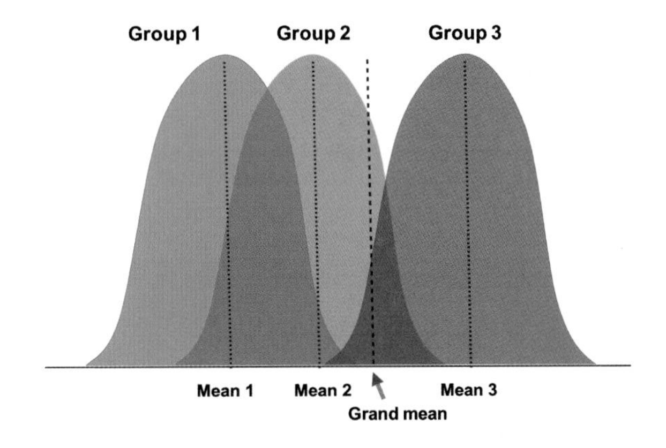

[가설]

1. **귀무가설** H_0 : $\mu_1 = \mu_2 = \mu_3 = ... = \mu_n$

셋 이상 집단에서의 평균을 비교하므로 모집단 평균(μ)이 모두 동일하다는 귀무가설을 세운다.

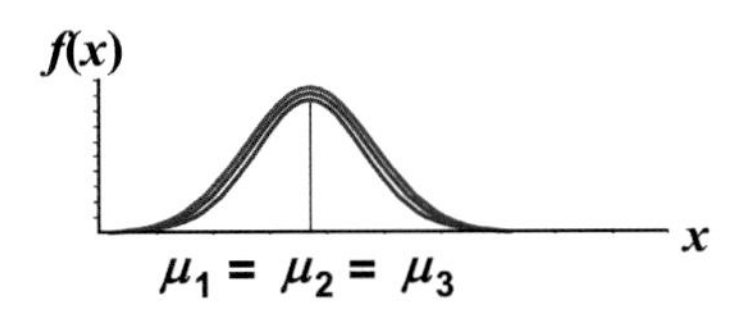

2. **대립가설** H_1 : not H_0 (최소한 하나의 모평균(μ)이 다르다.)

모집단 평균 중에서 하나만 달라도 모든 평균이 동일하지 않다는 주장의 대립가설을 세운다.

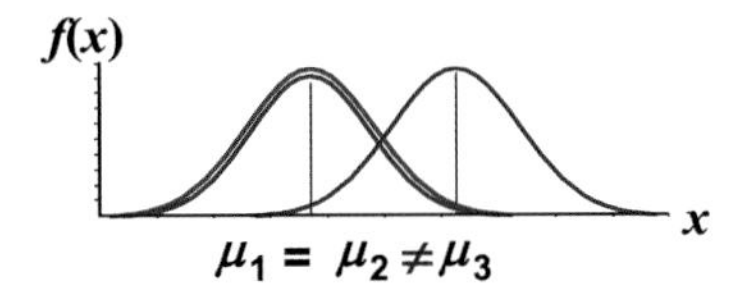

F distribution (F 분포)

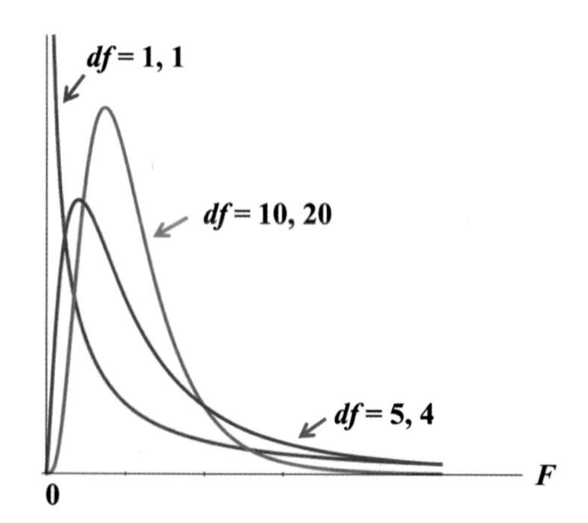

1. 비대칭이며 우측으로 기운(positively skewed) 분포이다.
2. F 값은 음수가 없다.
3. 자유도에 따라 모양이 달라지며 자유도가 클수록 대칭에 가까워진다.

표본의 분산은 집단간 분산(between group variance), 집단내 분산(within group variance)으로 구분되며 두 분산의 비에 대한 분포가 F 분포이다.

$\frac{\sigma^2_{between}}{\sigma^2_{within}} \sim F_{N,D}$ (N : 분자자유도, Numerator D : 분모자유도, Denominator)

F-분포를 사용하면 분산분석의 검정가설을 다음과 같이 세울 수 있다.

① 귀무가설 $H_0 : \sigma^2_{between} = \sigma^2_{within}$ (집단간 분산과 집단내 분산이 차이가 없다.)

② 대립가설 $H_1 : \sigma^2_{between} \neq \sigma^2_{within}$ (집단간 분산과 집단내 분산이 차이가 있다.)

왜 분산분석이라 부르는가?

두 집단의 평균 비교는 Student t-분포를 이용하여 모집단 평균을 추정하였다. 셋 이상 집단의 평균 비교에서는 모집단 평균에 대한 가설을 검정할 때 표본의 분산을 사용하므로 분산분석이라 한다..

6-9 일원분산분석 One-Way ANOVA

CONTENTS

1. 일원요인설계 (one-way factorial design)
2. 완전확률화설계 (completely randomized design)

다음은 one-way ANOVA(일원분산분석)의 이해를 돕고자 표본크기를 최소화한 예제이다. 실제 분석에서는 전제조건인 정규성과 등분산성을 만족하도록 표본크기가 커야 한다.

식생활이 체중에 미치는 효과를 보기 위하여 Diet 방법에 따라 3개의 집단으로 나누어 체중을 측정하였다. Diet 1 = 채식, 2 = 균형식, 3 = 즉석식품(junk food)

	Factor (Diet)		
Factor levels (Treatments)	1	2	3
Experimental units			
Dependent variable (Weight)	55 kg	60 kg	65 kg
	60 kg	65 kg	70 kg
	65 kg	70 kg	75 kg

- **Factor (요인)** : 집단으로 나누어 지는 명목형 **독립변수**이다. 예, Diet
- **Treatrment (처리)** : 요인의 수준(level)으로 집단(group)을 뜻한다. 예, Diet = 1, 2, 3
- **Dependent variable (종속변수)** : 결과인 측정값으로 구성되는 계량형 변수. 예, Weight

변동 Variation

Diet 1	Diet 2	Diet 3
55	60	65
60	65	70
65	70	75

집단내 변동

집단간 변동

- **집단간 변동** (Between Group Variability) : **처리**(treatment)에 따른 집단간의 변동
- **집단내 변동** (Within Group Variability) : 동일 집단 내에 개체간 측정 **오차**에 의한 변동
- **총변동** (Total Variation) = 집단간 변동 + 집단내 변동

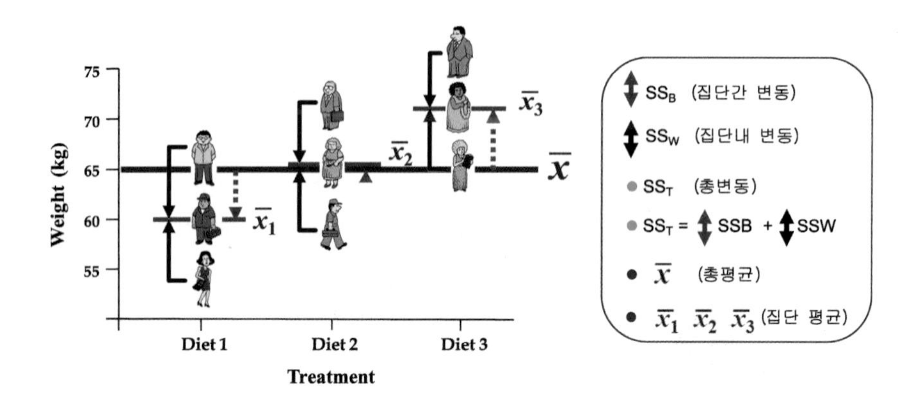

제곱합 SS, Sum of Squares

변동은 측정값에서 평균을 뺀 제곱합으로 계산된다.

- 집단간 변동 $SSb = \sum_{i}^{k} n_i (\bar{x}_i - \bar{x})^2 = 3(60-65)^2 + 3(65-65)^2 + 3(70-65)^2 = 150$

- 집단내 변동 $SSw = \sum_{i}^{k}\sum_{j}^{n}(x_{ij} - \bar{x}_i)^2 = (55-60)^2 + (60-60)^2 + \cdots + (75-70)^2 = 150$

- 총변동 $SSt = SSb + SSw = 150 + 150 = 300$

분산 Variance

분산은 **변동**(제곱합)을 자유도로 나눈 **평균제곱(MS, Mean Square)**으로 계산된다.

- 집단간 분산 $MSb = SSb \div dfb = 150 \div (3-1) = 75$ $(dfb = k-1)$ $(k: group\ no.)$
- 집단내 분산 $MSw = SSw \div dfw = 150 \div (9-3) = 25$ $(dfw = N-k)$ $(N: total\ no.)$

통계량

분산분석에서 통계량은 F 분포에서 집단간 분산과 집단내 분산의 비로 구한다.

$$F = \frac{MSb}{MSw} = \frac{SSb/df_b}{SSw/df_w} = \frac{SSb/(k-1)}{SSw/(N-k)} = 75 \div 25 = 3.0$$

자유도는 집단간 자유도(분자 자유도) df_b 와 집단내 자유도(분모 자유도) df_w 로 나누어진다.

df_b = k - 1 = 3 - 1 = 2, df_w = N - k = 9 - 3 = 6 (k : 집단수, N : 표본크기)

F 임계값 $F^* = F_{\alpha, dfb, dfw} = F_{0.05,2,6} = 5.14$

 《F 분포표》에서 유의수준 $\alpha = 0.05$, $df_b = 2$, $df_w = 6$ 일 때 $F^* = 5.14$ 이다.

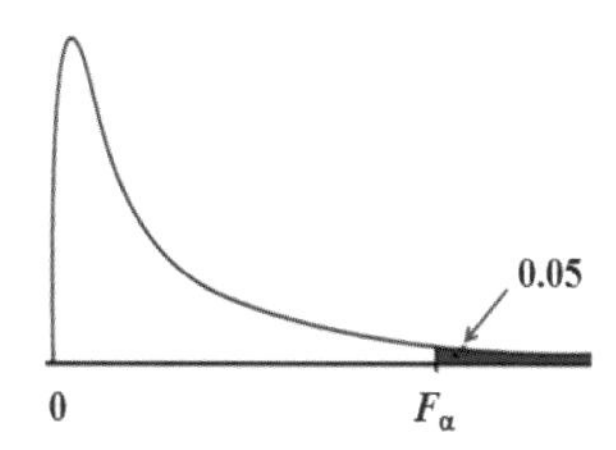

df_w	df_b				
	1	2	3	4	5
1	161.4	199.5	215.7	224.6	230.2
2	18.51	19.00	19.16	19.25	19.30
3	10.13	9.55	9.28	9.12	9.01
4	7.71	6.94	6.59	6.39	6.26
5	6.61	5.79	5.41	5.19	5.05
6	5.99	5.14	4.76	4.53	4.39

통계적 유의성

통계량 F = 3.0 〈 임계값 F* (5.14) 이므로 p 〉 0.05 이다. 따라서 "집단간의 평균 차이가 없다."는 귀무가설을 채택하게 된다. 통계량 F = 3.0 일 때에 확률을 계산하면 p = 0.125 이다.

Fisher (1890-1962)

Fisher는 실험계획법의 선구자이다. Fisher는 런던북부에 위치한 Rothamsted 연구소에서 농작물에 관한 실험연구를 하면서 Gosset의 "Student' s t-test"를 더욱 발전시켜 "**Analysis of Variance**" (분산분석) 통계적 방법을 만들었다. ***F*-distribution**은 Fisher의 첫 글자를 따서 붙인 분포의 이름이다.

사후검정 post hoc test

분산분석 결과가 통계적으로 유의하다면 어느 집단들 간에 평균의 차이가 있는지 조사하여야 한다. 전체적인 유의수준을 유지하면서 **분산분석후 개별집단 비교** 방법을 **사후검정** 또는 **다중비교(multiple comparison)** 검정이라고 한다.

Multiple *t*-test (다중 *t* 검정)

사후검정으로 *t* 검정을 반복 사용하여서는 안된다. 비교 횟수가 많을수록 여러 차례 검정을 하여야 하며 **제1종 오류(α오류)**(차이가 없음에도 있다고 판정)가 증가하게 된다. 분산분석 결과가 유의하지 않더라도 개별 비교에서 유의한 결과가 나올 수 있다.

3 집단에서 비교회수 c = 3(3-1) ÷ 2 = 3, α 오류 = 1 - (1 - 0.05)^2 = 1 - 0.95^2 = 0.14

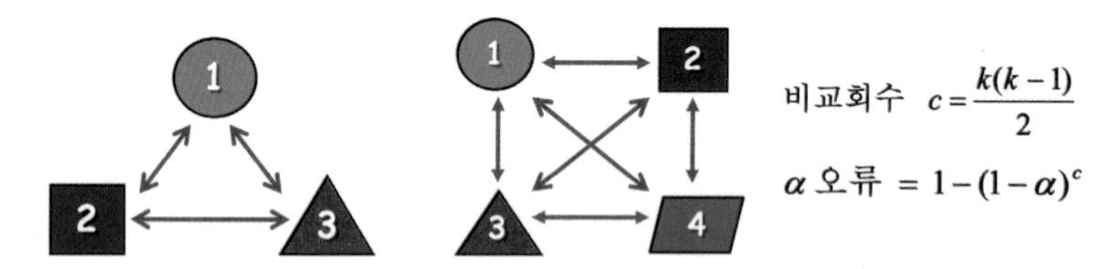

사전계획 비교 (planned comparison) vs. 사후검정

- **사전계획 비교** : 분산분석을 시행하기 전에 특정 집단간의 평균차이를 보기 위하여 미리 연구가설을 세우는 것을 사전계획 비교라 한다. 사전계획 비교에는 ***t*-test**를 사용한다.
- **사후검정** : 분산분석 시행 후에 통계적으로 유의한 차이가 있으면 이에 대한 설명을 하기 위하여 추가적으로 집단들끼리 비교하는 방법이 사후검정이다.

다중비교법 선택 원칙

다중비교 방법은 다음과 같은 원칙에 의하여 **한가지만 선택**하여 시행하여야 한다.

- **연구목적** : 검정력과 비교방법에 따라 선택한다.
- **집단별 표본크기** : 모든 집단의 표본크기가 동일한지 다른지에 따라 선택한다.
- **등분산성** : 집단 간에 분산의 차이가 있는지 여부에 따라 선택한다.

다중비교방법은 연구 분야에 따라 선호되는 방법이 다양하다.
의학통계에서는 보수적인 **Scheffe, Bonferroni, Tukey** 방법이 흔히 사용되고 있다.

1. 등분산성 가정

다음은 **등분산**을 만족하는 경우 사용되는 다중비교법을 검정력이 낮은 순서대로 정리한 표이다.

다중비교법	검정력	등분산	집단별 자료수	비교방법	
				쌍별	범위
●Scheffe	최소	+	무관	+	+
●Bonferroni		+	무관	+	−
●Tukey	중간	+	동일	+	+
●SNK		+	동일	−	+
●Duncan		+	동일	−	+
●LSD	최대	+	동일	+	−

1) 보수적(conservative) vs. 관대한(liberal) test

보수적일수록 제1종 오류가 낮고, 제2종 오류가 높아진다. 즉, 집단간에 실제 차이가 없는데도 있다고 할 오류(1종)는 낮지만, 반대로 실제 차이가 있는데도 없다고 할 오류(2종)는 높아진다. 보수적 검정일수록 유의확률 p 값이 커짐으로써 **검정력**은 낮아진다.

(1) **Scheffe** 검정이 가장 보수적이며 ANOVA 검정 결과와 정확히 일치한다.

(2) **LSD (Least Significance Difference) (최소유의차)** 검정은 ANOVA 결과가 유의하지 않더라도 집단별 비교에서 유의한 차이가 나타날 수 있다.

(3) **Tukey (Tukey HSD, Honestly Significant Difference)** 검정은 중간 정도에 해당한다.

2) 비교방법

(1) **쌍별 (Pairwise) 비교** : 각각 두 집단끼리 모두 비교하는 방법이다.

(2) **범위 (Group-wise) 비교** : 특정 집단들을 결합하여 다른 집단과 비교하는 방법이다.

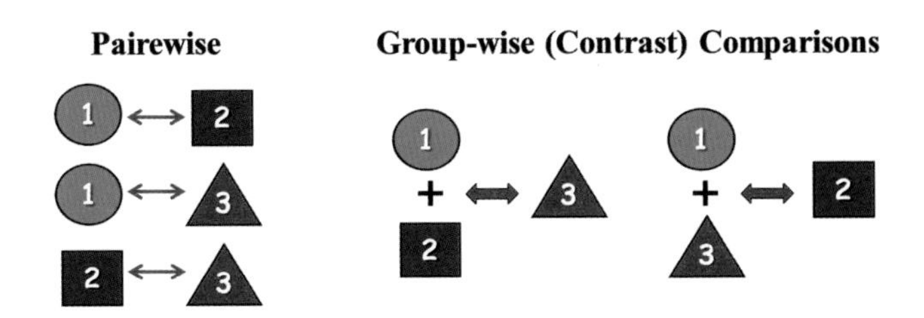

- **Scheffe, Bonferroni, Tukey** 검정은 쌍별, 범위 비교가 모두 가능하다.
- **Duncan, SNK (Student-Newman-Keuls)** 검정은 쌍별 비교가 안된다.

3) 집단별 표본크기

- **Scheffe, Bonferroni** 검정은 각 집단의 표본크기가 다를 때에도 사용할 수 있다.
- 그 외의 방법은 각 집단의 표본크기가 모두 같을 때에만 사용될 수 있다.

Tukey 검정은 표본크기가 다른 경우에도 사용할 수 있으나 검정력이 낮아지는 단점이 있다.

2. 등분산성 가정 위반

등분산 가정을 위배하는 경우에는 **Welch ANOVA** 검정을 시행하며 검정 결과가 통계적으로 유의하다고 판정되면 다음과 같은 다중비교 방법을 사용할 수 있다.

다중비교법	검정력	등분산	집단별 표본크기	비교방법	
				쌍별	범위
●Dunnet's C	낮다	−	무관	+	−
●Dunnet's T3	낮다	−	무관	+	−
●Games Howell	높다	−	무관	+	−

- **Games-Howell 검정** : Welch ANOVA 사후검정법으로 흔히 사용된다.
- **Dunnett 검정** : 대조집단(control)과 다른 집단들을 대조(contrast) 비교할 때에 사용된다.

대조비교 contrast comparison

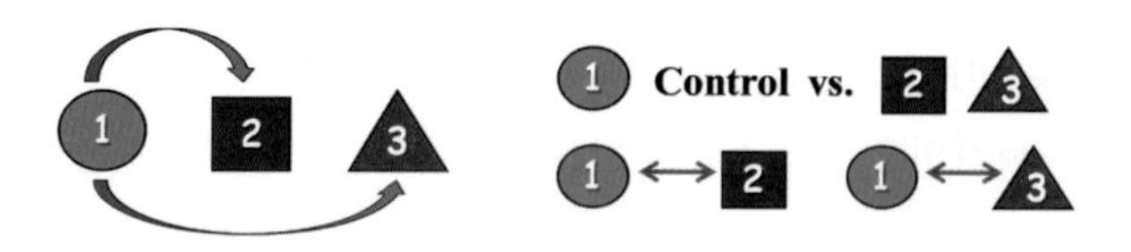

- **Dunnett' C** : 각 집단 표본크기 ≥ 50 에서 적합한 대조 비교방법이다.
- **Dunnett' T3** : 각 집단 표본크기 〈 50 에서 적합한 대조 비교방법이다.

Exercise
ANOVA Test

식생활(Diet) 습관에 따라 1 = 채식 2 = 균형식 3 = 육식 3가지로 나누어 각각 10명에서 혈중 콜레스테롤(단위 : mg/dL)을 측정한 자료이다. 세 집단의 평균 콜레스테롤은 차이가 있는가? 유의수준 5%에서 검정하시오.

Cholesterol					
Diet 1		Diet 2		Diet 3	
141	136	202	213	206	241
189	186	256	237	210	258
173	177	183	249	226	270
198	124	194	220	250	293
204	136	184	271	255	328

[해설]

1. 통계적 검정법

① 표본평균 검정
② 독립표본
③ 집단수 = 3 ⇨ one-way ANOVA를 선택한다.

2. 전제 조건

1) 정규성 검정

예제에 대한 정규성 검정은 3 집단(Diet =1, 2, 3) 각각의 자료에 대한 정규성 검정을 시행한다. 세 집단(Diet =1, 2, 3)에 대한 정규성 검정 Shapiro-Wilk test : $p = 0.20$, $p = 0.54$, $p = 0.70 > 0.05$ 이므로 정규성의 가정을 만족한다.

2) 등분산 검정

Levene test : p = 0.98, Bartlett test: p = 0.76 〉 0.05 이므로 등분산성 가정을 만족한다.

3. 통계적 유의성

❶ Source of variation	Sum of squares	d.f.	❷ Variance	❸ F
Between groups	38891.27	2	19445.63	18.13
Within groups	28965.40	27	1072.79	
Total	67856.67	29		

① **변동** : 집단간 변동 = 38891.27, 집단내 변동 = 28965.40

② **분산** : 집단간 분산 = 38891.27 ÷ 2 = 19445.63, 집단내 분산 = 28965.40 ÷ 27 = 1072.79

③ 통계량 F = 집단간 분산 ÷ 집단내 분산 = 19445.63 ÷ 1072.79 = 18.13

F = 18.13 〉 $F_{0.05,2,27}$ = 3.35, p = 0.000으로 0.05보다 작다.

따라서 "세가지 Diet 집단에서 혈중 콜레스테롤의 농도는 다르다." 고 결론을 내린다.

[그래프]

ANOVA 그래프는 k 집단의 평균과 신뢰구간에 대한 오차막대 그래프로 표현한다.

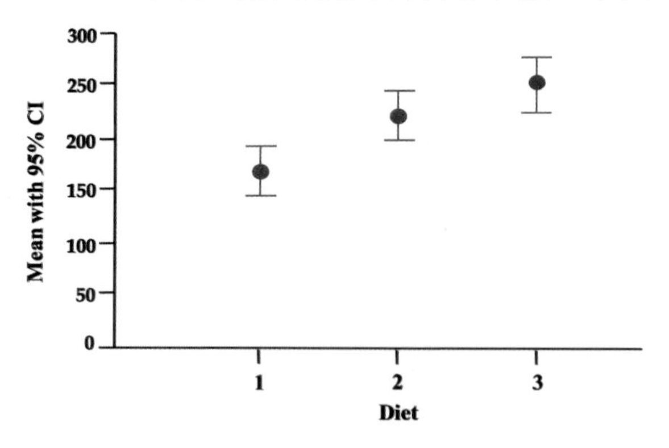

Diet = 1 : 평균 166.4 (mg/dL), 95% 신뢰구간 = (145.4, 187.4) (mg/dL)

Diet = 2 : 평균 220.9 (mg/dL), 95% 신뢰구간 = (198.6, 243.2) (mg/dL)

Diet = 3 : 평균 253.7 (mg/dL), 95% 신뢰구간 = (227.1, 280.3) (mg/dL)

[통계결과표]

ANOVA 동계분석 결과는 다음 표와 같이 정리한다.

Table. Mean blood cholesterol by diet

Diet group	No.	Weight (kg)	95% CI	*P* value*
1	10	166.4 (29.4)	145.4, 187.4	<0.0001
2	10	220.9 (31.2)	198.6, 243.2	
3	10	253.7 (37.2)	227.1, 280.3	

Data are expressed as mean(SD).

*Data are analyzed with ANOVA test.

사후검정

ANOVA 분석 결과가 유의하므로 사후검정을 하여야 한다. 집단별 표본크기가 동일하고 쌍별 비교가 가능한 Scheffe, Bonferroni, Tukey 검정이 적합한 다중비교법이다.

Table. Mean differences between diet groups

Diet group	Mean difference	95% CI	*P* value*
1 vs. 2	-54.5	-92.4, -16.6	0.004
1 vs. 3	-87.3	-125.2, -49.4	0.000
2 vs. 3	-32.8	-70.7, 5.1	0.100

*Data are analyzed with Scheffe test.

위의 Table은 Scheffe 검정에 의한 사후검정 결과를 정리한 표이다. Diet group 1과 group 2, group 1과 group 3 간에 유의한 차이(P〈0.05)가 있다고 결론을 내린다. Diet group 2와 group 3 간에는 유의한 평균차가 없다(p=0.10).

예제에서 Scheffe, Bonferroni, Tukey 검정은 모두 동일한 결과를 보여준다.

SNK, Duncan, LSD 방법은 모든 집단별 (1 vs. 2, 1 vs. 3, 2 vs. 3) 비교에서 유의한 차이가 있다는 결과가 나온다. SNK, Duncan 방법은 짝별 비교에서 동반되는 평균차의 95% 신뢰구간을 제시하지 못한다.

Excel

Data : anova.xlsx

ANOVA 검정법은 Excel에서 직접 실행할 수 있다. Excel 에서는 등분산가정 검정을 할 수 없다.

분산분석 : 일원배치법

1 **메뉴** → [데이터] ▶ [데이터 분석] 메뉴를 선택하면 **[통계 데이터 분석]** 대화상자가 나타난다.

변수명 Diet 1 = 채식, Diet 2 = 균형식, Diet 3 = 육식

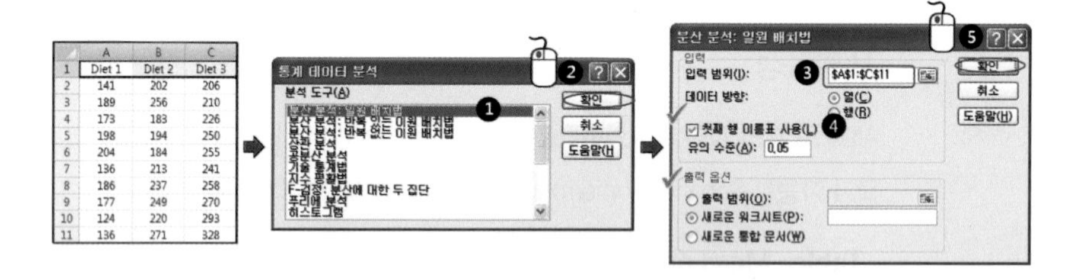

① **[분석 도구]** 상자에서 **[분산분석 : 일원배치법]**을 선택한다.

② [확인] 버튼을 클릭하여 선택 작업을 마치면 [분산분석 : 일원배치법] 대화상자가 나타난다.

③ 대화상자에서 [입력 범위]에 집단변수 Diet 1, Diet 2, Diet 3의 범위($A$1 : $C$11)를 입력한다.

④ ☑ [첫째 행 이름표 사용] 항목을 선택한다.

[출력 옵션]에서 ⊙[새로운 워크시트] 항목을 선택한다.

⑤ [확인] 버튼을 클릭하여 선택 작업을 마치면 분산분석 결과가 출력된다.

2 **통계결과**

	A	B	C	D	E	F	G
1	분산 분석: 일원 배치법						
2							
3	요약표						
4	인자의 수준	관측수	합	평균	분산		
5	Diet 1	10	1664	166.4	861.6		
6	Diet 2	10	2209	220.9	970.3222		
7	Diet 3	10	2537	253.7	1386.456		
8							
9							
10	분산 분석						
11	변동의 요인	제곱합	자유도	제곱 평균	F 비	P-값	F 기각치
12	처리	38891.27	2	19445.63	18.12618	1.02E-05	3.354131
13	잔차	28965.4	27	1072.793			
14							
15	계	67856.67	29				

[해석] p = 0.0000102 이므로 Diet 세집단간에 콜레스테롤은 통계적으로 유의한 차이가 있다.

SPSS

Data : anova.sav

일원배치 분산분석 one-way ANOVA

1 **메뉴** → [분석] ▶ [평균 비교] ▶ [일원배치 분산분석] 메뉴를 선택하면 대화상자가 나타난다.

변수명: 종속변수(반응변수) = CHOL (cholesterol), 독립변수(요인) = Diet

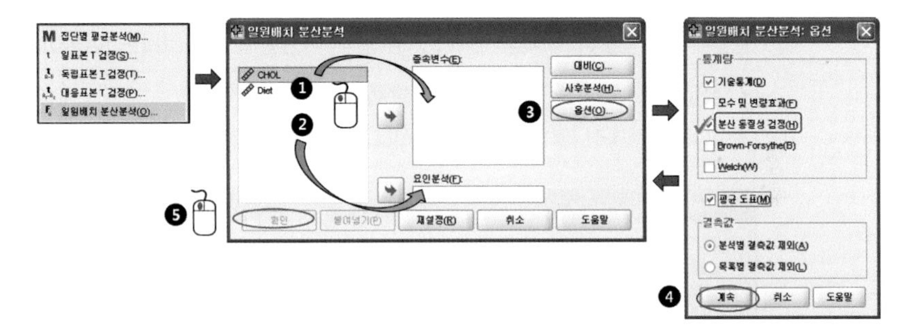

① 변수 CHOL 을 선택하여 [종속변수] 상자에 입력한다.

② 변수 Diet 를 선택하여 [요인분석] 상자에 입력한다.

③ [옵션] 버튼을 눌러 나타나는 대화상자에서 ☑ [분산 동질성 검정] 항목을 선택한다.

④ [계속] 버튼을 눌러 [일원배치 분산분석] 대화상자로 돌아간다.

⑤ [확인] 버튼을 눌러 작업을 마치면 SPSS 출력결과 창에 통계분석 결과가 나타난다.

[분산의 동질성 검정]

분산의 동질성 검정

CHOL

Levene 통계량	df1	df2	유의확률
.019	2	27	.982

Levene test 결과 p = 0.982 〉 0.05 이므로 등분산성 전제조건을 만족한다.

[분산분석 표]

분산분석

CHOL

	제곱합	df	평균 제곱	거짓	유의확률
집단-간	38891.267	2	19445.633	18.126	.000
집단-내	28965.400	27	1072.793	❶	❷
합계	67856.667	29			

① 검정통계량 F = 18.126 이다. ☞ 표에서 "거짓"은 "F"를 잘못 번역한 것이다.

② 유의확률 $p = 0.000$ 이다.

[해석] 분산분석 결과 p = 0.000 ➲ p 〈 0.05 이므로 "Diet 3 group 간에 혈중 콜레스테롤 농도는 동일하지 않다 (유의한 차이가 있다)."는 결론을 내린다.

2 사후검정

분산분석 검정 결과가 통계적으로 유의하므로 사후검정을 하여야 한다.

① [일원배치 분산분석] 대화상자에서 [사후분석] 버튼을 눌러 나타나는 [다중비교] 대화상자에서 ☑ [Scheffe] ☑ [Bonferroni] ☑ [Tukey] 항목을 선택한다.

② [계속] 버튼을 눌러 [일원배치 분산분석] 대화상자에서 [확인] 버튼을 눌러 작업을 마친다.

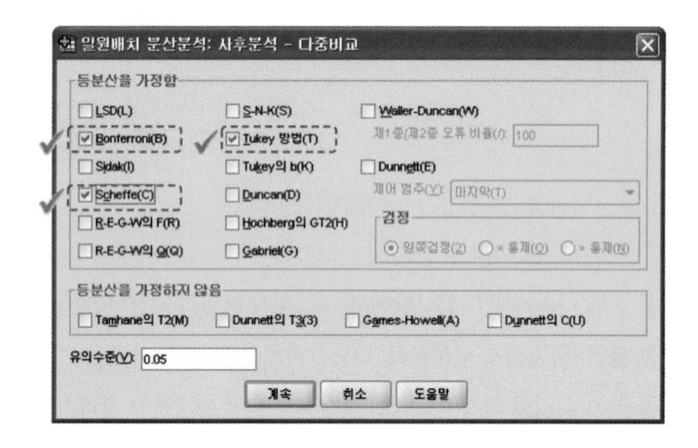

다음은 Scheffe 검정 결과이다. 쌍별 비교에서 유의확률 p와 함께 평균차, 평균차에 대한 95% 신뢰구간을 보여준다. 지면 관계상 Bonferroni, Tukey 검정 결과는 생략하기로 한다.

다중 비교

CHOL
Scheffe

	(I) Diet	(J) Diet	평균차(I-J)	표준 오차 오류	유의확률	95% 신뢰구간 하한값	95% 신뢰구간 상한값
❶	1	2	-54.500*	14.648	.004	-92.44	-16.56
		3	-87.300*	14.648	.000	-125.24	-49.36
❷	2	1	54.500*	14.648	.004	16.56	92.44
		3	-32.800	14.648	.100	-70.74	5.14
❸	3	1	87.300*	14.648	.000	49.36	125.24
		2	32.800	14.648	.100	-5.14	70.74

*. 평균차는 0.05 수준에서 유의합니다.

① Diet 1 과 Diet 2 비교 : p = 0.004 〈 0.05 이므로 유의한 차이가 있다.

② Diet 2 와 Diet 3 비교 : p = 0.100 〉 0.05 이므로 유의한 차이가 없다.

③ Diet 3 과 Diet 1 비교 : p = 0.000 〈 0.05 이므로 유의한 차이가 있다.

예제에서는 3가지 사후검정 결과가 모두 일치한다. 논문에서는 한가지 방법만을 기술하여야 한다.

3 그래프

SPSS에서 기본적으로 제공하는 [평균 도표]는 적절한 그래프가 아니다.

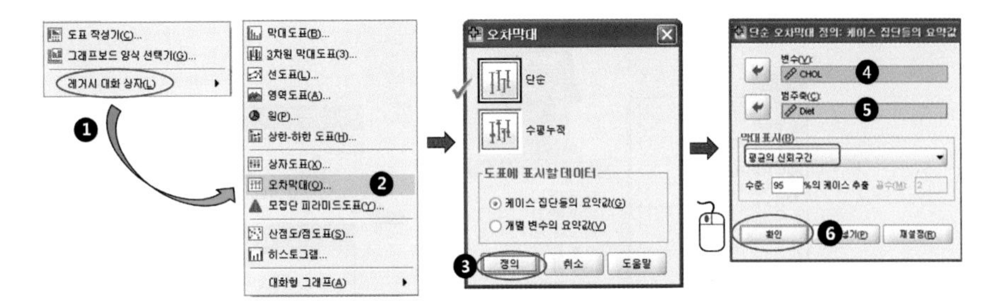

① **[그래프] ▶ [레거시 대화 상자] ▶ [오차막대]** 메뉴를 선택한다.

② [오차막대] 대화상자에서 [단순 오차막대]를 선택하여 ③ [정의] 버튼을 누른다.

④ [단순 오차막대 정의] 대화상자에서 변수 CHOL을 선택하여 [변수] 상자에 입력한다.

⑤ [단순 오차막대 정의] 대화상자에서 변수 Diet 를 선택하여 [범주축] 상자에 입력한다.

⑥ [막대 표시] ◐ **평균의 신뢰구간** 선택한 후 [확인] 버튼을 눌러 작업을 마친다.

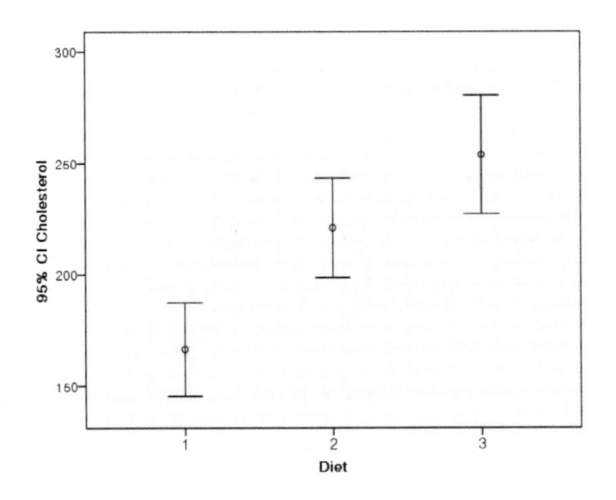

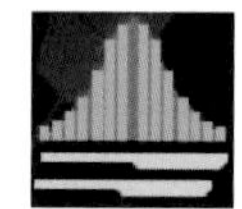

dBSTAT

Data : anova.dbf

비교통계

1 **메뉴** → [통계] ▶ [비교통계] ▶ [마법사] 메뉴를 선택한다. [변수 선택] 대화상자가 나타난다.

[통계] ▶ [비교통계] ▶ [다 표본] ▶ [일원분산분석] 을 선택하여도 동일한 결과가 출력된다.

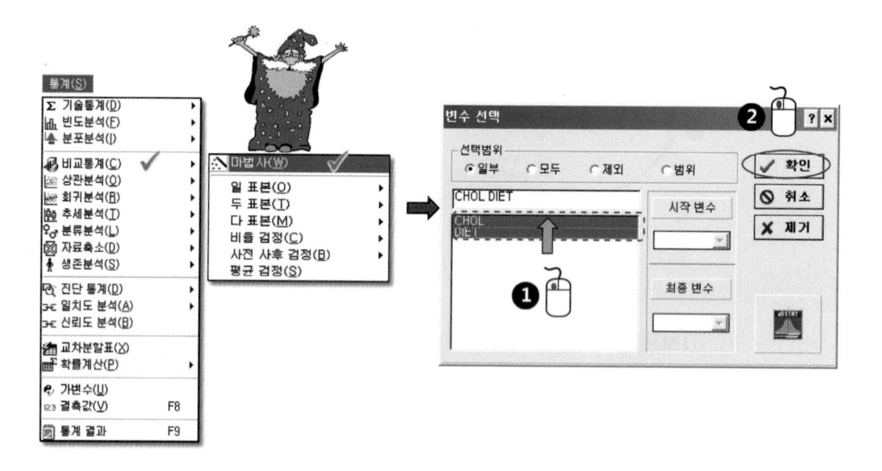

① [변수 선택] 대화상자에서 변수 CHOL, DIET를 선택한다.

② [확인] 버튼을 클릭하여 선택 작업을 마치면 [통계 조건] 대화상자가 나타난다.

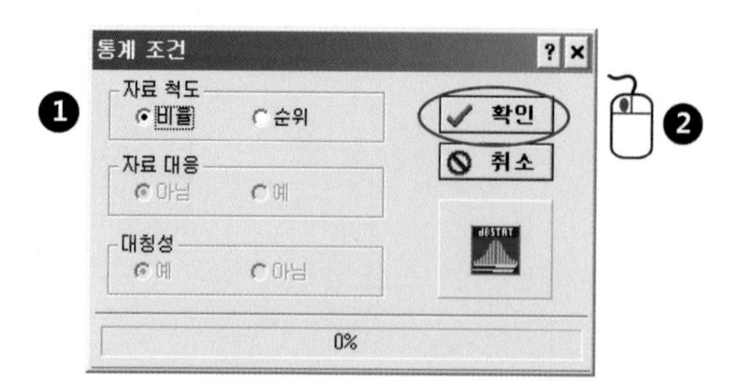

① [통계 조건] 대화상자에서 [자료 척도] ⊙ [비율] 항목을 선택한다.

② [확인] 버튼을 클릭하여 선택 작업을 마치면 통계결과가 출력된다.

2 일원분산분석

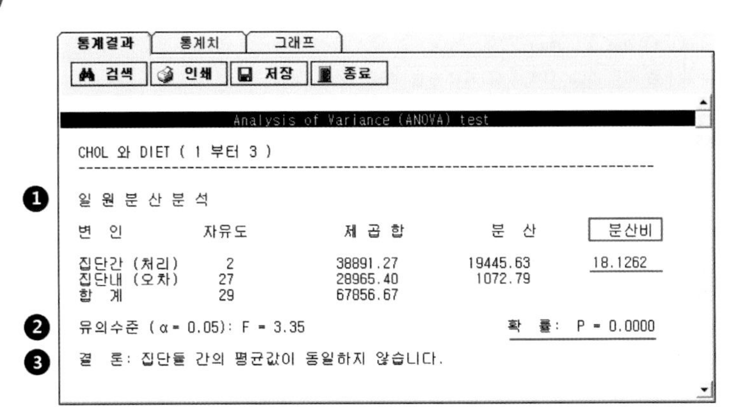

① 집단간 : 집단내 분산비 F = 18.13

② 양측검정 유의확률 p = 0.0000 (p〈0.0001)

③ p 〈 0.05 이므로 집단들간 평균이 통계적으로 유의한 차이가 있다고 판정한다.

사후검정

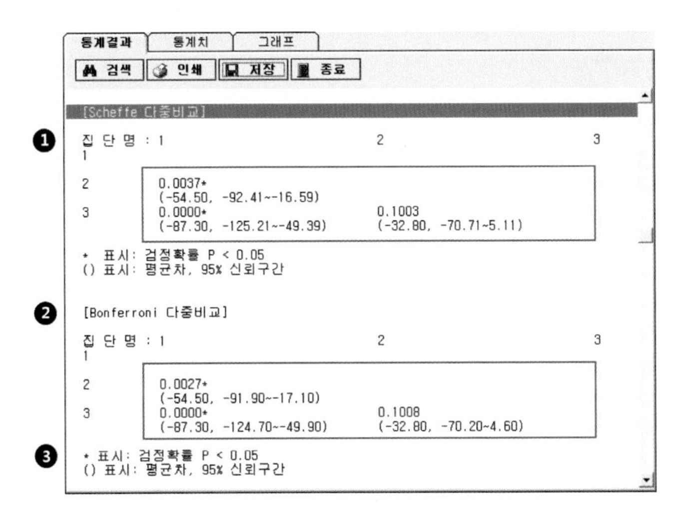

① Scheffe 검정 쌍별 비교에서 유의확률 p와 평균차, 평균차에 대한 95% 신뢰구간을 보여준다.

② Bonferroni 검정에서 유의확률 p와 함께 평균차, 평균차에 대한 95% 신뢰구간을 보여준다.

Diet 1 과 Diet 2, Diet 1 과 Diet 3 집단별 비교에서 p〈0.05 이므로 유의한 차이가 있다.

3 분산분석 가정

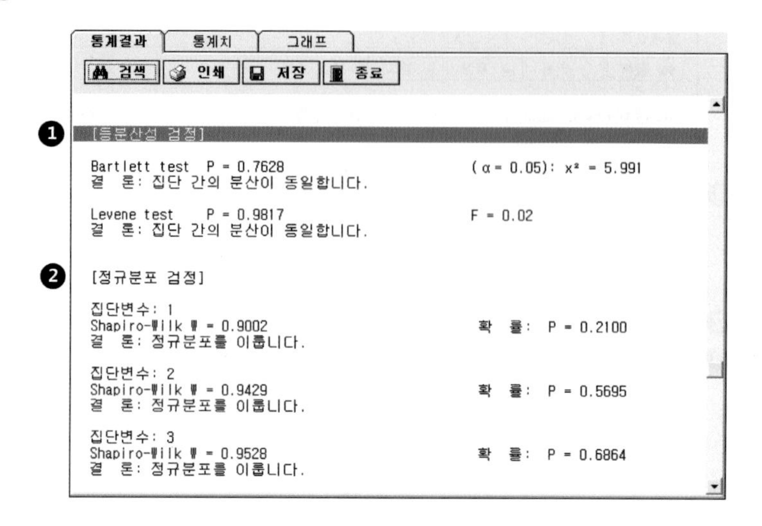

① 등분산성 검정 : Bartlett test, Levene test 결과 p 〉 0.05 로 등분산을 만족한다.

② 정규분포 검정 : Shapiro-Wilk test 결과 p 〉 0.05 이므로 정규분포 가정을 만족한다.

4 그래프

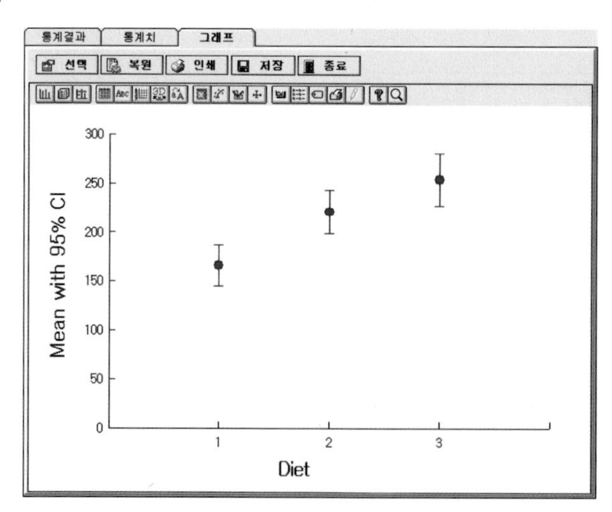

① 일원분산분석은 평균과 95% 신뢰구간으로 표현되는 오차막대가 적합한 그래프이다.

② X 축은 Diet 1, 2, 3 세집단을 나타내며 Y 축은 콜레스테롤 평균과 95% 신뢰구간을 보여준다.

6-10 이원분산분석 Two-Way ANOVA

CONTENTS

1. 일원분산분석의 확장형으로 이원요인설계(two-way factorial design)이다.
2. 두 개의 범주형 독립변수(요인)들에 따른 종속변수의 평균차이를 추정한다.
3. 요인(factor) 별로 ANOVA의 전제조건(독립성, 정규성, 등분산)을 만족하여야 한다.

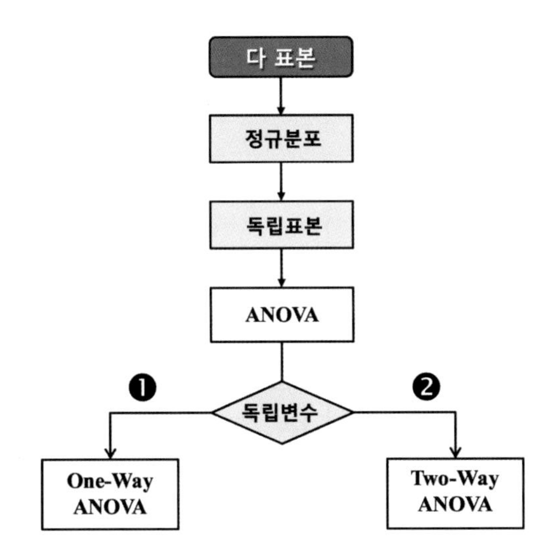

이원분산분석과 일원분산분석 비교

이원분산분석은 일원분산분석에 비하여 다음의 장점이 있다.

① 동일한 크기의 표본을 이용하여 각 독립변수의 효과를 알아보기 위하여 두 가지 실험을 실시하여 각각의 일원분산분석을 적용한다면 이원분산분석에 비하여 두 배의 표본크기를 요구하게 되므로 비경제적이다.

② 각각의 독립변수의 효과(주효과) 외에 두 독립변수가 동시에 작용하여 새로운 효과(상호작용효과)를 내는지 여부를 알아볼 수 있다.

이원분산분석에서 자료 분석

① 두 요인 간에 상호작용이 있는가 조사한다.

② 상호작용이 없다면 두 요인의 효과를 하나씩 조사한다.

③ 상호작용이 있으며 그 효과가 중요하다면 자료를 변환하여 상호작용의 효과를 없앤다.

④ 자료의 변환으로도 상호작용이 중요한 효과를 갖는다면 두 요인효과를 함께 분석한다.

Exercise

Two-Way ANOVA

식생활과 운동이 혈압에 미치는 효과를 보기 위하여 고혈압 환자들을 대상으로 Diet 방법(1=채식, 2=즉석식품)과 2가지 운동(1=약함, 2=강함)을 5개월 시행한 후에 수축기 혈압을 측정하였다. 두 요인에 따라 혈압의 차이가 있는지 검정하시오.

		Factor B (Diet)	
Factor levels		1	2
Factor A (Exercise)	1	130 142 131 124 124 131 143 131 135 140	157 143 162 150 149 140 159 158 160 155
	2	120 131 122 129 120 119 134 123 125 130	132 128 142 131 135 120 139 133 135 140

[해설]

1) 가설 설정

(1) **행간 요인** (row factor, factor A)

귀무가설 H_0 : Exercise에 따른 평균 수축기 혈압은 차이가 없다.

대립가설 H_1 : Exercise에 따른 평균 수축기 혈압은 차이가 있다

(2) **열간 요인** (column factor, factor B)

귀무가설 H_0 : Diet에 따른 평균 수축기 혈압은 차이가 없다.

대립가설 H_1 : Diet에 따른 평균 수축기 혈압은 차이가 있다

(3) **상호작용** (interaction, factor A x factor B)

귀무가설 H_0 : Exercise와 Diet간에 상호작용이 없다.

대립가설 H_1 : Exercise와 Diet간에 상호작용이 있다.

2) 통계적 유의성

다음은 요인변수들과 상호작용에 대하여 분석한 ANOVA table이다.

Source of variation		Sum of squares	d.f.	Variance	F	P value
Exercise	❶	1904.4	1	1904.4	44.3	0.000
Diet	❷	2016.4	1	2016.4	46.9	0.000
Interaction	❸	360.0	1	360.0	8.4	0.006

① **행간 요인** (row factor, factor A)

Exercise에 따른 평균 수축기 혈압의 차이는 확률 P = 0.000 이므로 귀무가설이 기각된다.
"운동 방법에 따른 평균 수축기 혈압은 유의한 차이가 있다." 고 결론을 내린다.

② **열간 요인** (column factor, factor B)

Diet에 따른 평균 수축기 혈압의 차이는 확률 P = 0.000 이므로 귀무가설이 기각된다.
"Diet 방법에 따른 평균 수축기 혈압은 유의한 차이가 있다." 고 결론을 내린다.

③ **상호작용** (interaction, factor A x factor B)

Exercise와 Diet간에 상호작용에 대한 검정 확률은 p = 0.006로 귀무가설이 기각된다.
즉 "Exercise와 Diet간에 상호작용이 있다." 고 결론을 내린다.

3) 상호작용 (Interaction)

하나의 요인 수준(범주)에 따라 다른 요인의 효과가 달라지면 상호작용이 있다고 한다. 상호작용이 유의하면 그래프를 작성하여 개별 요인들의 주 효과를 해석하여야 한다.

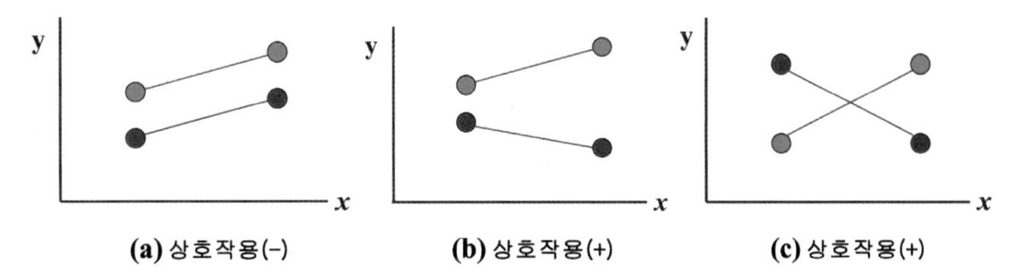

(a) 상호작용(−) **(b)** 상호작용(+) **(c)** 상호작용(+)

(a) 상호작용 효과 없음 : 그래프의 두 직선은 평행한다.

(b) 상호작용 효과 있음 (서열적, ordinal) : 두 직선이 평행이 아니나 서로 교차하지는 않는다.

(c) 상호작용 효과 있음 (비서열적, disordinal) : 두 직선이 서로 교차한다.

주효과 (main effect) 해석

① 상호작용 효과가 없을 때에는 개별 요인들의 주효과를 해석한다.
② 상호작용 효과가 서열적일 때에는 전반적인 주효과 해석이 가능하다.
③ 상호작용 효과가 비서열적일 때에는 주효과의 전반적인 해석은 불가능하다.

예제에서 운동 강도에 따른 평균 수축기 혈압을 Diet 방법 별로 비교한 그래프를 작성한다.

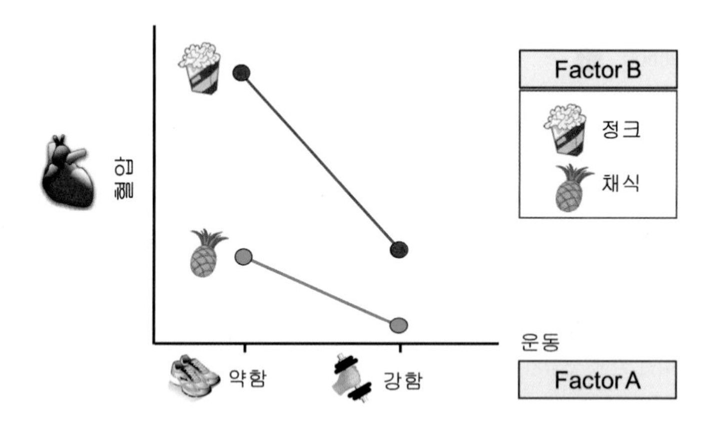

위의 그래프에서 보면 운동 강도에 따라 혈압은 차이가 있어 운동의 주 효과가 있음을 알 수 있다. 또한 Diet 방법에 따라서도 혈압의 차이가 있음을 알 수 있다. Diet에 따른 혈압의 차이는 채식보다 즉석식품(junk food) 체험자에서 운동의 강도가 높으면 더 크게 감소되므로 서열적 상호작용이 있다고 판단할 수 있다.

4) 사후검정 (post hoc test)

이원분산분석은 상호작용 효과를 고려하여 사후검정을 한다. 상호작용 효과가 없으며 3개 이상의 범주(집단)로 이루어진 요인(독립변수)이 주효과가 있을 때에 사후검정을 하여야 한다.

다음 경우에는 사후검정이 필요하지 않다.
① 상호작용이 통계적으로 유의하면 개별 요인에 따른 사후검정을 할 필요가 없다.
② 두 요인이 모두 2집단으로 구성된 경우에는 사후검정을 할 수 없다.
③ 주 효과가 모두 통계적으로 유의하지 않으면 사후검정을 할 필요가 없다.

Excel

Data : anova2.xlsx

분산분석 : 이원배치법

1 **메뉴** → [데이터] ▶ [데이터 분석] 메뉴를 선택하면 **[통계 데이터 분석]** 대화상자가 나타난다.

변수명 Exercise 1 = 약한 운동, 2 = 강한 운동; Diet 1 = 채식, 2 = 즉석식품

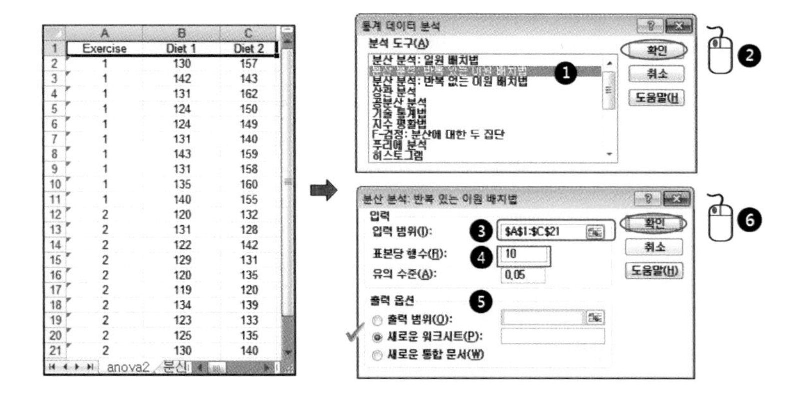

	A	B	C
1	Exercise	Diet 1	Diet 2
2	1	130	157
3	1	142	143
4	1	131	162
5	1	124	150
6	1	124	149
7	1	131	140
8	1	143	159
9	1	131	158
10	1	135	160
11	1	140	155
12	2	120	132
13	2	131	128
14	2	122	142
15	2	129	131
16	2	120	135
17	2	119	120
18	2	134	139
19	2	123	133
20	2	125	135
21	2	130	140

① **[분석 도구]** 상자에서 **[분산분석 : 반복있는 이원배치법]**을 선택한다.

② [확인] 버튼을 클릭하면 [분산분석 : 반복있는 이원배치법] 대화상자가 나타난다.

③ [입력 범위] ▶ $A$1 : $C$21 (마우스를 A1→C21 드래그) 입력한다.

④ [표본당 행수] ▶ 10 입력한다.

⑤ [출력 옵션]에서 ⊙ [새로운 워크시트] 항목을 선택한다. ⑥ [확인] 버튼을 클릭하여 마친다.

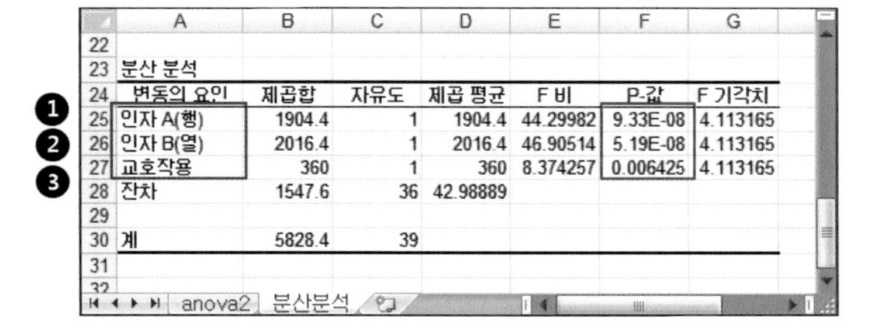

	A	B	C	D	E	F	G
23	분산 분석						
24	변동의 요인	제곱합	자유도	제곱 평균	F 비	P-값	F 기각치
25	인자 A(행)	1904.4	1	1904.4	44.29982	9.33E-08	4.113165
26	인자 B(열)	2016.4	1	2016.4	46.90514	5.19E-08	4.113165
27	교호작용	360	1	360	8.374257	0.006425	4.113165
28	잔차	1547.6	36	42.98889			
30	계	5828.4	39				

[해석] 인자(factor) A, B, 교호작용(interaction) 모두 p 〈 0.05 이므로 통계적으로 유의하다.

SPSS

Data : anova2.sav

일반선형모형

1 **메뉴** → [분석] ▶ [일반선형모형] ▶ [일변량] 메뉴를 선택하면 대화상자가 나타난다.

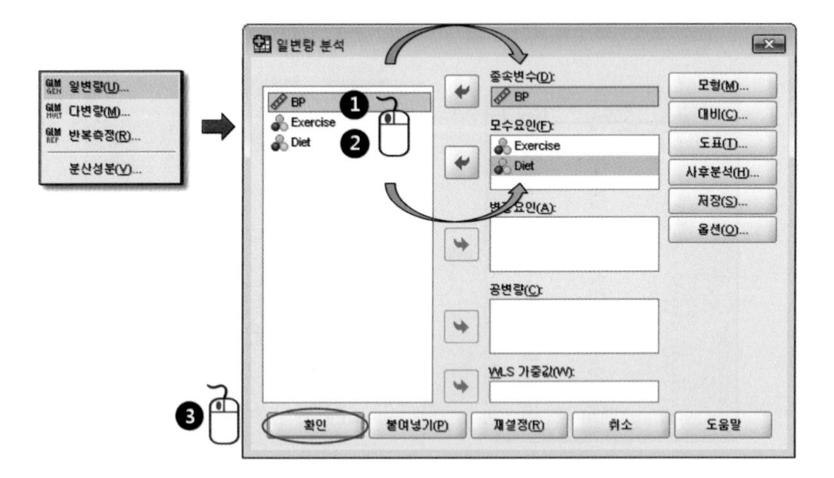

① 변수 BP를 선택하여 [종속변수] 상자에 입력한다.

② 변수 Exercise, Diet 를 선택하여 [모수요인] 상자에 입력한다.

③ [확인] 버튼을 눌러 작업을 마친다.

2 **분산분석표**

개체-간 효과 검정

종속 변수:BP

소스	제 III 유형 제곱합	자유도	평균 제곱	F	유의확률
수정 모형	4280.800[a]	3	1426.933	33.193	.000
절편	743107.600	1	743107.600	17286.039	.000
❶ Exercise	1904.400	1	1904.400	44.300	.000
❷ Diet	2016.400	1	2016.400	46.905	.000
❸ Exercise * Diet	360.000	1	360.000	8.374	.006
오류	1547.600	36	42.989		
합계	748936.000	40			
수정 합계	5828.400	39			

a. R 제곱 = .734 (수정된 R 제곱 = .712)

① Exercise 효과 : 검정통계량 F = 44.3, p = 0.000 이므로 주효과가 있다.

② Diet 효과 : 검정통계량 F = 46.9, p = 0.000 이므로 주효과가 있다.

③ 상호작용 효과 (Exercise*Diet) : F = 8.37 p = 0.006이므로 상호작용 효과가 있다.

2 그래프

[일변량 분석] 대화상자에서 **[도표]** 버튼을 누르면 **[일변량 : 프로파일 도표]** 대화상자가 나타난다.

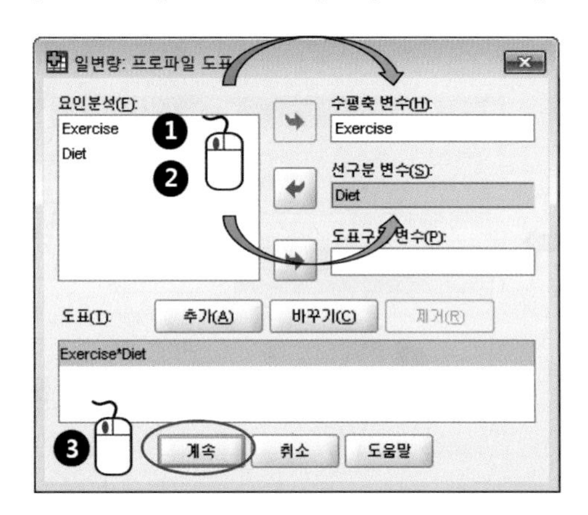

① 변수 Exercise를 선택하여 [수평축 변수] 상자에 입력한다.

② 변수 Diet 를 선택하여 [선구분 변수] 상자에 입력한다.

③ [추가] 버튼을 누르면 [도표]에 Exercise*Diet 가 나타난다. [계속] 버튼을 눌러 작업을 마친다.

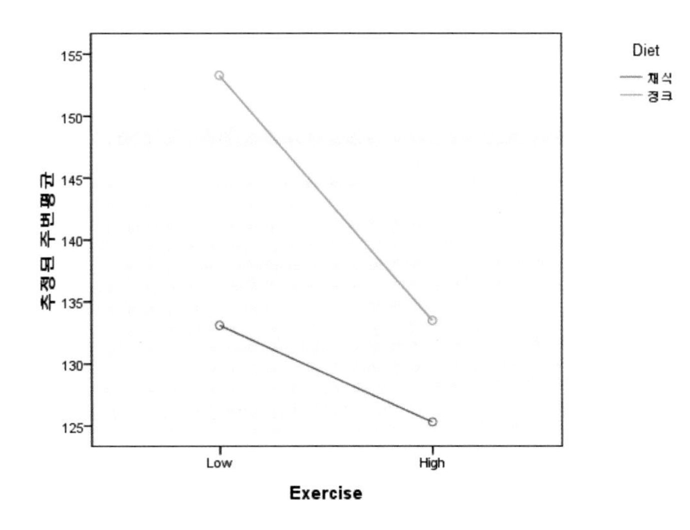

dBSTAT

Data : anova2.dbf

비교통계

1 **메뉴** → [통계] ▶ [비교통계] ▶ [마법사] 메뉴를 선택한다. [변수 선택] 대화상자가 나타난다.

[통계] ▶ [비교통계] ▶ [다 표본] ▶ [이원분산분석] 을 선택하여도 동일한 결과가 출력된다.

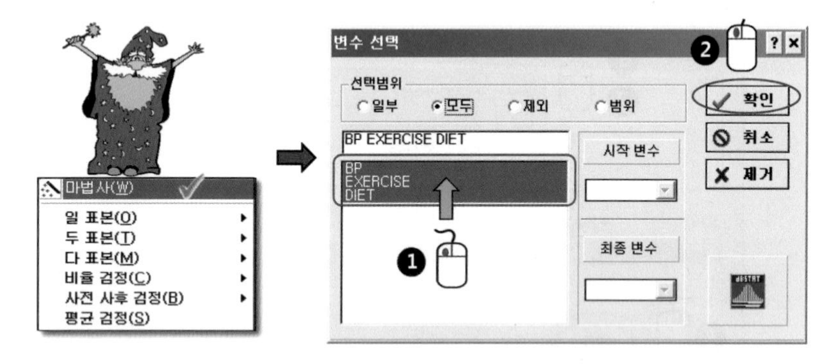

① [변수 선택] 대화상자에서 변수 BP, EXERCISE, DIET를 선택한다.

② [확인] 버튼을 클릭하여 선택 작업을 마치면 통계결과가 출력된다.

2 이원분산분석

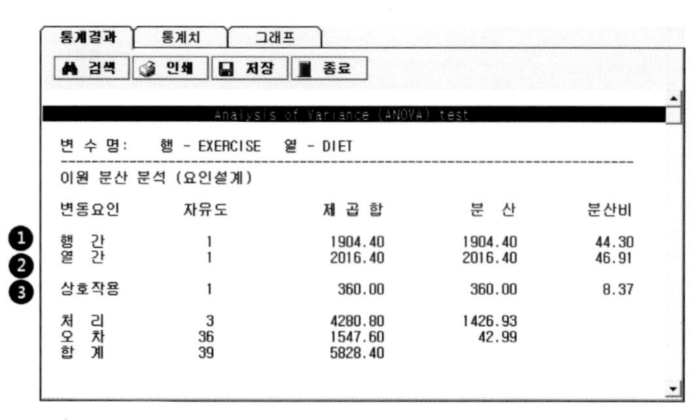

변 수 명: 행 - EXERCISE 열 - DIET

이원 분산 분석 (요인설계)

변동요인	자유도	제 곱 합	분 산	분산비
❶ 행 간	1	1904.40	1904.40	44.30
❷ 열 간	1	2016.40	2016.40	46.91
❸ 상호작용	1	360.00	360.00	8.37
처 리	3	4280.80	1426.93	
오 차	36	1547.60	42.99	
합 계	39	5828.40		

① 행간 요인 : Exercise 효과 분산비 F = 44.30

② 열간 요인 : Diet 효과 분산비 F = 46.91

③ 상호작용 : Exercise와 Diet 상호작용 효과 분산비 F = 8.37

분산분석표 해석

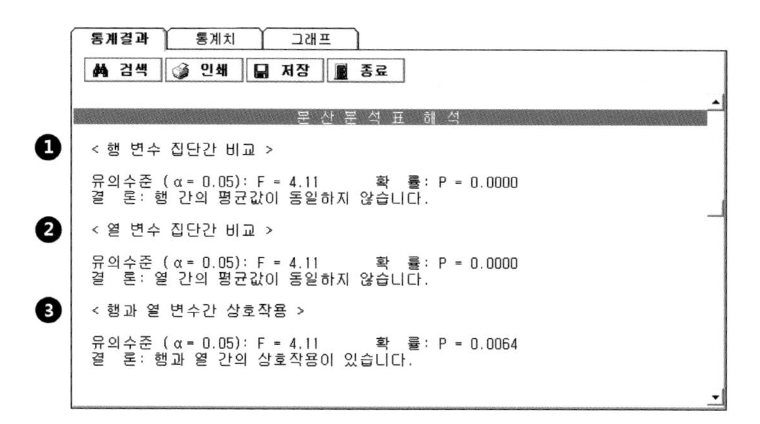

위의 분산분석표(ANOVA table)에 대한 통계적 해석을 내려준다.

① 행간 요인 (Exercise) : p = 0.0000 이므로 주효과가 있다.

② 열간 요인 (Diet) : p = 0.0000 이므로 주효과가 있다.

③ 상호작용 (Exercise*Diet) : p = 0.0064 이므로 상호작용 효과가 있다.

2 그래프

통계결과 창에서 그래프 폴더를 선택하면 다음과 같은 그래프가 나타난다.

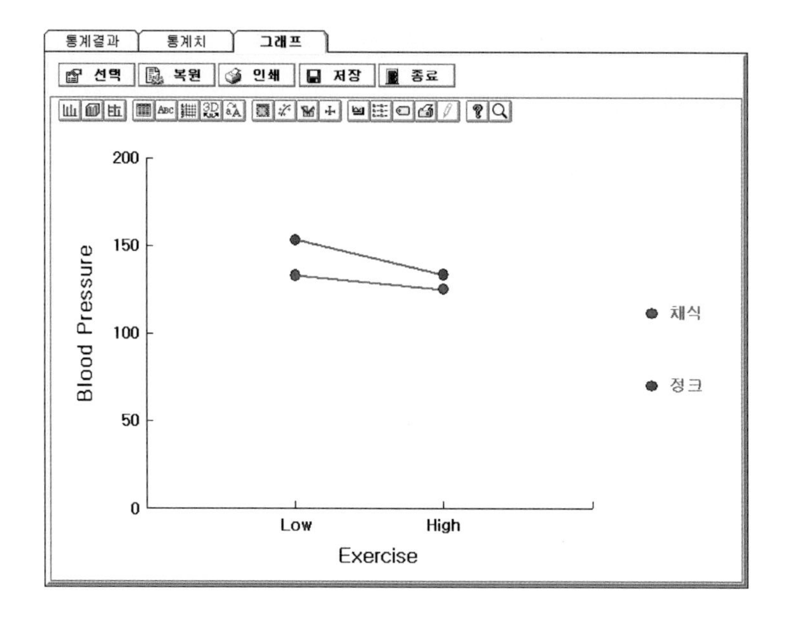

6-11 반복측정 분산분석 Repeated Measures ANOVA

CONTENTS

1. Paired *t*-test의 확장형으로 반복측정 자료에 대한 분산분석이다.
2. ANOVA의 전제조건(정규성, 등분산) 외에 구형성(sphericity)을 만족하여야 한다.

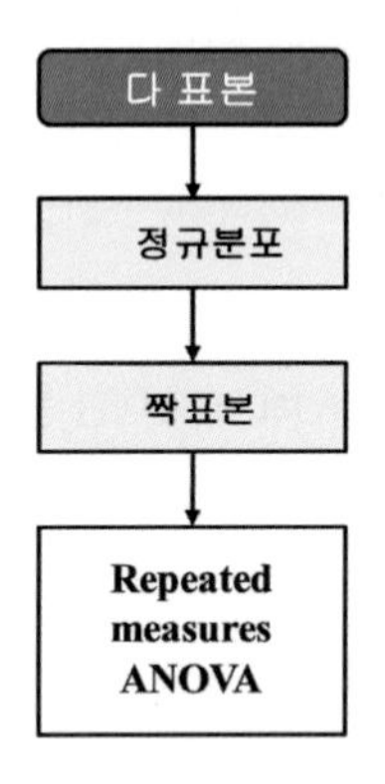

처리 treatment

동일한 대상(개체)에 대하여 처치 또는 시간을 다르게 하여 측정된 자료를 반복측정(repeated measure) 자료라 한다. 여기서 처치나 시간을 개체내 반복요인 또는 처리라고 한다. 반복요인(처리)의 수를 수준(level)이라 한다. 반복(처리) 수준이 둘인 경우가 paired *t*-test이다.

구형성 (sphericity) 가정

구형성 가정이란 반복측정 분산분석에서 처리 수준간 차이값의 분산이 동일하다는 가정이다. 구형성에서 벗어난 정도를 **ε(epsilon)**으로 표현하며 0에 가까울수록 많이 벗어난다.

1. 구형성 가정 검정에는 **Mauchly 검정**이 흔히 사용된다.
2. 구형성 가정을 위배하는 경우에는 분산분석 결과를 수정한 방법에 의하여 결과를 해석한다.
   ① **Greenhouse-Geisser 방법** : 보수적인 방법으로 구형성 위배가 크면 ($\boldsymbol{\varepsilon} \leq 0.75$) 사용한다.
   ② **Huynh-Feldt 방법** : 구형성 위배가 작을 때 ($\boldsymbol{\varepsilon} > 0.75$) 사용되는 덜 보수적인 방법이다.

다변량분석 (multivariate analysis)

① 구형성 가정이 필요없는 방법으로 **Pillai trace, Wilks lamda, Hotelling trace** 등이 있다.
② 구형성 가정을 크게 위배하는 경우에 사용하는데 대표본을 요구하며 검정력이 약하다.

확률화 블록설계의 이원분산분석법에 의한 방법도 구형성 가정을 필요로 하지 않는다.

Exercise

Repeated Measures ANOVA

비만 환자 10명에서 Diet 시행 전, 시행 후 3개월, 시행 후 6개월에 혈중 콜레스테롤 농도를 측정하였다. 평균 콜레스테롤에 차이가 있는지 유의수준 5%에서 검정하시오. 전제조건인 정규성과 등분산성 검정은 생략하기로 한다.

Cholesterol		
Before Diet	**3 M After**	**6 M After**
206	202	141
210	256	189
226	183	173
250	194	198
255	184	204
241	213	136
258	237	186
270	249	177
293	220	124
328	271	136

[해설]

1) 가설 설정

귀무가설 H_0 : 반복측정 자료의 평균은 차이가 없다.

대립가설 H_1 : 적어도 한쌍 이상의 반복측정 평균은 차이가 있다.

2) 통계적 유의성

반복측정 분산분석표는 다음과 같다.

Source of variation	Sum of squares	d.f.	Variance	F
Between groups	9408.00	9	1045.33	
Within groups	58448.67	20	2922.43	
Treatment ❶	38891.27	2	19445.63	17.90
Random error	19557.40	18	1086.52	
Total	67856.67	29		

① 개체내 처리 요인(Treatment)의 분산비 F = 17.90 ➲ p = 0.0001 〈 0.050이다.

② Diet 이전, 3개월 후, 6개월 후에 따라 평균 콜레스테롤은 동일하지 않다고 결론을 내린다.

3) 사후검정 (post hoc test)

일원분산분석과 마찬가지로 반복측정 분산분석 결과 통계적 유의성이 있으면 어떤 반복 수준 간에 차이가 있는지 보기 위해 사후검정을 하여야 한다.

4) 그래프

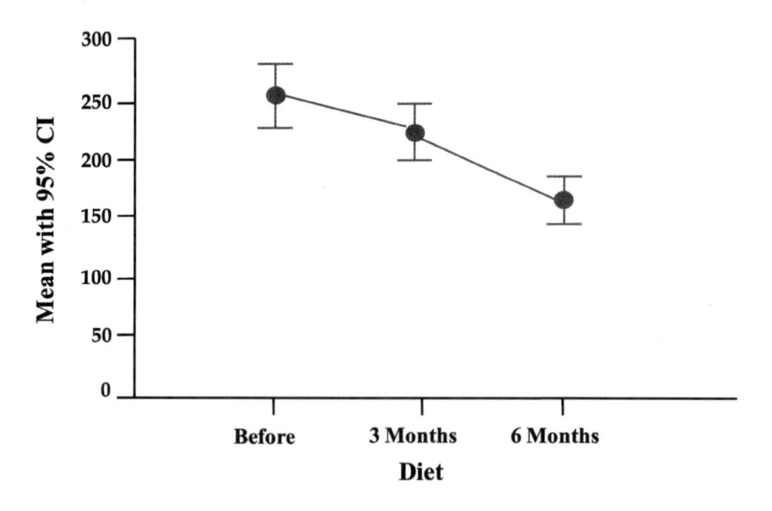

Diet 이전과 3개월, 6개월 후 평균 콜레스테롤을 반복 시간 별로 비교한 선 그래프를 작성한다.

Excel

Data : ranova.xlsx

분산분석 : 이원배치법

1 **메뉴** → [데이터] ▶ [데이터 분석] 메뉴를 선택하면 **[통계 데이터 분석]** 대화상자가 나타난다.

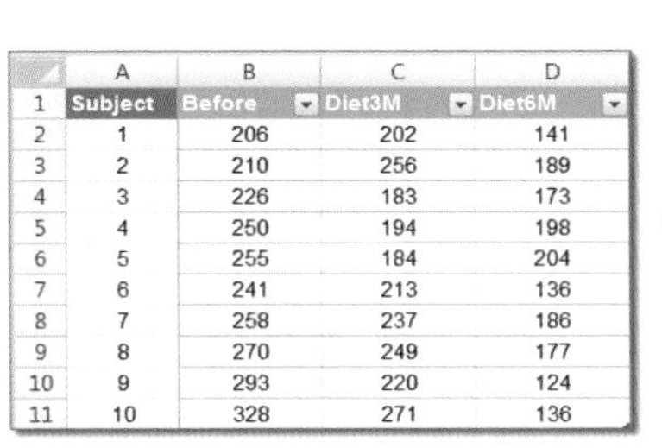

	A	B	C	D
1	Subject	Before	Diet3M	Diet6M
2	1	206	202	141
3	2	210	256	189
4	3	226	183	173
5	4	250	194	198
6	5	255	184	204
7	6	241	213	136
8	7	258	237	186
9	8	270	249	177
10	9	293	220	124
11	10	328	271	136

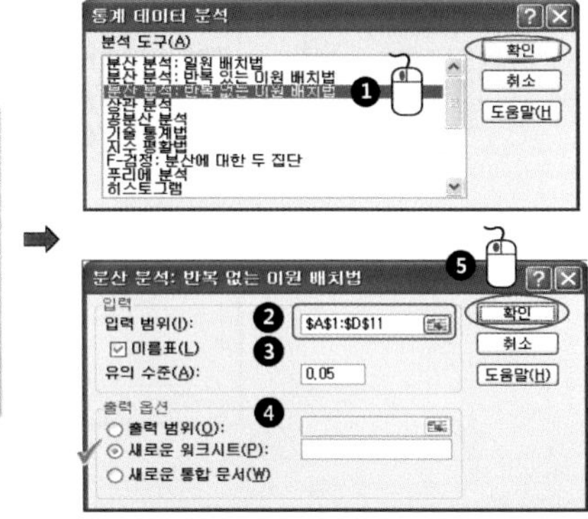

[분석 도구] 상자에서 **[분산분석 : 반복없는 이원배치법]**을 선택한다.

① [분산분석 : 반복없는 이원배치법] 대화상자에서 [입력 범위] ▶ $A$1:$D$11 입력한다.

② 입력범위의 첫째 행이 변수명을 포함하므로 ☑ [이름표] 항목을 선택한다.

③ [출력 옵션]에서 ⊙ [새로운 워크시트] 항목을 선택한다.

④ [확인] 버튼을 클릭하여 선택 작업을 마치면 분산분석 결과가 출력된다.

분산 분석

변동의 요인	제곱합	자유도	제곱 평균	F 비	P-값	F 기각치
인자 A(행)	9408	9	1045.333	0.962091	0.500268	2.456281
인자 B(열)	38891.27	2	19445.63	17.89713	5.26E-05	3.554557
잔차	19557.4	18	1086.522			
계	67856.67	29				

반복요인이 인자 B(열)이고 $p < 0.05$ 이므로 통계적으로 유의하다.

SPSS

Data : ranova.sav

일반선형모형

1 **메뉴** → [분석] ▶ [일반선형모형] ▶ [반복측정] 메뉴를 선택하면 대화상자가 나타난다.

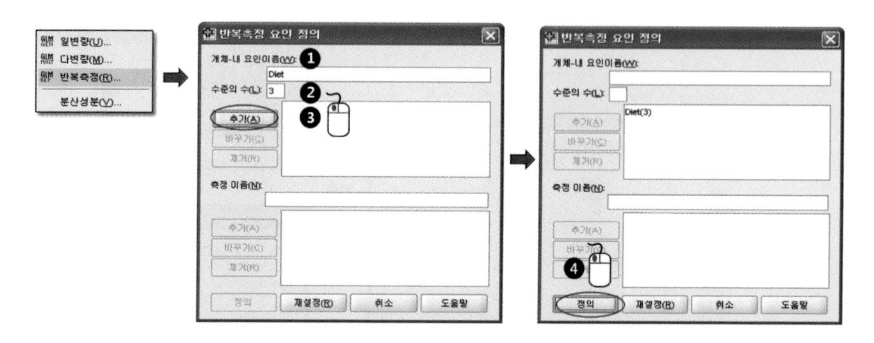

① [개체-내 요인이름] ➲ Diet를 입력 ② [수준의 수] ➲ 3을 입력한다. ③ [추가] 버튼을 누른다.
④ [정의] 버튼을 눌러 작업을 마치면 [반복측정] 대화상자가 나타난다.

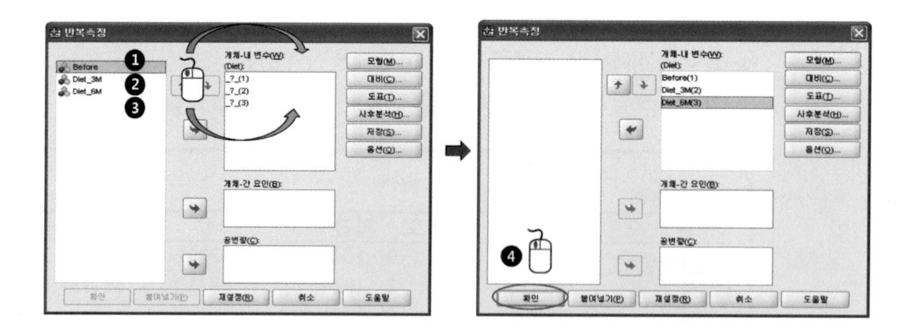

① [개체-내 변수] ➲ Before 선택 ② Diet_3M선택한다. ③ Diet_6M을 선택한다.
④ [확인] 버튼을 눌러 작업을 마치면 [통계결과] 창이 나타난다.

2 구형성 (Sphericity)

Mauchly의 구형성 검정[b]

측도:MEASURE_1

개체-내 효과	Mauchly의 W	근사 카이제곱	자유도	유의확률	엡실런[a]		
					Greenhouse-Geisser	Huynh-Feldt	하한값
Diet	.797	1.810	2	.404	.832	.997	.500

정규화된 변형 종속변수의 오차 공분산행렬이 단위행렬에 비례하는 영가설을 검정합니다.

a. 유의성 평균검정의 자유도를 조절할 때 사용할 수 있습니다. 수정된 검정은 개체내 효과검정 표에 나타납니다.

b. Design: 절편
개체-내 계획: Diet

Mauchly 구형성검정 결과 p=0.404 〉 0.05 이므로 구형성 가정을 만족한다.

3 분산분석 결과

개체-내 효과 검정

측도:MEASURE_1

소스		제 III 유형 제곱합	자유도	평균 제곱	F	유의확률
Diet	❶ 구형성 가정	38891.267	2	19445.633	17.897	.000
	Greenhouse-Geisser	38891.267	1.663	23383.901	17.897	.000
	❷ Huynh-Feldt	38891.267	1.994	19501.492	17.897	.000
	하한값	38891.267	1.000	38891.267	17.897	.002
오차(Diet)	구형성 가정	19557.400	18	1086.522		
	Greenhouse-Geisser	19557.400	14.968	1306.572		
	Huynh-Feldt	19557.400	17.948	1089.643		
	하한값	19557.400	9.000	2173.044		

① 구형성 가정을 만족하므로 F = 17.897 ➲ p = 0.000 〈 0.05 이므로 통계적으로 유의하다.

② 구형성 가정을 만족하지 않는 경우에 사용하는 검정법들이다.

[사후검정]

분석분석 결과가 통계적으로 유의하므로 사후검정을 시행하여야 한다. [반복측정] 대화상자에서 [옵션] 버튼을 누르면 [반복측정 : 옵션] 대화상자가 나타난다.

① [평균 출력 기준] 상자에 Diet를 입력한다.

② ☑ [주효과비교 항목을 선택한다.

③ [신뢰구간 조정] ▶ Bonferroni 를 선택한다.

④ [계속] 버튼을 눌러 작업을 마친다.

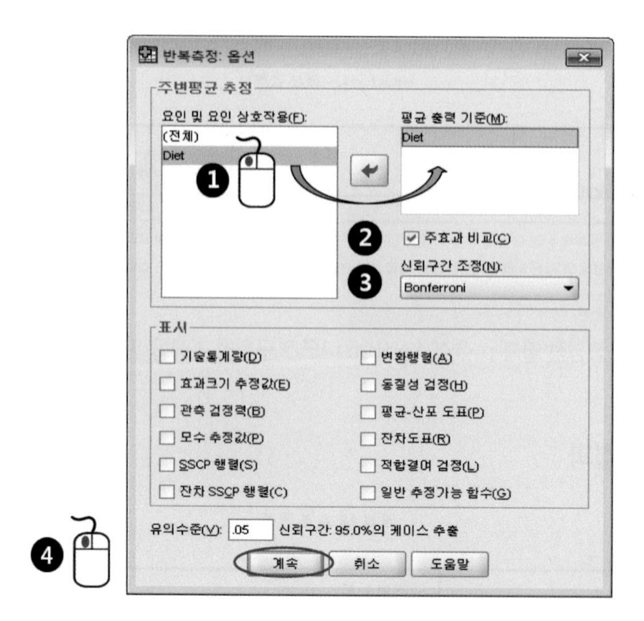

4 다중비교표

대응별 비교

측도:MEASURE_1

	(I) Diet	(J) Diet	평균차(I-J)	표준 오차 오류	유의확률[a]	차이에 대한 95% 신뢰구간[a] 하한값	상한값
❶	1	2	32.800	11.374	.054	-.564	66.164
		3	87.300*	17.272	.002	36.635	137.965
❷	2	1	-32.800	11.374	.054	-66.164	.564
		3	54.500*	14.973	.016	10.578	98.422
	3	1	-87.300*	17.272	.002	-137.965	-36.635
		2	-54.500*	14.973	.016	-98.422	-10.578

추정된 주변평균을 기준으로

a. 다중비교에 대한 조정: Bonferroni

*. 평균차는 .05 수준에서 유의합니다.

① Diet 1 vs. 2 ➲ p = 0.054, Diet 1 vs. 3 ➲ p = 0.002. Diet전과 6개월후 간에 차이가 있다.

② Diet 2 vs. Diet 3 ➲ p = 0.016 이므로 Diet 3개월후와 6개월후 간에 유의한 차이가 있다.

5 그래프

[반복측정] 대화상자에서 **[도표]** 버튼을 누르면 **[반복측정 : 프로파일 도표]** 대화상자가 나타난다.

① 변수 Diet를 선택하여 [수평축 변수] 상자에 입력한다.

② [추가] 버튼을 누르면 [도표]에 Diet 가 나타난다.

③ [계속] 버튼을 눌러 작업을 마치면 결과 창에 그래프가 보인다.

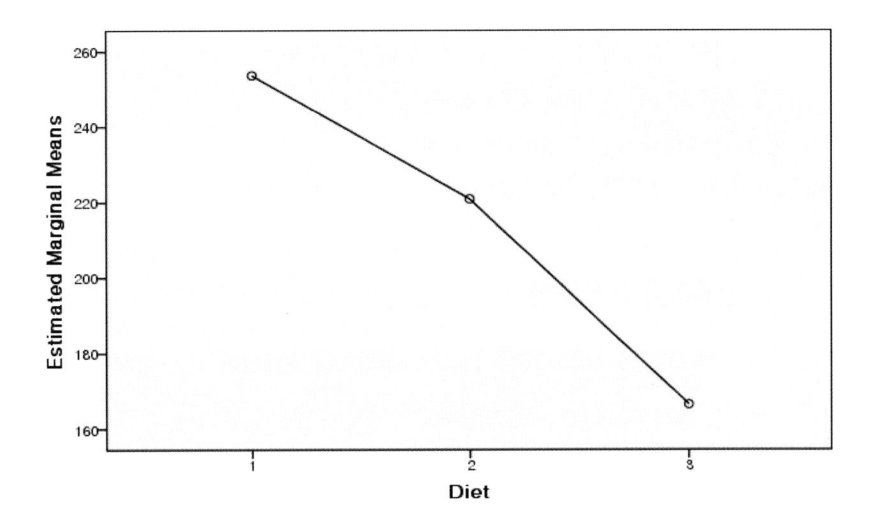

dBSTAT

Data : ranova.dbf

비교통계

1 **메뉴** → [통계] ▶ [비교통계] ▶ [마법사] 메뉴를 선택한다. [변수 선택] 대화상자가 나타난다.

[통계] ▶ [비교통계] ▶ [다 표본] ▶ [반복측정 분산분석] 을 선택하여도 동일하다.

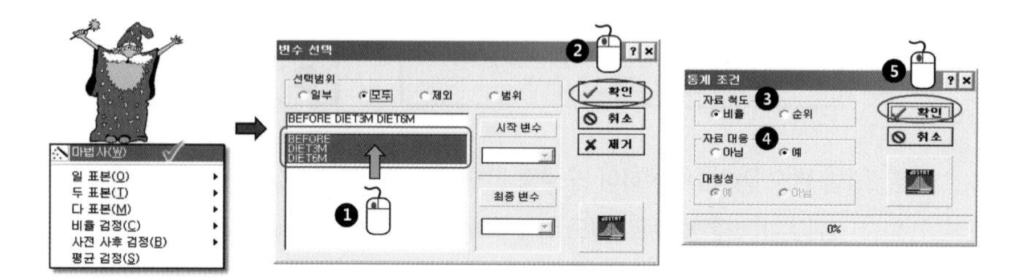

① [변수 선택] 대화상자에서 변수 BEFORE, DIET3M, DIET6M을 선택한다.

② [확인] 버튼을 클릭하여 선택 작업을 마치면 [통계조건] 대화상자가 나타난다.

③ [자료척도] ⊙ [비율] 항목을 선택한다.

④ [자료대응] ⊙ [예] 항목을 선택한다.

⑤ [확인] 버튼을 클릭하여 선택 작업을 마치면 [통계결과] 창이 나타난다.

2 반복측정 분산분석

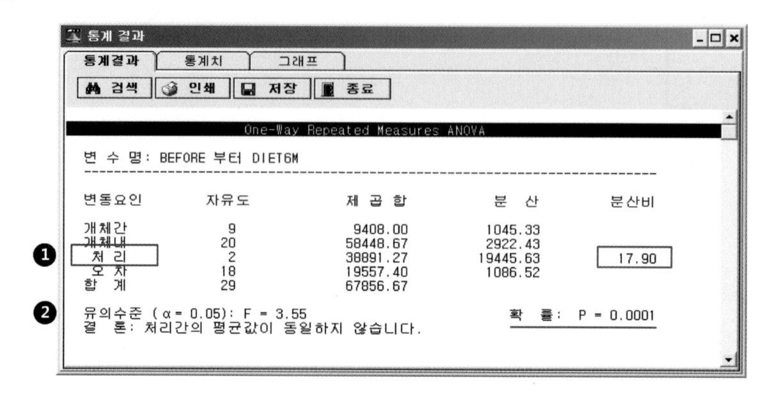

① 처리 요인 (treatment) : 분산비 F = 17.90 ➔ p = 0.0001 이다.

② P < 0.05 이므로 처리(Diet)에 따라 콜레스테롤 평균 차이가 있다고 결론을 내린다.

3 사후검정

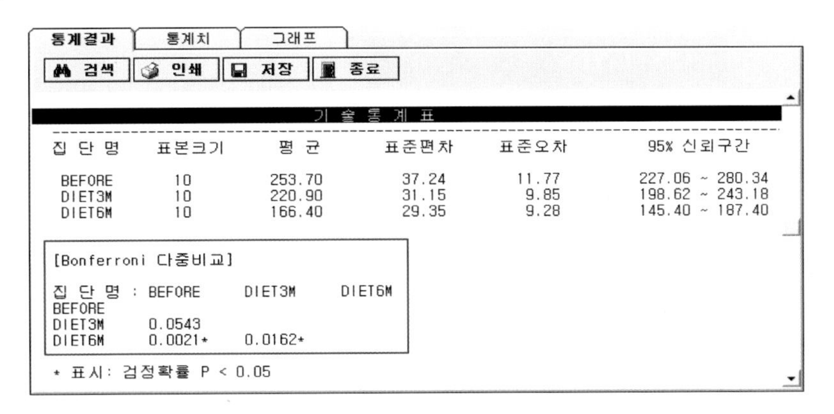

통계결과 | 통계치 | 그래프

검색 | 인쇄 | 저장 | 종료

기술통계표

집단명	표본크기	평균	표준편차	표준오차	95% 신뢰구간
BEFORE	10	253.70	37.24	11.77	227.06 ~ 280.34
DIET3M	10	220.90	31.15	9.85	198.62 ~ 243.18
DIET6M	10	166.40	29.35	9.28	145.40 ~ 187.40

[Bonferroni 다중비교]

집단명 :	BEFORE	DIET3M	DIET6M
BEFORE			
DIET3M	0.0543		
DIET6M	0.0021*	0.0162*	

* 표시: 검정확률 P < 0.05

Bonferroni 다중비교에서 Diet 전(Before)과 6개월 후, Diet 3개월 후와 6개월 후 집단간에 통계적으로 유의한 차이가 있다.

4 그래프

통계결과 창에서 그래프 폴더를 선택하면 다음과 같은 그래프가 나타난다.

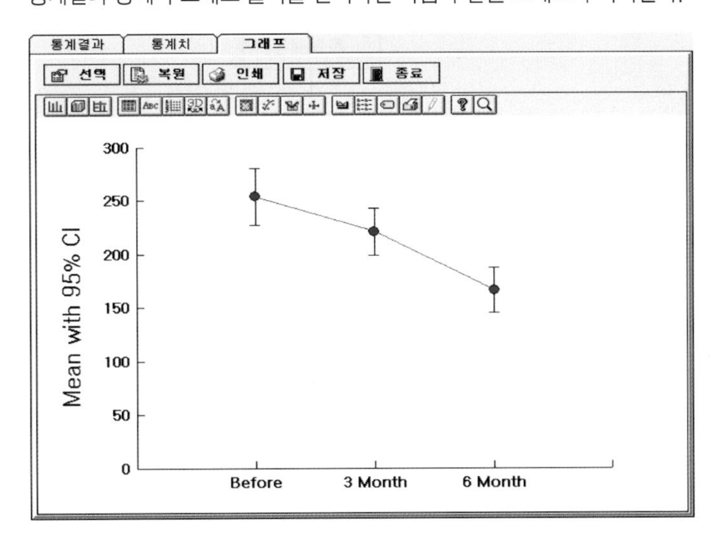

6-12 공분산분석 ANCOVA

CONTENTS

목적

공변량의 효과를 조정하여 독립변수 표본들로부터 모평균의 차이를 추정한다.

전제조건

1. ANOVA 전제조건 ① 독립성 ② 정규성 ③ 등분산을 가정한다.
2. 종속변수와 공변량 간에 선형 관련성(linear relationship)이 있다.
3. 독립변수 집단별 회귀선의 기울기(회귀계수)는 동질적(homogeneity)이어야 한다.

적용

공변량이 종속변수에 작용하는 효과를 조정하여 분산분석하는 모수적 통계검정이다.

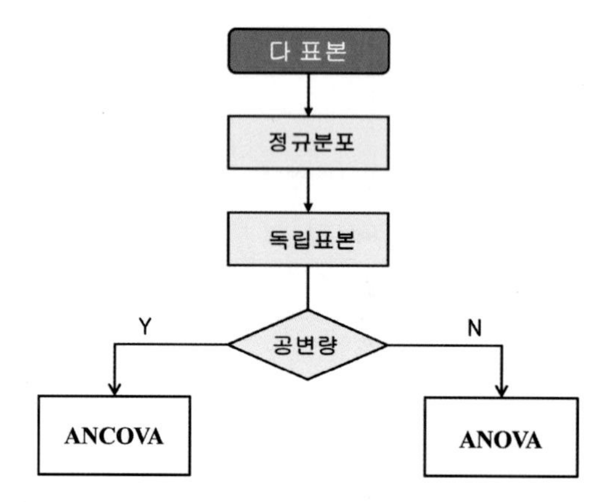

공분산분석이란 무엇인가?

공분산분석은 **분산분석**과 **회귀분석**의 방법을 이용하여 종속변수에 영향을 줄 수 있는 다른 변수(혼선변수, 중첩변수, 교락변수)를 실험적이 아닌 통계적으로 통제하는 방법이다. 영문약자로 ANCOVA 또는 ANACOVA로 표기한다.

공변량 covariate

- 실험설계(확률화 블록설계)를 통하여 통제하지 못한 연속형 설명변수를 공변량이라고 한다.
- 종속(반응)변수와 아무런 관계가 없는 공변량은 사용하지 않는 것이 좋다.
- 공변량은 연구설계 단계에서 미리 설정되어야 하며 연구과정에서 결정되어서는 안된다.

Exercise
ANCOVA

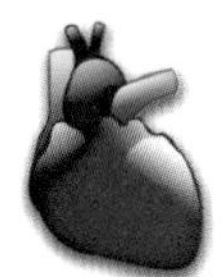

운동이 혈압(BP)에 미치는 효과를 보기 위하여 고혈압 환자들을 대상으로 2가지 운동(1=약함, 2=강함)을 5개월 시행한 후에 수축기 혈압을 측정하였다. 연령(Age)이 혈압에 미치는 효과를 조정하면서 운동 집단 간에 혈압의 차이가 있는지 검정하시오.

Exercise			
1		2	
BP	Age	BP	Age
158	41	144	39
185	60	138	45
152	41	145	47
159	47	162	65
176	66	142	46
156	47	170	67
184	68	124	42
138	43	158	67
172	68	154	56
168	57	162	64

[해설]

1) 가설 설정

귀무가설 H_0 : 공변량(Age) 효과 제어 후 요인(Exercise)에 따른 평균 혈압은 차이가 없다.
대립가설 H_1 : 공변량(Age) 효과 제어 후 요인(Exercise)에 따른 평균 혈압은 차이가 있다

2) 회귀계수의 동질성

공변량은 종속변수와 상관성이 있지만 독립변수와는 관련성이 없어야 한다.

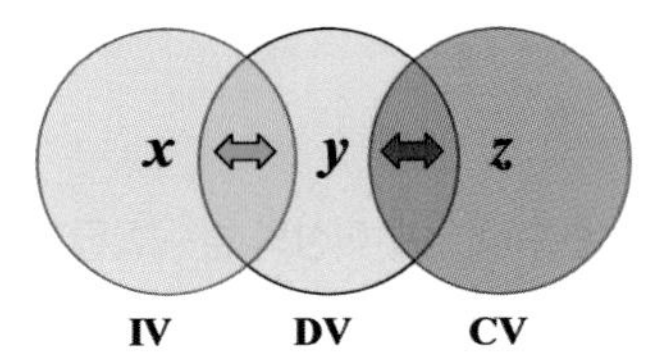

- x : 독립변수 (IV, Independent Variable)
- y : 종속변수 (DV, Dependent Variable)
- z : 공변량 (CV, Covariate)

독립변수(요인)가 공변량에 영향을 미친다면 상호작용을 뜻하며 공분산분석을 시행할 수 없다. 이 전제조건은 독립변수 집단 별 회귀선 기울기(회귀계수)의 동질성 여부로 검정한다.

① 그래프에 의한 방법

운동 방법에 따라 종속변수 혈압(y)과 공변량 연령(x)의 회귀식을 구한다.

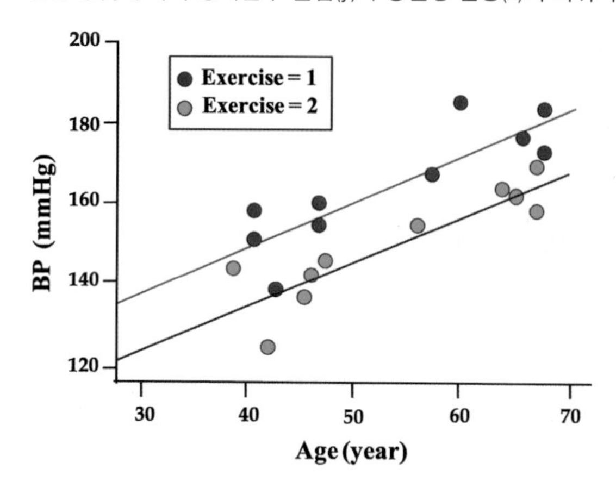

두 회귀선이 평행에 가까우므로 회귀선의 기울기가 같다고 할 수 있다.

② 통계적 검정

공변량과 독립변수의 상호작용에 대한 통계적 검정을 한다.

3) 통계적 유의성

다음은 공변량(Age)을 조정한 후 처리(Exercise) 효과에 대하여 분석한 ANOVA table이다.

Source of variation	Sum of squares	d.f.	Variance	F	P value
Exercise	1110.05	1	1110.05	20.69	0.0003
Error	911.90	17	53.64		

P=0.0003이므로 "연령을 조정한 후 Exercise 두 집단 간 평균 혈압은 다르다." 고 결론을 내린다.

사후검정

공분산분석이 통계적으로 유의하며 요인(독립변수)이 3개 이상의 범주(집단)로 이루어진 경우에는 사후검정을 하여야 한다. 예제에서 집단 수가 둘이므로 사후검정이 필요 없다.

SPSS

Data : ancova.sav

일반선형모형

1 **메뉴** → [분석] ▶ [일반선형모형] ▶ [일변량] 메뉴를 선택하면 대화상자가 나타난다.

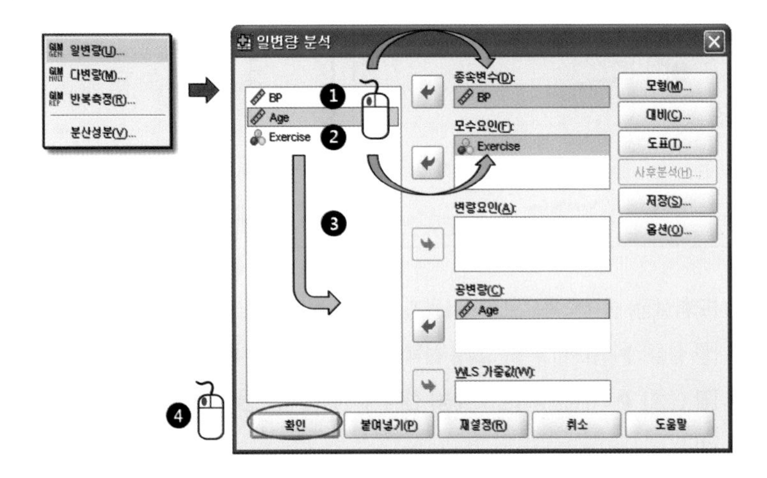

① 변수 BP를 선택하여 [종속변수] 상자에 입력한다.

② Exercise를 선택하여 [모수요인] 상자에 입력한다.

③ Age를 선택하여 [공변량] 상자에 입력한다. ④ [확인] 버튼을 눌러 작업을 마친다.

2 분산분석표

개체-간 효과 검정

종속 변수:BP

소스	제 III 유형 제곱합	자유도	평균 제곱	F	유의확률
수정 모형	3914.652[a]	2	1957.326	36.489	.000
절편	7147.481	1	7147.481	133.247	.000
Age	2804.602	1	2804.602	52.285	.000
Exercise	1110.050	1	1110.050	20.694	.000
오류	911.898	17	53.641		
합계	500007.000	20			
수정 합계	4826.550	19			

a. R 제곱 = .811 (수정된 R 제곱 = .789)

Exercise 효과 : 검정통계량 F = 20.694, p = 0.000 이므로 처리효과가 있다.

3 상호작용

[일변량 분석] 대화상자에서 **[모형]** 버튼을 누르면 **[일변량 : 모형]** 대화상자가 나타난다.

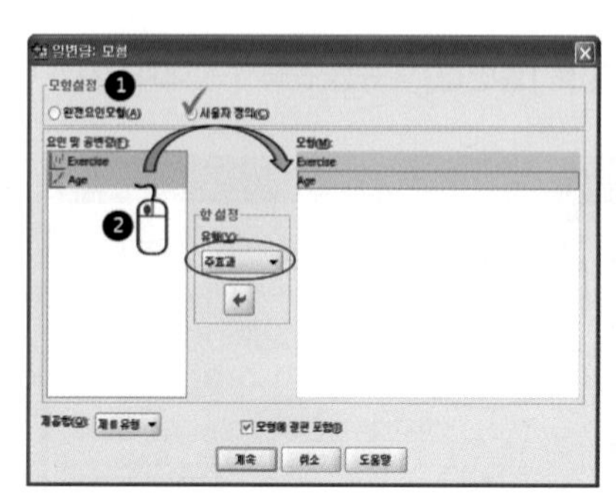

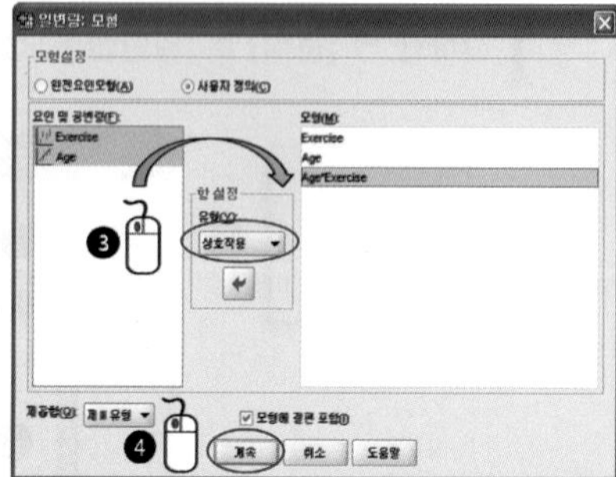

① [모형설정] 선택항목으로 ⊙ [사용자 정의]를 선택한다.

② [항 설정] ▶ [유형] ▶ [주효과] 선택한 다음 [모형] 상자에 Exercise, Age 변수를 입력한다.

③ [항 설정] ▶ [유형] ▶ [상호작용] 선택 후 [⇨] 버튼을 누르면 [모형]에 Age*Exercise가 나타난다.

④ [계속] 버튼을 눌러 작업을 마친다.

개체-간 효과 검정

종속 변수:BP

소스	제 III 유형 제곱합	자유도	평균 제곱	F	유의확률
수정 모형	3915.375[a]	3	1305.125	22.918	.000
절편	7148.036	1	7148.036	125.518	.000
Exercise	31.681	1	31.681	.556	.467
Age	2804.046	1	2804.046	49.238	.000
➡ Exercise * Age	.723	1	.723	.013	.912
오류	911.175	16	56.948		
합계	500007.000	20			
수정 합계	4826.550	19			

a. R 제곱 = .811 (수정된 R 제곱 = .776)

Exercise, Age 상호작용 (Exercise*Age) 분석결과 P = 0.912 〉 0.05 이므로 상호작용 효과가 통계적으로 유의하지 않다. 따라서 "공변량이 처치효과에 영향을 주지 않는다."는 공분산분석의 전제조건을 만족한다.

dBSTAT

Data : ancova.dbf

비교통계

1 **메뉴** → [통계] ▶ [비교통계] ▶ [마법사] 메뉴를 선택한다. [변수 선택] 대화상자가 나타난다.

[통계] ▶ [비교통계] ▶ [다 표본] ▶ [공분산분석] 을 선택하여도 동일한 결과가 출력된다.

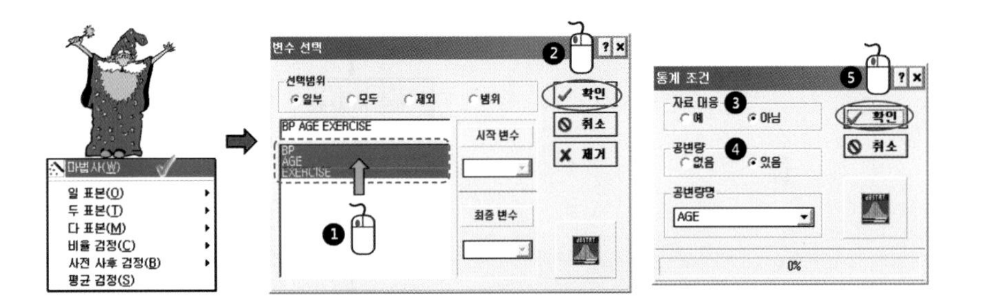

① [변수 선택] 대화상자에서 변수 BP, AGE, EXERCISE를 선택한다.

② [확인] 버튼을 클릭하여 선택 작업을 마치면 [통계 조건] 대화상자가 나타난다.

③ [통계 조건] 대화상자에서 자료대응 ⊙ 아님, ④ [공변수] ⊙ 있음 ➡ [공변수명] AGE 선택한다.

⑤ [확인] 버튼을 클릭하여 선택작업을 마친다.

2 **통계결과**

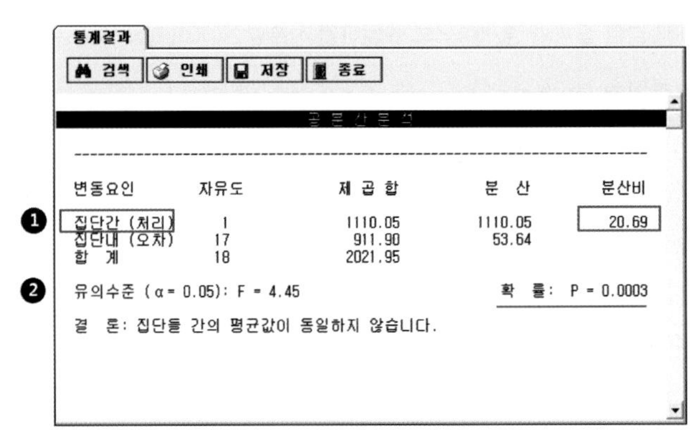

변동요인	자유도	제 곱 합	분 산	분산비
집단간 (처리)	1	1110.05	1110.05	20.69
집단내 (오차)	17	911.90	53.64	
합 계	18	2021.95		

유의수준 (α = 0.05): F = 4.45　　확 률: P = 0.0003

결 론: 집단들 간의 평균값이 동일하지 않습니다.

① 집단간 요인 (Exercise) : 분산비 F = 20.69 이다..

② P = 0.0003 〈 0.05 이므로 Exercise 집단 간 평균 혈압이 통계적으로 유의한 차이가 있다.

6-13 크루스칼-왈리스 검정 Kruskal-Wallis test

CONTENTS

1. 독립 k (k ≥ 3) 표본의 측정값(중앙값)을 비교하기 위한 비모수적 통계검정이다.
2. 순서자료이거나 정규성을 만족하지 않는 계량자료의 비교에 사용한다.
3. One-way ANOVA에 해당하는, Mann-Whitney test를 확장한 비모수적 검정이다.

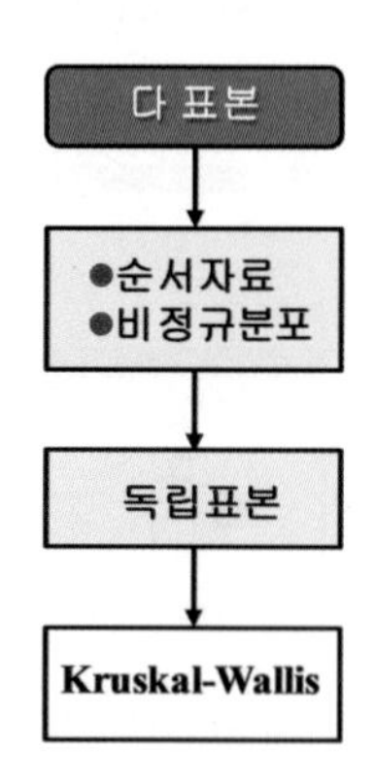

가설 설정

① 귀무가설 H_0 : $M_1 = M_2 = \cdots = M_k$ (k 집단 중앙값이 모두 동일하다)

② 대립가설 H_a : Not H_0 (적어도 하나 이상의 집단에서 중앙값이 다르다)

사후검정

Kruska-Wallis 검정 결과가 통계적으로 유의하면 사후검정(post hoc test)을 하여야 한다.

- Dunn 다중검정 (multiple comparison procedure)

  Kruskal-Wallis test 사후검정법으로 일반적으로 사용되는 방법이다.

- Mann-Whitney 검정

  Mann-Whitney 검정을 시행한 후에 **Bonferroni** 법으로 시행횟수에 의하여 유의수준 또는 P value를 교정하는 방법을 사용한다. 예를 들어 3집단 비교 시행 횟수 = 3 회이다.

  ① **유의수준 교정**

  P value가 교정된 유의수준 $\alpha = 0.05/3 = 0.0167$ 보다 작으면 통계적으로 유의하다.

  ② **P value 교정**

  교정된 P value = P value x 3 〈 $\alpha = 0.05$ 보다 작으면 통계적으로 유의하다.

Exercise

Kruskal-Wallis Test

식생활이 체중에 미치는 효과를 보기 위하여 Diet 방법에 따라 3개의 집단으로 나누어 5개월간 식이요법을 시행한 후에 체중감량(%)을 측정하였다. Diet 방법에 따라 체중감량의 효과에 차이가 있는지 유의수준 5%에서 검정하시오.

	Diet		
(Group) Independent	1	2	3
Dependent variable (Weight)	25	18	12
	24	4	14
	22	6	7
	16	10	3
	20	8	5

Diet 1 = 채식, 2 = 균형, 3 = 육식

통계적 검정

체중감량의 크기 순서대로 배열한 다음에 각 집단별 순위 합계를 구한다.

$$Kruskal-Wallis\ H = \frac{12}{N(N+1)}\left(\frac{R_1^2}{n_1}+\frac{R_2^2}{n_2}+\cdots+\frac{R_k^2}{n_k}\right)-3(N+1)=\frac{12}{15(16)}\left(\frac{64^2}{5}+\frac{30^2}{5}+\frac{26^2}{5}\right)-3(16)=8.720$$

통계적 유의성

K-W H = 8.72 〉 임계값 $H_{0.05,5,5,5}$ = 5.78 ➡ Diet 세 집단간에 체중감량은 유의한 차이가 있다.

사후검정

Table. Post hoc comparisons of the three diet groups using the Mann-Witney test with a Bnferroni correction

Group	Comparison	*p* value*	adjusted *p* value†
1 vs. 2	diet 1 vs. diet 2	0.016	0.048
1 vs. 3	diet 1 vs. diet 3	0.009	0.027
2 vs. 3	diet 2 vs. diet 3	0.754	>0.999

* Mann-Whitney test †Bonferroni adjustment

SPSS

Data : Kruskal-Wallis.sav

Kruskal-Wallis 검정

1 **메뉴** → [분석] ▶ [비모수검정] ▶ [독립 K-표본] 메뉴를 선택하면 대화상자가 나타난다.

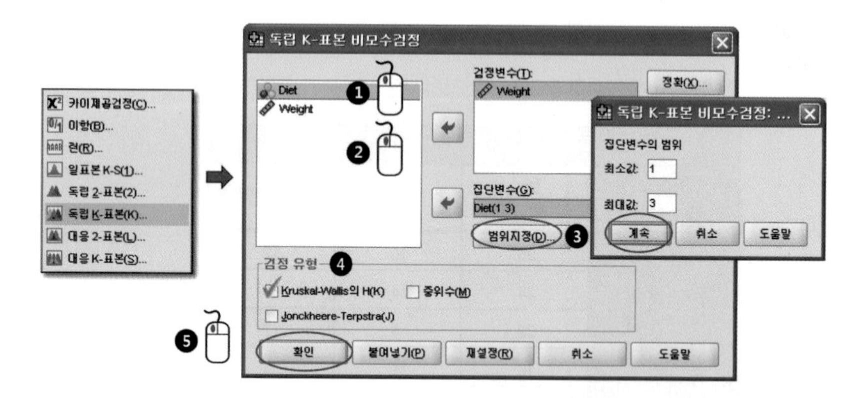

① 변수 Weight를 선택하여 [검정변수] 상자에 입력한다.

② 변수 Diet을 선택하여 [집단변수] 상자에 입력한다.

③ [범위지정] 버튼을 눌러 나타난 대화상자에서 [최소값] ➡ 1, [최대값] ➡ 3 입력한다.
[계속] 버튼을 누르면 [집단변수]에 Diet(1, 3)으로 입력된다.

④ [검정유형]에서 ☑ Kruskal-Wallis 항목을 선택한다. ⑤ [확인] 버튼을 눌러 작업을 마친다.

❶ 순위

	Diet	N	평균순위
Weight	A	5	12.80
	B	5	6.00
	C	5	5.20
	합계	15	

❷ 검정 통계량a,b

	Weight
카이제곱	8.720
자유도	2
근사 유의확률	.013

a. Kruskal Wallis 검정

b. 집단변수: Diet

① Diet 3 group의 표본크기와 평균 순위(mean rank)를 보여준다.

② Chi-Square = 8.720, p = 0.013 〈 0.05 이므로 Diet 방법에 따른 유의한 차이가 있다.

SPSS에서 Kruskal-Wallis 사후검정법은 없다.
SPSS에서 사후검정은 **Mann-Whitney test** 반복시행 후 **Bonferroni** 방법을 사용한다.

dBSTAT

Data : Kruskal-Wallis.dbf

비교통계

1 **메뉴** → [통계] ▶ [비교통계] ▶ [마법사] 메뉴를 선택한다.

[통계] ▶ [비교통계] ▶ [다 표본] ▶ [크루스칼-왈리스 검정] 을 선택해도 같은 결과가 출력된다.

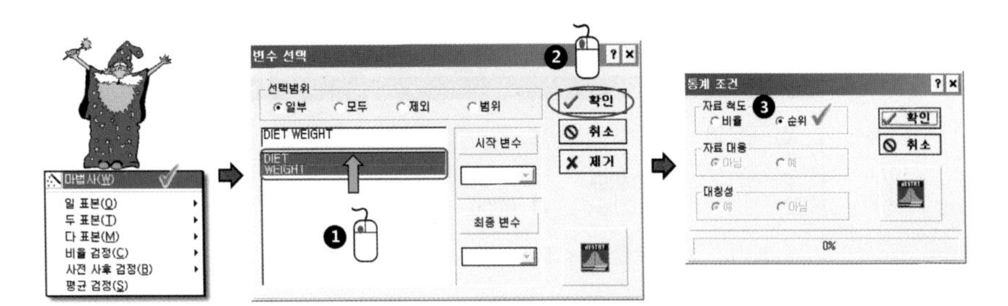

① [변수 선택] 대화상자에서 변수 DIET, WEIGHT를 선택한다.

② [확인] 버튼을 클릭하여 선택 작업을 마치면 [통계 조건] 대화상자가 나타난다.

③ [통계 조건] 대화상자에서 [자료 척도] ⊙ [순위] 항목을 선택한다. [확인] 버튼을 누른다.

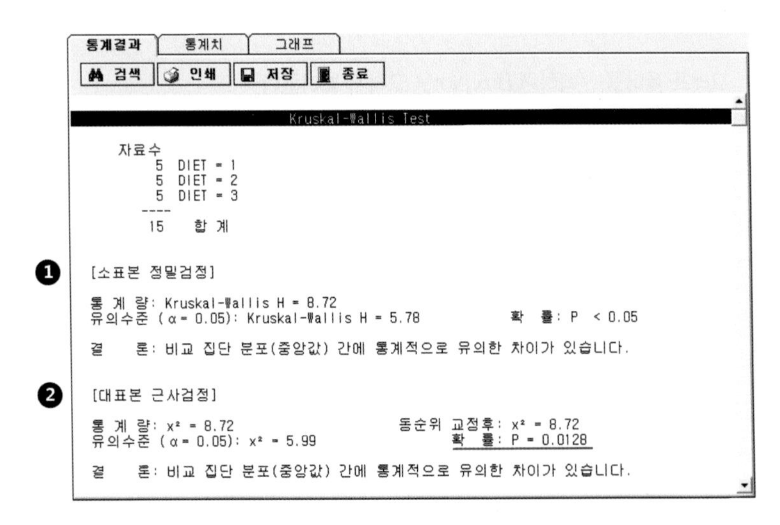

① 소표본 정밀검정 Kruskal-Wallis H = 8.72 〉 임계값 K-W H = 5.78 ➡ p〈0.05 이다.

② 대표본 근사검정 x^2 = 8.72 ➡ p = 0.0128 〈 0.05

양측검정 확률 p〈0.05 이므로 "Diet 3 group 간에 체중감량은 동일하지 않다 (유의한 차이가 있다)."는 결론을 내린다.

2 사후검정

dBSTAT에서 K-W 검정 결과가 통계적으로 유의하면 자동적으로 사후검정 결과를 보여준다.

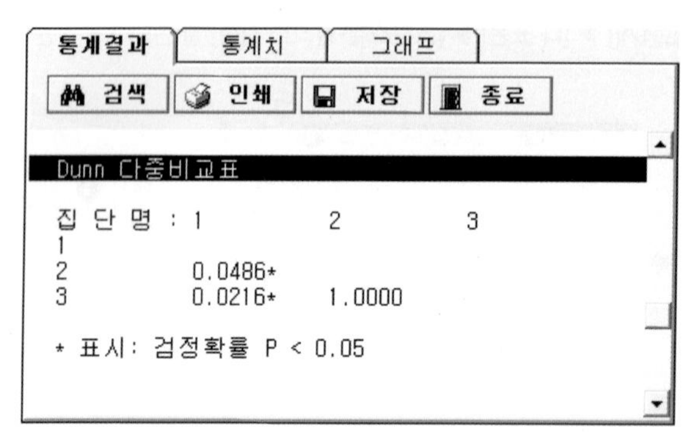

통계결과 | 통계치 | 그래프

검색 | 인쇄 | 저장 | 종료

Dunn 다중비교표

집 단 명 :	1	2	3
1			
2	0.0486*		
3	0.0216*	1.0000	

* 표시: 검정확률 P < 0.05

Dunn 다중검정에서 Diet 1 vs. 2 (p = 0.0486), Diet 1 vs. 3 (p = 0.0216) ⇨ p〈0.05 이므로 통계적으로 유의하다.

3 그래프

그래프 폴더를 선택하면 Box plot을 그려서 보여준다.

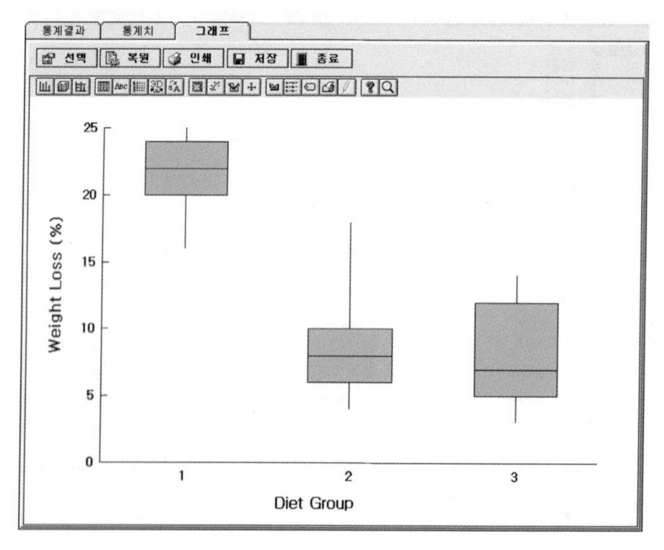

6-14 프리드만 검정 Friedman test

CONTENTS

1. 연관된 k (k≥3) 표본의 측정값(중앙값)을 비교하기 위한 비모수적 통계검정이다.
2. 순서자료이거나 정규성을 만족하지 않는 계량자료의 비교에 사용한다.
3. 반복측정 분산분석에 해당하는, **sign test**를 확장한 비모수적 검정이다.

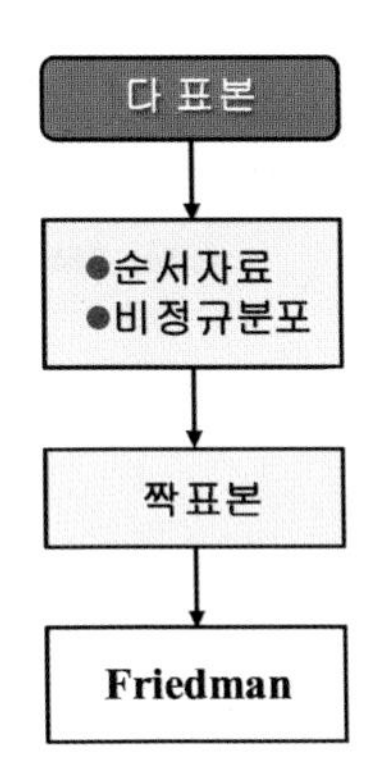

Friedman 검정은 셋 이상의 관련된 표본에서 분산분석의 가정을 만족하지 않는 경우에 사용하는 비모수적 검정이다. 반복측정 분산분석과 동일한 비모수적 통계검정이며, 실험설계가 임의화(확률화) 블록설계(randomized block design)일 때에 순서에 의한 이원분산분석(two-way ANOVA by ranks)이라고도 한다.

Experimental Subject #	Treatment			
	A	B	C	D
1	1	2	3	4
2	4	1	2	3
3	3	4	1	2
4	2	3	4	1
5	1	4	3	2

Treatment
Block
Rank

가설 설정

- 귀무가설 H_0 : $M_1 = M_2 = \cdots = M_k$ (반복측정 자료에서 중앙값[분포]이 모두 동일하다)
- 대립가설 H_a : Not H_0 (반복측정 자료에서 중앙값[분포]이 다르다)

Exercise

Friedman Test

음악요법이 심리상태에 미치는 영향을 알아 보기 위하여 10 명에서 시행 전과 시행 3개월 후, 6개월 후에 행복지수를 측정하였다. 음악요법이 효과가 있는지 유의수준 0.05에서 검정하시오.

	Happiness Score		
	Before	**After 3M**	**After 6M**
1	1	3	3
2	2	4	3
3	3	3	5
4	4	4	8
5	3	2	6
6	2	3	5
7	2	5	6
8	3	7	8
9	3	5	9
10	2	8	10

[해설]

1) 통계적 검정

Friedman 검정 통계량 $X^2_r = 14.76$

① 근사적(asymptotic) 검정으로 chi-square 분포에 의한 확률을 구하면 p = 0.001 이다..

② 소표본 검정은 《Friedman 검정표》에서 X^2_r 임계값을 구하여 검정 통계량과 비교한다.

$X^2_r = 14.76 > 6.20$ (임계값) ➲ $p < 0.05$ 이므로 통계적으로 유의하다.

"음악요법 시행 전과 3개월, 6개월 후 행복지수가 동일하지 않다." 고 결론을 내린다.

2) 사후검정 (post hoc test)

Kruskal-Wallis 검정과 마찬가지로 통계적 유의성이 있으면 어떤 집단 간에 차이가 있는지 보기 위해 사후검정을 하여야 한다.

Friedman 검정

1 **메뉴** → [분석] ▶ [비모수검정] ▶ [대응 K-표본] 메뉴를 선택하면 대화상자가 나타난다.

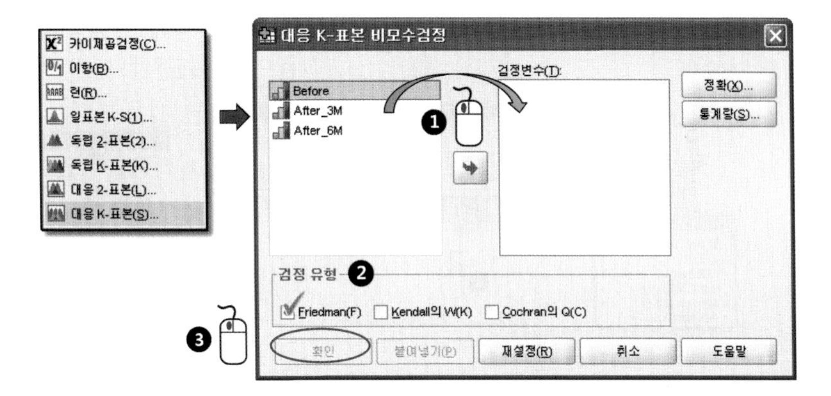

① 변수 Before, After_3M, After_6M을 선택하여 [검정변수] 상자에 입력한다.

② [검정유형] 선택상자에서 ☑ Friedman 항목을 선택한다.

③ [확인] 버튼을 눌러 작업을 마치면 SPSS 출력결과 창에 통계분석 결과가 나타난다.

순위

	평균순위
Before	1.20
After_3M	1.95
After_6M	2.85

검정 통계량[a]

N	10
카이제곱	14.757
자유도	2
근사 유의확률	.001

a. Friedman 검정

Chi-Square = 14.757, p = 0.001이므로 Diet 전과 3개월 후, 6개월 후에 유의한 차이가 있다.

2 사후검정

SPSS에서 직접 사후검정을 시행할 수 없으며 **sign test** 시행 후 Kruskal-Wallis test에서 설명한 바와 같이 **Bonferroni** 법으로 유의수준(α= 0.05)을 교정한다.

dBSTAT

Data : Friedman.dbf

비교통계

1 **메뉴** → [통계] ▶ [비교통계] ▶ [마법사] 메뉴를 선택한다.

[통계] ▶ [비교통계] ▶ [다 표본] ▶ [프리드만 검정] 을 선택하여도 동일 결과가 출력된다.

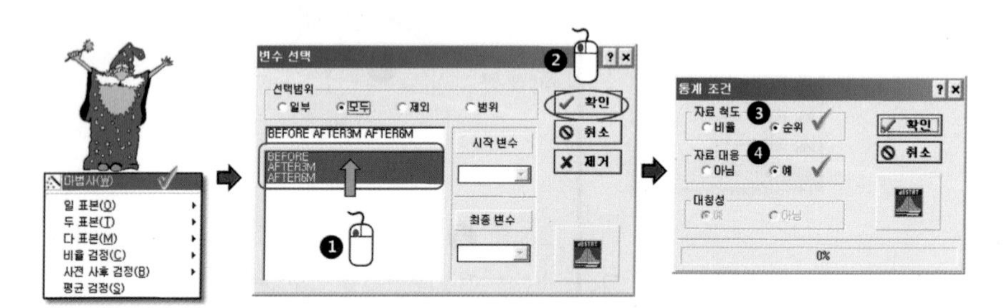

① [변수 선택] 대화상자에서 변수 BEFORE, AFTER3M, AFTER6M을 선택한다.

② [확인] 버튼을 클릭하여 선택 작업을 마치면 [통계 조건] 대화상자가 나타난다.

③ [통계 조건] → [자료 척도] ⊙ [순위]

④ [자료 대응] ⊙ [예] 항목을 선택한다. [확인] 버튼을 누른다.

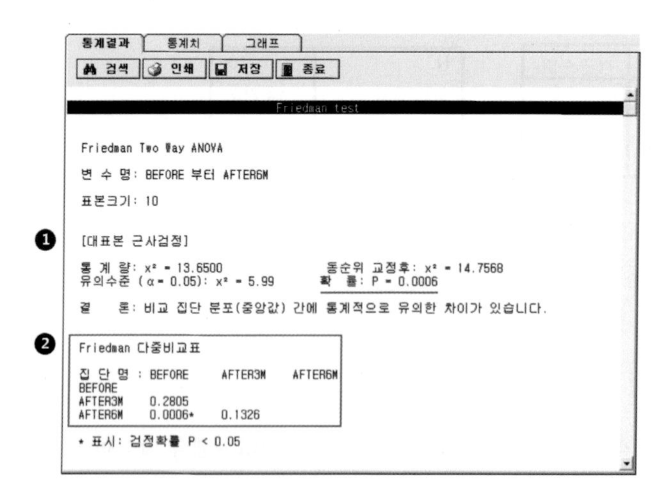

① 대표본 근사검정 x^2 = 14.7568 ➲ p = 0.001 (0.0006)

② 사후검정 결과 Before - After 6M 집단 간에 통계적으로 유의한 차이가 있다.

비교통계

- 비교연구에 대한 통계분석 방법은 **모수적 검정**과 **비모수적 검정**으로 분류된다.
- 모수적 검정은 표본자료에 대한 **정규성**과 **등분산성**을 만족하여야 사용할 수 있다.
- **표본수**와 **대응관계**(related) 여부에 따라서 통계검정법이 선택된다.

❖ 비교통계

Characteristics		2 Sample		k Sample (k > 2)	
Data Distribution					
Parametric (Normality)	Unpaired	*t*-test	Unpaired *t*-test	ANOVA	One-way ANOVA
	Paired		Paired *t*-test		Repeated-measures ANOVA
Non-Parametric (Non-Normality)	Unpaired	Mann-Whitney test		Kruskal-Wallis test	
	Paired	Wilcoxon signed ranks test		Friedman test	

❖ 전제조건

Assumption		Statistical Test
Normality		• Kolmogorov-Smirnov test • Lilliefors test • Shapiro-Wilks test
Equal Variance		• F-test • Bartlette test • Levene test

Medical Paper

Randomized Trial of Suture Versus Electrosurgical Bipolar Vessel Sealing in Vaginal Hysterectomy

Obstet Gynecol 2003;102:147–51

Statistical analysis

Data were anlyzed with the Student *t* test if data were determined to be normally distributed or with the Wilcoxon rank-sum test for nonparametric data. All comparisons were two tailed, with a *P* value less than .05 considered significant. All analyses were completed using SAS statistical software (SAS institute).

Table 1. Patient Characteristics by Hemostasis Modality (Mean ± Standard Deviation, Median, Range)

	EBVS (n = 30)	Suture (n = 30)	Statistical significance (P)
Age (y)	46.2 ± 8.6 45.7 (31.6–69.8)	47.5 ± 9.4 46.1 (25.8–68.0)	.60
BMI (kg/m^2)	26.2 ± 4.6 25.0 (20.1–39.3)	26.1 ± 6.0 24.4 (18.4–42.2)	.54
Uterine mass (g)	247.2 ± 206.3 185 (46.0–865)	250.8 ± 221.7 200.0 (50.0–1065.0)	.95
Parity	1.7 ± 1.1 2.0 (0–4)	1.6 ± 1.0 2.0 (0–3)	.71
Length of stay (d)	0.10 ± 0.3 0.0 (0–1)	0.33 ± 0.5 0.0 (0–1)	.03

EBVS = electrosurgical bipolar vessel sealer; BMI = body mass index.
Age data normally distributed and analyzed with the Student *t* test. All other data analyzed with the nonparametric Wilcoxon rank-sum test.

Statistical Error

Short-term effects of salpingectomy during laparoscopic hysterectomy on ovarian reserve: a pilot randomized controlled trial

Fertility and Sterility. 2013;100(6):1704-7

TABLE 1

Demographic characteristics of participants, by treatment group.

Characteristic	Salpingectomy (n = 15)	No salpingectomy (n = 15)		*P* value
Age (y)	36.6 ± 4.5	37.8 ± 5.0		.50[a]
BMI (kg/m^2)	34.4 ± 6.8	38.1 ± 10.7		.27[a]
Uterine weight (g)	194.9 ± 154.6	228.4 ± 300.2	❶	.70[a]
Tubal sterilization	47	60		.46[b]

Note: **Data are mean ± standard deviation (SD) or percentage. BMI = body mass index.**
a Student's *t*-test. ❷
b Chi-square test.

Findley. Salpingectomy and ovarian reserve. Fertil Steril 2013.

Two-Sample Comparison Test

1) **정규성** (Normality)

- 정규분포를 이루면 **95% 범위 (Mean±2SD)**에 속한 관측자료는 실제 측정가능하여야 한다.
  Uterine weight mean-2SD (194.9 - 2 x 154.6, 228.4 - 2 x 300.2) 〈 0 ⇨ 정규성을 위반한다.
- Skewed data에서 mean (SD)를 사용하여서는 안되며 median (IQR)로 기술하여야 한다.

2) **모수적 검정** (Parametric test)

정규성을 위배하므로 Student' s *t*-test는 사용 못하며 Mann-Whitney test를 사용하여야 한다.

Medical Paper

Influence of Food Intake on the Predictive Value of the Gestational Diabetes Mellitus Screening Test

Obstet Gynecol 2013;121:750–8

Statistical analysis

We evaluated the normality of the distributions of all continuous variables. The differences between the fasting interval groups were analyzed using the Krus-Kal-Wallis test for continuous variables because the data were not normally distributed. An analysis of variance was used for continuous variables with normal distributions and homogenous variances, and Welch's analysis of variance was used to test for differences between group variances. If the difference was significant, Dunn's post hoc multiple comparison test was performed for the Kruskal-Wallis test, and the Tukey-Kramer post hoc test was performed for the analysis of variance. The x^2 test was used for categorical variables.

Table 2. Fifty-Gram Glucose Challenge Test and 100-Gram Oral Glucose Tolerance Test Results by Fasting Interval Group Among Pregnant Women With Normal Glucose Tolerance, Impaired Glucose Tolerance, and Gestational Diabetes Mellitus

		Fasting Interval (h)			
Group	Result (mg/dL)	1 or Less	1–2	More Than 2	*P*
Total		396	482	509	
	50-g glucose challenge test	121 (50–221)	119 (68–232)	121 (55–238)	.32*
Normal glucose tolerance		316	380	380	
	50-g glucose challenge test	113 (50–139)	114 (68–139)	113 (55–139)	.88*
Impaired glucose tolerance		70	87	94	
	50-g glucose challenge test	159.5 (142–212)†	156 (141–199)	153 (141–238)†	.04*
GDM		10	15	35	
	50-g glucose challenge test	181.0±26.7	181.7±21.2	175.2±19.1	.53‡
	100-g OGTT Fasting	90.6±16.8	87.1±7.3	91.8±9.5	.35§

OGTT, oral glucose tolerance test; GDM, gestational diabetes mellitus.
Data are n, median (range), or mean±standard deviation unless otherwise specified.
* The Kruskal-Wallis test and Dunn's multiple comparison test were performed for the post hoc multiple comparisons of the Kruskal-Wallis test.
† P<.05.
‡ Analysis of variance (ANOVA) test and the Tukey-Kramer test was performed for the post hoc multiple comparisons of ANOVA.
§ Welch's ANOVA test was performed.

Statistical Error

β-Secretase Protein and Activity Are Increased in the Neocortex in Alzheimer Disease

Arch Neurol. 2002;59:1381-1389

STATISTICAL ANALYSIS

To analyze BACE activity and BACE protein, we performed analysis of variance (ANOVA) according to diagnosis (brains with AD vs controls) and brain region (temporal cortex, frontal cortex, or cerebellum). Significant effects of diagnosis with ANOVA were followed up using the *t* test to determine which brain regions were significant. For significant results within brain regions, correlation analysis was used to correlate BACE activity and protein with duration of illness, formic acid–extractable Aβ, or synaptophysin (StatView; Abacus Concepts, Berkeley, Calif).

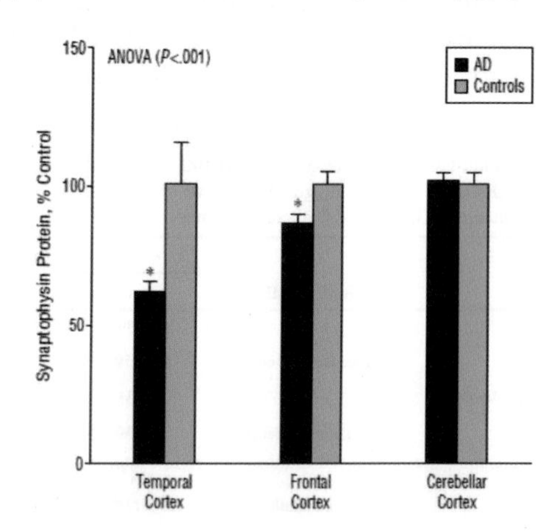

asterisks indicate $P < 0.05$ as determined by a post hoc *t test*. Error bars are ± SE.

k-Sample Comparison Test

ANOVA 사후검정 ⇨ Multiple *t* test 사용하여서는 안된다. 다른 다중비교법을 사용해야 한다.

Relationship

"Found what?" said Duck.
"Found It," the Mouse replied rather crossly :
"of course you know what 'it' means."

7

관계분석 Relationship

CONTENTS

- 독립변수와 종속변수 간의 관계(relationship)를 분석하는 통계 분석을 뜻한다.
- 분석하려는 변수의 수에 따라 통계분석 방법이 달라진다.
- 두 변수를 분석하는 **이변량분석(bivariate analysis)**과 셋 이상의 변수를 동시에 분석하는 **다변량분석(multivariate analysis)**으로 나눈다.

관계분석은 자료형과 분석목적에 따라서 다음과 같이 나눌 수 있다.

1. **연관성 (Association)** - 불연속형 (명목/순서) 변수들 간의 관계 분석
2. **상관성 (Correlation)** - 연속형 (등간/비율) 변수들 간의 관계 분석
3. **예측성 (Prediction)** - 독립변수로써 종속변수의 관련성 정도를 예측 분석

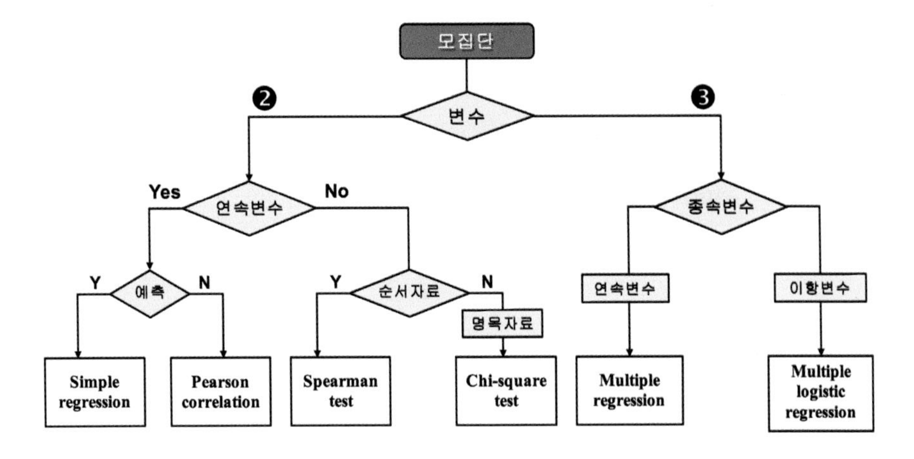

통계적 검정법

- ✓ 변수의 수에 따라 이변량분석과 다변량분석으로 나누어지며 모수적 통계 검정과 모수적 통계가 적합하지 못한 경우에 적용되는 비모수적 통계 검정이 있다.
- ✓ 모수적 검정의 전제조건을 충족하면 모수적 검정이 비모수적 검정에 비하여 검정력이 높고 결과의 해석이 쉬우므로 모수적 검정을 시행하여야 한다.

이변량분석 Bivariate Analysis

1 모수적 통계

피어슨 상관 Pearson correlation

두 변수의 상관성을 조사하기 위한 모수적 통계 검정이다.

단순선형회귀 Simple linear regression

1개의 독립변수와 1개의 계량형 종속변수로 구분되는 두 변수 간의 관련성을 조사하여 독립 변수로써 종속변수를 예측하기 위한 모수적 통계 검정이다.

2 비모수적 통계

스피어만 순위상관 Spearman rank correlation

Pearson correlation에 해당하는 비모수적 검정이다.

단순 로지스틱 회귀 Simple logistic regression

1개의 계량형 독립변수와 1개의 명목형 종속변수로 구분되는 두 변수 간의 연관성을 조사하여 범주형 종속변수를 예측(분류)하기 위한 비모수적 통계 검정이다.

카이제곱 검정 Chi-square test

명목형 두 변수의 연관성을 조사하기 위한 비모수적 통계 검정이다.

다변량분석 Multivariate Analysis

1 모수적 통계

다중선형회귀 Multiple linear regression

단순선형회귀의 확장된 방법으로 2개 이상인 독립 변수로써 1개의 계량형 종속변수를 예측하기 위한 모수적 통계 검정이다.

2 비모수적 통계

다중 로지스틱 회귀 Multiple logistic regression

단순 로지스틱 회귀의 확장으로 2개 이상인 독립 변수로써 1개의 명목형 종속변수를 예측(분류)하기 위한 비모수적 통계 검정이다.

독립변수 independent variable vs. 종속변수 dependent variable

- 변수 간의 관련성을 분석하는 경우에 변수들은 독립변수와 종속변수로 나누어진다.
- 종속변수는 결과변수라고도 하며 독립변수에 의한 결과로 나타나는 변수이다.
- 독립변수는 그림(plot)에서 X 축에 표시되며 표(table)에서는 행(row)에 표시한다.

Variable	다른 명칭	Plot	Table	설 명
독립변수	•설명변수 •위험인자 •예측변수	X 축	행	● 비만과 고혈압의 관련성을 분석하는 연구에서 체중은 독립변수(위험인자), 혈압은 종속변수(결과변수)이다.
종속변수	•결과변수	Y 축	열	● 독립변수는 원인에 해당하며 종속변수는 결과에 해당하는 변수이다.

키와 체중의 관계처럼 독립변수와 종속변수를 구분하기 어려운 경우도 있다.

관련성 (relationship) ≠ 인과관계 (causation)

✓ **상관분석**은 종속변수와 독립변수의 구분(방향성)이 없으므로 유의한 상관성이 있다고 하여도 인과관계를 알 수 없다.

✓ **회귀분석**에서는 유의한 관련성이 있다고 하여도 통제되지 않는 요인, 통계적 오류, 편향(bias) 등이 존재하므로 반드시 인과관계를 뜻하는 것은 아니다.

Correlation

7-1 상관분석 Correlation

CONTENTS

목적

두 변수의 관계를 추정한다.

전제조건

- 독립성 : 표본들은 확률적으로 또 독립적으로 추출되었다.

적용

두 변수의 상관관계에 대한 통계 분석법이다.

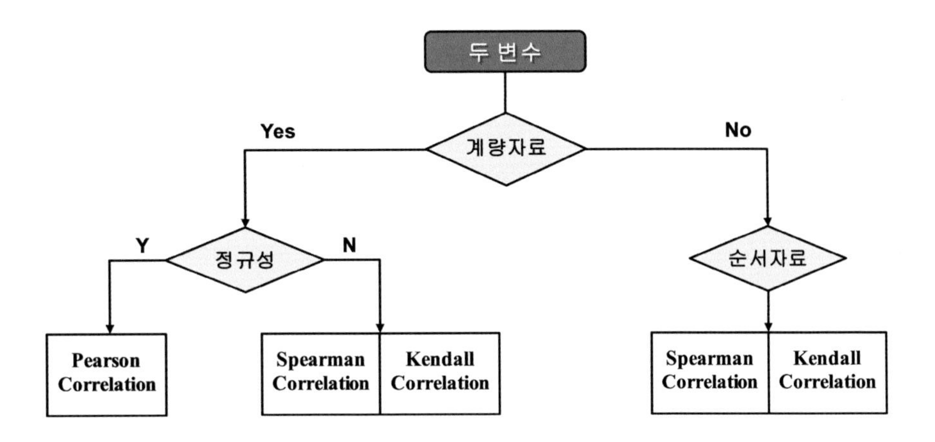

상관분석은 비교통계 분석과 마찬가지로 모집단 분포를 가정하는 모수적 검정과 분포에 대한 전제조건이 필요하지 않는 비모수적 검정으로 나누어 진다.

- **피어슨 상관** Pearson correlation

  정규분포를 이루는 계량자료인 두 변수의 상관성을 조사하는 모수적 통계 검정이다.

- **스피어만 순위상관** Spearman rank correlation

  순서자료이거나 비정규성 계량자료의 상관성을 조사하기 위한 비모수적 통계 검정이다.

- **켄달 순위상관** Kendall rank correlation

  Spearman rank correlation과 유사한 비모수적 검정이며 두 변수의 순위상관뿐만 아니라 셋 이상 집단(항목)의 일치도(concordance) 검정에도 사용할 수 있다.

7-2 피어슨 상관 Pearson Correlation

CONTENTS

목적
두 변수의 선형관계를 추정한다.

전제조건
1. **독립성** : 표본들은 확률적으로 또 독립적으로 추출되었다.
2. **정규성** : 두 변수들은 모두 계량형이며 정규분포를 이룬다.
3. 표본들이 추출된 두 모집단은 2변수정규분포를 이루어야 한다.

적용
두 표본의 상관관계에 대한 모수적 통계 분석법이다.

가설

귀무가설 H_0 : $\rho = 0$ (변수 X와 Y 간에 상관성이 없다.)

대립가설 H_a : $\rho \neq 0$ (변수 X와 Y 간에 상관성이 있다.)

귀무가설은 "모집단 상관계수 ρ(rho) = 0"라고 가설을 세운다. 상관계수 = 0 이면 **상관성**이 없다고 할 수 있다.

상관분석을 시행하기 전에 다음 두 가지 가정에 대한 검정을 하여야 한다.

① **정규성 (Normality)**

두 변수 모두 정규분포를 이루어야 한다.

 정규분포 검정은 『자료요약』 단원의 정규분포검정을 참조하기 바란다.

② **선형성 (Linearity)**

선형성은 산점도(scatter plot)를 그려서 조사한다.

 **전제조건 위반시 선택방법**

① **자료 변환** : 로그 변환 등을 하여 정규분포, 선형성에 맞는 자료로 변환시킨다.

② **비모수적 검정** : Spearman 순위상관 또는 Kendall 순위상관을 사용한다.

체중(kg)과 키(cm)를 측정한 다음과 같은 자료에서 체중과 키 간에 상관관계가 있는지 알아보자. 예제 자료는 계산절차의 이해를 위한 가상 자료이므로 표본크기가 작아 모수적 검정의 전제조건은 생략하기로 한다.

Case	Weight	Height
1	55	170
2	60	165
3	65	160
4	70	175
5	75	170

No.	Weight	Height
1	55	170
2	60	165
3	65	160
4	70	175
5	75	170

상관분석의 첫번째 단계는 산점도를 그려보는 것이다.

2.1 산점도 Scatter Plot

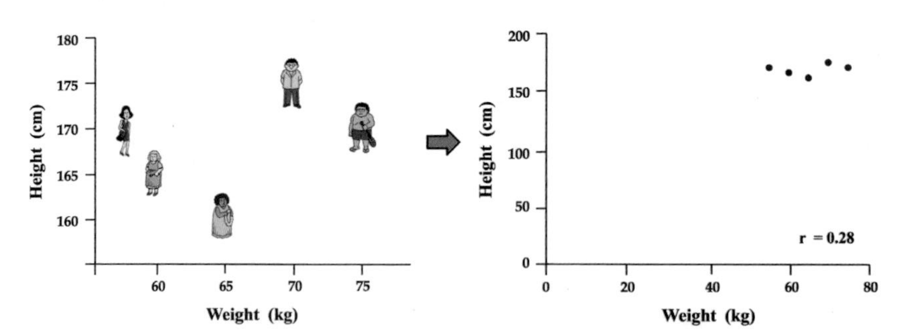

산점도의 해석

상관관계는 다음과 같은 4가지 유형이 있다.

(a) 양의 선형상관 (positive linear correlation) : X 값이 증가하면 Y 값도 직선상 증가한다.
(b) 음의 선형상관 (negative linear correlation) : X 값이 증가하면 Y 값은 직선상 감소한다.
(c) 비선형 상관 (nonlinear correlation) : X 값이 증가하면 Y 값은 곡선상으로 변화한다.
(d) 무상관 (no correlation) : X 값의 증가에 따른 Y 값의 변화가 없다.

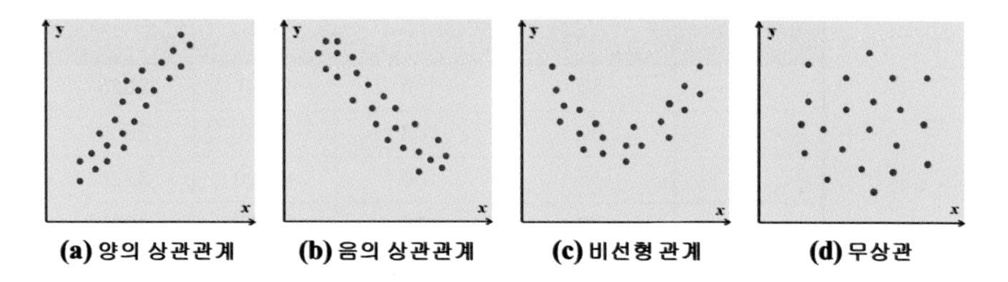

예제에서 산점도를 그려보면 체중(X)과 키(Y)는 상관성이 없어 보인다.

상관분석이 부적합한 경우

다음과 같은 경우에 Pearson 상관분석을 사용해서는 안된다.

(a) **비선형관계** : 선형성의 전제조건에 위배된다.

(b) **이상값 (outlier)** : X 상관계수에 영향을 주어 분석결과를 신뢰할 수 없다.

(c) **고정간격 (fixed interval)** : X 값이 미리 일정간격으로 정해지면 안된다. (예, 약의 용량)

(d) **상이한 집단** : 상이한 집단에서 측정한 값은 편향된(bias) 표본자료로 신뢰할 수 없다.

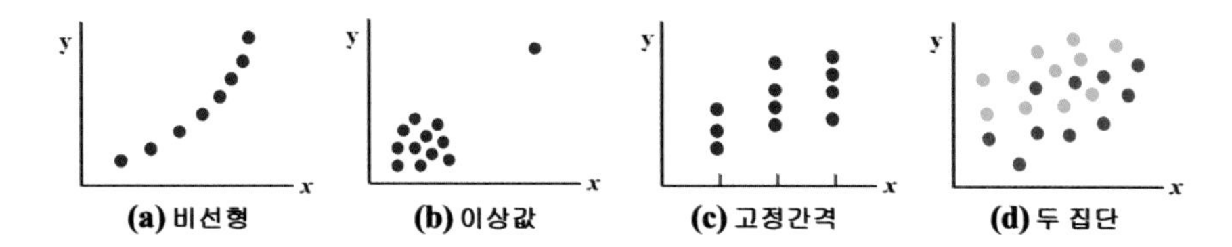

22 상관계수 Correlation Coefficient

- **모상관계수 (population correlation coefficient) : ρ (rho)**

  가설검정할 때에 모집단의 추정에 사용된다.

- **표본상관계수 (sample correlation coefficient) : r**

  Pearson 상관계수라고도 하며 소문자 r 로 표기한다.

〈계산〉

상관계수 r 은 다음과 같이 계산한다.

$$r = \frac{\sum(x-\bar{x})(y-\bar{y})}{\sqrt{\sum(x-\bar{x})^2\sum(y-\bar{y})^2}} = \frac{n\sum xy - \sum x\sum y}{\sqrt{[n\sum x^2 - (\sum x)^2][n\sum y^2 - (\sum y)^2]}}$$

위의 예제에서 다음과 같은 표를 만들어 계산할 수 있다.

No.	Weight (X)	Height (Y)	XY	X^2	Y^2
1	55	170	9350	3025	28900
2	60	165	9900	3600	27225
3	65	160	10400	4225	25600
4	70	175	12250	4900	30625
5	75	170	12750	5625	28900
Total (Σ)	325	840	54650	21375	141250

$$r = \frac{n\sum xy - \sum x \sum y}{\sqrt{[n\sum x^2 - (\sum x)^2][n\sum y^2 - (\sum y)^2]}} = \frac{5(54650) - (325)(840)}{\sqrt{[5(21375) - (325)^2][5(141250) - (840)^2]}} = 0.277$$

상관계수 해석

상관계수 r 은 다음과 같은 범위를 갖는다. $-1 \leq r \leq 1$

① r = +1 : 완전한 양의 상관관계

② r = 0 : 상관관계 없음 (무상관)

③ r = -1 : 완전한 음의 상관관계

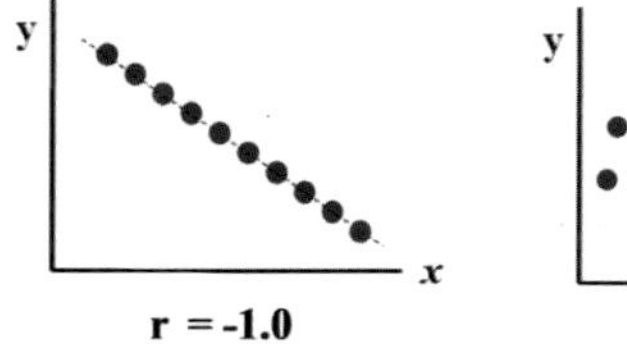

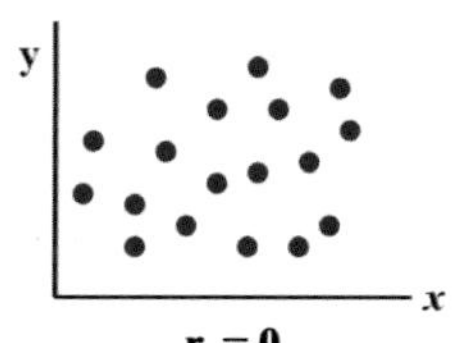

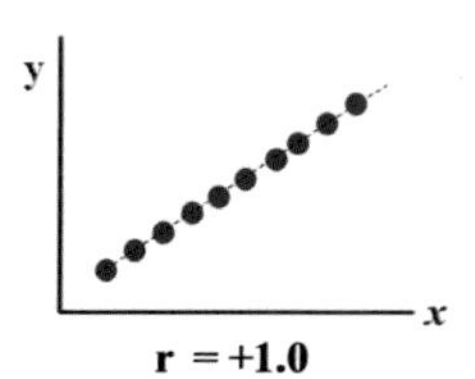

상관관계 강도

상관계수 r 의 절대값이 1에 가까울수록 높은 상관관계를 갖는다 즉, 두 변수 사이의 직선적 관계가 강하다.

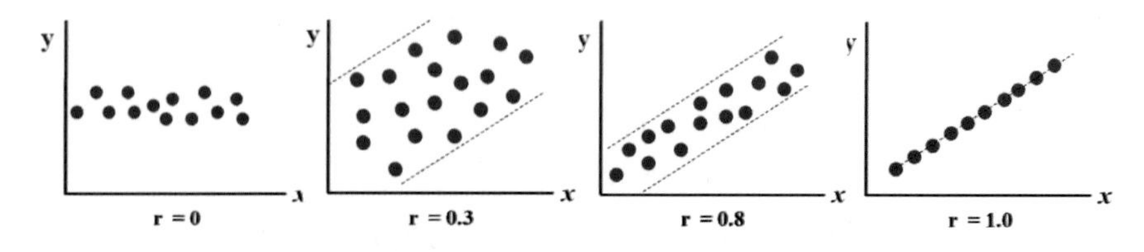

상관계수의 절대값으로 관련성의 정도를 평가하는 기준은 다양하다. $|r| \rangle 0.7$ 이면 관련성이 높다고 판단할 수 있다.

Category Guideline : r 의 절대값에 따라 다음 3단계로 분류하여 해석할 수 있다.

① 낮음(weak) : $|r| \le 0.3$ ② 중간(moderate) : $0.3 \langle |r| \le 0.7$ ③ 높음(strong) : $|r| \rangle 0.7$

상관관계	상관계수
매우 높음 (강함)	$0.9 < \lvert r\rvert \le 1.0$
높음 (강함)	$0.7 < \lvert r\rvert \le 0.9$
중간	$0.4 < \lvert r\rvert \le 0.7$
낮음 (약함)	$0.2 < \lvert r\rvert \le 0.4$
매우 낮음 (약함)	$0.0 < \lvert r\rvert \le 0.2$

- 상관계수가 크다고 해서 반드시 X 값에 대한 Y 값의 변화가 더 커진다고 할 수는 없다.
- 상관계수를 “80%의 상관성”과 같이 상관 정도의 백분율로 해석해서는 안된다.

2.3 통계적 유의성

상관계수의 유의성 검정

✓ 상관계수는 단지 변수들이 선형적으로 관련되어 있는지를 나타내는 척도이다.

✓ 상관관계에 대한 통계적 유의성 검정은 상관계수에 대하여 **F 분포**나 **t 분포**를 이용하여 검정해야 한다.

〈계산〉

검정통계량 **t** 는 다음과 같이 계산한다.

$$t = \frac{r}{\sqrt{\frac{1-r^2}{n-2}}} = \frac{0.277}{\sqrt{\frac{1-.0.277^2}{5-2}}} = 0.50 \quad (df = n-2)$$

t 임계값 $t^* = t_{(\alpha,df)} = t_{(0.05,3)} = 3.18$

검정통계량 $t \rangle t^*$ 이면 통계적으로 유의하다고 판정한다.

통계적 의사결정

피어슨 상관계수 r = 0.277, 통계량 t = 0.50 〈 t* (3.18) 이므로 "체중과 키는 통계적으로 유의한 상관관계가 없다." 고 결론을 내린다.

상관관계 vs. p-value

통계적 오류 : "P -value가 작을수록 높은 상관관계가 있다."

✓ P-value는 단지 모상관계수 $\rho = 0$ 인지 아닌지의 여부, 즉 상관성의 유무만을 검정하여 통계적 유의성을 결정하는 기준이지 상관성의 정도를 측정하는 기준이 아니다.

✓ P-value가 작을수록 우연에 의해 상관성의 유무를 잘못 결정할 확률이 낮아지므로 통계적인 유의성이 높아진다.

✓ P-value는 표본크기가 클수록 작아지게 된다.

다음 논문의 예에서 r = 0.052, p 〈 0.001 에 대한 결론은 "통계적으로 유의하지만 상관성은 매우 낮다." 라고 내린다.

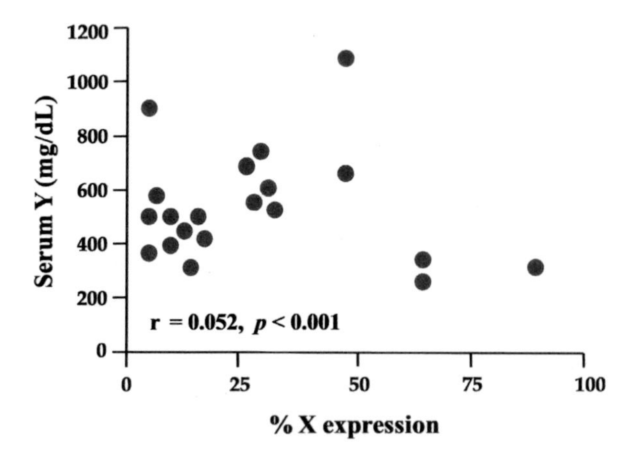

상관계수 신뢰구간

통계분석 결과에는 P value와 상관계수, 신뢰구간을 함께 제시하여야 한다.

- 신뢰구간은 표본상관계수에 표본크기를 반영한다.
- 신뢰구간은 모상관계수의 추정범위이다.
- 신뢰구간에 0을 포함하면 통계적인 유의성이 없다

Exercise
Pearson Correlation

성인에서 체중(kg)과 키(cm)를 측정하여 다음과 같은 자료를 얻었다. 체중과 키 간에 상관관계가 있는지 유의수준 5%로 검정하시오.

Subject	Weight (kg)	Height (cm)
1	65	162
2	78	165
3	62	168
4	67	165
5	84	165
6	60	167
7	75	155
8	58	170
9	72	152
10	64	175
11	56	152
12	46	150
13	58	158
14	72	148
15	63	161
16	60	165
17	48	155
18	55	158
19	61	160
20	62	162

[해설]

1) 전제조건

상관분석을 시행하기 전에 다음 두 가지 가정에 대한 검정을 하여야 한다.

① **정규성 (Normality)**

두 변수 Weight, Height 모두 정규분포를 이룬다.

 정규성 검정은 『자료요약』 단원에 자세히 설명되어 있으므로 참조하기 바란다.

② **선형성 (Linearity)**

산점도를 그려보면 점들이 직선의 형태를 이루고 있으며 상관성이 거의 없다.

2) 통계적 검정

전제조건을 만족하므로 짝표본의 상관분석에 사용되는 **Pearson correlation**을 사용한다.

3) 검정통계량

① 상관계수 r = 0.16, 95% 신뢰구간 = (-0.30, 0.56)

② t = 0.69, df = n - 2 = 20 - 2 = 18 ➲ P = 0.498

P 〉 0.05 이므로 체중과 키는 유의한 상관성이 없다는 결론을 내린다.

4) 그래프

상관분석 그래프는 산점도로 그린다.

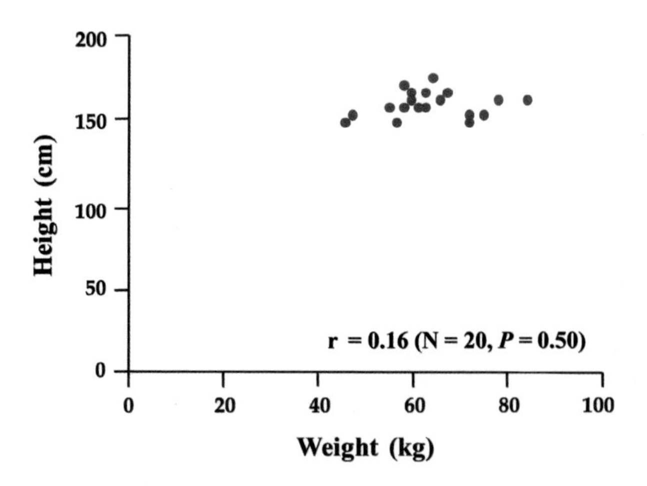

산점도 그림에 상관계수 r 값과 표본크기 n, 확률 P 를 표시하면 이해하기 쉽다.

Excel

Data : corr.xlsx

상관분석

1 메뉴 → [데이터] ▶ [데이터 분석] 메뉴를 선택하면 대화상자가 나타난다.

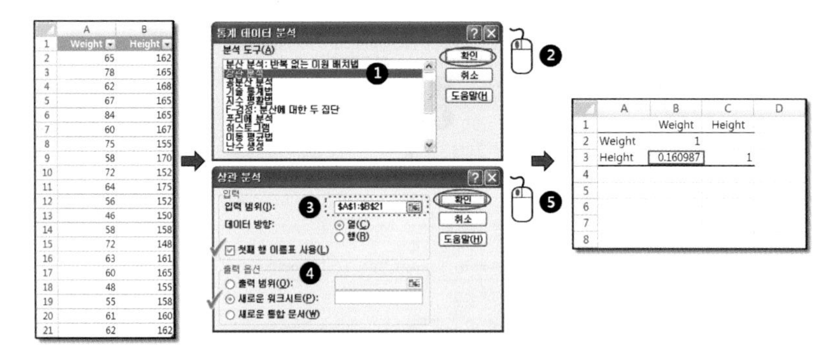

① **[분석 도구]** 상자에서 **[상관 분석]**을 선택한다.

② [확인] 버튼을 클릭하여 선택 작업을 마치면 [상관분석] 대화상자가 나타난다.

③ [상관분석] 대화상자에서 [입력 범위] ▶ $A$1 : $B$21 입력한다.

입력범위의 첫째 행이 변수명을 포함하므로 ☑ [이름표] 항목을 선택한다.

④ [출력 옵션]에서 ⊙[새로운 워크시트] 항목을 선택한다.

⑤ [확인] 버튼을 클릭하면 상관분석 결과 상관계수 r = 0.160987 출력된다.

2 그래프

데이터 워크쉬트에서 A1 → B21 범위를 선택한 다음 메뉴에서 [삽입] ▶ [분산형] 챠트를 선택하면 다음과 같은 산점도 그래프를 그릴 수 있다.

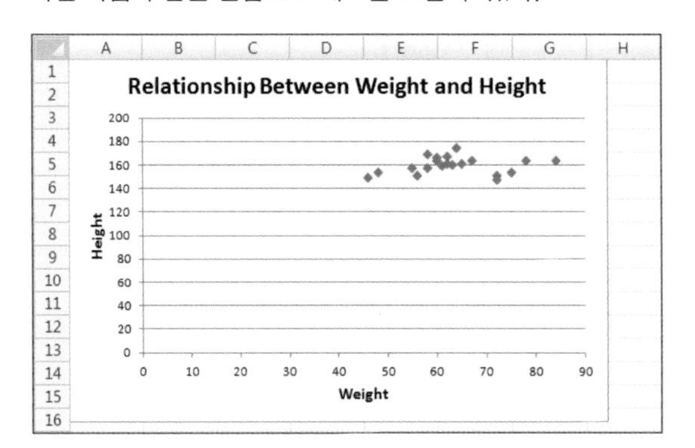

SPSS

Data : corr.sav

상관분석

1 메뉴 → [분석] ▶ [상관분석] ▶ [이변량 상관계수] 메뉴를 선택하면 대화상자가 나타난다.

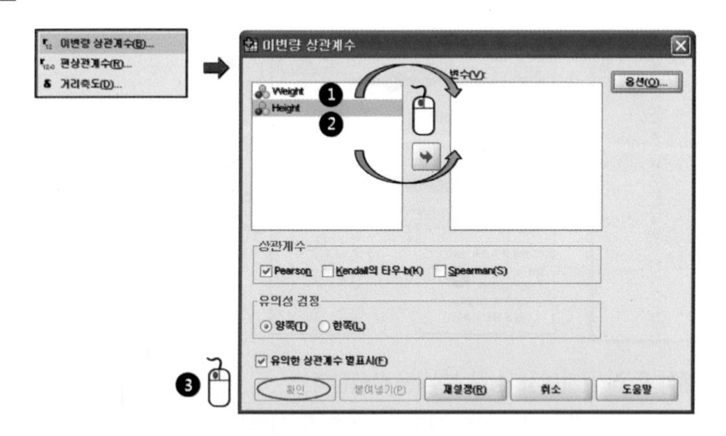

① 변수 Weight을 선택하여 [변수] 상자에 입력한다.

② 변수 Height를 선택하여 [변수] 상자에 입력한다.

③ [확인] 버튼을 눌러 작업을 마친다.

2 통계결과

SPSS 출력결과 창에 통계분석 결과가 나타난다.

상관계수

		Weight	Height
Weight	Pearson 상관계수	1	.161
	유의확률 (양쪽)		.498
	N	20	20
Height	Pearson 상관계수	.161 ❶	1
	유의확률 (양쪽)	.498 ❷	
	N	20	20

① Pearson 상관계수 = 0.161

② 유의확률 = 0.498 〉 0.05 ⇨ 두 변수 사이에 유의한 상관성이 없다.

dBSTAT

Data : corr.dbf

상관분석

1 **메뉴** → [통계] ▶ [상관분석] ▶ [마법사] 메뉴를 선택한다.

[통계] ▶ [상관분석] ▶ [피어슨]을 선택하여도 동일하다.

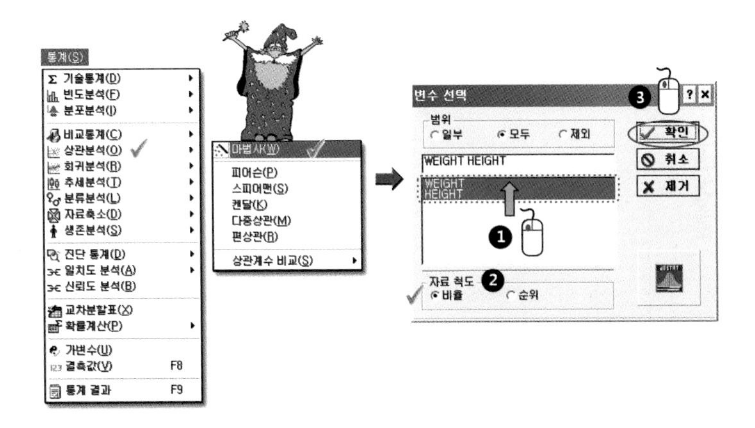

① [변수 선택] 대화상자에서 변수 WEIGHT, HEIGHT를 선택한다.

② [자료척도] 선택상자에서 ⊙[비율] 항목을 선택한다.

③ [확인] 버튼을 클릭하여 마친다.

2 **통계결과**

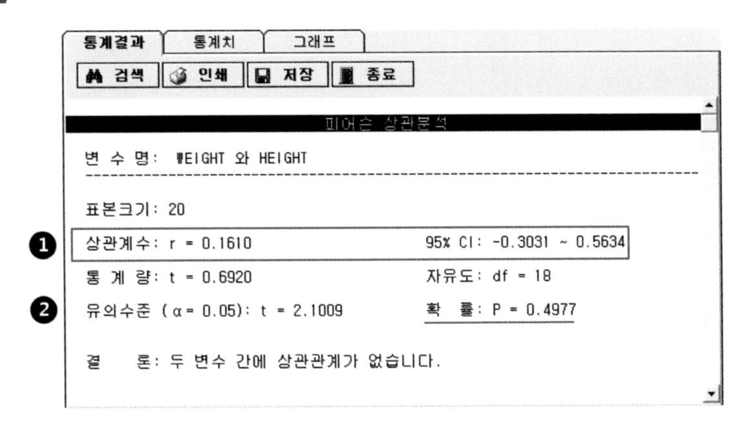

① 상관계수 r = 0.1610, 95% 신뢰구간 = (-0.3031, 0.5634)

② 유의확률 p = 0.4977 ➡ P 〉 0.05 이므로 유의한 상관관계가 없다고 결론을 내린다.

3 그래프

통계결과 창에서 그래프 폴더를 선택하면 다음과 같은 산점도가 나타난다.

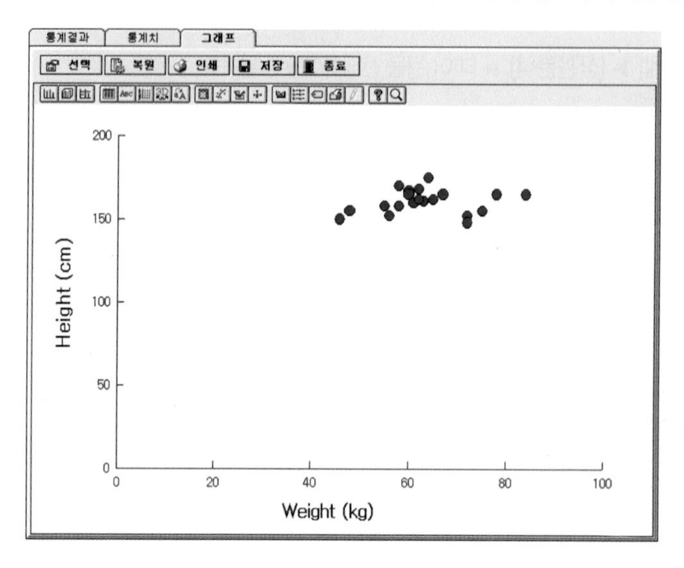

7-3 스피어만 순위상관 Spearman Rank Correlation

CONTENTS

1. 순서형 두 변수의 선형관계를 추정하기 위한 비모수적 통계검정이다.
2. 순서자료이거나 정규성을 만족하지 않는 계량자료의 상관분석에 사용한다.
3. 모수적 검정인 **피어슨 상관분석**에 해당하는, 비모수적 검정이다.

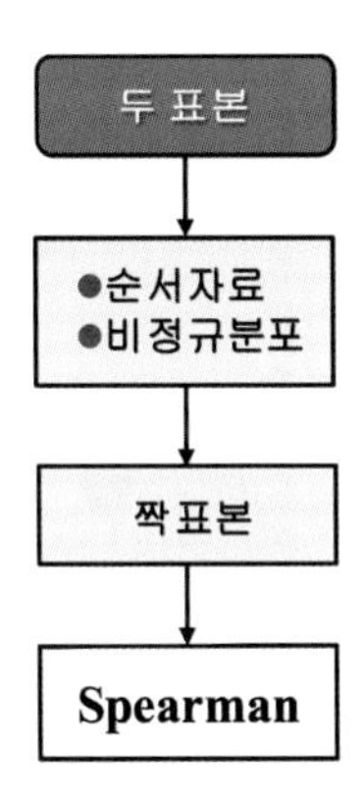

가설

귀무가설 H_0 : $r_s = 0$ (변수 X 와 Y 간에 상관성이 없다.)

대립가설 H_a : $r_s \neq 0$ (변수 X 와 Y 간에 상관성이 있다.)

순위상관계수

순위상관계수 r_s는 피어슨 상관계수 r 과 동일한 범위를 갖는다. ($-1 \leq r_s \leq 1$)

① $r_s = +1$: 완전한 양의 상관관계

② $r_s = 0$: 상관관계 없음 (무상관)

③ $r_s = -1$: 완전한 음의 상관관계

입원 환자 10명에서 IQ와 불안지수(anxiety score)가 상관관계가 있는지 유의수준 5%로 검정하시오. (불안지수 : 0 ~ 10)

Patient	1	2	3	4	5	6	7	8	9	10
IQ	86	97	99	100	101	103	106	110	112	113
Anxiety Score	1	6	8	7	10	9	3	5	2	4

SPSS

Data : Spearman.sav

상관분석

1 **메뉴** → [분석] ▶ [상관분석] ▶ [이변량 상관계수] 메뉴를 선택하면 대화상자가 보인다.

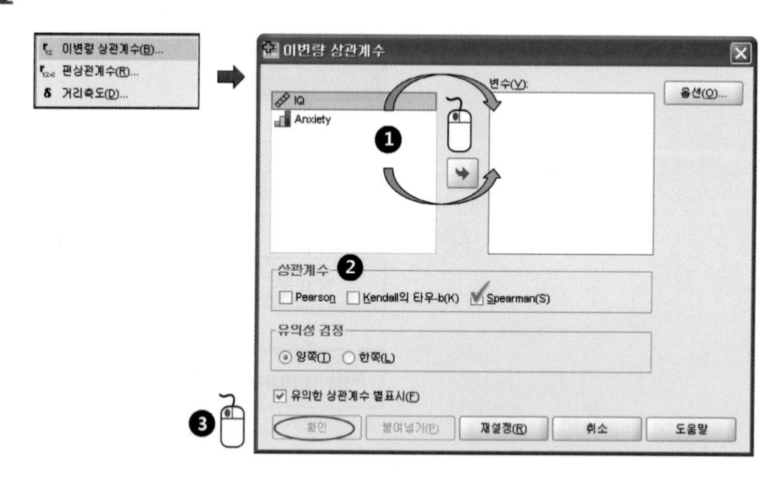

① 변수 IQ, Anxiety를 선택하여 [변수] 상자에 입력한다.

② [상관계수] 상자에서 ☑ Spearman 항목을 선택한다.

③ [확인] 버튼을 눌러 작업을 마친다.

2 **통계결과**

상관계수

			IQ	Anxiety
Spearman의 rho	IQ	❶ 상관계수	1.000	-.176
		❷ 유의확률(양측)	.	.627
		N	10	10
	Anxiety	상관계수	-.176	1.000
		유의확률(양측)	.627	.
		N	10	10

① Spearman 상관계수 rho = -0.176

② 유의확률 p = 0.627 〉 0.05 ⇨ 두 변수 사이에 유의한 상관성이 없다.

dBSTAT

Data : Spearman.dbf

상관분석

1 메뉴 → [통계] ▶ [상관분석] ▶ [마법사] 메뉴를 선택한다.

[통계] ▶ [상관분석] ▶ [스피어맨]을 선택하여도 동일하다.

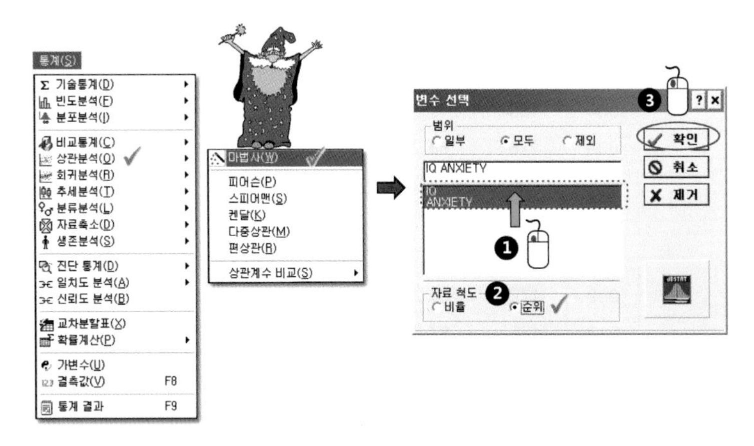

① [변수 선택] 대화상자에서 변수 IQ, ANXIETY를 선택한다.

② [자료척도] 선택상자에서 ⊙[순위] 항목을 선택한다.

③ [확인] 버튼을 클릭하여 마친다.

2 통계결과

상관계수 r_s = -0.1758, 유의확률 p = 0.6272 ➲ P 〉 0.05 이므로 유의한 상관관계가 없다.

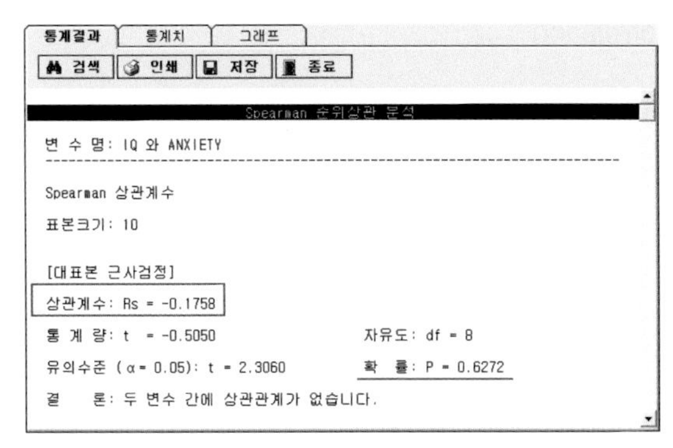

7-4 편상관 Partial Correlation

혼선변수의 영향력을 배제하고 두 변수의 상관관계를 분석한다.

심장병 센터를 방문한 성인 환자에서 혈압(BP)과 연령, 체중(kg)을 측정하여 다음과 같은 자료를 얻었다. 연령의 영향을 배제하고 체중과 혈압의 상관관계를 구한다.

ID	BP	Age	Weight	ID	BP	Age	Weight
001	158	41	65	011	144	39	56
002	185	60	78	012	138	45	46
003	152	41	62	013	145	47	58
004	159	47	67	014	162	65	72
005	176	66	84	015	142	46	63
006	156	47	60	016	170	67	60
007	184	68	75	017	124	42	48
008	138	43	58	018	158	67	55
009	172	68	72	019	154	56	61
010	168	57	64	020	162	64	62

상관 correlation

상관분석은 혼선변수가 없을 때에 두 변수간의 연관성을 분석하며 다음 그림으로 설명된다.

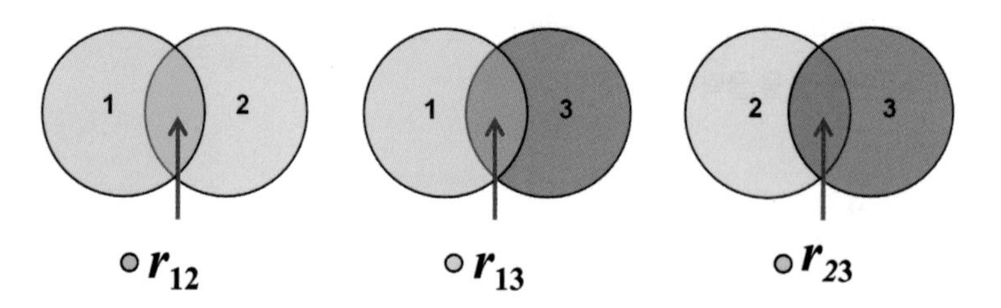

편상관 partial correlation

혼선변수를 3 이라 하면 두 변수 1, 2의 편상관계수는 $r_{12.3}$ 으로 표기한다.

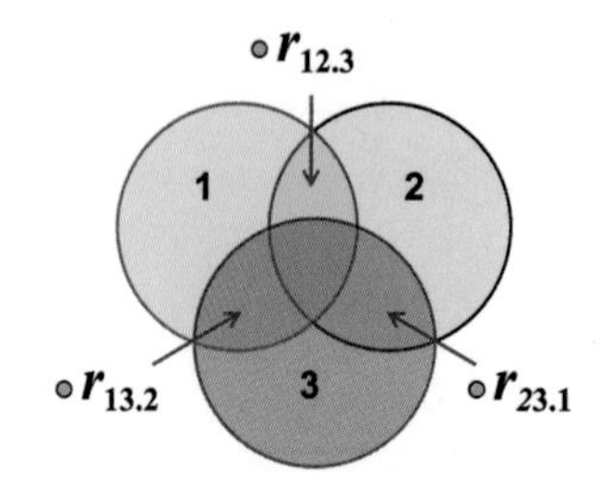

SPSS

Data : mreg.sav

편상관분석

1 메뉴 → [분석] ▶ [상관분석] ▶ [편상관계수] 메뉴를 선택하면 대화상자가 나타난다.

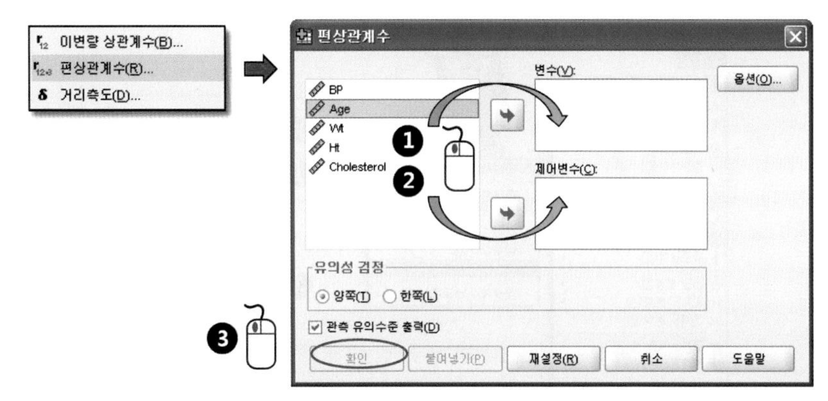

① 변수 BP, Wt를 선택하여 [변수] 상자에 입력한다.

② 변수 Age를 선택하여 [제어변수] 상자에 입력한다.

③ [확인] 버튼을 눌러 작업을 마친다.

SPSS 출력결과 창에 통계분석 결과가 나타난다.

2 통계결과

상관

통제변수			BP	Wt
Age	BP	상관	1.000	.751
		유의수준(양측)	.	.000
		df	0	17
	Wt	상관	.751	1.000
		유의수준(양측)	.000	.
		df	17	0

BP, Wt 편상관계수 = 0.751, P 〈 0.001 이므로 혼선변수 Age의 영향을 배제한 후에도 두 변수 간에 유의한 상관관계가 있다.

dBSTAT

Data : mreg.dbf

편상관분석

1 **메뉴** → [분석] ▶ [상관분석] ▶ [편상관] 메뉴를 선택한다.

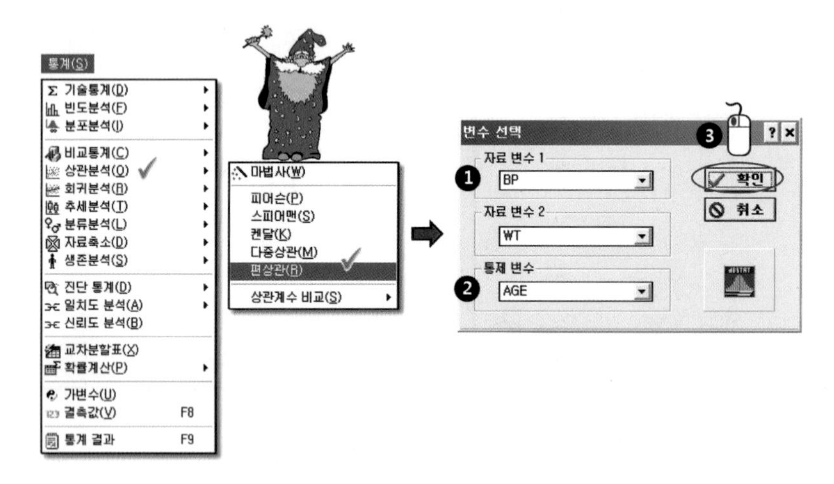

① [변수 선택] 상자에서 [자료 변수 1] ▷ BP, [자료 변수 2] ▷ WT를 입력한다.

② [통제 변수] ▷ AGE를 혼선변수로 입력한다.

③ [확인] 버튼을 클릭하여 선택 작업을 마치면 [통계결과] 창이 나타난다.

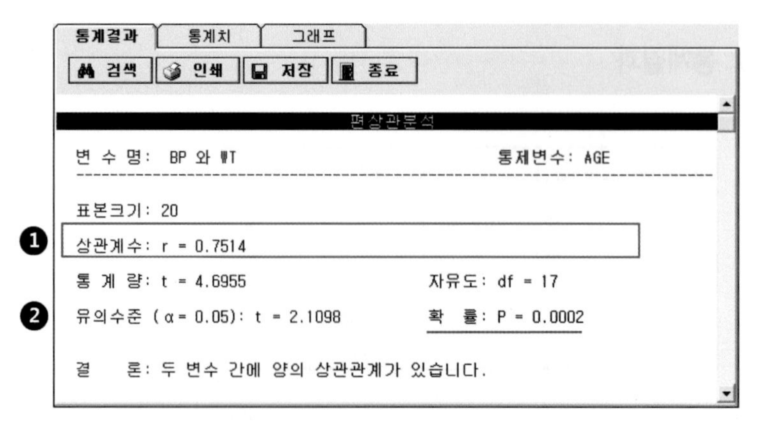

① 편상관계수 r = 0.7514

② P = 0.0002 〈 0.05 이므로 통계적으로 유의한 상관관계가 있다.

Regression

7-5 회귀분석 Regression

CONTENTS

목적

종속변수와 독립변수(들)의 관계를 추정한다.

전제조건

- 독립성 : 표본들은 확률적으로 또 독립적으로 추출되었다.

적용

독립변수(들)과 종속변수의 관련성을 조사하고 종속변수의 값을 예측하는 검정이다.

회귀분석은 변수를 독립변수와 종속변수로 구분하여 종속변수와 독립변수간의 관계를 하나의 방정식으로 나타내어 관련성을 검정하는 방법이다.

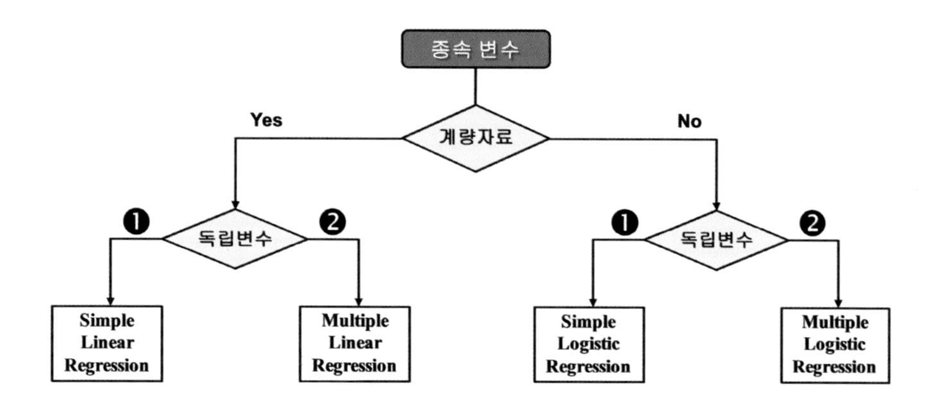

회귀분석은 종속변수가 계량자료인 경우에 모수적 검정인 단순/다중 회귀분석과 명목자료인 경우에 사용되는 비모수적 검정인 로지스틱 회귀분석으로 나누어 진다.

단순회귀 simple regression

독립변수와 종속변수가 하나이며 모두 계량자료일 때에 두 변수간에 회귀분석을 한다.

단순선형회귀 (simple linear regression) - 두 변수의 선형적 관계를 검정한다.

다중회귀 multiple regression

독립변수가 두 개 이상일 때에 독립변수들과 종속변수의 관계를 분석한다.

다중선형회귀 (multiple linear regression) - 변수들 사이에 선형적 관계를 검정한다.

7-6 단순회귀분석 Simple Linear Regression

CONTENTS

목적

계량자료인 두 변수의 선형관계를 추정한다.

전제조건

1. **선형성 (Linearity)** : 독립변수 X 와 종속변수 Y 의 관계는 선형적이다.
2. **독립성 (Independence)** : 이변량 자료 (X, Y)는 임의적으로 표집(sampling) 된다.
3. **정규성 (Normality)** : 잔차(residual)는 정규분포를 이룬다.
4. **등분산성 (Equal Variance)** : 잔차들의 분산은 동일하다.

적용

독립변수 X 와 종속변수 Y 의 관련을 조사하고 관련성이 있으면 X 에 대한 Y 값을 예측 또는 추정하기 위한 통계 분석법이다.

6.1 단순선형회귀 Simple Linear Regression

단순회귀란 두 변수간의 관계를 방정식(회귀식)으로 나타낸 것을 말한다.
두 변수간의 관계를 간단한 1차 방정식으로 나타낼 때 단순선형회귀라 하며 독립변수를 X, 종속변수를 Y라 할 때 다음과 같이 정의할 수 있다.

모집단 회귀모형 population regression model

$Y = \beta_0 + \beta_1 X + \varepsilon$ (β_0 : 절편 β_1 : 기울기 ε : 오차항)

모집단 종속변수 Y의 관측값에 대한 회귀모형으로 오차항(관측값-예측값)을 포함한다.

모회귀선 population regression line

$\hat{Y} = \beta_0 + \beta_1 X$ (β_0 : 절편 β_1 : 기울기)

모집단 독립변수 X에 대한 예측값 $\hat{Y}$ 에 대한 직선 회귀식이다.

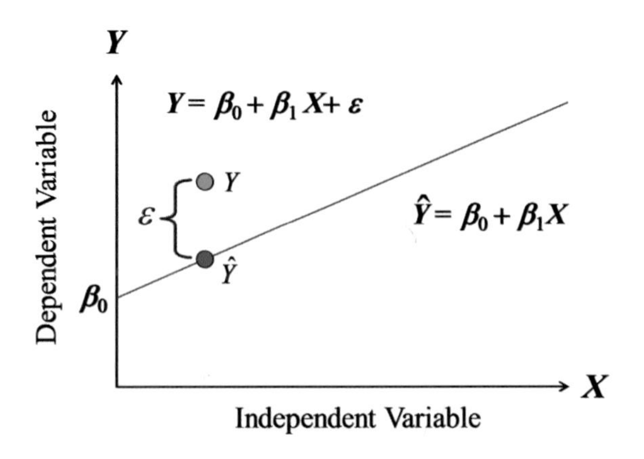

표본 회귀모형 sample regression model

$y = b_0 + b_1 x + e$ (b_0 : 절편 b_1 : 기울기 e : 오차항)

표본 (x, y)에서 모집단 회귀계수(기울기)를 추정한 회귀모형이다.

표본회귀선 sample regression line

$\hat{y} = b_0 + b_1 x$ (b_0 : 절편 b_1 : 기울기)

표본 (x, y)에서 모집단 예측값의 회귀계수를 추정한 직선 회귀식이다.

회귀분석에서 X 값으로 Y 값을 예측하는 통계적 검정에 사용된다.

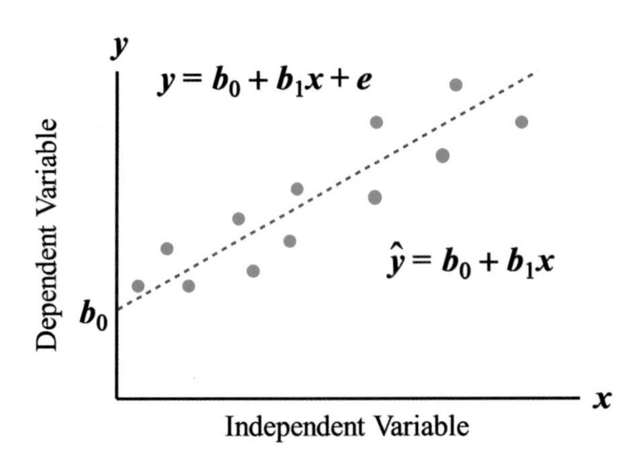

가설

귀무가설 H_0 : $\beta_1 = 0$ (변수 X와 Y 간에 관련성이 없다.)

대립가설 H_a : $\beta_1 \neq 0$ (변수 X와 Y 간에 관련성이 있다.)

귀무가설은 "모집단 회귀계수 $\beta_1=0$"라고 가설을 세운다. 회귀계수 = 0 이면 관련성이 없다.

회귀분석을 시행하기 전에 다음 전제조건에 대한 검정을 하여야 한다.

① 정규성 (Normality)

독립변수 X에 대한 Y값들은 정규분포를 이룬다.

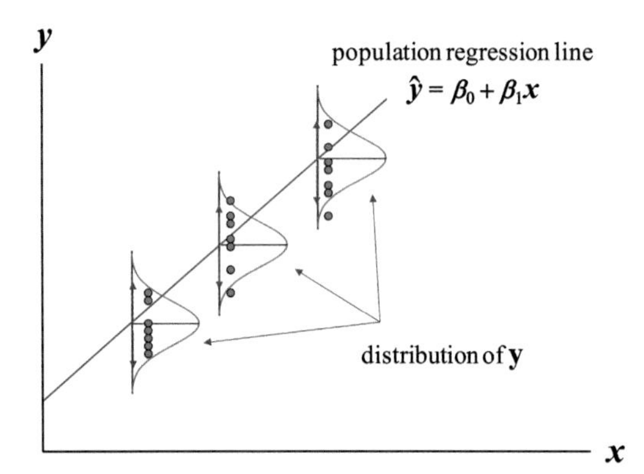

② 선형성 (Linearity)

선형성은 상관분석에서의 산점도를 그려서 조사한다.

③ 등분산성 (Homoscedasticity)

회귀선을 중심으로 오차들의 분산은 동일하다.

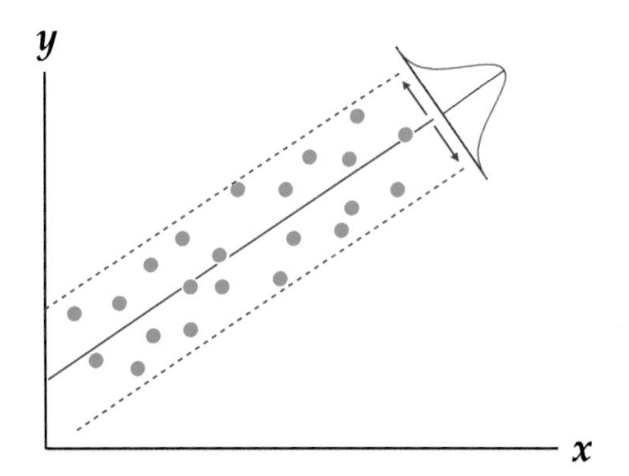

 전제조건 검정은 **『회귀진단』**을 참조하기 바란다.

전제조건 가정 위반시 선택방법

① **자료 변환** : X, Y 값을 변환하여 정규분포, 선형성에 맞는 자료로 변환시킨다.

② **비모수적 검정** : 회귀분석에서는 잘 사용되지 않는다.

선형회귀분석이 부적합한 경우

다음과 같은 경우에 선형회귀분석을 사용해서는 안된다.

(a) **비선형관계** : 선형성의 전제조건에 위배된다..

(b) **이상점 (outlier)** : 회귀계수에 영향을 주어 분석결과를 신뢰할 수 없다.

(c) **이분산 (heteroscedasticity)** : 오차항의 등분산 전제조건에 위배된다.

(d) **비독립성** : 독립변수 x가 시간 변수일 때 측정값 y가 특정한 증감 형태를 보인다.

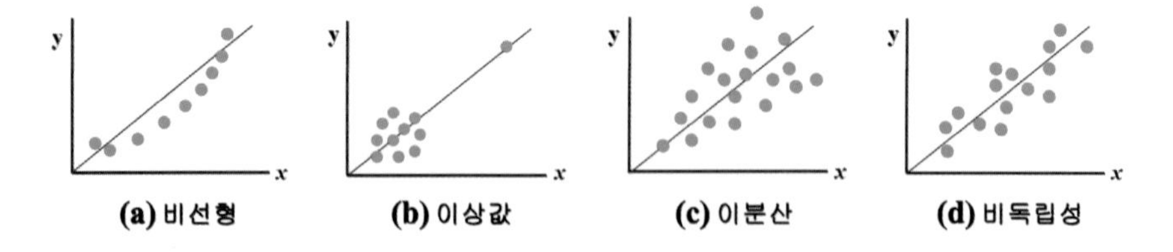

(a) 비선형 **(b)** 이상값 **(c)** 이분산 **(d)** 비독립성

62 회귀식 Regression Line

회귀식은 최소제곱법에 의하여 오차변동(오차항의 제곱합)이 최소가 되는 직선을 구한다.

변동 Variation

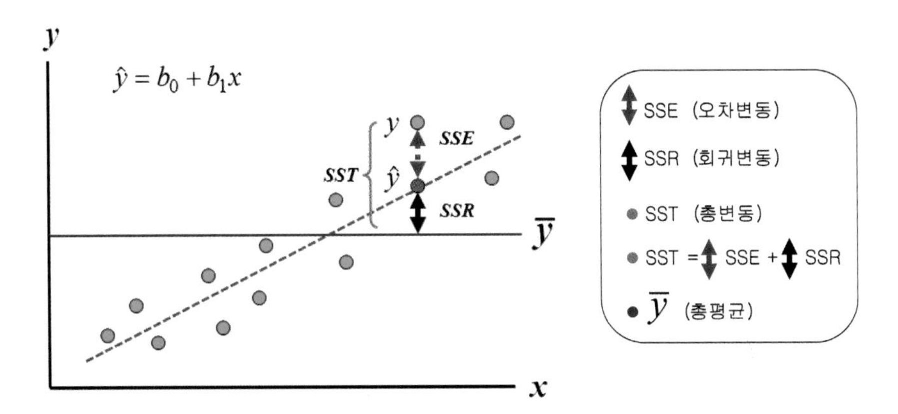

- 회귀변동 (SSR, Regression Variability) : 회귀식으로 설명되는 변동
- 오차변동 (SSE, Error Variability) : 오차 = **잔차(residual)**에 의한 변동
- 총변동 (Total Variation) = 회귀변동(SSR) + 오차변동(SSE)

제곱합 SS, Sum of Squares

총변동은 측정값 y 에서 종속변수의 총평균 $\bar{y}$을 뺀 제곱합으로 계산된다.

- 회귀변동 : 예측값에서 총평균을 뺀 제곱합 $SSR = \sum(\hat{y} - \bar{y})^2$
- 오차변동 : 측정값에서 예측값을 뺀 제곱합 $SSE = \sum(y - \hat{y})^2$
- 총변동 : 측정값 y에서 총평균을 뺀 제곱합 $SST = \sum(y - \bar{y})^2$

분산은 **변동**(제곱합)을 자유도로 나눈 **평균제곱(MS, Mean Square)**으로 계산된다.

- 회귀분산 $MSR = SSR \div k = SSR \div 1 = SSR$ (k : 독립변수 수)
- 오차분산 $MSE = SSE \div (n - k - 1) = SSE \div (n - 2)$ (n : 표본크기)

관련성 검정

종속변수와 독립변수의 관련성 유무에 대한 검정은 분산분석(ANOVA)과 같은 방법으로 분산비로 검정한다.

통계량

회귀분석에서 통계량은 F 분포에서 회귀분산과 오차분산의 비로 구한다.

$$F = \frac{MSR}{MSE} = \frac{SSR/k}{SSE/(n-k-1)} = \frac{SSR}{SSE/(n-2)}$$

F 임계값 F^* 은 ANOVA 에서와 같이 구하여 검정통계량과 비교하여 *p*-value를 구한다.

P 〈 0.05 ⇨ 회귀계수 $\beta_1 = 0$ 귀무가설을 기각하고, $\beta_1 \neq 0$ 대립가설을 받아들인다.

회귀식 검정 결과가 통계적으로 유의하다는 의미는 회귀식에 의한 예측이 종속변수 y의 평균값을 기준으로 한 예측보다 확률적으로 더 정확하다는 의미이다.

관련성의 강도 Strength of the Association

회귀식에서 독립변수와 종속변수의 관련성의 정도는 결정계수에 의하여 판단한다.
결정계수는 회귀식이 통계적으로 유의한 경우에 **회귀모형의 적합도**를 알 수 있다.

6.3 결정계수 Coefficient of Determination

- 회귀모형에서 회귀식으로 설명되는 종속변수 변동의 비율로 R^2 으로 표기한다.
- 단순선형회귀에서는 Pearson 상관계수 r 의 제곱과 동일하다.

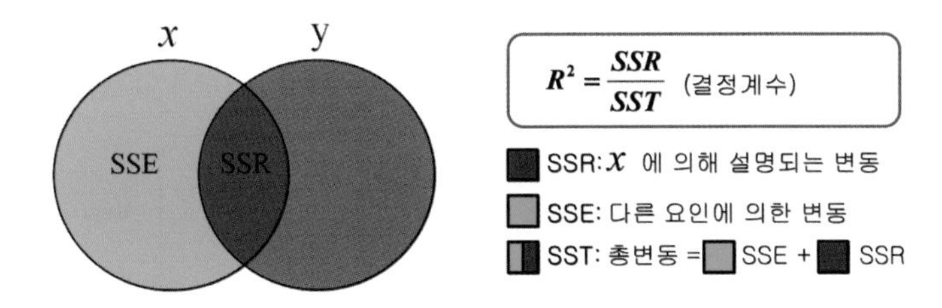

〈계산〉

결정계수 R^2 은 회귀변동을 총변동으로 나눈 값으로 다음과 같이 계산한다.

$$R^2 = \frac{SSR}{SST} = \frac{\sum(\hat{y}-\bar{y})^2}{\sum(y-\bar{y})^2}$$

결정계수의 해석

결정계수 R^2 은 다음과 같은 범위를 갖는다. $0 \leq R^2 \leq 1$

① $R^2 = 1$: 완전한 직선 관계

② $R^2 = 0$: 관계 없음 (무관계)

관련성의 정도 해석

결정계수 R^2이 1에 가까울수록 독립변수와 종속변수가 높은 관련성을 갖는다 즉, 변수 사이의 직선적 관계가 강하다. 판단기준은 연구설계 방법에 따라 달라진다. 일반적으로 $R^2 > 0.7$ 이면 관련성이 높으며 회귀모형의 적합도가 높다고 할 수 있다.

관련성 vs. p-value

통계적 오류 : "*P*-value가 작을수록 높은 관련성이 있다."

✓ P-value는 단지 모회귀계수 $\beta_1 = 0$ 인지 아닌지의 여부, 즉 관련성의 유무만을 검정하여 통계적 유의성을 결정하는 기준이지 관련성의 정도를 측정하는 기준이 아니다.

✓ P-value가 작을수록 우연에 의해 귀무가설을 기각할 확률이 낮아진다.

✓ P-value는 표본크기가 클수록 작아지게 된다.

✓ 예를 들면, $P = 0.001$, $R^2 = 0.1$ ➲ 통계적으로 유의하지만 관련성 정도는 매우 낮다.

6.4 회귀계수 regression coefficient

선형관계는 다음과 같은 3가지 유형이 있다.

(a) 양의 선형관계 (positive linear relationship) : X 값이 증가하면 Y 값도 직선상 증가한다.

(b) 음의 선형관계 (negative linear relationship) : X 값이 증가하면 Y 값은 직선상 감소한다.

(c) 무관계 (no relationship) : X 값의 증가에 따른 Y 값의 변화가 없다.

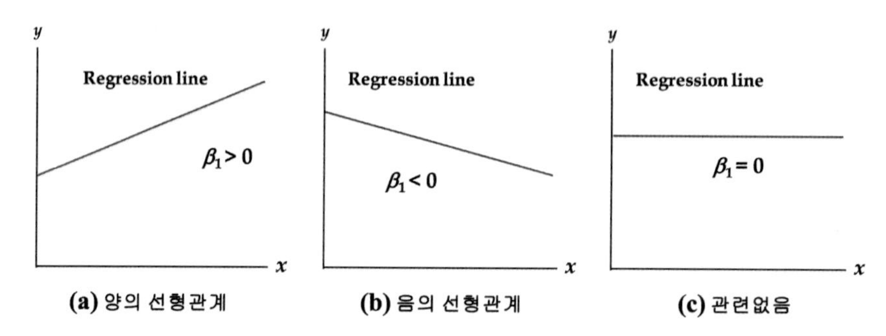

(a) 양의 선형관계 **(b)** 음의 선형관계 **(c)** 관련없음

회귀계수 검정

회귀계수는 단지 독립변수와 종속변수가 선형적으로 관련되어 있는지를 나타내는 척도이다. 표본회귀식의 회귀계수 b_1에 대한 통계적 검정은 통계량 t 를 구하여 검정한다.

$$t = \frac{b_1}{SE(b_1)} \quad (SE: \text{표준오차}, \ df = n-2)$$

회귀계수 검정이 통계적으로 유의하면, 독립변수 x 와 종속변수 y 간에 유의한 선형관계가 있다는 의미이다. 즉, 독립변수 x 가 통계적으로 유의한 예측변수이다.

회귀계수 검정시 95% 신뢰구간을 함께 제시한다.

회귀계수는 측정 단위에 따라서 (예, kilogram vs gram) 크기가 달라지므로 회귀계수의 크기로 관련성의 정도를 판단할 수 없다.

표준화회귀계수 standardized regression coefficient

회귀계수를 표준편차(SD) 단위로 변환시킨 값으로 측정 단위에 따라 변화하지 않는다. 다중회귀분석에서 회귀계수들 간의 크기 비교에 사용된다

$$\text{표준화회귀계수} = \text{회귀계수} \times \frac{SD(x)}{SD(y)} \quad (x: \text{독립변수}, \ y: \text{종속변수})$$

회귀식에 의한 예측 prediction

연구의 목적이 독립변수로써 종속변수를 예측하고자 할 때에는 통계분석 결과에 회귀방정식을 제시한다. 회귀식에 X 값을 대입하면 Y의 예측값을 구할 수 있다.

연구에서 사용된 X 값의 범위를 벗어나는 값에 대하여 Y 값을 예측하는 **회귀모형의 일반화**는 연구설계 방법과 연구대상, 표본크기에 따라 큰 차이가 나므로 매우 신중하여야 한다. 다음 그래프에서 연령이 0세, 80세의 혈압을 예측할 수 없다.

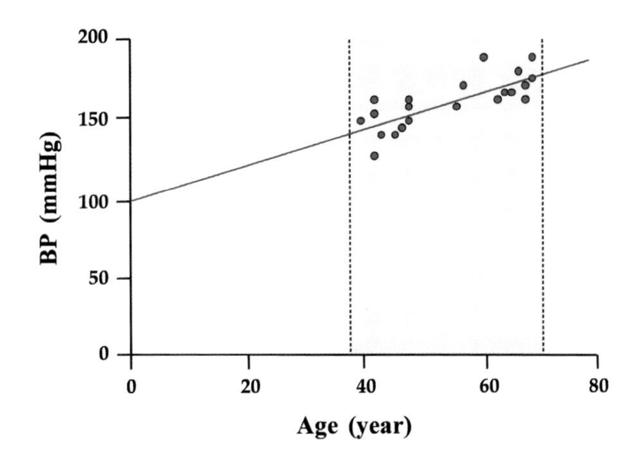

회귀(regression)에 대한 통계이야기

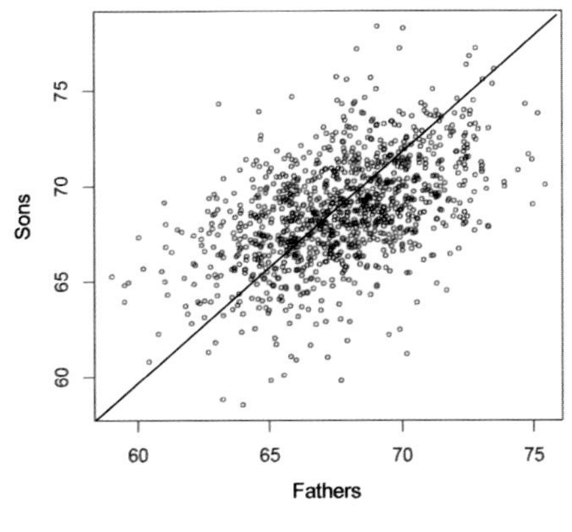

Francis Galton (1822-1911)

부모의 키와 자식의 키의 상관관계에 대한 연구를 시작하였으며 **회귀**라는 통계적 용어를 최초로 사용하였다. 키가 큰 부모의 자식은 부모에 비해 키가 작아지고 키가 작은 부모의 자식은 자신의 부모에 비하여 키가 커지는 경향이 있음을 발견하여 이를 "평균에의 회귀" ("regression towards the mean")라 명명하였다. **Karl Pearson**은 아버지와 아들의 키에 대한 상관관계를 연구하여 회귀분석을 확립하였다.

바다의 수심(m)과 물고기 체중(gm)을 측정하여 다음과 같은 자료를 얻었다. 수심과 물고기 체중 간에 관련성이 있는지 알아보자. 예제 자료에서는 회귀분석의 전제조건에 대한 검정은 생략하기로 한다.

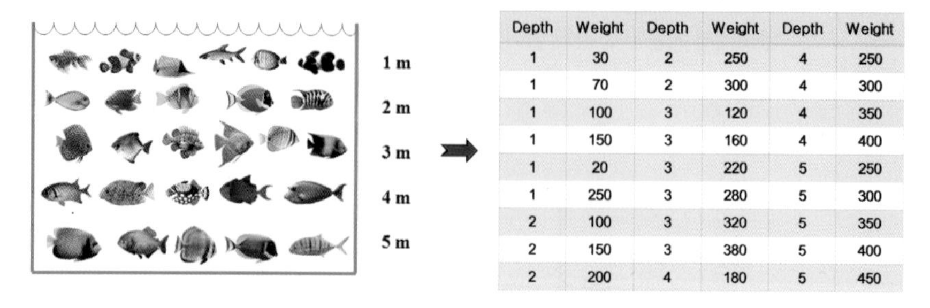

Depth	Weight	Depth	Weight	Depth	Weight
1	30	2	250	4	250
1	70	2	300	4	300
1	100	3	120	4	350
1	150	3	160	4	400
1	20	3	220	5	250
1	250	3	280	5	300
2	100	3	320	5	350
2	150	3	380	5	400
2	200	4	180	5	450

회귀식 계산

위의 예제에서 다음과 같은 표를 만들어 회귀식을 계산할 수 있다.

No.	Depth (X)	Weight (Y)	XY	X^2
1	1	30	30	1
2	1	70	70	1
...	...	...	...	...
26	5	400	2000	25
27	5	450	2250	25
Total (Σ)	79	6330	21730	285

〈계산〉

$$SS(x) = \sum x^2 - \frac{\left(\sum x\right)^2}{n} = 285 - \left[\frac{79^2}{27}\right] = 53.85$$

$$SS(xy) = \sum xy - \frac{\sum x \sum y}{n} = 21730 - \left[\frac{(79)(6330)}{27}\right] = 3208.89$$

$$b_1 = \frac{SS(xy)}{SS(x)} = \frac{3208.89}{53.85} = 59.59$$

$$b_0 = \frac{\sum y - \left(b_1 \cdot \sum x\right)}{n} = \frac{6330 - (59.59)(79)}{8} = 60.10$$

$$\hat{y} = 60.10 + 59.59x$$

1. 회귀식의 통계적 유의성

Source of variation	❶ Sum of squares	d.f.	❷ Variance	F
Regression	191209.17	1	191209.17	28.21
Residual	169457.50	25	6778.30	
Total	360666.67	26		

① **변동** : 회귀변동 = 191209.17, 오차변동 = 169457.50

② **분산** : 회귀분산 = 191209.17 ÷ 1 = 191209.17, 오차분산 = 169457.50 ÷ 25 = 6778.30

통계량 F = 회귀분산 ÷ 오차분산 = 191209.17 ÷ 6778.30 = 28.21

$F = 28.21 > F_{0.05,\ 1,25} = 4.24$, p = 0.000으로 0.05보다 작다.

따라서 "수심과 물고기 체중 간에는 통계적으로 유의한 선형회귀관계가 있다." 고 결론을 내린다.

2. 결정계수

R^2 = 회귀변동 ÷ 총변동 = 191209.17 ÷ 360666.67 = 0.53

회귀식에 의하여 종속변수(물고기 체중)의 변동을 53% 설명할 수 있다.

3. 회귀계수의 유의성 검정

검정통계량 t 는 다음과 같이 계산한다.

$$t = \frac{b_1}{SE(b_1)} = \frac{59.59}{11.22} = 5.31$$

t 임계값 $t^* = t_{(\alpha,df)} = t_{(0.05,25)} = 2.06$

검정통계량 t > t* 이므로 회귀계수가 통계적으로 유의하다고 판정한다. 즉, 종속변수(물고기 체중)를 예측하는 회귀식에서 수심은 통계적으로 유의한 독립변수이다.

회귀계수 신뢰구간

- 95% CI = $b_1 \pm t^* \times SE(b_1)$ = 59.59 ± 2.06 x 11.22 ≈ (36.48, 82.70)
- 신뢰구간은 표본회귀계수에 표본크기를 반영한 모회귀계수의 추정범위이다.
- 신뢰구간에 0을 포함하면 통계적인 유의성이 없다

그래프

1) 산점도

2) 회귀직선

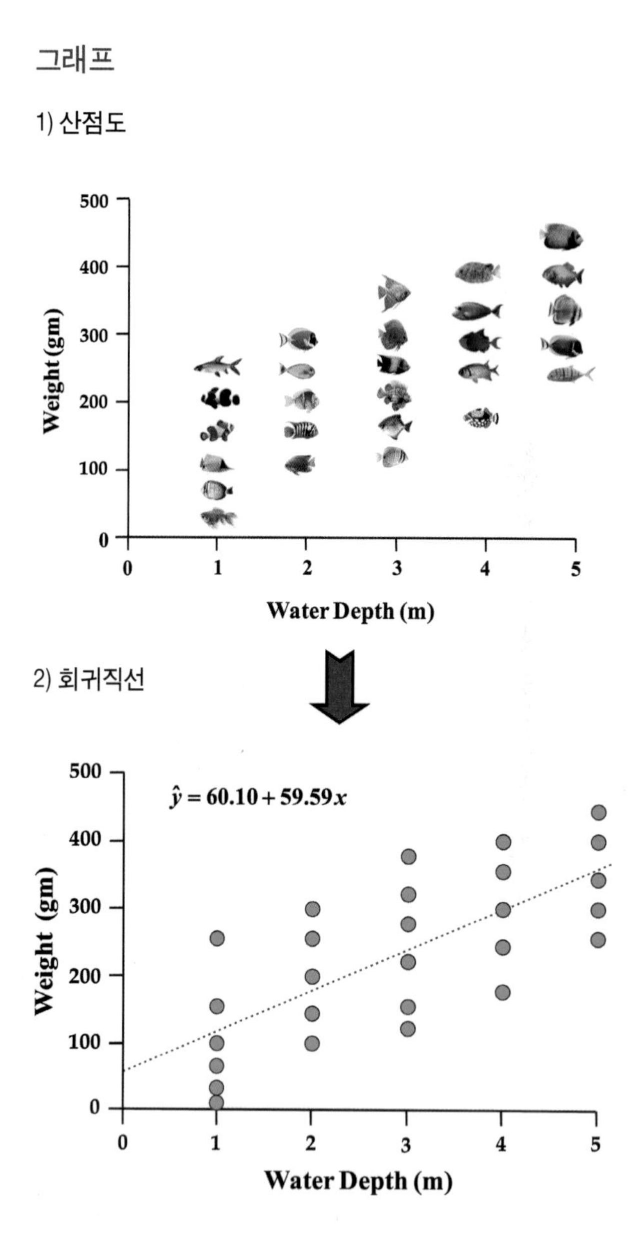

회귀직선 그래프는 산점도에 예측회귀선과 회귀방정식을 추가로 표시한다.

6.5 회귀진단 Regression Diagnosis

회귀진단은 선형회귀분석의 전제조건에 대한 검정 방법이다. 실제 측정값에서 회귀식에 의해 적합된 예측값을 뺀 것을 잔차라 하며 회귀진단은 주로 **잔차분석**(residual analysis)을 통하여 회귀모형의 적합성을 조사한다.

- **선형성 (Linearity)**
  독립변수 X와 종속변수 Y의 선형적 관계를 조사한다.
- **정규성 (Normality)**
  X에 대한 Y의 정규분포 가정을 오차항의 정규성으로 검정한다.
- **등분산성 (Homoscedasticity)**
  X에 대한 Y의 등분산 가정을 오차항의 등분산성으로 검정한다.
- **독립성 (Independence)**
  (X, Y) 이변량 자료의 임의성 가정을 오차항의 독립성으로 검정한다.
  다중회귀에서 독립변수 X가 둘 이상일 때 다중공선성(multicollinearity)을 조사한다.
- **이상점 (Outlier)**
  X, Y 측정값들 중에서 회귀모형에 영향을 주는 이상점이 있는지 조사한다.

회귀진단 방법은 『자료요약』에서와 마찬가지로 그래프에 의한 방법과 통계적 방법이 있다.

가정	Variable	Graphic Method	Statistical Method
선형성	X vs. Y	• Scatter plot • Residual plot	Lack of Fit test
정규성	Residual	• Histogram • Box plot • Normal probability plot	• Skewness, kurtosis • Kolmogorov-Smirnov • Shapiro-Wilk test
등분산	Residual	Residual plot	• Levene test • Breusch-Pagan Test
독립성	Residual	Residual plot	• Durbin-Watson test • Variance Inflation Factor
이상값	X and Y	Residual plot	• Standardized residuals • Leverage, Cook's Distance • DFBETAS, DFFITS

X : 독립변수, Y : 종속변수

1. 그래프 분석 Graphical Analysis

잔차그림 (Residual Plot)

잔차들을 독립변수의 크기 순으로 나열하거나 자료의 입력 순으로 나열했을 때, 이들이 예측값 "$\hat{y}$ = 0" 에 대하여 대칭적이며 특별한 경향을 나타내지 않음을 확인한다.

잔차 $e = y - \hat{y}$ (y : 관측값, $\hat{y}$: 예측값)

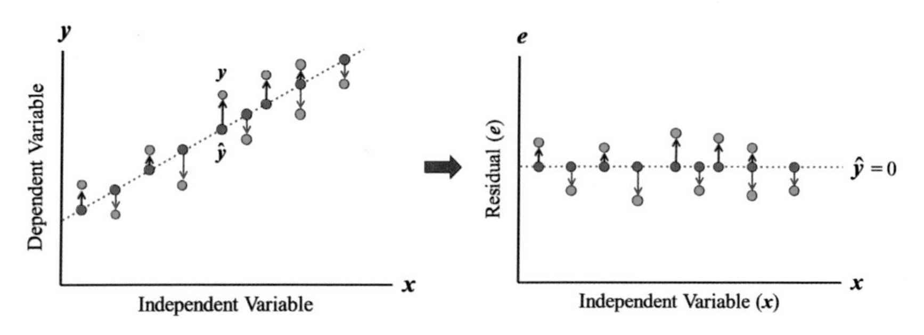

잔차그림은 조사 목적에 따라 Y축을 잔차 또는 표준화잔차(standardized residuals), X축을 독립변수 또는 예측값(fitted, predicted values)으로 하여 산점도(scatter plot)로 나타낸다.

잔차그림 형태

- Histogram, Box-plot – 정규분포 조사
- 정규확률그림 (Normal probability plot) – 정규분포 조사
- 잔차(Y) vs 독립변수(X) – 선형성, 등분산성, 독립성 조사
- 잔차(Y) vs 예측값(X) – 선형성, 등분산성 조사
- 표준화 잔차(Y) vs 예측값(X) – 이상점 조사

잔차그림 해석

(a) 선형, 등분산 : 잔차가 0 을 중심으로 직사각형 형태를 보인다.

(b) 이분산 : X 가 증가함에 따라 깔때기 모양을 보인다.

(c) 비선형 : 잔차가 곡선형태를 보인다.

(d) 비독립성 : X 의 시간적 변화에 따라 잔차가 진동 형태를 보인다 (자기상관).

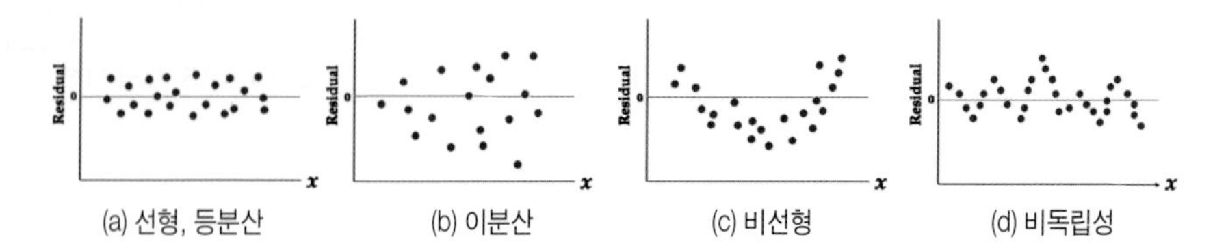

2. 통계적 방법 Statistical Method

잔차를 하나의 변수로 간주하고 잔차값(data point)에 대한 통계적 검정을 시행한다.

1) 선형성 (Linearity)

회귀선의 선형성은 대부분 산점도에 의한 시각적인 방법으로 진단한다.

적합결여검정 (Lack of Fit test)

✓ 선형회귀모형이 적합한지 ANOVA F-test를 사용하여 검정한다.

✓ X 값에 대한 Y 값이 반복 측정된 경우에 사용할 수 있다.

2) 정규성 (Normality)

오차항에 대한 정규성 검정은 『자료요약』 단원에서의 정규분포 검정법과 동일하다.

- Skewness, kurtosis
- Kolmogorov-Smirnov test
- Lilliefors test
- Shapiro-Wilks test

3) 등분산 (Homoscedasticity)

- Levene test
- Breusch-Pagan Test

4) 독립성 (Independence)

회귀분석에서의 독립성 검정은 자기상관과 다중공선성에 대한 검정 두 가지가 있다.

(1) 자기상관 (autocorrelation)

시간적 순서에 의하여 Y 값을 측정하였을 경우나 동일한 개체에서 반복 측정한 경우에 측정값들 간에 상관이 있으면 이를 자기상관이라 하며 독립성 가정에 위배된다.

시계열 자료나 반복측정 자료가 아니면 자기상관 검정은 시행하지 않아도 된다.

Durbin-Watson test

① 자기상관 검정에 흔히 사용되는 통계적 검정이다.

② 통계량 d : 0~4의 범위를 가지며 d ≈ 2에 가까울수록 자기상관이 없다고 해석한다.

③ d ≈ 0에 가까우면 양의 자기상관, d ≈ 4에 가까우면 음의 자기상관이 있다고 해석한다. 정확한 해석은 ≪Durbin-Watson 검정표≫를 참조한다.

(2) **다중공선성** (multicollinearity)

다중회귀에서 독립변수 X가 둘 이상일 때 독립변수들 간에 상관관계를 다중공선성이라 한다. 다중공선성의 설명은 『다중회귀분석』 단원에서 하기로 한다.

5) **이상점** (outlier)

이상점은 독립변수 X와 종속변수 Y에 대한 이상점으로 나눌수 있다.
이상점은 종속변수 Y 관측값 중에서 회귀직선에서 동떨어진 점을 뜻한다.
독립변수 X의 이상점을 **지렛대점 (leverage point)** 또는 **(높은) 지레점**이라 한다.

영향점 influential point

회귀계수에 영향을 미치는 관측값을 영향점이라 부르며 (X,Y) 관측값이 이상점이면서 지레점인 경우에 해당된다.

영향점의 해석

(a) 영향점 없음 : 이상점, 지레점이 없음.
(b) 이상점(+), 지레점(-) : 회귀계수에 영향이 작음.
(c) 이상점(-), 지레점(+) : 회귀계수에 영향이 작음.
(d) 이상점(+), 지레점(+) : 회귀계수에 영향이 큼. (영향점)

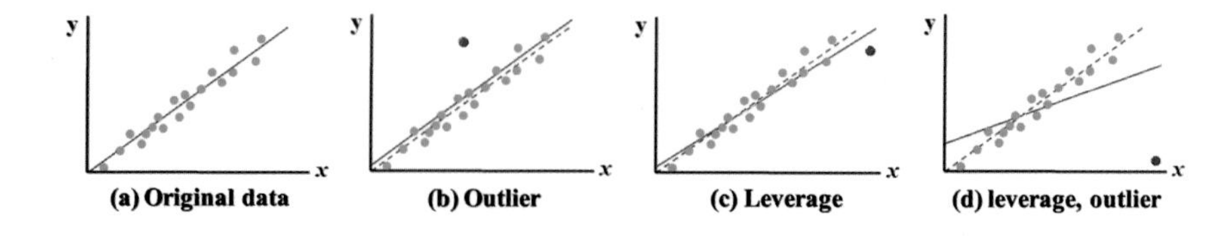

이상점 통계검정

(1) 잔차분석

① **표준화잔차** (standardized residuals)

[해석] 이상점 판정 : 절대값 〉 3, 의심: 절대값 〉 2

② **스튜던트화 잔차** (Studentized residuals)

[해석] 이상점 판정 : 절대값 〉 3, 의심: 절대값 〉 2

③ **스튜던트화 제외잔차** (Studentized deleted residuals)

[해석] 이상점 판정 : 절대값 〉 3 또는 절대값 〉 t* (*t* 분포 임계값)

(2) **지레점 검정** (Leverage)

[해석] 지레점 판정 : 통계량 H 〉 2(k+1)/n (k: 독립변수의 수, n: 표본크기)

(3) **영향점 검정**

① Cook' s Distance

이상점이 회귀계수에 미치는 영향을 계산하는 방법으로 가장 흔히 사용된다.

영향점 판정 : Cook' s D 〉 1 또는 D 〉 4/n 또는 D 〉 F* (F 분포 임계값)

② DFBETAS

회귀계수 변동을 표준편차 단위로 계산하여 영향점을 진단하는 방법이다.

영향점 판정 : 절대값 〉 $2/\sqrt{n}$

③ DFFITS

회귀적합성에 영향을 주는 영향점을 조사한다.

영향점 판정 : 절대값 〉 $2\sqrt{(k+1)/n}$

④ COVRATIO

회귀계수의 분산에 영향을 주는 영향점을 조사한다.

영향점 판정 : COVRATIO 〉 1 + 3(k+1)/n 또는 COVRATIO 〈 1 - 3(k+1)/n

이상점 처리방법

① 입력된 자료에 오류가 있는지 점검한다.

② 자료를 변형한다.

③ 대체값으로 최고값+1, 최저값-1을 사용한다.

④ 이상점을 분석에서 제외시킨다.

이상점 주의

회귀분석은 약간의 정규성 위배에는 영향이 적으나 이상점에 더 민감하여 회귀계수, 결정계수, 검정통계량 등 회귀분석 결과를 왜곡시킨다.

임산부의 체질량지수(BMI)와 신생아 체중의 관련성을 알아보고자 임산부 BMI와 신생아 체중(kg)을 측정하였다. 선형회귀식을 구하여 본다.

No.	BMI (kg/m²)	Birth Weight (kg)
1	30	3.0
2	20	2.8
3	45	3.0
4	15	2.2
5	30	2.7
6	40	3.2
7	25	2.3
8	50	3.6
9	10	2.0
10	55	3.8
11	60	3.7
12	50	2.9
13	35	2.8
14	55	1.5

[해설]

회귀식

① 회귀방정식은 $\hat{y} = 0.021 + 2.044x$, $R^2 = 0.259$ ($P = 0.06$) 이다.

P 〉 0.05 이므로 회귀모형은 통계적으로 유의하지 않으며 결정계수 $R^2 = 0.259$로 회귀식에 의하여 신생아 체중 변동을 26% 정도 밖에 설명하지 못한다.

② 산점도는 직선을 나타내고 있으나 14번째 관측값(55, 1.5)이 이상점으로 보인다.

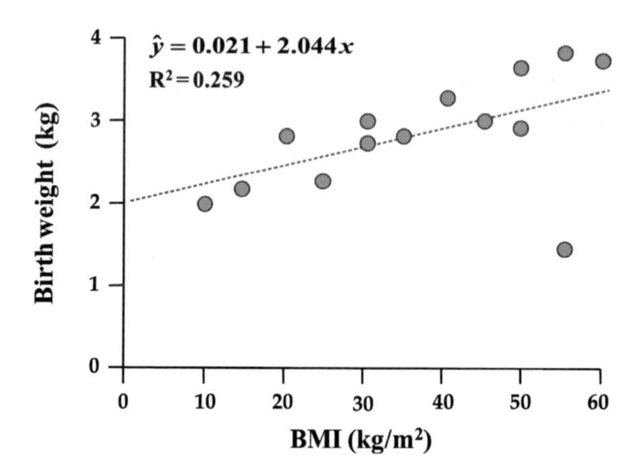

회귀진단

회귀진단을 하기 위해서 다음 표와 같이 예측값과 잔차를 계산한다.

No.	BMI	Weight	Predicted	Residual	ZPRED	ZRESID
1	30	3	2.67184	0.32816	-0.44591	0.55597
2	20	2.8	2.46242	0.33758	-1.07019	0.57194
…	…	…	…	…	…	…
13	35	2.8	2.77655	0.02345	-0.13377	0.03973
14	55	1.5	3.1954	-1.6954	1.11478	-2.87238
symbol	x	y	$\hat{y}$	e	Z(y)	Z(e)

① **예측값** (Predicted value)

회귀방정식에 독립변수인 임산부 체질량지수(BMI) 측정값 x 를 대입하여 종속변수인 신생아 체중(Weight) y 의 예측값 $\hat{y}$ 을 구한다.

② **잔차** (Residual)

예측값 $\hat{y}$ 에서 종속변수 Weight의 실제값(y)을 뺀 차이값 $\hat{y} - y$ 을 잔차(**e**)라 한다.

③ **표준화예측값** (Standardized predicted value), ZPRED

예측값을 표준편차 단위로 표준화시킨 점수(z-score)이다.

④ **표준화잔차** (Standardized residual), ZRESID

잔차값을 표준편차 단위로 표준화시킨 점수(z-score)이다.

회귀진단은 위에서 계산된 예측값과 잔차를 이용하여 분석을 시행할 수 있다.

예제에 대하여 앞서 설명한 것처럼 그래프에 의한 방법과 통계적 검정방법을 사용하여 회귀진단을 하여 본다.

1. 그래프에 의한 방법

독립변수, 예측값, 잔차를 x, y 축으로 하여 잔차그림을 그려서 회귀진단을 한다.

1) 정규분포 검정

① Histogram

잔차 또는 표준화잔차에 대한 histogram은 다음과 같다.

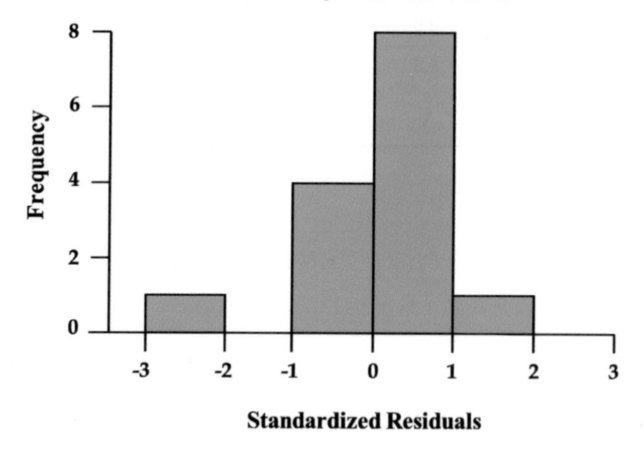

[해석] 표준화잔차 0을 중심으로 비대칭이며 왼쪽으로 기운 비정규분포를 보인다.

② Normal probability plot

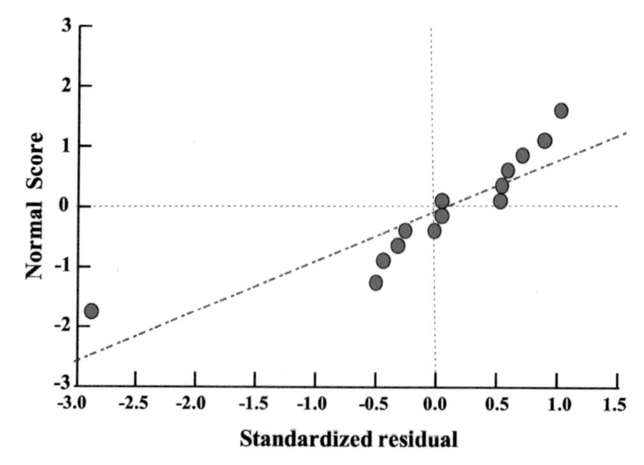

Figure. A scatter plot of standardized residuals against Normal scores

[해석] 표준화잔차에 대한 정규확률그림에서 정규점수(Normal score)가 직선 상에서 벗어나 있어 정규분포를 이루지 않는다.

2) 선형성 · 등분산성 검정

잔차그림 (Residual plot)

독립변수 BMI를 x 축으로, 잔차를 y 축으로 하여 잔차그림을 그려서 선형성을 조사한다. 잔차 0을 중심으로 특별한 형태가 없는 대칭형을 보이면 선형성과 등분산성을 만족한다.

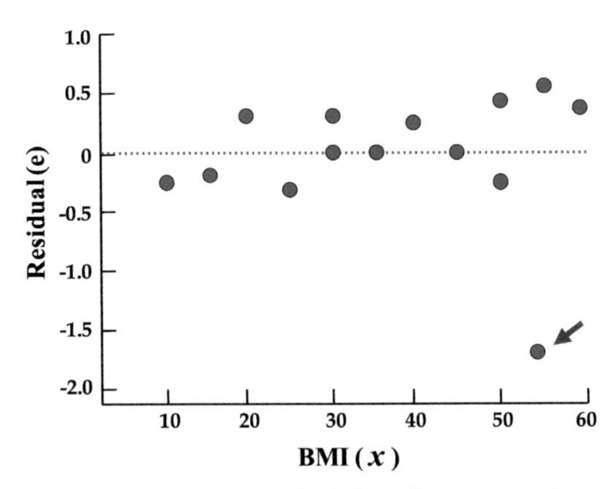

Figure. A scatter plot of residuals from linear regression against BMI

[해석] 우측 하단에 위치한 이상점을 제외하면 대체적으로 대칭형태를 보인다.

3) 이상점 검정

표준화잔차그림 (Standardized residual plot)

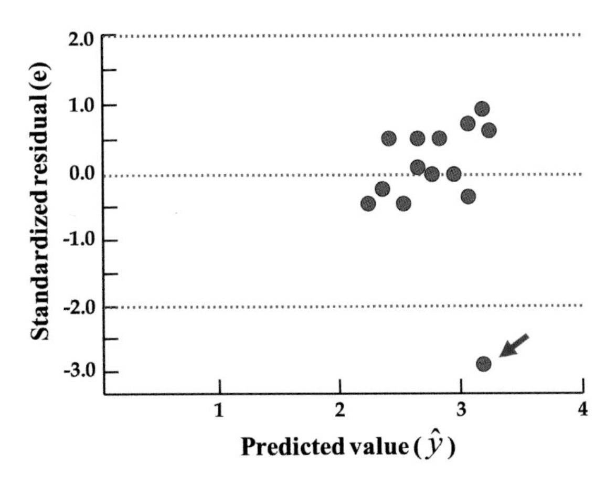

Figure. A scatter plot of standardized residuals against fitted values

[해석] 표준화잔차가 〈 -2, 〉 +2 인 점을 이상점으로 간주한다.

2. 통계적 방법

1) 정규분포 검정

- 정규분포 검정은 『자료요약』에서와 동일한 방법으로 잔차에 대하여 검정한다.
- 왜도 = -2.16, 첨도 = 6.26, Lilliefors test, Shapiro-Wilk test $p < 0.05$ 이므로 정규분포를 이루지 않는다.

2) 선형성

- 적합결여검정 : 적합결여검정 결과 $p = 0.99 > 0.05$ 이므로 선형회귀모형이 적합하다.

3) 등분산성 검정

- Breusch-Pagan test : $p = 0.014 < 0.05$ 이므로 등분산을 이루지 않는다.

4) 이상점 검정

다음은 이상점 검정통계량을 정리한 표이다. 이상점이 의심되는 14번째 자료를 분석한다.

No.	BMI	BWt	Residual	Standardized Residual	Studentized Residual	Studentized Deleted Residual	Leverage	Cook's Distance
1	30	3.0	0.328	0.556	0.582	0.565	0.087	0.016
2	20	2.8	0.338	0.572	0.624	0.607	0.160	0.037
...	...	...	...	...	...	...	...	...
13	35	2.8	0.023	0.040	0.041	0.0395	0.073	0.000
14	55	1.5	-1.695	-2.872	-3.147	-7.211	0.167	0.993

- **표준화잔차 (standardized residual)** : $|-2.872| > 2$ ⇨ 이상점
- **스튜던트화 잔차 (Studentized residual)** : $|-3.147| > 2$ ⇨ 이상점
- **스튜던트화 제외잔차 (Studentized deleted residual)** : $|-7.211| > 3$ ⇨ 이상점
- **지레점 (leverage)** : $0.167 < 2(k+1)/n = 2(1+1)/14 = 0.286$ ⇨ 지레점 아님
- **Cook' s Distance** : $0.993 > 4/n = 4/14 = 0.286$ ⇨ 영향점

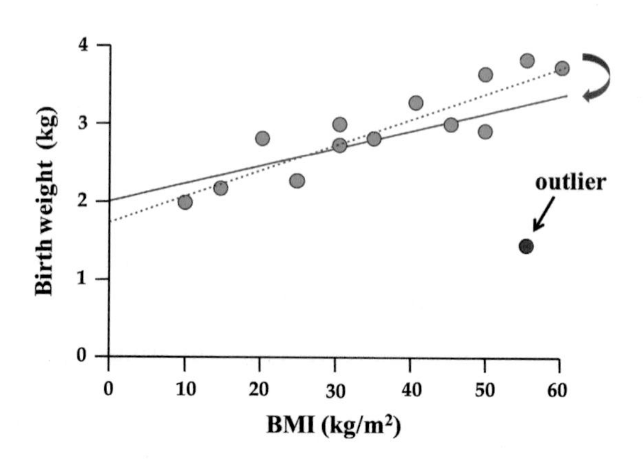

5) 독립성 검정

Durbin-Watson test

검정통계량 1.413 ⇨ 2에 가까우므로 자기상관을 하지 않는다.

예제 자료는 시계열 자료가 아니므로 자기상관 검정을 하지 않아도 된다.

이상점 처리

이상점 처리 방법 중 하나로 이상점을 제거 후 회귀분석을 다시 하여 본다

이상점을 제외한 후 회귀진단을 시행하면 전제조건을 만족한다.

회귀방정식은 $\hat{y}$ = 0.032+1.784x, R^2 = 0.806 (P < 0.0001) 이다.

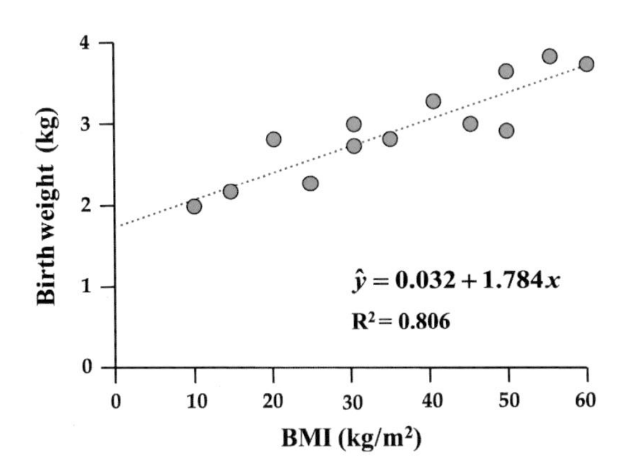

[해석]

P < 0.05 이므로 회귀모형은 통계적으로 유의하며 결정계수 R^2 = 0.806으로 신생아 체중 변동의 80%를 설명할 수 있다.

Exercise

Regression Analysis

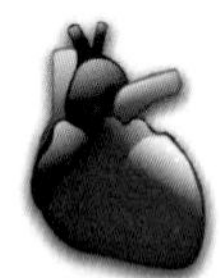

심장병 센터를 방문한 성인 환자에서 혈압(BP)과 연령(Age)을 측정하여 다음과 같은 자료를 얻었다. 연령으로 혈압을 예측할 수 있는지 분석하여 본다.

Subject	BP (mmHg)	Age (year)
1	158	41
2	185	60
3	152	41
4	159	47
5	176	66
6	156	47
7	184	68
8	138	43
9	172	68
10	168	57
11	144	39
12	138	45
13	145	47
14	162	65
15	142	46
16	170	67
17	124	42
18	158	67
19	154	56
20	162	64

[해설]

1) **전제조건**

회귀분석을 시행하기 전에 다음 가정에 대한 검정을 하여야 한다.

① 선형성 ② 정규성 ③ 등분산성 ④ 독립성

2) **통계적 검정**

두 변수의 관련성과 예측분석에 사용되는 **Simple Linear Regression**을 사용한다.

3) **단순회귀분석**

회귀방정식은 $\hat{y} = 97.46 + 1.113x$, $(P = 0.000)$ ➔ 회귀모형이 통계적으로 유의하다.

Excel

Data : sreg.xlsx

회귀분석

1 **메뉴** → [데이터] ▶ [데이터 분석] 선택하면 **[통계 데이터 분석]** 대화상자가 나타난다.

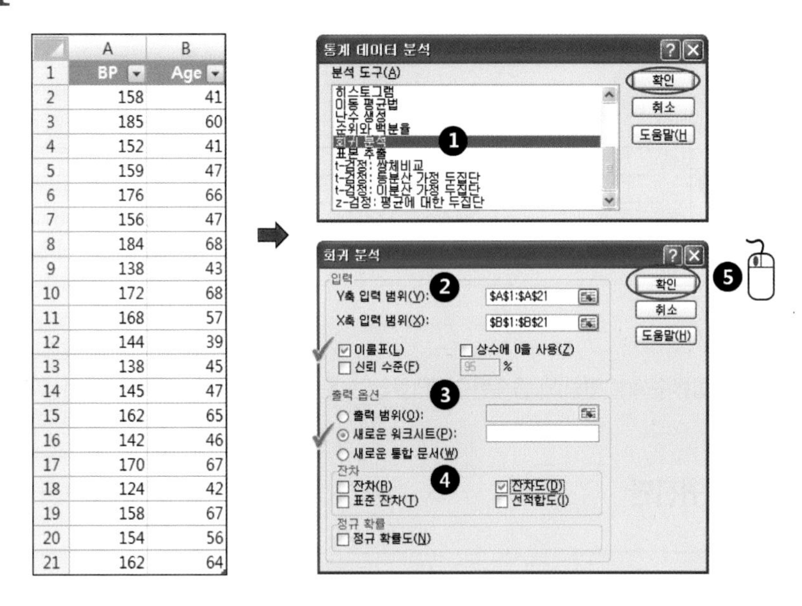

	A	B
1	BP	Age
2	158	41
3	185	60
4	152	41
5	159	47
6	176	66
7	156	47
8	184	68
9	138	43
10	172	68
11	168	57
12	144	39
13	138	45
14	145	47
15	162	65
16	142	46
17	170	67
18	124	42
19	158	67
20	154	56
21	162	64

① **[분석 도구]** ▶ **[회귀 분석]**을 선택하고 [확인] 버튼을 클릭하면 대화상자가 나타난다.

② [Y축 입력 범위] ▶ BP ($A$1 : $A$21) [X축 입력 범위] ▶ Age ($B$1 : $B$21)입력한다.
입력범위의 첫째 행이 변수명을 포함하므로 ☑ [이름표] 항목을 선택한다.

③ [출력 옵션]에서 ⊙ [새로운 워크시트] 항목을 선택한다.

④ [잔차] 선택상자에서 ☑ [잔차도] 항목을 선택한다.

⑤ [확인] 버튼을 클릭하면 통계결과가 출력된다.

2 **통계결과**

① [회귀분석 통계량] 결정계수 = 0.581, 조정된 결정계수 = 0.558

② [분산 분석] 분산비 F = 24.97, P 〈 0.001 (9.35E-05)

③ [회귀계수] Age의 회귀계수 = 1.113, p 〈 0.001 (9.35E-05)

		A	B	C	D	E	F	G
	1	요약 출력						
	2							
❶	3	회귀분석 통계량						
	4	다중 상관계수	0.762285					
	5	결정계수	0.581078					
	6	조정된 결정계수	0.557805					
	7	표준 오차	10.5986					
	8	관측수	20					
	9							
❷	10	분산 분석						
	11		자유도	제곱합	제곱 평균	F 비	유의한 F	
	12	회귀	1	2804.602	2804.602	24.96744	9.34983E-05	
	13	잔차	18	2021.948	112.3304			
	14	계	19	4826.55				
	15							
❸	16		계수	표준 오차	t 통계량	P-값	하위 95%	상위 95%
	17	Y 절편	97.4597	12.21792	7.976784	2.55E-07	71.79080692	123.1285992
	18	Age	1.113203	0.222786	4.996743	9.35E-05	0.645147258	1.581257832
	19							

[해석]

독립변수 Age(연령)와 종속변수 BP(혈압)는 통계적으로 유의한 선형적 관련성이 있다.

3 회귀진단

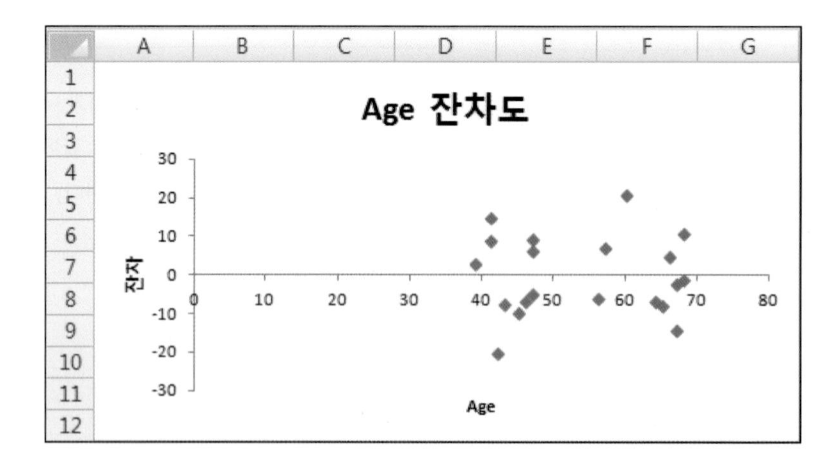

잔차도에서 잔차가 0을 중심으로 직사각형 형태를 보이므로 회귀분산의 전제조건인 선형성과 등분산성을 만족한다.

SPSS

Data : sreg.sav

선형회귀분석

1 메뉴 → [분석] ▶ [회귀분석] ▶ [선형] ▶ [선도표 회귀 모형] 상자가 나타난다.

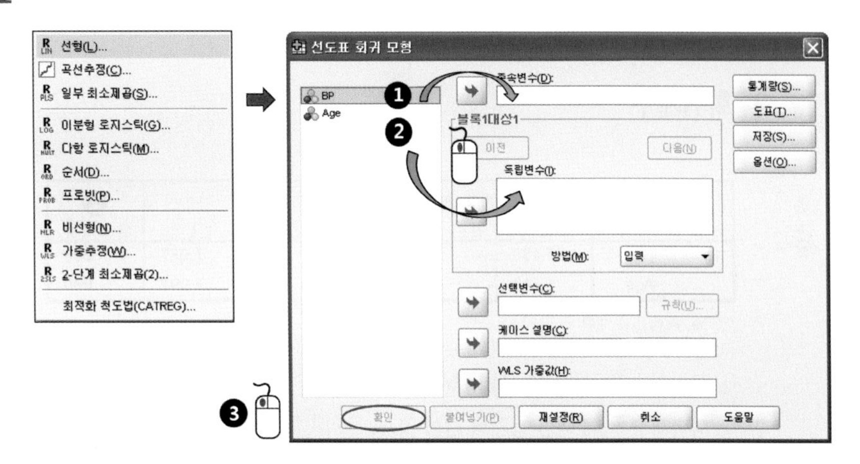

① 변수 BP를 선택하여 [종속변수] 상자에 입력한다.

② 변수 Age를 선택하여 [독립변수] 상자에 입력한다.

③ [확인] 버튼을 눌러 작업을 마친다.

SPSS 출력결과 창에 통계분석 결과가 나타난다.

2 회귀모형

분산분석[b]

모형		제곱합	자유도	평균 제곱	F	유의확률
1	회귀 모형	2804.602	1	2804.602	24.967	.000[a]
	잔차	2021.948	18	112.330		
	합계	4826.550	19			

a. 예측값: (상수), Age

b. 종속변수: BP

회귀모형의 유의성 검정 결과는 분산분석표로 보여준다.

유의확률 $p = 0.000 (< 0.001)$이므로 회귀모형이 통계적으로 유의하다고 판정한다.

결정계수

모형 요약

모형	R	R 제곱	수정된 R 제곱	표준 오차 추정값의 표준오차
1	.762[a]	.581	.558	10.599

a. 예측값: (상수), Age

회귀모형의 적합성 정도를 보기 위한 결정계수 $R^2 = 0.581$ 이다.

3 회귀계수

계수[a]

모형		❶ 비표준화 계수		표준화 계수	t	❷
		B	표준 오차 오류	베타		유의확률
1	(상수)	97.460	12.218		7.977	.000
	Age	1.113	.223	.762	4.997	.000

a. 종속변수: BP

① 회귀식과 회귀계수에 대한 분석 결과, 회귀계수 $B_1 = 1.113$, 절편(상수) $B_0 = 97.46$ 이다.

② 회귀계수 B_1에 대한 통계적 검정 결과, 유의확률 $p = 0.000$으로 유의하다.

회귀계수 신뢰구간

[선도표 회귀 모형] 대화상자에서 [통계량] 버튼을 누르면 통계량 선택 대화상자가 나타난다.

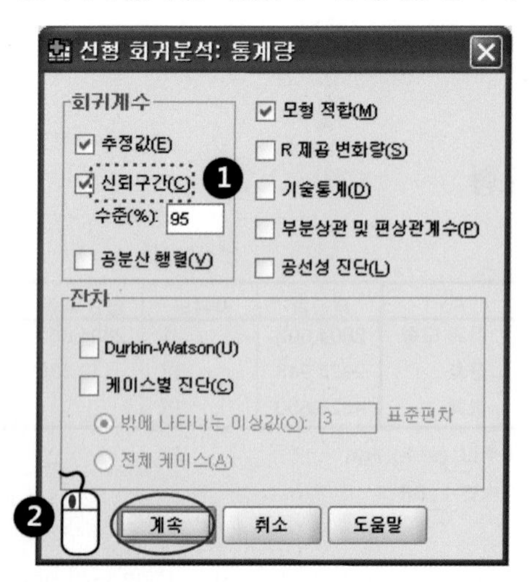

① **[회귀계수]** ▶ ☑ **[신뢰구간]** 항목을 추가적으로 선택한다.

② [계속] 버튼을 눌러 작업을 마친다.

계수ª

모형		비표준화 계수		표준화 계수	t	유의확률	B에 대한 95.0% 신뢰구간	
		B	표준 오차 오류	베타			하한값	상한값
1	(상수)	97.460	12.218		7.977	.000	71.791	123.129
	Age	1.113	.223	.762	4.997	.000	.645	1.581

a. 종속변수: BP

독립변수 Age에 대한 회귀계수 B_1 = 1.113, 95% 신뢰구간은 (0.645, 1.581) 이다.
회귀식의 절편(상수) B_0에 대한 신뢰구간은 의미가 없다.

4 그래프

[그래프] ▶ **[레거시 대화상자]** ▶ **[산점도/점도표]** 메뉴를 선택하면 대화상자가 나타난다.

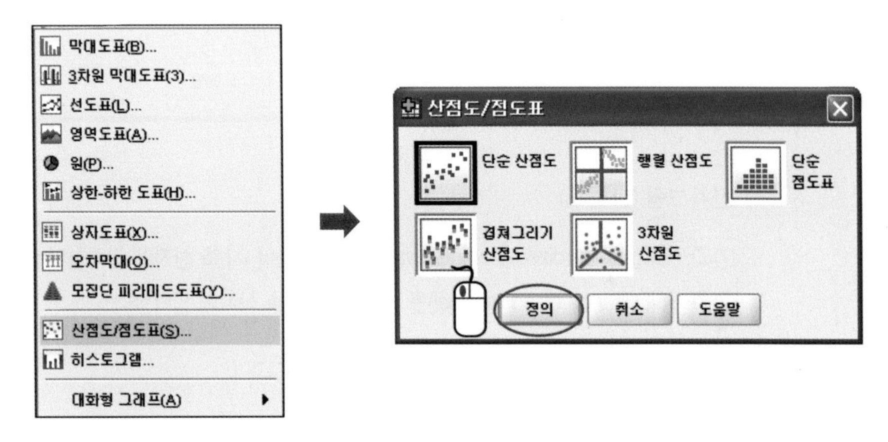

[단순 산점도]를 선택한 다음 **[정의]** 버튼을 누르면 [단순 산점도] 대화상자가 나타난다.
대화상자에서 [Y-축] ➡ BP, [X-축] ➡ Age를 입력하고 [확인] 버튼을 눌러 작업을 마친다.

회귀선 추가

산점도를 더블 클릭하여 **[도표편집기]** ▶**[요소]** ▶**[전체 적합선]**을 선택한다.

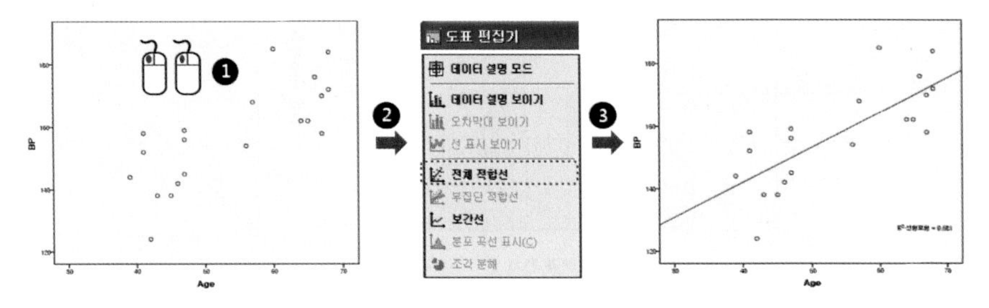

3 회귀진단

[선도표 회귀모형] 대화상자에서 [도표] 버튼을 누르면 도표 선택 대화상자가 나타난다.

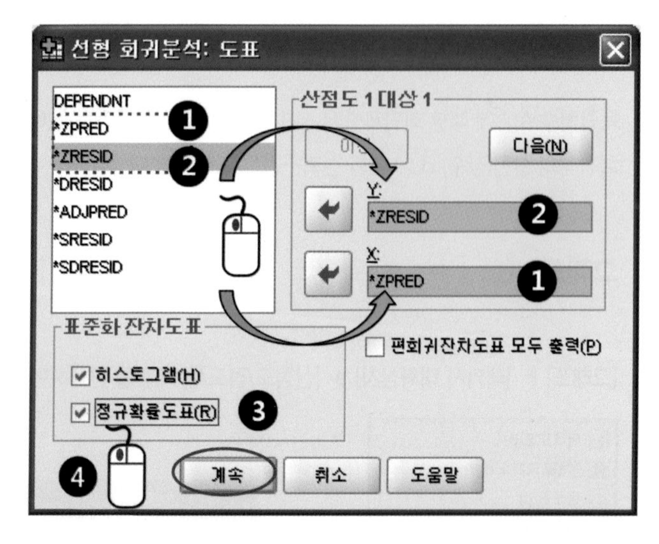

잔차그림 (산점도)

① ZPRED(standardized predicted value)를 선택하여 [X] 축 상자에 입력한다.

② ZRESID(standardized residual)를 선택하여 [Y] 축 상자에 입력한다.

정규분포 (표준화잔차도표)

③ ☑ [히스토그램]과 ☑ [정규확률도표] 항목을 선택한다.

④ [계속] 버튼을 눌러 작업을 마친다.

표준화잔차에 대한 histogram과 정규확률그림에서 정규성을 크게 벗어나지는 않는다.

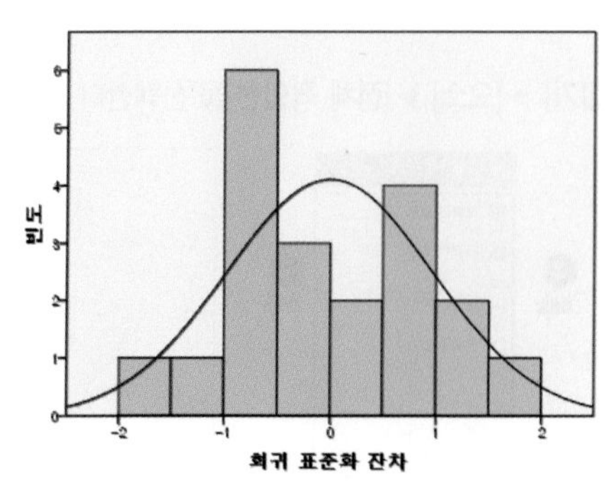

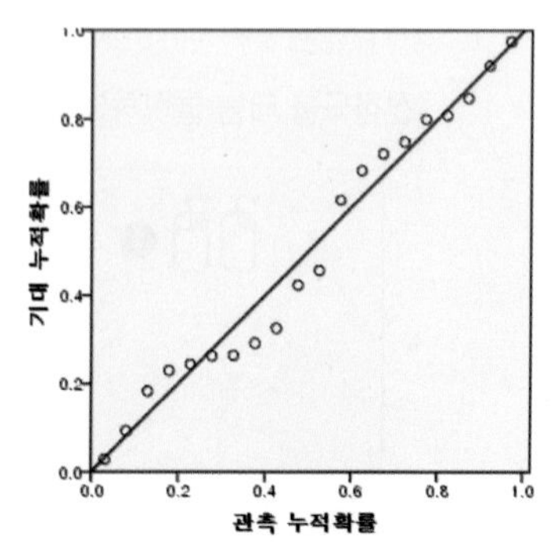

표준화예측값을 X 축, 표준화잔차를 Y축으로한 표준화잔차그림은 다음과 같다

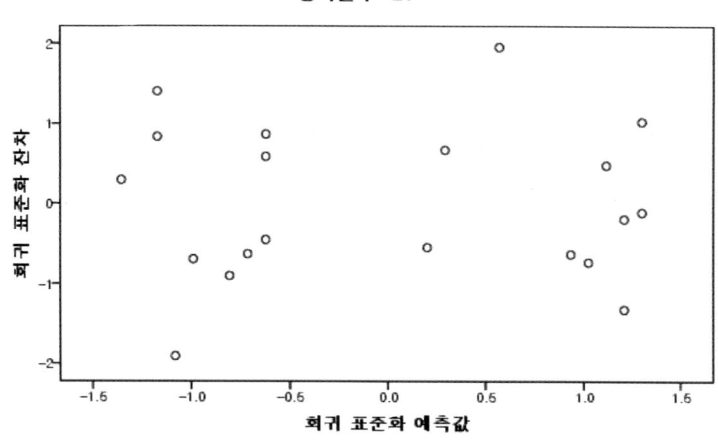

✓ 표준화잔차 0을 중심으로 대칭을 이루는 분포를 보이므로 등분산을 이룬다.

✓ 잔차값들이 -2 ~ +2 사이에 속하므로 이상점이 없다고 할 수 있다.

이상점

[선도표 회귀모형] 대화상자에서 [통계량] 버튼을 누르면 통계량 선택 대화상자가 나타난다.

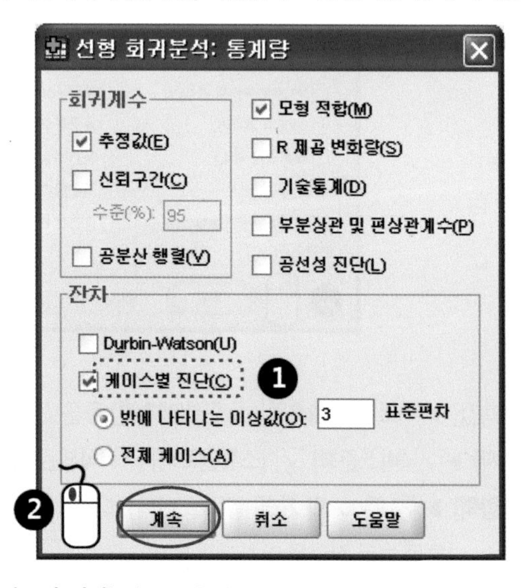

① **[잔차]** ▶ ☑ **[케이스별 진단]** 항목을 추가적으로 선택한다.

[전체 케이스]를 선택하면 모든 자료에 대한 잔차통계량을 보여준다.

② [계속] 버튼을 눌러 작업을 마친다.

잔차통계량(예측값, 잔차, 표준화예측값, 표준화잔차)에 대한 기술통계표가 나타난다.

잔차 통계량[a]

	최소값	최대값	평균	표준 오차 편차	N
예측값	140.87	173.16	157.35	12.150	20
잔차	-20.214	20.748	.000	10.316	20
표준 오차 예측값	-1.356	1.301	.000	1.000	20
표준 오차 잔차	-1.907	1.958	.000	.973	20

a. 종속변수: BP

표준화잔차(standardized residual) 최소값 = -1.907, 최대값 = 1.958로 절대값이 2 보다 작으므로 이상점이 없다고 판단한다. 이상점이 발견되면 [전체 케이스]로 검색하여야 한다.

영향점

[선도표 회귀모형] 대화상자의 **[저장]** 버튼을 누르면 회귀진단에 관한 대화상자가 나타난다.

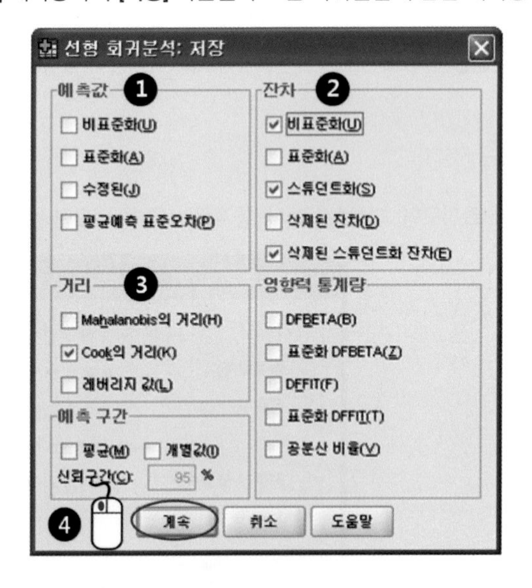

① **[예측값]** ▶ 비표준화(예측값), 표준화(예측값) 등을 선택할 수 있다.

② **[잔차]** ▶☑ **[비표준화]** ☑ **[스튜던트화]** ☑ **[삭제된 스튜던트화 잔차]** 항목을 선택한다.

③ **[영향력]** ▶☑ **[Cook의 거리]** 항목을 선택한다.

④ [계속] 버튼을 눌러 작업을 마친다.

선택된 항목과는 상관없이 잔차통계량을 요약한 결과가 출력된다.

잔차 통계량ᵃ

	최소값	최대값	평균	표준 오차 편차	N
예측값	140.87	173.16	157.35	12.150	20
표준 오차 예측값	-1.356	1.301	.000	1.000	20
예측값의 표준오차	2.420	4.061	3.314	.516	20
수정된 예측값	140.34	174.09	157.37	12.271	20
잔차	-20.214	20.748	.000	10.316	20
표준 오차 잔차	-1.907	1.958	.000	.973	20
❶ 스튜던트 잔차	-2.023	2.027	.000	1.026	20
스튜던트 잔차	-22.752	22.238	-.015	11.462	20
❷ 스튜던트 스튜던트 잔차	-2.237	2.242	.002	1.076	20
Mahal. 거리	.041	1.839	.950	.568	20
❸ Cook의 거리	.001	.257	.056	.069	20
중심화된 레버리지 값	.002	.097	.050	.030	20

a. 종속변수: BP

① 스튜던트화 잔차 : 최소값 = -2.023, 최대값 = 2.027 ➲ 이상값 아님.

② 스튜던트화 제외잔차 : 최소값 = -2.237, 최대값 = 2.242 ➲ 이상값 아님

③ Cook' s Distance : 최소값 = 0.001, 최대값 = 0.257 ➲ 이상값 아님

SPSS [데이터 보기] 창에 선택된 항목들이 새로운 변수로 저장된다.

	BP	Age	❶ RES_1	❷ SRE_1	❸ SDR_1	❹ COO_1
1	158	41	14.89899	1.50058	1.55907	0.15702
→ 2	185	60	20.74814	2.02668	2.24192	0.14744
3	152	41	8.89899	0.89628	0.89114	0.05602
→ 17	124	42	-20.21421	-2.02342	-2.23724	0.25696
18	158	67	-14.04427	-1.41821	-1.46237	0.14628
19	154	56	-5.79905	-0.56200	-0.55102	0.00869
20	162	64	-6.70467	-0.66533	-0.65468	0.02350

① RES_1 : 비표준화잔차 ⇨ 정규성, 등분산성 가정에 대한 통계학적 검정에 사용된다.

② SRE_1 : 스튜던트화 잔차 (Studentized Residual)

③ SDR_1 : 스튜던트화 제외잔차 (Studentized Deleted Residual)

④ COO_1 : Cook' s Distance

잔차통계량의 스튜던트화 잔차, 스튜던트화 제외잔차의 최소값과 최대값의 자료는 2번째와 17번째에 속함을 알 수 있다.

dBSTAT

Data : sreg.dbf

회귀분석

1 **메뉴** → [통계] ▶ [회귀분석] ▶ [단순회귀] ▶ [회귀분석] 메뉴를 선택한다.

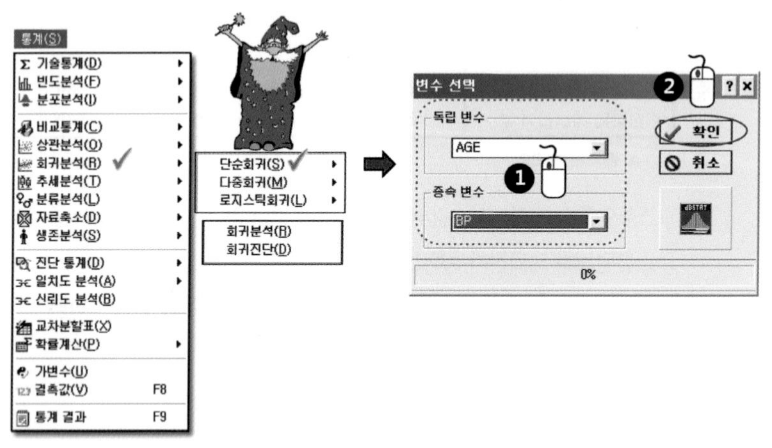

① [변수 선택] 대화상자에서 [독립변수] ▷ AGE, [종속변수] ▷ BP를 입력한다.

② [확인] 버튼을 클릭하여 선택 작업을 마치면 [통계결과] 창이 나타난다.

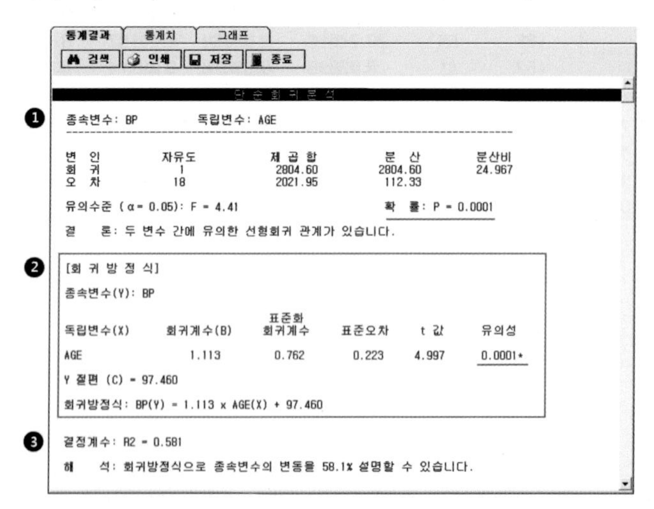

① 회귀식에 대한 p = 0.0001 이므로 Age와 BP는 유의한 선형 회귀관계가 있다.

② 개별 독립변수 AGE에 대한 유의성 검정에서 p = 0.0001이므로 통계적으로 유의하다.

③ 결정계수 R^2 = 0.581 로 회귀식에 의하여 BP 변동의 약58%를 설명할 수 있다.

2 그래프

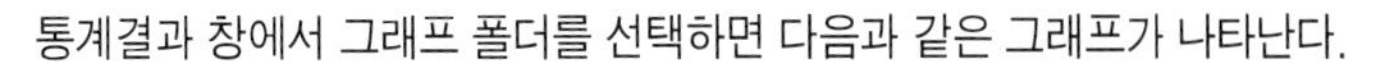

통계결과 창에서 그래프 폴더를 선택하면 다음과 같은 그래프가 나타난다.

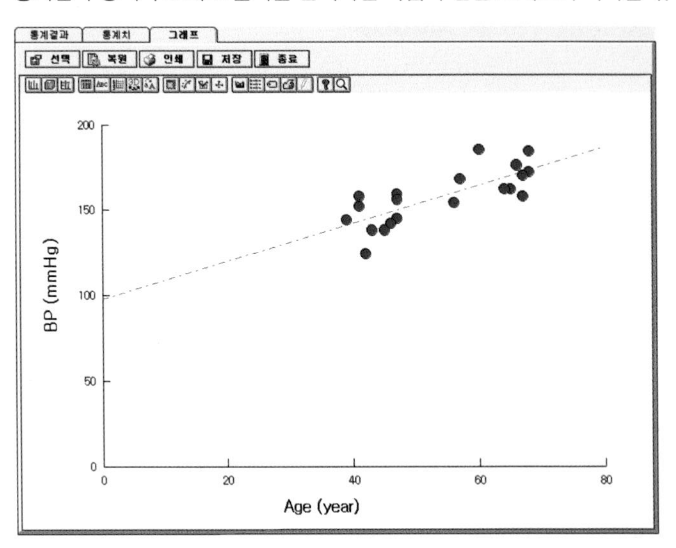

3 회귀진단

메뉴 → [통계] ▶ [회귀분석] ▶ [단순회귀] ▶ [회귀진단] 메뉴를 선택한다.

회귀진단 결과가 해석과 함께 출력되며 아래와 같은 잔차그림을 보여준다.

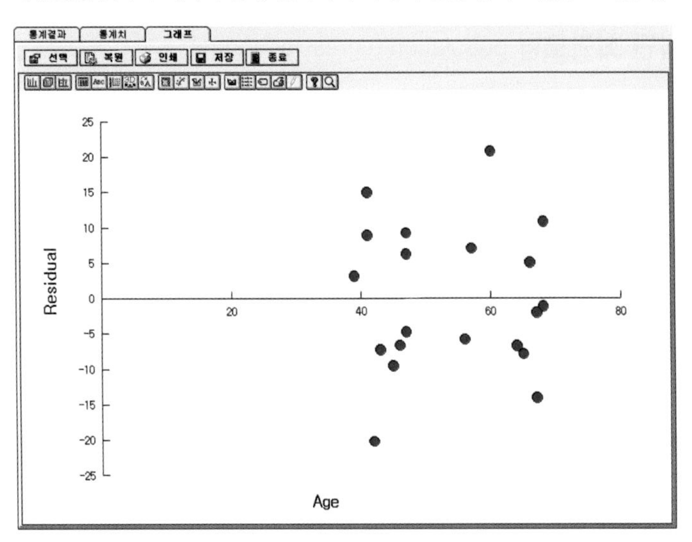

7-7 다중선형회귀 Multiple Linear Regression

CONTENTS

목적

하나의 종속변수와 두 개 이상의 독립변수의 선형관계를 추정한다.

전제조건

1. 종속변수는 계량형 연속변수이다.
2. 독립변수 간에 **다중공선성(multicollinearity)**이 존재하지 않는다.
3. 독립변수 간에 **상호작용** 효과가 존재하지 않는다.
4. 오차항 가정 : ① 정규성, ② 등분산성, ③ 독립성.
5. 표본크기는 회귀식에 포함되는 독립변수들 수의 10배 이상이어야 한다.

적용

두 개 이상의 독립변수와 종속변수의 관계를 분석하고 독립변수들로써 종속변수의 값을 예측 또는 추정하기 위한 통계 분석법이다.

7.1 다중선형회귀

다중선형회귀는 단순선형회귀에서 독립변수의 수가 많아진 확장형이라 할 수 있다.

모집단 회귀모형 population regression model

$Y = \beta_0 + \beta_1 X_1 + \beta_2 X_2 + \cdots + \beta_k X_k + \varepsilon$ (β_0 : 절편 β_k : 기울기 ε : 오차항)

모집단 종속변수 y 의 관측값에 대한 회귀모형으로 오차항을 포함한다.

모회귀선 population regression line

$\hat{Y} = \beta_0 + \beta_1 X_1 + \beta_2 X_2 + \cdots + \beta_k X_k$ (β_0 : 절편 β_k : 기울기)

모집단 예측값 $\hat{y}$ 에 대한 직선 회귀식이다.

표본 회귀모형 sample regression model

$y = b_0 + b_1 x_1 + b_2 x_2 + \cdots + b_k x_k + e$ (b_0 : 절편 b_k : 기울기 e : 오차항)

표본에서 모집단 회귀계수(기울기)를 추정한 회귀모형이다.

표본회귀선 sample regression line

$\hat{y} = b_0 + b_1x_1 + b_2x_2 + \cdots + b_kx_k$ (b_0 : 절편 b_k : 기울기)

표본에서 모집단 예측값의 회귀계수를 추정한 직선 회귀식이다.

회귀분석에서 독립변수 값으로 종속변수 Y 값을 예측하는 통계적 검정에 사용된다.

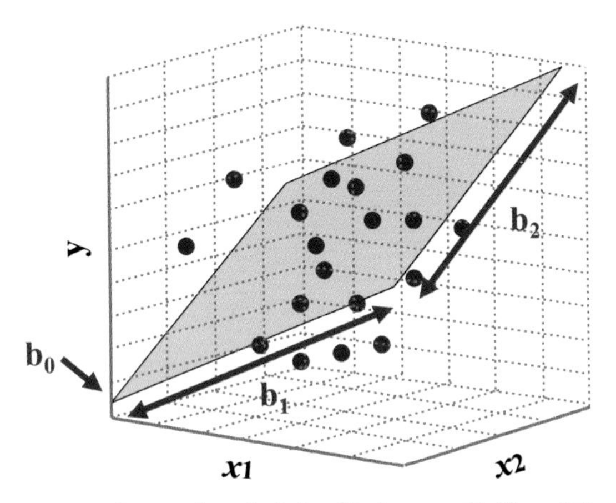

Scatter plot of relationship between Y, X_1 and X_2

가설검정

H_0 : $\beta_1 = \beta_2 = \cdots = \beta_k = 0$ (모든 독립변수들과 종속변수 사이에 관련성이 없다)

H_1 : $\beta_i \neq 0$ (적어도 하나 이상의 독립변수는 종속변수와 관련성이 있다)

귀무가설은 "모집단 모든 회귀계수 = 0" 라고 가설을 세운다. 모든 회귀계수 = 0 이면 관련성이 없다고 할 수 있다. 대립가설은 "적어도 하나의 모회귀계수는 0이 아니다." 이다.

회귀분석을 시행하기 전에 다음 전제조건에 대한 검정을 하여야 한다.

① **선형성 (Linearity)**

② **독립성 (Independence) – 다중공선성 (multicollinearity)**

③ **정규성 (Normality)**

④ **등분산성 (Equal Variance)**

전제조건 검정은 『단순회귀분석』 단원의 **『회귀진단』**을 참조하기 바란다.

단순회귀분석과 차이점은 독립변수들 간의 독립성에 관한 **다중공선성** 검정이 필요하다.

7.2 관련성 검정

- 종속변수와 독립변수들과의 관련성 유무에 대한 검정은 단순회귀분석과 같은 방법으로 F-test에 의하여 검정한다.
- $P < 0.05$ ⇨ 모든 회귀계수 $\beta_i = 0$ 귀무가설을 기각하고 대립가설을 받아들인다.
- 다중선형회귀 검정 결과가 통계적으로 유의하면 회귀식에 사용된 독립변수들 중에 적어도 하나 이상에서 종속변수와 통계학적으로 유의한 선형적 관련성이 있다는 의미이다.

관련성 강도

1. 결정계수 (Determination Coefficient)

- 회귀식이 통계적으로 유의한 경우에 관련성의 정도는 결정계수에 의하여 판단한다.
- 결정계수는 종속변수 y 와 독립변수들 사이의 관련 정도를 보여준다.
- 결정계수 R^2 값이 1 에 가까울수록 모형의 적합도가 높으며 0 에 가까우면 적합도가 낮음을 뜻한다.

1) 다중결정계수 (Multiple Determination Coefficient)

독립변수가 둘 이상인 다중회귀분석에서의 결정계수이다.

예, $R^2_{y.12}$ ⇨ x_1, x_2 의 영향을 합한 결정계수, ($x_1 + x_2$) 분산 ÷ y 분산 (총분산).

2) 편결정계수 (Partial Determination Coefficient)

다른 독립변수들의 영향을 통제한 후의 개별 독립변수 $\boldsymbol{x}$ 와 $\boldsymbol{y}$ 의 관련성 척도로, 편상관계수의 제곱이다. 개별 독립변수의 영향력을 비교 평가하는데 사용된다.

예, $r^2_{y.12}$ ⇨ x_2 의 영향을 제외한 x_1 결정계수, ($x_1 - x_2$) 분산 ÷ ($y - x_2$) 분산.

3) 부분결정계수 (Part Determination Coefficient)

편결정계수에서 분모가 y 분산(총분산)인 점이 다르다. 잘 사용되지 않는다.

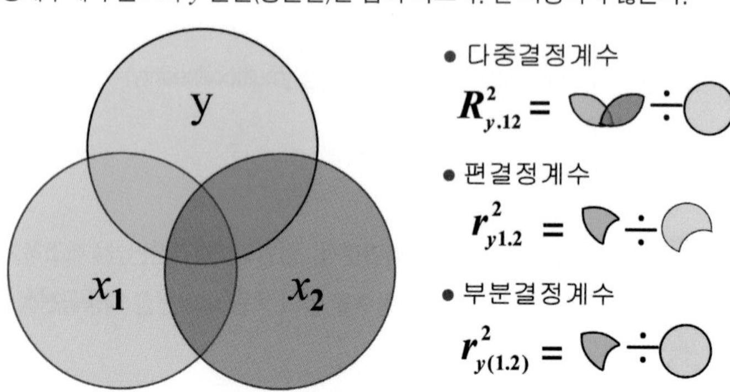

2. 수정결정계수 (Adjusted Determination Coefficient)

- 결정계수 R^2 값은 독립변수의 수가 많을수록 증가하므로 이에 대한 조정이 필요하다.
- 수정결정계수 R^2_a 은 R^2 의 결점을 보완하여 독립변수의 수와 표본크기를 반영한 것이다.
- 독립변수가 많이 포함된 다중회귀분석에서는 회귀모형의 적합도의 기준으로서 R^2 보다 수정결정계수인 R^2_a 를 사용한다.

〈계산〉 $R_a^2 = 1 - \frac{n-1}{n-k-1}(1-R^2)$

회귀계수 regression coefficient

k 개의 독립변수를 갖고 있는 회귀모형에서 회귀계수 b_1의 의미는 독립변수 x_1을 제외한 x_2, ⋯, x_k 값을 고정시킨 경우에 x_1 값이 한 단위 증가함에 따라 y 값이 증가하는 양을 의미한다.
다중선형회귀분석의 회귀계수를 **편회귀계수(partial regression coefficient)**라고도 부른다.

1. 회귀계수 검정

개별 회귀계수에 대한 통계적 검정은 통계량 t 를 구하여 검정한다.
회귀계수 b_k이 통계적으로 유의하면, 독립변수 x_k와 종속변수 $\mathbf{y}$ 간에 유의한 선형관계가 있다는 의미이다. 즉, 독립변수 x_k 가 통계적으로 유의한 예측변수이다.

1) 비표준화회귀계수 (unstandardized regression coefficient)

- 회귀계수는 측정 단위에 따라서 (예, kilogram vs. gram) 크기가 달라지므로 비표준화 회귀계수의 크기로 관련성의 정도를 다른 독립변수와 비교할 수 없다.
- 비표준화회귀계수는 종속변수 y 값을 예측하기 위한 회귀방정식에 사용된다.

2) 표준화회귀계수 (standardized regression coefficient)

- 회귀계수를 표준편차(SD) 단위로 변환시킨 값으로 다중회귀분석에서 회귀계수들 간의 크기 비교에 사용된다.
- 표준화회귀계수가 클수록 P-value가 작아지며 개별 독립변수의 예측변수로서의 중요성이 높아진다.
- 표준화회귀계수 = 비표준화회귀계수 x $\frac{SD(x)}{SD(y)}$ (x : 독립변수, y : 종속변수)

7.3 혼선변수 Confounder, confounding variable

독립변수(x)와 종속변수(y)의 관계가 1:1 이면 명확한 관련성을 알 수 있으나 독립변수가 둘 이상일 때에 제3의 독립변수 z가 x와 y의 관계에 영향을 주어 실제로는 x와 y가 직접적인 관련이 없는데도 관련성이 있어 보이게 할 수 있다.

다음 그림 (c)에서 x와 관련이 있으면서 y에 영향을 주는 독립변수 z를 **혼선변수 (중첩변수, 교락변수)**라고 한다.

혼선변수 중에서 x에 부정적 영향을 주어 실제로는 x와 y가 직접적인 관련이 있는데도 x와 y의 관련성이 없어 보이게 하는 변수를 **억제변수(suppressor)**라 한다.

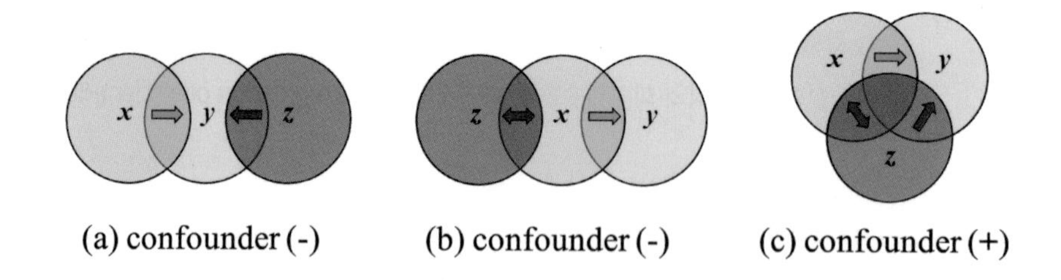

(a) confounder (-) (b) confounder (-) (c) confounder (+)

다중회귀분석과 같은 다변량분석은 혼선변수의 영향을 통제함으로써 개별 독립변수 x 와 y의 관련성을 명확히 알 수 있게 한다.

다음은 혼선변수와 억제변수에 대한 예를 설명한 그림이다.

(a) 혈중 콜레스테롤이 혈압에 미치는 영향에 관한 연구에서 체중과의 관련성

(b) 체중이 혈압에 미치는 영향에 관한 연구에서 Diet와의 관련성

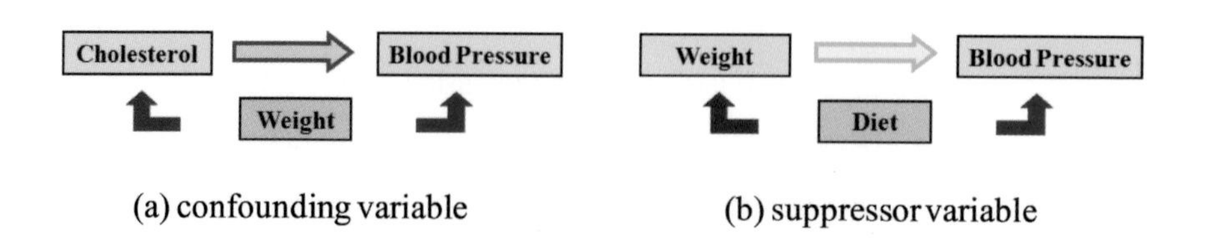

(a) confounding variable (b) suppressor variable

(a) 혼선변수 : 혈압과 콜레스테롤이 1:1 관련이 있으나 체중을 통제하면 관련이 없어질 수 있다.

(b) 억제변수 : 혈압과 체중이 1:1 관련이 없으나, Diet를 통제하면 관련성이 나타날 수 있다.

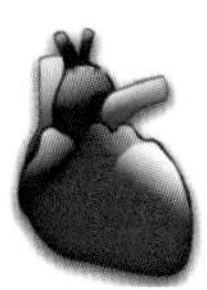

심장병 센터를 방문한 성인 환자에서 혈압(BP)과 연령(Age), 체중(kg)을 측정하여 다음과 같은 자료를 얻었다. 연령과 체중으로 혈압을 예측할 수 있는지 분석하여 본다. 회귀분석의 전제조건에 대한 검정은 생략하기로 한다.

ID	BP	Age	Weight	ID	BP	Age	Weight
001	158	41	65	011	144	39	56
002	185	60	78	012	138	45	46
003	152	41	62	013	145	47	58
004	159	47	67	014	162	65	72
005	176	66	84	015	142	46	63
006	156	47	60	016	170	67	60
007	184	68	75	017	124	42	48
008	138	43	58	018	158	67	55
009	172	68	72	019	154	56	61
010	168	57	64	020	162	64	62

회귀식

예제에서 x_1 = 연령(Age), x_2 = 체중(Weight)로 정하면 다음 회귀식을 구할 수 있다.

$\hat{y} = 60.48 + 0.64x_1 + 0.99\,x_2$

회귀식의 통계적 유의성

Source of variation ❶	Sum of squares	d.f. ❷	Variance	F
Regression	3946.27	2	1973.14	38.11
Residual	880.28	17	51.78	
Total	4826.55	19		

① **변동** : 회귀변동 = 3946.27, 오차변동 = 880.28

② **분산** : 회귀분산 = 3946.27 ÷ 2 = 1973.14, 오차분산 = 880.28 ÷ 17 = 51.78

통계량 **F** = 회귀분산 ÷ 오차분산 = 1973.14 ÷ 51.78 = 38.11

F = 38.11 ⇨ p = 0.000 이므로 회귀식이 통계적으로 유의하다.

[해석] "혈압과 연령, 체중 간에는 유의한 선형회귀관계가 있다." 고 결론을 내린다.

회귀식의 적합성

결정계수 $R^2 = 0.81$ ⇨ 종속변수(혈압)의 변동(분산)의 81%는 선형 회귀관계로 설명된다.

회귀계수의 유의성

분산분석표에서 회귀식이 통계적으로 유의하다고 해서 모든 독립변수의 회귀계수가 유의하다는 뜻은 아니며 적어도 하나 이상의 독립변수의 회귀계수가 유의성이 있음을 뜻한다.
개별 독립변수의 회귀계수에 대한 유의성 검정은 **t 검정**을 이용한다.

Variable	Coefficient	Standardized Coefficient	95% CI Coefficient	*P* value
Age	0.64	0.44	0.25, 1.02	0.003
Weight	0.99	0.59	0.55, 1.43	0.000

유의확률 $p < 0.05$ 이면 회귀계수가 통계적으로 유의하다고 판정한다. 즉, 종속변수(혈압)을 예측하는 회귀식에서 연령과 체중은 통계적으로 유의한 독립변수이다.

회귀계수의 해석

회귀계수의 의미를 해석해 보면 체중이 일정하다는 조건하에서 연령이 1년 (단위) 증가하면 혈압의 예측값은 0.64 mmHg 만큼씩 증가된다는 의미이다. 또한 연령이 일정하다는 조건하에서는 체중이 1 kg 증가하면 혈압의 예측값은 0.99 mmHg 증가하게 됨을 의미한다.

회귀계수의 비교

회귀계수들의 비교는 **표준화회귀계수**로 비교한다. 체중이 연령보다 표준화회귀계수가 크므로 혈압과의 관련성이 높다고 할 수 있다.

회귀계수 신뢰구간

- 신뢰구간은 표본회귀계수에 표본크기를 반영한 모회귀계수의 추정범위이다.
- 신뢰구간에 **0**을 포함하면 통계적인 유의성이 없다

Age 회귀계수 95% CI ≈ (0.25, 1.02), Weight 회귀계수 95% CI ≈ (0.55, 1.43)

독립변수의 관련 강도

회귀계수가 통계적으로 유의하면 개별 독립변수와 종속변수와의 관련성 정도는 **편결정계수**로 평가한다.

✓ 혈압 vs 연령 : 편상관계수 = 0.647 ➜ 편결정계수 ≈ 0.419 (혈압 변동 중 41.9%를 예측)

✓ 혈압 vs 체중 : 편상관계수 = 0.751 ➜ 편결정계수 ≈ 0.564 (혈압 변동 중 56.4%를 예측)

체중의 편결정계수가 연령보다 크므로 예측변수로서 관련성(설명력)이 더 높다고 할 수 있다.

회귀진단

다중회귀분석의 회귀진단은 다중공선성 이외에는 단순회귀분석의 회귀진단과 동일하다.

다음 표준화잔차그림에서 잔차 0을 중심으로 대칭형 띠 모양을 이루므로 선형성, 등분산성을 만족하며 절대값 〈 2 이므로 이상점이 없다고 볼 수 있다.

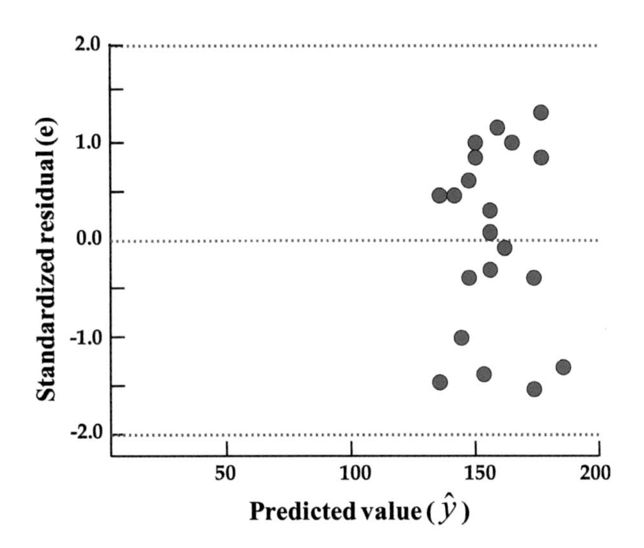

다중공선성 진단은 다음 장에서 설명하기로 한다.

7.4 다중공선성 multicollinearity

다중회귀분석의 전제조건으로 독립변수들 간에 상관관계가 없어야 한다.

독립변수들 간에 매우 높은 상관관계가 있을 때 **다중공선성**이 있다고 한다.

독립변수들 간의 상관관계 (공선성)

(a) 공선성 없음 : 독립변수 x_1, x_2 사이에 상관관계가 없다.

(b) 공선성 있음 : 독립변수 x_1, x_2 사이에 매우 높은 상관관계가 있다.

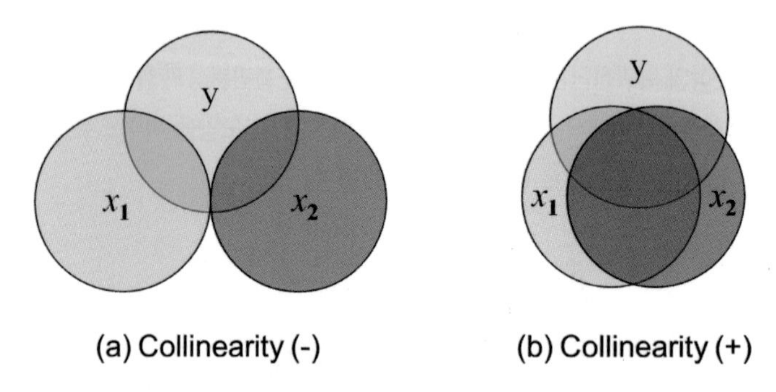

(a) Collinearity (-) (b) Collinearity (+)

독립변수들 간에 다중공선성이 존재하면 회귀계수들의 신뢰도를 감소시킨다.

다중공선성 진단방법

회귀모형을 분석하는 과정에서 다음에 해당되면 다중공선성을 조사해 보아야 한다.

- 독립변수들간의 상관계수가 매우 높은 경우
- 회귀모형에 대한 통계적 검정은 유의하지만 개별 회귀계수는 유의하지 않은 경우

1) 상관계수 (correlation coefficient)

독립변수들 간의 상관계수 r 〉 0.9 ⇨ 다중공선성 의심

2) 분산팽창인자 (Variance Inflation Factor, VIF)

다중공선성에 의하여 회귀계수의 분산이 커지는 정도를 측정한다.

[해석] VIF 〉 10 ⇨ 다중공선성 있음.

3) 공차 (Tolerance)

Tolerance는 VIF와 역비례하며 Tolerance가 작을수록 다중공선성이 높아진다.
Tolerance는 0~1 범위의 값을 갖는다.
[해석] Tolerance value ≤ 0.10 ⇨ 다중공선성 있음

4) 상태지수 (condition index, CI)

다중공선성을 측정하는 지표이다.
[해석] CI 〉 30 ⇨ 다중공선성 있음.

다중공선성 해결방법

① 독립변수 선택

변수선택 과정에서 상관계수가 높은 두 독립변수 중에서 하나만을 선택한다.

임상적으로 중요한 변수를 포함시키는 것이 원칙이다. 중요성이 비슷하면 차례로 회귀모형에서 제거해보고 회귀계수의 표준오차를 현격히 감소시키는 변수를 제거한다.

② 독립변수 생성

두 변수를 합쳐 새로운 독립변수를 만든다.
독립변수의 의미가 유사하면 두 변수를 합친 새로운 변수를 만들어 분석한다.

바다의 수심(m), 수온(°C)과 물고기 체중(gm)을 측정하여 다음과 같은 자료를 얻었다. 수심과 수온이 물고기 체중과 관련성이 있는지 알아보자. 예제 자료에서 다중회귀분석의 전제조건인 다중공선성 검정을 하기로 한다.

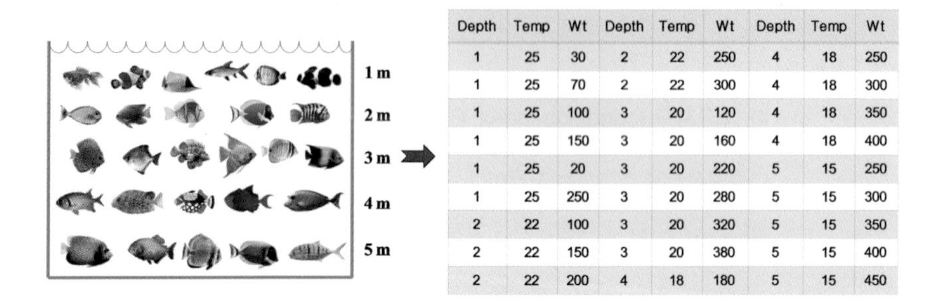

Depth	Temp	Wt	Depth	Temp	Wt	Depth	Temp	Wt
1	25	30	2	22	250	4	18	250
1	25	70	2	22	300	4	18	300
1	25	100	3	20	120	4	18	350
1	25	150	3	20	160	4	18	400
1	25	20	3	20	220	5	15	250
1	25	250	3	20	280	5	15	300
2	22	100	3	20	320	5	15	350
2	22	150	3	20	380	5	15	400
2	22	200	4	18	180	5	15	450

회귀식

위의 예제에서 종속변수 y = 체중(Wt), 독립변수 x_1 = 수심(Depth), 독립변수 x_2 = 수온(Temp)로 정의하면 다음과 같은 회귀식이 산출된다.

$$\hat{y} = 835.0 - 8.92x_1 - 28.46x_2 \quad (R^2 = 0.54,\ p = 0.000)$$

따라서 "수심, 수온과 물고기 체중 간에는 통계적으로 유의한 선형회귀관계가 있다."고 결론을 내린다.

회귀계수의 유의성

① Depth 회귀계수 $b_1 = -8.92$, $p = 0.950$ ⇨ 통계적으로 유의하지 않은 독립변수이다.

② Temp 회귀계수 $b_2 = -28.46$, $p = 0.632$ ⇨ 통계적으로 유의하지 않은 독립변수이다.

회귀식이 통계적으로 유의하지만 회귀계수 검정 결과, 개별 독립변수들은 모두 통계적으로 유의하지 않다는 모순적 결과를 보인다.

다중공선성 검정

① 상관계수 r = 0.997 〉 0.9 ⇨ 다중공선성 의심

② VIF = 154.3 〉 10 ⇨ 다중공선성

③ Tolerance = 0.006 〈 0.1 ⇨ 다중공선성

④ CI = 213.2 〉 30 ⇨ 다중공선성

수심, 수온 간에는 다중공선성이 있다고 판정한다.

다중공선성이 존재하므로 두 독립변수 중 하나는 회귀모형에서 제외시켜 분석하여야 한다.

7.5 변수선택

회귀식은 일반적으로 독립변수가 많을수록 설명력이 높아진다. 반면, 회귀모형에 포함된 독립변수의 수가 많으면 중요성이 낮은 독립변수까지 포함되어 종속변수를 예측하기 위한 방정식으로는 유용하지 않게 된다. 이러한 문제점을 해결하기 위하여 독립변수를 선정기준에 따라 일부 선택하여 최종 회귀모형에 포함하게 된다.

변수선택 원칙

- 임상적 의미가 있는 독립변수는 모두 포함시켜야 한다.
- 표본크기 ≥ 선택된 독립변수의 수 x 10 이어야 한다.
- 독립변수가 너무 많으면 선택 기준에 따라 통계적으로 유의한 변수를 선택한다.

회귀모형과 편결정계수

(a) x_1, x_2, x_3 변수의 y 에 대한 관련성이 동일하다. 세 변수로 y 변동을 100% 설명한다.

(b) x_1, x_2에 의해서 y 변동을 설명할 수 있다. x_3는 회귀모형에서 제외시킨다.

(c) y와의 관련성이, $x_1 > x_2 > x_3$ 이며 대부분 y 변동을 x_1, x_2 로 설명할 수 있다.

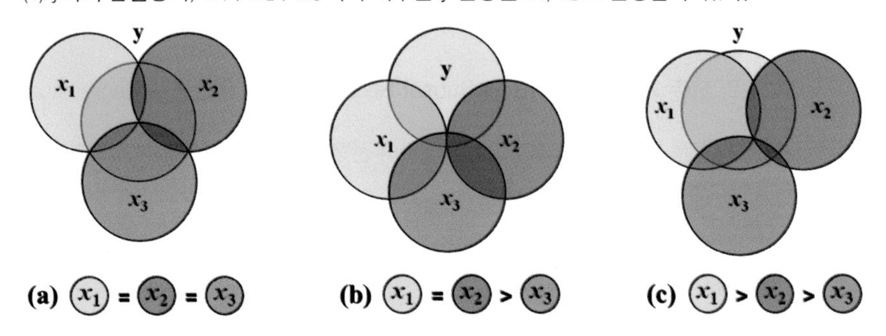

변수 선택 기준

1. P value

- 개별 독립변수에 대한 유의성 검정확률을 기준으로 선택/제거 기준을 정한다.
- 선택기준 : $P < 0.05$ 또는 $P < 0.1$ (0.15)
- 제거기준 : $P \geq 0.05$ 또는 $P \geq 0.1$ (0.15)

2. 결정계수

- 수정결정계수 : 회귀모형들끼리 적합도를 비교하는 경우에 사용한다.
- 편결정계수(편상관) : 개별 독립변수의 영향력을 비교하는 경우에 사용한다.

3. Mallows C_p

- C_p 통계량은 회귀모형이 완전모형에 얼마나 가까운가를 나타내는 척도이다.
- C_p= k + 1 (k : 독립변수의 수)에 가까울수록 적합한 모형이라 할 수 있다.

변수선택 방법

변수선택 방법은 각각 장단점이 있으나 통계소프트웨어에 의한 선택보다는 연구자가 임상적 중요성을 판단하여 분석하는 것이 우선적이다. 통계적 분석에만 의존하면 임상적으로는 관련성이 전혀 없는 독립변수도 통계적으로 유의하다고 판정할 수 있기 때문이다.

1. **동시 변수선택** (Simultaneous method)

연구자가 정한 독립변수를 동시에 분석하는 방법이다.
변수의 수가 적고 특별한 이론적인 회귀모형이 없으면 가장 논란이 적은 안전한 방법이다.

2. **모든 가능한 조합** (Best Subset Regression, All Possible Regression)

모든 경우의 수의 회귀모형에 대하여 선택기준을 참조하여 가장 적절한 모형을 선정한다.
장점 : 가장 적합한 모형을 찾을 수 있다.
단점 : 독립변수의 수가 많으면 계산이 불가능하다. (총 2^k - 1 개의 모형, k : 독립변수 수)

3. **단계적 변수선택** (Stepwise Selection)

단계적 방법은 차선책으로 독립변수가 많으며 표본크기가 작거나 결측값이 많은 경우에 독립변수들 중에서 적절한 변수를 단계적으로 선택하여, 최소의 유의한 독립변수로 구성된 최적의 회귀모형을 선택할 때에 사용된다. 최종 회귀모형은 변수 추가/제거 기준에 따라 달라지며 3가지 방법의 결과가 일치하지 않을 수 있다.

① 후진제거법 (backward elimination)

독립변수들 모두를 포함시킨 모형에서 출발하여 가장 적은 영향을 주는 변수부터 하나씩 제거하면서 더 이상 제거할 변수가 없을 때의 모형을 선택하는 방법이다.

장점 : 억제변수를 통제함으로써 중요한 변수를 회귀모형에 포함시킨다.

단점 : 독립변수의 수에 비하여 표본크기가 작을 때(〈 1:10) 분석결과를 신뢰할 수 없다.

② 전진선택법 (forward selection)

종속변수에 가장 큰 영향을 주는 독립변수부터 선택하여 모형에 포함시키면서 더 이상 추가할 유의한 독립변수가 없다고 판단될 때 변수의 선택을 중단하는 방법이다.

장점 : 독립변수의 수에 비하여 표본크기가 작을 때 유용하다.

단점 : 억제변수가 있으면 중요한 변수가 유의하지 않게 판단되어 모형에서 제외될 수 있다.

③ 단계적방법 (stepwise method)

전진선택법과 후진제거법을 결합시킨 방법으로 전진선택법에 의하여 독립변수가 새롭게 추가된 모형에서 매 단계별로 재검토하여 제거기준에 해당하는 변수를 제거하는 후진제거법 과정을 거치며 추가 또는 제거되는 독립변수가 더 이상 없을 때 작업을 끝낸다.

장점 : 표본크기가 작을 때 유용하며 가장 최소의 유의한 독립변수를 선택할 수 있다.

단점 : 억제변수가 있으면 중요한 변수가 유의하지 않게 판단되어 모형에서 제외될 수 있다.

이변량분석에 의한 변수선택 방법

이변량분석 후에 P〈0.05인 독립변수만을 선택한다.

- **문제점**

  다중회귀분석을 시행하기 전에 상관분석이나 단순회귀분석과 같은 이변량분석에 의하여 개별 독립변수와 종속변수의 관련 유의성을 분석하여 통계적으로 유의한 독립변수만을 선택하는 방법은 다음과 같은 통계적 오류를 범할 수 있다.

- **혼선변수**

  이변량분석에서 유의한 연관성이 있는 독립변수도 혼선변수와 동시에 분석하면 유의성이 없어질 수 있다.

- **억제변수**

  반면, 억제변수가 존재하면 이변량분석에서는 유의성이 없는 독립변수가 다변량분석에 의하여 억제변수의 효과를 통제하면 유의성이 있게 나타나므로 중요한 독립변수를 분석에서 제외하는 오류를 범하게 된다.

다변량분석에서 이변량분석 후에 유의한 변수만을 선택하여 포함시키면 안된다.

Exercise

Multiple Regression

심장병 센터를 방문한 성인 환자에서 혈압, 연령, 체중, 콜레스테롤을 측정하였다. 혈압을 예측하기 위한 가장 적합한 회귀식을 만들어본다.

Subject	BP (mmHg)	Age (year)	Weight (kg)	Cholesterol (mg/dL)
1	158	41	65	244
2	185	60	78	280
3	152	41	62	220
4	159	47	67	261
5	176	66	84	310
6	156	47	60	267
7	184	68	75	290
8	138	43	58	172
9	172	68	72	198
10	168	57	64	181
11	144	39	56	215
12	138	45	46	166
13	145	47	58	221
14	162	65	72	285
15	142	46	63	218
16	170	67	60	260
17	124	42	48	184
18	158	67	55	214
19	154	56	61	221
20	162	64	62	267

[해설]

1) 통계적 검정

독립변수가 둘 이상일 때 예측분석에 사용되는 **Multiple Linear Regression**을 사용한다.

2) 다중회귀분석

x_1 = Age, x_2 = Weight, x_3 = Cholesterol 로 정하면 다음 회귀식을 구할 수 있다.

① $\hat{y} = 59.82 + 0.622\, x_1 + 0.886\, x_2 + 0.034\, x_3$ ($P = 0.000$) ➲ 회귀모형이 유의하다.

② 결정계수 $R^2 = 0.821$, 수정결정계수 $Ra^2 = 0.788$

③ 개별 독립변수의 유의성

- Age 회귀계수 b_1=0.622, P = 0.004 ➲ 유의한 예측변수이다. (편상관계수 = 0.638)
- Weight 회귀계수 b_2=0.886, P = 0.006 ➲ 유의한 예측변수이다. (편상관계수 = 0.621)
- Cholesterol 회귀계수 b_3=0.034, P = 0.571 ➲ 유의한 예측변수가 아니다.

단순회귀분석에서 콜레스테롤은 유의한 독립변수이나 다중회귀분석에서 체중과 동시에 분석하면 유의성이 없어진다. 체중이 혼선변수로서 영향을 준다고 볼 수 있다.

3) 변수선택

(1) 후진제거법

변수 제거 기준을 $p>0.05$로 정하면 제거 기준에 따라 x_3 (Cholesterol)을 모형에서 제거한 다음 x_1 (Age), x_2 (Weight)가 포함된 모형으로 재분석한다.

① $\hat{y} = 60.48 + 0.637\,x_1 + 0.989\,x_2$ ($P = 0.000$) ➲ 회귀모형이 유의하다.

② 결정계수 $R^2 = 0.818$, 수정결정계수 $Ra^2 = 0.796$

③ 개별 독립변수의 유의성

- Age 회귀계수 $b_1 = 0.637$, $P = 0.003$ ➲ 유의한 예측변수이다. (편상관계수 = 0.647)
- Weight 회귀계수 $b_2 = 0.989$, $P = 0.000$ ➲ 유의한 예측변수이다. (편상관계수 = 0.751)

④ Age, Weight 두 변수 모두 변수 제거 기준 0.05 보다 작으므로 더 이상 제거할 독립변수가 없어 변수선택 과정을 마친다.

(2) 전진선택법

Table. Correlation coefficient between BP and Age, Weight, Cholesterol

	Age (x_1)	Weight (x_2)	Cholesterol (x_3)
BP (y)	0.762	0.829	0.685
***P* value**	0.000	0.000	0.001

① 변수 선택 기준을 $p<0.05$로 정하면 선택 기준에 따라 단순회귀모형에서 R^2이 가장 큰 독립변수 또는 상관계수가 가장 높은 독립변수 x_2(Weight)을 선택한다.

② 제외된 독립변수를 추가하여 x_2, x_1 과 x_2, x_3이 포함된 두 모형을 비교 분석하여 $P < 0.05$인 x_1(Age)를 추가 선택한다.

③ x_2, x_1이 포함된 회귀모형에 x_3(cholesterol)을 추가하여 분석하면 x_3 의 유의확률 $P>0.05$ 이므로 선택에서 제외하고 x_2, x_1 이 포함된 회귀모형으로 선택과정을 마친다.

(3) 단계적방법

전진선택법에 의하여 기준에 맞는 변수를 선택한 다음 x_2, x_1 이 포함된 회귀모형에 대하여 후진제거법을 시행한다. 동일한 과정을 반복하여 변수선택을 마친다.

Excel

Data : mreg.xlsx

회귀분석

1 메뉴 → [데이터] ▶ [데이터 분석] 메뉴를 선택하면 **[통계 데이터 분석]** 대화상자가 나타난다.

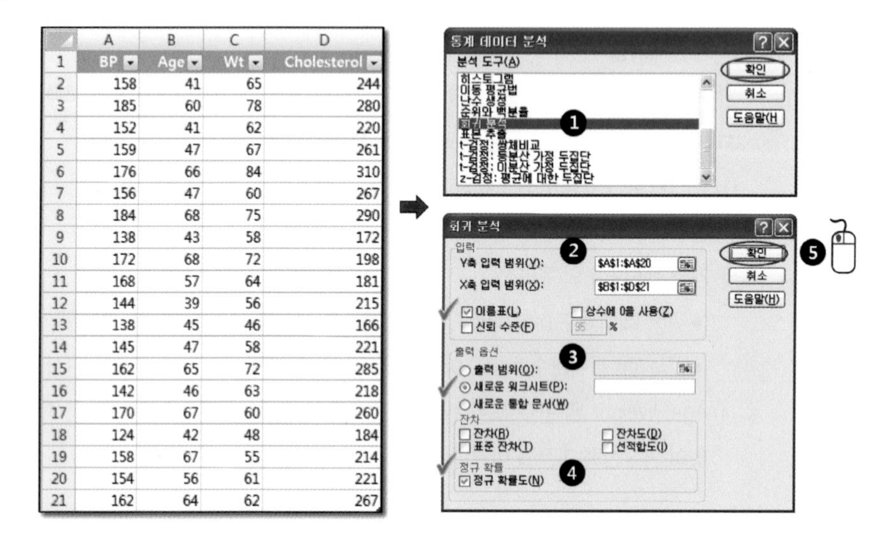

	A	B	C	D
1	BP	Age	Wt	Cholesterol
2	158	41	65	244
3	185	60	78	280
4	152	41	62	220
5	159	47	67	261
6	176	66	84	310
7	156	47	60	267
8	184	68	75	290
9	138	43	58	172
10	172	68	72	198
11	168	57	64	181
12	144	39	56	215
13	138	45	46	166
14	145	47	58	221
15	162	65	72	285
16	142	46	63	218
17	170	67	60	260
18	124	42	48	184
19	158	67	55	214
20	154	56	61	221
21	162	64	62	267

① **[분석 도구]** ▶ **[회귀 분석]**을 선택하고 [확인] 버튼을 클릭하면 대화상자가 나타난다.

② [Y축 입력 범위] ▷ BP($A$1 : $A$21) [X축 입력 범위] ▷ 독립변수($B$1 : $D$21) 입력
입력범위의 첫째 행이 변수명을 포함하므로 ☑ [이름표] 항목을 선택한다.

③ [출력 옵션]에서 ⊙ [새로운 워크시트] 항목을 선택한다.

④ [정규 확률] 선택상자에서 ☑ [정규 확률도] 항목을 선택한다.

⑤ [확인] 버튼을 클릭하면 통계결과가 출력된다.

2 통계결과

① [회귀분석 통계량] 결정계수 = 0.821, 조정된 결정계수 = 0.788

② [분산 분석] 분산비 F = 24.52, P 〈 0.001 (3.175E-06)

③ [회귀계수] Age ➲ p = 0.0044, Wt ➲ p = 0.0060, Cholesterol ➲ p = 0.5705
연령(Age)과 체중(Wt)이 혈압(BP)을 예측하는데 통계적으로 유의한 개별변수이다.

	A	B	C	D	E	F	G
1	요약 출력						
2							
❶ 3	회귀분석 통계량						
4	다중 상관계수	0.906291					
5	결정계수	0.821363					
6	조정된 결정계수	0.787868					
7	표준 오차	7.340818					
8	관측수	20					
9							
❷ 10	분산 분석						
11		자유도	제곱합	제곱 평균	F 비	유의한 F	
12	회귀	3	3964.348	1321.449	24.52233	3.1751E-06	
13	잔차	16	862.2016	53.8876			
14	계	19	4826.55				
15							
❸ 16		계수	표준 오차	t 통계량	P-값	하위 95%	상위 95%
17	Y 절편	59.8151	11.7251	5.1014	0.0001	34.9589	84.6713
18	Age	0.6216	0.1877	3.3122	0.0044	0.2237	1.0194
19	Wt	0.8855	0.2795	3.1682	0.0060	0.2930	1.4781
20	Cholesterol	0.0344	0.0594	0.5792	0.5705	-0.0915	0.1603
21							

3 회귀진단

잔차분석은 단순회귀분석에서 시행하였으므로 이번에는 정규성에 대한 진단을 하여 본다. 산점도가 직선에 가까우므로 종속변수의 정규성을 만족한다.

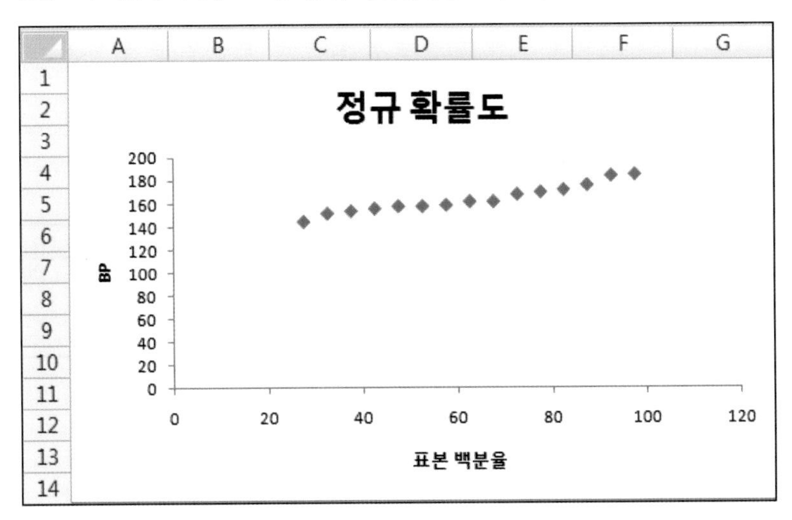

SPSS

Data : mreg.sav

선형회귀분석

1 **메뉴** → [분석] ▶ [회귀분석] ▶ [선형] ▶ [선도표 회귀 모형] 상자가 나타난다.

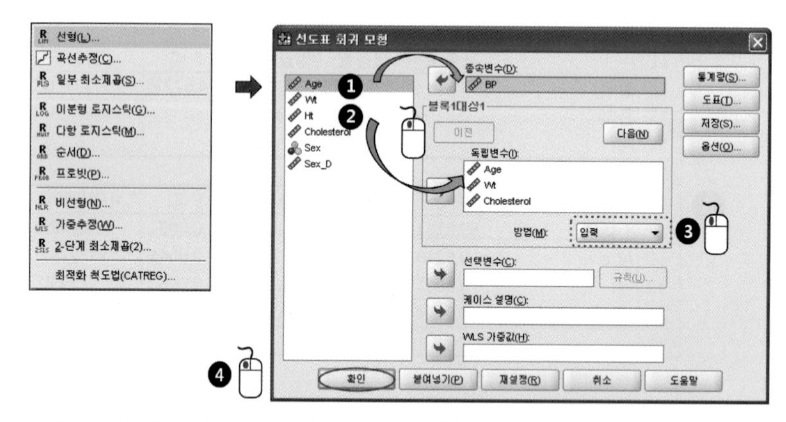

① 변수 BP를 선택하여 [종속변수] 상자에 입력한다.

② 변수 Age, Wt, Cholesterol을 선택하여 [독립변수] 상자에 입력한다.

③ [방법] 선택상자를 클릭하면 변수선택 방법이 나타난다. 기본 설정은 **동시투여법**이다.

④ [확인] 버튼을 눌러 작업을 마친다.

SPSS 출력결과 창에 통계분석 결과가 나타난다.

2 **회귀모형**

분산분석[b]

모형		제곱합	자유도	평균 제곱	F	유의확률
1	회귀 모형	3964.348	3	1321.449	24.522	.000[a]
	잔차	862.202	16	53.888		
	합계	4826.550	19			

a. 예측값: (상수), Cholesterol, Age, Wt

b. 종속변수: BP

회귀모형의 유의성 검정 결과는 분산분석표로 보여준다.

유의확률 $p = 0.000$이므로 회귀모형이 통계적으로 유의하다고 판정한다.

결정계수

모형 요약

모형	R	R 제곱	수정된 R 제곱	표준 오차 추정값의 표준오차
1	.906[a]	.821	.788	7.341

a. 예측값: (상수), Cholesterol, Age, Wt

회귀모형의 적합성 정도를 보기 위한 결정계수 $R^2 = 0.821$ 이다.

3 회귀계수

계수[a]

모형		❶ 비표준화 계수		❷ 표준화 계수	t	❸ 유의확률
		B	표준 오차 오류	베타		
1	(상수)	59.815	11.725		5.101	.000
	Age	.622	.188	.426	3.312	.004
	Wt	.886	.280	.524	3.168	.006
	Cholesterol	.034	.059	.091	.579	.571

a. 종속변수: BP

① 회귀방정식에 사용된 절편(상수) $B_0 = 59.815$와 비표준화 회귀계수들을 보여준다.

② 표준화 회귀계수를 사용하여 독립변수들 간의 회귀계수의 크기를 비교한다.

③ Cholesterol 회귀계수에 대한 통계적 검정 결과, 유의확률 $p = 0.571$로 유의하지 않다.

편상관계수

[선도표 회귀 모형] 대화상자에서 [통계량] 버튼을 누르면 통계량 선택 상자가 나타난다.

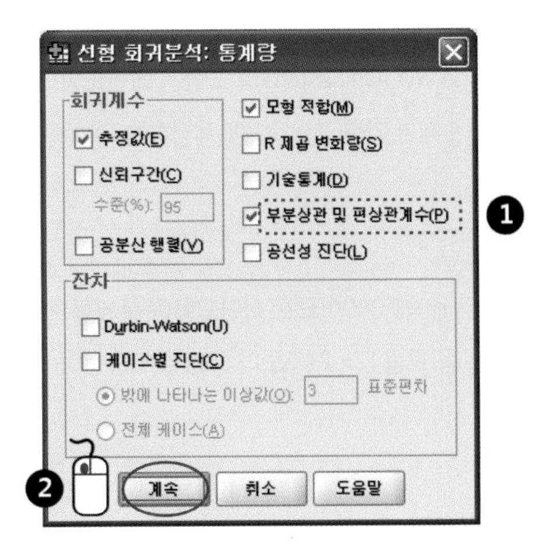

① **[회귀계수]** ▶ ☑ **[부분상관 및 편상관계수]** 항목을 추가적으로 선택한다.

② [계속] 버튼을 눌러 작업을 마친다.

계수[a]

모형		비표준화 계수		표준화 계수	t	유의확률	상관계수		
		B	표준 오차 오류	베타			0차	편상관	부분상관
1	(상수)	59.815	11.725		5.101	.000			
	Age	.622	.188	.426	3.312	.004	.762	.638	.350
	Wt	.886	.280	.524	3.168	.006	.829	.621	.335
	Cholesterol	.034	.059	.091	.579	.571	.685	.143	.061

a. 종속변수: BP

✓ 독립변수 Age, Wt, Cholesterol의 편상관계수는 0.638, 0.621, 0.143의 순으로 보여진다.

✓ 편상관계수는 개별 독립변수와 종속변수의 관련성 정도를 평가하는데 사용된다.

✓ 편결정계수는 편상관계수의 제곱으로 구할 수 있다.

4 변수선택

[선도표 회귀 모형] 대화상자에서 [방법] 선택상자를 클릭하면 변수선택 방법이 나타난다. [후진]을 선택하여 후진제거법을 시행하여 보자.

후진제거법

진입/제거된 변수[b]

	모형	진입된 변수	제거된 변수	방법
❶	1	Cholesterol, Age, Wt[a]	.	입력
❷	2	.	Cholesterol	후진 (기준: 제거할 F의 확률 >= .100).

a. 요청된 모든 변수가 입력되었습니다.

b. 종속변수: BP

① [1 단계] Age, Wt, Cholesterol이 포함된 회귀모형으로 동시투여법을 시행한다.

② [2 단계] 변수제거 기준($P \geq 0.1$)에 해당하는 Cholesterol을 제외하여 최종 회귀모형을 정한다.

회귀모형

유의확률 모두 $p = 0.000$이므로 회귀모형이 통계적으로 유의하다고 판정한다.

F 통계량은 ①번 모형 F = 24.5보다 ②번 회귀모형이 F = 38.1로 크므로 유의성이 높다.

결정계수

모형 요약

모형	❶ R	R 제곱	❷ 수정된 R 제곱	표준 오차 추정값의 표준오차
1	.906[a]	.821	.788	7.341
2	.904[b]	.818	.796	7.196

a. 예측값: (상수), Cholesterol, Age, Wt

b. 예측값: (상수), Age, Wt

① 결정계수는 ①번 모형 R^2 = 0.906 〉 ②번 모형 R^2 = 0.904 보다 크다.

② 수정결정계수는 ②번 모형 Ra^2 = 0.796 〉 ①번 모형 Ra^2 = 0.788 보다 크다.

회귀계수

계수[a]

모형		비표준화 계수 B	비표준화 계수 표준 오차 오류	표준화 계수 베타	t	유의확률	상관계수 0차	상관계수 편상관	상관계수 부분상관
1	(상수)	59.815	11.725		5.101	.000			
❶	Age	.622	.188	.426	3.312	.004	.762	.638	.350
	Wt	.886	.280	.524	3.168	.006	.829	.621	.335
➡	Cholesterol	.034	.059	.091	.579	.571	.685	.143	.061
2	(상수)	60.484	11.438		5.288	.000			
❷	Age	.637	.182	.436	3.496	.003	.762	.647	.362
	Wt	.989	.211	.586	4.696	.000	.829	.751	.486

a. 종속변수: BP

① Cholesterol 유의확률 p = 0.571으로 변수 제거기준에 해당하므로 모형에서 제거한다.

② Age, Wt 모두 p 〈 0.05 로 더 이상 제거할 변수가 없으므로 변수선택 과정을 마친다.

 최종 회귀모형 BP = 60.484 + 0.637 Age + 0.989 Wt

dBSTAT

Data : mreg.dbf

회귀분석

1 **메뉴** → [통계] ▶ [회귀분석] ▶ [다중회귀] ▶ [회귀분석] 메뉴를 선택한다.

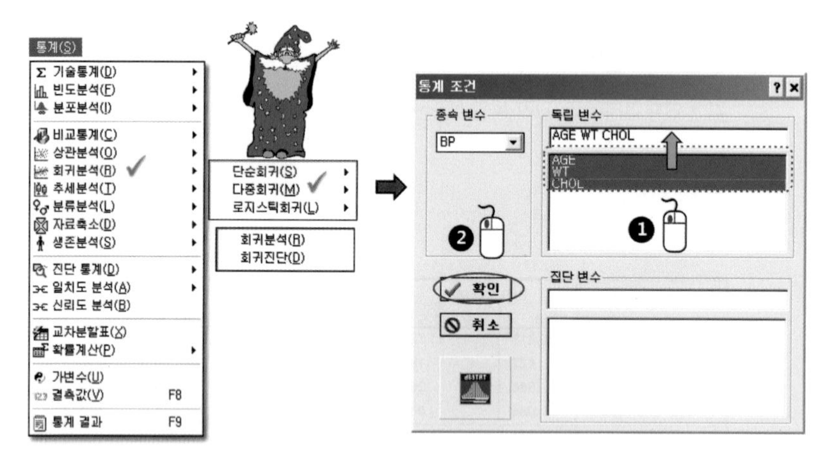

① [통계 조건] 상자에서 [종속변수] ▷ BP, [독립변수] ▷ AGE, WT, CHOL를 입력한다.

② [확인] 버튼을 클릭하여 선택 작업을 마치면 [통계결과] 창이 나타난다.

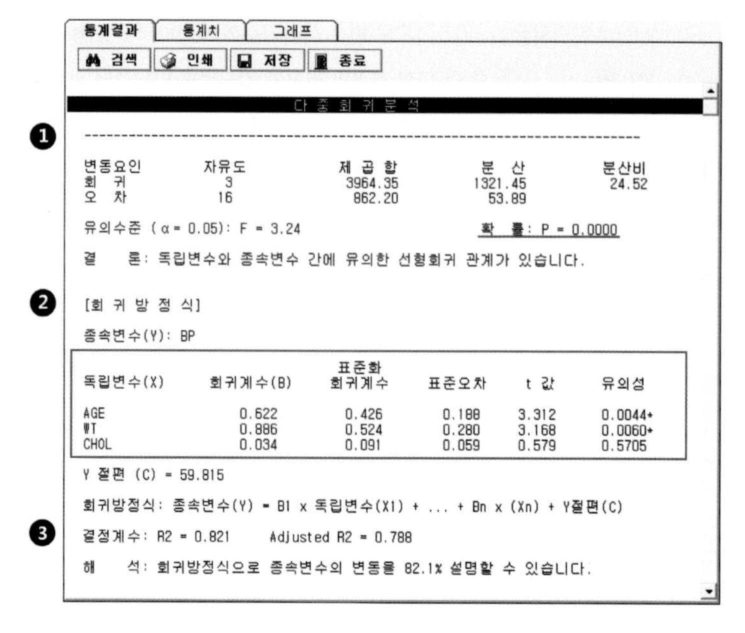

통계결과 | 통계치 | 그래프

검색 | 인쇄 | 저장 | 종료

다 중 회 귀 분 석

❶

변동요인	자유도	제 곱 합	분 산	분산비
회 귀	3	3964.35	1321.45	24.52
오 차	16	862.20	53.89	

유의수준 (α = 0.05): F = 3.24 확 률: P = 0.0000

결 론: 독립변수와 종속변수 간에 유의한 선형회귀 관계가 있습니다.

❷ [회 귀 방 정 식]

종속변수(Y): BP

독립변수(X)	회귀계수(B)	표준화 회귀계수	표준오차	t 값	유의성
AGE	0.622	0.426	0.188	3.312	0.0044*
WT	0.886	0.524	0.280	3.168	0.0060*
CHOL	0.034	0.091	0.059	0.579	0.5705

Y 절편 (C) = 59.815

회귀방정식: 종속변수(Y) = B1 x 독립변수(X1) + ... + Bn x (Xn) + Y절편(C)

❸ 결정계수: R2 = 0.821 Adjusted R2 = 0.788

해 석: 회귀방정식으로 종속변수의 변동을 82.1% 설명할 수 있습니다.

① 회귀식에 대한 $p = 0.0000$ 이므로 독립변수들과 BP는 유의한 선형 회귀관계가 있다.
② 개별 독립변수에 대한 유의성 검정에서 AGE, WT ($p < 0.05$)가 통계적으로 유의하다.
③ 결정계수 $R^2 = 0.821$ 로 회귀식에 의하여 혈압(BP) 변동의 약82%를 설명할 수 있다.

2 그래프

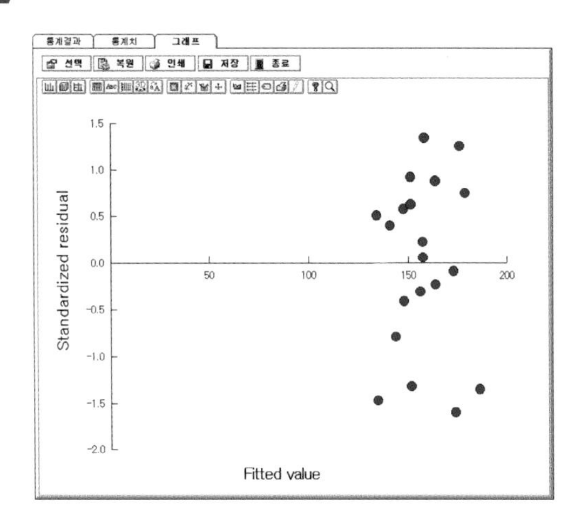

통계결과 창에서 그래프 폴더를 선택하면 잔차 그림이 나타난다.

3 회귀진단

[통계] ▶ [회귀분석] ▶ [다중회귀] ▶ [회귀진단] 메뉴를 선택한다.

회귀진단 결과가 해석과 함께 출력되며 아래와 같은 정규확률 그림을 보여준다.

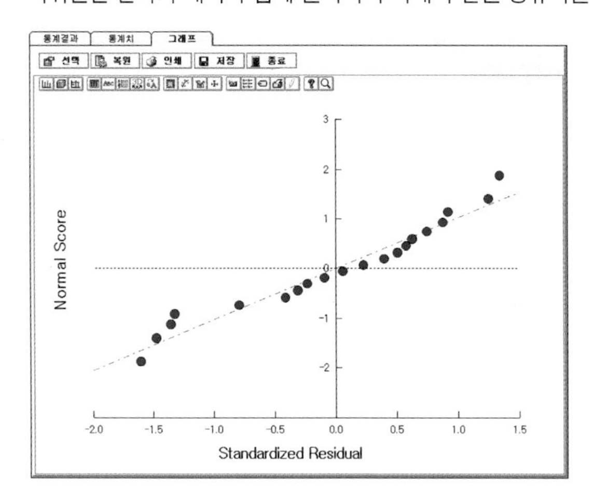

7.6 가변수 Dummy Variable

다중회귀변수에서 모든 독립변수는 계량형 변수이어야 한다. 독립변수 중에 명목변수가 있으면 직접 계산을 할 수 없으므로 가변수를 만들어 회귀분석을 할 수 있다.

가변수 정의

- 숫자 0, 1로 구성된 이항변수로 **지표변수(indicator variable)**라고도 한다.
- 가변수는 명목변수의 범주(category)의 수 – 1 개의 이항변수가 필요하다.

기준범주 reference category

명목변수의 범주 중에서 모든 가변수에서 0으로 표시되는 범주를 뜻하며 범주간 비교의 기준이 된다.

Example

비흡연자와 흡연자 두 범주로 된 변수를 가변수로 만들면 다음과 같다.

	Nominal Variable		Dummy
Category	non-smoker	smoker	Variable
non-smoker*	0		**0**
smoker		1	**1**

* reference category

비흡연 ➲ V = 0 ; 흡연 ➲ V = 1 (V : 가변수). 비흡연이 기준범주가 된다.

Example

비흡연, 경한 흡연, 심한 흡연 3범주로 된 변수는 가변수 2개가 필요하다

	Nominal Variable			Dummy	
Category	non-smoker	light smoker	heavy smoker	V1	V2
non-smoker*				**0**	**0**
light smoker				**1**	**0**
heavy smoker				**0**	**1**

* reference category

비흡연(기준범주) ➡ V1 = 0, V2 = 0 ; 경한 흡연 ➡ V1 = 1, V2 = 0 ; 심한 흡연 ➡ V1 = 0, V2 = 1

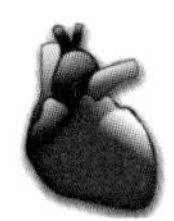

심장병 센터를 방문한 성인 환자에서 혈압(BP), 연령(Age), 성별(sex)을 측정하였다. 성별에 대한 가변수를 생성하여 회귀식을 만들어본다.

No.	BP	Age	Sex	Sex_D	No.	BP	Age	Sex	Sex_D
1	158	41	1	0	11	144	39	2	1
2	185	60	1	0	12	138	45	2	1
3	152	41	1	0	13	145	47	2	1
4	159	47	1	0	14	162	65	2	1
5	176	66	1	0	15	142	46	2	1
6	156	47	1	0	16	170	67	2	1
7	184	68	1	0	17	124	42	2	1
8	138	43	1	0	18	158	67	2	1
9	172	68	1	0	19	154	56	2	1
10	168	57	1	0	20	162	64	2	1

[해설]

가변수 생성

Sex는 명목변수로 1 = 남자, 2 = 여자의 두 가지 범주를 갖는 이항변수이다.

가변수 Sex_D를 만들고 Sex =1 ➡ Sex_D = 0, Sex = 2 ➡ Sex_D = 1로 변환한다.

회귀방정식

y = BP, x_1 = Sex, x_2 = Sex_D로 정의하면 다음과 같은 회귀식이 산출된다.

$\hat{y} = 104.91 + 1.113\, x_1 - 14.9\, x_2$ ($R^2 = 0.811$, $P = 0.000$)

분산분석표에서 회귀식이 유의하므로($p = 0.000$) "혈압은 연령, 성별과 유의한 관련성이 있다."고 결론을 내린다.

회귀계수의 유의성

개별 독립변수의 회귀계수에 대한 유의성 검정 결과 Age, Sex_D 모두 유의확률 $p = 0.000$ 〈 0.05 이므로 연령과 성별은 통계적으로 유의한 예측변수라고 결론을 내린다.

Variable	Coefficient	95% CI	*P* value
Age	1.11	0.79, 1.44	<0.0001
Sex*			
women	-14.90	-21.81, -7.99	0.0003

*Compared with men (reference category).

가변수의 해석

가변수가 포함된 회귀식은 다음과 같이 성별로 나누어 해석한다. 남녀별로 연령과 혈압의 관계를 구하려면 남자 = 0, 여자 = 1 값을 대입한다.

① Sex = 1 (남자) : Sex_D = 0을 위의 회귀식에 대입하여 다음 회귀방정식을 구한다.

$\hat{y} = 104.91 + 1.113\, x_1$ (x_1 : *Age*)

② Sex = 2 (여자) : Sex_D = 1을 위의 회귀식에 대입하여 다음 회귀방정식을 구한다..

$\hat{y} = 90.0 + 1.113\, x_1$ (x_1 : *Age*)

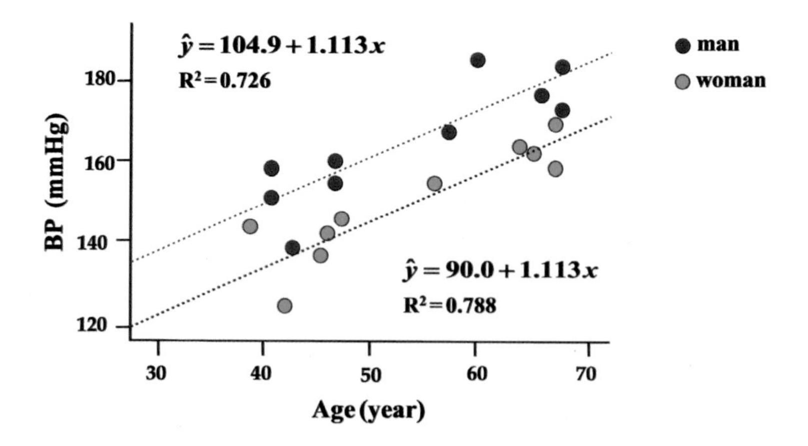

남녀 간에 회귀직선의 기울기는 같으므로 연령과는 관계없이 남자와 여자의 혈압 차이는 일정하며 남자가 여자보다 혈압이 평균적으로 약 15 mmHg 만큼 높음을 알 수 있다.
(남자의 평균 혈압은 164.8 mmHg, 여자의 평균 혈압은 149.9 mmHg이다.)

7-8 로지스틱 회귀분석 Logistic Regression

CONTENTS

목적

하나의 종속변수와 하나 또는 둘 이상 독립변수와의 관계를 추정한다.

전제조건

1. 종속변수는 명목형(범주형) 변수이다.
2. 독립변수 간에 다중공선성이 존재하지 않는다.
3. ① 정규성, ② 등분산성에 대한 오차항 가정을 하지 않는다.
4. 표본크기는 회귀식에 포함되는 독립변수들 수의 10배 이상이어야 한다.

적용

계량형이나 명목형 독립변수들로써 범주형 종속변수를 예측(판별)하는 방법이다.

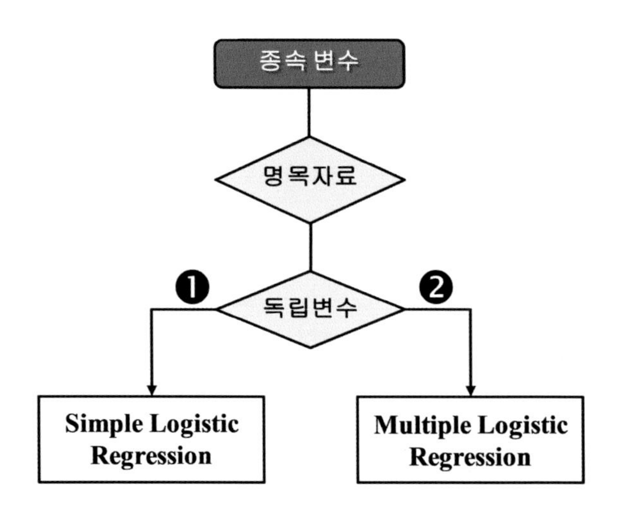

로지스틱 회귀분석은 독립변수가 1개인 경우에 사용되는 이변량분석(bivariate analysis)인 단순로지스틱 회귀분석과 독립변수가 2개 이상일 때에 사용되는 다변량분석(multivariate analysis)인 다중로지스틱 회귀분석으로 나누어진다.

종속변수는 이항(binary, dichotomous) 또는 다항(polychotomous) 명목변수이다.

종속변수가 이항변수인 이항로지스틱 회귀분석에 대해서만 설명하기로 한다.

8.1 로지스틱 회귀분석

로지스틱 회귀분석은 독립변수(설명변수, 예측변수)와 범주형 종속변수(반응변수, 결과변수)의 관계를 알아보고자 하는 방법이다.

Example

심장병 환자의 혈압, 혈중 콜레스테롤 농도, 성별 등으로 심장마비의 발생 위험을 예측하는 연구에서 종속변수는 심장마비이다.

종속변수가 이항변수(예, 질병의 유무 : 1=유, 0=무)로 표시되는 경우에는 선형회귀분석의 기본 가정인 오차항의 정규분포와 등분산이 만족되지 않기 때문에 선형 회귀분석을 적용할 수가 없다.

단순로지스틱회귀 Simple Logistic Regression

1. 로지스틱 회귀모형 (logistic regression model)

바다 거북이의 성(sex)은 알의 부화 온도에 따라 결정된다. 기온이 25°C 이하에서는 수컷(male)만 태어나고 33°C 이상에서는 암컷(female)만 태어난다고 알려져 있다. 다음은 부화 온도에 따른 바다 거북이 출생 성별을 조사한 자료이다.

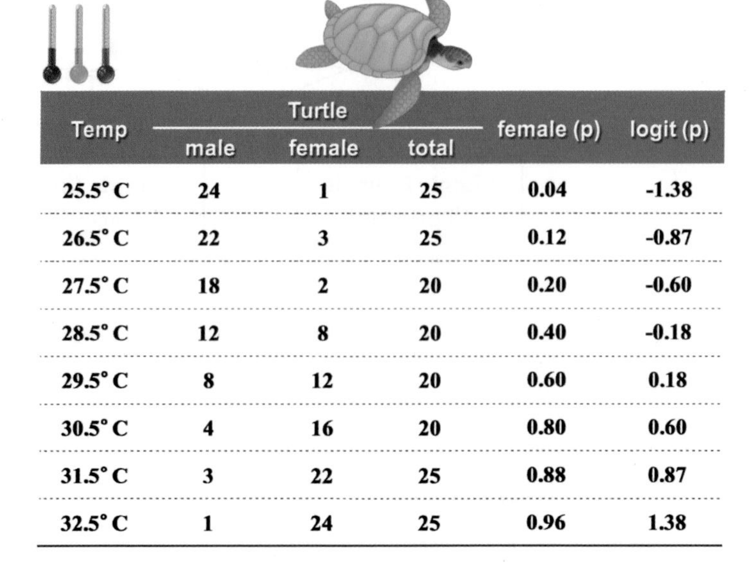

Temp	Turtle			female (p)	logit (p)
	male	female	total		
25.5° C	24	1	25	0.04	-1.38
26.5° C	22	3	25	0.12	-0.87
27.5° C	18	2	20	0.20	-0.60
28.5° C	12	8	20	0.40	-0.18
29.5° C	8	12	20	0.60	0.18
30.5° C	4	16	20	0.80	0.60
31.5° C	3	22	25	0.88	0.87
32.5° C	1	24	25	0.96	1.38

온도(X)에 따른 암컷의 비율(P)과의 관계는 비선형적이며, 반응함수는 0과 1 사이의 값을 취하며 X가 증가함에 따라 P의 값이 1로 서서히 수렴하는 S자 곡선이다. 이와 같은 함수를 로지스틱 회귀모형이라 부른다.

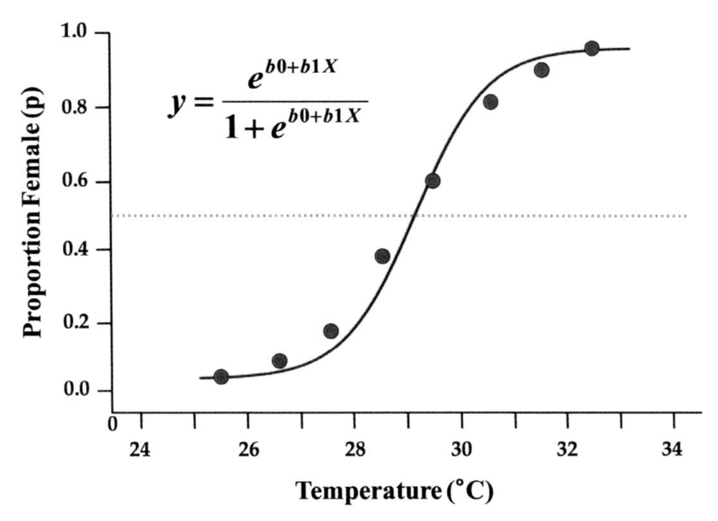

Figure. A scatter plot of proportion of female against temperature

2. 승산 (Odds)

사건이 발생할 확률 P와 발생하지 않을 확률 (1 - P)의 비를 승산이라 정의한다.

$$Odds = P:(1-P) = \frac{P}{1-P} = e^{b0+b1X}$$

3. 승산비 (Odds Ratio, OR)

승산을 Odds A, Odds B라 할 때에 두 승산의 비를 승산비라 정의한다.

$$OR = Odds\ A : Odds\ B = \frac{Odds\ A}{Odds\ B}$$

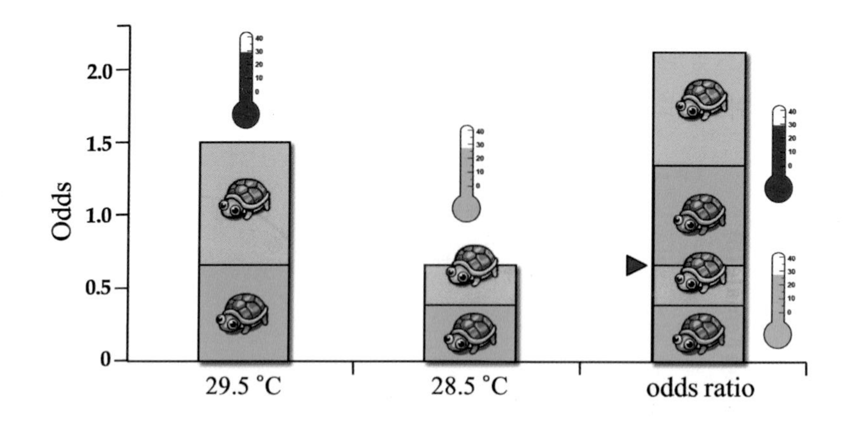

① 29.5 °C에서 거북이 암컷 출생 승산은 0.6 ÷ (1 - 0.6) = 3/2 (1.5)

② 28.5 °C에서 거북이 암컷 출생 승산은 0.4 ÷ (1 - 0.4) = 2/3

두 온도에서의 암컷 출생 확률을 비교하려면 승산비를 구한다.

① 28.5 °C와 비교한 29.5 °C에서의 거북이 암컷 출생 승산비는 (3/2)÷(2/3) = 9/4 = 2.25

② 즉, 29.5 °C에서 암컷 출생 승산이 28.5 °C에 비하여 약 2.3배 높다.

Logistic (logit) 변환(transformation)

승산을 자연대수(natural log)한 값을 **logit** 또는 **logistic** (=log unit)이라 한다.

단순로지스틱 함수식을 logit 변환하면 단순선형회귀분석과 유사한 회귀모형이 된다.

$$\log\left(\frac{P}{1-P}\right) = \log(odds) = \log it(P) = Y = b_o + b_1 X_1$$

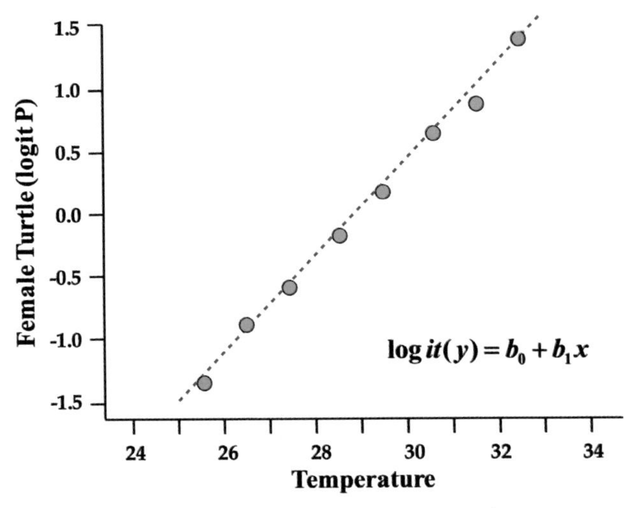

Figure. Logit proportion of female turtle against temperature

가설

귀무가설 H_0 : $\beta_1 = 0$ (변수 X와 logit P 간에 관련성이 없다.)

대립가설 H_a : $\beta_1 \neq 0$ (변수 X와 logit P 간에 관련성이 있다.)

P는 종속변수 Y에서 사건(event)이 일어날 확률을 뜻한다. 사건이란 예측하려는 결과이며 위의 예에서 성별(암컷, 수컷) 중에서 암컷이 되는 것이다. 성별(Y)을 0=수컷, 1=암컷으로 입력하면 암컷이 출생할 확률은 P(Y=1)로 표시된다.

전제조건

로지스틱 회귀분석은 단순회귀분석과 달리 오차항에 대한 가정이 없다.

1) 선형성 (Linearity)

독립변수 X와 Logit (Y)에 대한 선형성을 가정한다.

2) 표본크기

이항 종속변수 Y의 범주에 따라 두 집단으로 나눌 때에 각 집단의 표본크기는 독립변수의 10배 이상이어야 한다. 즉, 독립(예측)변수들마다 각각 종속(결과)변수의 결과(outcome) 자료수가 10 이상이어야 한다. **(Rule of Thumb)**

단순로지스틱 회귀분석에서는 독립변수가 1개이므로 종속변수 Y(예, 0=사망, 1=생존) 두 집단(사망, 생존) 모두 최소 표본크기가 10 이상이어야 한다.

8.2 회귀식

위의 예에서 다음과 같은 회귀식이 산출된다.

$$p(y=1)=\frac{e^{-26.211+0.899X}}{1+e^{-26.211+0.899X}} \qquad \log it\,(p)=-26.211+0.899x$$

1. 적합도 검정

로지스틱 회귀식의 통계적 유의성에 대한 검정은 **우도비검정**으로 판정한다.

1) 로그우도 (Log Likelihood, LL)

① 로지스틱 모형에 대한 적합도를 검정할 수 있는 통계량이다.

② 로그우도에 -2배한 값을 -2LL 이라 하며 카이제곱 분포를 하므로 **-2LL**을 적합도 검정에 사용하게 된다.

2) 우도비검정 (Likelihood Ratio Test)

독립변수를 투입하기 전 (상수항만을 포함) 모형과 독립변수를 투입한 모형에서 2LL의 차이를 **로그우도비**라 한다. 로그우도비는 카이제곱 통계량으로 표시되며 이 값이 클수록 독립변수의 종속변수에 대한 기여도가 높다고 할 수 있다.

x^2 = 2LL (model) - 2LL (null)

위의 예에서 -2LL = 142.8, x^2 = 106.5, p 〈 0.001 이므로 바다거북 암컷 출생을 예측하는 로지스틱 회귀모형이 통계적으로 유의하다.

2. 적합성의 강도

선형회귀식에서 회귀모형의 적합도의 정도는 결정계수 R^2 에 의하여 판단하였다. 로지스틱 회귀분석에서는 **유사 결정계수**를 사용하여 회귀식이 통계적으로 유의한 경우에 회귀모형의 적합성 강도를 판단할 수 있으나 선형회귀에 비하여 잘 사용되지 않는다.

- **유사 결정계수 (Pseudo R^2)**
  - ① **Cox & Snell R^2** : $0 \leq R^2 < 1$ ⇨ R^2 이 1에 가까울수록 적합도가 높다.
  - ② **Nagelkerke R^2** : $0 \leq R^2 \leq 1$ ⇨ R^2 이 1에 가까울수록 적합도가 높다.

우도비검정에 의하여 로지스틱함수의 판별력이 통계학적으로 유의하다고 판정되면 그 다음 단계로 개별 독립변수가 통계적으로 유의한지 여부를 검정할 필요가 있다.

3. 회귀계수검정

$logit(p)=b_0+b_1x=-26.211+0.899\ Temperature$

독립변수의 통계적 검정은 Wald 통계량(statistic)을 구하여 회귀계수 b_1 에 대한 검정을 한다.

- **Wald test**

✓ 로지스틱 회귀분석에서 개별 독립변수들의 회귀계수에 대한 유의성검정에 사용된다..

✓ 회귀계수 검정이 통계적으로 유의하면 ($p < 0.05$), 독립변수 x가 통계적으로 유의한 예측변수(predictor variable)이다.

위의 예에서 Wald statistic = 55.1, $p < 0.001$ 이므로 온도(Temperature)가 바다거북 암컷 출생을 예측하는 로지스틱 회귀식에서 통계적으로 유의한 예측변수이다.

4. 회귀계수 해석

로지스틱 모형에서 회귀계수(b_1)는 승산비(Odds Ratio, OR)의 계산에 사용되어 진다.

(a) 회귀계수 $b_1 \approx 0$: OR ≈ 1 ⇨ 독립변수와 종속변수의 관련이 거의 없다.

(b) 회귀계수 $b_1 < 0$: OR < 1 ⇨ 독립변수가 1 단위 증가하면 종속변수의 사건발생 확률이 감소하는 방향으로 영향을 미친다.

(c) 회귀계수 $b_1 > 0$: OR > 1 ⇨ 독립변수가 1 단위 증가하면 종속변수의 사건발생 확률이 증가하는 방향으로 영향을 미친다.

8.3 승산비 Odds Ratio, OR

로지스틱 회귀분석은 의학연구 특히 질병의 발생에 대한 역학적 연구에서 많이 사용되고 있다. 독립변수가 종속변수를 변동시키는 정도를 위험도(risk)라 한다.

로지스틱 회귀분석에서 독립변수가 1 단위 증가하면 종속변수의 사건이 일어날 확률은 승산비 만큼 증가한다.

승산비 vs. 비교위험도

- 전향적 코호트(Cohort) 연구는 비교위험도(Relative Risk, RR)를 사용한다.
- 후향적 환자-대조군 연구에서는 승산비(Odds Ratio, OR)를 사용한다.
- 매우 드문 질병이나 사건에서는 승산비와 비교위험도는 거의 같아진다.

승산비 신뢰구간

① 승산비와 함께 95% 신뢰구간을 제시하여야 한다.
② 승산비의 신뢰구간이 1 을 포함하지 않아야 통계적으로 유의하다(P〈0.05).
③ 모집단 승산비(true odds ratio)가 이 범위에 있다고 95% 확신할 수 있다는 뜻이다.

통계분석 결과는 다음 표와 같이 보고서로 제출한다.

Table. Odds ratio for effects of temperature on the sex of turtles

Variable	Odds ratio	95% CI	*P* value
Temperature	2.46	1.94, 3.12	<0.001

[해석]

OR=2.46, 95% CI=(1, 94, 3.12) 이므로 신뢰구간이 1 을 포함하지 않아 통계적으로 유의하다. OR=2.46 이므로 온도가 28.5°C 에서 29.5 로 1°C 증가하면 암컷 출생 승산은 약 2.5배 높아진다.

❶ 28.5°C에서 회귀식에 의하여 승산을 구하려면 다음 방정식에 x = 28.5를 대입한다.

$$Log\ \ Odds = -26.211 + 0.899x = -0.59 \qquad Odds = e^{-26.211+0.899x} = e^{-0.59} = 0.55$$

❷ 29.5°C 에서 예측 승산은 0.55 x 2.5 ≈ 1.4 이다. 즉, 29.5°C에서 암컷 출생 확률이 수컷 출생 확률의 약 1.5배이다.

8.4 회귀식에 의한 판별

연구의 목적이 독립변수로써 종속변수의 결과(사건)를 예측하고자 할 때에는 통계분석 결과에 회귀방정식을 제시한다. 회귀식에 X 값을 대입하면 Y의 사건발생 확률을 구할 수 있다.
암컷과 수컷의 출생 확률이 동일하게 되는 p = 0.5에서의 부화 온도를 구하여보자.

p=0.5이면 $\log it(p) = \log\left(\frac{P}{1-P}\right) = \log\ \frac{0.5}{1-0.5} = \log(1) = 0$

로지스틱 회귀방정식 $\log\ it(p)$=-26.211+0.899x =0 ➲ x ≈ 29.2°C 이다.
반대로 부화 온도를 대입하면 암컷이 출생할 확률을 구할 수 있다.

실제 측정 온도를 회귀식에 대입하여 암컷 출생 확률 p 값을 구한다.

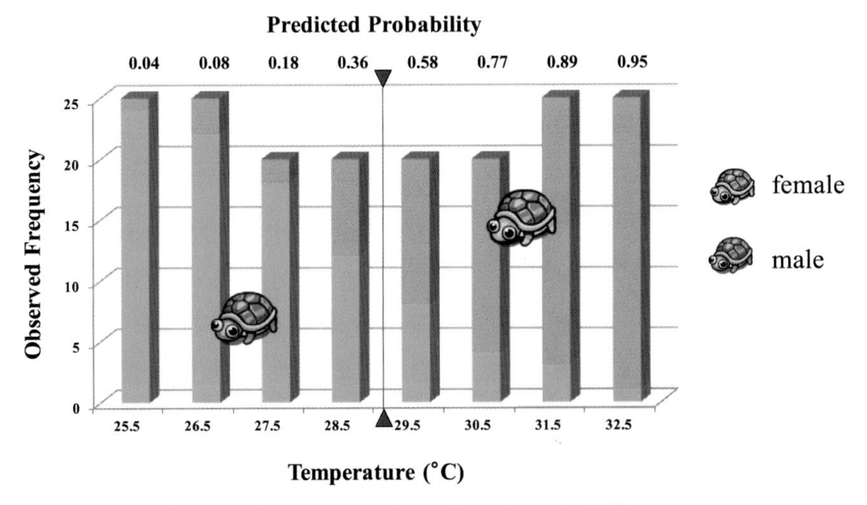

Figure. Observed groups and predicted probability

[해석]
P = 0.5를 경계값(cutoff value)으로 p 〉 0.5 이면 암컷이 출생할 확률이 수컷에 비하여 높아지므로 암컷으로 판정하고 p 〈 0.5 이면 수컷으로 판정한다.

실제 출생한 성별과 회귀식에 의하여 예측된 성별을 비교하면 다음과 같은 표가 만들어 진다.
회귀식에서 온도에 의한 암컷 판별력은 83.9%, 수컷 판별력은 81.7% 이다.

Sex	Observed	Predicted	No.	Accuracy
male			76	81.7%
			17	
female			73	83.9%
			14	

Hosmer-Lemeshow 적합도

전체 표본을 일정한 표본크기로 순서대로 나누어 실제 관측 빈도와 예측 빈도를 비교하는 분할표에 근거하여 로지스틱 회귀모형의 예측 적합성을 검정하는 방법이다.

해석 : P ≥ 0.05 ⇨ 로지스틱 회귀모형이 결과변수의 사건을 예측하기에 적합하다.

로지스틱 회귀에 대한 통계이야기

Quetelet (1796-1874)

로지스틱 회귀분석은 19세기 **Quetelet** 과 **Verhulst**에 의하여 인구 증가에 대한 연구에서부터 시작되었다. 인구 증가가 최초에는 지수적(exponential) 증가에 의한다고 생각되었으나 나중에는 불가능한 수에 도달하게 되므로 이를 보완하기 위한 통계적 모형으로 로지스틱 함수가 이용되었다. 1938년에 **Fisher**와 **Yates**는 이항 결과변수를 분석할 때 **logit** 변환에 의한 회귀모형을 제시하였다.

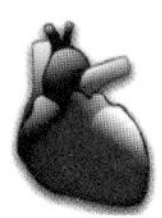

심장병 센터를 방문한 환자들을 대상으로 관상동맥심질환(Coronary Heart Disease, CHD)이 없는 사람(CHD = 0)과 있는 사람(CHD = 1)에서 연령을 조사하였다. 연령이 관상동맥심질환(CHD) 발병과 연관이 있는지 알아보자.

No.	CHD	Age	No.	CHD	Age	No.	CHD	Age
1	0	22	12	0	40	23	0	54
2	0	23	13	1	41	24	1	55
3	0	24	14	0	46	25	1	58
4	0	27	15	0	47	26	1	60
5	0	28	16	0	48	27	0	60
6	0	30	17	1	49	28	1	62
7	0	30	18	0	49	29	1	65
8	0	32	19	1	50	30	1	67
9	0	33	20	0	51	31	1	71
10	1	35	21	1	51	32	1	77
11	0	38	22	0	52	33	1	81

회귀모형

위의 예제에서 독립(예측) 변수는 Age, 종속(결과) 변수는 CHD(0 = 없음; 1 = 있음)이다. CHD가 범주형 명목변수가 아닌 계량형 변수이면 단순선형회귀분석을 하게 된다.

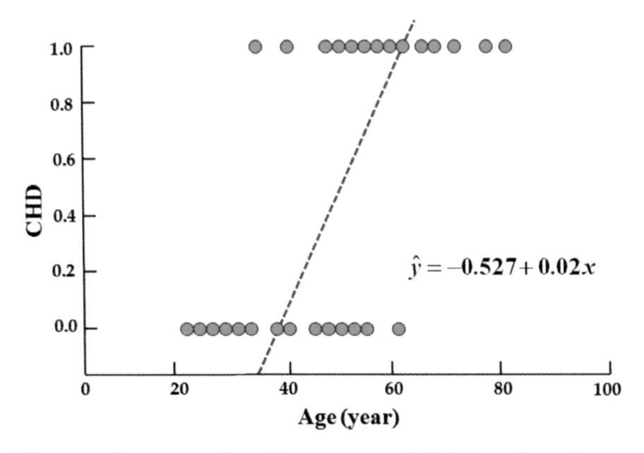

Figure. A scatter plot of presence of CHD against Age

예제에서 종속변수는 0,1 로만 구성된 이항변수이므로 선형회귀의 전제조건에 적합하지 않아서 선형회귀분석을 할 수 없다.

범주화 categorization

독립변수 Age를 10세 간격으로 7개의 집단으로 범주화한 다음, 각 집단에서 CHD의 발병률(probability)을 계산하여 다음과 같은 표를 만들 수 있다.

Table. Proportion of CHD according to age group

Age group	Mid point Age	n	CHD		Probability
			absent	present	
1	25	5	5	0	0.00
2	35	6	5	1	0.17
3	45	7	5	2	0.29
4	55	7	3	4	0.57
5	65	5	1	4	0.80
6	75	2	0	2	1.00
7	85	1	0	1	1.00

연령 집단의 중간 나이를 독립변수(x 축), CHD 발병 확률을 종속변수(y 축)로 하여 선형회귀분석을 시행하면 선형성(linearity)의 전제조건을 만족하게 된다.

독립변수가 연속변수이면 범주화하여 선형성을 이루면 로지스틱 회귀의 전제조건인 logit 선형성을 만족한다.

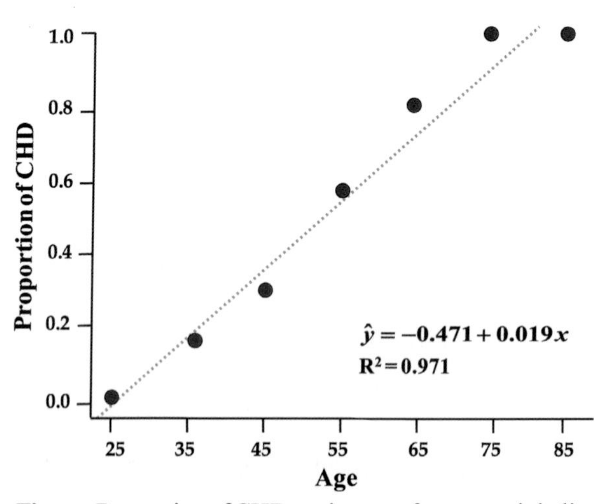

Figure. Proportion of CHD against age form a straight line.

연속변수를 범주화하게 되면 원래 자료의 소실로 인하여 독립변수의 표본크기가 작아서 회귀분석에 적합하지 않게 된다.

로지스틱 회귀모형

로시스틱 회귀분석에서는 연령을 독립변수, CHD 발병 확률을 종속변수로 하여 회귀분석을 시행하게 되며 S자 형태의 곡선회귀식을 구한다.

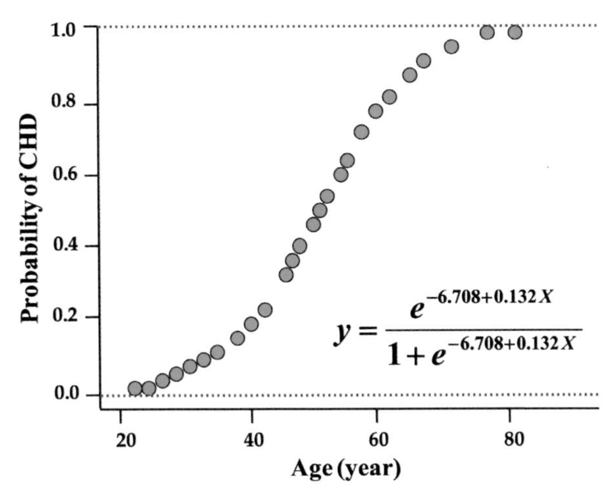

Figure. A scatter plot of probability of CHD against Age

Logit 변환

위의 회귀식을 logit 변환하면 다음과 같은 직선회귀식이 만들어진다.

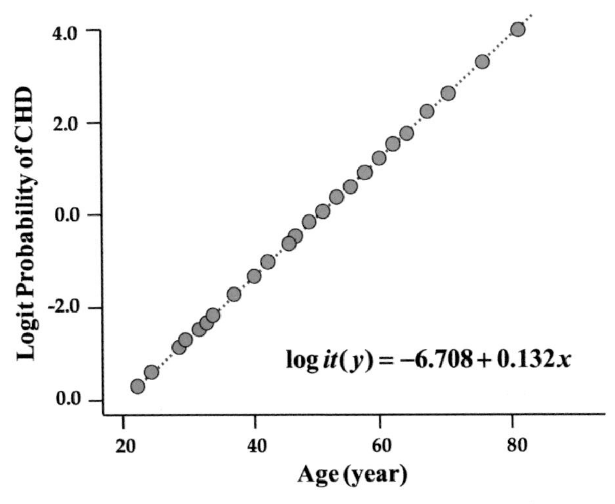

Figure. A scatter plot of logit probability of CHD against Age

$\text{log}it(y)$ = -6.708 +0.132x (y : CHD 발병률, x : 연령)

Logit 변화에 의한 회귀식은 단순선형회귀식과 유사하지만 회귀계수의 단위가 logit (log odds) 이므로 회귀계수를 직접 해석하기 보다는 회귀계수를 승산비로 바꾸어 승산비에 대한 해석을 하여야 한다.

회귀모형의 유의성

로그우도비 -2LL = 28.7 ➡ chi-square = 16.3, p = 0.000 〈 0.05

따라서 독립변수 연령(Age)으로 종속변수 사건(CHD)을 예측하는 회귀모형은 유의하다.

회귀계수의 유의성

Wald 통계량 = 8.05, P = 0.005 으로 0.05 보다 작으므로 회귀계수가 통계적으로 유의하다고 판정한다. 즉, 종속변수 사건(CHD)을 예측하는 로지스틱 회귀식에서 연령(Age)은 통계적으로 유의한 독립(예측) 변수이다.

관련성의 강도 strength of association

회귀계수가 유의하면 관련성의 강도는 승산비의 크기로 판정한다.

Table. Odds ratio for effects of age on CHD

Variable	Odds ratio	95% CI	*P* value
Age	1.14	1.04, 1.25	0.005

승산비 OR = e^{b1} = $e^{0.132}$ = 1.14 (회귀계수의 역로그)

해석 : 연령이 1세 증가하면 CHD 발병 승산이 약1.1배 증가한다.

판별력

회귀식에 의하여 CHD 발병 유무를 예측한 결과 CHD = 0 (없음)에 대한 정확도는 84.2%, CHD = 1 (발병)에 대한 정확도는 84.2% 전체 판별 정확도는 75.8% (25/33)이다.

CHD	Observed	Predicted	No.	Accuracy
absent			16	84.2%
			3	
present			9	64.3%
			5	

8.5 다중로지스틱 회귀분석 Multiple Logistic Regression

다중로지스틱회귀 Multiple Logistic Regression

다중로지스틱회귀는 단순로지스틱회귀에서 독립변수의 수가 많아진 확장형이라 할 수 있다.

로지스틱 회귀모형 (logistic regression model)

독립변수가 둘 이상인 다중 로지스틱 회귀모형은 다음과 같이 정의된다.

$$Px = \frac{e^{b0+b1X1+\cdots+bkXk}}{1+e^{b0+b1X1+\cdots+bkXk}} = \frac{1}{1+e^{-(b0+b1X1+\cdots+bkXk)}}$$

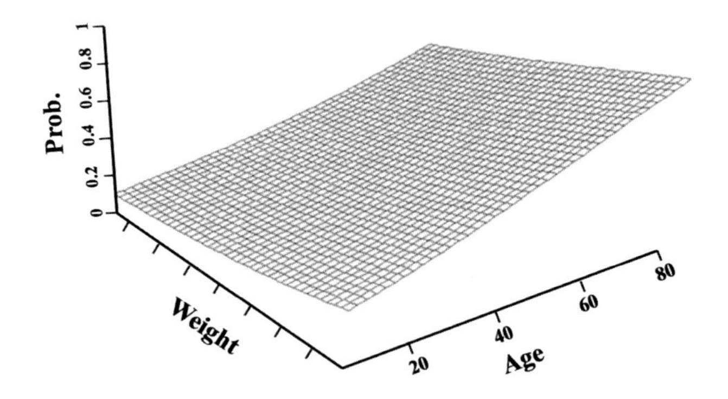

Figure. Scatter plot of relationship between Y, X_1 and X_2

Logistic (logit) 변환

다중로지스틱 함수식을 logit 변환하면 다중선형회귀분석과 유사한 회귀모형이 된다.

다중 로지스틱 회귀식. $\ln\left(\frac{Px}{1-Px}\right) = Logit\ (Y) = b_o + b_1X_1 + b_2X_2 + \ldots + b_kX_k$

독립변수 값으로 종속변수 Y 의 사건 발생 확률을 예측하는 통계적 검정에 사용된다.

가설검정

H_0 : β_1 = β_2 = ⋯ = β_k = 0 (모든 독립변수들과 logit (Y) 사이에 관련성이 없다)

H_1 : $\beta_i \neq 0$ (적어도 하나 이상의 독립변수는 logit (Y) 와 관련성이 있다)

귀무가설은 "모집단 모든 회귀계수 = 0"라고 가설을 세운다. 모든 회귀계수 = 0 이면 관련성이 없다고 할 수 있다. 대립가설은 "적어도 하나의 모회귀계수는 0이 아니다." 이다.

전제조건

다중로지스틱 회귀분석의 전제조건은 다중선형회귀에서와 같이 **다중공선성** 검정이 필요하다.

회귀계수의 유의성

- 회귀계수의 크기는 독립변수들의 측정단위에 따라 달라지므로 회귀계수의 값을 독립변수들 간의 상대적인 중요성을 비교 판단하는데 사용해서는 안된다.
- 독립변수를 선택하는 경우, 회귀계수의 값보다 유의확률(p)을 비교하는 것이 타당하다

관련성의 강도

- 회귀계수가 유의하면 개별 독립변수의 관련성 강도는 승산비의 크기로 판정한다.
- 승산비의 크기는 회귀계수와 마찬가지로 독립변수의 측정단위에 따라 달라지므로 측정단위가 다를 때에는 승산비의 크기로써 개별 독립변수의 중요성을 비교 판단해서는 안된다.
- 승산비의 유의성은 유의확률(p) 및 95% 신뢰구간과 함께 해석하여야 한다.

Exercise
Logistic Regression

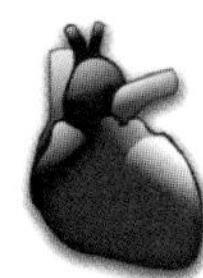

심장병 센터를 방문한 환자들을 대상으로 관상동맥심질환(CHD) 유무에 따라 위험인자로서 연령, 성별, 체중, 흡연 과거력을 조사하였다. 위험인자들과 CHD 발병 연관성을 알아보자.

Subject	CHD	Age	Sex	Wt	Smoking
1	0	22	1	60	1
2	0	23	1	58	1
3	0	24	1	62	2
4	0	27	1	67	2
5	0	28	1	64	2
...	...	...	...	...	...
...	...	...	...	...	...
29	1	65	1	85	3
30	1	67	1	80	2
31	1	71	2	72	2
32	1	77	2	77	2
33	1	81	2	75	3

위의 자료의 변수명에 대한 설명과 코드는 다음 Table에 정리하였다.

No.	변수명	설명	Code/Value
1	CHD	관상동맥심질환 유무	0=없음; 1=있음
2	Age	연령 (세)	
3	Sex	성별	1=여자; 2=남자
4	Weight	체중 (kg)	
5	Smoking	흡연 과거력	1=비흡연; 2=흡연

1) 로지스틱 모형을 개발하고 통계적 의의가 있는지 판단하시오.

2) 다음의 개체에서 관상동맥심질환의 발생 위험을 예측하시오.

Subject	Age	Sex	Weight	Smoking
?	50	1	60	2

로지스틱 회귀분석의 전제조건에 대한 검정은 생략하기로 한다.

[해설]

1. 회귀모형의 유의성

x_1 = 연령(Age), x_2 = 성별(Sex), x_3 = 체중(Weight), x_4 = 흡연(Smoking)로 정하면 다음 회귀식을 구할 수 있다.

$$\text{logit}(p) = -12.467 + 0.138(Age) + 0.387(Sex) + 0.061(Weight) + 3.485(Smoking)$$

우도비검정

-2LL = 19.3 ➔ chi-square = 25.7, $p = 0.000 < 0.05$

따라서 관상동맥심질환(CHD)의 발병을 예측하는 로지스틱 회귀모형은 통계적으로 유의하다.

회귀모형이 통계적으로 유의하다고 해서 모든 독립변수의 회귀계수가 유의하다는 뜻은 아니며 적어도 하나 이상의 독립변수의 회귀계수가 유의성이 있음을 뜻한다.
개별 독립변수의 회귀계수에 대한 유의성 검정은 **Wald 검정**을 이용한다.

2. 회귀계수의 유의성

Wald test

개별 독립변수에 대한 Wald 검정 결과 Age $p = 0.046$, Smoking $p = 0.015$로 p 값이 0.05보다 작으므로 회귀계수가 통계적으로 유의하다고 판정한다.

즉, CHD 발병을 예측하는 로지스틱 회귀식에서 연령(Age)과 흡연(Smoking)은 통계적으로 유의한 독립(예측) 변수이다.

3. 관련성의 강도

승산비

- 단순로지스틱 회귀분석에서 승산비는 **비수정승산비(unadjusted OR)**이며, 다중로지스틱 회귀분석에서 승산비는 다른 혼선변수들의 영향을 통제한 **수정승산비(adjusted OR)**이다.
- 승산비가 클수록 개별 예측변수와 종속변수 사건발생의 관련성 강도가 높아진다.

기준범주 (reference category)

- 성별, 흡연과 같이 범주형 명목변수는 다중선형회귀에서와 같이 가변수로 변환하여 분석하게 된다. 가변수와 마찬가지로 반드시 **기준범주(reference category)**를 정하여야 한다.

- Yes/No로 이루어진 이항변수에서는 보통 위험이 낮은 항목(No)이 기준범주가 된다.
- 예에서 Smoking 변수에서 흡연 ➡ Yes, 비흡연 ➡ No 이므로 비흡연이 기준범주가 된다.

이항변수에서는 다음 표에서와 같이 기준범주를 Yes/No (No=기준범주)로 표시할 수 있다.

Table. Adjusted odds ratio for effects of predictor variables on CHD

Variable	Odds ratio*	95% CI	*P* value
Age	1.15	1.003, 1.315	0.046
Sex (male/female)	1.47	0.125, 17.358	0.758
Weight	1.06	0.914, 1.237	0.430
Smoking (smoker/non-smoker)	32.63	1.968, 540.937	0.015

* Each odds ratio is adjusted for all other variables in the table

승산비 해석

① 연령이 1세 증가하면 CHD 발병 승산이 약1.2배 증가한다.

② 흡연자에서 CHD 발병 승산은 비흡연자에 비하여 약33배 높다.

승산비 신뢰구간

Age, Smoking은 신뢰구간이 1을 포함하지 않아 통계적으로 유의하다.

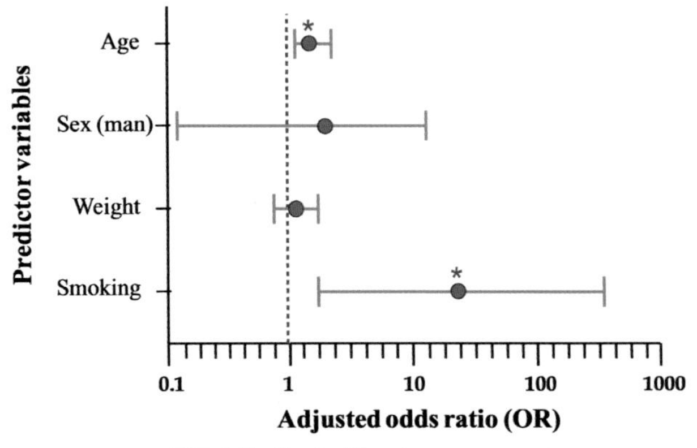

Figure. Independent risk factors for coronary heart disease.

심장병 센터를 방문한 성인 환자에서 관상동맥심질환은 연령, 흡연과 통계적으로 유의한 관련성이 있으며 연령과 흡연에 따라 발병 위험이 높아진다고 결론을 내린다.

체중은 단순로지스틱 회귀분석에서 유의한 독립변수이나 연령과 동시에 분석하면 유의성이 없어진다. 따라서 연령이 혼선변수로서 체중에 영향을 준다고 볼 수 있다.

4. 판별력

P = 0.5를 기준으로 로지스틱 회귀식에 의하여 CHD 발병 유무를 예측한 결과 CHD = 0 (없음)에 대한 판별 정확도는 94.7%, CHD = 1 (발병)에 대한 정확도는 85.7% 전체 판별 정확도는 90.9%이다.

5. 회귀식에 의한 예측

Subject	Age	Sex	Weight	Smoking
?	50	1	60	2

가상 자료의 값을 로지스틱 회귀식에 대입하면 사건 발생의 예측 확률을 구할 수 있다.
Sex, Smoking은 명목변수이므로 가변수로 바꾼 값(Sex 1 ➜ 0, 2 ➜ 1; 흡연 1 ➜ 0, 2 ➜ 1)을 사용한다. Age = 50, Sex = **0**, Weight = 60, Smoking = **1**을 다음 회귀식에 대입한다.

$$logit\ (p) = -12.467 + 0.138(Age) + 0.387(Sex) + 0.061(Weight) + 3.485(Smoking)$$

$$logit\ p = -12.467 + 0.138 \times 50 + 0.387 \times 0 + 0.061 \times 60 + 3.485 \times 1 = 1.578$$

$$P / (1-P) = e^{1.578} \approx 4.8 \Rightarrow P \approx 0.83$$

50세, 체중 60kg인 흡연 여성에서 관상동맥심질환 발병 확률은 약 83%이다.

로지스틱 회귀분석에서도 일반 회귀분석과 마찬가지로 독립변수의 최소값 이하 또는 최대값 이상의 수치에 대한 예측을 할 수 없다는 단점이 있다.

6. 회귀진단

다중로지스틱 회귀분석의 회귀진단은 다중공선성 이외에는 단순로지스틱 회귀분석의 회귀진단과 동일하다.

다중공선성 진단은 『다중선형회귀분석』 단원을 참조하기 바란다.

변수선택

독립변수의 수가 많으면 회귀모형이 복잡하게 되고 많은 표본크기가 요구되므로 정해진 선정기준에 따라 일부 독립변수를 선택하여 최종 회귀모형에 포함하게 된다.

 변수선택법은 다중선형회귀분석과 같으므로 『회귀분석』 단원을 참조하기 바란다.

단계적 변수선택 방법에 의한 변수선택을 하면 Age, Smoking 변수가 선택된다.

$logit\,(p) = -9.465 + 0.16(Age) + 3.29(Smoking)$

다중로지스틱 회귀분석 결과는 다음과 같은 표로 정리할 수 있다.

Table. Adjusted odds ratio for effects of age and smoking on CHD

Variable	Odds ratio	95% CI	*P* value
Age	1.17	1.04, 1.33	0.012
Smoking			0.015
Non-smoker*	1.0		
Smoker	26.85	1.90, 397.59	

* Reference category

참조범주 (Reference Category)

Smoking은 이항변수(Smoker, Non-smoker)로 참조범주를 반드시 표시하여야 한다.
Table에서 참조범주는 Non-smoker로 odds ratio = 1이다.

Smoker : Non-smoker odds ratio = 26.85 이다.

SPSS

Data : logistic.sav

다중로지스틱 회귀분석

1 **메뉴** → [분석] ▶ [회귀분석] ▶ [이분형 **로지스틱**] 선택하면 대화상자가 나타난다.

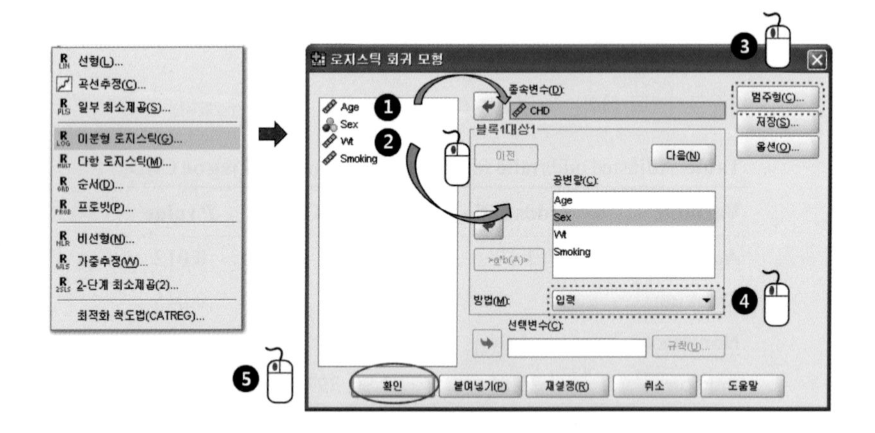

① 변수 CHD를 선택하여 [종속변수] 상자에 입력한다.

② 변수 Age, Sex, Wt, Smoking을 선택하여 [공변량] 상자에 입력한다.

③ **[범주형]** 선택상자를 클릭하면 [범주형 변수정의] 대화상자가 나타난다.

④ **[방법]** 선택상자를 클릭하면 변수선택 방법이 나타난다. 기본 설정은 **동시투여법**이다.

⑤ [확인] 버튼을 눌러 작업을 마친다.

2 범주형 변수

독립변수(공변량)들 중에 범주형 명목변수가 있으면 범주형 변수에 대한 참조 범주(reference category)를 정의하여야 한다. 성별, 흡연이 범주형 변수이므로 [범주형] 버튼을 클릭한다.

SPSS에서 가변수는 표시자로 표시되며 참조범주는 마지막 항목으로 기본 설정되어 있다. 예제에서 Smoking 1 = 비흡연, 2 = 흡연 두 항목에서 비흡연을 참조범주로 정하려면 처음 항목으로 바꾸어야 한다.

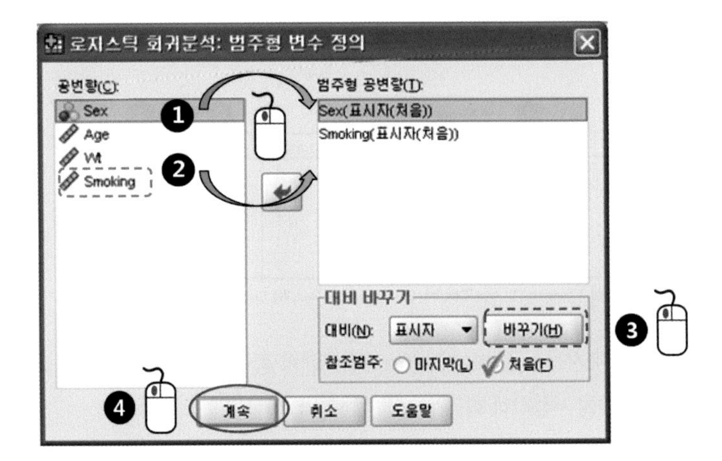

① 공변량 Sex를 선택하여 [범주형 공변량] 상자에 입력한다.

② 공변량 Smoking을 선택하여 [범주형 공변량] 상자에 입력한다.

③ ☑ **[처음]** 항목을 선택한 다음 **[바꾸기]** 버튼을 클릭한다..

④ [계속] 버튼을 눌러 작업을 마친다.

SPSS 출력결과 창에 통계분석 결과가 나타난다.

2 회귀모형

❶ **모형 계수 전체 테스트**

		카이제곱	자유도	유의확률
1 단계	단계	25.732	4	.000
	블록	25.732	4	.000
	모형	25.732	4	.000

❷ **모형 요약** ❸

단계	-2 Log 우도	Cox와 Snell의 R-제곱	Nagelkerke R-제곱
1	19.256[a]	.541	.728

a. 모수 추정값이 .001보다 작게 변경되어 계산반복수 7에서 추정을 종료하였습니다.

① 모형 유의확률 $p = 0.000$ (〈0.001)이므로 회귀모형이 통계적으로 유의하다고 판정한다.

② **-2 log 우도** : 회귀모형의 검정 통계량 -2LL 값을 보여준다.

③ 유사결정계수 : 회귀모형의 적합성 정도를 보기 위한 결정계수 R^2 이다.

4 회귀계수

❶ 방정식에 포함된 변수 ❷ ❸

		B	S.E.	Wals	자유도	유의확률	Exp(B)
1 단계[a]	Age	.138	.069	3.999	1	.046	1.148
	Sex(1)	.387	1.259	.095	1	.758	1.473
	Wt	.061	.077	.624	1	.430	1.063
	Smoking(1)	3.485	1.433	5.917	1	.015	32.626
	상수항	-12.467	5.430	5.270	1	.022	.000

a. 변수가 1: 단계에 진입했습니다 Age, Sex, Wt, Smoking. Age, Sex, Wt, Smoking.

① 회귀방정식에 사용된 절편(상수) B_0 = -12.467과 회귀계수들을 보여준다.

② Wald 통계량을 사용하여 회귀계수를 검정한다.

③ 회귀계수를 역로그 변환하여 승산비를 계산한 결과이다. 승산비 OR = Exp(B)

승산비 신뢰구간

승산비의 95% 신뢰구간을 구하려면 [로지스틱 회귀 모형] 대화상자에서 [옵션] 버튼을 눌러 ☑ **[exp(B)에 대한 신뢰구간]** 항목을 선택한다.

5 판별 정확도

판정기준 확률을 0.5로 하였을 때에 집단 0(CHD 없음)의 분류적중률은 94.7%이고 집단 1(CHD 있음)의 분류적중률은 85.7%이다. 전체 사례에 대해 정확하게 분류된 확률은 90.9%이다.

분류표[a]

			예측		
			CHD		
감시됨			0	1	분류정확 %
1 단계	CHD	0	18	1	94.7
		1	2	12	85.7
	전체 퍼센트				90.9

a. 절단값은 .500입니다.

6 변수선택

[로지스틱 회귀모형] 대화상자에서 [방법] 선택상자를 클릭하면 변수선택 방법이 나타난다. 로그우도비를 이용한 **[앞으로 LR]**을 선택하여 단계적 전진선택을 시행하여 보자.

회귀모형

방정식에 포함된 변수

		B	S.E.	Wals	자유도	유의확률	Exp(B)
1 단계[a]	Age	.132	.046	8.053	1	.005	1.141
	상수항	-6.708	2.354	8.121	1	.004	.001
2 단계[b]	Age	.160	.064	6.341	1	.012	1.174
	Smoking(1)	3.290	1.352	5.926	1	.015	26.846
	상수항	-9.465	3.567	7.040	1	.008	.000

a. 변수가 1: 단계에 진입했습니다 Age. Age.

b. 변수가 2: 단계에 진입했습니다 Smoking. Smoking.

최종 회귀모형 Logit P(CHD) = -9.465 + 0.160 (Age) + 3.29 (Smoking)

회귀계수

Age, Smoking 회귀계수 검정 유의확률 p = 0.012, p = 0.015 (p 〈 0.05)로 통계적으로 유의한 개별 독립변수이다.

dBSTAT

Data : Logistic.dbf

회귀분석

1 **메뉴** → [통계] ▶ [회귀분석] ▶ [로지스틱회귀] ▶ [회귀분석] 메뉴를 선택한다.

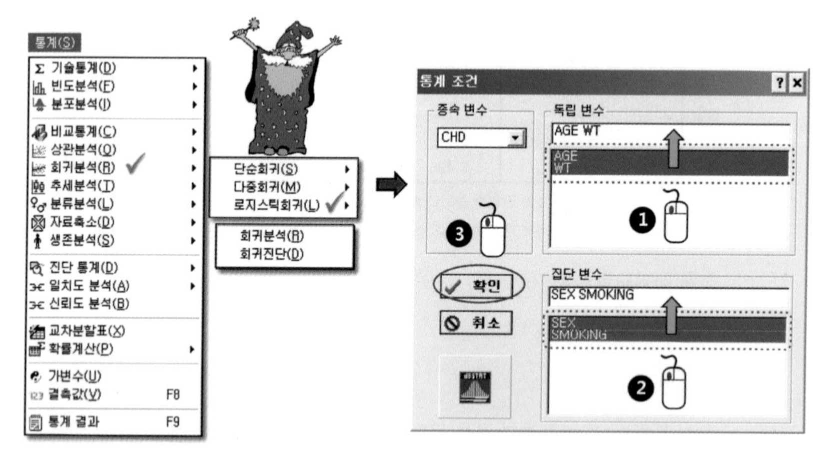

① [통계 조건] 상자에서 [종속변수] ▷ CHD [독립변수] ▷ AGE, WT를 입력한다.

② [통계 조건] 상자에서 [집단변수] ▷ SEX, SMOKING을 입력한다.

③ [확인] 버튼을 누른다.

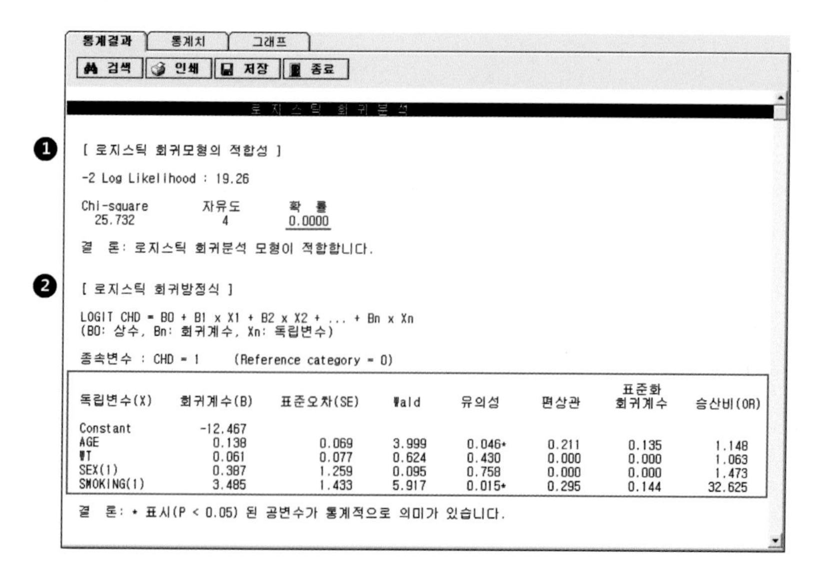

통계결과 | 통계치 | 그래프

검색 | 인쇄 | 저장 | 종료

로 지 스 틱 회 귀 분 석

❶ [로지스틱 회귀모형의 적합성]

-2 Log Likelihood : 19.26

Chi-square	자유도	확 률
25.732	4	0.0000

결 론: 로지스틱 회귀분석 모형이 적합합니다.

❷ [로지스틱 회귀방정식]

LOGIT CHD = B0 + B1 x X1 + B2 x X2 + ... + Bn x Xn
(B0: 상수, Bn: 회귀계수, Xn: 독립변수)

종속변수 : CHD = 1 (Reference category = 0)

독립변수(X)	회귀계수(B)	표준오차(SE)	Wald	유의성	편상관	표준화 회귀계수	승산비(OR)
Constant	-12.467						
AGE	0.138	0.069	3.999	0.046*	0.211	0.135	1.148
WT	0.061	0.077	0.624	0.430	0.000	0.000	1.063
SEX(1)	0.387	1.259	0.095	0.758	0.000	0.000	1.473
SMOKING(1)	3.485	1.433	5.917	0.015*	0.295	0.144	32.625

결 론: * 표시(P < 0.05) 된 공변수가 통계적으로 의미가 있습니다.

① 회귀식에 대한 p = 0.0000 이므로 로지스틱 회귀모형이 적합하다.

② 개별 독립변수의 회귀계수, 유의성, 승산비를 보여준다.
AGE, SMOKING 변수가 통계적으로 유의하다(p 〈 0.05).

2 승산비

[통계치] 폴더를 선택하면 개별 독립변수의 승산비와 95% 신뢰구간을 보여준다.

통계결과 | 통계치 | 그래프

인쇄 | 저장 | 종료

번호	변수	승산비(OR)	95% CI 하한값	95% CI 상한값
1	AGE	1.1483	1.0028	1.3150
2	WT	1.0629	0.9136	1.2367
3	SEX(1)	1.4728	0.1249	17.3591
4	SMOKING(1)	32.6251	1.9677	540.9343

3 회귀진단

[통계] ▶ [회귀분석] ▶ [로지스틱회귀] ▶ [회귀진단] 메뉴를 선택한다.
회귀진단 결과가 해석과 함께 출력되며 아래와 같은 정규확률 그림을 보여준다.

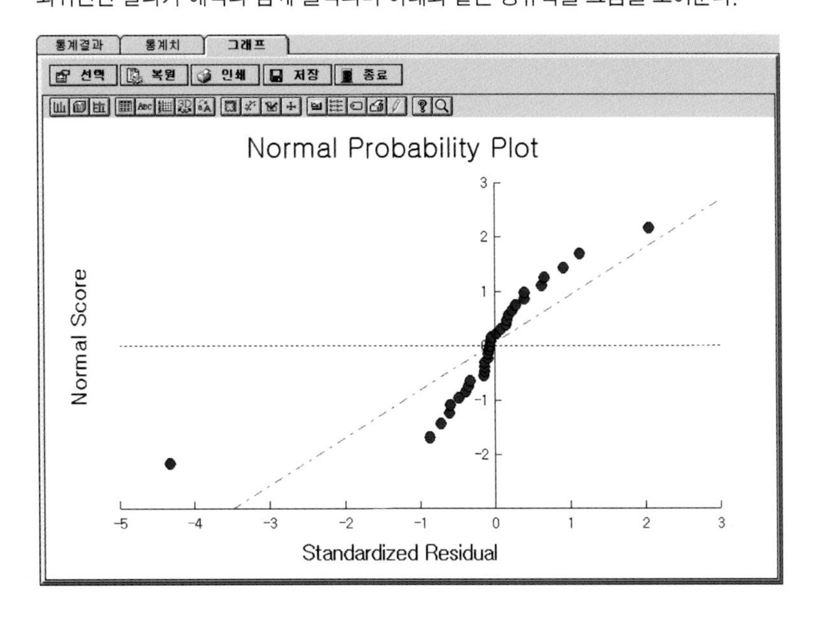

Association

7-9 카이제곱검정 Chi-square test

CONTENTS

목적

두 변수 간의 범주의 관측빈도가 기대빈도와 일치하는지 추정한다.

전제조건

1. 측정값들이 독립적이어야 한다.
2. 기대빈도가 5 이상이어야 한다.
   자유도 ≥ 2 ⇨ ① 범주의 20% 미만에서 기대빈도 〈 5, ② 모든 기대빈도 ≥ 1

적용

명목변수에서 두 변수의 독립성 검정 또는 동질성 검정에 사용되는 비모수적 검정이다.

장점

모수적 검정에 필요한 정규성, 등분산을 요구하지 않으므로 전제조건을 만족하기 쉽다.

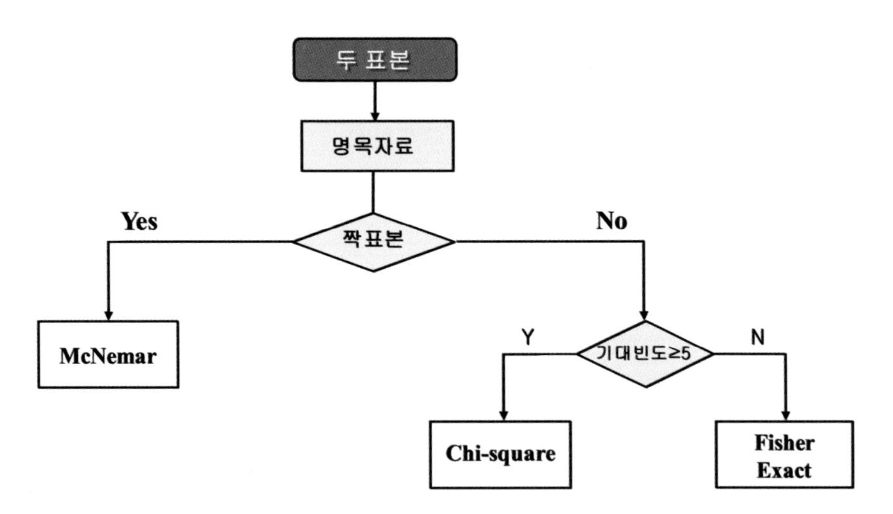

가설

귀무가설 H_0 : Fo = Fe (변수 X 와 Y 간에 연관성이 없다.)

대립가설 H_a : Fo ≠ Fe (변수 X 와 Y 간에 연관성이 있다.)

귀무가설은 "관측빈도(Fo)와 기대빈도(Fe) 간에 차이가 없다." 라고 가설을 세운다. 두 변수에서 빈도의 차이가 없으면 두 변수가 **독립적**이며, **연관성**이 없다고 할 수 있다.

9.1 Chi-square Distribution

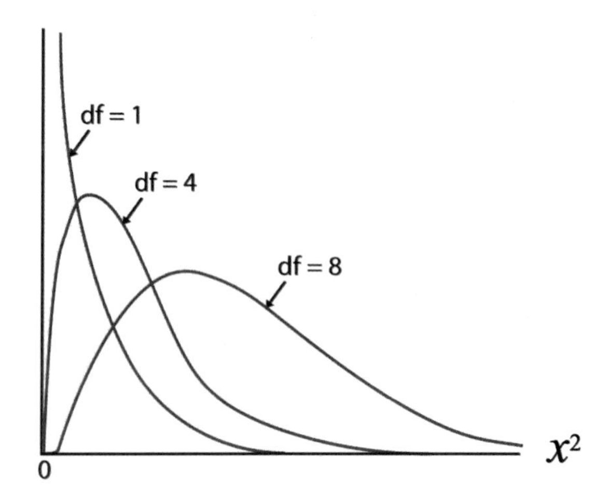

1. 비대칭이며 우측으로 기운(positively skewed) 분포이다.
2. Chi-square 값은 음수가 없다.
3. 자유도(df)에 따라 모양이 달라지며 자유도가 클수록 대칭에 가까워진다.

Chi-square 분포에서 자유도(*df*)

① Chi-square 분포의 모양은 자유도에 의하여 결정된다.

② 자유도는 행(row)x열(column) 교차표(RxC table)에서 행과 열의 크기에 의하여 결정된다.

③ 자유도 df = (r-1) x (c-1) 이다.

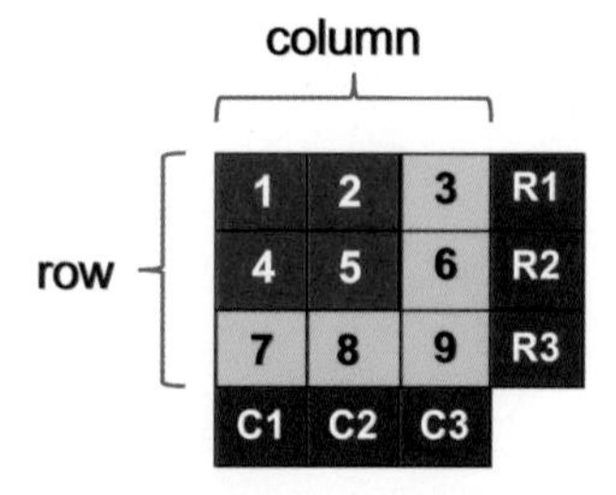

예를 들면, 교차표에서 행=3, 열=3이고 행의 합(R1, R2, R3)과 열의 합(C1, C2, C3)이 정해져 있으면 자유도 df = (3-1) x (3-1) = 2 x 2 = 4 이다.

4개의 칸의 수(1, 2, 4, 5)가 정해지면 나머지 5개의 칸의 수(3, 6, 7, 8, 9)는 임의로 정할 수 없으며 자동적으로 정해진다. 4개의 칸의 수는 자유롭게 정할 수 있으므로 이를 자유도라 한다.

기대빈도 Expected Frequency

- 기대빈도는 관측빈도(observed frequency)로부터 계산된다.
- 기대빈도〈 5 인 칸이 전체의 20% 미만이어야 하며 기대빈도〈1 칸이 있어서는 안된다.

			Variable Y		Row Total
			Column		
			Yes	No	
Variable X	Row	Yes	a	b	$R_1 = a+b$
		No	c	d	$R_2 = c+d$
Column Total			$C_1 = a+c$	$C_2 = b+d$	n

$$E = \frac{R \times C}{n}$$

			Variable Y		Row Total
			Column		
			Yes	No	
Variable X	Row	Yes	E_a	E_b	$R_1 = a+b$
		No	E_c	E_d	$R_2 = c+d$
Column Total			$C_1 = a+c$	$C_2 = b+d$	n

칸 : 행과 열이 만나는 곳으로 관측빈도를 표시한다. 2x2 table에서 2x2=4개의 칸이 생긴다.

기대빈도 $E_{r,c} = \dfrac{R \times C}{n}$ $(R: r$번째행의합, $C: c$번째열의합, $n:$표본크기$)$

기대빈도 $E_a = \dfrac{R_1 \times C_1}{n}$ $E_b = \dfrac{R_1 \times C_2}{n}$ $E_c = \dfrac{R_2 \times C_1}{n}$ $E_d = \dfrac{R_2 \times C_2}{n}$

검정통계량

$$\chi^2 = \sum \frac{(O-E)^2}{E}$$ (O : 관측빈도, E : 기대빈도)

2 x 2 교차표에서는 간편한 공식을 사용할 수 있다. $\chi^2 = \dfrac{n(ad-bc)^2}{R_1 R_2 C_1 C_2}$

Yates 연속성수정 (Yates' correction for continuity)

- 2 x 2 교차표에서 x^2 값을 수정하여 소표본 분포에 근접시키는 방법이다.
- 연속성 수정된 P값은 Fisher Exact test의 P값에 가까와지게 된다.

$$\chi^2 = \frac{n(|ad-bc|-0.5n)^2}{R_1 R_2 C_1 C_2}$$

2 x 2 교차표에서는 연속성 수정된 x^2 값을 검정통계량으로 사용하여야 한다.

통계적 의사결정

x^2 임계값 $x^{2*} = x^2(\alpha, \text{df})$

검정통계량 x^2 〉 x^{2*} 이면 통계적으로 유의하다고 판정한다.

《Chi-square 분포표》에서 α = 0.05, df = 1 일 때 chi-square 값 x^{2*} = 3.841 이다.

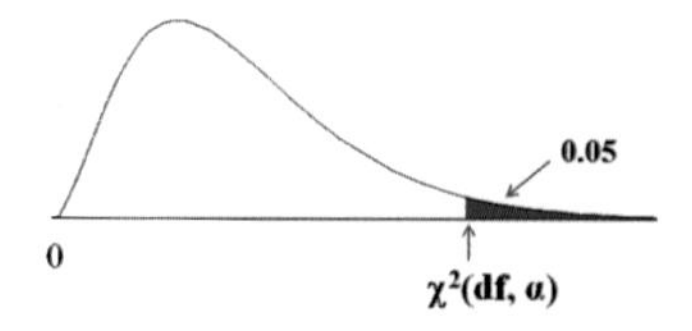

df	α		
	0.10	**0.05**	**0.01**
1	2.706	3.841	6.635
2	4.605	5.991	9.210
3	6.251	7.815	11.345
4	7.779	9.488	13.277
5	9.236	11.070	15.086

92 Chi-square test를 언제 사용하는가?

Chi-square test는 표본크기(N)와 기대빈도(E)에 따라 사용여부가 결정된다.
전제 조건은 2 x 2 교차표와 그보다 큰 교차표에 따라 달라진다.

1. 2×2 교차표 cross tabulation

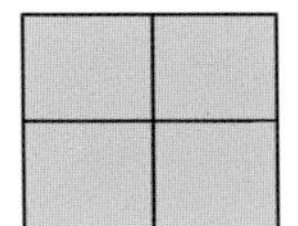

① N ≤ 20 ⇨ Fisher's Exact test
② N 〉 20, N ≤ 40 : E ≥ 5 ⇨ chi-square test, E 〈 5 ⇨ Fisher's Exact test
③ N 〉 40, E 〈 5 ⇨ chi-square test (연속성 수정)

2. R (행) x C (열) 교차표

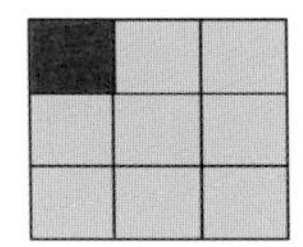

① 범주의 20% 미만에서 E 〈 5, 모든 cell E ≥ 1 ⇨ chi-square test
② 범주의 20% 이상에서 E 〈 5, 또는 E 〈 1 ⇨ Fisher' s exact test

전제 조건을 만족하지 못할 때에는 표본크기를 늘리는 것이 가장 좋은 방법이나 인접한 범주를 결합하여 기대빈도 〉 5 조건을 충족시킨 다음에 chi-square test를 사용할 수 있다.

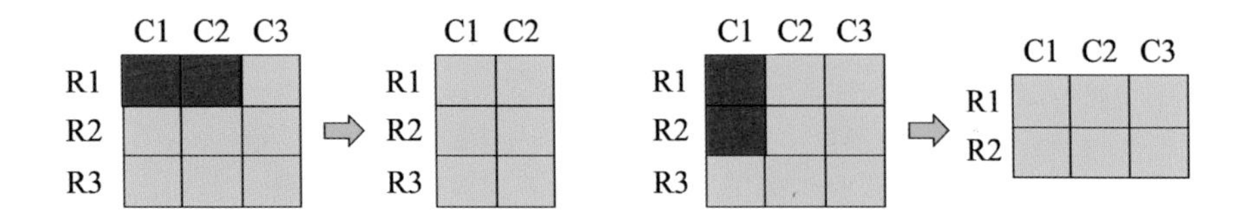

범주를 결합하기 위해서는 결합된 범주의 의미가 있어야 한다. 예를 들면 C1 = 1등급, C2 = 2등급, C3 = 3등급이라면 C1 + C2 ➜ 저등급, C3 ➜ 고등급으로 범주를 결합할 수 있다.

9.3 Chi-square test 다중비교

2×2 보다 큰 교차표 에서 Chi-square 검정 결과 두 변수 간에 차이 또는 연관성이 있다면 어떤 집단간에 차이가 있는지 알기 위해서는 ANOVA 다중비교와 유사한 방법을 시행한다.

카이제곱 분할 Partitioning Chi-square

Chi-square test에서의 다중비교는 큰 교차표를 2 x 2 교차표로 여러 번 분할한 다음, 분할된 교차표에 대한 검정을 반복 시행하는 방법이다. **사전분할**과 **사후분할** 방법이 있으며 분할 순서와 크기에 따라 통계적 의의가 달라진다.

1. 사전분할 (a priori partitioning)

교차표 분할을 연구설계에서 미리 계획하여 의미있는 집단끼리 합쳐서 분석하는 방법이다.

흡연과 천식의 연관성에 대한 연구에서 흡연 정도를 심함(Heavy), 경함(Mild), 비흡연(No)으로 나누어진 3 x 2 교차표를 사전 계획된 집단(흡연, 비흡연)으로 분할한다.

Example. Partioning in 3 x 2 contingency table

Variable		천식	
		Yes	No
흡연	Heavy	20	10
	Mild	15	20
	No	5	30

x^2 = 18.65, P = 0.0001

→

A Priori Partioning

Variable		천식	
		Yes	No
흡연	Yes	35	30
	No	5	30

x^2 = 13.23, P = 0.0003

2. 사후분할 (a posteriori partitioning)

- Chi-square 검정 결과 통계적 의의가 있는 경우에 2 x 2 교차표로 분할하여 분석한다.
- 우연의 의하여 P 〈 0.05일 확률이 높아지므로 **Bonferroni** 방법으로 확률을 보정한다.

Example. Partions derived from 3 x 2 contingency table

Variable		천식 Yes	천식 No
흡연	Heavy	20	10
흡연	Mild No	20	50

(a) x^2 **= 11.16, P = 0.0008**

Variable		천식 Yes	천식 No
흡연	Heavy Mild	35	30
흡연	No	5	30

(b) x^2 **= 13.23, P = 0.0003**

Variable		천식 Yes	천식 No
흡연	Heavy No	25	40
흡연	Mild	15	20

(c) x^2 **= 0.05, P = 0.83**

[확률보정] 유의수준(α) ÷ 반복횟수로 보정하여 비교하거나 P ➡ P×반복횟수로 보정한다.

(a) P = 0.0008 〈 유의수준 α = 0.05/3 ≈ 0.017

또는 P = 0.0008 ➡ 보정 P = 0.0008 × 3 = 0.0024

Exercise
Chi-square Test

성인에서 흡연(smoking)과 천식(asthma)의 연관성을 알아보는 후향적 연구를 하였다. 천식 환자에서 흡연 과거력을 조사하였다. 흡연과 천식이 연관성이 있는지 유의수준 0.05에서 통계적 검정을 하시오.

No.	Smoking	Asthma	No.	Smoking	Asthma	No.	Smoking	Asthma
1	1	1	21	1	2	41	2	2
2	1	1	22	1	2	42	2	2
3	1	1	23	1	2	43	2	2
4	1	1	24	1	2	44	2	2
5	1	1	25	1	2	45	2	2
6	1	1	26	1	2	46	2	2
7	1	1	27	1	2	47	2	2
8	1	1	28	1	2	48	2	2
9	1	1	29	1	2	49	2	2
10	1	1	30	1	2	50	2	2
11	1	1	31	2	1	51	2	2
12	1	1	32	2	1	52	2	2
13	1	1	33	2	1	53	2	2
14	1	1	34	2	1	54	2	2
15	1	1	35	2	1	55	2	2
16	1	1	36	2	1	56	2	2
17	1	1	37	2	1	57	2	2
18	1	1	38	2	1	58	2	2
19	1	1	39	2	1	59	2	2
20	1	1	40	2	1	60	2	2

smoking: 1=yes , 2=no   asthma : 1= yes , 2=no

[해설]

1. 가설 설정

귀무가설 H_0 : Fo = Fe (흡연과 천식의 빈도는 차이가 없다.)

대립가설 H_a : Fo ≠ Fe (흡연과 천식은 빈도는 차이가 있다.)

2. 유의수준 결정

위의 예에서 유의수준을 5%로 정하였다.

3. 통계적 검정법

독립 누 표본의 빈도(비율) 비교에 사용되는 **chi-square test**를 사용한다.

기대빈도

Chi-square test는 시행하기 전에 전제조건인 **기대빈도**를 계산하여야 한다.

Chi-square test는 R x C 교차표를 만들어 기대빈도를 계산한 다음 공식에 의하여 검정통계량 x^2를 계산한다. 위의 예제 자료는 다음과 같이 2 x 2 교차표로 만들 수 있다.

Variable		천식 Yes	천식 No
흡연	Yes	20	10
	No	10	20

→

Variable		천식 Yes	천식 No
흡연	Yes	15	15
	No	15	15

기대빈도 $E_a = \frac{R_1 \times C_1}{n} = \frac{30x30}{60} = 15, \quad E_b = \frac{R_1 \times C_2}{n} = \frac{30x30}{60} = 15, \quad E_c = E_d = \frac{30x30}{60} = 15$

모든 기대빈도 ≥ 5 이므로 chi-square test의 전제조건을 만족한다.

검정통계량

① chi-square 값 $\chi^2 = \frac{(20-15)^2}{15} + \frac{(10-15)^2}{15} + \frac{(10-15)^2}{15} + \frac{(20-15)^2}{15} = \frac{100}{15} \approx 6.67$

② 연속성수정 $\chi^2 = \frac{n(|ad-bc|-0.5n)^2}{R_1 R_2 C_1 C_2} = \frac{60(|20\times20-10\times10|-0.5\times60)^2}{30\times30\times30\times30} = 5.4$

자유도 $df = (r-1)(c-1) = (2-1)(2-1) = 1$

임계값 $x^{2*} = x^2_{(0.05,\,1)} = 3.84$ 《chi-square 분포표》 참조

Table. Asthma in smoker and non-smoker.

Variable	Smoking Yes (n=30)	Smoking No (n=30)	*P*-value*
Asthma	66% (20/30)	33% (10/30)	0.02

*Data are analyzed with chi-square test.

4. 통계적 의사결정

통계적 유의성

① 검정통계량 x^2 값이 3.84보다 크면 귀무가설을 기각할 수 있다.

② 연속성수정된 $x^2 = 5.4 > 3.84$ (x^{2*}) 이므로 $p < 0.05$ 이다.

③ 따라서 흡연과 천식은 연관성이 있다는 결론을 내린다.

그래프

Chi-square test에 대한 그래프는 막대그래프를 다음과 같이 그린다.

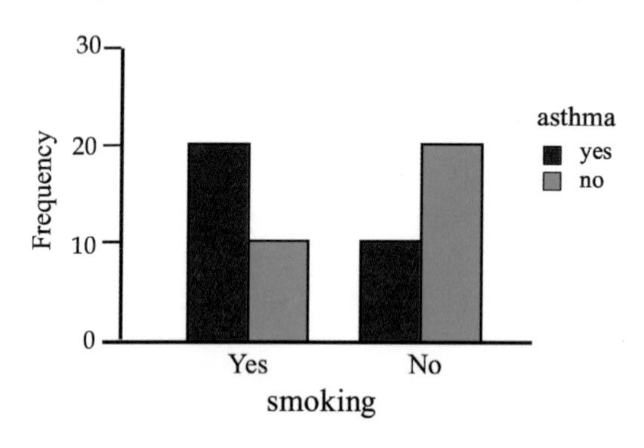

Chi-square **독립성**(Independence) vs. **동질성**(Homogeneity) **검정**

- 독립성 검정은 전체 표본크기만 정해진 경우에 빈도의 차이를 비교하는 검정이다.
- 동질성 검정은 두 변수 중에 하나는 연구자에 의하여 결정되어 교차표에서 행의 합 또는 열의 합은 미리 정해져 있다. 연구자에 의하여 결정된 변수의 속성에 의하여 다른 변수 집단을 나누어 빈도(비율) 분포가 동일한지 알아보는 검정이다.
- 연구가설과 표본추출 방법이 다르지만 통계적 산출결과에 있어서는 동일하다.
- 두 가지 검정은 연구가설이 다르므로 결론도 연구가설에 맞게 내려야 한다.

독립성 검정

① 귀무가설 H_0 : 천식은 흡연과 서로 독립적이다. (연관성이 없다)

② 대립가설 H_a : 천식은 흡연과 서로 독립적이지 않다. (연관성이 있다)

동질성 검정

① 귀무가설 H_0 : 흡연, 비흡연 집단에서 천식의 빈도 분포는 동일하다.

② 대립가설 H_a : 흡연, 비흡연 집단에서 천식의 빈도 분포는 동일하지 않다.

SPSS

Data : chi-square.sav

카이제곱 검정

1 메뉴 → [분석] ▶ [기술통계량] ▶ [교차분석] 메뉴를 선택하면 대화상자가 나타난다.

변수명 ⇨ 행변수 smoking : 1 = yes, 2 = no 열변수 asthma : 1 = yes, 2 = no.

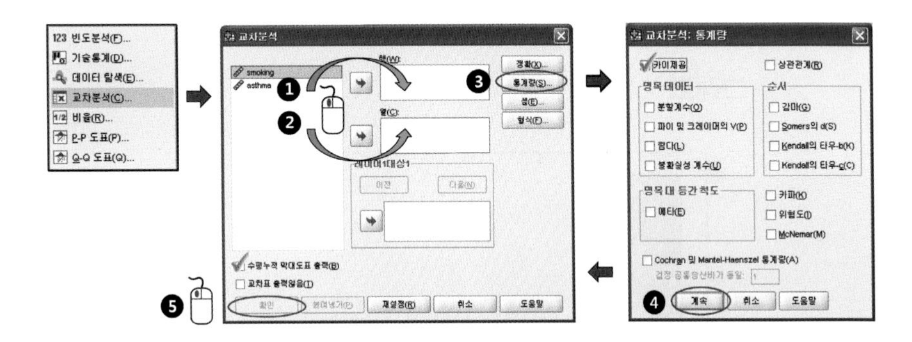

① 변수 smoking 을 선택하여 [행 변수] 상자에 입력한다.

② 변수 asthma 를 선택하여 [열 변수] 상자에 입력한다.

③ [통계량] 버튼을 눌러 나타나는 대화상자에서 ☑ [카이제곱] 항목을 선택한다.

④ [계속] 버튼을 눌러 [교차분석] 대화상자로 돌아간다.

⑤ ☑ [수평누적막대도표 출력] 항목을 선택한 다음 [확인] 버튼을 눌러 작업을 마친다.

2 통계결과

카이제곱 검정

	값	자유도	점근 유의확률 (양측검정)	정확한 유의확률 (양측검정)	정확한 유의확률 (단측검정)
❶ Pearson 카이제곱	6.667[a]	1	.010		
❷ 연속수정[b]	5.400	1	.020		
우도비	6.796	1	.009		
Fisher의 정확한 검정				.019	.010
선형 대 선형결합	6.556	1	.010		
유효 케이스 수	60				

❸ a. 0 셀 (.0%)은(는) 5보다 작은 기대 빈도를 가지는 셀입니다. 최소 기대빈도는 15.00입니다.

b. 2x2 표에 대해서만 계산됨

① Pearson 카이제곱값 = 6.667, df = 1 ⇨ 양측검정 $p = 0.01$ 이다.

② 연속수정 : 2 x 2 교차표에서는 Yates 연속수정 p 값이 정확검정 확률 값과 가깝다.
Pearson 카이제곱값보다 연속수정값 $x^2 = 5.4$, $p = 0.020$ 을 선택한다.

③ 기대빈도 〈 5 인 셀(칸)이 0으로 없으므로 카이제곱 전제조건을 만족한다.

[해석]

카이제곱 검정 결과 p = 0.02 〈 0.05 이므로 smoking과 asthma 두 변수는 통계적으로 유의한 연관성이 있다.

그래프

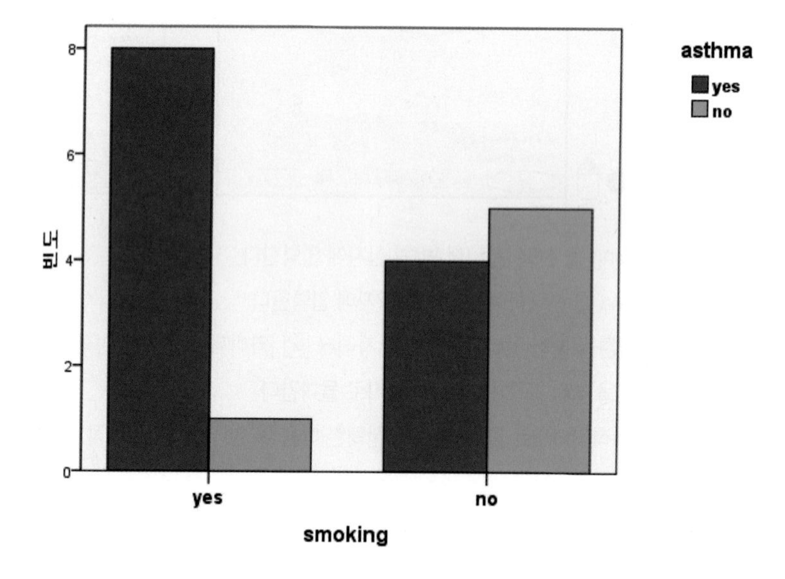

dBSTAT

Data : chi-square.dbf

Chi-square 검정

1 **메뉴** → [통계] ▶ [비교통계] ▶ [마법사]를 선택하면 [변수 선택] 대화상자가 나타난다.

[통계] ▶ [비교통계] ▶ [두 표본] ▶ [카이제곱 검정] 을 선택해도 동일한 결과가 출력된다.

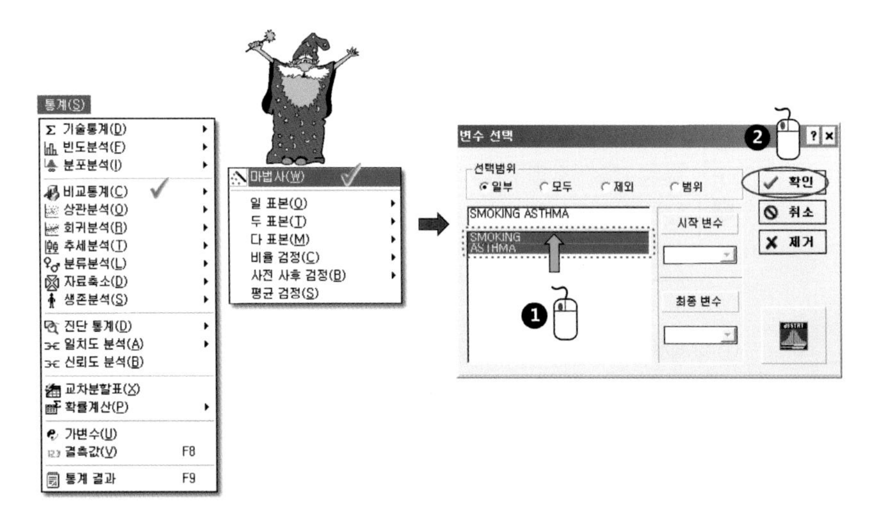

① [변수 선택] 대화상자에서 변수 SMOKING, ASTHMA를 선택한다.

② [확인] 버튼을 클릭하여 선택 작업을 마치면 [통계 조건] 대화상자가 나타난다.

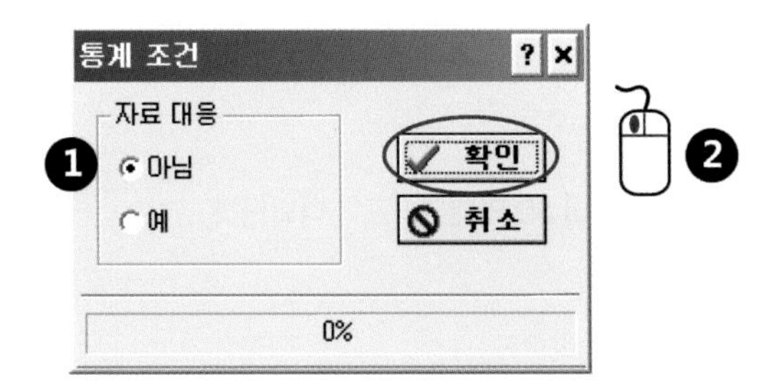

① [통계 조건] 대화상자에서 [자료 대응] ⊙ [아님] 항목을 선택한다.

② [확인] 버튼을 클릭하여 선택 작업을 마치면 통계결과가 출력된다.

2 통계결과

dBSTAT에서는 [통계 조건]에 따라서 [마법사]가 적절한 통계검정을 시행한다.

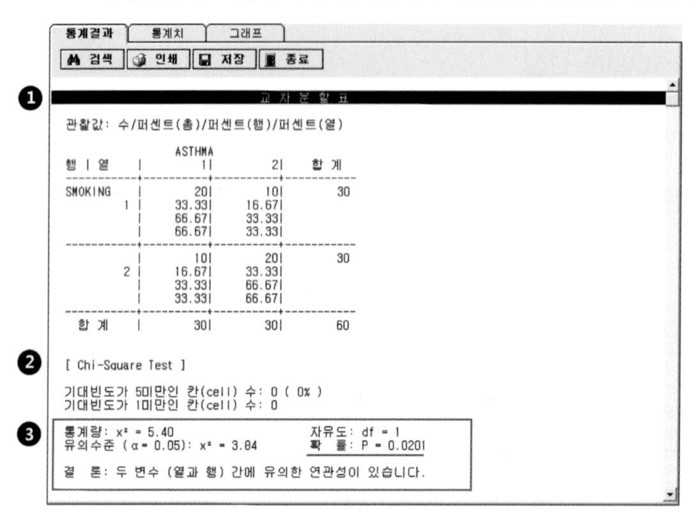

① SMOKING을 행, ASTHMA를 열로 한 교차분할표를 보여준다.

② 기대빈도 < 5 인 칸(cell)이 0으로 없으므로 카이제곱 전제조건을 만족한다.

③ 유의성 검정

$x^2 = 5.40$, 유의수준 $\alpha = 0.05$, df = 1 ⇨ 양측검정 유의확률 p = 0.02

[해석]

smoking과 asthma 두변수는 통계적으로 유의한 연관성이 있다.

3 그래프

[그래프] 폴더를 선택하면 다음과 같이 3D 막대그래프가 나타난다.

dBSTAT Graph

dBSTAT에서 그래프는 다양한 형식으로 저장할 수 있다.

그래프 **[저장]** ▶ **[파일 형식] [WMF - Windows Metafile]** 선택하여 저장하면 PowerPoint나 MS Word에서 그림 파일을 편집할 수 있다.

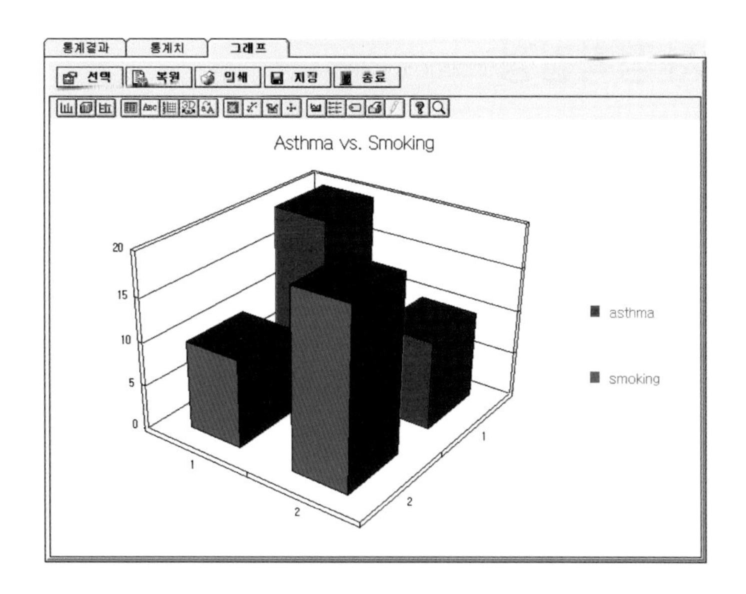

그래프 선택메뉴 옵션에서 [2D Gallery] ▶ [막대] 선택하면 2D 그래프가 나타난다.

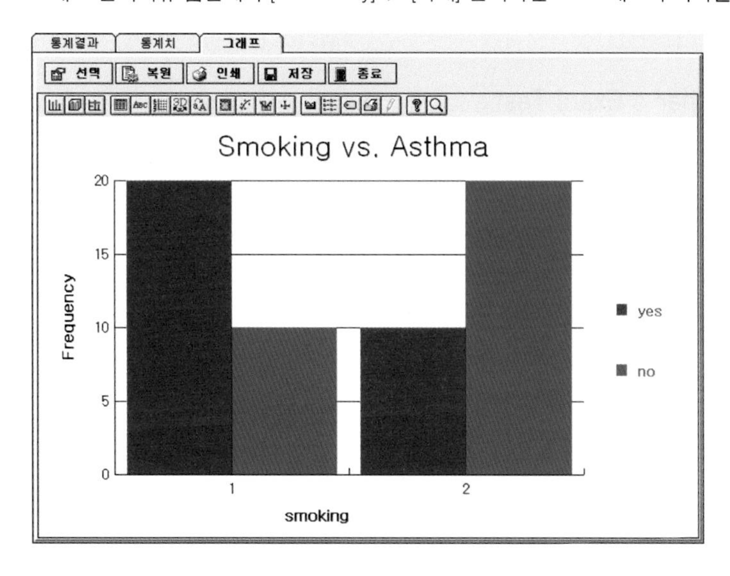

Graphic Presentation

3D 그래프는 슬라이드 발표할 때에 사용하기에 보기 좋으나 통계값의 표현이 정확하지 못하므로 학술 논문을 출판할 때에는 2D 그래프가 올바른 방법이다.

7-10 피셔 정확검정 Fisher' s Exact test

CONTENTS

목적

두 변수 간의 범주의 관측빈도가 기대빈도와 일치하는지 추정한다.

전제조건

1. 측정값들이 독립적이어야 한다.
2. 교차표의 주변합이 고정(fixed) 되어 있다.
3. 자유도 = 1 (2×2 교차표) : ① 표본크기≤ 20 ② 표본크기 < 40, 기대빈도 < 5

적용

명목변수에서 두 변수의 독립성 또는 동질성 검정에 사용되는 비모수적 검정이다.

장점

Chi-square test의 전제조건이 불충분할 때에 사용할 수 있다.

Fisher' s Exact Test

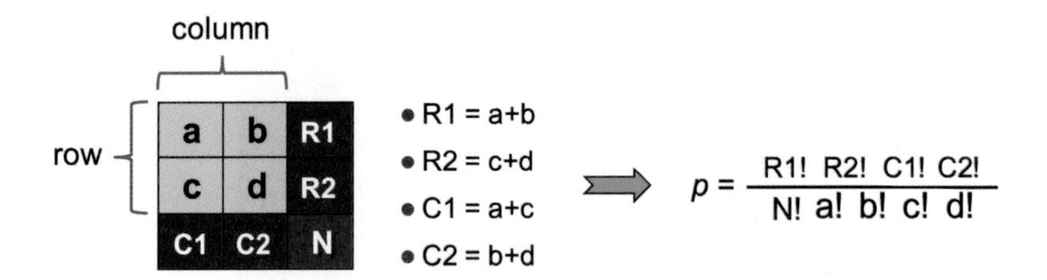

- Chi-square test 와 달리 분포에 대한 가정이 없이 직접 확률을 구한다.
- 2 x 2 교차표에서 표본크기 N, 각 칸의 관측빈도를 a, b, c, d라 하고 주변합을 R1, R2, C1, C2라 하면 확률 p를 위의 공식에 의하여 직접 구할 수 있다.

Fisher's Exact Test

Fisher 정확검정은 교차표에서 주변합이 미리 정해져 있다는 가정하에 사용되는 검정법이다. 일반적으로 독립성 검정에서는 chi-square test가 Fisher 정확검정에 비하여 검정력이 더 높다 (즉, *P* value가 더 작다).

Fisher의 Tea 실험 (1935) - The Lady Tasting Tea

런던의 연구소에서 Fisher와 함께 근무하였던 한 영국 여성이 Tea를 마실 때에 Milk와 Tea 중 어느 것을 먼저 넣었는지 알 수 있다고 주장을 하였다. 그 주장에 대한 검정을 하기 위하여 Fisher는 8개의 컵 중 4개는 Milk를 먼저 넣고, 다른 4개의 컵은 Tea를 먼저 넣은 다음 8개의 컵의 차를 맛보는 실험을 하였다.

Table. Fisher's Tea Tasting Experiment

	추측 (실험)		Total
1차 첨가	Milk	Tea	
Milk	3	1	4
Tea	1	3	4
Total	4	4	8

〈계산〉

주변합이 고정되었으므로 첫째 칸(a) = 0, 1, 2, 3, 4로 정하면 5개의 교차표가 만들어진다.

a = 0	a = 1	a = 2	a = 3	a = 4
$\begin{matrix} 0 & 4 \\ 4 & 0 \end{matrix}$	$\begin{matrix} 1 & 3 \\ 3 & 1 \end{matrix}$	$\begin{matrix} 2 & 2 \\ 2 & 2 \end{matrix}$	$\begin{matrix} 3 & 1 \\ 1 & 3 \end{matrix}$	$\begin{matrix} 4 & 0 \\ 0 & 4 \end{matrix}$
$p = 0.014$	$p = 0.229$	$p = 0.514$	$p = 0.229$	$p = 0.014$

각각의 교차표에서 확률을 구한다. a=3 이면 $p(3,1,1,3) = \frac{4!14\ 14\ 4!}{8!\ 3!\ 1!\ 1!\ 3!!} \approx 0.229$

① 원래 관측빈도가 입력된 교차표의 확률 $p = 0.229$ 와 같거나 작은 확률의 합계를 구한다.

② 양측검정 $p = 0.014 + 0.229 + 0.229 + 0.114 = 0.486$

P 〉 0.05 이므로 "Milk와 Tea의 첨가순서와 추측은 연관성이 없다." 고 결론을 내린다.

Fisher' s exact Test vs. Chi-square test

- Fisher 정확검정은 2 x 2교차표에서 소표본(N〈40)에 적합한 검정이다.
- Fisher 정확검정은 계산절차가 복잡하여 표본크기가 크면 계산이 불가능할 수도 있다.
- Chi-square test는 2 x 2 교차표에서 Yates 연속수정 후 P 값이 정확검정과 유사하다.
- Fisher 정확검정도 2 x 2 보다 큰 자유도〉1인 R x C 교차표에서 사용 가능하다.

Exercise
Fisher' s Exact Test

성인에서 흡연(smoking)과 천식(asthma)의 연관성을 알아보는 후향적 연구를 하였다. 흡연과 천식이 연관성이 있는지 유의수준 0.05에서 통계적 검정을 하시오.

No.	Smoking	Asthma	No.	Smoking	Asthma	No.	Smoking	Asthma
1	1	1	7	1	1	13	2	1
2	1	1	8	1	1	14	2	2
3	1	1	9	1	2	15	2	2
4	1	1	10	2	1	16	2	2
5	1	1	11	2	1	17	2	2
6	1	1	12	2	1	18	2	2

smoking: 1= yes , 2=no asthma : 1= yes , 2=no

[해설]

1. 가설 설정

귀무가설 H_0 : Fo = Fe (흡연과 천식의 빈도는 차이가 없다.)

대립가설 H_a : Fo ≠ Fe (흡연과 천식은 빈도는 차이가 있다.)

2. 유의수준 결정

위의 예에서 유의수준을 5%로 정하였다.

3. 통계적 검정법

Chi-square test의 전제조건인 **N 〉 20**, **기대빈도 ≥ 5** 를 만족하지 못하므로 **Fisher's exact test**를 사용하여야 한다.

SPSS

Data : Fisher.sav

Fisher의 정확검정

1 **메뉴** → [분석] ▶ [기술통계량] ▶ [교차분석] 메뉴를 선택하면 [교차분석] 대화상자가 나타난다.

변수명 ⇨ 행변수 smoking : 1 = yes, 2 = no 열변수 asthma : 1 = yes, 2 = no.

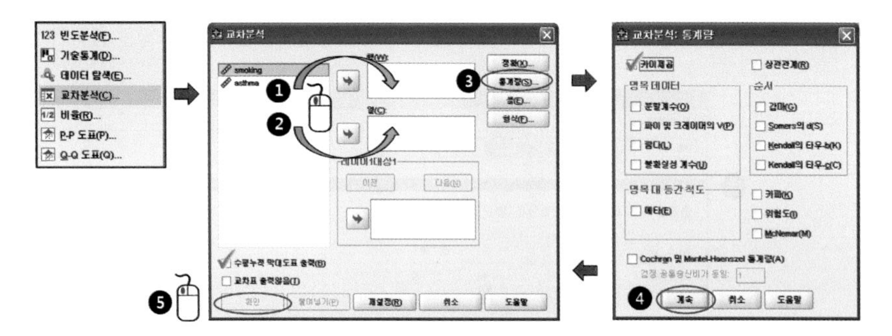

① 변수 smoking 을 선택하여 [행 변수] 상자에 입력한다.

② 변수 asthma 를 선택하여 [열 변수] 상자에 입력한다.

③ [통계량] 버튼을 눌러 나타나는 대화상자에서 ☑ [카이제곱] 항목을 선택한다.

④ [계속] 버튼을 눌러 [교차분석] 대화상자로 돌아간다.

⑤ ☑ [수평누적막대도표 출력] 항목을 선택한 다음 [확인] 버튼을 눌러 작업을 마친다.

카이제곱 검정

	값	자유도	점근 유의확률 (양측검정)	정확한 유의확률 (양측검정)	정확한 유의확률 (단측검정)
Pearson 카이제곱	4.000[a]	1	.046		
연속수정[b]	2.250	1	.134		
우도비	4.270	1	.039		
❶ Fisher의 정확한 검정				.131	.066
선형 대 선형결합	3.778	1	.052		
유효 케이스 수	18				

❷ a. 2 셀 (50.0%)은(는) 5보다 작은 기대 빈도를 가지는 셀입니다. 최소 기대빈도는 3.00입니다.

b. 2x2 표에 대해서만 계산됨

① Fisher 정확검정 ➡ 양측검정 $p = 0.131$ 이므로 두 변수 간에 유의한 연관성이 없다.

② 기대빈도 〈 5 인 셀(칸)이 2개(50%)로 카이제곱 전제조건을 만족하지 못한다.

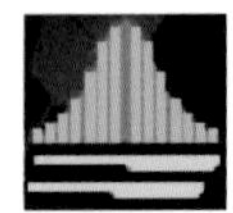

dBSTAT

Data : Fisher.dbf

Fisher' s exact test

1 메뉴 → [통계] ▶ [비교통계] ▶ [마법사] 메뉴를 선택한다.

dBSTAT에서는 [통계 조건]에 따라서 [마법사]가 적절한 통계검정을 시행한다.

[통계] ▶ [비교통계] ▶ [두 표본] ▶ [피셔 정확확률검정] 도 동일한 결과가 출력된다.

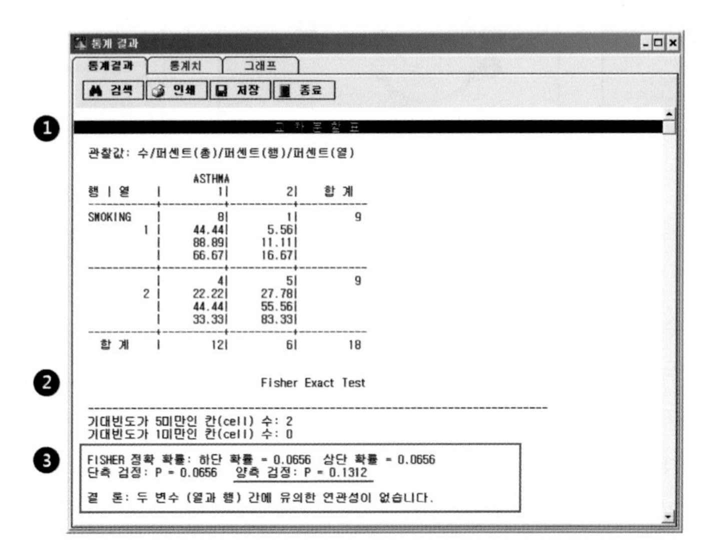

① SMOKING을 행, ASTHMA를 열로 한 교차분할표를 보여준다.

② 기대빈도 < 5 인 칸(cell)의 수가 2개로 카이제곱 전제조건을 만족하지 않는다.

③ 유의성 검정

양측검정 유의확률 p = 0.1312

[해석]

smoking과 asthma 두 변수는 통계적으로 유의한 연관성이 없다.

7-11 맥니머 검정 McNemar's test

CONTENTS

목적

이항변수로 되어 있는 쌍체(paired) 표본의 비율의 차이를 검정한다.

전제조건

1. 측정값들이 독립적이어야 한다.
2. 두 변수는 모두 이항변수인 명목변수이어야 한다.
3. 기대빈도가 5 이상이어야 한다.

적용

1. 범주형인 두 명목변수에서 빈도분포 차이의 검정에 사용된다.
2. 기대빈도가 5보다 작으면 **이항검정**을 사용해야 한다.

가설

- H_0 : $\pi_1 = \pi_2$ (두 표본의 모집단 비율이 동일하다.)
- H_1 : $\pi_1 \neq \pi_2$ (두 표본의 모집단 비율이 동일하지 않다.)

		After	
		+	-
Before	+	A	B
	-	C	D

쌍체 표본에서 비일치쌍(discordant pairs) B, C를 비교한다.

기대빈도 E = (B+C)/2 가 5 이상이면 다음과 같은 방법으로 통계량을 구한다.

$$x^2 = \sum \frac{(|O-E|-0.5)^2}{E} = \frac{(|B-C|-1)^2}{B+C}$$

자유도 df = 1에서 유의확률 p를 구하여 통계적 유의성을 판정한다.

Exercise

McNemar' s Test

질병의 진단에 있어서 진단법이 차이가 있는지 30명을 대상으로 두 가지 방법으로 검사하여 양성과 음성으로 나누어 다음 표를 작성하였다. 두 가지 진단법이 일치하는지 유의수준 0.05로 검정하시오.

		진단법 2		
		양성	음성	합계
진단법 1	양성	4	0	4
	음성	12	14	26
	합계	16	14	30

[해설]

$$x^2 = \frac{(|B-C|-1)^2}{B+C} = \frac{(|0-12|-1)^2}{0+12} = 10.083$$

x^2 = 10.083, df = 1 ➲ 양측 검정확률 p = 0.0015 이므로 유의수준 0.05보다 작다.

∴ "두 가지 진단법의 진단은 유의한 차이가 있다." 고 결론을 내린다.

예제 Table에 대한 Database Table은 다음과 같다.

No.	진단		No.	진단		No.	진단		No.	진단		No.	진단	
	1	2		1	2		1	2		1	2		1	2
1	+	+	7	−	+	13	−	+	19	−	−	25	−	−
2	+	+	8	−	+	14	−	+	20	−	−	26	−	−
3	+	+	9	−	+	15	−	+	21	−	−	27	−	−
4	+	+	10	−	+	16	−	+	22	−	−	28	−	−
5	−	+	11	−	+	17	−	−	23	−	−	29	−	−
6	−	+	12	−	+	18	−	−	24	−	−	30	−	−

+ : 양성 , - : 음성

SPSS

Data : McNemar.sav

McNemar검정

1 메뉴 → [분석] ▶ [비모수 검정] ▶ [대응 2-표본] 메뉴를 선택하면 대화상자가 나타난다.

변수명 ⇨ test1 : 1 = positive, 2 = negative, test2 : 1 = positive, 2 = negative

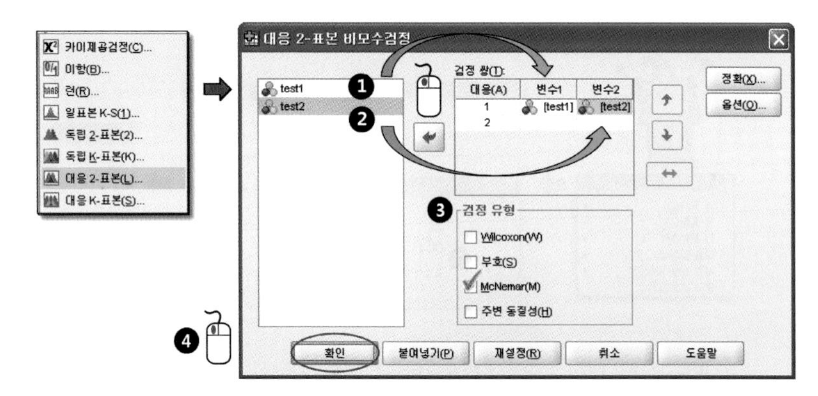

① 변수 test1 을 선택하여 [대응 변수1] 상자에 입력한다.

② 변수 test2 를 선택하여 [대응 변수2] 상자에 입력한다.

③ [검정 유형] 선택상자에서 ☑ [McNemar] 항목을 선택한다.

④ [확인] 버튼을 누르면 통계결과가 나타난다.

2 통계결과

test1 및 test2

test1	test2	
	positive	negative
positive	4	0
negative	12	14

검정 통계량[b]

	test1 및 test2
N	30
정확한 유의확률(양측)	.000[a]

a. 이항분포를 사용함.

b. McNemar 검정

Binomial test(이항검정)에 의한 정확확률 p = 0.000 (〈0.001) 이다.

SPSS에서 chi-square 값에 의한 McNemar 검정 결과는 구할 수 없다.

dBSTAT

Data : McNemar.dbf

McNemar' s test

1 **메뉴** → [통계] ▶ [비교통계] ▶ [마법사] 메뉴를 선택한다.

[통계] ▶ [비교통계] ▶ [두 표본] ▶ [맥네마 검정] 도 동일한 결과가 출력된다.

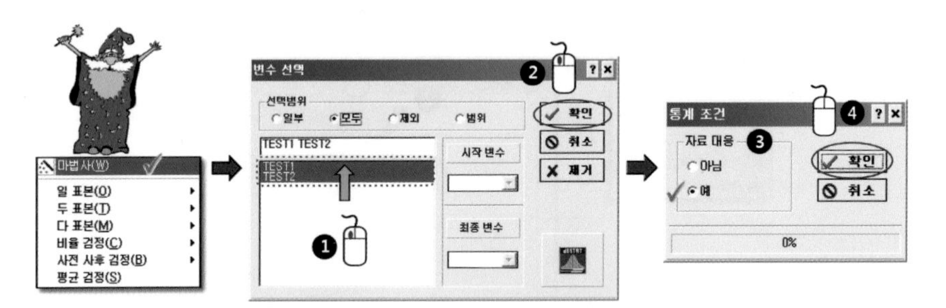

① [변수 선택] 대화상자에서 변수 TEST1, TEST2를 선택한다.

② [확인] 버튼을 클릭하여 선택 작업을 마치면 [통계 조건] 대화상자가 나타난다.

③ [통계 조건] 대화상자에서 [자료 대응] ⊙ [예] 항목을 선택한다.

④ [확인] 버튼을 클릭하여 선택 작업을 마치면 통계결과가 출력된다.

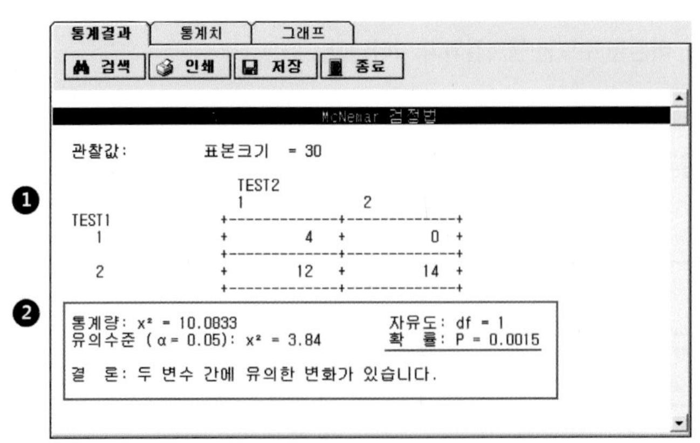

① TEST1을 행, TEST2를 열로 한 교차분할표를 보여준다.

② x^2 = 10.0833, 유의확률 p = 0.0015 ⇨ 두 변수 간에 통계적으로 유의한 비율의 차이 (변화)가 있다.

7-12 코크란 검정 Cochran Q test

CONTENTS

1. 연관된 k (k≥3) 표본의 빈도를 비교하기 위한 비모수적 통계검정이다.
2. 명목변수는 집단이 2개인 이항변수들로만 이루어진다.
3. McNemar test를 확장한 비모수적 검정이다.

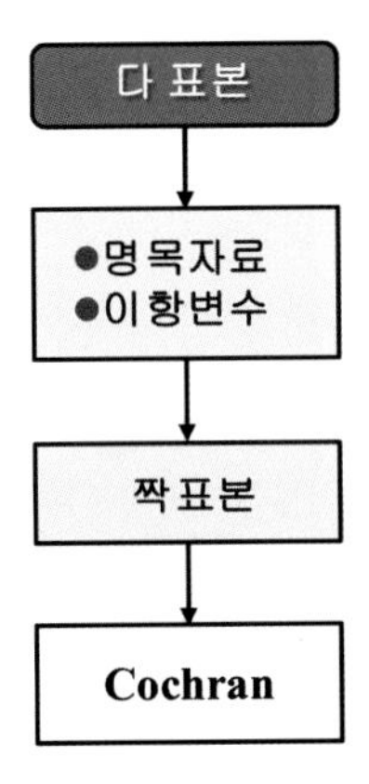

진단법에 따라 진단결과에 차이가 있는지 알아 보기 위하여 10명의 환자에서 3가지 진단법을 시행하였다. 진단법에 따라 결과가 다른지 검정하시오.
(1 = 양성, 2 = 음성)

	Diagnostic Test		
	Test 1	Test 2	Test 3
1	1	1	1
2	1	1	0
3	0	1	0
4	1	1	0
5	0	0	0
6	1	1	0
7	1	1	1
8	1	1	0
9	0	0	1
10	0	1	0

SPSS

Data : Cochran.sav

Cochran Q 검정

1 메뉴 → [분석] ▶ [비모수 검정] ▶ [대응 K-표본] 메뉴를 선택하면 대화상자가 나타난다.

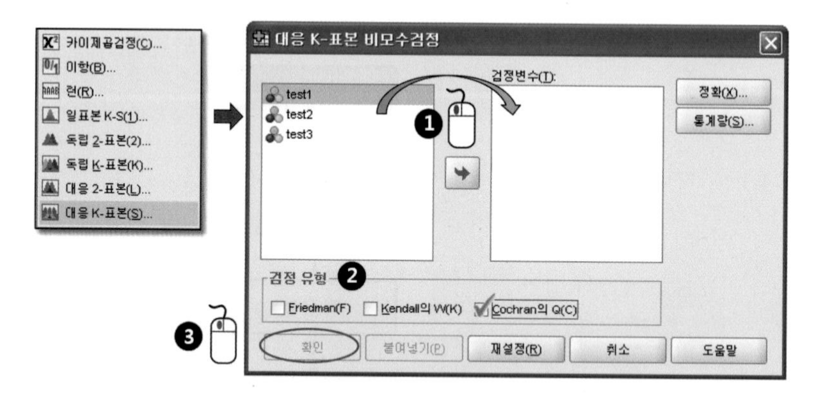

① 변수 Test1, Test2, Test3을 선택하여 [검정변수] 상자에 입력한다.

② [검정유형] 선택상자에서 ☑ Cochran의 Q 항목을 선택한다.

③ [확인] 버튼을 눌러 작업을 마치면 SPSS 출력결과 창에 통계분석 결과가 나타난다.

빈도 분석

	값	
	0	1
test1	4	6
test2	2	8
test3	7	3

검정 통계량

N	10
Cochran의 Q	5.429[a]
자유도	2
근사 유의확률	.066

a. 1은(는) 성공한 것으로 처리됩니다.

Cochran' s Q = 5.429, p = 0.066 이므로 3가지 Test 진단결과에 유의한 차이가 없다.

2 사후검정 (post hoc test)

ANOVA 검정과 마찬가지로 통계적 유의성이 있으면 어떤 집단 간에 차이가 있는지 보기 위해 사후검정을 하여야 한다. SPSS에서는 Cochran Q test 사후검정이 없으므로 **McNemar test** 반복 시행 후 **Bonferroni** 법으로 유의수준을 교정한다.

dBSTAT

Data : Cochran.dbf

비교통계

1 메뉴 → [통계] ▶ [비교통계] ▶ [마법사] 메뉴를 선택한다.

[통계] ▶ [비교통계] ▶ [다 표본] ▶ [코크란 검정]을 선택해도 동일 결과가 출력된다.

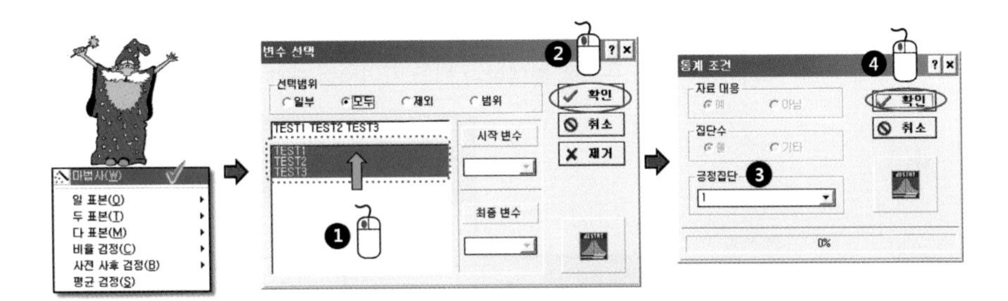

① [변수 선택] 대화상자에서 변수 TEST1, TEST2, TEST3을 선택한다.

② [확인] 버튼을 클릭하여 선택 작업을 마치면 [통계 조건] 대화상자가 나타난다.

③ [통계 조건] → [긍정집단] ➲ 1 항목을 선택한다. [확인] 버튼을 누른다.

2 통계결과

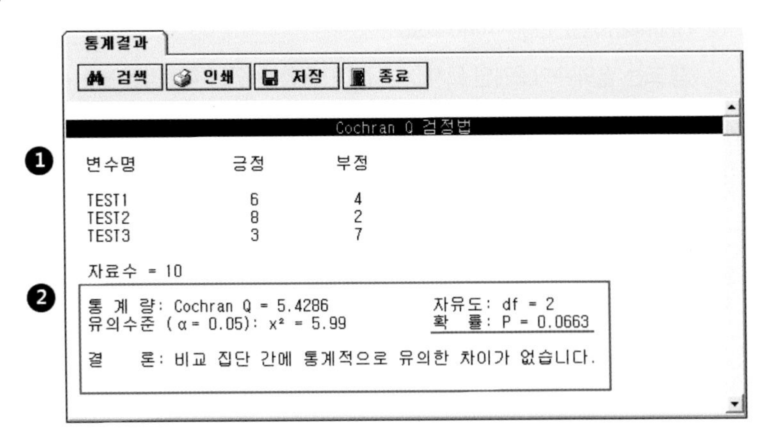

① 3가지 진단법에 따른 긍정(1), 부정(0) 빈도수를 보여준다.

② Cochran Q = 5.429 ➲ p = 0.066 (>0.05) 진단법들 간에 통계적으로 유의한 차이가 없다.

7-13 카이제곱 추세검정 Chi-square test for trend

CONTENTS

1. Chi-square test에서 하나의 명목변수가 순서형인 경우에 추세검정을 사용한다.
2. 행 또는 열의 수가 2개인 교차표(cross tabulation)에서 적용한다.

카이제곱 추세검정

두 명목변수 중 하나가 순서자료이면 일반적인 카이제곱 검정은 적합하지 못하며 순위에 따른 증가 또는 감소하는 추세를 분석하기 위한 카이제곱 추세검정을 사용하여야 한다.

			Ordinal Variable		
			Column		
			1 →	2 →	3
Variable	Row	1	a	b	c
		2	d	e	f

카이제곱 추세검정은 다음 두 가지 방법이 있다.

1. Mantel-Haenszel trend test
   SPSS에서 Linear-by-Linear association 분석으로 부르는 카이제곱 추세검정이다.
2. Cochran-Armitage trend test
   행 또는 열의 수가 2개인 교차표에서만 사용할 수 있는 추세검정이다.

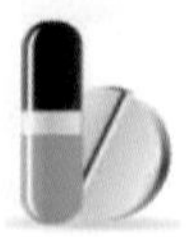

두 가지 치료방법에 대한 통증 치료효과에 대한 임상시험을 시행하였다. 치료효과는 통증의 악화(worse), 동일(same), 호전(better)으로 나누어 조사하였다. 치료방법과 치료효과 간에 연관성이 있는지 유의수준 5%에서 검정하시오.

Table. Clinical Trial of Two Treatments

치료	임상시험 결과			Total
	Worse	Same	Better	
Treatment A	10	45	80	135
Treatment B	2	15	35	52
Total	12	60	115	187

SPSS

Data : chi-trend.sav

1 교차분석표

원 자료가 없으면 SPSS에서 **가중값**을 사용한 교차분석표를 만들어 연관성 분석을 한다.
예제 table 자료를 SPSS 데이터 입력창에 오른쪽의 그림처럼 행(row), 열(column), 가중값(count) 3개의 변수를 만들어 입력한다.

Row	Column		
	1	2	3
1	10	45	80
2	2	15	35

	Row	Column	Count
1	1	1	10
2	1	2	45
3	1	3	80
4	2	1	2
5	2	2	15
6	2	3	35

[파일] ▶ **[열기]** ▶ **[데이터]** 메뉴를 선택하여 **chi-trend.sav** 파일을 열어도 위의 입력창이 나타난다.

가중 케이스

[데이터] ▶ **[가중 케이스]** 메뉴를 선택하면 **[가중 케이스]** 대화상자가 나타난다.

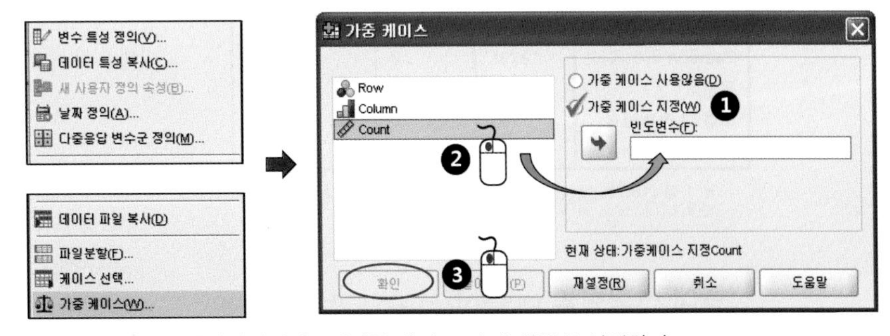

① [가중 케이스] 대화상자에서 ⊙ [가중 케이스 지정] 항목을 선택한다.

② [빈도변수] 상자에 변수 Count를 입력한다.

③ [확인] 버튼을 눌러 작업을 마친다.

이제 교차분석표를 이용하여 카이제곱 추세검정을 시행할 수 있다.

2 카이제곱 추세검정

메뉴 ➜ [분석] ▶ [기술통계량] ▶ [교차분석] 메뉴를 선택하면 대화상자가 나타난다.

변수명 ⇨ 행변수 Row(Treatment), 열변수 Column(Outcome).

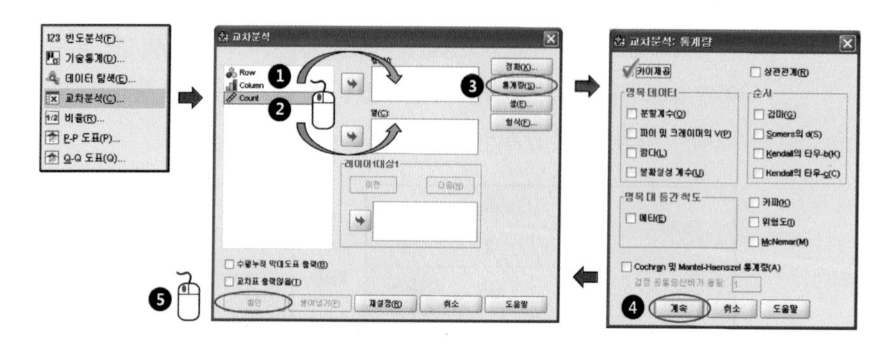

① 변수 Row를 선택하여 [행 변수] 상자에 입력한다.

② 변수 Column을 선택하여 [열 변수] 상자에 입력한다.

③ [통계량] 버튼을 눌러 나타나는 대화상자에서 ☑ [카이제곱] 항목을 선택한다.

④ [계속] 버튼을 눌러 [교차분석] 대화상자로 돌아간다.

⑤ [확인] 버튼을 눌러 작업을 마치면 SPSS 출력결과 창에 통계분석 결과가 나타난다.

카이제곱 검정

	값	자유도	점근 유의확률 (양측검정)
Pearson 카이제곱	1.373[a]	2	.503
우도비	1.452	2	.484
선형 대 선형결합	1.339	1	.247
유효 케이스 수	187		

a. 1 셀 (16.7%)은(는) 5보다 작은 기대 빈도를 가지는 셀입니다. 최소 기대빈도는 3.34입니다.

선형대 선형결합 Linear-by-Linear Association

카이제곱값 = 1.339, df = 1 ⇨ 양측검정 유의확률 $p = 0.247$ 이다.

카이제곱 검정 결과 p = 0.247 〉 0.05 이므로 두가지 치료법에 따른 통증의 감소 추세(비율)는 통계적으로 유의한 연관성이 없다.

dBSTAT

Chi-square 추세검정

1 **메뉴** → [통계] ▶ [교차분할표] 메뉴를 선택하면 **[교차분석표]** 대화상자가 나타난다.

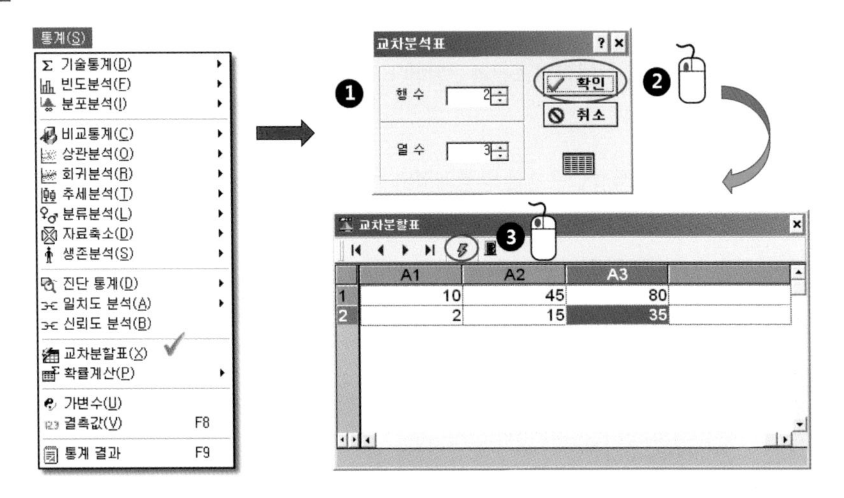

① [교차분석표] 대화상자에서 [행 수] ➡ 2, [열 수] ➡ 3 입력한다.

② [확인] 버튼을 클릭하여 선택 작업을 마치면 [교차분할표] 입력상자가 나타난다.

③ [교차분할표] 입력상자에 자료입력을 마치고 [확인] 버튼을 클릭한다.

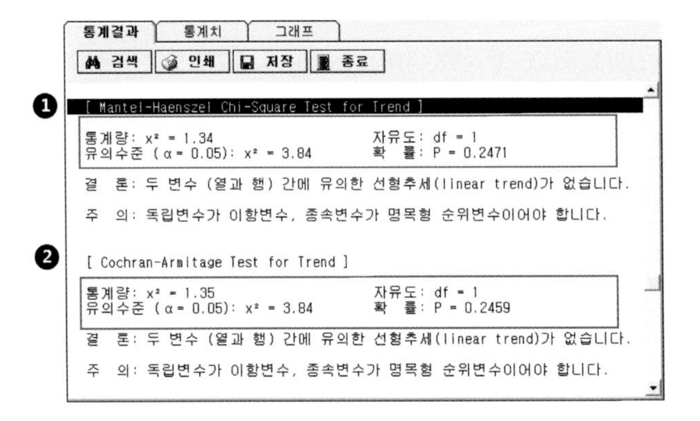

① **Mantel-Haenszel** 추세검정 : $x^2 = 1.34$, P = 0.2471 〉 0.05 ⇨ 통계적 유의성이 없다.

② **Cochran-Armitage** 추세검정 : $x^2 = 1.35$, P = 0.2459 〉 0.05 ⇨ 통계적 유의성이 없다.

7-14 연관성 강도 Strength of Association

CONTENTS

목적

카이제곱 검정에서는 두 변수 간의 관계 유무만을 알 수 있다.
따라서 관련성의 정도를 측정하기 위한 척도가 요구된다.

전제조건

카이제곱 검정에 대한 조건과 동일하다

상관분석에서 p 값은 상관의 통계적인 유무만을 판단할 수 있으며, 상관의 강도는 상관계수 r 값의 크기로 알 수 있다. 카이제곱 검정도 p 값은 통계적인 연관성 유무만을 판단할 수 있으며, 표본크기에 영향을 받는다. 다음 두 교차표는 빈도(%)는 동일하지만 표본크기에 따라 유의확률이 다르다. 표본크기가 커질수록 연관성이 매우 낮아도 통계적으로는 유의한 결과가 나올 수 있다.

Table 1. Small sample size

Risk	Outcome	
	Yes	**No**
Yes	10	20
No	15	15

60

Table 2. Large sample size

Risk	Outcome	
	Yes	**No**
Yes	100	200
No	150	150

600

Table 1 : 표본크기 $N = 60$, $x^2 = 1.72$, $P = 0.19 > 0.05$ ⇨ 통계적으로 유의한 연관성이 없다.

Table 2 : 표본크기 $N = 600$, $x^2 = 17.14$, $P < 0.0001$ ⇨ 통계적으로 매우 유의한 연관성이 있다.

Table 1, 2 모두에서 **Cramer V** = 0.17 ⇨ 연관성의 강도가 낮다.

연관성의 강도는 다음과 같은 연관성 척도로 평가한다.

1. Cramer V

카이제곱 검정시 연관성의 척도로 가장 흔히 사용되며 표본크기에 영향을 받지 않는다

- V 는 0 과 1 사이에 놓인다. ($0 \le V \le 1$)
- 완전 무관한 경우 V = 0, 완전 상관인 경우 V = 1이다.

Cramer V 해석 : 연관성의 강도를 다음 3단계로 나누어 해석할 수 있다.

① 낮음(low) : $V \le 0.3$ ② 중간(moderate) : $0.3 < V \le 0.7$ ③ 높음(high) : $V > 0.7$

2. Phi

- 2 x 2 교차표에서 주로 사용되며 표본크기에 영향을 받지 않으며 0과 1 사이의 값을 가진다.
- 2 x 2 교차표에서는 Cramer V 값과 동일하다.

3. 분할계수 Contingency Coefficient

- 행과 열의 수가 5 x 5 인 큰 교차표에서 사용하기에 적합한 척도이다.
- 분할계수 C는 0과 1 사이에 놓인다. (0 ≤ C 〈 1)
- 완전 무관한 경우 C = 0 이며, 완전 상관될 때의 값은 1보다 작다.
- C의 최대값은 열의 수와 행의 수에 따라서 달라진다.

방사선 노출과 특정 질병의 관련성을 알아보고자 방사선 노출군 1000명과 노출된 적이 없는 대조군 1000명을 일정기간 관찰하여 질병의 발생여부를 조사하는 연구를 시행하였다. 방사선 노출과 특정 질병과의 연관성 정도를 구하여보자.

			Outcome	
			present	absent
Risk		+	900	100
		-	200	800

통계적 유의성

검정통계량 x^2 = 987.9 (연속성수정 x^2 = 987.1) ➔ p 〈 0.0001 이다. 즉 "방사선과 특정 질병 간에는 통계적으로 유의한 관련성이 있다."는 판단을 내릴 수 있다.
분할계수에 의하여 표시되는 상관은 분할계수 C = 0.575, Cramer V = 0.704이다.

"방사선과 특정 질병 간에는 통계적으로 유의하며 높은 관련성이 있다."는 결론을 내릴 수 있다.

SPSS

Data : chi-corr.sav

교차분석

예제 파일을 열고 **추세검정**에서와 같이 **[가중 케이스]** ▶ **[빈도변수]** ➜ Count를 선택한다.

1 **메뉴** ➜ [분석] ▶ [기술통계량] ▶ **[교차분석]** 메뉴를 선택하면 [교차분석] 대화상자가 나타난다.

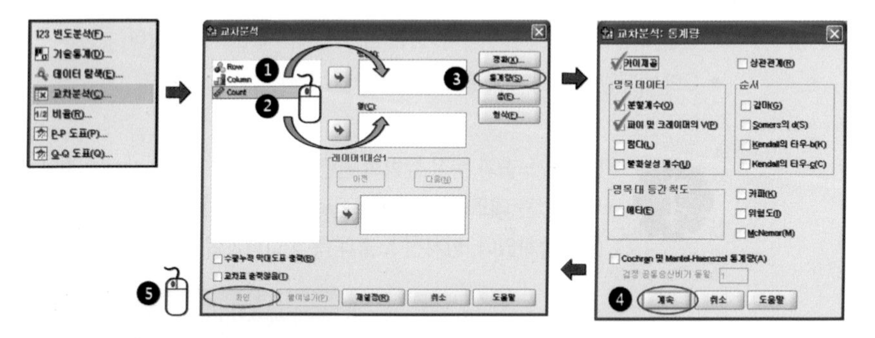

① 변수 Row를 선택하여 [행 변수] 상자에 입력한다.

② 변수 Column을 선택하여 [열 변수] 상자에 입력한다.

③ [교차분석] 대화상자에서 ☑ [카이제곱] ☑ [분할계수] ☑ [파이 및 크레이머의 V] 항목을 선택한다.

④ [계속] 버튼을 눌러 [교차분석] 대화상자로 돌아간다.

⑤ [확인] 버튼을 눌러 작업을 마치면 SPSS 출력결과 창에 통계분석 결과가 나타난다.

2 통계결과

대칭적 측도

		값	근사 유의확률
명목척도 대 명목척도	파이	.704	.000
	Cramer의 V	.704	.000
	분할계수	.575	.000
유효 케이스 수		2000	

Phi = 0.704, Cramer's V = 0.704, 분할계수(contingency coefficient) = 0.575

카이제곱 검정 결과 p 〈 0.001 이므로 통계적으로 유의하며 높은 연관성이 있다.

Chi-square 상관분석

1 **메뉴** → [통계] ▶ [교차분할표] 메뉴를 선택하면 **[교차분석표]** 대화상자가 나타난다.

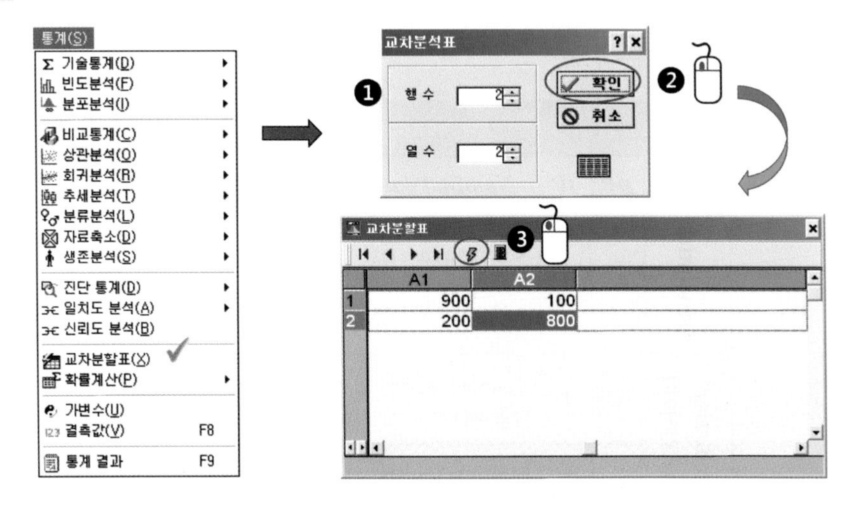

① [교차분석표] 대화상자에서 [행 수] ⭘ 2, [열 수] ⭘ 2 입력한다.

② [확인] 버튼을 클릭하여 선택 작업을 마치면 [교차분할표] 입력상자가 나타난다.

③ [교차분할표] 입력상자에 자료입력을 마치고 [미침] 버튼을 클릭한다.

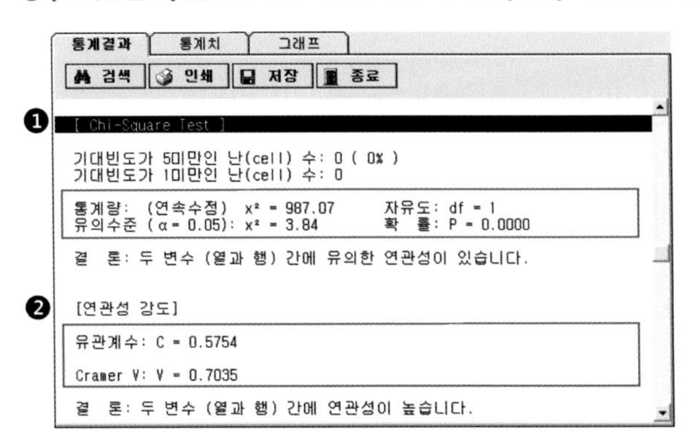

① **Chi-square 검정** : x^2 = 987.07 (연속성수정) , P 〈 0.0001 ⇨ 통계적 유의성이 있다.

② **연관성 강도** : 분할계수 C = 0.5754, Cramer V = 0.7035 〉 0.7 ⇨ 높은 연관성이 있다.

관계분석

- 관련성 연구에 대한 통계분석 방법은 **모수적 검정**과 **비모수적 검정**으로 분류된다.
- 회귀분석은 **정규성**, **등분산성**, **선형성** 등에 대한 가정을 검토하여야 한다.
- **독립변수**와 **종속변수**의 수에 따라서 통계검정법이 선택된다.

❖ 관계분석

Characteristics			Nonparametric tests		Parametric tests
Goal	***DV***	***IV***	***Nominal data***	***Ordinal data***	***Interval, Ratio data***
Association	**1**	**1**	• Chi-square test • McNemar test • Cramer V	• Spearman rho • Kendall's Tau	Pearson's Correlation
Prediction (Regression)	**1**	**1**	Simple logistic regression	Nonparametric regression	Simple linear regression
	1	**≥2**	Multiple logistic regression	Ordinal logistic regression	Multiple linear regression

DV: Dependent Variable, IV: Independent Variable

❖ 전제조건

Assumption		Statistical Test
Linearity		• Scatter plot • Residual plot • Lack of Fit test
Normality		• Skewness, kurtosis • Kolmogorov-Smirnov test • Shapiro-Wilks test
Equal Variance		• Residual plot • Levene test • Breusch-Pagan Test

Medical Paper

Why do old men have big ears?

BMJ 1995;311:23-30

❶ The relation between length of ear and the patient's age was examined by calculating a regression equation. In all, 206 patients were studied (mean age 53.75 (range 30-93; median age 53) years). The mean ear length was 675 mm (range 520-840 mm), and the ❷ linear regression equation was: ear length=55.9+(0.22 x patient's age) (95% confidence intervals for B coefficient 0.17 to 0.27). The figure shows ❸ a scatter plot of the relation between length of ear and age. It seems therefore that as we get older our ears get bigger (on average by 0.22 mm a year).

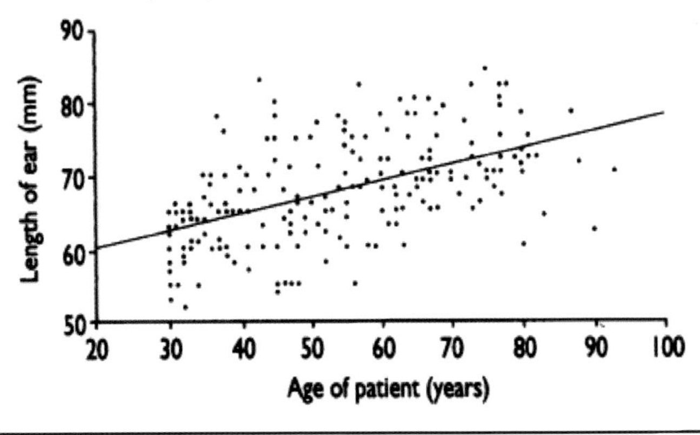

Regression Analysis

① **관계분석(Relation)** : Patient age(연령)과 length of ear(귀의 길이)의 관계를 분석한다.

② **회귀방정식** : 선형 회귀식, 회귀계수, 95% 신뢰구간을 기술한다.

③ **산점도** : 산점도에서 Age와 Length of ear는 선형관계를 보이고 있다.

회귀분석 유의성

회귀식이 통계적으로 유의한지 독립변수 Age 회귀계수에 대한 유의성을 검정하여야 한다.

Statistical Error

Radon exposure and leukaemia

Lancet 1989;2:99-100

Results

The figure shows the correlation between incidence of acute myeloid leukaemia (AML) and indoor radon concentration in the 23 areas. The correlation coefficient (0.45) is significant ($p < 0.05$). ❶

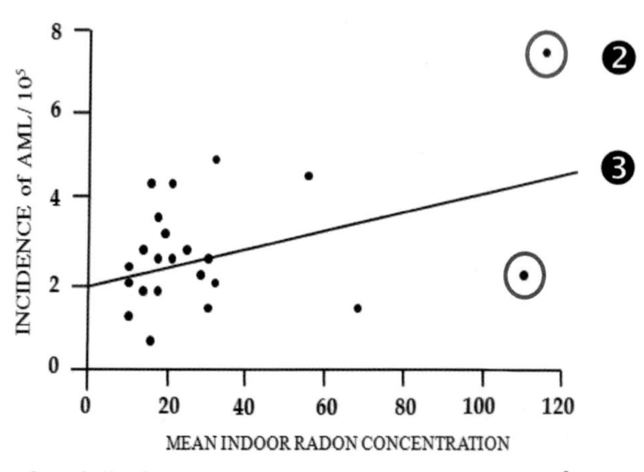

Correlation between indoor radon concentration (Bq/m^3) and incidence of AML.

Correlation Analysis

① **상관계수** : 0.45 ➡ 95% CI 함께 제시한다. P < 0.05 ➡ P = 0.03 등으로 구체적 명시한다.

② **전제조건** : Outlier 가 있으므로 skewed data이다. 변수의 정규성 조건에 위배된다.

③ **회귀직선** : 상관분석에 회귀직선을 그리는 것은 올바르지 않다.

논문에서 n = 23 으로 소표본이므로 두 변수에 대한 정규성 검정이 필요하다.

정규성 위배시에는 **로그변형** 또는 **비모수검정(rank correlation)**을 시행한다.

Statistical Error

CT findings of acute pelvic inflammatory disease

Abdom Imaging, 2014 May [Epub]

Statistical analysis

❶ A p value of less than 0.05 was considered to indicate a statistically significant difference. Comparison of CT findings between the PID group and the control group was performed with the Chi-square test or the Fisher exact test.

Results

Table 1 summarizes the results of the CT findings for the PID group and the control group. The CT findings that showed a statistically significant difference between the PID group and the control group were tubal thickening ($p = 0.001$).

Table 1. The distribution of CT findings between PID group and control group

CT findings		PID (n = 32)	Control (n = 32)	p value
Uterine serosal enhancement	❷	9 (28.1)	3 (9.4)	0.055
Tubal thickening		14 (43.8)	2 (6.2)	0.001
Endometritis		4 (12.5)	4 (12.5)	1.000*
Oophoritis	❸	1 (3.7)	0 (0.0)	1.000*

Data are the number of women, numbers in parentheses are percentages
* Fisher exact test was used for endometritis and oophoritis

Chi-square test

① 단측검정, 양측검정에 대하여 기술하여야 한다.

② 2 x 2 교차표에서는 연속수정 x^2 값(2.56)을 검정통계량으로 사용하여야 한다.($P = 0.109$)

③ Fisher exact test : 2 x 2 교차표에서 기대빈도 < 5 이므로 chi-square test 사용 못한다.
$P = 1.000$ ➡ $P > 0.999$ 표기한다. ($P = 0.000$ ➡ $P < 0.001$ 또는 $P < 0.0001$로 표기)

Chi-square test in Published Paper

출판된 논문에 실린 Table에서 교차표를 작성하여 통계 검정을 할 수 있다.

- SPSS ⇨ 가중값을 사용한 교차분석표 분석을 사용한다.
- dBSTAT ⇨ [통계] ▶ [교차분할표] 메뉴를 선택하여 [교차분석표] 분석한다.
- 상세한 설명은 『카이제곱 추세검정』을 참고하기 바란다.

Survival Analysis

That will be a queer thing, to be sure!
However, everything is queer today.

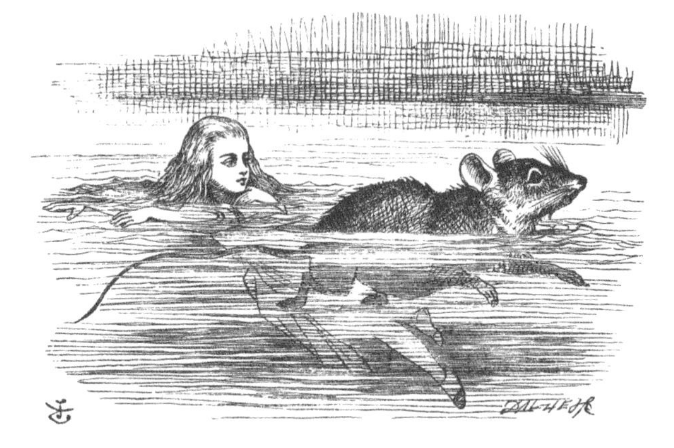

생존분석 Survival Analysis

1.1 생존분석

CONTENTS

목적
특정 사건(event)이 발생할 때까지 추적시간(time)에 대한 자료(time-to-event)를 분석한다.

전제조건
1. 종속변수는 사건(event) 발생을 나타내는 명목형(범주형) 이항변수이다.
2. 독립변수에 시간변수(time variable)가 반드시 존재하여야 한다.
3. 표본크기는 최종 추적(follow up) 시점에서 10 이상이어야 한다.

적용
사건발생 추적 자료에서 독립변수와 종속변수의 관계를 연구하는 방법이다.

생존분석은 독립변수에 시간변수 외에 공변량(covariate)이 없을 때 사용하는 집단 간에 시간-사건발생을 비교하는 **로그-순위(log-rank) 검정**과 공변량이 있을 때에 공변량과 시간-사건발생의 연관성을 분석하는데 사용되는 다변량분석인 **Cox 비례위험모형(Cox' s proportional hazard model)** 분석으로 나누어진다.

종속변수는 사건 발생의 유무를 뜻하는 이항(binary, dichotomous) 명목변수이다.

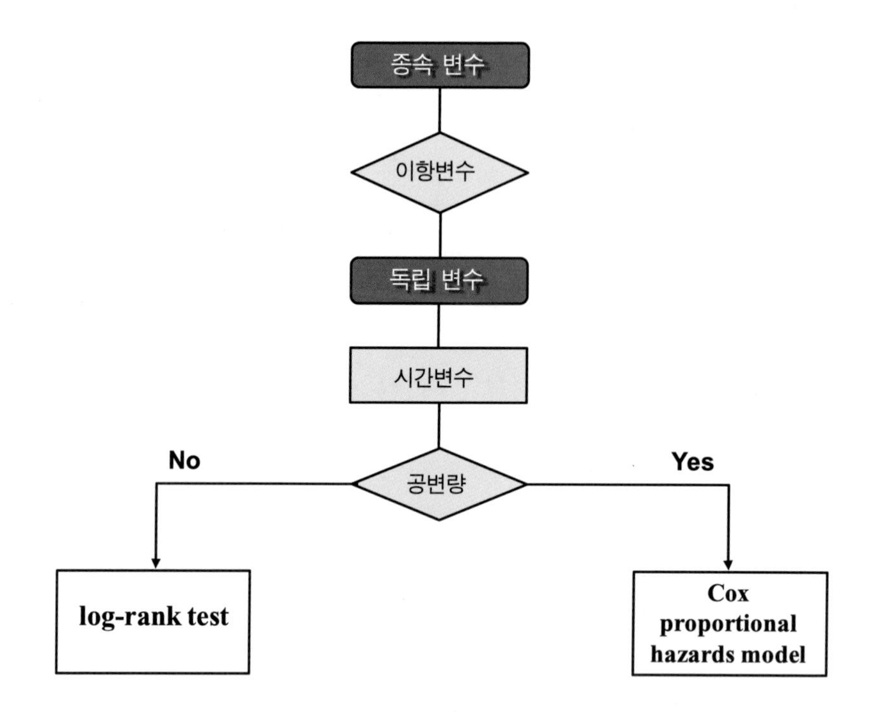

생존분석이란 무엇인가?

- 생존분석이란 특정 사건이 발생할 때까지 일정기간 대상자를 관찰하여 분석하기 위한 통계학적인 분석방법이다.
- 생존분석과 다른 통계분석과의 차이점은 추적이라는 시간 변수가 반드시 필요하며 추적이 불가능한 경우가 발생한다는 점이다.
- 여기서 추적이란 특정한 사건의 발생에 대한 추적을 뜻한다. 추적이 불가능한 경우를 **중도절단 자료(censored data)**라고 부른다.

Example

- 심장병 환자의 수술방법에 따른 생존률을 분석하고자 한다.
- 피임 방법에 따른 1년간의 피임률을 비교 분석하고자 한다.
- 암 환자에서 항암제의 치료 효과를 분석하고자 한다.

시간-사건발생 time-to-event

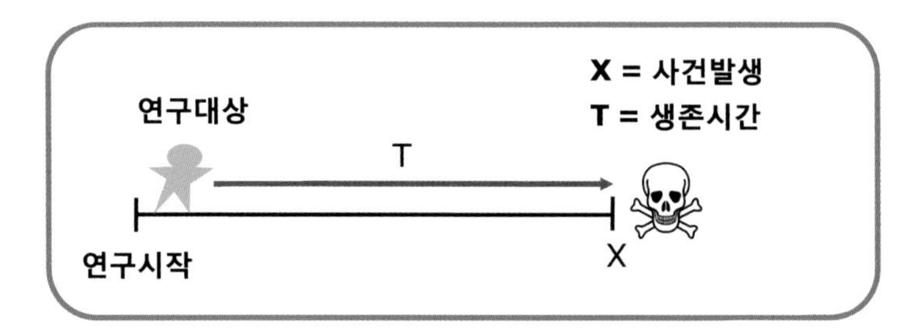

시간-사건발생이란 연구시작 시점에서부터 연구의 목적지표(endpoint)가 되는 특정한 사건(사망)이 발생할 때까지의 시간(생존시간)을 뜻한다.

시간변수 time variable

- 시간을 나타내는 연속형 계량변수이다.
- 추적기간을 나타내는 변수이지 추적날짜를 뜻하는 변수가 아니다.
- 연구시작 시점(날짜)이 정의되어야 한다. 연구시작 시점은 연구설계 방법에 따라 달라진다. 치료 관찰연구에서는 치료시작일을 기준으로 추적기간을 구한다.

연구설계 방법	연구시작 시점
임의화 대조시험	임의화 날짜
비임의화 임상시험	임상시험 등록일
관찰연구	● 첫 방문일자 ● 첫 증상일자 ● 진단일자 ● 치료시작일

사건변수 event variable

- 최종 추적시점에서 사건발생(예, 생존여부)을 나타내는 이항변수이다.
- 사건변수는 사건(사망)의 발생 유무, 예를 들면 '생존' 과 '사망' 2가지 항목으로만 입력한다.

사건 변수는 연구의 목적지표에 따라 결정되는데 전체생존(overall survival)에 대한 생존분석은 모든 환자를 대상으로 사건발생은 사망이며, 무병생존(disease-free survival)이 목적지표인 연구에서는 완전관해(complete remission) 환자만을 대상으로 질병의 재발여부를 의무기록을 통하여 조사한다.

목적지표	연구대상	사건 정의	근거자료
Overall survival	전체	모든 사망	등록자료
Progression-free survival	전체	진행/사망	등록자료
Disease-free survival	완전관해	질병 재발	의무기록
Cause-specific death	전체	질병 사망	사망기록

중도절단 censoring

- 사건발생 전에 추적이 종료되어 정확한 생존시간을 알 수 없는 경우이다.
- 연구종료 시점까지 사건발생이 일어나지 않은 자료를 중도절단 자료라 한다.

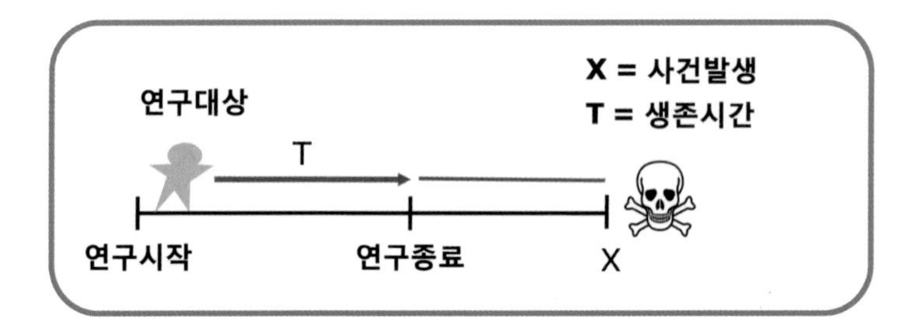

중도절단 원인

1. 연구종료 : 연구를 종료하는 시점에서 생존한 경우 사망할 때까지 생존시간 모름
2. 중도탈락 : 치료 부작용, 연구대상자의 거부, 이사 등으로 더 이상 추적이 불가능
3. 다른 원인에 의한 사건발생 : 목적지표와 무관한 사고, 다른 질병 등에 의한 사망

다음은 환자 6명의 생존시간을 추적한 자료이다.
암 환자 6명을 1년 동안 추적한다고 가정할 때에 사망을 사건(event)으로 볼 수 있으며 추적기간은 연구시작 시점에서 연구종결 시점까지가 된다. 연구시작 시점은 암의 진단시점 또는 치료시점이 될 수 있다. 연구종결 시점은 연구자가 임의로 정한 시점(예, 2001년 12월 31일)이 된다.

생존시간(survival time)은 연구시작 시점에서 최종추적일 또는 연구종결 시점까지가 된다.

환자	연구시작	최종 추적일	생존시간 (개월)	생존여부 0 = 생존, 1 = 사망
A	2001.01	2001.06	5	1
B	2001.01	2002.01	12	0
C	2001.03	2001.07	4	0
D	2001.05	2002.01	8	0
E	2001.04	2001.10	6	0
F	2001.09	2001.12	3	1

연구종결 시점 이전에 환자의 사망(사건)이 발생하였다면 해당 환자는 이 시점에서 연구를 종결할 수 밖에 없다. 이러한 자료를 **종결(failed, uncensored)** 자료라고 부른다. 어떠한 사정에 의하여 추적이 불가능해진 자료를 **중도절단(censored)** 자료라 부른다.
아래 그림에서 A, F는 종결자료이고 B, C, D, E가 중도절단 자료이다.

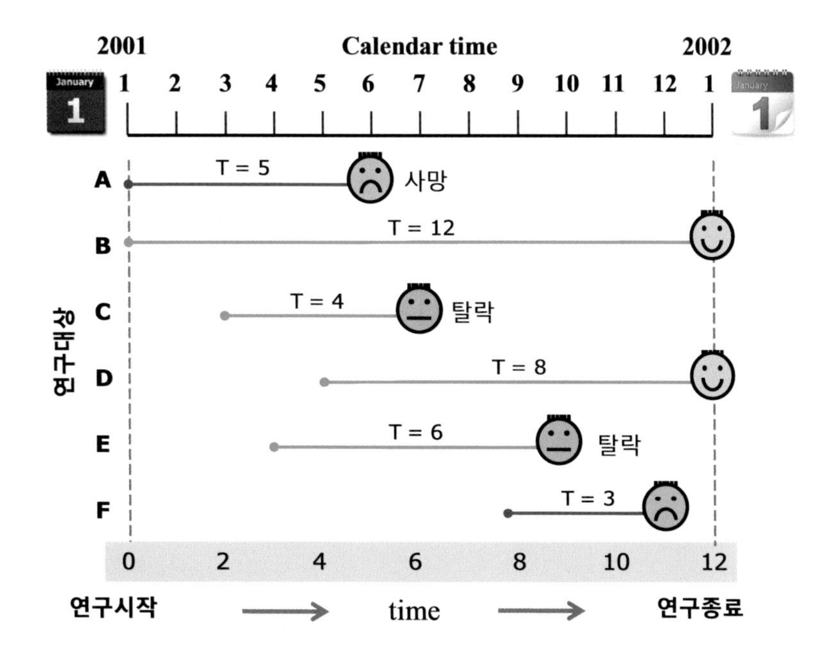

생존률

생존함수 Survival Function

- 생존률을 사용하여 생존시간의 분포를 생존곡선으로 나타내는 방법이다.
- 개인의 수명을 예로 들면 생존시간 T는 특정 연령 x 에서 사망이 일어나는 시점 X까지 이며 생존함수 S(t)은 전체 대상 중 특정 시점 t 이상 생존할 사람들의 비율을 뜻한다.
  $S(t) = P(T > t)$

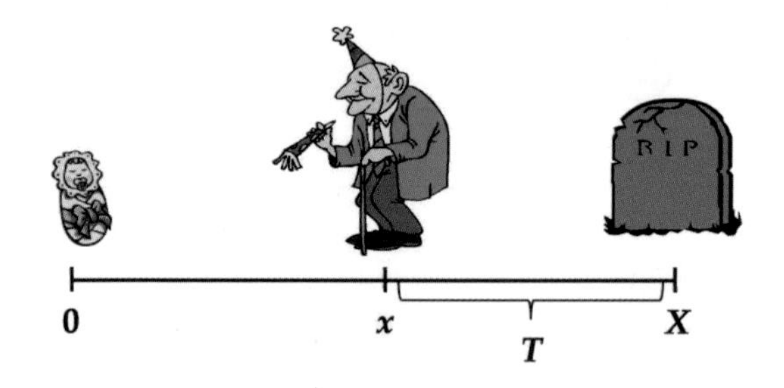

다음 그림은 선진국에서 인구 수명에 대한 생존곡선이다.

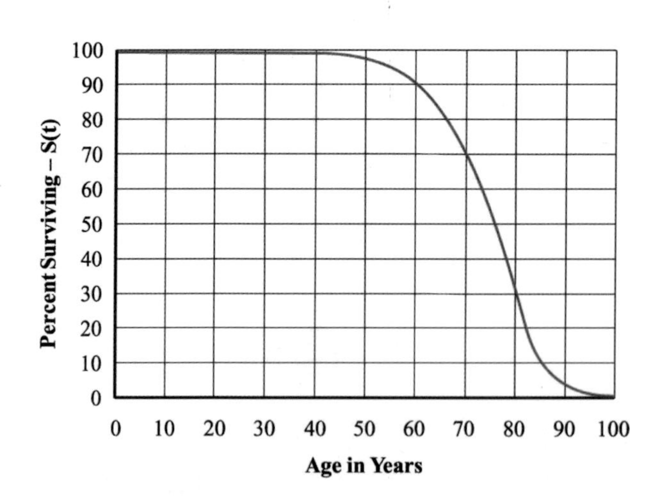

생존률을 추정하는 방법은 크게 비모수적 방법과 모수적 방법이 있다.

1 모수적 방법

모수적 방법은 시간경과에 따른 생존분포가 특정한 이론적 분포를 따른다는 가정하에 생존함수를 구하여 생존률을 추정하게 된다. 이론적 분포에는 지수분포 (exponential distribution), 와이블분포 (Weibull distribution), 대수정규분포 (lognormal distribution) 등 다양한 분포가 있다.

의학분야에서는 모수적 방법보다 비모수적 방법이 일반적으로 사용되고 있다.

2 비모수적 방법

생존률을 계산하는 방법은 직접산출법(direct method), 생명표법(life-table method) 및 Kaplan-Meier법(Kaplan-Meier method)이 있다.
직접산출법은 분석하고자 하는 생존시간보다 추적 기간이 짧은 자료에 대한 분석이 불가능하므로 생존률 분석법으로 적합하지 못하다.

생존률을 계산하기 위해서는 생존시간의 크기에 따라 연구대상을 순서대로 나열한 다음, 구간으로 나누어 구간 내 생존자, 사망자, 중도탈락자 수에 의하여 생존확률을 구하여 생존곡선을 그린다.

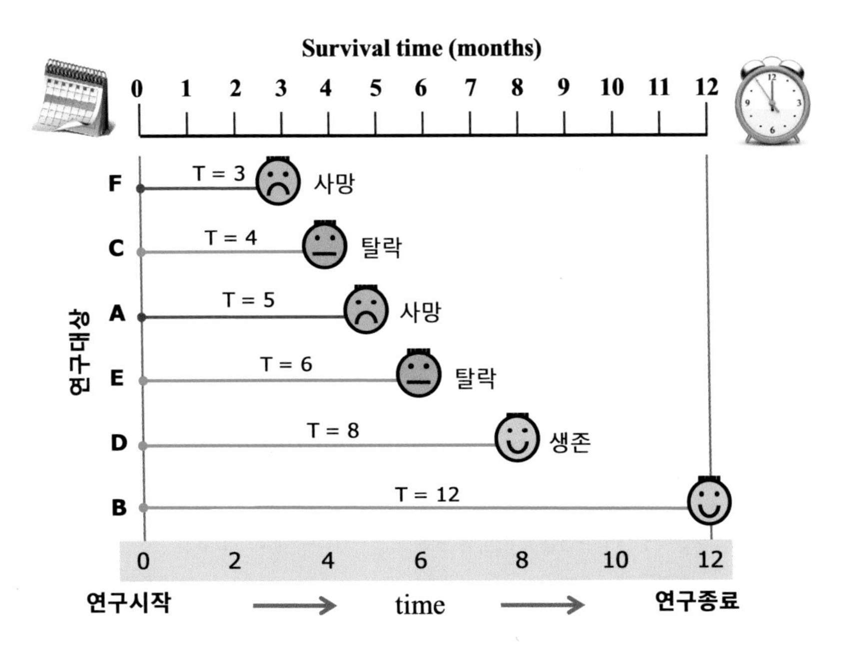

1) 생명표법 (life-table, life table method)

생명표법은 고전적 방법으로 보험통계적 추정법(acturial method)이라고도 불린다.
생명표법은 연구를 종결하는 시점까지 모든 추적 자료에 대한 분석이 가능하며 일정한 간격으로 생존구간(survival intervals)을 정하여 생존률을 구하여 생존 그래프로 나타냄으로써 연속되는 관찰기간에 사망할 위험의 변화에 대한 정보를 알 수 있는 장점이 있다.

① 생명표법에 의한 생존률 산출시 생존구간의 선정은 매우 중요하다.
- 구간의 수는 적어도 8-10 이상이 적당하지만 너무 많아도 좋지 않다.
- 예를 들어 암의 예후가 극히 불량하여 2년 이상 생존한 환자가 없을 경우 생존구간을 1-3 개월로 단축해야 할 필요가 있다.

② 생명표법은 일반적으로 최소 표본크기가 30 (또는 50) 이상인 경우에 사용된다.
③ 생존률을 분석할 때에 생존구간내의 자료 수(생존자 수)를 고려해야 하는데, 대체로 구간시작 시점에서 생존자 수가 10 미만인 경우는 생존률 산출에 적합하지 못하다.

생존률의 보험통계적 추정치는 다음과 같이 계산된다.

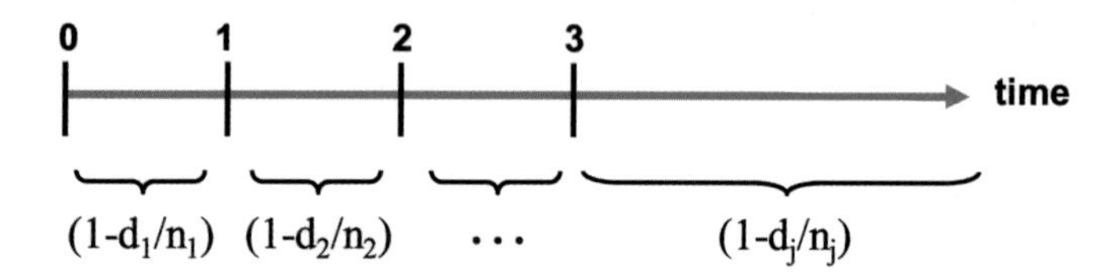

- n : 사망위험에 노출된 사망직전 생존수 (exposed to risk of dying)
- d : 사망수 (event)
- n = r - c/2 (r : 구간시작 생존 수, c : 중도절단 수)

위의 예제로 생명표법에 의하여 생존률을 계산하여 본다.
추적구간은 일정한 간격으로 선정된 구간이며 추적구간(t) 0, 2 는 $t \geq 0$, $t < 2$ 을 뜻한다.
생존은 구간시작 시점에서 추적 가능한 생존자 수이며 사망 위험에 노출된 사람 수(number at risk)란 의미이다. 구간 생존률은 구간종료 시점에서의 생존률이다.

추적구간 2-4개월 : 구간 생존률 = 1 - 1/6 = 5/6 = 0.83
추적구간 4-6개월 : 구간 생존률 = 1 - 1/4.5 = 0.78, 누적생존률 = 0.83 x 0.78 = 0.65

추적구간	생존	중도절단	생존-중도절단/2	사망	구간 생존률	누적생존률
0 – 2	6	0	6 - 0/2 = 6	0	1-0/6 = 1.0	1.0
2 – 4	6	0	6 - 0/2 = 6	1	1-1/6 = 0.83	0.83x1.0 = 0.83
4 – 6	5	1	5 - 1/2 = 4.5	1	1-1/4.5 = 0.78	0.78x0.83 = 0.65
6 – 8	3	1	3 - 1/2 = 2.5	0	1-0/2.5 = 1.0	0.65x1.0 = 0.65
8 – 10	2	1	2 - 1/2 = 1.5	0	1-0/1.5 = 1.0	0.65x1.0 = 0.65
10 – 12	1	0	1 - 0/2 = 1	0	1-0/1 = 1.0	0.65x1.0 = 0.65

생존률 곡선은 X 축이 생존시간, Y 축이 누적생존률인 계단모양의 그래프로 표현한다.

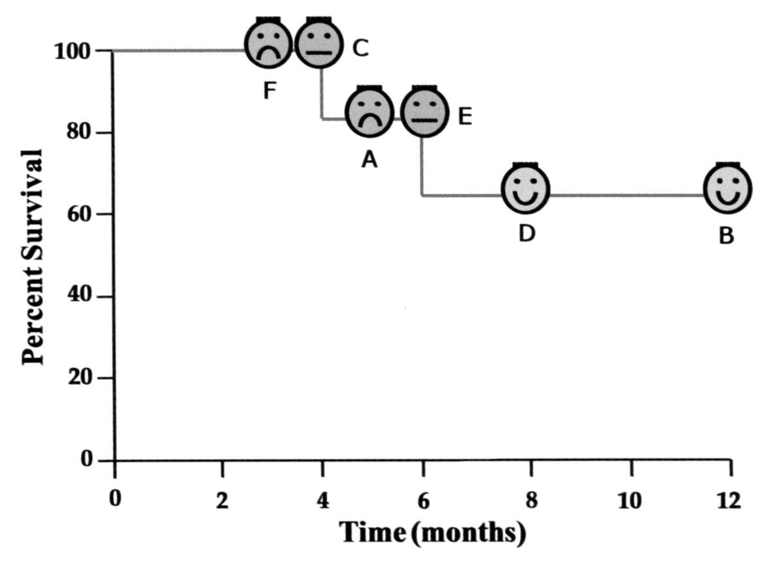

Figure. Life table survival curve for 6 patients

2) Kaplan-Meier Method

① Kaplan-Meier법은 누적한계추정법(product-limit method)이라고도 불린다.
생명표법보다 더 자세한 추정치가 요구될 경우나 생명표법으로 생존률을 산출하기에 표본크기가 작은 경우(〈50 또는 〈30) 사용된다.

② Kaplan-Meier법은 생존률 산출시에 최종구간 생존수 ≥10 (또는 ≥5) 이어야 적합하다.

③ 생명표법에서는 일정간격의 구간을 선택하여 생존률을 산출하였는데 Kaplan-Meier법에서는 사망이 발생한 시점에서의 생존률을 산출하여 누적생존률을 추정한다.

Kaplan-Meier 법에 의한 생존함수는 다음과 같다.

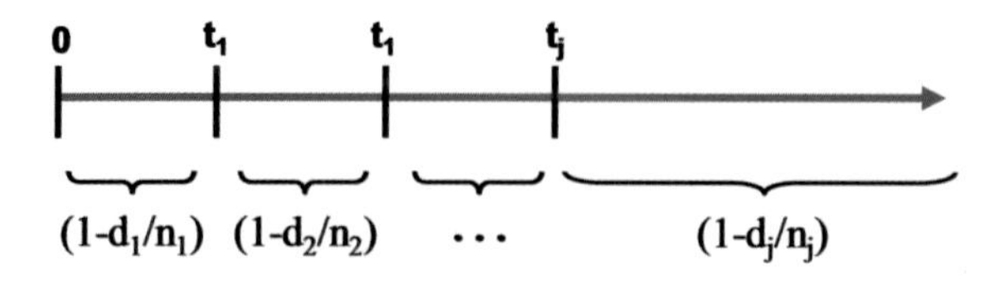

$$\hat{S}(t) = \left(1-\frac{d_1}{n_1}\right)\times\left(1-\frac{d_2}{n_2}\right)\times\cdots\times\left(1-\frac{d_i}{n_i}\right) = \prod_{t_{(i)}\le t}\left(1-\frac{d_i}{n_i}\right)$$

- n: 사망위험에 노출된 사망직전 생존수 (exposed to risk of dying)
- d: 사망수 (event)
- n = r - c (r : 관찰시점 생존 수, c : 중도절단 수)

위의 예에서 Kaplan-Meier 법으로 누적생존률을 계산하여보자.

관찰시점	생존	사망	생존률	누적생존률
0	6	0	1 - 0/6 = 1.00	1.00
3	6	1	1 - 1/6 = 0.83	0.83 x 1.00 = 0.83
5	4	1	1 - 1/4 = 0.75	0.83 x 0.75 = 0.63

추적시점은 사건(사망)이 발생한 시점이며 생존은 추적시점에서 생존자 수이며 (사망) 위험에 노출된 사람 수를 뜻한다.

- 추적시점 3개월 : 생존률 = 1 - 1/6 = 5/6 = 0.83
- 추적시점 5개월 : 생존률 = 1 - 1/4 = 3/4 = 0.75, 누적생존률 = 0.83 x 0.75 = 0.63

Table에서 계산된 누적생존률은 다음과 같은 그래프로 표현한다.

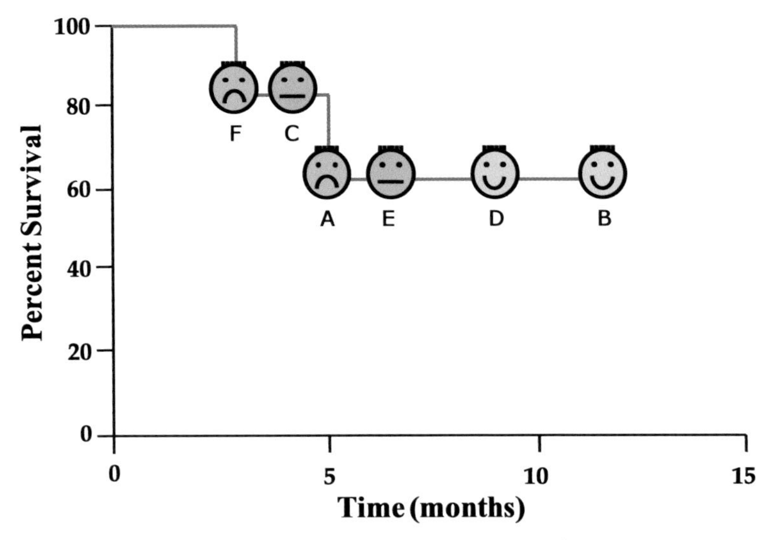

Figure. Kaplan-Meier survival curve for 6 patients

생존시간의 중앙값과 평균

- 생존시간에 대한 기술통계에서 대표값으로 중앙값이 사용된다.
- 생존시간은 빈도분포표에서 보는 것처럼 우측으로 치우친 자료이며 중도절단자료가 있기 때문에 정확한 생존시간을 측정할 수 없으므로 평균생존시간(mean survival time)보다는 중앙생존시간(median survival time)을 사용하는 것이 올바른 방법이다.

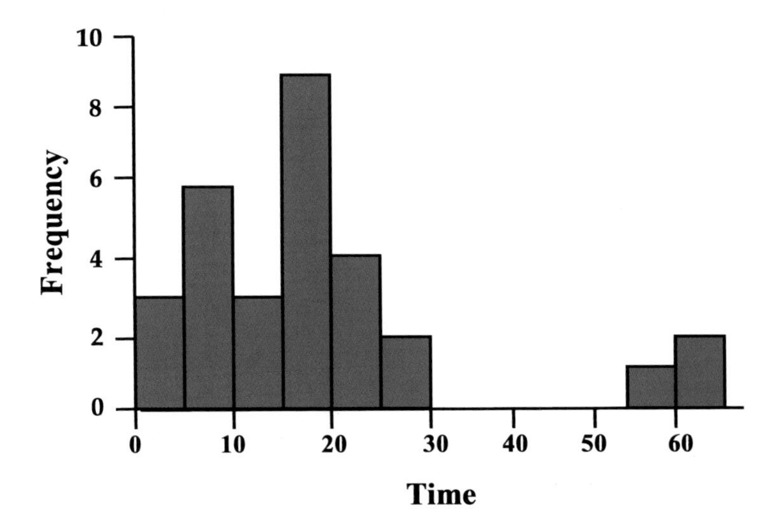

- 중앙생존시간은 누적생존률이 50%일 때에 생존시간을 뜻한다. 생존시간만으로 직접 평균과 중앙값을 계산하는 것은 올바르지 못한 방법이다.

- 다음 그림에서 중앙생존시간이 17개월이다. 이는 전체 대상의 절반(50%)에서 생존시간이 17개월 이하이며 나머지 절반은 17개월 이상이라는 의미이다.

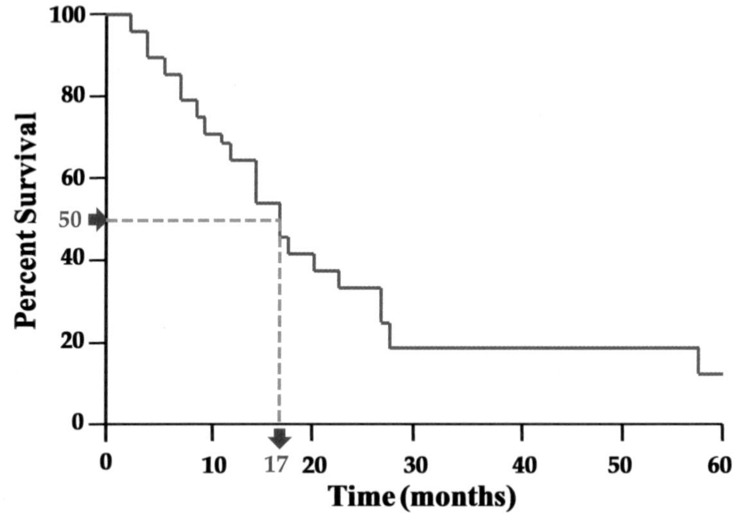

Figure. Median survival time at Kaplan-Meier survival curve

다음 그림처럼 누적생존률이 50% 이하로 떨어지지 않으면 중앙생존시간을 추정할 수 없다.

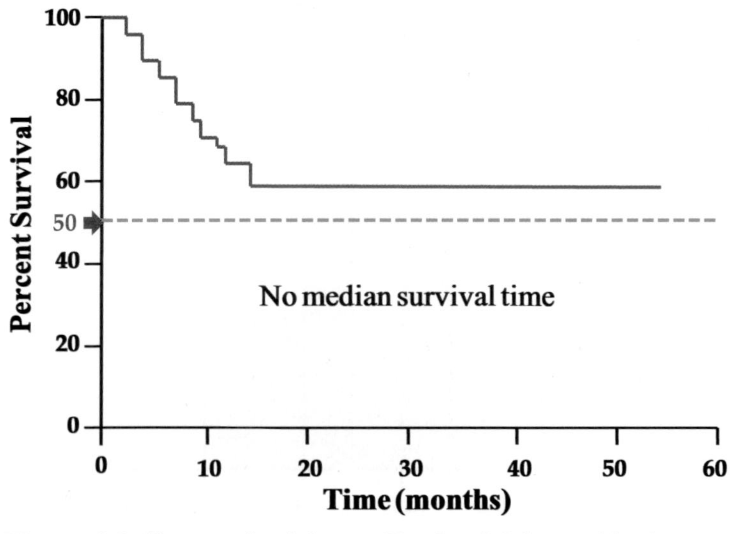

Figure. Median survival time at Kaplan-Meier survival curve

생존률 신뢰구간

- 추적시점별 계산된 생존률의 신뢰성을 측정하는 방법이다.
- 신뢰구간은 보통 Greenwood' s method에 의한 생존률의 표준오차(standard error)에 근거하여 구할 수 있다. 누적생존률과 함께 95% 신뢰구간을 그래프로 표시한다.

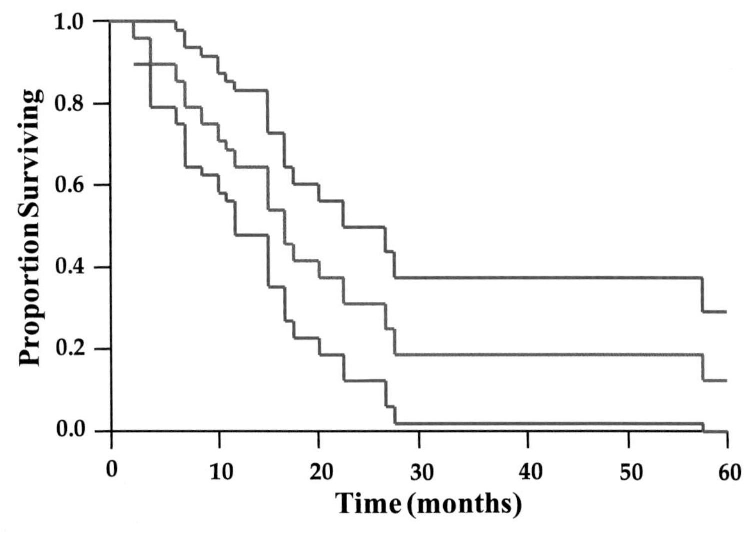

Figure. Kaplan-Meier Life table survival curve with 95% CI

신뢰구간이 좁을수록 신뢰성이 높아진다. 위의 생존 그래프처럼 추적시간이 길어질수록 생존자수가 작아지므로 신뢰구간이 점차적으로 넓어지게 된다.

Exercise

Survival Analysis

심장병 환자들을 대상으로 생존시간(Time)과 생존 상태(Status)를 조사한 자료이다. Kaplan-Meier 법에 의한 생존률과 생존 그래프를 그려보자.

(Time : 개월 단위, Status: 0 = 생존, 1 = 사망)

Patient	Time	Status	Patient	Time	Status
1	2	1	16	4	1
2	4	1	17	5	0
3	6	1	18	7	1
4	6	0	19	9	1
5	7	1	20	11	1
6	10	1	21	15	1
7	12	1	22	18	0
8	15	1	23	22	0
9	15	1	24	23	1
10	16	0	25	24	0
11	17	1	26	27	1
12	17	1	27	28	1
13	18	1	28	58	1
14	18	0	29	60	0
15	20	1	30	60	0

생존곡선

표본크기가 30으로 life-table 법보다 Kaplan-Meier법으로 분석하는 것이 올바르다.

Kaplan-Meier법에 의한 생존 그래프에서 세로축은 누적생존률이며 가로축은 생존시간이다. 생존곡선은 계단형으로 나타내어 구간내의 생존률은 일정하도록 그려진다. 일반적인 선그래프와 같이 사선으로 그리는 것은 적절한 방법이 아니다.

단순히 직선 그래프만 그리는 것보다 다음과 같이 생존 그래프에 중도절단 자료와 추적시점에서의 생존수(number at risk)를 그래프에 표시하면 더 많은 정보를 제공할 수 있다. 의학 학술지에 따라서는 이와 같은 그래프를 요구하기도 한다.

사망(위험)에 노출된 생존수 Nnumber at risk

다음 생존 그래프상에 작은 수직선은 중도절단을 표시하며 x 축 생존시간(Time) 아래에 표시된 수는 각각 추적구간 시작 시점에서의 생존수(number at risk)를 나타낸다.

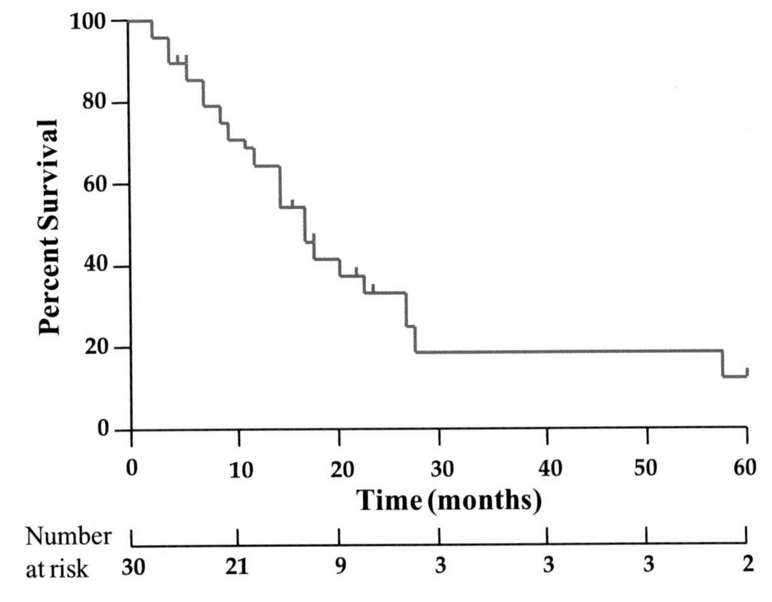

Figure. Kaplan-Meier estimate of the survival curve of 30 patients

추적구간 시작시점에서 생존수는 사망(위험)에 노출된 자료수(number at risk)를 뜻하며 생존수가 10 보다 작으면 해당 추적시점 이후의 분석은 신뢰할 수 없다. 이 경우에는 다음 그래프와 같이 생존자료수가 10 이상 되는 추적시점까지만 분석을 하여야 한다.

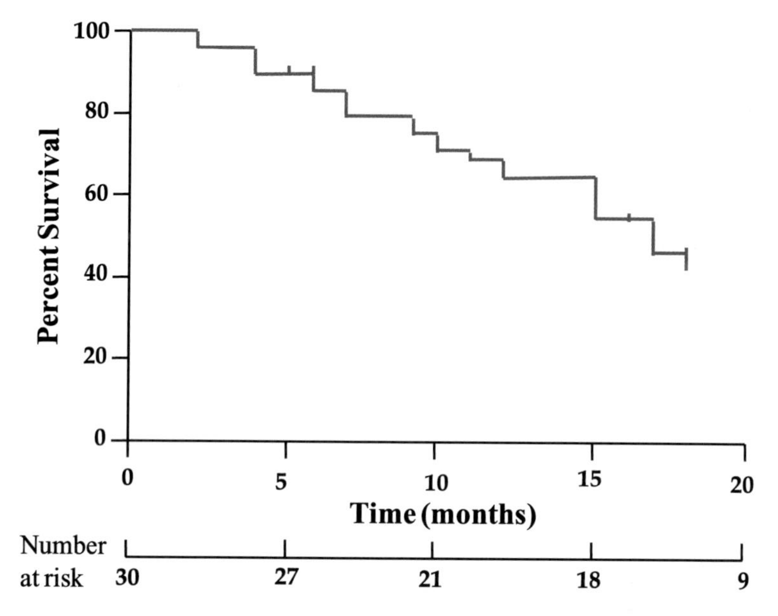

Figure. Kaplan-Meier estimate of the survival curve of 30 patients

SPSS

Data : survival.sav

Kaplan-Meier 생존분석

1 메뉴 → [분석] ▶ [생존확률] ▶ [Kaplan-Meier 생존분석] 메뉴를 선택한다.

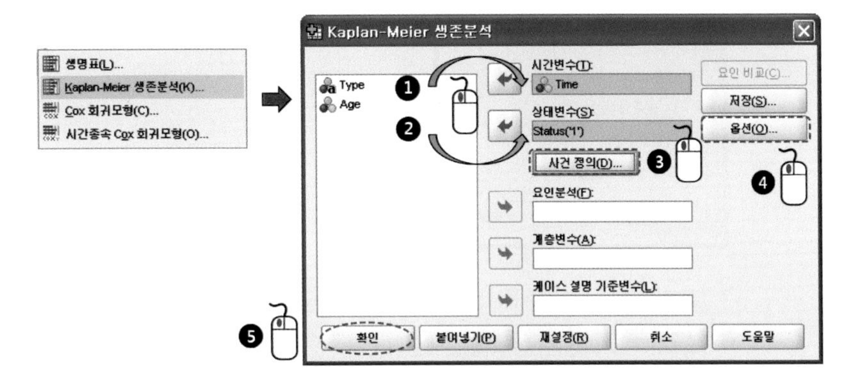

① 변수 Time를 선택하여 [시간변수] 상자에 입력한다.

② 변수 Status를 선택하여 [상태변수] 상자에 입력한다.

③ **[사건 정의]** 버튼을 클릭하면 상태변수에 대한 [사건 정의] 대화상자가 나타난다.

④ **[옵션]** 버튼을 클릭하면 통계량과 도표 선택 방법이 나타난다.

⑤ [확인] 버튼을 눌러 작업을 마친다.

2 사건 정의

상태변수 Status 1 = 사망이므로 이벤트 ➲ 1 입력하고 [계속] 버튼을 눌러 종료한다.

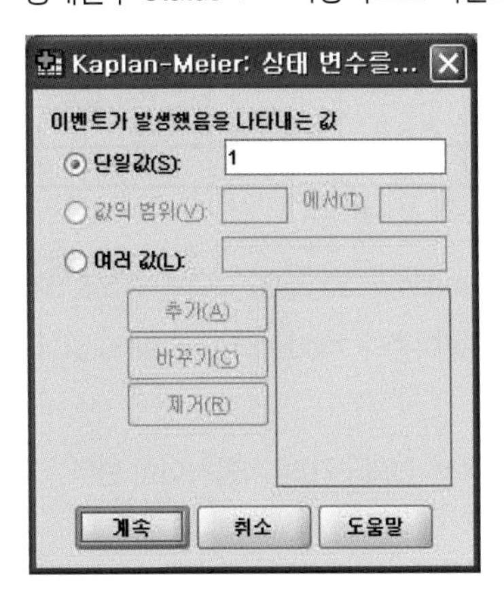

3 옵션 선택

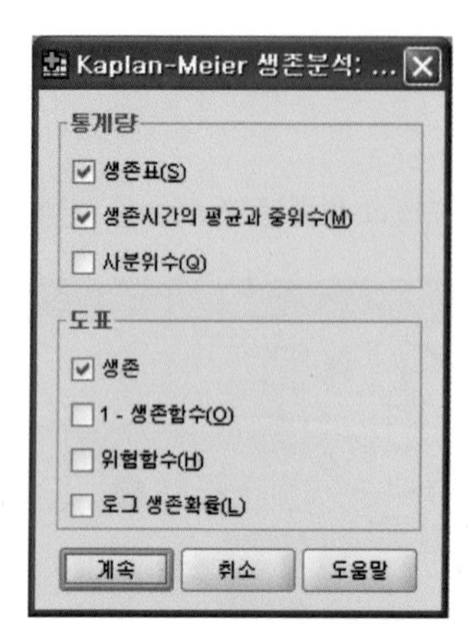

① [통계량] ⇨ ☑ [생존표], ☑ [생존시간의 평균과 중위수]

② [도표] ⇨ ☑ [생존] 항목을 선택한다.

③ [계속] 버튼을 눌러 작업을 마치면 SPSS 출력결과 창에 통계분석 결과가 나타난다.

4 통계결과

케이스 처리 요약

합계 N	사건 수	중도절단	
		N	퍼센트
30	21	9	30.0%

전체 생존자료 수 = 30, 사망(Event) = 21, 중도절단(Censored) = 9 (30%) 보여준다.

생존 시간에 대한 평균 및 중위수

❶ 평균[a]				❷ 중위수			
추정값	표준 오차	95% 신뢰구간		추정값	표준 오차	95% 신뢰구간	
		하한	상한			하한	상한
23.466	3.994	15.638	31.293	17.000	2.549	12.005	21.995

a. 중도절단된 경우 추정값은 가장 큰 생존시간으로 제한됩니다.

① 생존시간의 평균과 95% 신뢰구간으로 mean = 23.5, 95% CI = (15.6, 31.3) 이다.

② 생존시간의 중앙값과 95% 신뢰구간을 보여준다. median = 17, 95% CI = (12, 22)

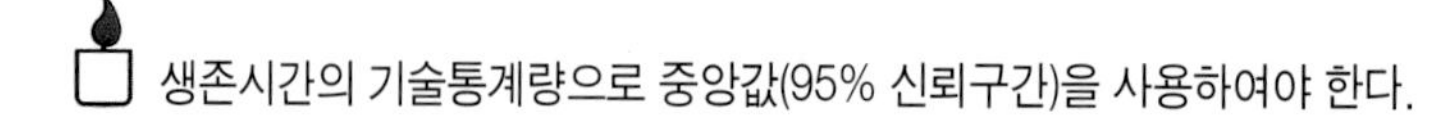

생존시간의 기술통계량으로 중앙값(95% 신뢰구간)을 사용하여야 한다.

생존표

	❶ 시간	❷ 상태	❸ 시간에 누적 생존 비율 추정값	표준 오차	누적 사건 수	❹ 남아 있는 케이스 수
1	2.000	1	.967	.033	1	29 ⬅ ❺
2	4.000	1	.	.	2	28
3	4.000	1	.900	.055	3	27
4	5.000	0	.	.	3	26
28	58.000	1	.130	.081	21	2
29	60.000	0	.	.	21	1
30	60.000	0	.	.	21	0

① 추적시점으로 사망(사건) 또는 중도절단 자료가 있을 때 표시된다.

② 생존상태로 예제에서 Status = 1 ➡ 사망, 2 ➡ 생존(중도절단)을 뜻한다.

③ 추적시점에 해당하는 누적생존률을 나타낸다.

④ 추적시점의 끝에 사망, 중도절단수를 제외하고 남은 생존수이다.

⑤ 다음 추적시점 시작 생존수로 위험에 노출된 자료(at risk) 수이다.

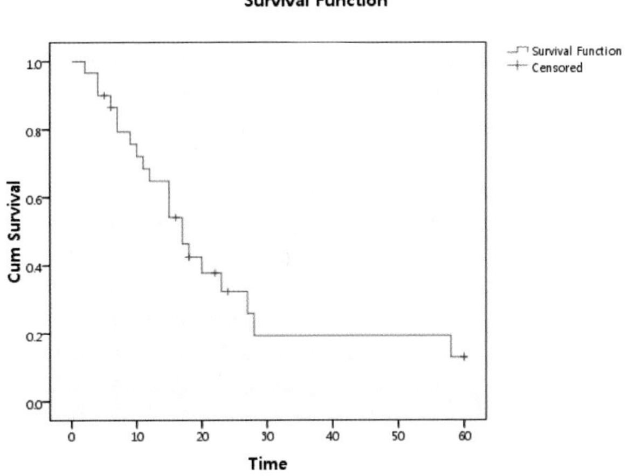

생존함수 그래프로 추적시점에서의 누적생존률을 보여준다.

+ 표시는 중도절단(Censored)이 발생한 추적시점에 표시된다.

SPSS에서 특정 생존시간까지만 분석하려면 그 시점을 연구종료로 정하고 그 이후에는 생존상태를 모두 생존(중도절단)으로 바꾸어 분석한다.

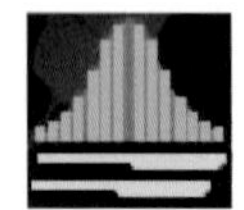

dBSTAT

Data : survival.dbf

생존분석

1 메뉴 → [통계] ▶ [생존분석] ▶ [Kaplan-Meier] 메뉴를 선택한다.

[통계 조건] 대화상자가 나타난다.

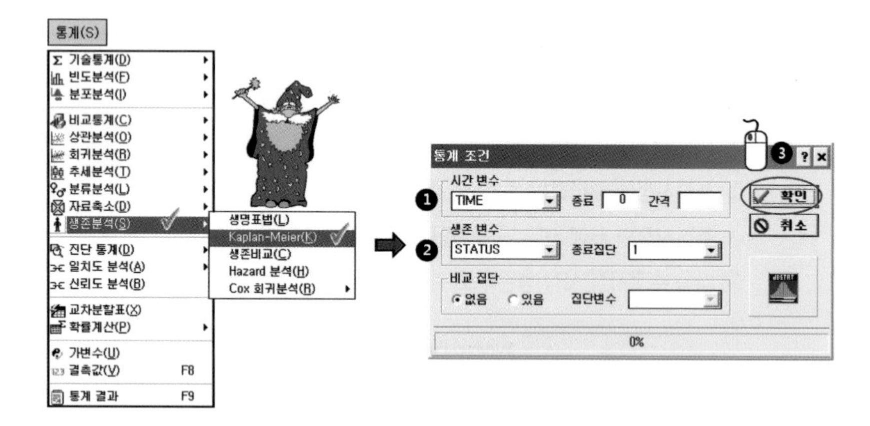

① 시간 변수 ⭘ TIME 변수를 선택한다.

② 생존 변수 ⭘ STATUS, 종료집단 ⭘ 1 을 선택한다.

③ [확인] 버튼을 클릭하여 선택 작업을 마치면 [통계 결과]가 출력된다.

2 통계결과

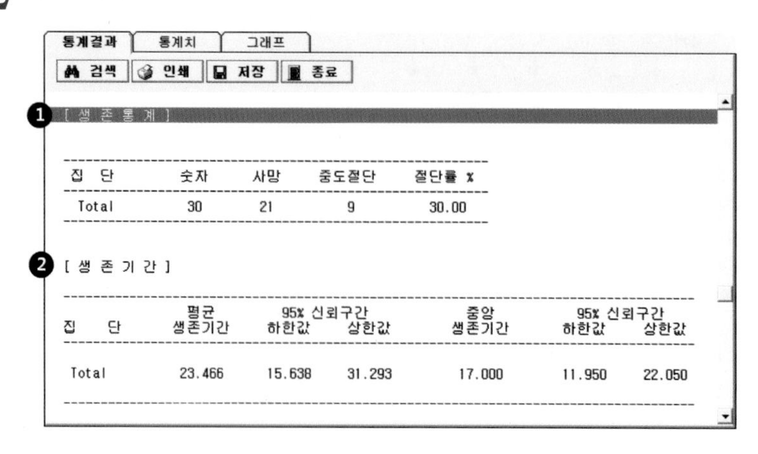

[생 존 통 계]

집 단	숫자	사망	중도절단	절단률 %
Total	30	21	9	30.00

[생 존 기 간]

집 단	평균 생존기간	95% 신뢰구간 하한값	95% 신뢰구간 상한값	중앙 생존기간	95% 신뢰구간 하한값	95% 신뢰구간 상한값
Total	23.466	15.638	31.293	17.000	11.950	22.050

① [생존통계] 전체 생존자료에 대한 사망과 중도절단수를 보여준다.

② [생존시간] 평균과 중앙생존시간, 95% 신뢰구간을 보여준다.

생존률

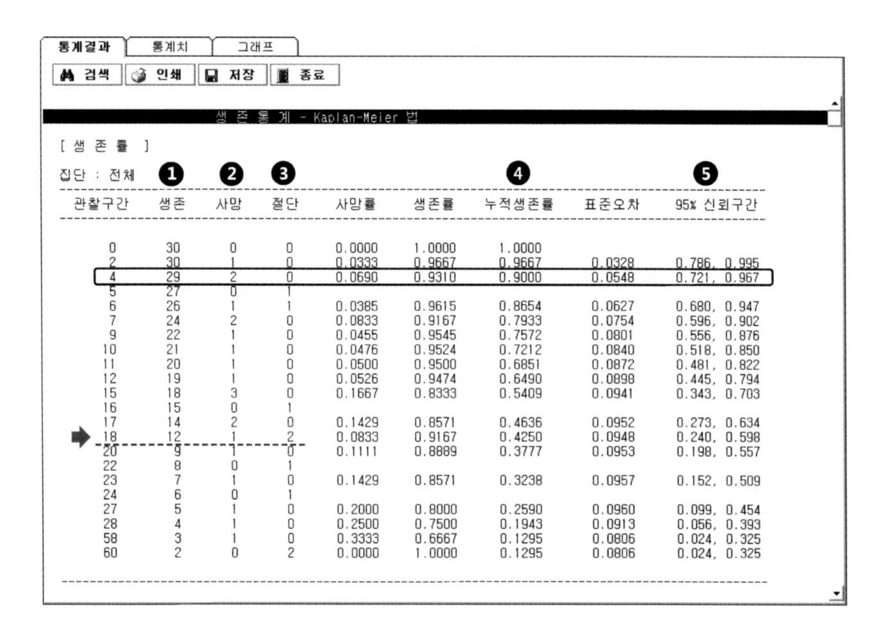

통계결과 | 통계치 | 그래프

검색 | 인쇄 | 저장 | 종료

생 존 통 계 - Kaplan-Meier 법

[생 존 률]

집단 : 전체

관찰구간	생존 ❶	사망 ❷	절단 ❸	사망률	생존률	누적생존률 ❹	표준오차	95% 신뢰구간 ❺
0	30	0	0	0.0000	1.0000	1.0000		
2	30	1	0	0.0333	0.9667	0.9667	0.0328	0.786, 0.995
4	29	2	0	0.0690	0.9310	0.9000	0.0548	0.721, 0.967
5	27	0	1					
6	26	1	1	0.0385	0.9615	0.8654	0.0627	0.680, 0.947
7	24	2	0	0.0833	0.9167	0.7933	0.0754	0.596, 0.902
9	22	1	0	0.0455	0.9545	0.7572	0.0801	0.556, 0.876
10	21	1	0	0.0476	0.9524	0.7212	0.0840	0.518, 0.850
11	20	1	0	0.0500	0.9500	0.6851	0.0872	0.481, 0.822
12	19	1	0	0.0526	0.9474	0.6490	0.0898	0.445, 0.794
15	18	3	0	0.1667	0.8333	0.5409	0.0941	0.343, 0.703
16	15	0	1					
17	14	2	0	0.1429	0.8571	0.4636	0.0952	0.273, 0.634
➡ 18	12	1	2	0.0833	0.9167	0.4250	0.0948	0.240, 0.598
20	9	1	0	0.1111	0.8889	0.3777	0.0953	0.198, 0.557
22	8	0	1					
23	7	1	0	0.1429	0.8571	0.3238	0.0957	0.152, 0.509
24	6	0	1					
27	5	1	0	0.2000	0.8000	0.2590	0.0960	0.099, 0.454
28	4	1	0	0.2500	0.7500	0.1943	0.0913	0.056, 0.393
58	3	1	0	0.3333	0.6667	0.1295	0.0806	0.024, 0.325
60	2	0	2	0.0000	1.0000	0.1295	0.0806	0.024, 0.325

① 추적시점 시작시 생존수, 즉 사망 직전 위험에 노출된 대상자 수(number at risk)

② 추적시점에서 발생한 사망수, 즉 종결된 자료(uncensored data) 수이다.

③ 추적시점에서 중도절단된 자료(censored data) 수를 뜻한다.

④ 추적시점에서 계산된 누적생존률로 4개월 누적생존률은 90%이다..

⑤ 누적생존률에 대한 95% 신뢰구간이다. 4 개월 95% CI = (0.72, 0.97)

추적시점 시작시 생존자료수 〈 10 이면 누적생존률을 신뢰할 수 없으므로 10 이상인 시점까지만 Kaplan-Meier 분석을 하여야 한다. 위의 통계결과 생존률 표에서 ➡ 표시된 추적시점(18개월)까지만 분석하는 것이 올바른 방법이다.

그래프

[그래프] 폴더를 선택하면 다음과 같은 생존 그래프가 나타난다.

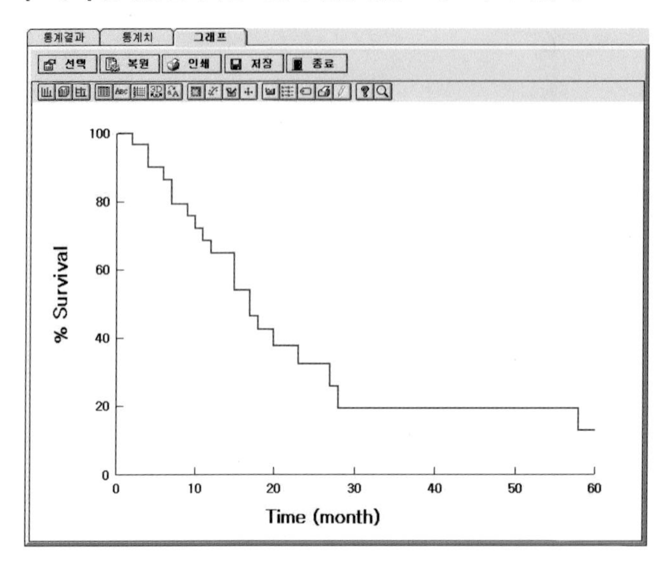

생존 그래프에서 60개월 추적시점에서 생존자료수가 2 로 신뢰할 수 없으므로 생존자료수 ≥ 10 시점 (18개월) 까지만 그래프를 작성하여야 한다.

[통계 조건] 대화상자에서 시간 변수 ➜ TIME, 종료 ➜ 18 입력하면 생존 그래프를 다음 그래프처럼 추적시점 18개월까지만 그릴 수 있다.

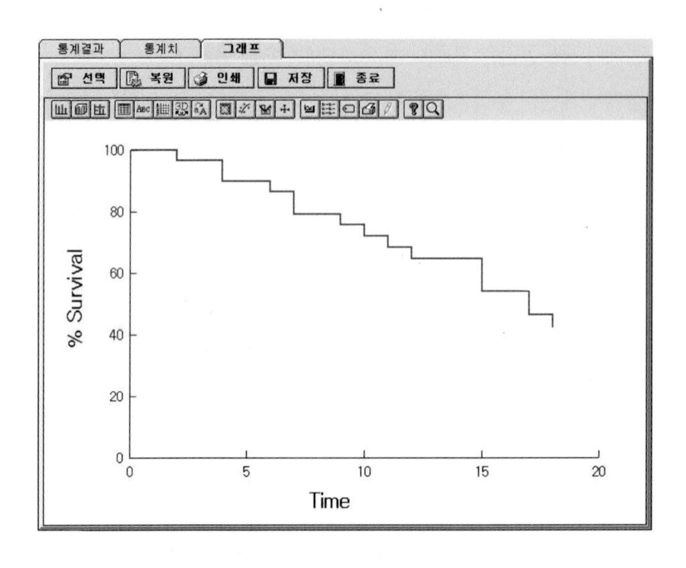

12 생존률 비교

CONTENTS

목적

추적시간(time)에 따른 여러 생존곡선들의 생존률 차이를 비교한다.

전제조건

1. 집단간 표본들은 독립적인 임의표본이다.
2. 집단간 표본들에서 중도절단 형태(pattern)는 동일하여야 한다.
3. 생존곡선들은 서로 교차하지 않으며 위험은 비례적(proportional hazard)이다.
4. 집단들의 최소 표본크기는 최종 추적시점에서 10 이상이어야 한다.

적용

사건발생 추적 자료에서 독립변수와 종속변수의 관계를 연구하는 방법이다.

가설

귀무가설 $H_0 : S_1(t) = S_2(t)$ (모든 추적시점 t 에서 생존률 차이가 없다.)

대립가설 $H_1 : S_1(t) \neq S_2(t)$ (일부 추적시점 t 에서 생존률 차이가 있다.)

집단간의 생존률 차이를 검정하는 방법에는 모수적 방법과 비모수적 방법이 있으나 일반적으로 다음과 같은 비모수적 방법들이 사용된다.

1. Log rank 검정법
2. Breslow 검정법 (Gehan-Breslow, Gehan-Wilcoxon test)
3. Tarone-Ware 검정법

1 Log Rank 검정법 (로그순위 검정법)

Log rank 검정법은 로그순위를 이용한 검정법으로 Mantel-Cox 검정법으로도 불리워진다. Kaplan-Meier법에 의한 생존곡선들을 비교하는데 적합한 방법이다.

각 집단의 생존시간을 순서대로 나열하고 생존률의 차이가 없다면 일정 구간(기간)에서의 사망은 각 집단의 관찰 수에 비례하여 발생한다는 가설에 근거하여 각 집단의 관측된 사망수와 기대 사망수를 계산하여 두 집단인 경우 자유도가 1인 chi-square test로 그 유의성을 검정하게 되며 다음과 같은 방법에 의하여 x^2 값을 구할 수 있다.

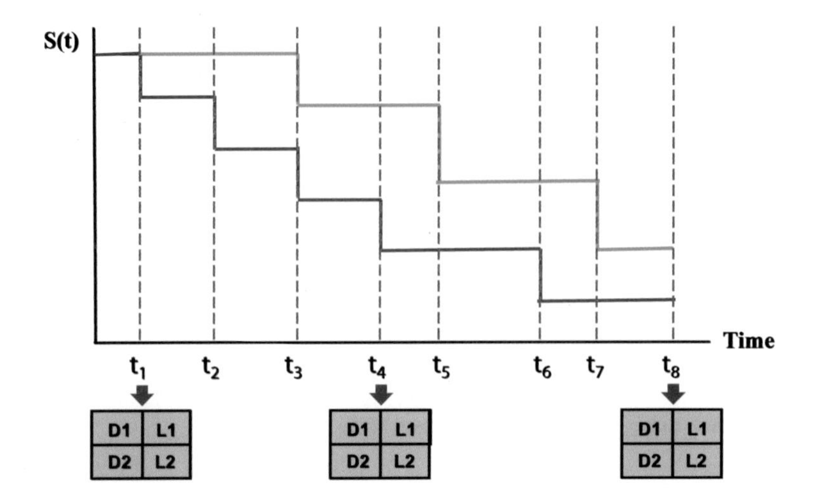

위의 그래프에서 사망이 발생한 시점 t_i 에서 각 집단의 사망수(D1, D2)와 생존수(L1, L2)를 표로 만들면 관측사망수(observed deaths)와 기대사망수(expected deaths)는 다음과 같은 공식으로 산출된다.

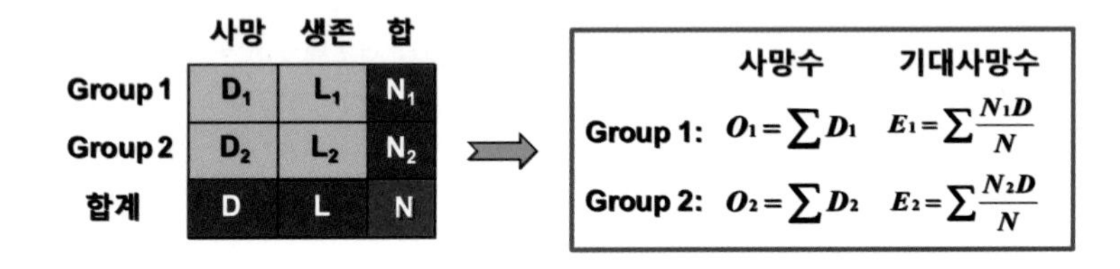

검정 통계량 x^2 을 구하여 p-value < 0.05 이면 통계적으로 유의하다고 판정한다.

$$x^2 \approx \frac{(O_1-E_1)^2}{E_1}+\frac{(O_2-E_2)^2}{E_2}$$

2 Breslow 검정법 (Wilcoxon 검정법)

Breslow검정법은 순위에 근거한 Wilcoxon 검정법을 생존분석 자료에 맞게 수정한 방법이다. Log rank 검정법은 추적시간마다 생존률의 차이를 비교 분석하는데 반하여 Breslow 검정법은 생존시간의 차이를 비교 분석하는 방법이다.

집단들의 생존시간을 순서대로 열거하여 중도절단 여부에 따라 순위 점수를 +1, 0, -1로 주어 통계값을 구한다.

3 Tarone-Ware 검정법

Log rank test와 Breslow test의 중간형태로 가중값을 부여하게 되므로 중단절단 사례들의 빈도와 양상이 검정 결과에 크게 영향을 미치게 된다.

3가지 검정법의 결과가 비슷하면 3가지 중 하나의 검정법만을 선택한다. 분석결과가 상이하면 논문에 3가지 분석방법을 모두 제시하여야 한다.

Log rank 검정 vs. Breslow 검정

- Log rank 검정법은 생존시간의 후기의 차이를 비교하는데 효과적이며 Breslow 검정법은 생존시간 초반의 차이에 더 민감하다.
- Log rank 검정법과 Breslow 검정법은 생존 그래프들이 크게 교차할 때에는 적합하지 않으며 이 경우에는 Breslow 검정법이 Log rank 검정보다 우수하지만 검정력이 떨어진다.

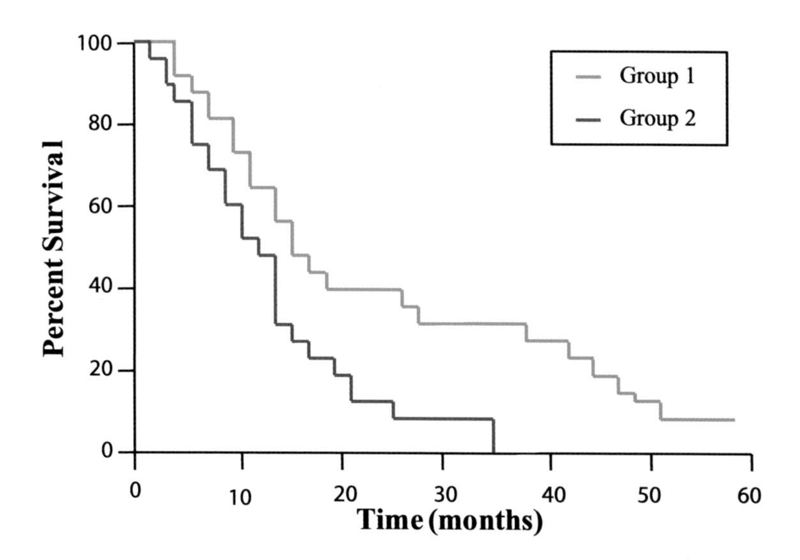

위의 생존곡선들은 추적시점 후기에서 생존률의 차이가 커지므로 Log rank 검정이 Breslow 검정보다 통계적 유의성이 높아진다. (p 값이 작아진다)

Log rank 검정 전제조건

1) 비례위험

Log rank 검정을 시행하기 전에 Kaplan-Meier 생존 그래프를 그려서 생존 그래프들 간에 교차가 있으면 log rank 검정을 하면 안된다.

다음 그림에서 추적시점 약 25개월을 기준으로 두 집단의 생존 그래프가 교차하여 25개월 이전에는 Group 1의 생존률이 높고 이후에는 Group 2의 생존률이 높으므로 시망위험이 비례적이라는 전제조건에 위반된다.

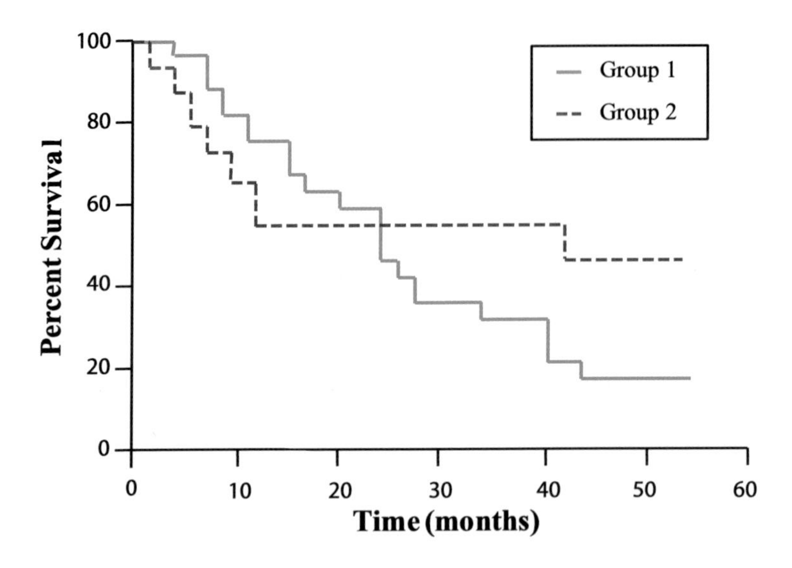

2) 최소 생존수

다음 그림에서 추점시점 48개월에서 생존수 = 1 이다. 추적시점에서 생존수 < 10 이면 log rank 검정 결과를 신뢰할 수 없으므로 생존수 ≥ 10 인 12개월까지만 분석하여야 한다.

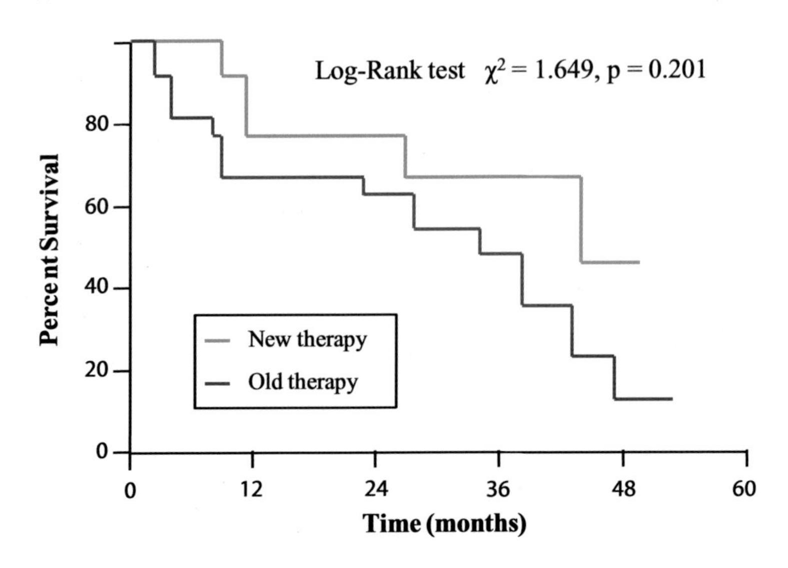

Exercise
Survival Comparison

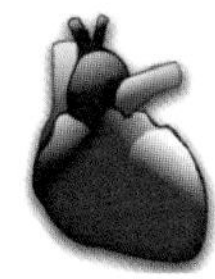

심장병 환자들을 대상으로 기존 치료법과 새로운 치료법(Tx)을 시행한 후에 생존시간(Time)과 생존상태(Status)를 조사한 자료이다. 두 가지 치료법에 따른 생존률을 비교하여 보자.

Patient	Tx	Time	Status	Patient	Tx	Time	Status
1	1	2	1	16	2	4	1
2	1	4	1	17	2	5	0
3	1	6	1	18	2	7	1
4	1	6	0	19	2	9	1
5	1	7	1	20	2	11	1
6	1	10	1	21	2	15	1
7	1	12	1	22	2	18	0
8	1	15	1	23	2	22	0
9	1	15	1	24	2	23	1
10	1	16	0	25	2	24	0
11	1	17	1	26	2	27	1
12	1	17	1	27	2	28	1
13	1	18	1	28	2	58	1
14	1	18	0	29	2	60	0
15	1	20	1	30	2	60	0

Tx: 1 = 기존 치료, 2 = 새 치료, Time : 개월, Status: 0 = 생존, 1 = 사망

생존곡선

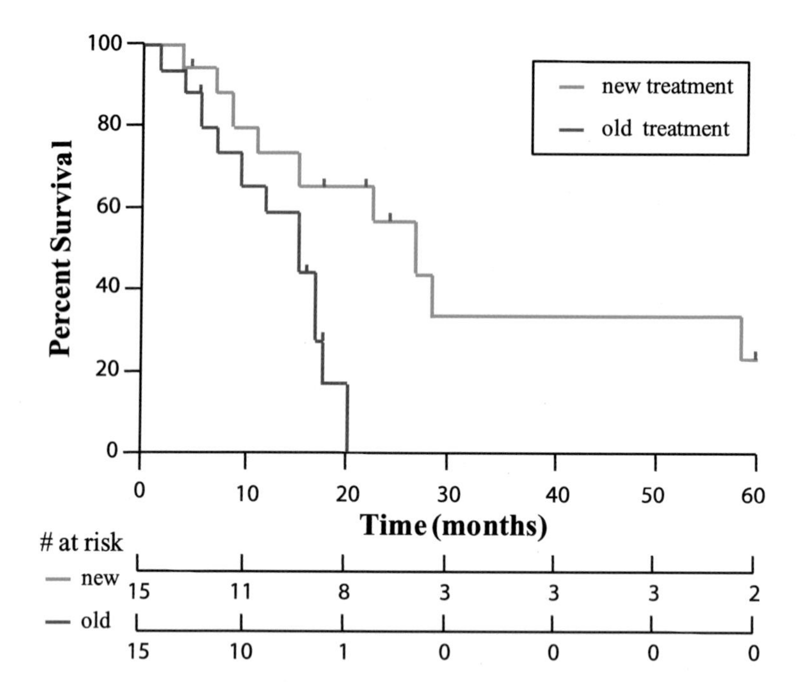

생존곡선을 통계적 방법으로 비교하기 전에 먼저 Kaplan-Meier 생존곡선을 그려야 한다.

생존비교

두 집단의 생존수, 사망수, 중도절단수를 요약하면 다음 표와 같다.

Group Treatment	Number Total	Number Death	Number Censored
Old	15	12	3
New	15	9	6

① Log rank test : x^2 = 6.18, p = 0.013

② Breslow test : x^2 = 3.51, p = 0.061

③ Tarone-Ware test : x^2 = 4.64, p = 0.031

생존률 비교 통계분석 결과 3가지 방법 모두에서 $p < 0.05$로 통계적으로 유의하다.

즉, 새 치료법이 기존 치료법에 비하여 생존률이 통계적으로 유의하게 높다.

위의 그래프에서 추적시점에서 생존수가 10 보다 작으면 해당 추적시점 이후의 분석은 신뢰할 수 없다. 다음 그래프와 같이 생존수가 10 이상 되는 추적시점 10개월까지만 분석을 하여야 하며 log rank 결과, $x^2 = 0.24$, p = 0.396로 통계적으로 유의하지 않다.

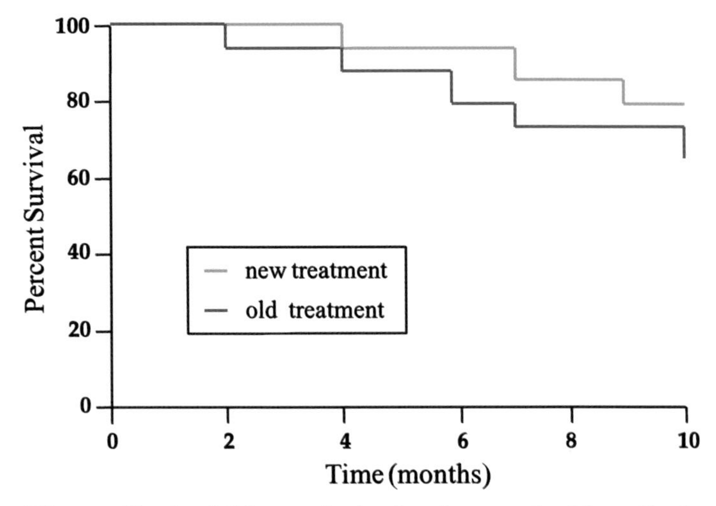

Figure. Kaplan-Meier analysis showing survival in patients with heart disease treated with new or old treatment.

SPSS

Data : survival.sav

Kaplan-Meier 생존분석

1 **메뉴** → [분석] ▶ [생존확률] ▶ [Kaplan-Meier 생존분석] 메뉴를 선택한다.

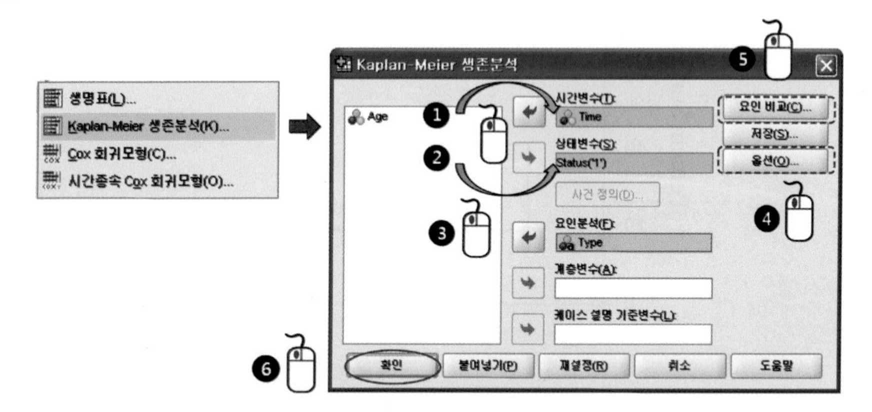

① 변수 Time를 선택하여 [시간변수] 상자에 입력한다.

② 변수 Status를 선택하여 [상태변수] 상자에 입력한다.

[사건 정의] ⇨ [사건 정의] 대화상자에서 이벤트 ➲ 1 입력한다

③ 변수 Type을 선택하여 [요인분석] 상자에 입력한다.

④ **[옵션]** 버튼을 클릭하면 통계량과 도표 선택 방법이 나타난다.

[통계량] ⇨ ☑ [생존표], ☑ [생존시간의 평균과 중위수], [도표] ⇨ ☑ [생존] 을 선택한다.

⑤ [요인비교] → [검정통계량] ⇨ ☑ [Log 순위], ☑ [Breslow], ☑ [Tarone-Ware] 선택한다

⑥ [확인] 버튼을 눌러 작업을 마치면 SPSS 출력결과 창에 통계분석 결과가 나타난다.

2 **통계 결과**

케이스 처리 요약

Type	합계 N	사건 수	중도절단 N	중도절단 퍼센트
1	15	12	3	20.0%
2	15	9	6	40.0%
전체	30	21	9	30.0%

Type = 1, Type = 2 두 집단에서 생존수, 사망수, 중도절단수(%)를 보여준다.

생존 시간에 대한 평균 및 중위수

Type	❶ 평균[a]				❷ 중위수			
	추정값	표준 오차	95% 신뢰구간		추정값	표준 오차	95% 신뢰구간	
			하한	상한			하한	상한
1	13.120	1.607	9.970	16.270	15.000	2.736	9.637	20.363
2	31.214	6.166	19.128	43.300	27.000	5.373	16.469	37.531
전체	23.466	3.994	15.638	31.293	17.000	2.549	12.005	21.995

a. 중도절단된 경우 추정값은 가장 큰 생존시간으로 제한됩니다.

① Type = 1, Type = 2 두 집단에서 생존시간의 평균과 95% 신뢰구간을 보여준다.

② 두 집단에서 생존시간의 중앙값과 95% 신뢰구간을 보여준다.

전체 비교

	카이제곱검정	자유도	유의확률
Log Rank (Mantel-Cox)	6.179	1	.013
Breslow (Generalized Wilcoxon)	3.514	1	.061
Tarone-Ware	4.640	1	.031

다른 수준 Type에 대한 생존분포의 동일성 검정입니다.

Log rank test, Breslow test, Tarone-Ware test 결과 모두 $p < 0.05$ 이다.

그래프

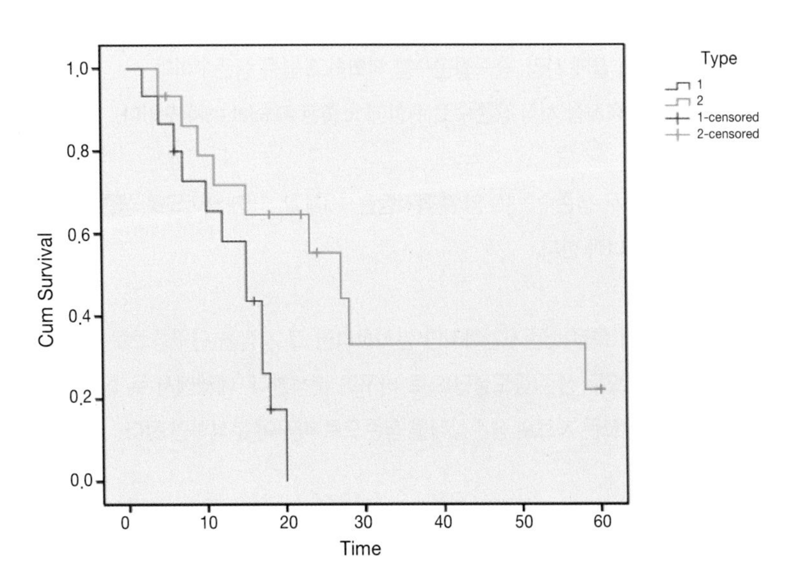

✓ 생존함수 그래프로 누적생존률을 보여준다. + 표시는 중도절단 자료를 나타낸다.

✓ 생존 그래프들은 서로 교차하지 않으므로 log rank 검정을 사용할 수 있다.

생존표

다음은 두 집단 Type 1과 Type 2에 대한 생존표 결과이다.

생존표

Type		❶ 시간	❷ 상태	시점에 누적 생존 비율 ❸ 추정값	표준 오차	누적 사건 수	❹ 남아 있는 케이스 수
1	1	2.000	1	.933	.064	1	14
	2	4.000	1	.867	.088	2	13
	3	6.000	1	.800	.103	3	12
	4	6.000	0	.	.	3	11
	5	7.000	1	.727	.117	4	10 ⬅
	6	10.000	1	.655	.126	5	9
2	1	4.000	1	.933	.064	1	14
	2	5.000	0	.	.	1	13
	3	7.000	1	.862	.091	2	12
	4	9.000	1	.790	.108	3	11
	5	11.000	1	.718	.120	4	10 ⬅
	6	15.000	1	.646	.128	5	9

① 추적시점으로 사망(사건) 또는 중도절단 자료가 있을 때 표시된다.

② 생존상태로 예제에서 Status = 1 ➲ 사망, 0 ➲ 생존(중도절단)을 뜻한다.

③ 추적시점에 해당하는 누적생존률을 나타낸다.

④ 추적시점의 끝에 사망, 중도절단수를 제외하고 남은 생존수이다.

⑤ ⬅ 다음 추적시점 시작 생존수로 위험에 노출된 자료(at risk) 수이다.

두 집단에서 생존수≥10 인 추적시점은 10개월, 15개월이므로 생존률 비교는 10개월까지만 분석하여야 한다.

SPSS에서 특정 생존시간까지만 분석하려면 그 시점을 연구종료로 정하고 그 이후에는 생존상태를 모두 생존(중도절단)으로 바꾸어 분석한다. 예제에서 두 집단에서 생존시간 10개월 이후의 모든 자료의 생존상태를 생존으로 바꾸어 분석하면 된다.

dBSTAT

Data : survival.dbf

생존비교

1 **메뉴** → [통계] ▶ [생존분석] ▶ [Kaplan-Meier] 메뉴를 선택한다.

[통계 조건] 대화상자가 나타난다.

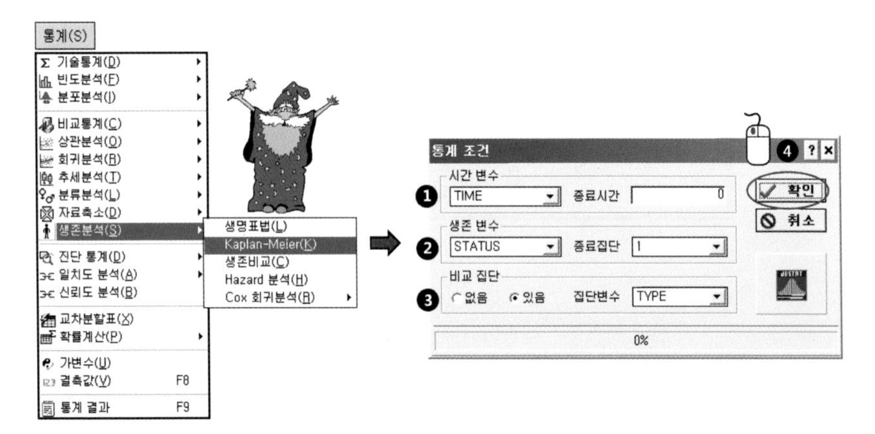

① 시간 변수 ➡ TIME 변수를 선택한다.

② 생존 변수 ➡ STATUS, 종료집단 ➡ 1 을 선택한다.

③ 비교 집단 ➡ TYPE 변수를 선택한다.

④ [확인] 버튼을 클릭하여 선택 작업을 마치면 [통계 결과]가 출력된다.

2 **통계결과**

Log rank 검정결과 Log rank test : x^2 = 6.18, p = 0.013 으로 통계적으로 유의하다.

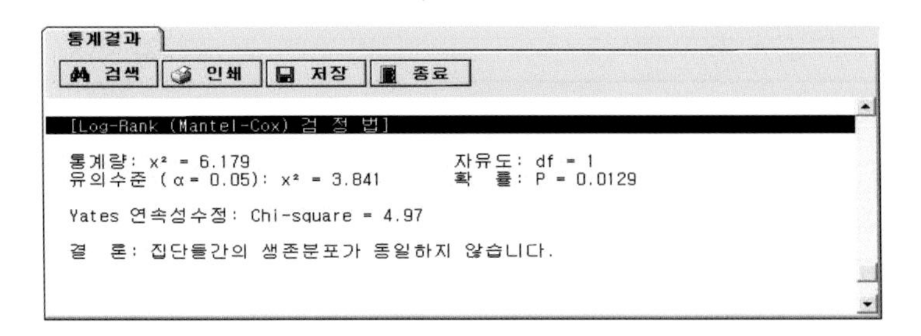

그래프

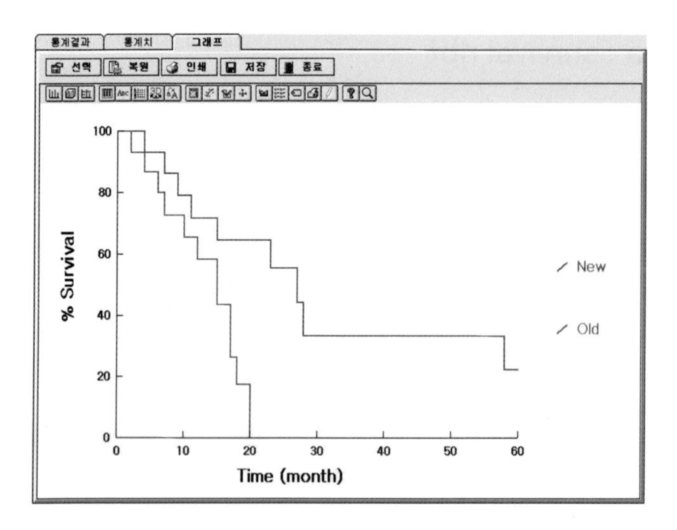

생존표

다음은 Type = 1 (기존 치료법)에 대한 생존표이다.

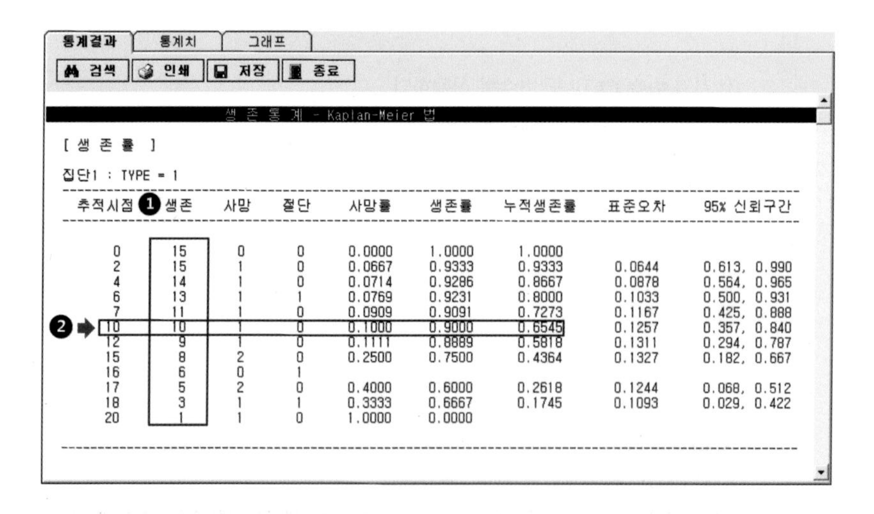

통계결과 | 통계치 | 그래프

검색 | 인쇄 | 저장 | 종료

생 존 통 계 - Kaplan-Meier 법

[생 존 률]

집단1 : TYPE = 1

추적시점	❶ 생존	사망	절단	사망률	생존률	누적생존률	표준오차	95% 신뢰구간
0	15	0	0	0.0000	1.0000	1.0000		
2	15	1	0	0.0667	0.9333	0.9333	0.0644	0.613, 0.990
4	14	1	0	0.0714	0.9286	0.8667	0.0878	0.564, 0.965
6	13	1	1	0.0769	0.9231	0.8000	0.1033	0.500, 0.931
7	11	1	0	0.0909	0.9091	0.7273	0.1167	0.425, 0.888
❷ ➡ 10	10	1	0	0.1000	0.9000	0.6545	0.1257	0.357, 0.840
12	9	1	0	0.1111	0.8889	0.5818	0.1311	0.294, 0.787
15	8	2	0	0.2500	0.7500	0.4364	0.1327	0.182, 0.667
16	6	0	1					
17	5	2	0	0.4000	0.6000	0.2618	0.1244	0.068, 0.512
18	3	1	1	0.3333	0.6667	0.1745	0.1093	0.029, 0.422
20	1	1	0	1.0000	0.0000			

① 추적시점 시작시 생존수(number at risk)이다.

② 추적시점 10개월 생존수 = 10 이다.

추적시점 생존수 10 이상인 시점인 10개월까지만 분석하는 것이 올바른 방법이다.

생존시점

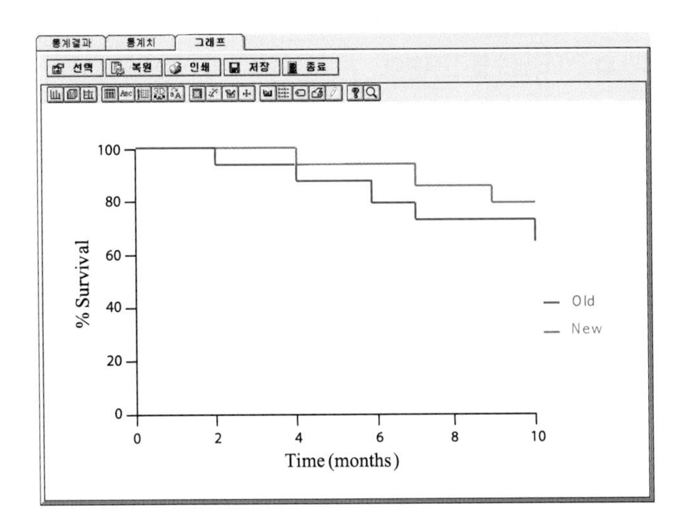

생존분석 종료시점을 10개월로 정하여 재분석결과 Log rank test $x^2 = 0.24$, $p = 0.396$ 이므로 통계적으로 유의하지 않다.

생존비교 방법

생존비교에서 3가지 통계분석을 모두 시행하려면 [생존비교] 메뉴를 선택한다.

1 메뉴 → [통계] ▶ [생존분석] ▶ [생존비교] 메뉴를 선택한다.

[통계 조건] 대화상자가 나타난다.

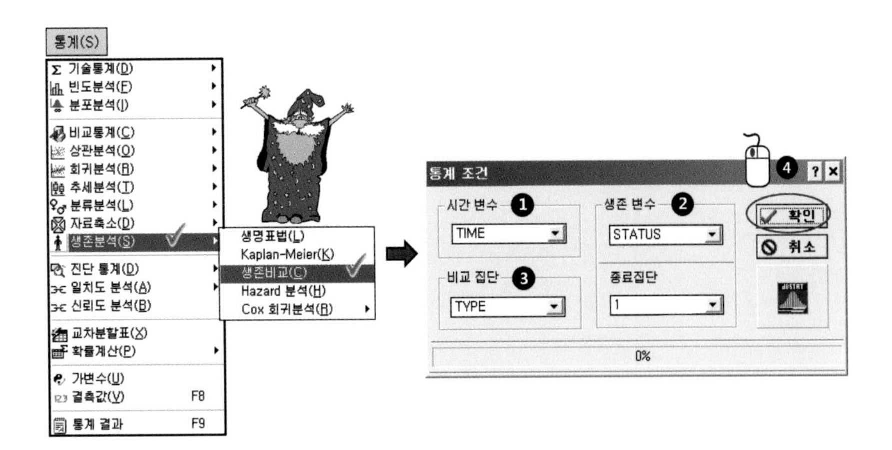

① 시간 변수 ➔ TIME 변수를 선택한다.

② 생존 변수 ➔ STATUS, 종료집단 ➔ 1 을 선택한다.

③ 비교 집단 ➔ TYPE 변수를 선택한다.

④ [확인] 버튼을 클릭하여 선택 작업을 마치면 [통계 결과]가 출력된다.

2 통계결과

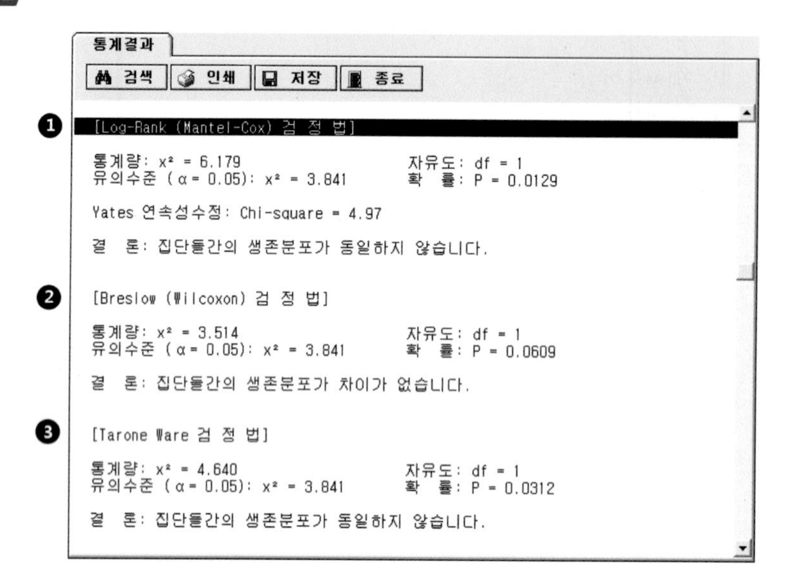

[통계결과] 창에 다음과 같이 3가지 통계검정 결과를 보여준다.

① Log rank test : x^2 = 6.18, p = 0.013

② Breslow test : x^2 = 3.51, p = 0.061

③ Tarone-Ware test : x^2 = 4.64, p = 0.031

dBSTAT 통계결과를 SPSS에서 나타난 결과와 비교해 보면 동일함을 알 수 있다.

13 Cox 회귀분석 Cox Regression

CONTENTS

목적

생존자료에서 예측변수들과 결과변수인 사건발생 위험과의 연관성을 분석한다.

전제조건

1. 예측변수들마다 각각 사건(event) 수가 최소 10 이상이어야 한다.
2. 예측변수간에 다중공선성이 없어야한다.
3. 추적시간에 따른 사망위험은 비례적(proportional hazard)이다.

적용

공변량이 있는 생존자료에서 집단간 위험비(hazard ratio)를 구하는 다변량 분석이다.

Cox 비례위험모형 Cox proportional hazard model

다른 통계적 기법과 마찬가지로 생존통계에서도 다변량분석을 적용해야 할 경우가 있다.
예를 들어 두 가지 항암제의 치료효과를 알아보기 위하여 두 집단의 생존률을 비교하려고 할 때 환자의 연령, 병기, 조직학적 형태 등은 생존에 영향을 줄 수 있는 혼선요인(confounding factor)으로 여겨진다.

이와 같은 혼선요인의 영향을 없애기 위해서는 두 집단의 동질성(homogeneity)이 요구되나 임상 연구에서는 현실적으로 곤란한 경우가 많다.
이를 해결하기 위하여 통계적인 방법으로 몇 가지 회귀모형이 제시되어 있는데 일반적으로 흔히 사용되는 모형은 Cox 비례위험모형이다.

Cox 회귀모형

Cox 비례위험모형(Cox proportional hazard model)은 Cox 비례회귀모형(Cox proportional regression model) 또는 Cox 회귀모형(Cox regression model)이라고 일컬어진다.

예측변수가 둘 이상인 Cox 회귀모형은 다음과 같이 정의된다.

$h(t) = h_0(t)e^{b_1X_1 + b_2X_2 + \cdots + b_kX_k}$ ($h_0(t)$: t 시점에서 모든 독립변수 $x = 0$ 일때의 hazard)

$$HR = h(t) = \frac{h(t)}{h_0(t)} = e^{b_1X_1 + b_2X_2 + \cdots + b_kX_k}$$ (HR: 위험비, *hazard ratio*, *relative hazard*)

위의 함수식을 log 변환하면 다중로지스틱 회귀분석과 유사한 회귀모형이 된다.

$$\log(HR) = \log\left(\frac{h(t)}{h_0(t)}\right) = b_1X_1 + b_2X_2 + \cdots + b_kX_k$$

위험비 Hazard Ratio

생존률과 반대로 시간에 따른 사망위험을 **위험률(hazard rate)**이라 하며 집단간 위험률의 비를 **위험비**라고 부른다.

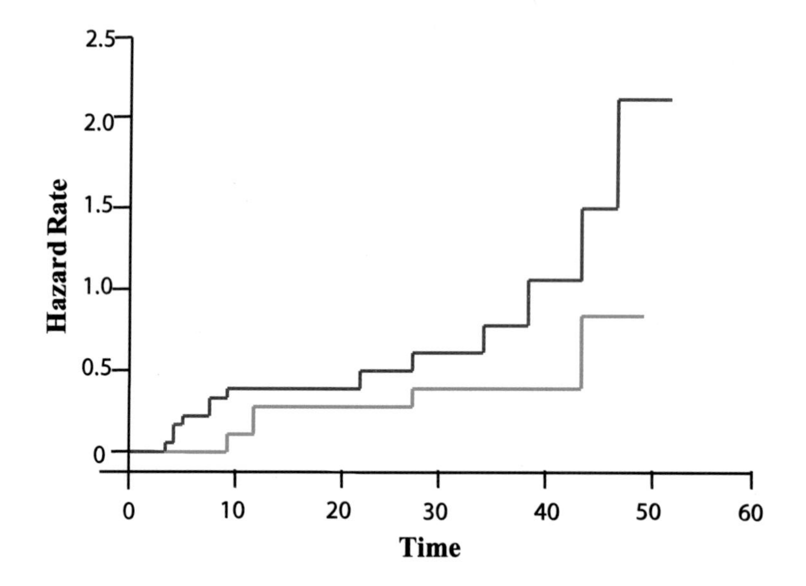

위험비 해석

① 위험비가 1이면 위험이 증가하지 않는다는 의미이다.

② 로지스틱 회귀분석과 마찬가지로 신뢰구간 내에 1을 포함하지 않아야 유의하다.

③ 위험비의 크기는 예측변수의 측정단위(예, 체중: kg, gm)에 따라 달라지므로 위험비의 크기로써 개별 예측변수의 중요성을 판단해서는 안된다.

④ 위험비의 유의성은 유의확률(p) 및 95% 신뢰구간과 함께 해석하여야 한다.

Cox 회귀분석에서 위험비는 혼선변수들의 영향을 통제한 수정위험비(adjusted HR)이다.

전제조건

Cox 비례위험모형은 생존시간의 분포에 대하여 가정하지 않아 비모수적 분석방법에 속하지만 비례위험함수의 형태라는 제한적인 가정을 필요로 하는 준모수적(semi-parametric) 방법이다. 비례위험이라는 의미는 집단간 위험비가 시간에 대하여 일정하다는 의미이다.

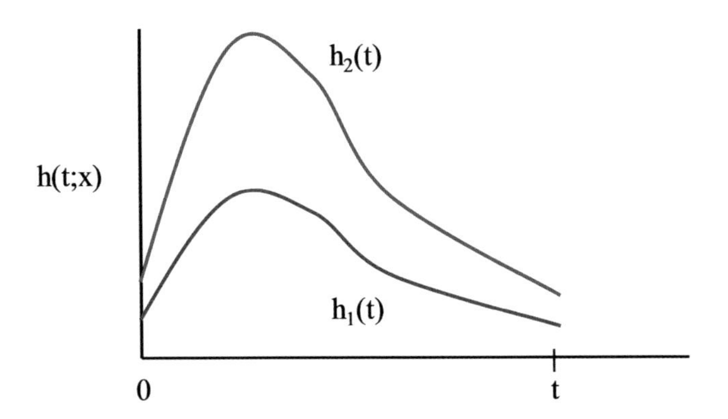

비례위험 가정검정

비례위험 검정법으로 다음과 같은 3가지 방법이 사용된다.

- 로그-로그 생존 그래프 (log-log survival plots)
- 시간-종속 변수 (time-dependent variables)
- 적합도 검정 (goodness-of-fit test)

가설검정

귀무가설 H_0 : $\beta_i = 0 \Leftrightarrow HR_i = 1$ (모든 예측변수들은 사건발생 위험과 관련성이 없다)

대립가설 H_1 : $\beta_i \neq 0 \Leftrightarrow HR_i \neq 1$ (적어도 하나 이상의 예측변수는 위험과 관련성이 있다)

회귀계수 $\beta = 0$ 이면 위험비 $HR = e^{\beta} = e^0 = 1$ 이다. (사건발생 위험이 동일하다).

회귀모형의 유의성

Cox 회귀모형의 통계적 유의성은 **부분우도비(partial likelihood ratio)** 검정으로 판정한다.

회귀계수의 유의성

개별 회귀계수에 대한 통계적 검정은 로지스틱 회귀분석과 같이 **Wald 통계량**에 의하여 통계적 확률을 계산한다.

1 회귀계수 해석

Cox 회귀모형에서 회귀계수(b_1)는 **위험비(Hazard Ratio, HR)**의 계산에 사용되어 진다.
개별 예측변수의 위험비 $HR = e^{b_1}$
(a) $b_1 = 0$: HR = 1 ⇨ 예측변수가 사건발생 위험과 관련이 없다.
(b) $b_1 < 0$: HR < 1 ⇨ 예측변수가 1 단위 증가하면 사건발생 위험이 감소한다.
(c) $b_1 > 0$: HR > 1 ⇨ 예측변수가 1 단위 증가하면 사건발생 위험이 증가한다.

2 회귀계수 해석시 주의사항

① 회귀계수의 크기는 독립변수들의 측정단위에 따라 달라지므로 회귀계수의 값을 독립변수들 간의 상대적인 중요성을 비교 판단하는데 사용해서는 안된다.
② 독립변수를 선택하는 경우, 회귀계수의 값보다 유의확률을 비교하는 것이 타당하다.

Cox 회귀분석 vs. 로지스틱 회귀분석

✓ Cox 비례위험모형은 로지스틱 회귀분석과 매우 유사하며 로지스틱 회귀분석에서 시간의 개념이 추가되었다고 할 수 있다.
✓ 예측변수가 명목변수일 때에는 로지스틱 회귀분석과 같이 가변수를 사용하여야 한다. 종속변수는 '생존상태' (사망, 생존)를 나타내는 명목변수로 이항변수이어야 한다.

통계분석법	예측변수	결과변수	중도절단
직선회귀	명목/계량	계량변수	없음
로지스틱 회귀	명목/계량	이항변수	없음
Cox 회귀분석	시간변수 명목/계량	이항변수	있음

Cox 회귀분석을 하나의 집단(명목) 변수에 대하여 분석할 경우 생존시간이 동일한 자료가 없으면 log rank 검정법과 일치된 결과를 얻을 수 있다.

변수선택

예측변수의 수가 많으면 회귀모형이 복잡하게 되고 많은 표본크기가 요구되므로 정해진 선정기준에 따라 일부 독립변수를 선택하여 최종 회귀모형에 포함하게 된다.
변수선택법은 다중선형회귀분석과 같으므로 **『회귀분석』** 단원을 참조하기 바란다.

Exercise

Cox Regression

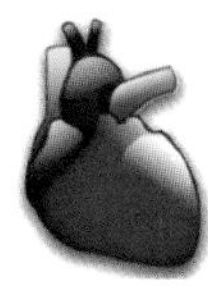

심장병 환자들을 대상으로 기존 치료법과 새로운 치료법(Tx)을 시행한 후에 생존시간(Time), 생존상태(Status), 연령(Age)을 조사한 자료이다. 치료법과 연령이 심장병 환자의 사망위험과 연관이 있는지 알아보자.

Patient	Tx	Age	Time	Status	Patient	Tx	Age	Time	Status
1	1	68	4	1	16	2	63	2	1
2	1	55	5	0	17	2	60	4	1
3	1	67	7	1	18	2	66	6	1
4	1	56	9	1	19	2	59	6	0
5	1	70	11	1	20	2	68	7	1
6	1	62	15	1	21	2	54	10	1
7	1	53	18	0	22	2	51	12	1
8	1	48	22	0	23	2	69	15	1
9	1	59	23	1	24	2	50	15	1
10	1	51	24	0	25	2	62	16	0
11	1	60	27	1	26	2	58	17	1
12	1	59	28	1	27	2	54	17	1
13	1	69	58	1	28	2	52	18	1
14	1	62	60	0	29	2	48	18	0
15	1	51	60	0	30	2	59	20	1

Tx: 1 = 기존치료, 2 = 새 치료, Time: 개월, Status: 0 = 생존, 1 = 사망

1) Cox 회귀모형을 개발하고 통계적 의의가 있는지 판단하시오.

2) 다음 심장병 환자와 11번째 환자(Age = 60, Tx = 1)를 비교하여 위험비를 구하시오.

Subject	Age	Tx
17	60	2

Cox 회귀분석

Cox 회귀분석 결과는 다음과 같은 표로 정리할 수 있다.

Table. Hazard ratio for risk factors of mortality in patients

Risk factor		Coefficient	Hazard ratio	95% CI	P value
Age		0.080	1.08	1.01 to 1.16	0.02
Therapy	New	-1.431	0.24	0.08 to 0.71	0.01
	Standard*	0.0	1.0		

* reference category

Tx와 같이 범주형 명목변수는 반드시 **기준범주(reference category)**를 정하여야 한다.
Tx 변수에서 기존 치료법(standard)이 기준범주이다.

Cox 회귀모형

$$\log(HR) = \log\left(\frac{h(t)}{h_0(t)}\right) = b_1X_1 + b_2X_2 + = 0.08\ X(Age) - 1.431\ X(Tx)$$

X_{Age}: Age (연령)
X_{Tx}: 1 = new therapy (새로운 치료법), 0 = old therapy (기존 치료법)

Tx와 같은 명목변수를 회귀식에 대입하려면 가변수로 바꾸어 기준범주(Tx = 1) ➲ 0, 기타 범주 (Tx = 2) ➲ 1 로 입력하여야 한다.

Cox 회귀모형의 적합성

부분 로그우도비 -2LL = 101.57 ➲ x^2 = 11.4, p = 0.003 으로 TYPE(치료), AGE(연령) 2가지 독립변수(예측변수, 공변수)를 사용한 Cox 회귀모형이 적합하다고 할 수 있다.

Cox 회귀모형이 통계학적으로 유의하다고 판정되면 그 다음 단계로 개별 예측변수가 통계적으로 유의한지를 알기 위해서 개별 회귀계수에 대한 통계적 검정을 한다.

회귀계수

예제에서 예측변수 TYPE, AGE 모두 Wald 검정 확률이 0.05 보다 작으므로 통계학적으로 유의하게 나타났다. AGE의 회귀계수는 양수이므로 AGE가 증가함에 따라 사망 위험이 높아진다고 볼 수 있다. TYPE은 이항변수이며 Type=1이 비교기준이 되는 참조변수이다. 회귀계수가 음수이므로 TYPE 2 (새 치료법)이 TYPE 1 (기존 치료법)에 비하여 환자의 사망 위험을 낮춘다고 볼 수 있다.

위험비

AGE 위험비 HR = e^{b1} = $e^{0.08}$ = 1.08 이다. 이는 AGE의 평균(59)보다 연령이 1세 증가할수록 사망위험이 8% 증가한다는 의미이다. TYPE의 위험비는 0.24 인데 TYPE 2가 TYPE 1에 비하여 사망위험을 25% 정도 감소시킨다는 뜻이다.

위험비 신뢰구간

TYPE에서 위험비의 95% 신뢰구간은 0.080 ~ 0.711 인데 이는 모집단의 위험비(true hazard ratio)가 이 범위에 있다고 95% 신뢰할 수 있다는 의미가 된다.

심장병 환자에서 사망위험은 연령, 치료법과 통계적으로 유의한 관련성이 있으며 고연령일수록 사망 위험이 높아지며, 새 치료법이 기존 치료법보다 사망위험을 유의하게 낮출 수 있다고 결론을 내린다.

위험비 예측

Subject	Age	Tx
17	60	2

① Age = 60, Tx = 2에서 위험률

회귀식에 Age ➡ 60, Tx ➡ 1을 대입하여 구한다.

$h2(t) = h_0(t)\, e^{0.08\,Age-1.431\,Tx} = h_0(t)\, e^{0.08 \times 60-1.431 \times 1}$

② Age = 60, Tx = 1에서 위험률

Age ➡ 60, Tx ➡ 0 을 대입하여 산출한다.

$h1(t) = h_0(t)\, e^{0.08\,Age-1.431\,Tx} = h_0(t)\, e^{0.08 \times 60-1.431 \times 0}$

③ h2(t)와 h1(t)의 위험비

$$\frac{h2(t)}{h1(t)} = \frac{h_0(t)e^{0.08x(60)-1.431x(1)}}{h_0(t)e^{0.08x(60)-1.431x(0)}} = \frac{e^{0.08x(60)}e^{-1.431x(1)}}{e^{0.08x(60)}e^{-1.431x(0)}} = \frac{e^{-1.431}}{e^{0}} = e^{-1.431} \approx 0.24$$

 60세에 새 치료법을 받은 환자는 기존 치료법에 비하여 위험비가 약 0.24 이다.

회귀진단

Cox 회귀분석의 회귀진단은 비례위험 가정 이외에는 로지스틱 회귀분석과 동일하다.

다중공선성 진단은 『다중선형회귀분석』 단원을 참조하기 바란다.

비례위험 가정검정

그래프에 의한 검정은 예측변수가 명목변수일 때에 사용한다. 생존시간을 t, 생존률을 S(t)라 하면 log(t)을 X축, log[-log(S(t)]을 Y축으로 그래프를 그려서 집단별 그래프가 교차하지 않고 평행선에 가까우면 비례위험 가정을 만족한다고 판단한다.

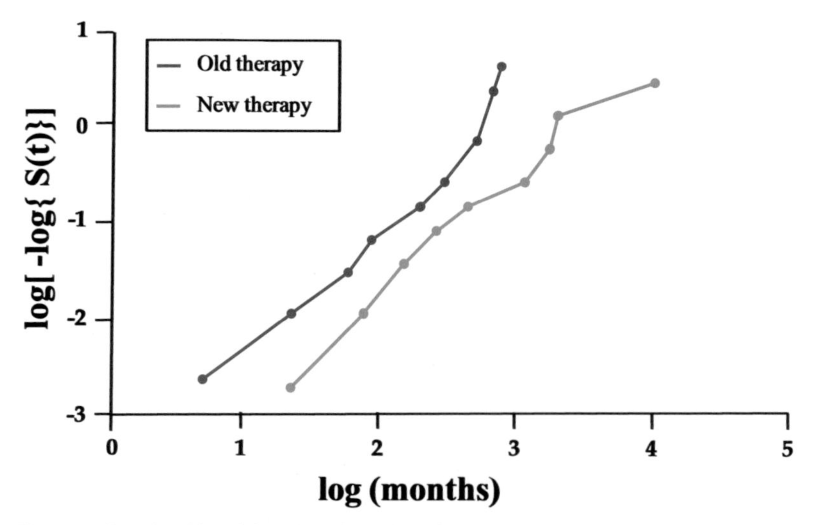

Figure Graph of log{-log[S(t)]} against log time for two treatment groups for 30 patients with heart disease.

SPSS

Data : survival.sav

Cox 회귀모형

1 메뉴 → [분석] ▶ [생존확률] ▶ [Cox 회귀모형] 메뉴를 선택한다.

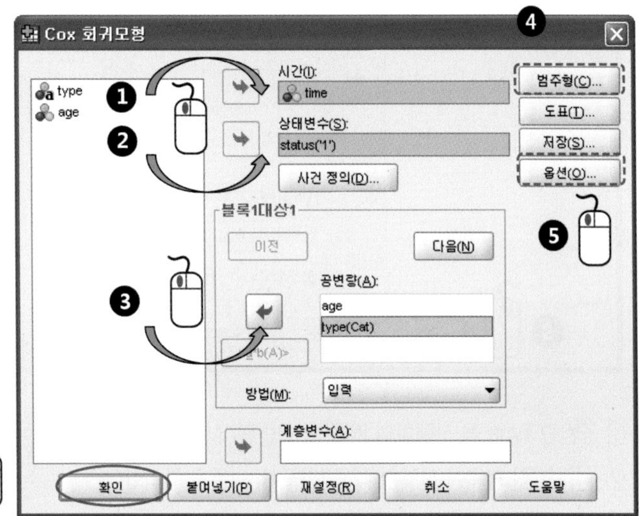

① 변수 Time를 선택하여 [시간변수] 상자에 입력한다.

② 변수 Status를 선택하여 [상태변수] 상자에 입력한다.

[사건 정의] ⇨ [사건 정의] 대화상자에서 이벤트 ➊ 1 입력한다

③ 변수 Age, Type을 선택하여 [공변량] 상자에 입력한다.

④ **[범주형]** 버튼을 클릭하면 [범주형 변수정의] 대화상자가 나타난다.

⑤ **[옵션]** 버튼을 클릭하면 통계량 선택 방법이 나타난다.

⑥ [확인] 버튼을 눌러 작업을 마치면 SPSS 출력결과 창에 통계분석 결과가 나타난다.

2 범주형 변수

공변량들 중에 명목변수가 있으면 범주형 변수에 대한 참조 범주(reference category)를 정의하여야 한다. 예제에서 치료방법 Type이 범주형 변수이므로 [범주형] 버튼을 클릭한다.

SPSS에서 가변수는 표시자로 표시되며 참조범주는 마지막 항목으로 기본 설정되어 있다. 예제에서 Type 1=기존 치료(old), 2=새 치료(new) 두 항목에서 기존치료(1)를 참조범주로 정하려면 처음 항목으로 바꾸어야 한다.

① 공변량 Type 을 선택하여 [범주형 공변량] 상자에 입력한다.

② ☑ **[처음]** 항목을 선택한 다음 **[바꾸기]** 버튼을 클릭한다..

③ [계속] 버튼을 눌러 작업을 마친다.

3 Cox 회귀모형 옵션

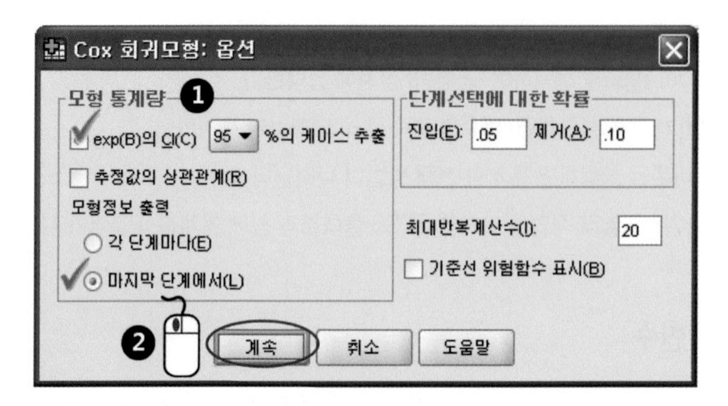

① [모형 통계량] 상자에 ☑ **[exp(B)의 CI]** 항목, [모형정보] ☑ **[마지막 단계]**을 선택한다.

② [계속] 버튼을 눌러 작업을 마친다.

4 통계 결과

SPSS 출력결과 창에 통계분석 결과가 나타난다.

회귀모형

회귀모형의 검정 통계량 -2 Log 우도값을 보여준다.

모형계수에 대한 전체 검정

모형계수에 대한 전체 검정

-2 Log 우도
112.995

모형계수에 대한 전체 검정[a,b]

-2 Log 우도	전체 통계량(스코어)			이전 단계와의 상대적 변화			이전 블록과의 상대적 변화		
	카이제곱	자유도	유의확률	카이제곱	자유도	유의확률	카이제곱	자유도	유의확률
101.571	11.330	2	.003	11.424	2	.003	11.424	2	.003

a. 시작 블록 수 0, 초기 Log 우도 함수: -2 Log 우도: 112.995

b. 시작 블록 수 1. 방법 = 진입

Chi-square = 11.424, 유의확률 $p = 0.003$ 이므로 회귀모형이 통계적으로 유의하다고 판정한다.

회귀계수

방정식의 변수

	❶ B	표준오차	❷ Wald	자유도	❸ 유의확률	❹ Exp(B)	Exp(B)에 대한 95.0% CI ❺ 하한	상한
Type	-1.431	.557	6.610	1	.010	.239	.080	.712
Age	.080	.035	5.379	1	.020	1.084	1.013	1.160

① 회귀방정식에 사용된 회귀계수들을 보여준다.

② Wald 통계량을 사용하여 회귀계수를 검정한다.

③ 회귀계수에 대한 유의확률이다.

④ 회귀계수를 역로그 변환하여 위험비를 계산한 결과이다. Hazard Ratio(HR) = Exp(B)

⑤ 위험비의 95% 신뢰구간을 보여준다.

Age, Type 모두 회귀계수 검정 $p < 0.05$로 통계적으로 유의한 개별 공변량이다.

5 Cox 회귀모형: 도표

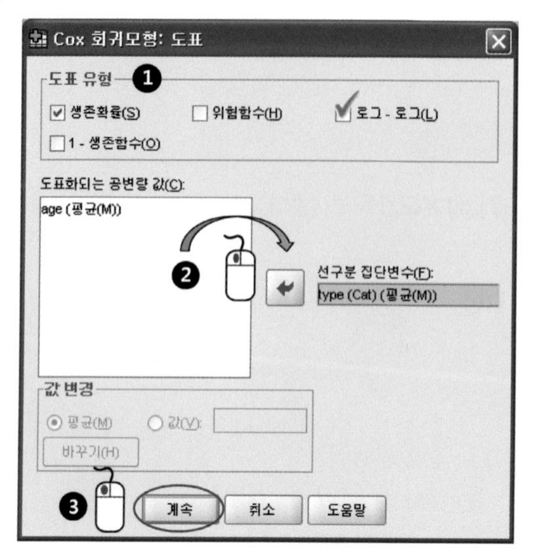

① [Cox 회귀모형: 도표] 상자에 [도표유형] ☑ **[생존확률]** 항목, ☑ **[로그-로그]**을 선택한다.

② [도표화되는 공변량값] ⇨ [선구분 집단변수] ➡ Type 변수를 선택한다.

③ [계속] 버튼을 눌러 작업을 마친다.

6 생존곡선

COX 회귀분석에 투입된 예측변수들의 평균에서의 생존률을 계산하여 생존곡선을 보여준다.

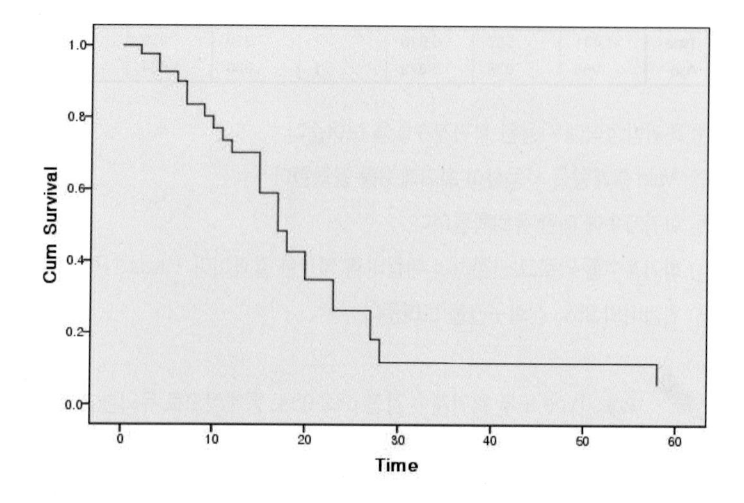

로그-로그 생존곡선

Cox 회귀분석의 전제조건인 비례위험 가정에 대한 그래프 검정법이다.
두 집단의 그래프가 교차하지 않고 평행선에 가까우므로 가정을 만족한다고 할 수 있다.

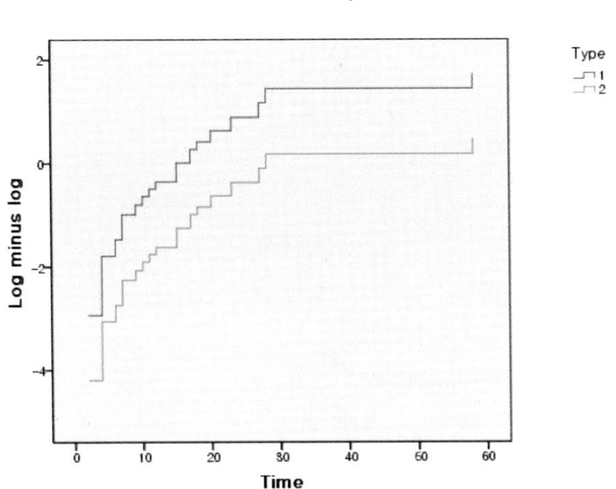

7 비례위험 가정

그래프에 의한 방법 외에 **[시간종속 Cox 회귀모형]**에서 Time dependent 변수를 사용하여 비례위험 가정을 검정할 수 있다. [시간-종속 공변량 계산] 대화상자가 나타난다.

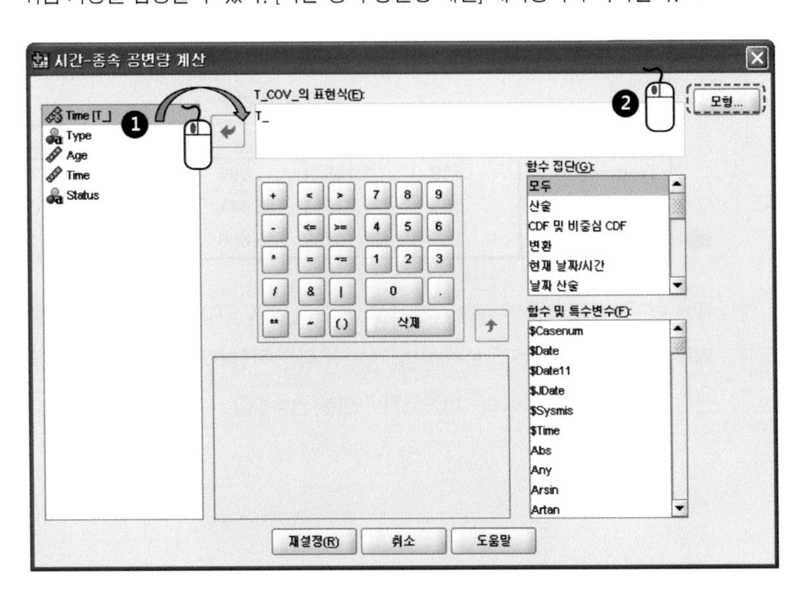

① SPSS에서 만든 시간변수 **Time[T_]** 를 선택하여 [T_COV_의 표현식] 상자에 입력한다.

② [모형] 버튼을 클릭하면 [Cox 회귀모형] 대화상자가 나타난다.

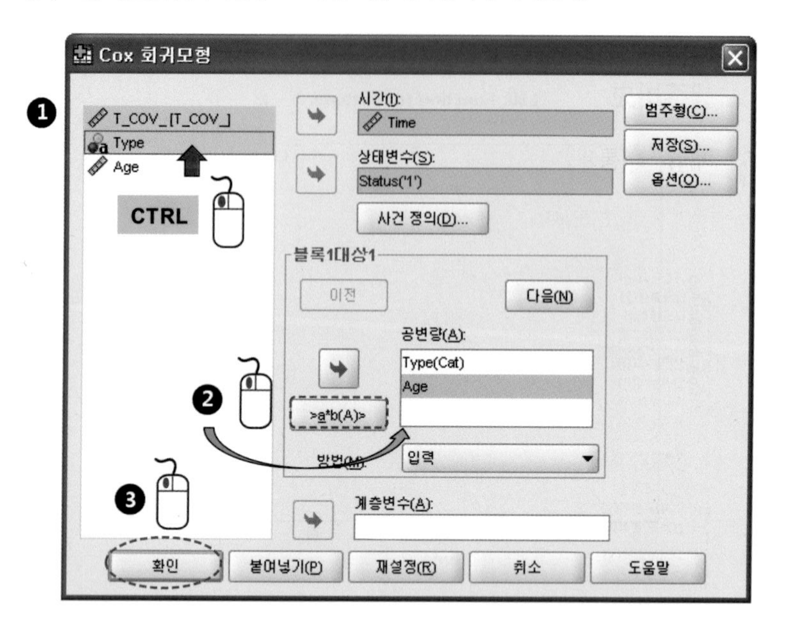

시간, 상태변수, 공변량 상자에 이전의 [Cox 회귀분석] 대화상자와 동일하게 입력한다.

① 시간변수 T_COV_[T_COV_]와 Type을 [Ctrl] 키를 누르면서 마우스 클릭하여 선택한다.

② **[>a*b(A)>]** 버튼을 클릭하여 [공변량] 상자에 입력한다.

③ [확인] 버튼을 눌러 작업을 마치면 SPSS 출력결과 창에 통계분석 결과가 나타난다.

방정식의 변수

	B	표준오차	Wald	자유도	유의확률	Exp(B)
Type	-.359	1.158	.096	1	.757	.699
Age	.083	.035	5.441	1	.020	1.086
T_COV_*Type	.165	.101	2.686	1	.101	1.180

Cox 회귀분석에 새로 추가된 시간-종속 변수 T_COV_*Type에 대한 유의확률 $p = 0.101$로 통계적으로 유의하지 않으므로 치료법(Type)에 따른 위험비가 시간에 따라 변한다고 할 수 없다고 판단한다. 즉 공변량 Type은 비례위험 가정을 만족한다.

dBSTAT

Data : survival.dbf

생존비교

1 메뉴 → [통계] ▶ [생존분석] ▶ [Cox 회귀분석] ▶ [회귀분석] 메뉴를 선택한다.

[통계 조건] 대화상자가 나타난다.

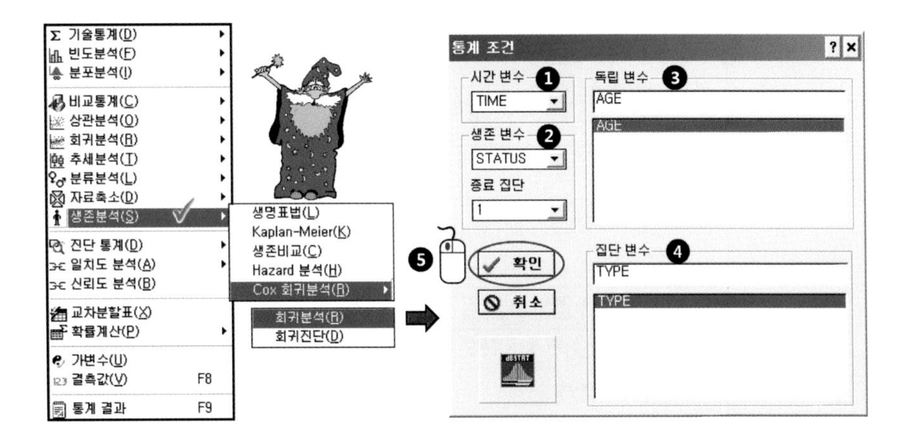

① 시간 변수 ➲ TIME 변수를 선택한다.

② 생존 변수 ➲ STATUS, 종료집단 ➲1 을 선택한다.

③ 독립 변수 ➲ AGE 변수를 선택한다.

④ 집단 변수 ➲ TYPE 변수를 선택한다.

⑤ [확인] 버튼을 클릭하여 선택 작업을 마치면 [통계 결과]가 출력된다.

2 통계결과

[통계결과] 창에 Cox 회귀분석 검정 결과를 보여준다.

① [Cox 회귀 모형의 적합성]

로그우도비 -2LL = 101.57 ➲ x^2 = 11.42, p = 0.003 으로 통계적으로 유의하다.

② [Cox 회귀 방정식]

회귀계수에 대한 Wald 검정, 유의확률, 위험비와 95% 신뢰구간을 보여준다.

TYPE(1)의 위험비 = 0.239의 의미는 Type=2의 Type=1에 대한 비교위험을 뜻한다.

③ [결론]

Age, Type 공변량에 대한 Wald 검정 결과 $p < 0.05$ 이므로 통계적으로 유의하다.

[Categorical Variables] 는 범주형 명목변수를 가변수화하여 기준범주 TYPE(0): TYPE=1 ➲ 0, TYPE(1): TYPE=2 ➲ 1로 바뀌었음을 보여준다. 회귀식에 입력할 때는 가변수값을 사용한다.

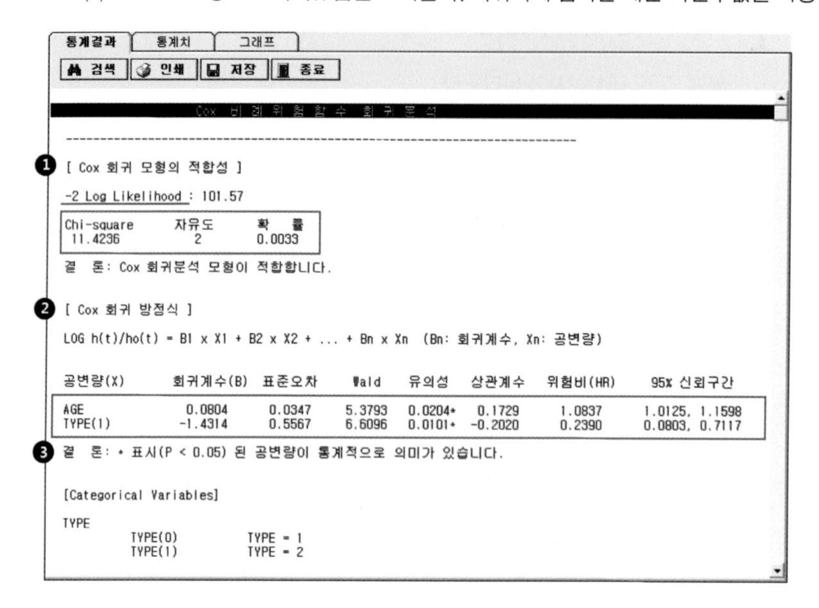

그래프

[그래프] 폴더를 선택하면 공변량들의 평균에서의 생존곡선을 보여준다.

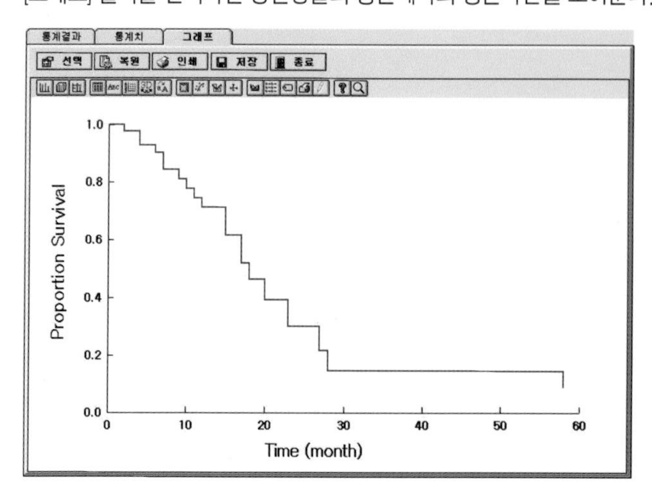

3 Cox 회귀분석 가정

[통계] ▶ [생존분석] ▶ [Cox 회귀분석] ▶ [회귀진단] 메뉴를 선택한다.

[통계 조건] 대화상자가 나타난다.

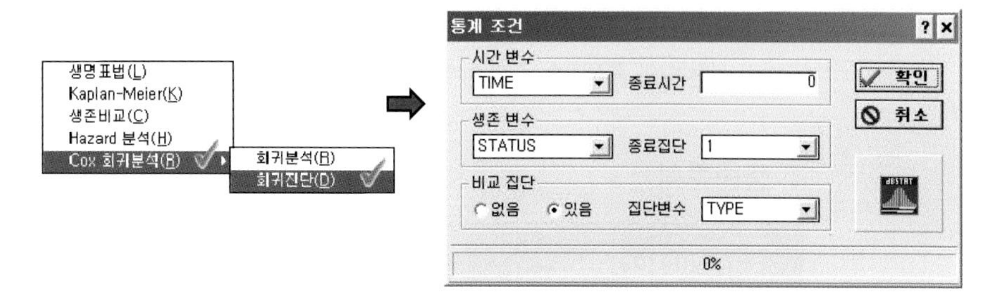

[Kaplan-Meier] 분석과 동일한 대화상자가 나타난다.

[시간 변수], [생존 변수], [비교집단] 상자에 변수를 입력하고 [확인] 버튼을 누른다.

로그-로그 생존곡선

X 축은 log(time), Y 축은 log[-log(S(t)] (log hazard)인 log-log 그래프를 보여준다.

Type에 따른 두 그래프가 평행선에 가까우므로 비례위험 가정을 만족한다고 할 수 있다.

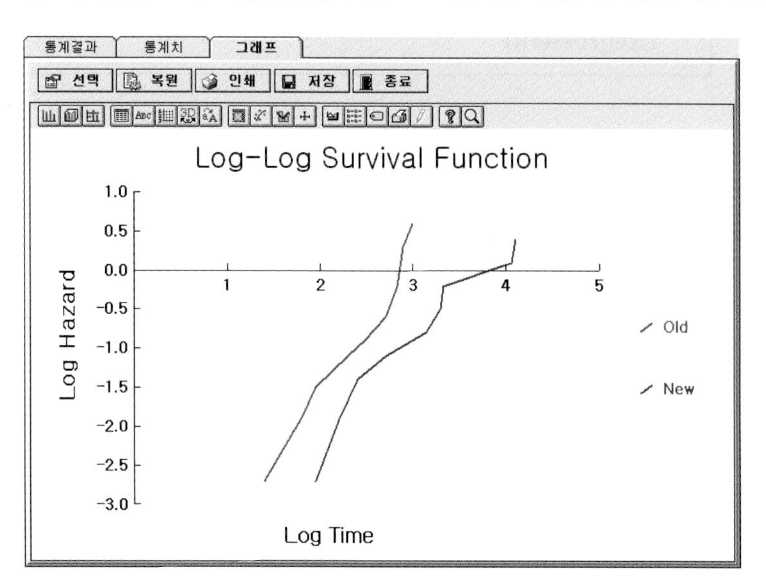

생존분석

- 생존분석은 중도절단자료가 있는 **시간-사건(time to event)** 자료에 대한 분석이다.
- 생존분석은 **비례위험, 다중공선성**에 대한 가정을 검토하여야 한다.
- 비교 집단 수와 혼선변수 존재 여부에 따라서 통계검정법이 선택된다.

❖ 생존분석

Characteristics	Statistical Method
Goal	***Time to event data***
Description	• Life table method • Kaplan Meier method
Comparison	• Log-rank test • Breslow test • Tarone-Ware test
Prediction (Regression)	Cox proportional hazard regression

❖ 전제조건

Assumption		Statistical Method
Proportional Hazard		• Log-log survival plots • Time-dependent variables • Goodness-of-fit test
Multi-collinearity		• Correlation coefficient • Variance Inflation Factor • Tolerance

Medical Paper

A Randomized Phase III Study of Doxorubicin Versus Cisplatin/Interferon α-2b/Doxorubicin/Fluorouracil (PIAF) Combination Chemotherapy for Unresectable Hepatocellular Carcinoma

J Natl Cancer Inst. 2005 Oct 19;97(20):1532-8.

Statistical Design and Analysis

The primary outcome comparison between the two treatment groups was overall survival, and differences in risk were assessed ❶ by the log-rank test.

Survival time was measured from the date of randomization to the date of death or last contact, and all data were censored on May ❷ 31, 2004. Survival differences were calculated using the Kaplan-Meier method.

Factors associated with survival were determined using stepwise ❸ Cox regression analysis. Two approaches were used to assess the validity of the proportional hazards assumption. First, the assumption was assessed by log-minus-log survival function and found to hold. Second, to confirm the assumption of proportionality, time-dependent covariate analysis was used. The time-dependent covariate was not statistically significant, suggesting that the proportional hazards assumption is reasonable. Estimates for hazard ratios (HR) and 95% confidence intervals (CIs) were calculated from these regression models. The Cox regression analyses used stepwise procedures for time-to-event endpoints. Prognostic variable was included or excluded in a stepwise fashion and based on a *P* value of .05 for inclusion and a *P* value of 0.10 for exclusion, starting from the most statistically significant variable in each step.

Survival Analysis

① Log-rank test: 두 집단간 생존률을 비교하였다.

② Kaplan-Meier method: 생존곡선을 그래프로 표시한다.

③ Cox 회귀분석: 비례위험 가정, 위험비, 95% CI, 변수선택 방법을 기술하였다.

Statistical Error

Antigen-based therapy with glutamic acid decarboxylase (GAD) vaccine in patients with recent-onset type 1 diabetes: a randomised double-blind trial

***Lancet* 2011; 378: 319–27**

❶ **Statistical analysis**

The time to first stimulated peak C-peptide of less than 0.2 nmol/L was analysed with standard survival methods (Cox model and Kaplan-Meier method).

❷ **Results**

Time to stimulated peak C-peptide decreasing below 0.2 nmol/L also did not differ between the groups receiving GAD-alum and the alum group (p=0.70 for the GAD-alum group and p=0.80 for the GAD-alum plus alum group).

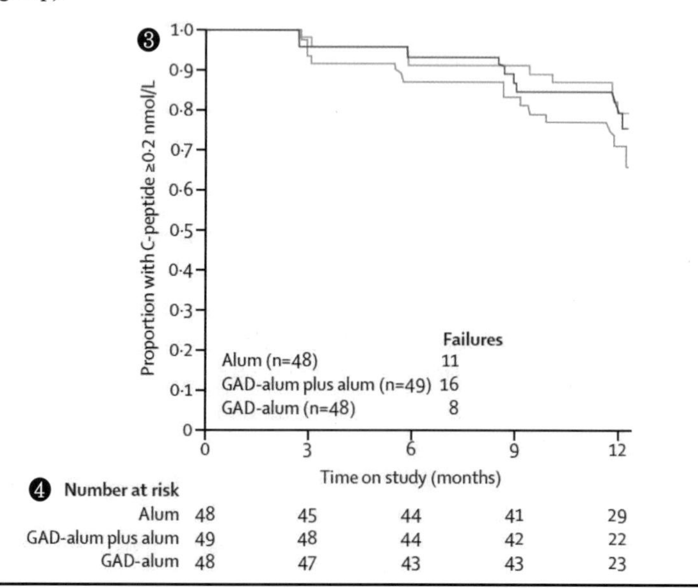

Survival Analysis

① 생존분석: 생존곡선 비교에는 일반적으로 Log-rank test가 사용된다.

② 결과분석: 집단간 Time (생존시간) 비교가 아니고 생존률 (Proportion) 비교이다.

③ 생존곡선: 생존곡선 간에 교차가 있어 비례위험 가정에 위배되므로 비교를 할 수 없다.

④ Number at risk: 생존구간별 생존수 제시는 올바른 방법이다. (최소 생존수 > 10).

Diagnostic Statistics

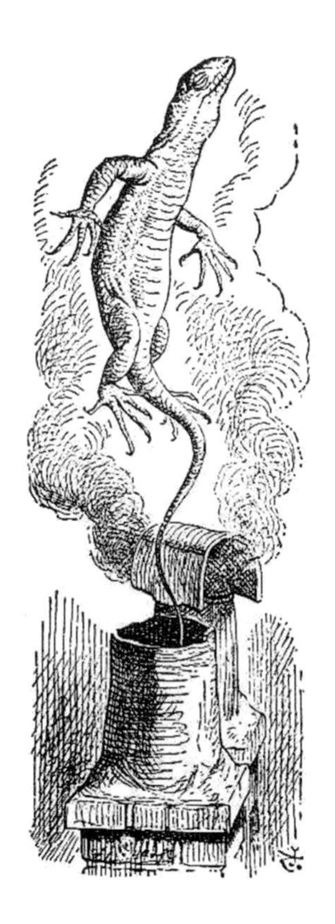

What happened to you? Tell us all about it!

9

진단통계 Diagnostic Statistics

진단방법이란 개개인이 특정한 질병에 걸렸는지 검사하는 방법이다. 진단방법의 정확성을 평가하는 방법으로 민감도, 특이도가 흔히 사용되며 진단방법의 예측도에 대한 확률계산에 베이즈 정리(Bayes' theorem)가 이용된다.

진단방법 Diagnostic Test

진단방법에 대한 통계적 분석은 검사의 타당도와 신뢰도에 대한 검정으로 나누어진다.

1. 타당도 Validity

진단방법의 적합성을 판단하기 위해서는 오차를 측정하여야 한다. 진단기기와 관련된 오차를 **Bias(치우침, 편향)**라 하며 **정확도(Accuracy)**로 나타낸다. 진단기기의 정확도는 질병의 진단을 정확하게 맞추는 정도를 의미한다.

타당도에 관한 통계분석법은 다음과 같다.

- 민감도 (Sensitivity)
- 특이도 (Specificity)
- 예측도 (Predictive Value)
- 우도비 (Likelihood Ratio)
- 수신자 동작곡선 (ROC Curve)

2. 신뢰도 Reliability

진단기기의 신뢰도는 측정값의 **반복 재현성(Reproducibility, Repeatability)**을 뜻하며 **정밀도 (Precision)**로 나타낸다. 진단방법의 신뢰도는 평가자들 또는 진단방법들 간의 진단 **일치도 (agreement)**에 관한 분석이다.

신뢰도에 관한 통계분석법은 다음과 같다.

- 카파검정 (Kappa test)
- 급내상관 (Intraclass Correlation)
- Kendall 일치도 (Kendall Coefficient of Concordance)
- Bland-Altman plot

정확도란 사격에서 표적에 정확하게 맞추는 정도를 뜻하며 **Bias**는 표적에서 멀어지는 **부정확성**을 뜻한다. 정밀도란 표적과는 상관없이 한 곳을 집중적으로 맞추는 것을 뜻한다. 신뢰도 저하는 사격점이 흩어져서 정밀도가 낮아지는 비정밀성을 뜻한다.

		Validity	
		정확	부정확
Reliability	정밀		
	비정밀		

다음 그림은 화살이 엉뚱한 표적을 맞추어 **타당도(정확도)**는 낮으나 한 곳에 집중적으로 맞추었기 때문에 **신뢰도(정밀도)**는 높다고 볼 수 있다.

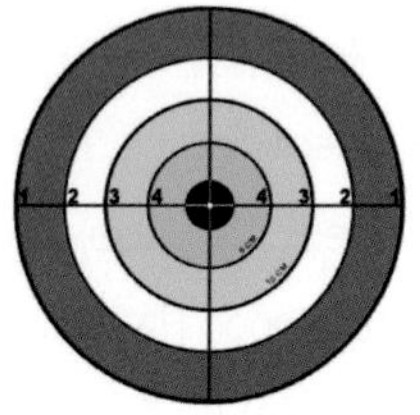

9-1 타당도 Validity

CONTENTS

진단방법의 타당도(정확도)에 관한 통계적 분석방법은 다음과 같다.

- **민감도 (Sensitivity)**
- **특이도 (Specificity)**
- **예측도 (Predictive Value)**
- **우도비 (Likelihood Ratio)**
- **수신자 동작곡선 (ROC Curve)**

진단방법의 정확도(accuracy)는 다음과 같은 2 x 2 교차표로 분석한다.

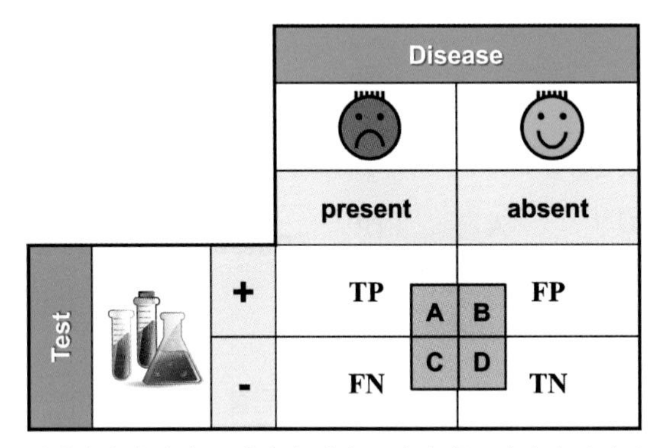

진단검사의 결과는 질병이 있다고 판정하는 양성과 질병이 없다고 판정하는 음성으로 나눈다.

최적표준 Gold Standard

질병의 유무는 질병을 진단하는데 **절대적 표준**이 되는 검사에 의하여 판정하여야 한다.

양성 Positive

- **진양성 (TP, True Positive)** : 실제 질병이 있는 경우 진단 결과 양성으로 판정
- **위양성 (FP, False Positive)** : 실제 질병이 없는데도 진단 결과 양성으로 판정 (오진)

음성 Negative

- **진음성 (TN, True Negative)** : 실제 질병이 없는 경우 진단 결과 음성으로 판정
- **위음성 (FN, False Negative)** : 실제 질병이 있는데도 진단 결과 음성으로 판정 (오진)

1.1 민감도와 특이도

민감도와 특이도는 질병 유무를 알고 있을 때에 과거에 시행되었던 검사결과가 올바른지 알아보는 분석방법이다.

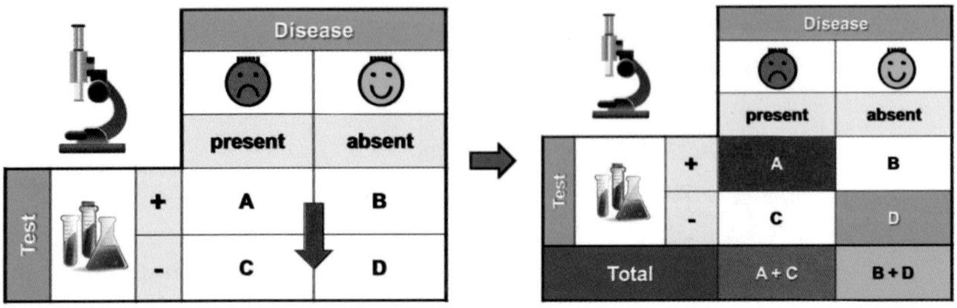

		Disease	
		present	absent
Test	+	A	B
	-	C	D

		Disease	
		present	absent
Test	+	A	B
	-	C	D
Total		A + C	B + D

민감도 Sensitivity

질병이 실제 있을 때 검진방법에 의해 질병이 있다고 진단할 확률을 뜻한다.

$$\textit{Sensitivity} = \frac{\text{양성검사}}{\text{질병있음}} = \frac{\mathbf{A}}{\mathbf{(A+C)}} = \frac{\mathbf{TP}}{\mathbf{TP+FN}} \quad \textbf{(\textit{TruePositiveRate, TPR})}$$

특이도 Specificity

질병이 실제 없을 때 검진방법에 의해 질병이 없다고 진단할 확률을 뜻한다.

$$\textit{Sensitivity} = \frac{\text{음성검사}}{\text{질병없음}} = \frac{\mathbf{D}}{\mathbf{(B+D)}} = \frac{\mathbf{TN}}{\mathbf{TN+FP}} \quad \textbf{(\textit{TrueNegativeRate, TNR})}$$

위음성률 False Negative Rate, FNR

질병이 실제 있을 때 검진방법에 의해 질병이 없다고 진단할 확률을 뜻한다.

민감도가 클수록 위음성률은 작아진다.

$$\textit{FNR} = \frac{\text{음성검사}}{\text{질병있음}} = \frac{\mathrm{C}}{(\mathrm{A}+\mathrm{C})} = 1 - \textit{Sensitivity}$$

위양성률 False Positive Rate, FPR

질병이 실제 없을 때 검진방법에 의해 질병이 있다고 진단할 확률을 뜻한다.

특이도가 클수록 위양성률은 작아진다.

$$FPR = \frac{\text{양성검사}}{\text{질병없음}} = \frac{B}{(B+D)} = 1 - \textbf{\textit{Specificity}}$$

정확도 Accuracy

검진방법에 의해 진양성과 진음성을 진단할 확률을 뜻한다.

$$\textbf{\textit{Accuracy}} = \frac{\text{진양성}+\text{진음성}}{\text{전체수}} = \frac{A+D}{A+B+C+D} = \frac{TP+TN}{N}$$

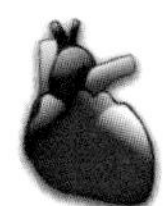

관상동맥질환(CHD)을 진단하는 검사를 시행한 결과가 다음 표와 같다. 검사의 민감도와 특이도를 구하시오.

Table. Relation between results of test and correct diagnosis

Test	CHD		Total
	Present	Absent	
Positive	16	20	36
Negative	4	60	64
Total	20	80	100

[해설]

민감도 = 16/20 = 80%, 95% CI (신뢰구간) = 58.4% to 91.9%

특이도 = 60/80 = 75%, 95% CI (신뢰구간) = 64.5% to 83.2%

95% 신뢰구간 (CI, confidence interval)

다른 통계량과 마찬가지로 민감도, 특이도는 95% 신뢰구간을 함께 표시하여야 한다.

민감도와 특이도 해석

진단검사의 유용성은 검진의 목적에 따라서 결정된다.

SnNout - Sensitivity-Negative-out ("rule out" a disease)

정상인들이 대상인 선별검사(screening test)에서는 음성검사의 신뢰성이 중요하다. 즉, 질병을 정상으로 잘못 판정(미발견)할 확률(위음성률)이 낮아야 하므로 민감도가 높은 검사를 선택한다.

SpPin - Specificity-Positive-in ("rule in" the disease)

질병이 의심되는 사람들을 대상으로 질병을 확진하기 위한 진단검사(diagnostic test)에서는 양성검사의 신뢰성이 중요하다. 즉, 정상을 질병으로 잘못 판정(과잉진단)할 확률(위양성률)이 낮아야 하므로 특이도가 높은 검사를 선택하여야 한다.

경험적 법칙(rule of thumb)에 의하면 선별검사는 민감도 95%, 특이도 75% 이상, 진단검사는 특이도 95% 민감도 75% 이상이 바람직하다.

12 진단방법 결합 Combination

민감도와 특이도를 높이기 위해서 두 가지 이상의 진단검사 결과를 결합할 수 있다. 결합방식은 검진의 목적에 따라 **동시결합**과 **순차결합**으로 나누어진다.

1. 동시결합 Parallel Test

두 가지 검사를 동시에 시행하여 한가지 검사 결과만 양성이면 양성으로 판정하고 두 가지 검사 모두 음성인 경우에 음성으로 판정하는 방법이다. **("OR rule") (Positive-If-ONE-Positive)**

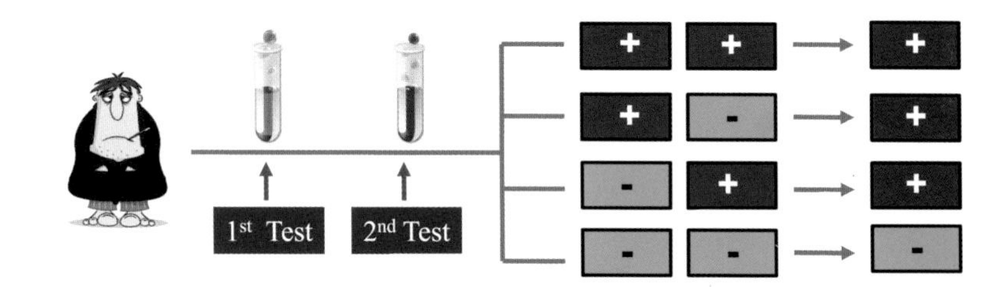

- **특징**

  ① 단독 검사에 비하여 민감도는 높아지고 특이도는 낮아진다.

  ② 높은 민감도가 필요한 선별검사에서 사용되는 방법이다.

- **계산방법**

  ① 결합 민감도 = 민감도1 + 민감도2 - 민감도1 x 민감도2

  ② 결합 특이도 = 특이도1 x 특이도2

2. 순차결합 Serial Test

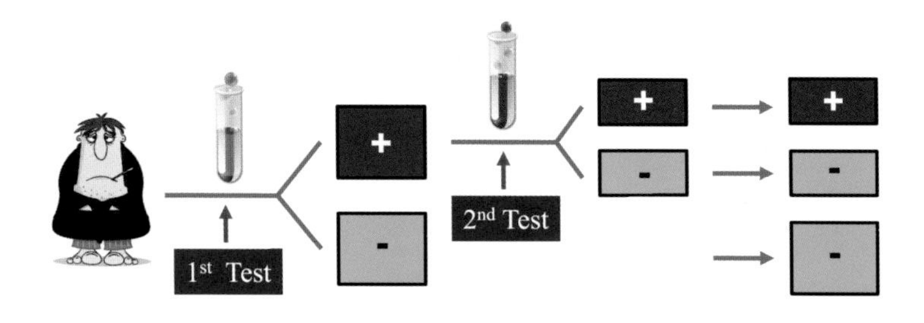

첫번째 검사를 먼저 시행하여 검사 결과가 양성이면 두번째 검사를 시행하여 검사 결과가 양성이면 최종적으로 양성으로 판정하고 한가지 검사 결과만 음성인 경우에는 최종 음성으로 판정하는 방법이다. (“AND rule”) (Positive-If-BOTH-Positive)

- **특징**

  ①단독 검사에 비하여 특이도는 높아지고 민감도는 낮아진다.

  ②높은 특이도가 필요한 확진을 위한 진단검사에서 사용되는 방법이다.

- **계산방법**

  ①결합 특이도 = 특이도1 + 특이도2 - 특이도1 x 특이도2

  ②결합 민감도 = 민감도1 x 민감도2

두 가지 선별검사를 시행한 결과의 민감도와 특이도는 다음 표와 같다.
두 가지 검사를 결합한 민감도와 특이도를 구하시오.

Table. Screening test for disease

Method	Diagnosis Accuracy	
	Sensitivity (%)	Specificity (%)
Test 1	70	90
Test 2	80	60

[해설] 선별검사이므로 동시결합 방법으로 계산한다.

① 결합 민감도 = 0.7 + 0.8 − 0.7 × 0.8 = 0.94 (94%)

② 결합 특이도 = 0.9 × 0.6 = 0.54 (54%)

13 진단방법 비교 comparison

두 가지 진단검사의 정확도를 비교하는 통계적 방법은 두 가지 검사를 동일 대상자에게 동시에 시행하였는지 서로 다른 독립 집단에서 시행하였는지에 따라서 달라진다.

독립 집단에서 진단검사 비교

서로 다른 독립적인 집단에서 두 가지 진단검사를 시행하여 정확성을 비교하기 위한 통계적 방법은 **chi-square test** 또는 **Fisher's exact test**를 사용한다.

다음은 두 가지 검사 test 1과 test 2를 서로 다른 집단에서 시행한 검사 결과이다.

Table 1. Accuracy of diagnostic test 1

Test 1	Disease	
	Present	Absent
Positive	35	5
Negative	15	45

Table 2. Accuracy of diagnostic test 2

Test 2	Disease	
	Present	Absent
Positive	40	20
Negative	10	30

두 가지 검사의 민감도와 특이도를 비교하여 본다.

1) 민감도 비교

Table 1과 Table 2에서 질병이 있을 때의 진단 결과를 다음과 같이 Table A에 정리할 수 있다.

Table A. Comparison of sensitivity

Diagnosis	Test 1	Test 2
Positive	35	40
Negative	15	10

[해설]

2 x 2 Table에 대한 chi-square test를 시행한다.

Chi-square 검정법

x^2 = 0.85, 유의확률 p = 0.36 〉 0.05 이므로 두 가지 검진방법의 민감도에 유의한 차이가 없다.

2) 특이도 비교

Table 1과 Table 2에서 질병이 없을 때의 진단 결과를 다음과 같이 Table B에 정리할 수 있다.

Table B. Comparison of specificity

Diagnosis	Test 1	Test 2
Positive	5	20
Negative	45	30

[해설]

Chi-square 검정법

x^2 = 10.45, 유의확률 p = 0.0012 〈 0.05 이므로 두 가지 검진방법의 특이도에 유의한 차이가 있다.

대응 집단 대상에서 진단검사 비교

개별 대상에서 두 가지 진단검사를 동시에 시행하는 경우에 검사의 정확성을 비교하기 위한 통계적 방법은 **McNemar test**를 사용한다.

진단의 정확성을 비교하기 위해서는 민감도와 특이도를 나누어 비교하여야 한다.

민감도는 질병이 있는 대상만으로 Table을 만들어 검사 결과를 비교하고 특이도는 질병이 없는 대상만으로 Table을 만들어 검사결과를 비교한다.

Exercise

Diagnosis Statistics

20명을 대상으로 두 가지 검사 Method A와 Method B를 시행한 검사 결과이다.
(Disease + : 질병 있음, - : 질병 없음, 진단 Method + : 양성 결과, - : 음성 결과)

Subject	Method A	Method B	Disease	Subject	Method A	Method B	Disease
001	+	+	+	011	-	-	-
002	+	+	+	012	-	-	-
003	+	+	+	013	-	-	-
004	+	+	+	014	-	-	-
005	+	+	+	015	-	-	-
006	+	-	+	016	-	+	-
007	+	-	+	017	+	-	-
008	+	-	+	018	+	-	-
009	-	+	+	019	+	-	-
010	-	-	+	020	+	+	-

두 가지 검사방법의 민감도와 특이도를 비교하시오.

1) 민감도 비교

질병이 있을 때의 진단 결과를 다음과 같은 Table에 정리할 수 있다.

Subject	Method A	Method B	Disease
001	+	+	+
002	+	+	+
003	+	+	+
004	+	+	+
005	+	+	+
006	+	-	+
007	+	-	+
008	+	-	+
009	-	+	+
010	-	-	+

- Sensitivity
  Method A = 8/10 = 80%
  Method B = 6/10 = 60%

			Method A Diagnosis	
			Positive	Negative
Method B	Diagnosis	Positive	5	1
		Negative	3	1

[해설]

McNemar 검정법

유의확률 p = 0.625 〉 0.05 이므로 두 가지 검진방법의 민감도에 유의한 차이가 없다.

2) 특이도 비교

질병이 없을 때의 진단 결과를 다음과 같은 Table에 정리할 수 있다.

Subject	Method A	Method B	Disease
011	-	-	-
012	-	-	-
013	-	-	-
014	-	-	-
015	-	-	-
016	-	+	-
017	+	-	-
018	+	-	-
019	+	-	-
020	+	+	-

- Specificity
  Method A = 6/10 = 60%
  Method B = 8/10 = 80%

			Method A	
			Diagnosis	
			Positive	Negative
Method B	Diagnosis	Positive	1	1
		Negative	3	5

[해설]

McNemar 검정법

유의확률 p = 0.625 〉 0.05 이므로 두 가지 검진방법의 특이도에 유의한 차이가 없다.

SPSS

Data : diagnosis.sav

교차분석

1 메뉴 → [분석] ▶ [기술통계량] ▶ [교차분석] 메뉴를 선택하면 대화상자가 나타난다.

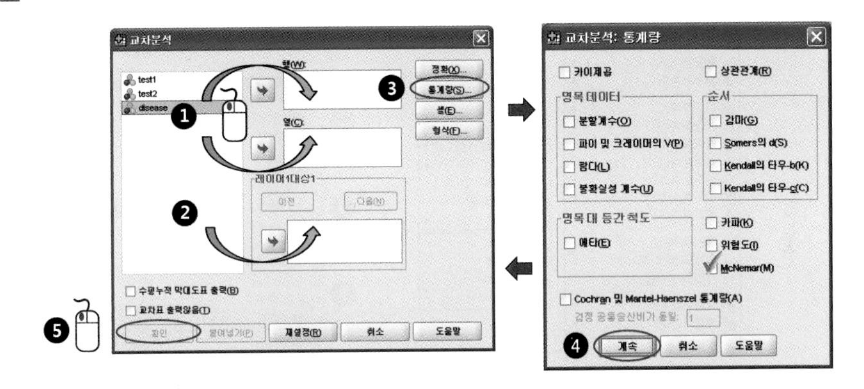

① [행 변수] ● Test1, [열 변수] ● Test2 변수를 선택하여 입력한다.

② Disease 변수를 선택하여 [레이어1대상1] 상자에 입력한다.

③ [통계량] 버튼을 눌러 [교차분석] 통계량 대화상자에서 ☑[McNemar] 항목을 선택한다.

④ [계속] 버튼을 눌러 [교차분석] 대화상자로 돌아간다.

⑤ [확인] 버튼을 눌러 작업을 마치면 SPSS 출력결과 창에 통계분석 결과가 나타난다.

2 통계결과

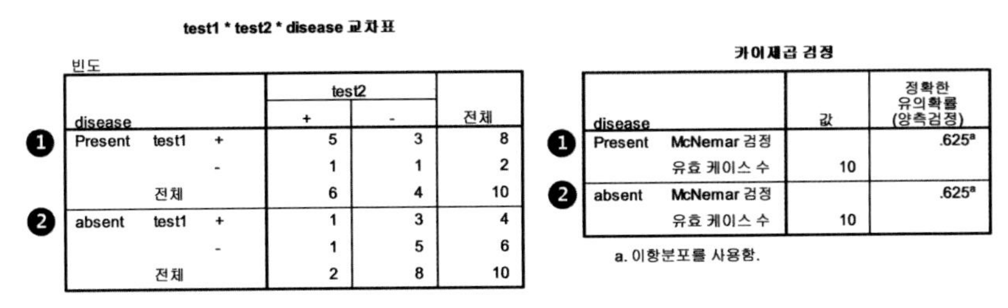

test1 * test2 * disease 교차표

빈도

disease			test2 +	test2 -	전체
❶ Present	test1	+	5	3	8
		-	1	1	2
	전체		6	4	10
❷ absent	test1	+	1	3	4
		-	1	5	6
	전체		2	8	10

카이제곱 검정

disease		값	정확한 유의확률 (양측검정)
❶ Present	McNemar 검정		.625[a]
	유효 케이스 수	10	
❷ absent	McNemar 검정		.625[a]
	유효 케이스 수	10	

a. 이항분포를 사용함.

① Disease (+) ⇨ test1과 test2 **민감도 비교** : McNemar test p = 0.625 이므로 유의한 차이가 없다.

② Disease (-) ⇨ test1과 test2 **특이도 비교** : McNemar test p = 0.625 이므로 유의한 차이가 없다.

dBSTAT

Data : diagnosis.dbf

진단통계 분석

1 메뉴 → [진단통계] ▶ [민감도-특이도] ▶ [민감도-특이도 비교] 메뉴를 선택한다.

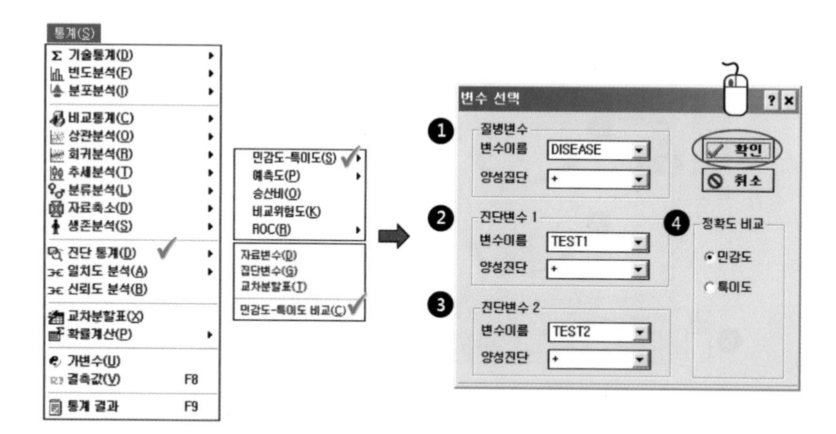

① [질병변수] 변수이름 ➡ DISEASE, [양성집단] ➡ + 입력한다.

② [진단변수1] 변수이름 ➡ TEST1, [양성진단] ➡ + 입력한다.

③ [진단변수2] 변수이름 ➡ TEST2, [양성진단] ➡ + 입력한다.

④ [정확도 비교] 입력상자에 ⊙민감도 ○특이도 항목을 선택하고 [확인] 버튼을 클릭한다.

2 민감도와 특이도 비교

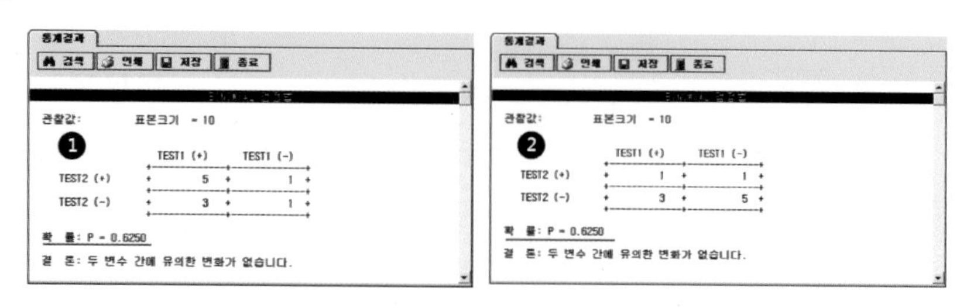

① **민감도 비교** : McNemar (Binomial) test ⇨ p = 0.625 〉 0.050이므로 유의한 차이가 없다.

② **특이도 비교** : McNemar (Binomial) test ⇨ p = 0.625 〉 0.050이므로 유의한 차이가 없다.

1.4 예측도 Predictive Value

- 예측도는 검사결과가 나왔을 때 질병 유무를 예측하는 확률을 알아보는 분석방법이다.
- 예측도는 양성예측도와 음성예측도가 있다.

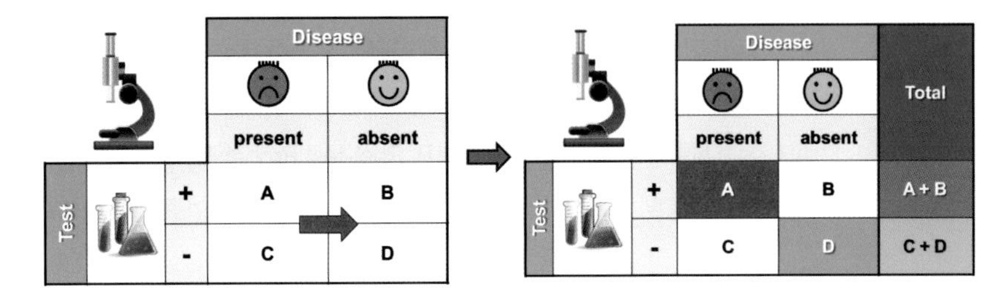

양성예측도 Positive Predictive Value, PPV

검진방법에 의해 양성으로 판정시 실제 질병이 있음을 진단할 확률을 뜻한다.

$$PPV = \frac{\text{질병있음}}{\text{양성검사}} = \frac{A}{(A+B)}$$

음성예측도 Negative Predictive Value, NPV

검진방법에 의해 음성으로 판정시 실제 질병이 없음을 진단할 확률을 뜻한다.

$$NPV = \frac{\text{질병없음}}{\text{음성검사}} = \frac{D}{(C+D)}$$

예측도에 대한 가정

질병이 있는 환자군과 질병이 없는 대조군으로 나누어 진단방법을 평가하는 대부분의 연구에서는 민감도와 특이도는 직접 추정할 수 있으나 예측도는 직접 산출할 수 없다.

예측도를 위의 계산식에 의하여 산출하기 위해서는 연구대상자들이 모집단에서 확률적으로 추출(random sampling)되어야 한다. 즉, 환자군의 비율이 **유병률**과 같아야 한다. 이러한 가정을 무시하고 예측도를 산출하는 것은 그릇된 방법이다.

사전확률 (Pre-test Probability) vs. 사후확률 (Post-test Probability)

- ✓ 사전확률이란 검진방법 시행 대상자들이 질병을 가질 확률이고 사후확률은 검진방법에 의하여 질병을 예측할 확률이다. 사전확률은 검사전 확률**(Pre-TP, Pre-test Probability)**이라고도 한다.
- ✓ 질병의 예측도는 환자군과 대조군의 수에 따라 크게 달라지므로 환자수:전체수 비율을 미리 정하여야 한다. 즉 유병률을 사전에 알아야 예측이 가능하다.
- ✓ 예측도에 사용되는 유병률을 사전확률이라고 하며 예측도를 사후확률이라고도 부른다.
- ✓ 사후확률은 검사후 확률**(Post-TP, Post-test Probability)**이라고도 한다.
- ✓ 사전확률은 역학조사에서의 유병률인 경우가 많으나 연구 대상에 따라 달라질 수 있다.

Example

관상동맥질환을 진단하는 검사의 민감도가 80%이고 특이도가 75%이다. 60대의 흡연자에서 흉통이 있는 경우 관상동맥질환에 걸렸을 확률(사전확률)이 20%이다. 양성예측도와 음성예측도를 구하시오.

[해설]

대부분의 연구에서는 직접적으로 예측도를 계산할 수 없으므로 베이즈 정리에 의하여 민감도, 특이도, 유병률(사전확률)을 이용하여 다음과 같이 간접적으로 예측도를 계산한다.

$$\boldsymbol{PPV} = \frac{\text{민감도} \times \text{유병률}}{\text{민감도} \times \text{유병률} + (1-\text{특이도}) \times (1-\text{유병률})}$$

$$\boldsymbol{NPV} = \frac{\text{특이도} \times (1-\text{유병률})}{\text{특이도} \times (1-\text{유병률}) + (1-\text{민감도}) \times \text{유병률}}$$

위의 예에서 양성예측도(PPV)와 음성예측도(NPV)를 베이즈 정리를 이용하여 구하여 보자

$$PPV = \frac{0.8 \times 0.2}{0.8 \times 0.2 + (1-0.75) \times (1-0.2)} = \frac{0.16}{0.16 + 0.25 \times 0.8} = \frac{0.16}{0.36} = 0.444 \quad (44.4\%)$$

$$NPV = \frac{0.75 \times (1-0.2)}{0.75 \times (1-0.2) + (1-0.8) \times 0.2} = \frac{0.75 \times 0.8}{0.75 \times 0.8 + 0.2 \times 0.2} = \frac{0.6}{0.64} = 0.938 \quad (93.8\%)$$

민감도와 특이도가 같아도 예측도는 유병률에 따라서 달라진다.

Table 1에서처럼 유병률이 낮으면(1%) 양성예측도는 낮아지고 음성예측도는 높아진다.

Table 1. Low prevalence rate

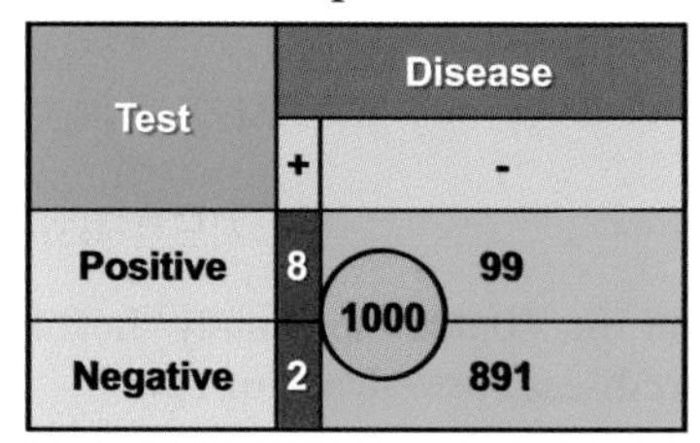

Test	Disease +	Disease -
Positive	8	99
Negative	2	891

1000

- Prevalence = 10/1000 = 1%
- Sensitivity = 8/10 = 80%
- Specificity = 891/990 = 90%
- PPV = 8/107 = 7.5%
- NPV = 891/893 = 99.8%

Table 2에서와 같이 유병률이 높으면(50%) 양성예측도는 높아지고 음성예측도는 낮아진다.

Table 2. High prevalence rate

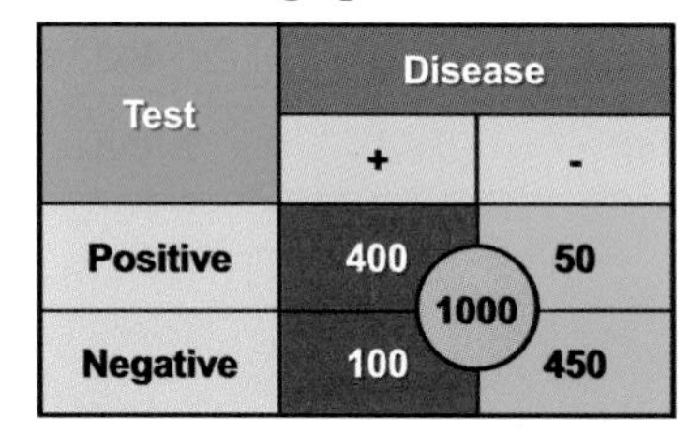

Test	Disease +	Disease -
Positive	400	50
Negative	100	450

1000

- Prevalence = 500/1000 = 50%
- Sensitivity = 400/500 = 80%
- Specificity = 450/500 = 90%
- PPV = 400/450 = 88.9%
- NPV = 450/550 = 81.8%

60세 이상의 흡연 남자에서 흉통이 있는 경우 관상동맥질환(CHD)에 걸렸을 확률이 20%이다. 흉통이 있는 60세 이상 흡연 남자 100명을 대상으로 관상동맥질환을 진단하는 검사를 시행하였다. 진단검사의 양성예측도와 음성예측도를 구하시오.

Table. Expected outcome in 100 old smokers presenting to hospital with chest pains of whom 20% have CHD.

Test	CHD		Total
	Present	Absent	
Positive	16	20	36
Negative	4	60	64
Total	20	80	100

[해설]

① 유병률 = 20/100 = 20% ⇨ 사전확률 20%와 동일하므로 2 x 2 Table에서 직접 계산한다.

② 양성예측도 PPV = 16/36 = 44.4%, 음성예측도 NPV = 60/64 = 93.8%

다음은 민감도(80%)와 특이도(75%)는 위의 예제와 같으나 유병률이 다른 예이다.

건강한 성인에서 흡연자가 관상동맥질환(CHD)에 걸렸을 확률은 1%이다. 건강한 흡연자 10000명을 대상으로 CHD을 진단하는 검사에서 양성예측도와 음성예측도를 구하시오.

Table. Expected outcome in 10,000 apparently healthy smoker with coronary heart disease prevalence of 1%.

Test	CHD		Total
	Present	Absent	
Positive	80	2475	2555
Negative	20	7425	7445
Total	100	9900	10000

[해설]

① 유병률 = 100/10000 = 1% ⇨ 사전확률 1%와 동일하므로 2 x 2 Table에서 직접 계산한다.

② 양성예측도 PPV = 80/2555 = 3.1%, 음성예측도 NPV = 7425/7445 = 99.7%

유병률 (Prevalence Rate)

유병률은 한 시점에서 질병의 빈도를 측정하는 방법으로 그 질병의 발생률 및 이환 기간에 영향을 받는다. 유병률은 질병을 가진 인구수를 모집단의 인구수로 나눈 것이다.

Thomas Bayes (1702-1761)

Bayes는 기존의 확률분포에 의한 확률적 추론이 새로운 정보에 의하여 변경된다는 조건부확률 이론을 최초로 발표하였으나 1950년대에 와서야 도입되었다. **Bayes**정리는 임상적 진단에서 유용하게 사용된다. 임상의사가 특별한 질병을 가진 환자를 진단하는데 증상이 있으면 질병에 걸렸을 확률을 어느 정도 추측할 수 있으며 진단검사에 의하여 진단의 정확성을 높일 수 있다.

1.5 우도비 Likelihood Ratio

- 민감도와 특이도를 하나의 지표로 만들어 진단검사의 정확도를 측정하는 방법이다.
- 우도비는 예측도와 달리 민감도와 특이도 만으로 계산하며 유병률과는 무관하다.
- 우도비는 **가능도비**라고도 하며 양성우도비와 음성우도비가 있다.

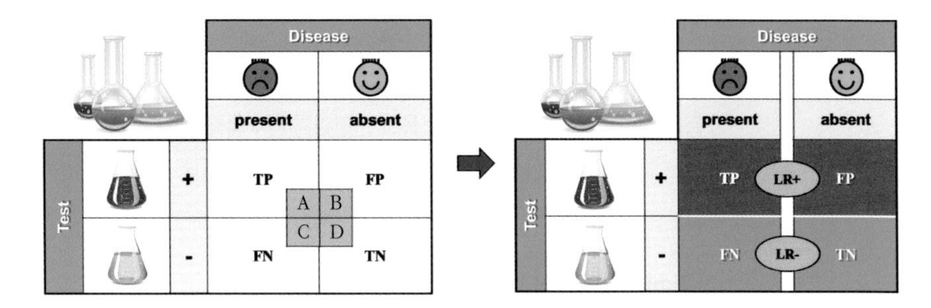

양성우도비 Positive Likelihood Ratio, LR+

질병이 있는 환자가 질병이 없는 사람에 비하여 검진방법에 의해 양성으로 진단할 비율을 뜻한다.

$$LR+=\frac{\text{질병}(+)\Rightarrow\text{검사}(+)}{\text{질병}(-)\Rightarrow\text{검사}(+)}=\frac{\text{민감도}}{1-\text{특이도}}=\frac{A/(A+C)}{B/(B+D)}=\frac{\text{진양성률}(\boldsymbol{TPR})}{\text{위양성률}(\boldsymbol{FPR})}$$

음성우도비 Negative Likelihood Ratio, LR-

질병이 있는 사람에서 질병이 없는 환자에 비하여 검진방법에 의해 음성으로 진단할 비율을 뜻한다.

$$LR-=\frac{\text{질병}(+)\Rightarrow\text{검사}(-)}{\text{질병}(-)\Rightarrow\text{검사}(-)}=\frac{1-\text{민감도}}{\text{특이도}}=\frac{C/(A+C)}{D/(B+D)}=\frac{\text{위음성률}(\boldsymbol{FNR})}{\text{진음성률}(\boldsymbol{TNR})}$$

우도비 해석

① 우도비 = 1 이면 민감도 = (1 - 특이도) 인 경우이며 진단검사의 유용성이 없다.

② 우도비를 해석할 때 주의점은 민감도와 특이도의 중요성이 동일하다는 전제가 필요하다.

1. 양성우도비

① 양성우도비는 1 ~ ∞ (무한대) 범위를 가진다.

② 양성우도비가 클수록 질병의 진단확률(사후확률, post-test probability)이 높아진다.

③ 양성우도비는 2, 5, 10 기준으로 진단적 의미가 달라진다.
LR+ 〉 10 이면 질병 진단이 거의 확정적이며, LR+ 〈 2 이면 진단적 가치가 없다.

2. 음성우도비

① 음성우도비는 0 ~ 1 범위를 가진다.

② 음성우도비가 작을수록 질병 없음의 진단확률(사후확률, post-test probability)이 높아진다.

③ 음성우도비는 1/2 (0.5), 1/5 (0.2), 1/10 (0.1) 기준으로 진단적 의미가 달라진다.
LR- 〈 0.1 이면 질병 없음 진단이 거의 확정적이며, LR- 〉 0.5 이면 진단적 가치가 없다.

Table. Effect of LR on Post-Test Probability

LR+	LR-	진단적 의미
>10	**< 0.1**	강함 (strong)
5 - 10	**0.1 - 0.2**	중간 (moderate)
2 - 5	**0.2 - 0.5**	약함 (small)
< 2	**>0.5**	매우 약함 (very small)

진단검사의 유용성은 검진의 목적에 따라서 결정된다.

양성우도비 "rule in" the disease

질병이 의심되는 사람들을 대상으로 질병을 확진하기 위한 진단검사에서는 양성검사의 신뢰성이 중요하므로 양성우도비가 높은 검사를 선택하여야 한다

음성우도비 "rule out" a disease

정상인들을 대상으로하는 선별검사에서는 음성검사의 신뢰성이 중요하므로 음성우도비가 낮은 검사를 선택하여야 한다.

Example

관상동맥질환을 진단하는 검사의 민감도가 80%이고 특이도가 75%이다.
양성우도비(LR+), 음성우도비(LR-)를 구하시오.

[해설] 민감도, 특이도를 이용하여 다음과 같이 양성우도비와 음성우도비를 계산한다.

$$LR+=\frac{민감도}{1-특이도}=\frac{0.8}{1-0.75}=3.2 \quad LR-=\frac{1-민감도}{특이도}=\frac{1-0.8}{0.75}=0.27$$

우도비 vs. 예측도

- 우도비는 민감도와 특이도만 필요하므로 사례-대조군 연구에서 흔히 사용된다.
- 예측도는 유병률(사전확률)을 사전에 알아야 하므로 사례-대조군 연구에서 사용할 수 없다.
- 사전확률과 우도비를 알면 승산(odds)을 이용한 공식에 의하여 예측도를 구할 수 있다.

다음 그림은 우도비에 의하여 예측도(사후확률)를 증가시키는 정도를 나타낸 것이다.

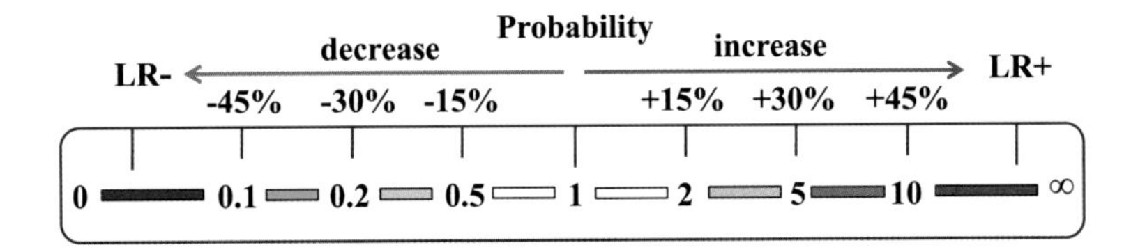

양성우도비가 2, 5, 10으로 증가함에 따라 예측도를 15%, 30%, 45% 증가시킨다.

Nomogram

우도비와 사전확률을 알면 복잡한 계산없이 사후확률을 구할 수 있도록 고안된 방법이다.

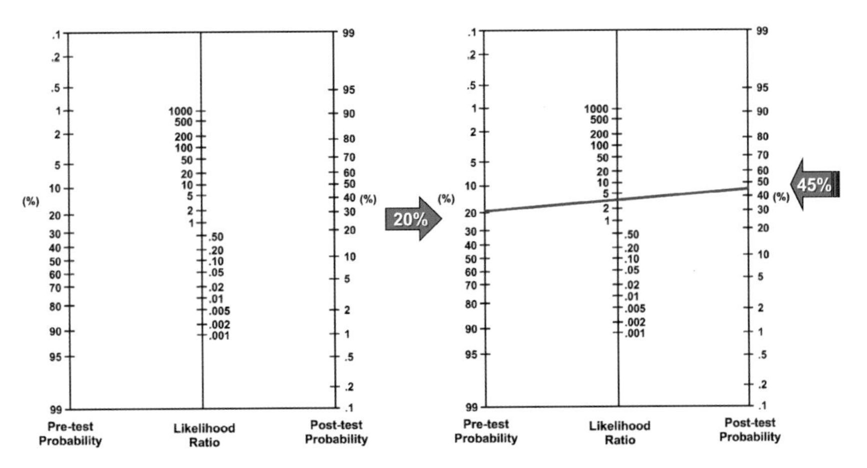

SPSS

Data : sensitivity.sav

교차분석

SPSS에서 **가중값**을 사용한 교차분석표를 만들어 진단통계 분석을 할 수 있다.

예제 table 자료를 SPSS 데이터 입력창에 오른쪽의 그림처럼 행(Test), 열(Disease), 가중값(count) 3개의 변수를 만들어 입력한다.

Test	Disease	
	1	2
1	16	20
2	4	60

→

	Test	Disease	Count
1	1	1	16
2	1	2	20
3	2	1	4
4	2	2	60

1 **메뉴** → [파일] ▶ [열기] ▶ [데이터] 메뉴를 선택하여 **sensitivity.sav** 파일을 열어도 위의 입력창이 나타난다.

가중 케이스

[데이터] ▶ [가중 케이스] 메뉴를 선택하면 [가중 케이스] 대화상자가 나타난다.

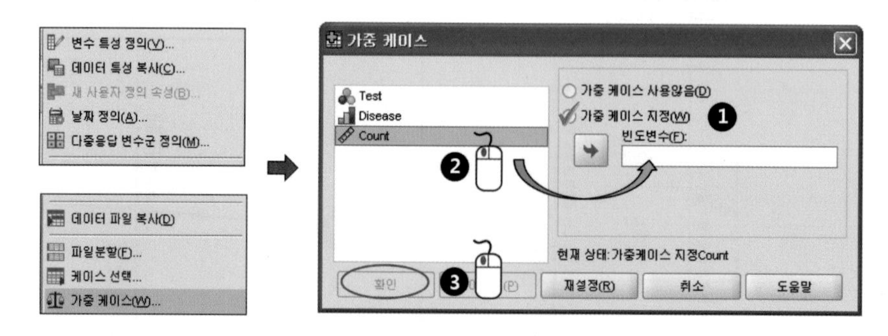

① [가중 케이스] 대화상자에서 ⊙[가중 케이스 지정] 항목을 선택한다.

② [빈도변수] 상자에 변수 Count를 입력한다.

③ [확인] 버튼을 눌러 작업을 마친다.

2 교차분석

메뉴 → [분석] ▶ [기술통계량] ▶ [교차분석] 선택하면 [교차분석] 대화상자가 나타난다.

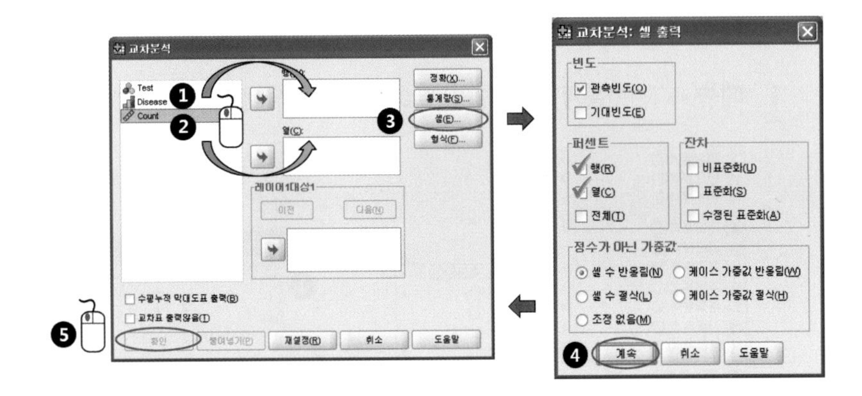

① 변수 Test를 선택하여 [행 변수] 상자에 입력한다.

② 변수 Disease을 선택하여 [열 변수] 상자에 입력한다.

③ [셀] 버튼을 눌러 [교차분석] 셀 출력 대화상자에서 퍼센트 ☑ [행] ☑ [열] 항목을 선택한다.

④ [계속] 버튼을 눌러 [교차분석] 대화상자로 돌아가서 ⑤ [확인] 버튼을 눌러 작업을 마친다.

Test * Disease 교차표

			Disease		전체
			present	absent	
Test	positive	빈도	16	20	36
	❶ ➡	Test 중 %	➡44.4%	55.6%	100.0%
		Disease 중 %	➡80.0%	25.0%	36.0%
	negative	빈도	4	60	64
	❷ ➡	Test 중 %	6.3%	➡93.8%	100.0%
		Disease 중 %	20.0%	➡75.0%	64.0%
전체		빈도	20	80	100
	❸	Test 중 %	20.0%	80.0%	100.0%
		Disease 중 %	100.0%	100.0%	100.0%

① ➡ Disease (+), Disease 중 % ➲ 민감도 = 80%, Disease (-), Test (-) % ➲ 특이도 = 75%.

② ➡ Test (+), Test 중 % ➲ **PPV** = 44.4%, Test (-), Disease (-) % ➲ **NPV** = 93.8%

③ 빈도 Disease (+) ÷ 전체 자료수 20 ÷ 100 ➲ 유병률(사전확률) = 20%.

예측도는 유병률에 의존하므로 Table에서 계산한 유병률이 모집단 유병률과 일치해야 한다.

dBSTAT

Data : diagnosis.dbf

진단통계 분석

1 **메뉴** → [진단통계] ▶ [민감도-특이도] ▶ [교차분할표] → [2x2 Table] 상자가 나타난다.

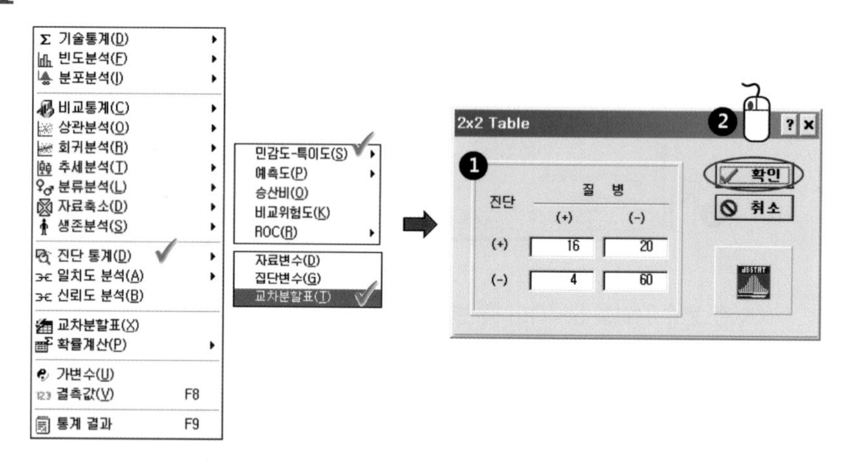

① [2 x 2 Table] 대화상자에서 [진단] (+) ➲ 16, 20, [진단] (-) ➲ 4, 60 입력한다.

② 입력상자에 자료입력을 마치고 [확인] 버튼을 클릭하면 통계결과가 출력된다.

2 **민감도(sensitivity)와 특이도(specificity)**

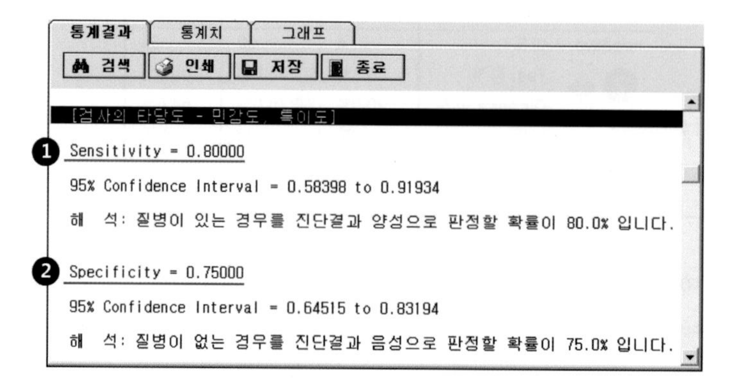

① 민감도 = 0.80 (80%), 95% 신뢰구간 = (58.4%, 91.9%).

② 특이도 = 0.75 (75%), 95% 신뢰구간 = (64.5%, 83.2%).

우도비 Likelihood Ratio

① 양성우도비 = 3.20, 95% 신뢰구간 = (2.06, 4.96).

② 음성우도비 = 0.27, 95% 신뢰구간 = (0.11, 0.65).

3 예측도 (Predictive Value)

[진단통계] ▶ [예측도] ▶ [교차분할표] 메뉴를 선택하면 ➜ [2x2 Table] 대화상자가 나타난다.

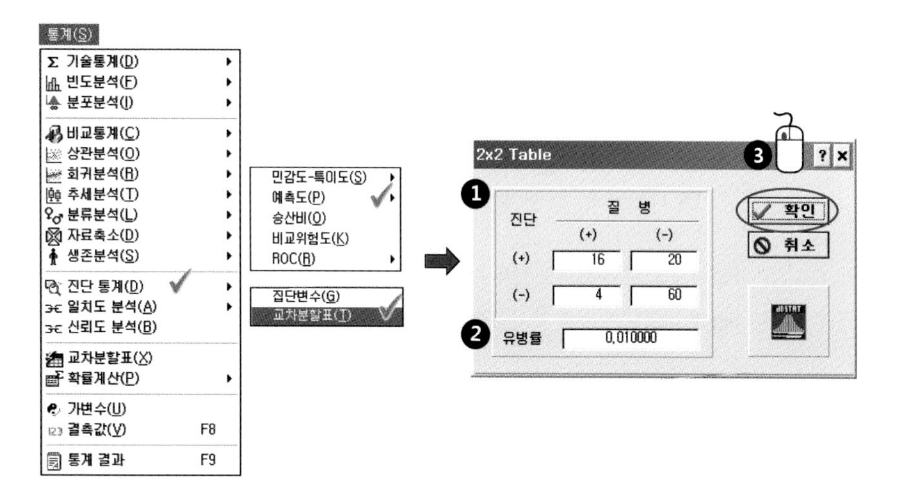

① [2 x 2 Table] 대화상자에서 [진단] (+) ➲ 16, 20, [진단] (-) ➲ 4, 60 입력한다.

② 유병률 = 1%로 가정하고 [유병률] ➲ 0.01 입력한다. ➲ [확인] 버튼을 클릭하여 마친다..

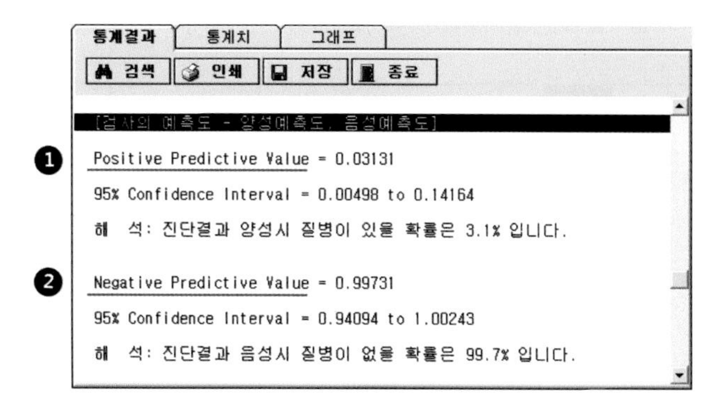

① 양성예측도 = 0.031 (3.1%), 95% 신뢰구간 = (0.5%, 14.2%).

② 음성예측도 = 0.997 (99.7%), 95% 신뢰구간 = (94.1%, 100%).

16 수신자 동작특성 곡선 ROC Curve

- 진단검사의 측정값이 연속형 자료일 때에 검사의 정확도를 분석하는 방법이다.
- ROC 곡선은 민감도를 Y 축으로, 1 - 특이도를 X 축으로 나타낸 그래프이다.

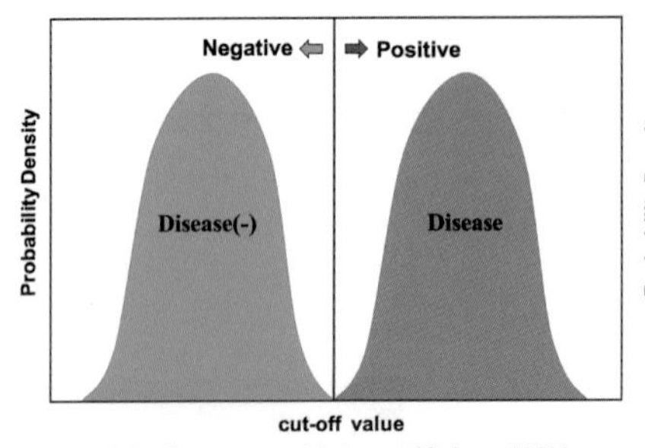

Fig. 1 Perfect test: sensitivity, speificity = 100%

Fig. 2 Typical test: false positive and false negative

Fig. 1 민감도와 특이도 모두 100%인 완전한 진단방법은 현실적으로 존재하지 않는다.

Fig. 2 민감도가 높은 검사일수록 특이도가 낮아지고 특이도가 높은 검사일수록 민감도가 낮다.

ROC (Receiver Operator Characteristic) Curve

절사점 (cut-off point)

의학적 연구에서 연속적인 측정값을 기준으로 민감도와 특이도를 구하고자 할 경우 기준이 되는 측정값에 따라 민감도와 특이도가 변하게 된다. 기준이 되는 값을 절사점(절사값)이라고 한다. 일반적으로 절사값이 작을수록 민감도는 높아지고 특이도는 낮아지게 된다.

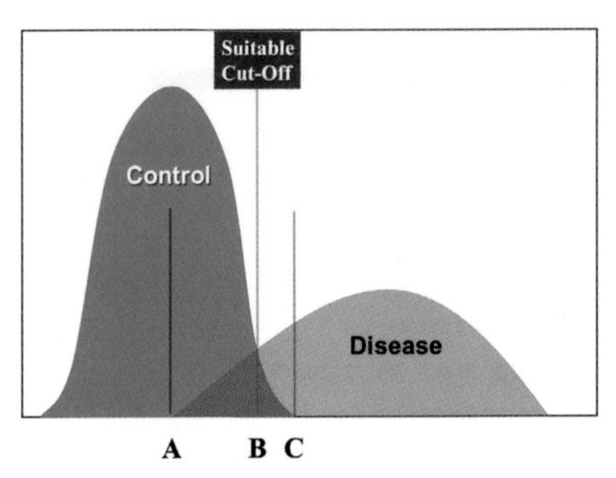

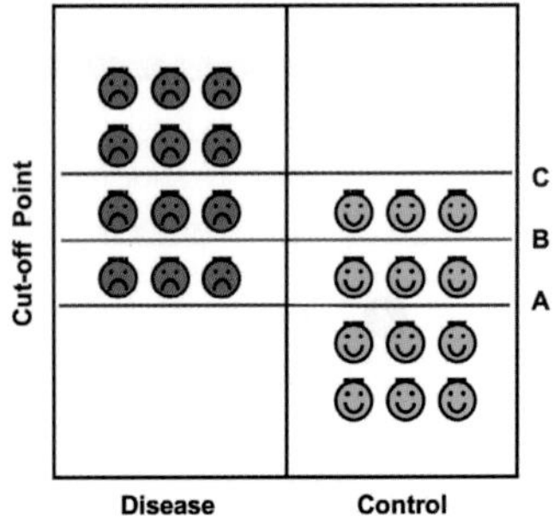

위의 그림에서 절사점을 A, B, C로 정하여 측정값이 절사점 이상이면 질병이 있다고 진단하면

A: 민감도 = 12/12 = 100%, 특이도 = 6/12 = 50%

B: 민감도 = 9/12 = 75%, 특이도 = 9/12 = 75%

C: 민감도 = 6/12 = 50%, 특이도 = 12/12 = 100%

ROC 곡선은 언제 사용하는가?

- 측정값이 연속형일 때에 하나의 진단방법이 통계적으로 유의한지 검정
- 두 개 이상의 진단방법이 통계학적으로 유의한 차이가 있는지 검정
- 질병을 진단하는데 가장 적합한 절사값(cut-off value)을 발견하려고 할 때

초음파검사로 자궁내막암을 진단하기 위하여 환자 100명과 건강한 폐경 여성 100명에게서 자궁내막의 두께를 측정하였다. 6가지 측정값을 절사점으로 정하여 민감도와 특이도를 산출하여 다음 결과를 얻었다. ROC 곡선을 그리시오.

Cutoff Point	Endometrial Thickness	Disease (n=100)	Sensitivity	Control (n=100)	Specificity	1-Specificity
A	> 4 mm	99	0.99	50	0.50	0.50
B	> 5 mm	97	0.97	39	0.61	0.39
C	> 10 mm	83	0.83	20	0.80	0.20
D	> 15 mm	60	0.60	10	0.90	0.10
E	> 20 mm	40	0.40	5	0.95	0.05
F	> 25 mm	20	0.20	2	0.98	0.02

ROC 곡선은 절사점에 따라 변화되는 민감도(진양성률)를 Y 축으로, 1 - 특이도(위양성률)를 X 축으로 나타낸 그래프이다. 민감도와 특이도가 모두 높은 검사일수록 민감도는 높고, 위양성률은 낮으므로 곡선의 볼록한 부분이 좌측 상단으로 치우친다.

그래프에서 점선으로 그려진 대각선은 민감도 = 1 - 특이도 즉, 진양성률 = 위양성률이며 동전던지기에서 앞면(뒷면)이 나올 확률과 같으므로 진단적 가치가 없다.

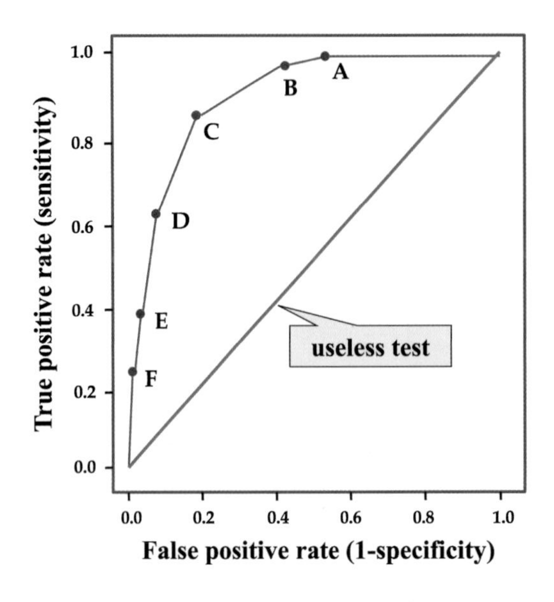

최적 절사점 (Optimal Cut-Off Point)

가장 좋은 절사점은 민감도와 특이도가 모두 가장 높은 측정값이다.

Cut-Point	False Negatives	False Positives	False Results
A	1	50	51
B	3	39	42
C	17	20	37
D	40	10	50
E	60	5	65
F	80	2	82

ROC 곡선에서 민감도, 특이도 모두 1.0(100%) 인 점은 좌측상단(민감도=1, 1-특이도=0) 점이다. 이 점에 가까울수록 위음성과 위양성이 최소가 된다. 예제에서 C (〉10mm)가 오진 결과가 가장 적으므로 일반검사(general test)에서 최적 절사점이다.

최적 절사점은 검사의 목적과 비용, 부작용 등을 고려하여 전문가에 의하여 결정되어야 한다.

① **일반검사(General)** : 위음성(미발견)과 위양성(과잉진단)이 가장 적은 절사점 C를 선택한다.
② **선별검사(Screening)** : 특이도를 고려하면서 **민감도**가 가장 높은 절사값 A, B중에서 선택한다.
③ **확진검사(Diagnostic)** : 민감도를 고려하면서 **특이도**가 가장 높은 절사값 E, F중에서 선택한다.

Exercise
ROC Analysis

유전병을 쉽게 진단하기 위하여 염색(stain)과 혈액(blood) 검사를 개발하였다. 유전병의 최종 진단은 염색체 검사에 의하여 확인되었다. 유전병이 있는 환자 34명, 정상인 39명을 대상으로 두 가지 검사를 시행하여 다음 결과를 얻었다. (유전병: Disease 0 = '없음' , 1 = '있음')
ROC 곡선을 그리고 비교하여보자.

Disease (+)			Disease (-)		
Disease	Stain Test	Blood Test	Disease	Stain Test	Blood Test
1	1	3.5	0	1	2.1
1	1	3.6	0	1	1.3
…	…	…	…	…	…
1	4	9.1	0	5	10.9
1	5	10.5	0	5	8.8

[해설]

ROC곡선

Stain 검사와 Blood 검사의 ROC 곡선을 보여준다. Stain 검사에서 절사값이 4 일 때에 민감도가 약 68%이며 위양성률(1-Specificity)이 약 31%으로 일반검사에서 최적 절사값이다.

AUC (Area Under Curve)

ROC 곡선에 의한 진단검사의 통계적 의의는 ROC 곡선 아래 영역(AUC)을 구하여 통계적 검정을 시행하여 산출된다. 면적이 1에 가까울수록 유의성이 커지며 0.5에 가까울수록 유의성이 작아진다. 예제에서 Stain 검사 AUC = 0.653, Blood 검사 AUC = 0.800, $p<0.05$이므로 두 가지 검사 모두 통계학적으로 유의하다.

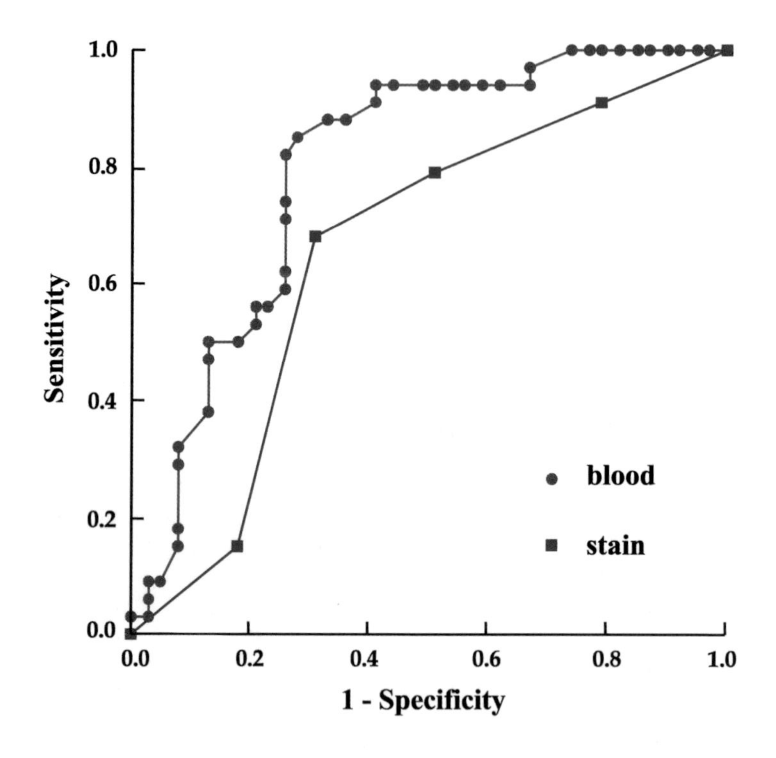

ROC 곡선 비교

Blood 검사의 ROC 곡선이 Stain 검사의 ROC 곡선보다 좌측 상위에 위치하므로 Blood 검사가 전반적으로 민감도 및 특이도에 있어서 더 우수한 검사임을 알 수 있다.
두 검사의 ROC 곡선을 통계적 검정법으로 비교한 결과 통계학적으로 유의한 차이를 보였다. 즉, Blood 검사가 Stain 검사에 비하여 더 우수한 검사라고 할 수 있다.

ROC (Receiver Operator Characteristic) History

ROC (수신자 동작특성)은 2차 세계대전 때에 연합군에서 독일군의 비행기를 탐지하기 위하여 개발되었다. 레이더 주파수의 민감도를 높이면 더 많은 비행기가 탐지되는 반면에 거위 떼를 비행기로 오인할 가능성이 높아진다. 즉 특이도는 낮아진다. 이는 진단검사의 특성과 매우 비슷하다.

SPSS

Data : ROC.sav

교차분석

1 메뉴 → [분석] ▶ [ROC 비교] 메뉴를 선택하면 [ROC 곡선] 대화상자가 나타난다.

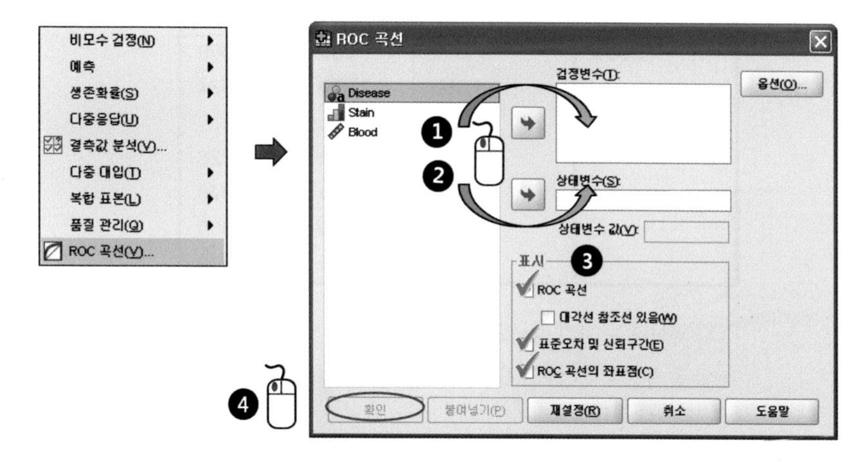

① [검정변수] ➲ Stain, Blood 변수를 선택하여 상자에 입력한다.

② [상태변수] ➲ Disease 변수 선택한다. [상태변수 값] ➲ 1 입력한다.

③ [표시] 상자에서 ☑[ROC 곡선] ☑[표준오차 및 신뢰구간] ☑[ROC 곡선의 좌표점] 선택

④ [확인] 버튼을 눌러 작업을 마치면 SPSS 출력결과 창에 통계분석 결과가 나타난다.

2 통계결과

곡선 아래 영역

검정 결과 변수	영역	표준 오차	근사 유의확률	근사 95% 신뢰구간	
				하한	상한
stain	.653	.066	.024	.524	.783
blood	.800	.053	.000	.696	.904

두가지 검사 Stain, Blood에 대한 ROC 곡선 아래 면적(AUC)과 95% 신뢰구간을 보여준다.
Blood 검사 AUC (0.80) 〉 Stain 검사 AUC (0.653) 이므로 Blood 검사가 진단 정확성이 높다.

SPSS 에서는 두개의 ROC 곡선을 비교하는 통계적 분석방법이 없다.

곡선의 좌표

검정 결과 변수	이상부터 정 (+)	민감도	1 - 특이도
stain	.00	1.000	1.000
	1.50	.912	.795
	2.50	.794	.513
	3.50	.676	.308
	4.50	.147	.179
	6.00	.000	.000
blood	.300	1.000	1.000
	1.350	1.000	.974
	10.400	.059	.026
	10.700	.029	.026
	11.200	.029	.000
	12.500	.000	.000

ROC 곡선과 두 가지 검사의 절사값에 따른 민감도와 1-특이도 Table을 보여준다. Table을 참고로 하여 ROC 곡선의 좌표점 중에서 최적의 절사값을 구할 수 있다.

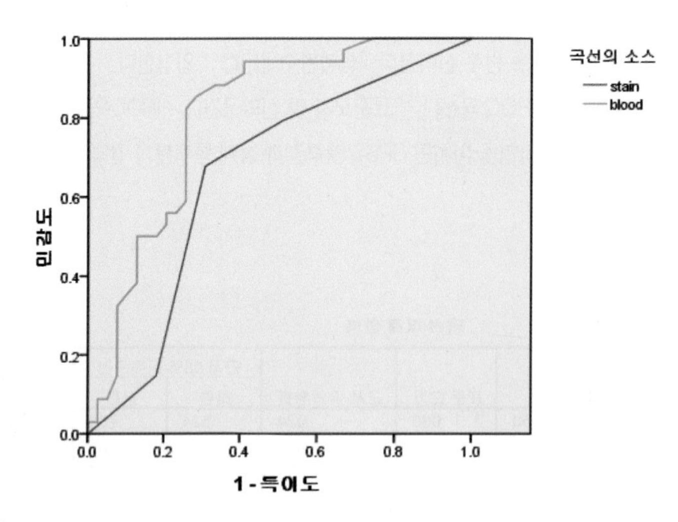

dBSTAT

Data : ROC.dbf

진단통계 분석

1 **메뉴** → [통계] ▶ [진단통계] ▶ [ROC 비교] ▶ [짝표본] 선택하면 대화상자가 보인다.

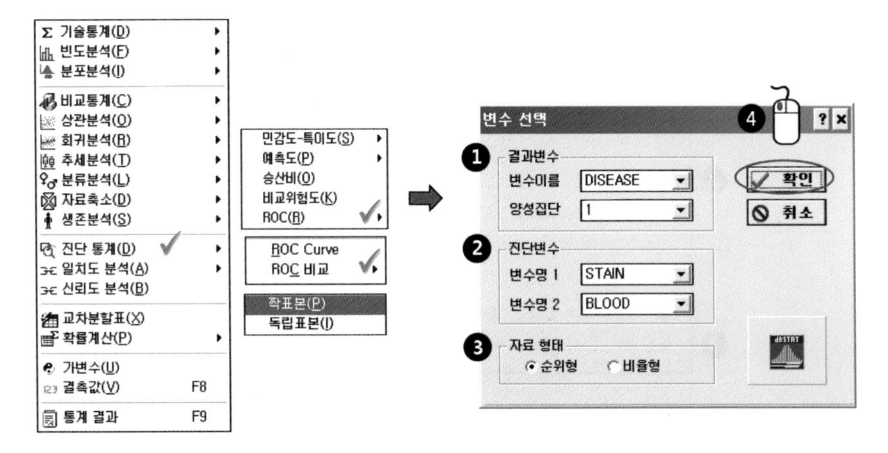

① [결과변수] 변수이름 ➡ DISEASE 양성집단 ➡ 1 입력한다.

② [진단변수] 변수명 1 ➡ STAIN 변수명 2 ➡ BLOOD선택한다.

③ [자료형태] ⊙순위형 항목을 선택한다. (진단변수 중 STAIN 변수는 순위형이다.)

④ 자료입력을 마치고 [확인] 버튼을 클릭하면 통계결과가 출력된다.

2 **ROC 곡선비교**

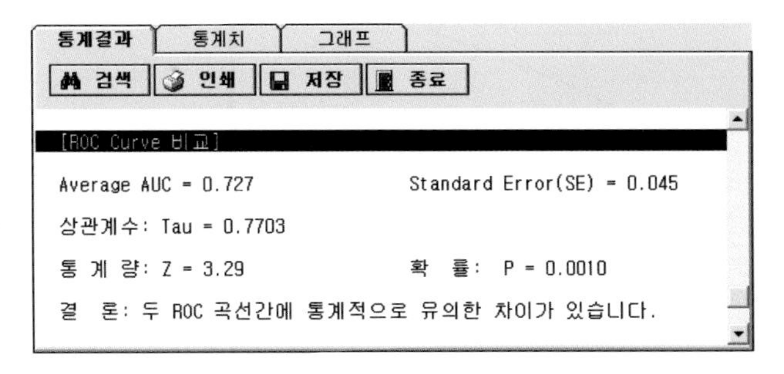

상관계수 Tau = 0.77, p = 0.001 〈 0.05 ⇨ 두 ROC 곡선간에 통계적으로 유의한 차이가 있다.

3 ROC 곡선

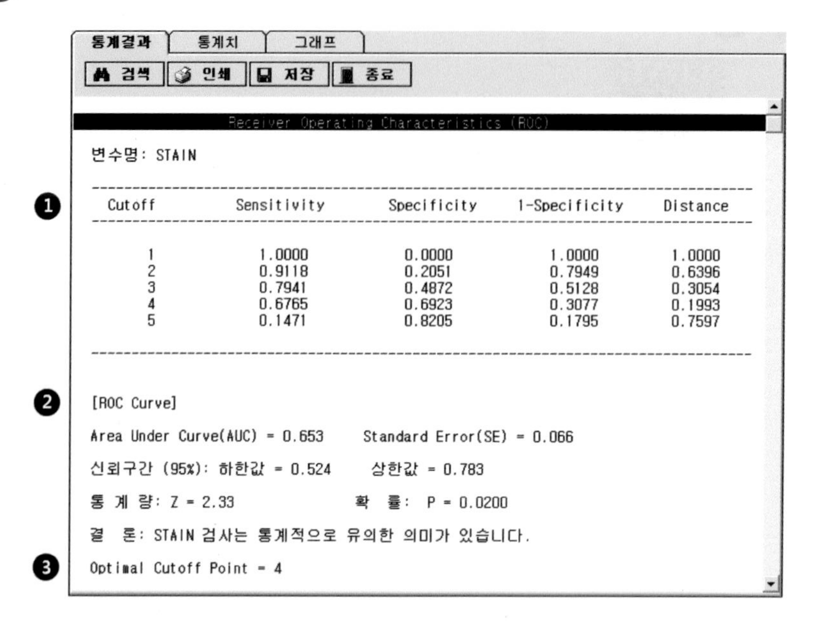

통계결과 통계치 그래프

검색 인쇄 저장 종료

Receiver Operating Characteristics (ROC)

변수명: STAIN

Cutoff	Sensitivity	Specificity	1-Specificity	Distance
1	1.0000	0.0000	1.0000	1.0000
2	0.9118	0.2051	0.7949	0.6396
3	0.7941	0.4872	0.5128	0.3054
4	0.6765	0.6923	0.3077	0.1993
5	0.1471	0.8205	0.1795	0.7597

[ROC Curve]

Area Under Curve(AUC) = 0.653 Standard Error(SE) = 0.066

신뢰구간 (95%): 하한값 = 0.524 상한값 = 0.783

통 계 량: Z = 2.33 확 률: P = 0.0200

결 론: STAIN 검사는 통계적으로 유의한 의미가 있습니다.

Optimal Cutoff Point = 4

① **절사점** : 절사값에 따른 민감도, 1-특이도, 꼭지점 거리(Distance) Table

② **AUC** : ROC 곡선 아래 면적과 95% 신뢰구간, 개별 검사의 통계적 유의성

③ **최적 절사점** : Stain 검사, Blood 검사의 일반적인 최적 절사점을 자동 산출하여 준다.

[그래프] 폴더를 선택하면 ROC 곡선이 나타난다.

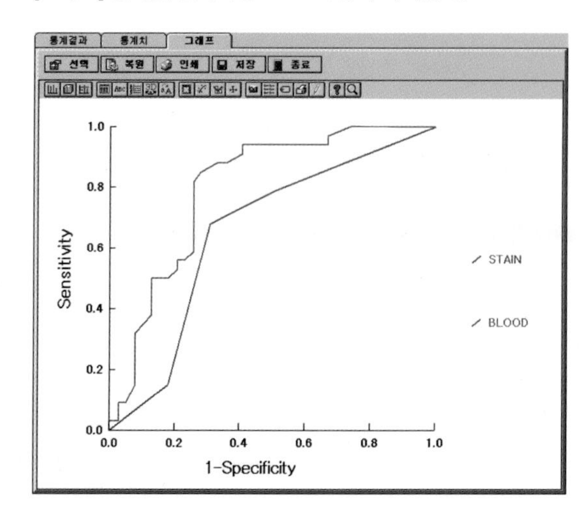

9-2 신뢰도 Reliability

CONTENTS

신뢰도 분석은 반복성에 관한 일치도(재현성) 분석으로 다음과 같은 분석방법이 있다.

- **카파검정 (Kappa test)**
- **급내상관 (Intraclass Correlation)**
- **Kendall 일치도 (Kendall Coefficient of Concordance)**
- **Bland-Altman plot**

일치도 분석 Agreement Test

판정 일치도(합치도) 분석은 질병의 확진이 되는 조직검사와 같은 최적표준(gold standard)이 없을 때에 두 명 이상의 평가자(rater) 또는 검사방법(test)에 의하여 질병을 진단(판정)하였을 때에 평가자(검사방법)들 간에 일치 정도가 유의한지 분석하는 방법이다.

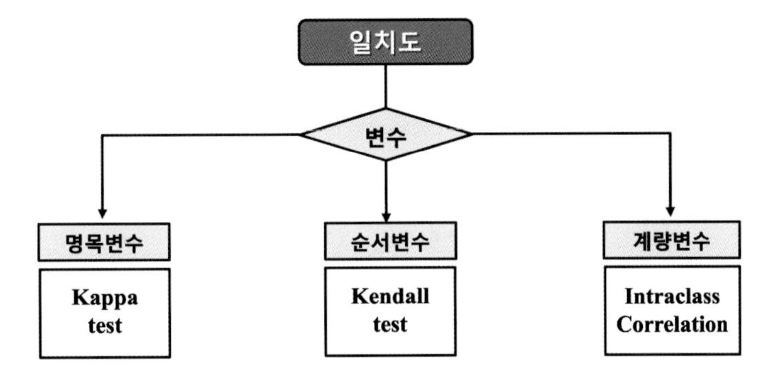

판정 일치도 분석은 판정하려는 변수의 형태에 따라 나누어진다.

1. **Kappa 검정** - 판정하려는 변수가 범주로 구분되는 명목변수이어야 한다.
2. **Kendall 일치도 검정** - 판정을 하려는 변수가 순서변수인 경우에 사용한다.
3. Intraclass Correlation - 판정을 하려는 변수가 연속형 계량변수일 때에 사용한다.

판정 일치도 분석 결과 일치도가 높으면 검사방법들이 모두 좋을 수도 나쁠 수도 있으며 어떤 검사가 정확도가 높은 검사인지는 알 수 없다.

크론바하 알파 Cronbach' s Alpha

- 문항(Questionnaire)들 간의 내적 일치도(internal consistency)를 분석하는 방법이다.
- 주로 설문조사에서 문항들의 내적 타당도(Internal Validity)를 조사하는데 사용된다.

2.1 카파 검정 Kappa test

두 가지 이상의 검사방법 또는 두 명 이상의 검사자에 의한 진단 결과가 범주로 구분되는 명목변수인 경우에 일치도(agreement)를 분석하는 방법이다.

Example

심장병을 진단하는데 두 명의 심장전문의가 N명의 동일한 사람을 대상으로 진찰하여 다음과 같은 결과를 얻었다. 진단 일치도를 구하시오.

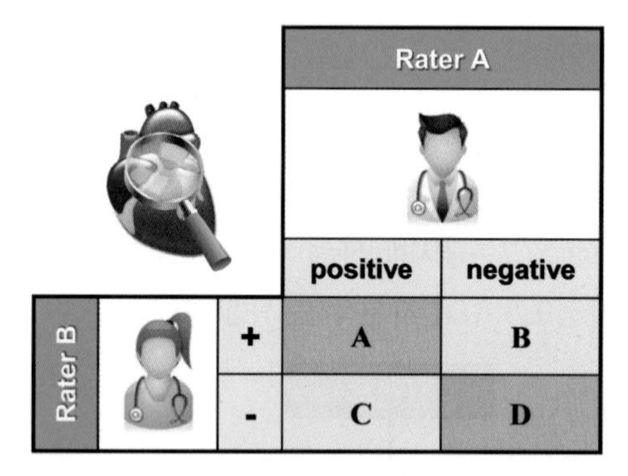

위의 Table에서 진단 일치(agreement) = A, D 불일치(disagreement) = B, C 이다.

Kappa 검정 통계량 K는 다음과 같은 공식에 의하여 구한다.

$$\kappa = \frac{Po - Pe}{1 - Pe} \quad \left(Po = \frac{a+d}{N} \quad Pe = \frac{(a+b)(a+c)+(c+d)(b+d)}{N^2} \right)$$

Kappa 해석

① Kappa 값은 -1에서 1까지 값을 가질 수 있으나 일반적으로 0 에서 1 사이의 값을 갖는다.

② Kappa = 1이면 완전 일치를 뜻하며 0 이면 우연일 확률, 음수이면 우연보다 더 적은 확률이다.

Table. Interpretation of Kappa

Kappa	일치도 정도
$\kappa > 0.75$	매우 높음 (excellent)
$0.4 \le \kappa \le 0.75$	높음 (good)
$\kappa < 0.4$	낮음 (marginal)

Kappa 검정에서 *P* 값은 일치도 정도를 알 수 없으며 단지 일치 유무만 판정하므로 다른 통계검정과는 달리 별 의미가 없다. Kappa 검정에서는 신뢰구간도 별 의미가 없다.

SPSS

Data : Kappa.Sav

교차분석

1 **메뉴** → [분석] ▶ [기술통계량] ▶ [교차분석] 메뉴를 선택하면 대화상자가 나타난다.

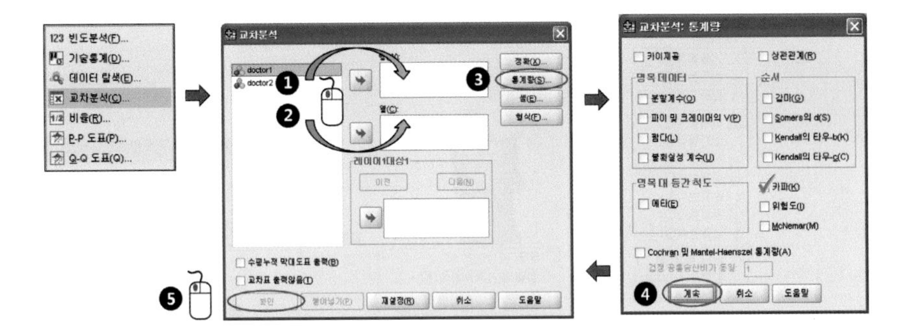

① 변수 doctor1을 선택하여 [행 변수] 상자에 입력한다.

② 변수 doctor2를 선택하여 [열 변수] 상자에 입력한다.

③ [통계량] 버튼을 누르면 [교차분석: 통계량] 대화상자가 나타난다.

④ 대화상자에서 ☑ [카파] 항목을 선택한 후에 [계속] 버튼을 눌러 [교차분석] 상자로 간다.

⑤ [확인] 버튼을 눌러 작업을 마치면 SPSS 출력결과 창에 통계분석 결과가 나타난다.

doctor1 * doctor2 교차표

빈도

		doctor2			전체
		1	2	3	
doctor1	1	6	0	1	7
	2	2	1	0	3
	3	0	0	2	2
전체		8	1	3	12

대칭적 측도

		값	점근 표준오차[a]	근사 T 값[b]	근사 유의확률
일치 측도	카파	.544	.220	2.719	.007
유효 케이스 수		12			

a. 영가설을 가정하지 않음.

b. 영가설을 가정하는 점근 표준오차 사용

Kappa = 0.544, P = 0.007 ⇨ 통계적으로 유의하며 높은(good) 판정 일치도를 보인다.

dBSTAT

Data : Kappa.dbf

일치도 분석

1 **메뉴** → [통계] ▶ [일치도 분석] ▶ [카파검정] 메뉴를 선택하면 대화상자가 나타난다.

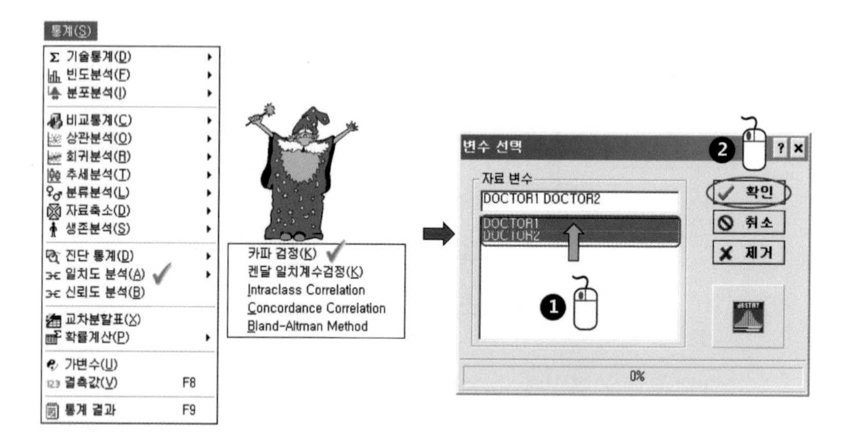

① [변수선택] 대화상자에서 [자료변수] ➲ DOCTOR1, DOCTOR2 입력한다.

② [확인] 버튼을 클릭하여 선택 작업을 마치면 통계결과가 출력된다.

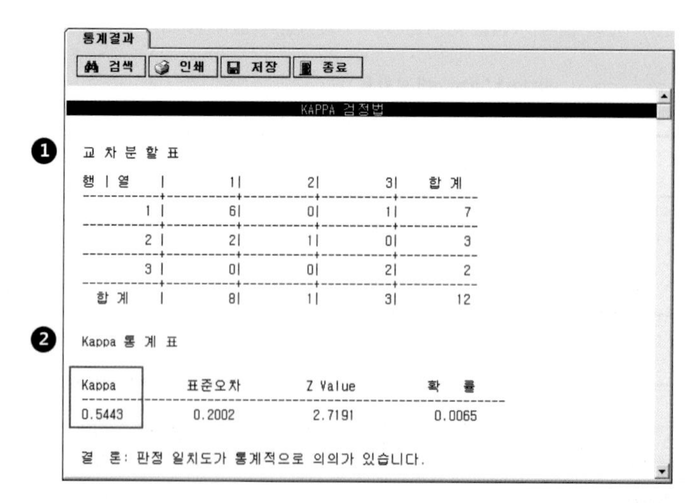

통계결과

검색 인쇄 저장 종료

KAPPA 검정법

❶ 교 차 분 할 표

행 | 열	1	2	3	합 계
1	6	0	1	7
2	2	1	0	3
3	0	0	2	2
합 계	8	1	3	12

❷ Kappa 통 계 표

Kappa	표준오차	Z Value	확 률
0.5443	0.2002	2.7191	0.0065

결 론: 판정 일치도가 통계적으로 의의가 있습니다.

① 교차분할표: 행 = Doctor1, 열 = Doctor 2, 진단일치 수 = 6, 1, 2

② Kappa 통계표: Kappa = 0.5443 〉 0.4 ⇨ 판정 일치도가 높다(good).

22 급내상관 Intraclass Correlation

두 가지 이상의 검사방법 또는 두 명 이상의 평가자에 의한 진단 결과가 연속형 변수인 측정값일 때에 일치도(재현성)을 분석하는 방법이다.

간호사 5명을 대상으로 각각 수은 혈압계와 디지털 혈압계로 수축기 혈압을 측정하여 다음과 같은 결과를 얻었다. 두 혈압계의 측정 일치도를 구하시오.

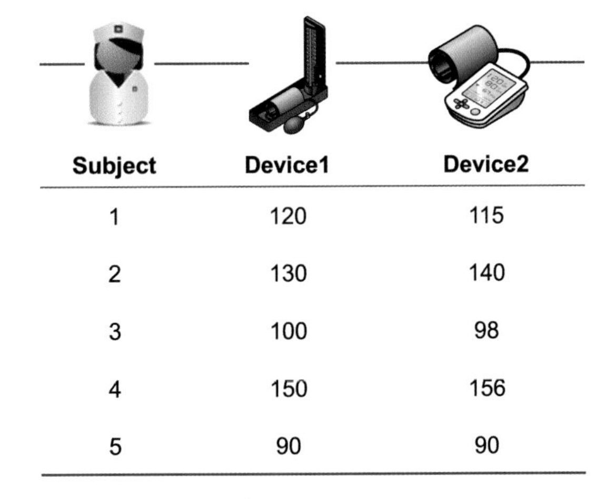

Subject	Device1	Device2
1	120	115
2	130	140
3	100	98
4	150	156
5	90	90

급내상관계수(Intraclass correlation coefficient, ICC)

ICC 값은 0 에서 1 사이의 값을 가지며 Kappa 해석과 비슷하다. ICC = 1 이면 완전 일치를 뜻한다.

급내상관에서 *P* 값은 일치도 정도를 알 수 없으며 단지 일치 유무만을 확률적으로 판정하므로 다른 통계분석과는 달리 별 의미가 없으며 신뢰구간도 거의 사용되지 않는다.

피어슨 상관분석을 사용할 수 없는가?

- 일치도 분석에 Pearson 상관분석(급간상관, interclass correlation)을 사용하여서는 안된다.
- 급내상관은 $y = x$ 직선 상관이며 피어슨 상관은 $y = ax + b$ 직선 방정식에 의한 상관이다.

✓ Device 2 측정값이 Device 1의 두 배면 일치도 = 0 이지만 Pearson 상관계수 = 1 이다.

SPSS

Data : Intraclass.sav

신뢰도분석

1 메뉴 → [분석] ▶ [척도] ▶ [신뢰도분석] 메뉴를 선택하면 [신뢰도분석] 대화상자가 나타난다.

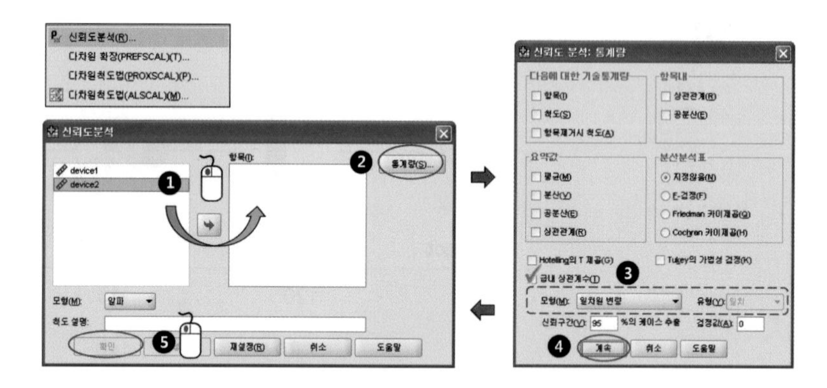

① 변수 device1, device2를 선택하여 [항목] 상자에 입력한다.

② [통계량] 버튼을 누르면 [신뢰도분석: 통계량] 대화상자가 나타난다.

③ ☑ [급내상관계수] 항목을 선택한 다음, [모형] ▶ 일차원변량 항목을 선택한다.

④ [계속] 버튼을 눌러 [신뢰도분석] 대화상자로 간다.

⑤ [확인] 버튼을 눌러 작업을 마치면 SPSS 출력결과 창에 통계분석 결과가 나타난다.

2 통계결과

급내 상관계수

	급내 상관관계	95% 신뢰구간		실제 값 0(으)로 F 검정			
		하한값	상한값	값	df1	df2	유의확률
단일 측도	.975	.832	.997	80.461	4	5	.000
평균 측도	.988	.908	.999	80.461	4	5	.000

단일 측도 급내상관계수 = 0.975, P 〈 0.001 ➲ 통계적으로 유의하며 매우 높은 일치도를 보인다.

SPSS에서 급내상관 분석은 연구 방식의 가정에 따라 여러 모형이 있다.

변수 ≥ 3개 일 때에는 [모형] ▶ 이차원혼합 [유형] ▶ 절대 동의서를 선택하여야 한다.

dBSTAT

Data : Intraclass.dbf

일치도 분석

1 **메뉴** → [통계] ▶ [일치도 분석] ▶ [Intraclass Correlation] 메뉴를 선택한다.

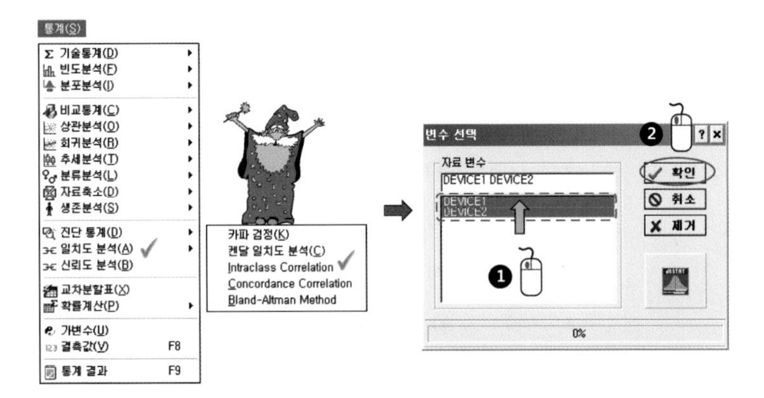

① [변수선택] 대화상자에서 [자료변수] ⭘ DEVICE1, DEVICE2 입력한다.

② [확인] 버튼을 클릭하여 선택 작업을 마치면 통계결과가 출력된다.

2 **통계결과**

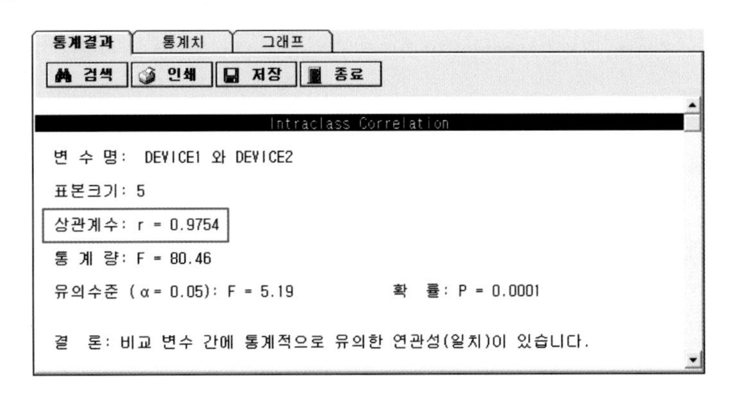

급내상관계수 r = 0.9754 ⇨ 일치도가 매우 높다(excellent).

23 Bland-Altman Plot

일치도를 그래프로 분석하는 방법이다. 급내상관 분석을 그래프로 표현할 때에 사용한다.

급내상관 분석 예에서 두 가지 혈압계의 측정 일치도를 그래프로 그리시오.

Subject	Device 1	Device 2	Difference	Average
1	120	115	5	117.5
2	130	140	-10	135
3	100	98	2	99
4	150	156	-6	153
5	90	90	0	90

[해설]

① 측정값의 차이(Difference) = Device 1 - Device 2, 평균(Average) = (Device 1 + Device 2) / 2

② Difference 평균(Mean) = -1.80, 표준편차(SD) = 6.10

③ Difference 95% 일치 한계(limit of agreement) = (Mean-2SD, Mean+2SD) = (-14.0, 10.4)

Bland-Altman Plot

Bland-Altman Plot은 Average를 x 축으로, Difference를 y 축으로 한 산점도 그림이다.

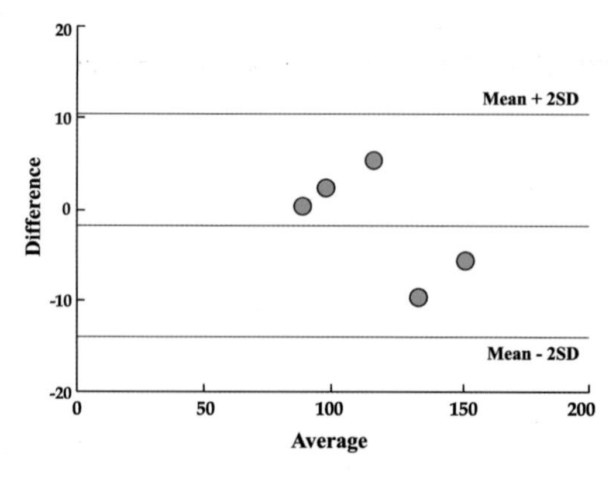

[해석] Difference 값이 일치 한계선(Mean±SD)에 가까우면 일치도가 낮다. 일치 한계는 임상적 의의에 따라 해석해야 한다. 예에서 혈압 측정차 〉 10 이면 임상적 중요성이 있다고 볼 수 있다.

SPSS

Data : Bland-Altman.sav

Bland-Altman 분석

SPPSS에서 Bland-Altman 분석은 직접 할 수 없으며 다음과 같이 몇 단계를 거쳐서 시행한다.

1 **메뉴** → [변환] ▶ [변수 계산] 메뉴를 선택하면 [변수 계산] 대화상자가 나타난다.

① [대상변수] ➡ Difference = [숫자표현식] ➡ device1-device2 입력하여 Difference 변수 생성

② [대상변수] ➡ Average = [숫자표현식] ➡ (device1+device2)/2 입력하여 Average 변수 생성

2 **분석** → [기술통계량] ▶ [기술통계] 선택하여 Difference 변수의 평균, 표준편차를 구한다.

기술통계량

	N	최소값	최대값	평균	표준편차
Difference	5	-10.00	5.00	-1.8000	6.09918
유효수 (목록별)	5				

3 **그래프** → [레거시 대화상자] ▶ [산점도] 메뉴를 선택하면 [단순 산점도] 상자가 나타난다.

① [Y 축] ➡ Difference, [X 축] ➡ Average 입력한 다음 [확인] 버튼을 눌러 작업을 마친다.

② [출력결과] 창에서 산점도 그림을 더블 클릭하면 **[도표 편집기]**가 나타난다.

③ [편집] ▶ [Y축 선택] ▶ [특성] 대화상자에서 [최소값] ➡ -20, [최대값] ➡ 20 입력한다.

④ [옵션] ▶ [Y축 참조선] ▶ [특성] 상자에서 [척도 축 위치] ➡ -1.8, 10.4, -14.0 (한계값) 입력

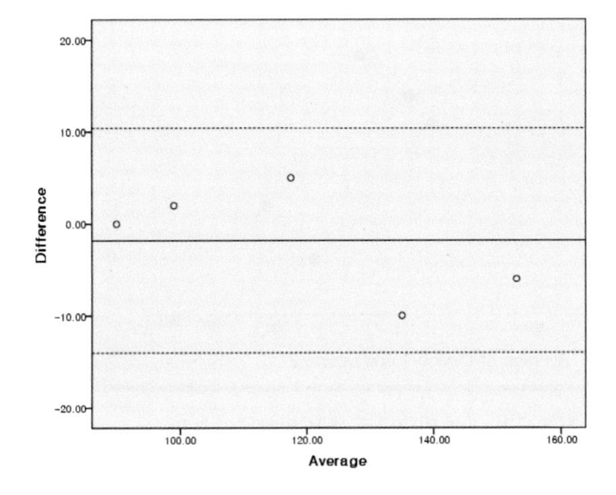

dBSTAT

Data : Bland-Altman.dbf

Bland-Altman 분석

1 **메뉴** → [통계] ▶ [일치도 분석] ▶ [Bland-Altman Method] 선택하면 대화상자가 나타난다.

① [변수선택] 대화상자에서 [자료변수] ➡ DEVICE1, DEVICE2 입력한다.

② [확인] 버튼을 클릭하여 선택 작업을 마치면 통계결과가 출력된다.

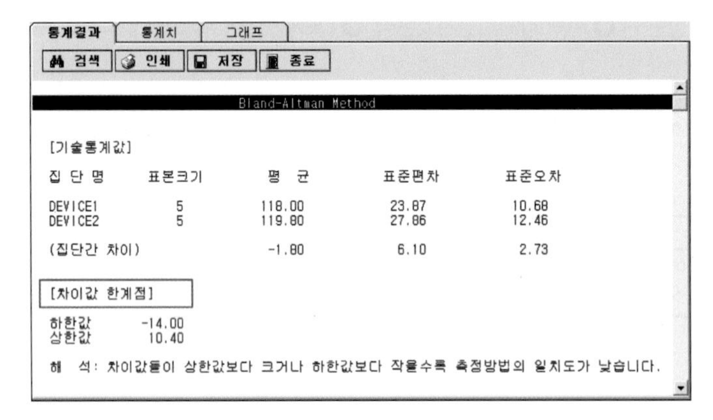

측정값의 차이에 대한 일치 한계구간이 -14.0 ~ 10.4 이다.

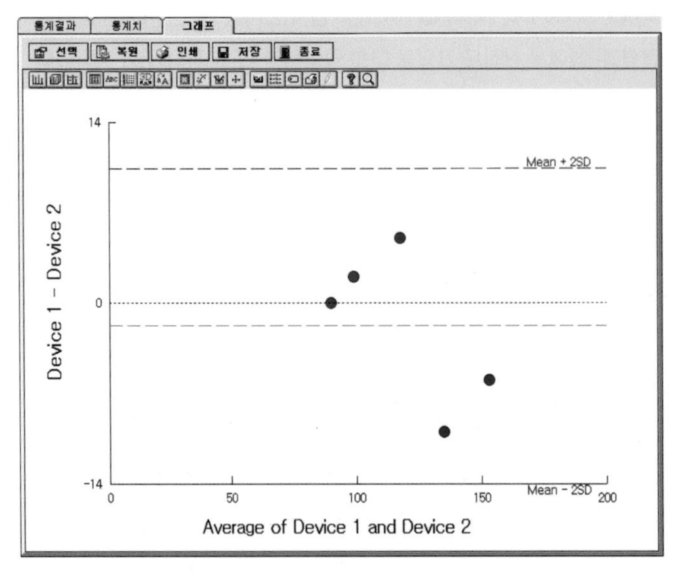

측정 차이값이 95% 한계구간 내에 있으므로 측정 일치도가 높다.

2.4 켄달 일치도 분석 Kendall Coefficient of Concordance

- 연관된 k (k≥3) 표본의 측정값의 일치도를 검정하기 위한 비모수적 통계검정이다.
- 순서자료이거나 정규성을 만족하지 않는 계량자료의 일치도 검정에 사용한다.
- 비교통계에 사용되는 Friedman 검정과 유사한 비모수적 검정이다.

3명의 의사에게 청진기 6 종류에 대한 만족도를 최저 1 점, 최고 6 점으로 평가하도록 하여 다음과 같은 결과를 얻었다. 만족도 평가일치도를 구하시오.

Device	Doctor 1	Doctor 2	Doctor 3
1	5	6	6
2	1	2	3
3	3	3	2
4	2	1	1
5	4	5	4
6	6	4	5

가설 설정

귀무가설 H_0: 의사 3명의 만족도 평가가 일치하지 않는다. (no agreement)

대립가설 H_a: 의사 3명의 만족도 평가가 일치한다. (agreement)

[해설]

Kendall 일치도 계수 W = 0.873, P = 0.023

P 〈 0.05 이므로 의사 3명의 만족도 평가가 유의하게 일치한다고 결론을 내린다.

Kendall Tau 검정

Kendall 일치도 검정과는 다른 통계적 검정으로 상관분석에 사용된다.

Spearman 순위상관 검정과 같은 두 변수의 **연관성**에 대한 비모수적 검정이다.

SPSS

Data : Kendall.sav

Kendall 검정

1 메뉴 → [분석] ▶ [비모수검정] ▶ [대응 K-표본] 메뉴를 선택하면 대화상자가 나타난다.

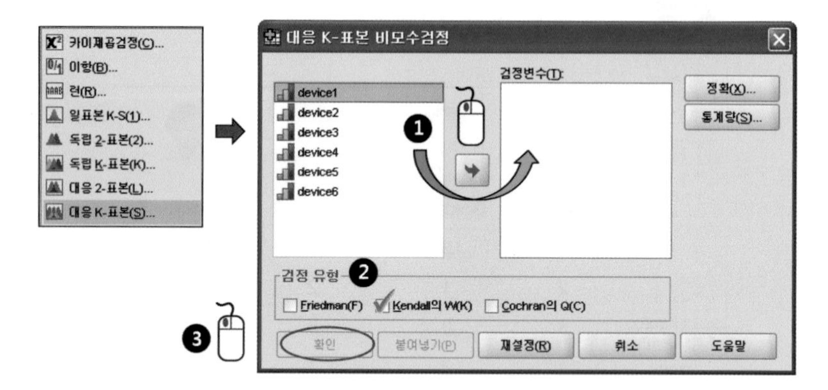

① 변수 device1 ~ device6를 선택하여 [검정변수] 상자에 입력한다.

② [검정유형] 선택상자에서 ☑ Kendall 항목을 선택한다. [확인] 버튼을 눌러 작업을 마친다.

2 통계결과

검정 통계량

N	3
Kendall의 W[a]	.873
카이제곱	13.095
자유도	5
근사 유의확률	.023

a. Kendall의 일치계수

Kendall' s W = 0.873, p = 0.023이므로 Doctor 3명의 평가 순위에 유의한 일치성이 있다.

SPSS에서는 다음과 같이 행변수와 열변수를 바꾸어 자료 입력을 하여야 한다.

	doctor	device1	device2	device3	device4	device5	device6
1	doctor 1	5	1	3	2	4	6
2	doctor 2	6	2	3	1	5	4
3	doctor 3	6	3	2	1	4	5

dBSTAT

Data : Kendall.dbf

일치도 분석

1 **메뉴** → [통계] ▶ [일치도 분석] ▶ [켄달 일치도 분석] 메뉴를 선택한다.

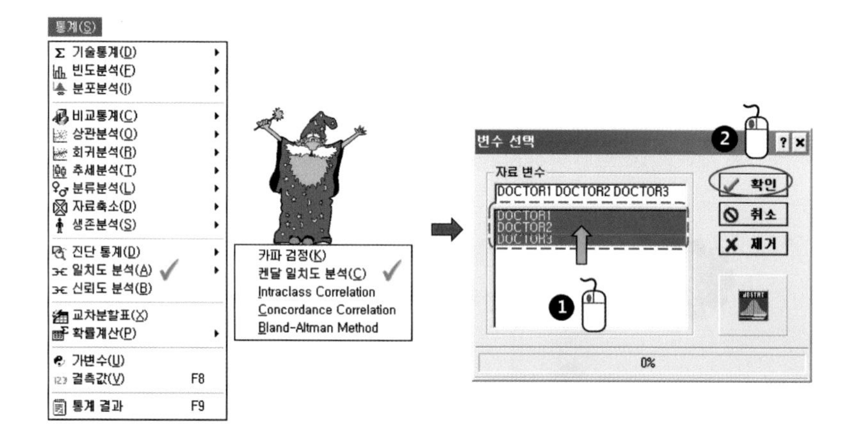

① [변수선택] 대화상자에서 [자료변수] ➲ DOCTOR1, DOCTOR2, DOCTOR3 입력한다.

② [확인] 버튼을 클릭하여 선택 작업을 마치면 통계결과가 출력된다.

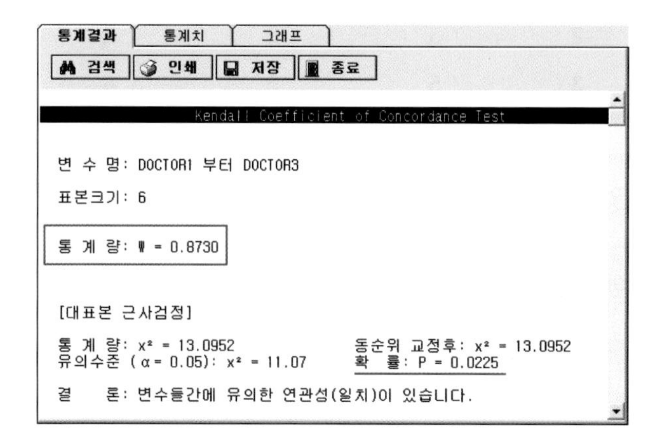

Kendall W = 0.8730, 확률 p = 0.0225 〈 0.05 ⇨ Doctor 3명의 평가가 유의한 일치를 보인다.

2.5 크론바하 알파 Cronbach Alpha

- 측정 항목들 간의 상관관계를 조사하여 여러 개의 측정 항목이 동일한 개념으로 구성되어 있는지 검정하는 방법으로서 **내적 일치도**(internal consistency)를 측정한다.
- 상관관계가 낮은 항목을 제거하면 전체 항목의 신뢰도를 높일 수 있다.
- 신뢰도 분석은 교육학, 심리학 분야에서 많이 사용된다.

Cronbach Alpha (α) 해석

① Alpha는 0 에서 1의 범위를 가진다. $\alpha \geq 0.5$ 이면 신뢰성이 있다.

② $\alpha \geq 0.7$ 이면 신뢰도가 높으며, $\alpha \geq 0.9$ 이면 신뢰도가 매우 높다고 한다.

③ Alpha 값은 문항 간의 상관계수가 높을수록, 측정 문항 수가 많을수록 커지게 된다.

환자 4명을 대상으로 수술 후 통증에 대한 설문조사를 실시하였다. 설문 항목은 3가지로 각각 항목에 대하여 1-5점까지 점수를 주었다. 문항 신뢰도를 구하시오.

Subject	Question 1	Question 2	Question 3
1	1	1	2
2	3	3	2
3	5	5	4
4	3	2	3

설문지 문항 (Pain Score Questionnaire)

5-Pont Scale	1	2	3	4	5
Q1. 통증 강도	없음	약함	중간	심함	매우 심함
Q2. 통증 시간	없음	<1hr	<3hr	<5hr	≥5hr
Q3. 진통제	없음	1회	2-3회	4-5회	>5회

[해설] Cronbach α 계수가 0.93으로 신뢰도가 높다고 볼 수 있다.

결론적으로 통증에 관한 측정 항목 3가지는 '통증' 이라는 동일한 개념으로 묶을 수 있다.

SPSS

Data : Cronbach.sav

신뢰도분석

1 메뉴 → [분석] ▶ [척도] ▶ [신뢰도 분석] 메뉴를 선택하면 [신뢰도분석] 대화상자가 나타난다.

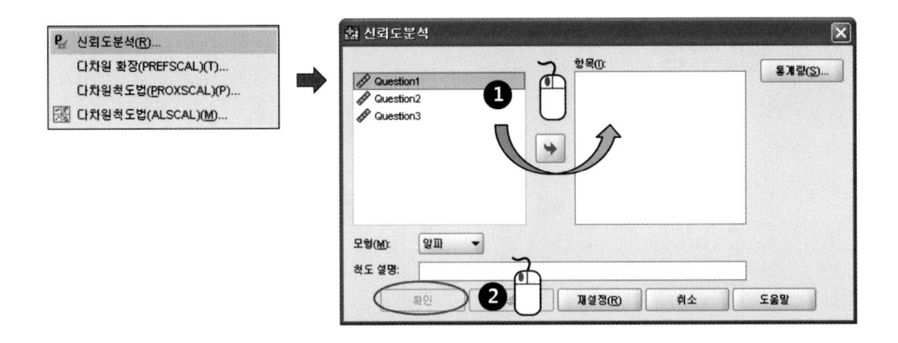

① 변수 Question1, Question2, Question3를 선택하여 [항목] 상자에 입력한다.

② [확인] 버튼을 눌러 작업을 마치면 SPSS 출력결과 창에 통계분석 결과가 나타난다.

2 통계결과

신뢰도 통계량

Cronbach의 알파	항목 수
.926	3

Cronbach Alpha = 0.926 ⇨ 문항 간에 매우 높은 일치도를 보인다.

dBSTAT

Data : Cronbach.dbf

신뢰도 분석

1 **메뉴** → [통계] ▶ [신뢰도 분석] 메뉴를 선택하면 [변수선택] 대화상자가 나타난다.

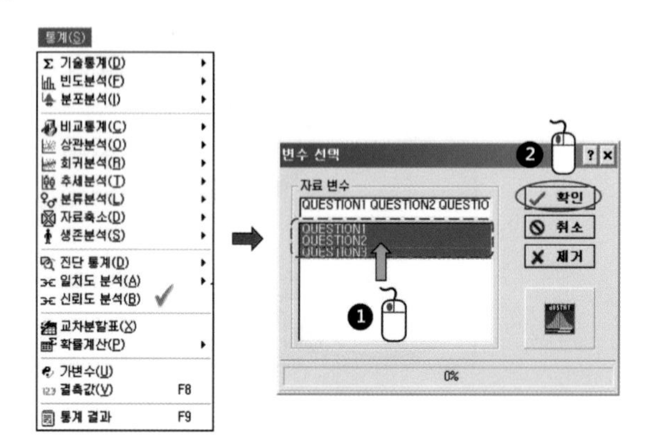

① [변수선택] 대화상자에서 [자료변수] ➲ QUESTION1, QUESTION2, QUESTION3 입력한다.

② [확인] 버튼을 클릭하여 선택 작업을 마치면 통계결과가 출력된다.

2 **통계결과**

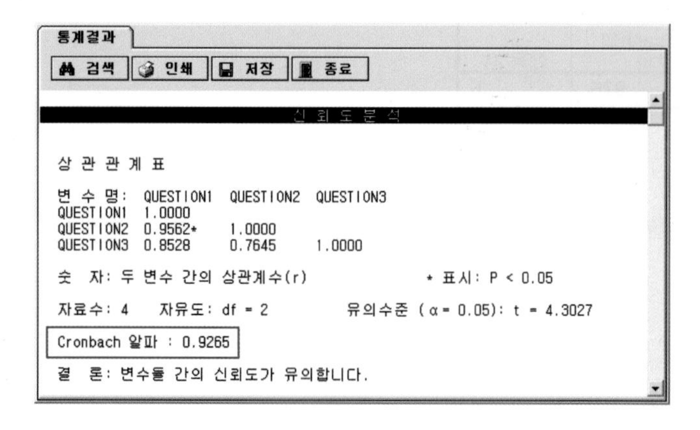

Cronbach 알파 = 0.9265 ⇨ 문항 일치도가 매우 높다.

진단통계

- 진단통계 방법은 크게 타당도(validity) 검정과 신뢰도(reliability) 검정으로 분류된다.
- 연구목적과 분석하고자 하는 자료형태에 따라서 통계검정법이 선택된다.

❖ 진단통계 검정법

Validity			Reliability		
Goal	***Data***	***Method***	***Goal***	***Data***	***Method***
Accuracy	**이항**	• Sensitivity • Specificity	Agreement (Reproducibility)	**명목**	Kappa test
Prediction	**이항**	Predictive Value		**순서**	Kendall Coefficient
Accuracy	**이항**	Likelihood Ratio		**연속**	Intraclass Correlation
Cut-off Value	**연속**	ROC curve		**연속**	Bland-Altman Plot

최적표준 (gold stanard)

타당도 검정은 최적표준 검사에 의한 진단이 있어야 하며 신뢰도 검정은 필요없다.

❖ 타당도 (Validity)

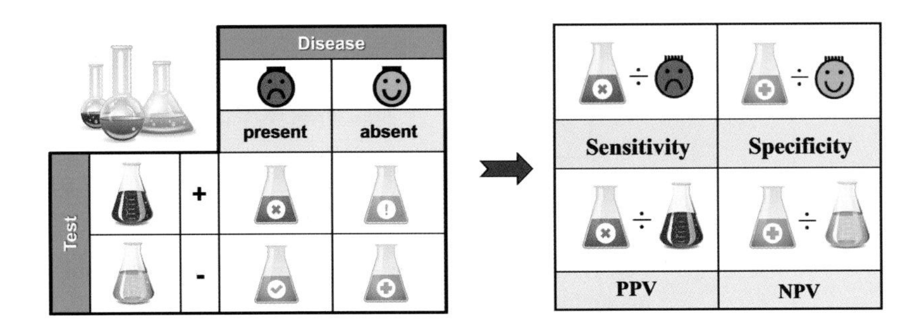

사전확률 (Pre-test Probability)

예측도(Predictive Value)를 계산하기 위해서는 반드시 사전확률(유병률)을 알아야 한다.

Medical Paper

Factors Associated With Urgent Cesarean in Women With Type 1 Diabetes.

Obstet Gynecol 2013;121:983–9

Receiver operating characteristic curves were constructed for urgent cesarean delivery and Hb A_{1C} level at delivery (Fig. 1). An Hb A_{1C} level of 6.4% at delivery emerged as the optimal cutoff for predicting immediate or urgent cesarean delivery with sensitivity, specificity, positive likelihood ratio, and negative likelihood ratio of 70.6%, 66.7%, 2.1, and 0.4, respectively.

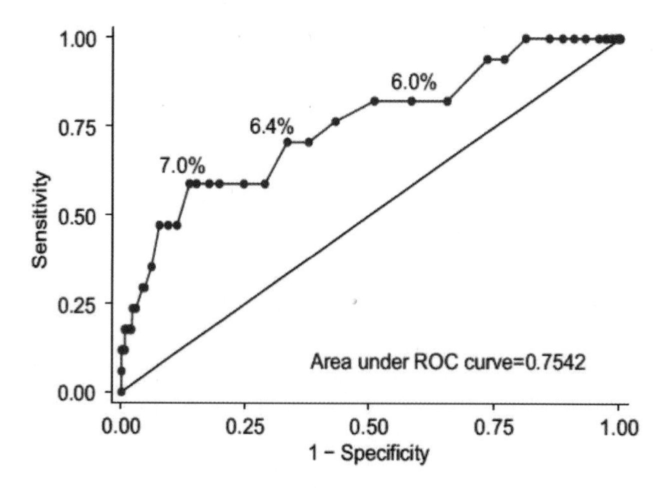

Fig. 1. Receiver operating characteristics curve (ROC) for hemoglobin A_{1C} (Hb A_{1C}) level at delivery.

Statistical Error

Use of proteomic patterns in serum to identify ovarian cancer

Lancet 2002; 359: 572–77

Findings The discriminatory pattern correctly identified all 50 ovarian cancer cases in the masked set, including all 18 stage I cases. Of the 66 cases of non-malignant disease, 63 were recognised as not cancer. This result yielded a sensitivity of 100% (95% CI 93–100), specificity of 95% (87–99), and positive predictive value of 94% (84–99).

	DISEASE	NO DISEASE
TEST +	50	3
TEST -	0	63
TOTAL	50	66

DISEASE: Ovarian Cancer; TEST: serum proteomic profile.

Diagnostic Test

예측도 Predictive value

예측도는 Prevalence rate (유병률) 또는 사전확률을 알아야만 계산할 수 있다.

위의 논문에서 양성 예측도(positive predictive value, PPV) 는 다음과 같이 계산하였다.

- PPV = DISEASE / TEST+ = 50 / (50+3) = 0.943 (94%)
- Table에서 구한 유병률은 50 / (50+66) = 0.431 (43%) 이다.

난소암의 실제 유병률 12/100,000 = 0.00012을 사용하여 PPV를 계산하면 다음과 같다.

$$\text{PPV} = \frac{0.00012}{0.00012 + 0.05 \times 0.99988} = \frac{0.00012}{0.05} \approx 0.0024 \ (0.24\%)$$

Sample Size

Five and Seven said nothing, but looked at Two.

10

표본크기 Sample Size

표본크기는 통계분석 하기 전인 연구설계 단계에서 선정되어야 한다. 표본크기 단원이 순서상 마지막인 이유는 표본크기 선정을 이해하기 위해서 통계학에 대한 지식이 필요하기 때문이다.

표본크기란 무엇인가?

표본크기(sample size)는 모집단에서 확률화 표본추출(sampling)을 할 때에 반복 추출되는 대상자의 수를 뜻한다. 실제 연구에서는 표본 집단에 속한 구성원 즉 연구대상자의 수를 뜻한다.

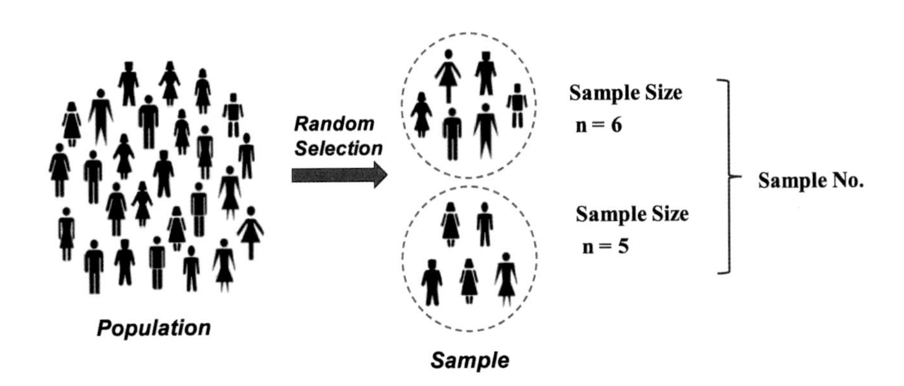

표본수(sample number)는 표본 집단의 수를 뜻한다. 위의 그림에서 표본수는 2 이다.

표본크기 중요성

표본크기 선정은 비용과 윤리적인 측면을 고려하여야 한다. 표본크기가 커질수록 통계적 정밀도가 높아지는 반면에 연구대상자 수가 많으면 연구에 드는 시간과 비용이 증가하게 된다. 또한 인체를 대상으로 하는 임상연구에서 필요 이상으로 많은 대상자의 실험은 비윤리적이다.

표본크기 선정은 언제 하는가?

표본크기 선정의 필요성은 연구설계 방법에 따라 다르다. 일반적으로 **후향적(retrospective)** 연구에서는 불필요하며 **전향적(prospective)** 연구에서는 사전에 표본크기를 선정하여야 한다.

표본크기 선정의 목적

1. **정밀도분석** (precision analysis)

임상시험 연구에서 표본크기를 너무 작게 선정하면 신뢰구간이 넓어지고 정밀도가 낮아져서 연구 결과를 신뢰할 수 없게 된다. 표본크기를 필요 이상 너무 크게 선정하면 정밀도는 높아지나 표본 수집 및 선택에 어려움과 bias가 증가하게 된다.

2. **검정력분석** (power analysis)

전향적 비교연구에서 연구 간에 차이가 있는지 정확하게 구별하는 것을 검정력이라 한다. 표본크기가 커질수록 검정력이 증가하게 된다. 표본크기를 작게 선정하면 검정력이 낮아져서 실제 효과 차이가 있는데도 통계학적으로 유의한 결과를 얻지 못하게 되어 잘못된 결론을 내릴 수 있다.

1.1 연구설계 Study Design

- 연구의 종류는 연구자에 의한 처치(치료) 유무에 따라 크게 **관찰연구(observational study)**와 **실험연구(experimental study)**로 나누어진다.
- 실험연구는 임상시험으로 확률배분에 따라 **확률대조시험**(randomized controlled trial, RCT)과 **비확률대조시험**(non-randomized controlled trial)으로 나누어진다.
- 관찰연구는 연구방향(시점)에 따라서 **후향적(retrospective)** 사례-대조 연구, **횡단면(cross-sectional)** 연구, **전향적(prospective)** 코호트 연구로 나누어진다.

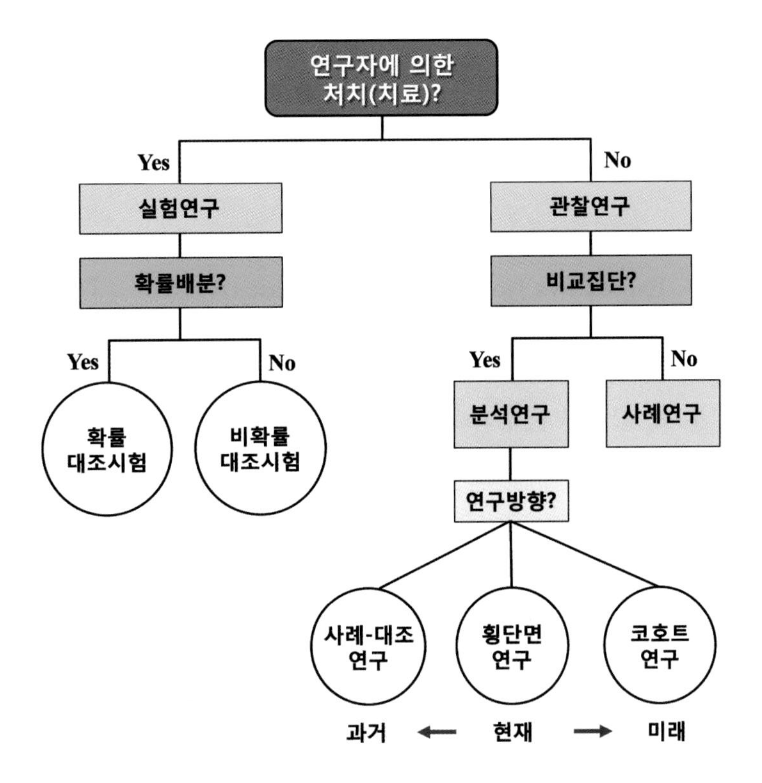

진단검사의 결과는 질병이 있다고 판정하는 양성과 질병이 없다고 판정하는 음성으로 나눈다.

Example

관상동맥질환과 흡연과의 연관성에 대한 연구를 예를 들어 연구설계 방법에 대하여 설명한다.

1. 사례-대조 연구 Case-Control Study

① 사례-대조 연구는 후향적 연구로서 과거 의무기록을 검토하는 연구방법이다.

② 관상동맥질환 환자(사례)와 건강인(대조군)을 연구대상으로 흡연을 한 적이 있는지 조사한다.

③ 장점: 시간과 경비가 가장 적게 든다. 발병률이 낮은 질병의 연구에 적합하다.

④ 단점: 인과 관계를 설명하기 어렵다. 표본 선택시 bias(편향)가 가장 많다.

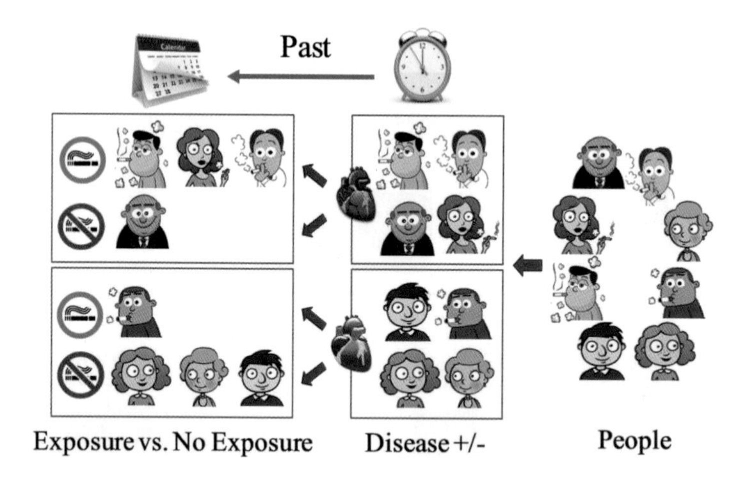

2. 횡단면 연구 Cross-Sectional Study

① 횡단면 연구는 현재 연구시점에서 의무기록을 검토하는 연구방법이다.

② 연구시점에서 관상동맥질환 환자와 건강인의 흡연을 조사한다. 주로 유병률 조사에 사용된다.

③ 장단점은 후향적 연구와 전향적 연구의 중간이다.

3. 코호트 연구 Cohort Study

① 코호트 연구는 연구시점에서 추적하여 발병률을 조사하는 방법이다. 연구시점이 현재이면 전향적 코호트, 과거이면 후향적 코호트 연구로 분류한다. 주로 전향적 연구에 사용된다.
② 건강인에서 흡연자와 비흡연자로 나누어 추적 관찰하여 관상동맥질환의 발병률을 조사한다.
③ 장점: 인과 관계를 설명할 수 있다. 표본 선택 bias(편향)가 적다.
④ 단점: 시간과 경비가 많이 든다. 발병률이 낮은 질병의 연구에 부적합하다.

4. 임상시험 Clinical Trial

① 전향적 연구로서 현재 연구시점에서 처치를 한 후에 추적하여 결과를 조사하는 연구방법이다.
② 관상동맥질환 환자에서 치료제 A, B를 투여 후에 추적 관찰하여 치료 결과를 조사한다.

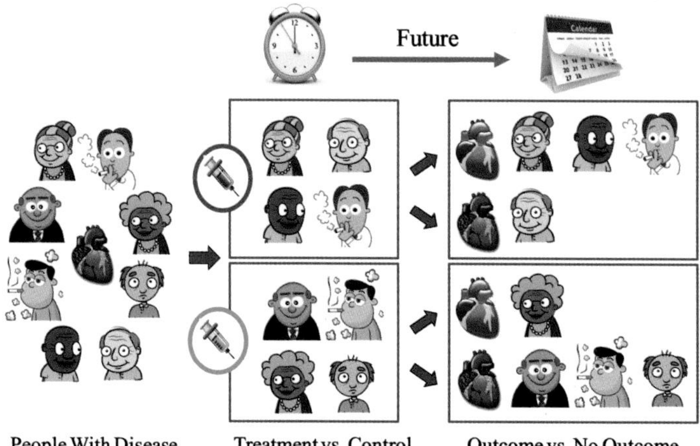

12 표본크기 선정방법 Sample Size Determining

임상시험에서는 연구설계 단계에서 반드시 표본크기를 선정하여야 한다.

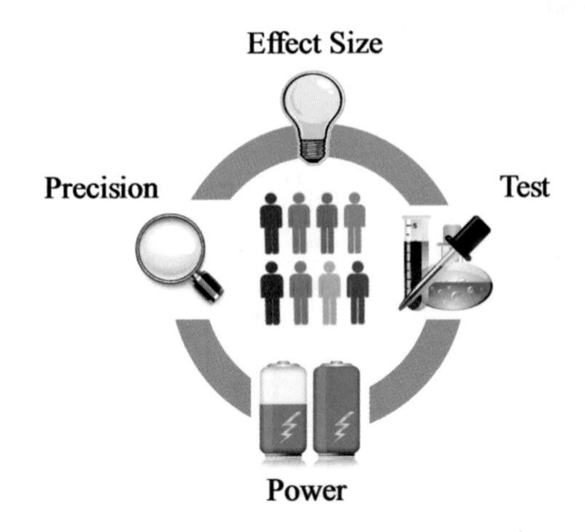

표본크기는 다음 4가지 요소에 의하여 결정된다.

1. 검정력 (Power)
2. 정밀도 (Precision)
3. 효과크기 (Effect size)
4. 통계검정 (Statistical test)

1. 검정력 Power

α 오류

- 귀무가설이 참일 때 기각하는 오류를 **제1종 과오**(type I error 또는 ***α* 오류**라 하기도 한다.
- 진단검사에서 건강인을 환자로 오진하는 위양성(과잉진단)이 α 오류라 할 수 있다.
- 유의수준(α)은 α 오류를 범할 확률을 뜻하며 일반적으로 **α = 0.05 (5%)** 로 정한다.

β 오류

- 귀무가설이 거짓일 때 수용하는 오류를 **제2종 과오**(type II error) 또는 ***β* 오류**라 부른다.
- 진단검사에서 환자를 건강인으로 오진하는 위음성(진단미흡)이 β 오류라 할 수 있다.
- 제2종 과오를 범할 확률을 β로 표기하며 일반적으로 **β = 0.2 (20%)** 로 정한다.

Jury Trial				Hypothesis Test			
		진실				진실 (모집단)	
						Ho 참	Ho 거짓
판결 (재판)		올바름 (무죄)	그릇됨 (경한 오류)	결론 (표본)	수용 Ho	올바름 $(1-\alpha)$	제2종 오류 (β 오류)
		그릇됨 (중대 오류)	올바름 (유죄)		기각 Ho	제1종 오류 (α 오류)	올바름 $(1-\beta)$

검정력 (Power)

- 귀무가설이 거짓일 때 기각하는 확률을 검정력이라 한다.
- 진단검사에서 환자를 환자로 정확하게 진단하는 진양성이 검정력이라 할 수 있다.
- 검정력은 1 - β로 표기하며 일반적으로 Power = 1 - β = 0.8 (80%) 로 정한다.
- 검정력은 α 오류에 영향을 받는다. α 오류가 커지면 β 오류가 작아지며 검정력이 높아진다.

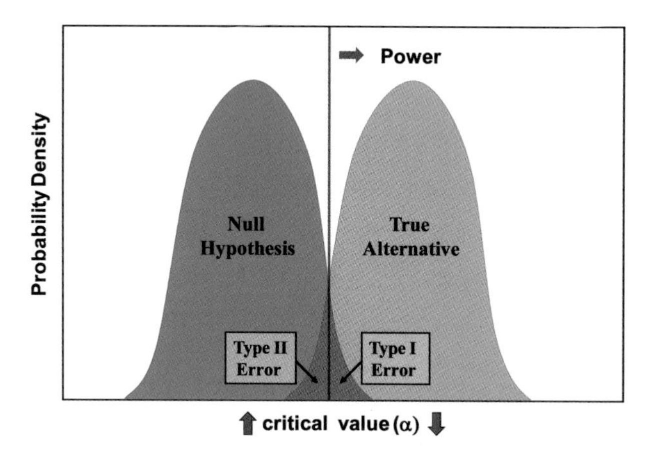

임상시험에서 검정력 80%란 임상적으로 유의한 효과차이가 있을 때에 통계적으로 유의하다고 판정할 확률이 80%라는 의미이다.

검정력 vs. 표본크기

① 표본크기가 커질수록 α 오류와 β 오류가 작아지며 검정력이 높아진다.

② 임상시험에서 α 오류와 β 오류를 작게 (검정력을 높게) 정하면 표본크기가 커야 한다.

2. 정밀도 Precision

표본의 퍼진 정도를 정밀도라 한다.

- 측정값의 변동(표준편차, SD)이 클수록 신뢰구간의 폭이 넓을수록 정밀도가 낮아진다.
- 아래 그림에서 그림 (A)가 그림 (B)에 비하여 SD가 작고, 신뢰구간의 폭이 좁아 정밀도가 높다.

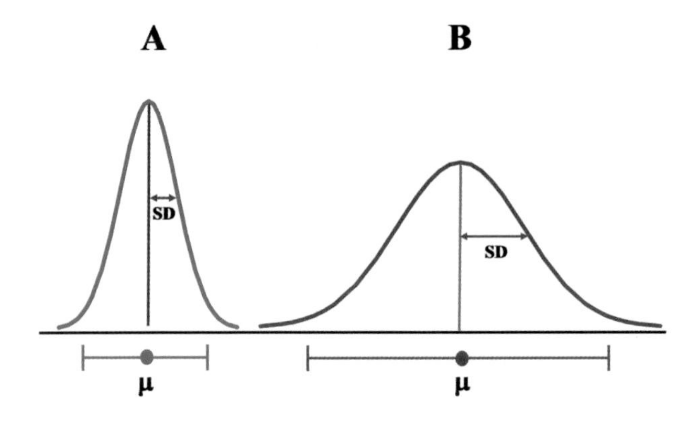

정밀도 vs. 표본크기

① 표본크기가 커질수록 SD가 작고, 신뢰구간의 폭이 좁아지므로 정밀도가 높아진다.

② 임상시험에서 정밀도를 높게 (SD를 작게, 신뢰구간 폭이 좁게) 정하면 표본크기가 커야 한다.

정밀도를 어떻게 결정하는가?

① 선행 연구문헌에서 신뢰구간 또는 SD를 참고한다.

② 시험연구(pilot study)의 data를 참고한다.

③ 선행 연구결과에서 SD를 구할 수 없으면 SD ≈ (최대값−최소값)/4 근사 공식을 사용한다.

3. 효과크기 Effect Size, ES

효과크기는 임상시험에서 치료 효과의 크기를 뜻하며 임상시험 집단들 간의 연구 결과(outcome) 또는 목적지표(endpoint)를 비교하는데 사용된다.

효과크기 사용

① 검정력 분석

② 표본크기 분석

③ 메타분석

효과크기 종류

효과크기는 평가 목적에 따라서 크게 두 종류로 나누어진다.

1) *d family* (집단간 차이 평가)

- 연속변수 - 평균차(mean difference)를 측정하며 Cohen's *d*, *Cohen' s f* 등이 사용된다.
- 이항변수 - 비율차를 측정하며 Cohen's *w*, 승산비(OR), 위험비(HR) 등이 사용된다.

2) *r family* (연관성의 강도 평가)

- 상관분석, 회귀분석 등 변수들 간의 연관성을 분석하는 통계에서 효과크기 측정에 사용된다.
- 상관계수(r), 결정계수(R^2) 등 통계분석 결과 통계량이 사용된다.

통계분석 방법에 따른 효과크기 측정방법은 다음 표와 같다.

Test	Effect size	Description
● *t*-test	*d*	두집단 평균차 (difference in two means)
● X^2 test	*w*	비율차 (difference in proportions)
● 분산분석	*f*	다집단 평균차 (difference in many means)
	η^2 (eta^2)	변동 (variance explained)
● 상관분석	*r*	상관계수 (correlation coefficient)
● 다중회귀분석	R^2	다중결정계수 (multiple determination coefficient)

아래 그림은 평균차에 대한 효과크기로 그림 (A)가 그림 (B)에 비하여 효과크기(ES)가 작다.

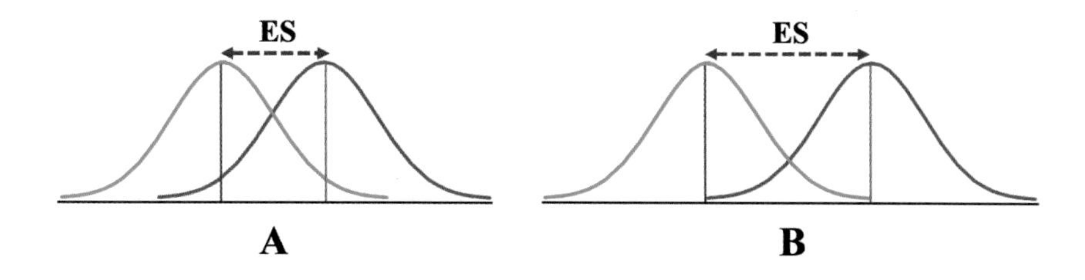

Example

비만 환자에서 Diet A와 Diet B 두 가지 방법을 1년간 시행 후 체중(kg) 감소의 평균(SD)은 Diet A 군에서 10(3), Diet B 군에서 8(3) 이다. 효과크기를 구하시오.

평균차에 대한 효과크기는 z-score 산출 공식과 비슷하며 다음과 같이 구한다.

$$Cohen's\ d = \frac{Mean_1 - Mean_2}{\sqrt{(SD_1{}^2 + SD_2{}^2)/2}}$$

$$\text{Cohen's d} = \frac{|10-8|}{\sqrt{(3^2+3^2)/2}} = \frac{2}{\sqrt{9}} = \frac{2}{3} = 0.67$$

효과크기 해석

효과크기의 정도를 평가하는 기준으로 Cohen은 다음과 같은 평가표를 제시하였다.

Effect Size 평가 기준 (Cohen, 1988)

Effect size	Small	Medium	Large
d	0.20	0.50	0.80
w	0.10	0.30	0.50
f	0.10	0.25	0.40
η^2	0.01	0.06	0.14
r	0.10	0.30	0.50
R^2	0.02	0.13	0.26

Cohen's d : 0.2 〈 d ≤ 0.5 ➔ small, 0.5 〈 d ≤ 0.8 ➔ medium, d 〉 0.8 ➔ large 효과크기로 해석한다.

효과크기의 해석은 연구목적에 따라 달라지며 임상적 의의에 따라 연구자에 의하여 결정되어야 한다. 예를 들어 난치성 질병에 대한 임상연구에서 효과크기 d = 0.10 이라도 치료약의 비용이 저렴하며 부작용이 적다면 실제 임상적으로는 매우 유용하다.

 임상시험 연구에서 효과크기를 작게 정할수록 연구에 필요한 표본크기는 커진다.

효과크기 vs. *P*-value

- 효과크기는 임상적 의의를 나타내는 지표이며 p-value는 통계적 의의를 정하는 기준이다.
- 효과크기는 표본크기에 영향을 받지 않지만 p-value는 표본크기가 커지면 작아진다.

다음은 두 연구 A, B에서 효과크기가 동일하지만 표본크기에 따라 p-value가 다른 예이다.

Study		N	Mean	SD	*p*-value	Cohen's *d*
A	Group 1	15	10	3	>0.05	0.67
	Group 2	15	8	3		
B	Group 1	30	10	3	<0.05	0.67
	Group 2	30	8	3		

효과크기는 어떻게 결정하는가?

- 효과크기는 임상적 의미가 있는 최소 크기로 정하며 임상연구자에 의하여 결정된다.
- 임상시험 연구에서 효과크기는 일반적으로 다음과 같은 선정 기준을 따른다.
  ① 연구문헌(메타분석 포함)을 참고한다.
  ② 시험연구(pilot study)의 data를 참고한다.
  ③ 효과크기 통계표 또는 Cohen 효과크기 평가를 기준으로 정한다.
  ④ 전문가의 견해를 참고한다.

Example

Diet A와 Diet B의 체중감소 효과를 비교하는 선행연구에서 1년 후 평균 체중감소 차는 500 gm, p = 0.01으로 통계적으로 유의한 결과가 나왔다. Diet A가 Diet B에 비하여 임상적으로 효과가 더 좋다고 할 수 있는가?

임상적 유의성은 통계적 유의성과는 별도로 해석하여야 한다. 1년 기간 동안 500 gm 차이는 임상적으로 유의하다고 할 수 없다. 임상시험에서 평균차이가 1 kg 이상이면 효과가 있다고 정하면 표준편차를 알면 표준화된 효과크기 Cohen's d를 구할 수 있다.

효과크기 vs. 표본크기

① 효과크기는 표본크기에 영향을 받지 않는다.
② 임상시험에서 효과크기를 크게 정하면 표본크기가 작아진다.

4. 통계검정 Statistical test

1) 가설검정

통계적 가설검정은 대립가설에 따라서 양측검정과 단측검정으로 나누어진다.

양측검정 (two-tailed test)

- 대립가설 H_1 : $\mu \neq \mu_0$ 로 양쪽 크기의 비교를 할 수 없는 경우로 기각역이 양쪽에 있다.
- 대부분 연구에서 크기의 차이가 있는지 없는지 알 수 없으므로 양측검정을 하게 된다.

단측검정 (one-tailed test)

- 대랍가설 H_1 : $\mu < \mu_0$, H_1: $\mu > \mu_0$ 로 작거나(**좌측검정**), 크다고(**우측검정**) 가정하는 경우이다.
- 약물 부작용(독성) 연구와 같이 대소를 비교하며 가설에 대한 확실한 근거가 있어야 한다.

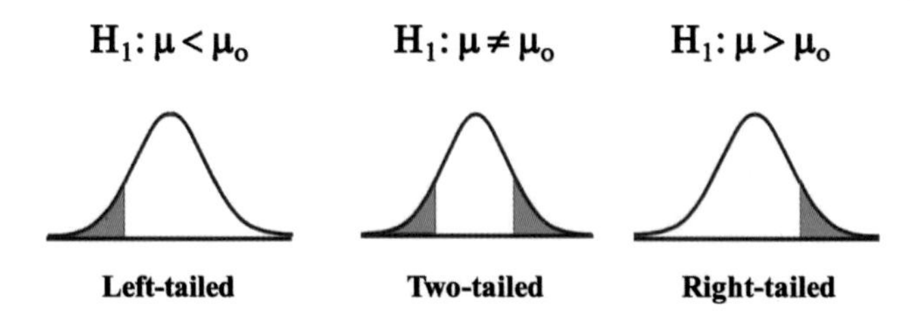

 가설검정을 단측검정으로 정하면 양측검정에 비하여 표본크기가 감소한다.

2) 변수형태

통계검정에 주로 사용되는 변수는 연속형 변수, 범주형 이항변수(binary variable)이다.

 결과변수가 연속형 변수이면 이항변수에 비하여 표본크기가 감소한다.

임상시험 설계에 따른 통계학적 가설

Test	Null Hypothesis	Alternate Hypothesis
Superiority Two-sided	H_0: $\mu - \mu_o = 0$	H_1: $\mu - \mu_o \neq 0$
One-sided	H_0: $\mu - \mu_o = 0$	H_1: $\mu - \mu_o > 0$
Equivalence	H_0: $\lvert\mu - \mu_o\rvert \geq \Delta$	H_1: $\lvert\mu - \mu_o\rvert < \Delta$
Non-inferiority	H_0: $\mu - \mu_o \geq \Delta$	H_1: $\mu - \mu_o < \Delta$

임상시험 가설검정

표본크기 선정과 관계없는 후향적 사례-대조군 연구에서 가설검정은 집단간 차이의 유무(Equality) 만을 검정하지만 임상시험은 임상적으로 유효한 차이(Δ)에 대한 검정을 하게 된다.

1) 우위성 검정 (Superiority test)

- 시험군이 대조군(위약군)에 비하여 치료효과가 우수하다는 가설을 검정
- 거의 대부분 무작위 대조시험에서 사용하는 일반적인 통계학적 검정방법이다.
- 임상적 유효차 Δ = 0 에 대한 검정으로 P〈 0.05 이면 통계적으로 유의하다.
- 시험군이 우수하다는 확실한 근거가 없는 한 양측검정을 하는 것이 원칙이다.
- 95% CI (신뢰구간) 하한값 〉 0 이면 시험군의 치료효과가 우수하다고 판정한다.

2) 동등성 검정 (Equivalence test)

- 시험군과 대조군의 치료효과가 동등하다는 가설을 검정한다. (양측검정)
- 신약에 대한 생물학적 동등성(bio-equivalence) 검정에 사용하는 방법이다.
- 임상적 유효차 한계(-Δ, +Δ)에 95% CI이 포함되면 치료효과가 동등하다고 판정한다.

3) 비열등성 검정 (Non-inferiority test)

- 시험군이 대조군에 비하여 치료효과가 나쁘지 않다는 가설을 검정한다. (단측검정)
- 95% CI 하한값 〉 -Δ 이면 시험군의 치료효과가 대조군에 비하여 나쁘지 않다고 판정한다.

임상시험 설계와 신뢰구간에 따른 해석

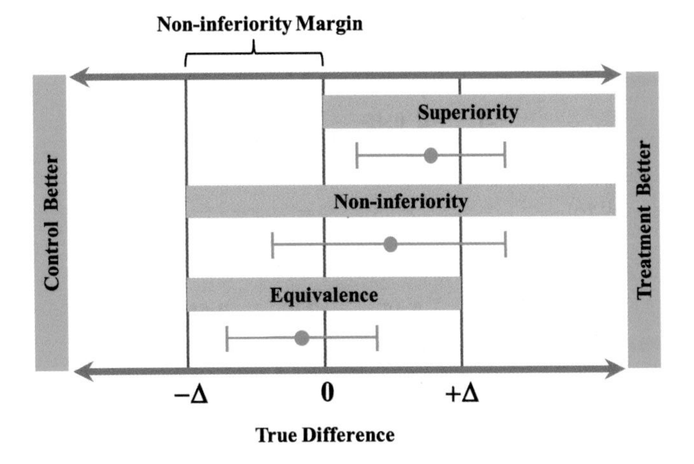

① 우위성 검정: 95% CI 하한값 〉 0 ⇨ 시험군의 치료효과가 우수하다고 판정한다.

② 비열등성 검정: 95% CI 하한값 〉 -Δ ⇨ 시험군의 치료효과가 나쁘지 않다고 판정한다.

③ 동등성 검정: 효과차이 한계(-Δ, +Δ) 내에 95% CI이 포함되면 치료효과가 동등하다고 판정.

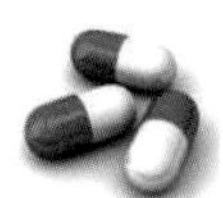

비만 환자에서 새로운 약이 기존 약에 비하여 체중 감소 효과가 있는지 알아보는 임상시험을 시행하여 다음과 같은 결과를 보였다.

Table. Comparison of weight loss (kg) in treatment and control.

Variable	Treatment	Control	Difference	95% CI	*P* value
Weight (kg)	10 (3)	8 (3)	2.0	0.45, 3.55	0.01

Data are expressed as mean(SD).

[해설] 임상시험 설계에 따라 결과를 해석하여 본다.

① 우위성 검정

95% CI = (0.45, 3.55) 범위에 0을 포함하지 않으므로 통계적으로 유의하다. (p=0.01)

하한값 〉 0 이므로 시험군의 치료효과가 대조군에 비하여 우수하다고 판정한다.

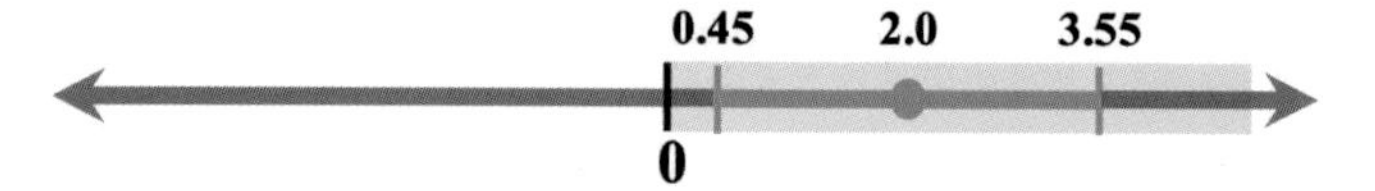

② 비열등성 검정

시험군과 대조군의 평균 체중감소 크기 차이가 최소 -1 kg 이상이면 치료효과가 나쁘지 않다고 추정하면 95% CI 하한값 (0.45) 〉 -1 이므로 치료효과가 나쁘지 않다고 판정한다.

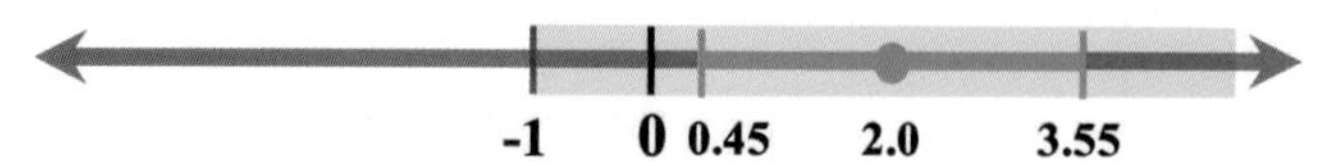

③ 동등성 검정

시험군과 대조군의 평균 체중감소 크기 차이 유효 한계를 -1kg ~ 1kg 로 정하면 95% CI가 범위 내에 있지 않으므로 효과가 동등하지 않다고 판정한다.

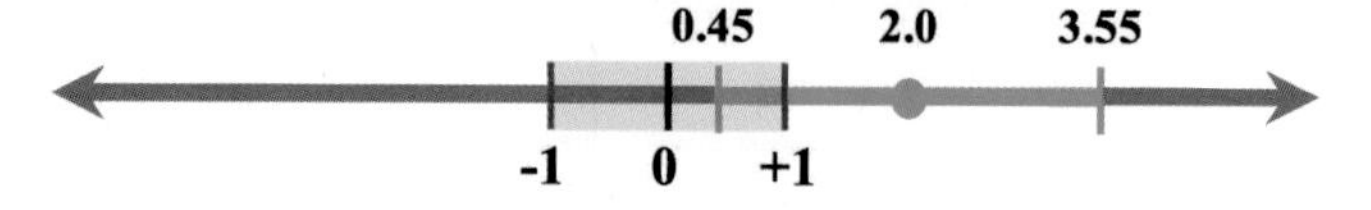

 임상시험을 동등성 검정으로 설계하면 우위성 검정에 비하여 표본크기가 증가한다.

13 표본크기 계산 Sample Size Calculation

표본크기는 **검정력 분석**(power analysis)과 동일한 개념으로 산출된다.
검정력 분석은 전향적 연구에서 연구시작 단계에서 미리 설정되는 **사전 (a priori) 검정력** 분석과 후향적 연구에서 통계분석 결과가 나온 후에 시행되는 **사후 (post hoc) 검정력** 분석이 있다.

1. 후향적 연구

- 후향적 연구에서 검정력 또는 표본크기 계산은 불필요하다.
- 후향적 사례-대조군 연구에서 대상자 수는 이미 정해져 있으며 연구 대상자 모집에 별도의 시간과 비용이 들지 않으며 윤리적 문제가 없으므로 많을수록 좋다.
- 후향적 연구에서 통계적으로 유의한 결과(**positive result**)가 나온 경우에는 이미 검정력이 충분하다는 뜻이므로 검정력 분석을 시행할 필요가 없다.

사후 검정력분석은 언제 하는가?

통계적으로 유의하지 않은 결과(**negative result**)가 나온 연구에서 실제로는 유의한 결과를 검정력이 낮아서 유의하지 않다고 잘못 판정(**Type 2 오류**) 할 수 있으므로 검정력 분석을 요구하는 경우가 있다. 이를 사후 검정력 분석이라 한다.

사후 검정력에 영향주는 요인

사후 검정력은 p-value와 밀접한 관련이 있으며 다음과 같은 요인들이 검정력에 영향을 준다.
① 표본크기: 연구대상자 수가 많을수록 검정력이 높아진다.
② 측정변수: 연속변수이면서 정규분포, 분산(표준편차)이 작으면 검정력이 높아진다.
③ 통계분석방법: 모수적 통계분석이 비모수적 통계분석에 비하여 검정력이 높다.
④ 연구설계방법: 대응짝설계(matched pairs design)가 검정력이 높다.

사후 검정력분석이 필요한가?

- 사후 검정력 분석은 후향적 연구결과에 대한 평가에 사용하여도 별 도움이 되지 못한다.
- Negative result에 대하여 검정력 분석하여 "차이가 발견되었으나 통계적 유의성을 증명할 정도로 검정력이 충분하지 않았다."라는 해석은 이해하기 어렵다.
- 후향적 연구에 대한 평가를 위해서 사후 검정력 분석보다는 P-value와 함께 **신뢰구간**을 제시하는 것이 올바른 방법이다.

후향적 연구에서 표본크기 설정

후향적 연구에서 표본크기는 미리 설정할 수는 없지만 통계분석 방법에 따라 최소 표본크기가 달라진다. 최소 표본크기보다 작으면 집단간 측정값 차이(효과차이)가 아무리 커도 통계적 유의성은 없게 된다. 최소 표본크기는 통계적 방법에 의한 법칙은 없으며 경험적 법칙에 의한다.

경험적 법칙 (Rules of Thumb)

1) **이변량** (bivariate) **분석**

① 모수적 통계: 변수마다 10

② 비모수적 통계: 변수마다 5, chi-square test - 칸(cell) 마다 5

2) **다변량** (multiivariate) **분석** - "Rule of 10"

① 다중회귀분석: 최소 표본크기 = 예측(독립)변수 x 10

② Logistic, Cox 회귀분석: 최소 **event (non-event)** 수 = 예측(독립)변수 x 10.

중심극한정리에 의하여 표본크기 n=30 이면 검정력이 충분하다.

중심극한정리는 표본분포의 정규성에 관한 것이지 검정력과는 무관하다.

2. 전향적 연구

임상시험에 필요한 연구대상자 수는 연구목적, 연구설계, 통계적 가설, 검정력, 정밀도, 통계적 분석 방법 등 여러 요소에 의하여 결정된다.

통계적 계산에 사용되는 요소

1) **검정력** (power)

검정력을 높게 설정하면 표본크기가 커진다. 검정력(1- β)은 일반적으로 0.8 (80%)로 설정한다.

2) **정밀도** (precision)

정밀도를 높게 설정하면 표본크기가 커진다. 정밀도는 SD가 작을수록 높아진다.

3) **유의수준** (α)

유의수준은 낮게 설정하면 표본크기가 커진다. 유의수준(α)은 일반적으로 0.05로 설정한다.

4) **효과크기** (ES)

효과크기를 작게 설정하면 표본크기가 커진다. 효과크기는 최소 크기로 설정하여야 한다.

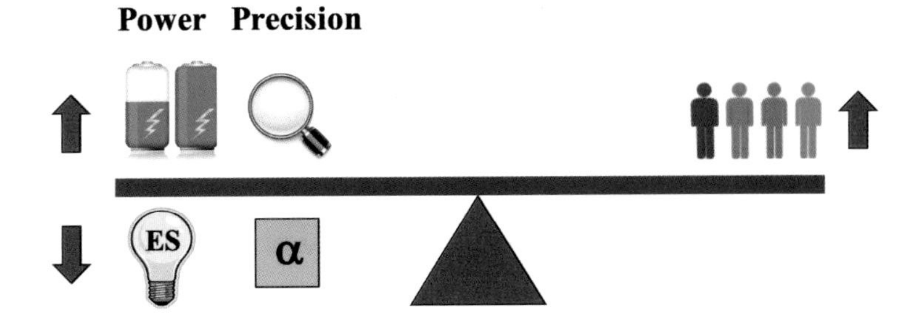

통계검정에 따른 표본크기

표본크기 계산 공식은 위의 4가지 요소 이외에 통계분석법에 따라서 정해진다.

통계분석법은 가설, 변수 형태, 표본 집단수 등에 따라서 결정된다. 이번 단원에서는 연속형 변수에서 가장 흔히 사용되는 평균 차이와 범주형 변수에서 많이 사용되는 비율 차이를 사용한 임상시험에서 연구대상자 수를 선정하는 방법에 대하여 알아본다.

1) t-test

① 두 표본 t-test에서 일반적 가설검정은 다음과 같다.

귀무가설 H_0 : $\mu_1 = \mu_2$ (평균이 같다) vs. 대립가설 H_1 : $\mu_1 \neq \mu_2$ (평균이 다르다)

② 효과크기를 고려한 가설검정은 평균차이의 크기를 미리 설정하여 이에 대한 검정을 한다.

H_0 : $\mu_1 - \mu_2\ (\Delta) = 0$ (평균차가 없다) vs. H_1 : $\mu_1 - \mu_2\ (\Delta) \neq 0$ (평균차가 있다)

표본크기 산출 공식

독립 두 표본 *t*-test에서 표본크기 산출 공식은 다음과 같이 구한다.

$$n = \frac{2(Z_\beta + Z_{\alpha/2})^2}{ES^2} = \frac{2\sigma^2(Z_\beta + Z_{\alpha/2})^2}{Difference^2}$$

- $Z_{\alpha/2}$: Type I 오류에서 Z 값으로 양측검정 유의수준 $\alpha = 0.05$ ⇨ $Z_{\alpha/2} = 1.96$
- Z_β : Type II 오류에서 Z 값으로 $\beta = 0.2$ (검정력 80%) ⇨ $Z_\beta = 0.84$
- σ: 각 표본집단의 표준편차를 뜻한다. (두 집단 표준편차는 동일하다고 간주)
- Difference (Δ, δ): 임상적으로 유의한 평균차이를 뜻한다. Δ (delta) = $\mu_1 - \mu_2$

새로운 다이어트 방법이 기존 방법에 비하여 혈중 콜레스테롤을 낮추는 효과가 있는지 알아보는 병행설계 (Parallel Design) 임상시험을 계획하였다. 3개월 시행 후 시험군과 대조군의 평균 콜레스테롤 차이가 최소 10 mg/dl 이면 치료효과가 있다고 판정한다. 선행연구에서 콜레스테롤 표준편차는 20 mg/dl로 알려져 있다. 유의수준 $\alpha = 0.05$, 검정력 80%로 설정하여 필요한 연구대상자 수를 구하시오.

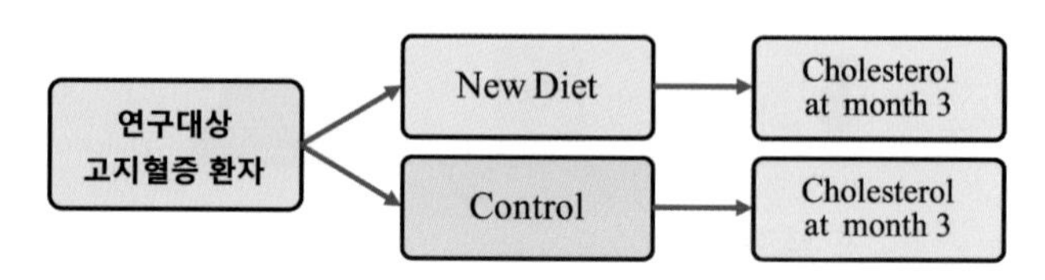

통계분석

통계분석은 t-test를 사용하여 평균차에 대한 양측검정을 한다.

귀무가설 H_O: 새로운 Diet 3개월 후 콜레스테롤 - 기존 Diet 3개월 후 콜레스테롤 = 0 mg/dl

대립가설 H_A: 새로운 Diet 3개월 후 콜레스테롤 - 기존 Diet 3개월 후 콜레스테롤 ≠ 0 mg/dl

표본크기 계산

$$z_{\alpha/2} = 1.96 \quad z_{\beta} = z_{0.20} = 0.84$$

$$n = \frac{2\sigma^2 (Z_{\beta} + Z_{\alpha/2})^2}{\text{difference}^2} = \frac{2(20)^2(1.96 + 0.84)^2}{(10)^2} \approx 63$$

∴ 시험군과 대조군에 필요한 연구대상자 수는 각각 63명이다.

논문방법 기술

임상시험 논문에서 표본크기 산정방법을 다음과 같이 구체적으로 기술하여야 한다.

A sample size of 63 in each group will have 80% power to detect a difference in means of 10.0 assuming that the common standard deviation is 20.0 using a two group t-test with a 0.05 two-sided significant level.

2) z test

일반적 가설검정은 다음과 같다.

- 귀무가설 H_0 : P1 = P2 (비율이 같다)
- 대립가설 H_1 : P1 ≠ P2 (비율이 다르다)

효과크기를 고려한 가설검정은 비율차이의 크기를 미리 설정하여 이에 대한 검정을 한다.

- 귀무가설 H_0: P1 - P2 (Δ) = 0 (비율차가 없다)
- 대립가설 H_1: P1 - P2 (Δ) ≠ 0 (비율차가 있다)

표본크기 산출 공식

표본크기 산출 공식은 다음과 같이 구한다.

$$n = \frac{\{p_1 \times (1-p_1) + p_2 \times (1-p_2)\}(Z_{\alpha/2} + Z_\beta)^2}{\text{Difference}^2} \approx \frac{2(\overline{p})(1-\overline{p})(Z_{\alpha/2} + Z_\beta)^2}{(p_1 - p_2)^2}$$

- $Z_{\alpha/2}$: Type I 오류에서 Z 값으로 양측검정 유의수준 α = 0.05 ⇨ $Z_{\alpha/2}$ = 1.96
- Z_β : Type II 오류에서 Z 값으로 β = 0.2 (검정력 80%) ⇨ Z_β = 0.84
- $\overline{P}$: 두 표본집단의 평균비율을 뜻한다. $\overline{P}$ = (P1 + P2) / 2
- Difference (Δ): 임상적으로 유의한 비율차이를 뜻한다. Δ (delta) = P1 - P2

Z test vs. Chi-square test

- 비율차이에 대한 검정은 chi-square test로 분석할 수도 있다.
- Z test는 모수적 검정이고 chi-square test는 비모수적 검정이다.
- 표본크기 계산 소프트웨어에 따라 검정 방법에 차이가 있다.

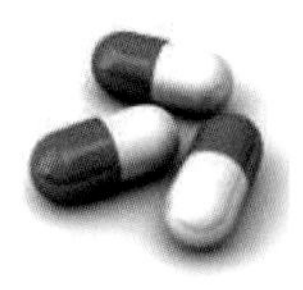

난치성 질환 환자들을 대상으로 치료약이 합병증을 낮추는 효과가 있는지 알아보는 임상시험을 계획하였다. 선행연구에서 합병증은 40%로 알려져 있다. 치료효과는 합병증을 10% 감소시키면 임상적으로 유의하다고 판정한다. 유의수준 α = 0.05, 검정력 80%로 설정하였을 때 필요한 연구대상자 수를 구하시오.

통계분석

통계분석은 chi-square test를 사용하여 비율 차이에 대한 양측검정을 한다.

귀무가설 H_O: 대조군 합병증 - 시험군 합병증 = 0 %

대립가설 H_A: 대조군 합병증 - 시험군 합병증 ≠ 0 %

표본크기 계산

$Z_{\alpha/2} = 1.96$ $Z_{\beta} = Z_{0.20} = 0.84$, difference = $P_1 - P_2 = 0.4 - 0.3$

$$n = \frac{\{p_1 \times (1-p_1) + p_2 \times (1-p_2)\}(Z_{\alpha/2} + Z_{\beta})^2}{\text{Difference}^2} = \frac{(0.4 \times 0.6 + 0.3 \times 0.7)(1.96 + 0.84)^2}{(0.4 - 0.3)^2} \approx 354$$

∴ 시험군과 대조군에 필요한 연구대상자 수는 각각 354명이다.

논문방법 기술

임상시험 논문에서 표본크기 산정방법을 구체적으로 기술하여야 한다.

A two group x^2 test with a 0.05 two-sided significant level will have 80% power to detect the difference between a Group 1 proportion, P1, of 0.40 and a Group 2 proportion P2 of 0.30 when the sample size in each group is 354.

1.4 표본크기 소프트웨어 Software

UCSF 대학 Biostatistics 학과 website에 검정력/표본크기 소프트웨어에 대한 소개가 있다.

http://www.epibiostat.ucsf.edu/biostat/sampsize.html

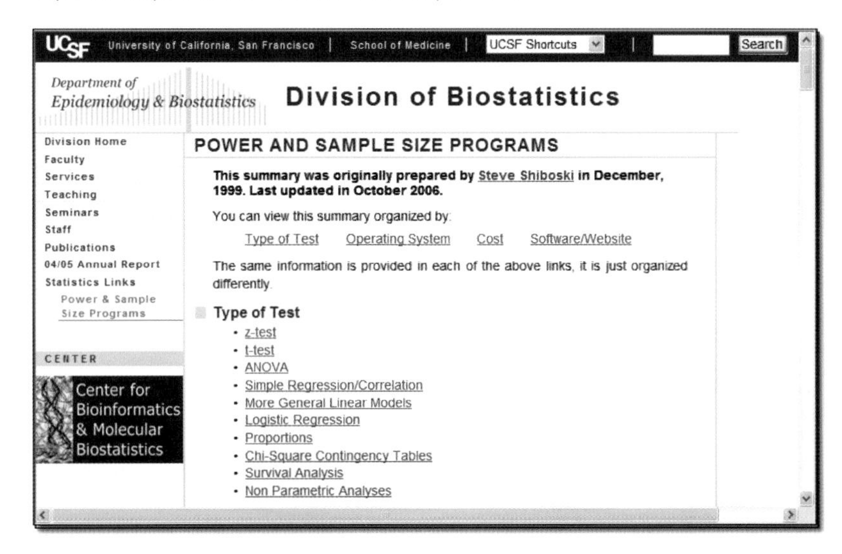

표본크기 프로그램은 매우 다양한데 그 중 무료 소프트웨어인 G*Power가 널리 사용되고 있다.

표본크기 계산 방식은 프로그램마다 다소 차이가 있어 결과가 반드시 일치하지 않는다.

G*Power

GPower 는 통계 계산에서 적정한 표본크기를 구하거나 검정력을 쉽게 구할 수 있게 개발된 무료 소프트웨어이다. G*Power 에서는 다음과 같은 통계분석에서 표본크기, 검정력을 구할 수 있다.

통계분석: z-test, t-test, ANOVA, regression, correlation, chi-square goodness of fit test

G*Power 프로그램은 다음 웹사이트에서 무료로 다운로드 받을 수 있다.

http://www.psycho.uni-duesseldorf.de/abteilungen/aap/gpower3

비만 환자에서 새로운 Diet법이 기존 방법에 비하여 체중 감소 효과가 있는지 알아보는 임상시험을 계획하였다. 1년간 시행 후 시험군과 대조군의 평균 체중 차이가 최소 2 kg 이면 치료효과가 있다고 판정한다. 선행연구에서 기존 방법의 평균 체중감소는 8 kg, 표준편차는 4 kg으로 알려져 있다.
α = 0.05, 검정력 80%로 설정하였을 때 필요한 연구대상자 수를 구하시오.

 t-test: 두 표본 평균차이 검정

1 메뉴 → [Tests] ▶ [Means] ▶ [Two independent group] 메뉴를 선택한다.

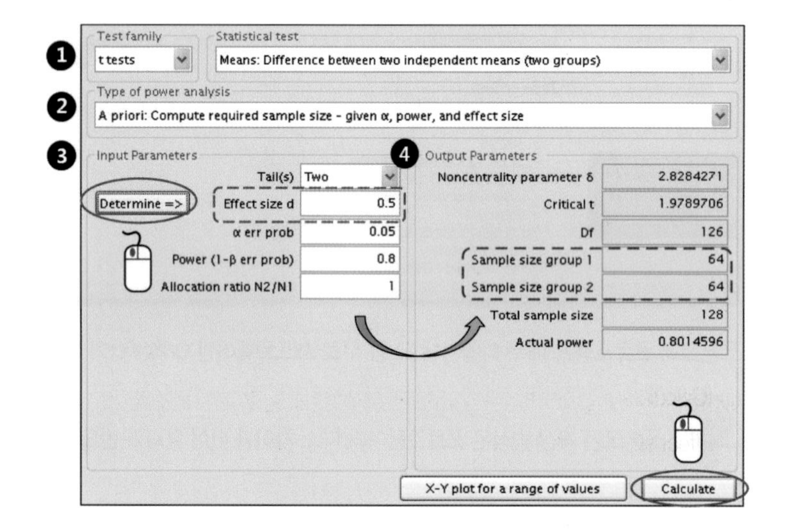

① [Test family] ▶ t tests, [Statistical test] ▶ Means: Difference (two groups) 선택한다.

② [Type of power analysis] ▶ A priori: Compute required sample size 선택한다.

③ [Input Parameters]

- Tail(s) ➲ Two (양측검정)
- Effect size d ➲ 0.5 (효과크기 Cohen's d = 0.5)
- α err prob ➲ 0.05 (유의수준 α = 0.05)
- Power (1-β err prob) ➲ 0.8 (검정력 = 80%)
- Allocation ratio N2/N1 ➲ 1 (집단간 표본크기 1:1)

④ [Output Parameters]

[Calculate] 버튼을 클릭하면 Sample size 계산 결과를 구할 수 있다.

✎ Group 1 표본크기 ⇨ 64, Group 2 표본크기 ⇨ 64

2 효과크기 (Effect Size)

G*Power에서 효과크기를 알아야 표본크기를 계산할 수 있다. 효과크기는 [Input Parameters] ▶ [Determine = 〉] 버튼을 클릭하여 나타나는 대화상자에서 산출할 수 있다.

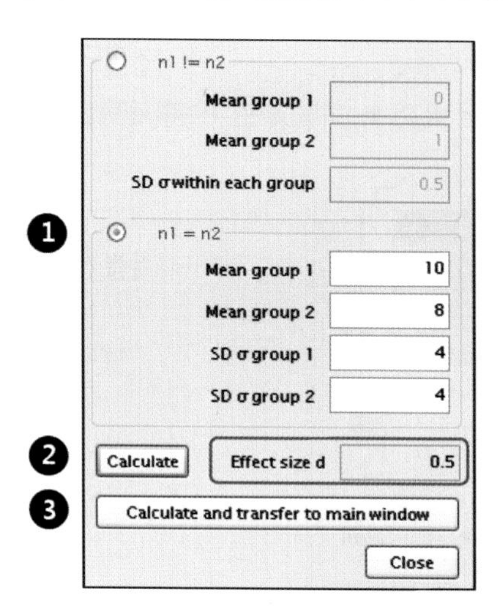

① [n1 = n2] Mean group 1 ➲ 10, Mean group 2 ➲ 8, SD σ group 1, group 2 ➲ 4 입력

② [Calculate] 버튼을 클릭하면 Effect size d ➲ 0.5 산출되어 나타난다.

③ [Calculate and transfer to main window] 버튼을 클릭하면 [Input Parameters] 입력상자에 Effect size가 자동으로 입력된다.

그래프

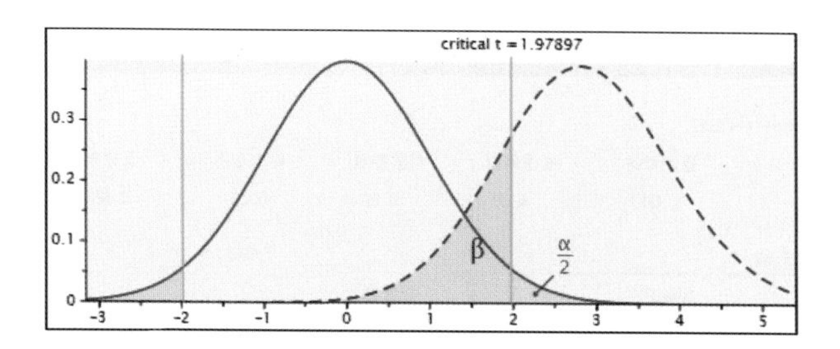

dBSTAT

표본크기

1 **메뉴** → [통계] ▶ [표본크기] ▶ [평균 비교] ▶ [독립 표본] 메뉴를 선택한다.

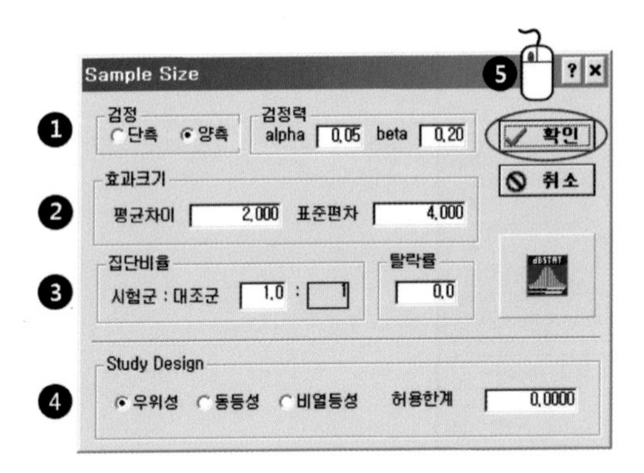

① [검정] ▷ 양측 선택, [검정력] ▷ alpha ➲ 0.05, beta ➲ 0.20

② [효과크기] 평균차이 ➲ 2, 표준편차 ➲ 4 입력한다.

③ [집단비율] 시험군:대조군 ➲ 1:1, 탈락률 ➲ 0 입력한다.

④ [Study Design] ⊙우위성, ○동등성, ○비열등성 ➲ 우위성 선택. 허용한계 ➲ 0 입력한다.

⑤ [확인] 버튼을 클릭하면 통계결과 창이 나타난다.

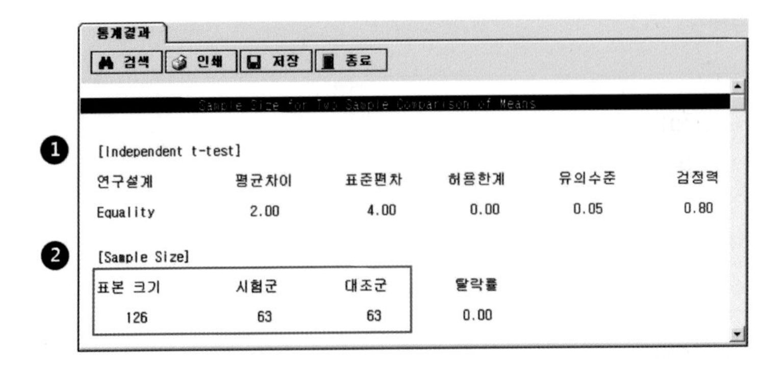

① [Independent t-test] Equality test, 유의수준 5%, 검정력 80%

② [Sample Size] 시험군 63명, 대조군 63명으로 연구대상자 수는 총 126명이다.

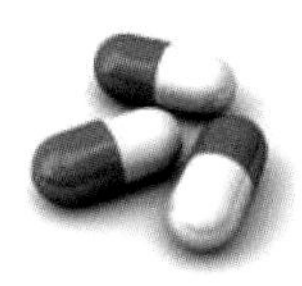

난치성 질환 환자들을 대상으로 치료약이 합병증을 낮추는 효과가 있는지 알아보는 임상시험을 계획하였다. 선행연구에서 합병증은 40%로 알려져 있다. 치료효과는 합병증을 10% 감소시키면 임상적으로 유의하다고 판정한다. 유의수준 $\alpha = 0.05$, 검정력 80%로 설정하였을 때 필요한 연구대상자 수를 구하시오.

Proportion: 두 표본 비율차이 비교

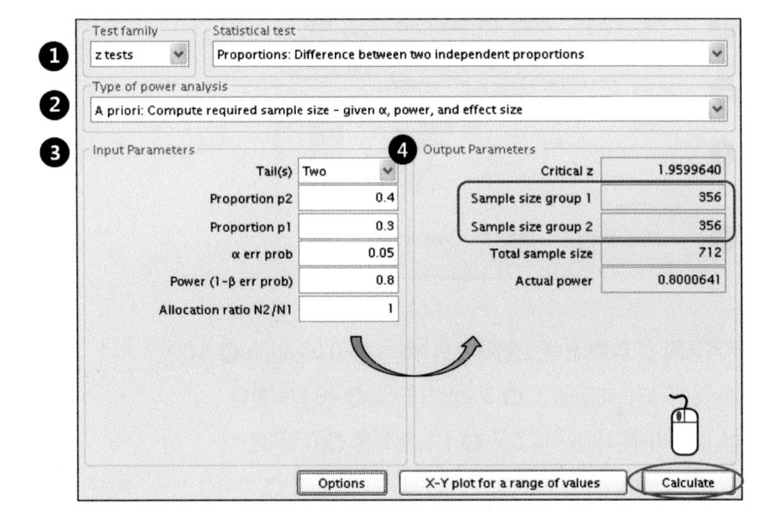

① **[Test family]** ▶ z tests, **[Statistical test]** ▶ Proportions: Difference (two independent)

② **[Type of power analysis]** ▶ A priori: Compute required sample size 선택한다.

③ **[Input Parameters]**

- Tail(s) ➲ Two (양측검정)
- Proportion p2 ➲ 0.4, Proportion p1 ➲ 0.3 (각 집단의 비율)
- α err prob ➲ 0.05 (유의수준 $\alpha = 0.05$)
- Power (1-β err prob) ➲ 0.8 (검정력 = 80%)
- Allocation ratio N2/N1 ➲ 1 (집단간 표본크기 1:1)

④ **[Output Parameters]**

[Calculate] 버튼을 클릭하면 Sample size(group 1 = group 2 = 356)를 구할 수 있다.

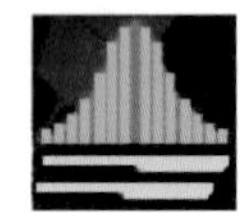

dBSTAT

표본크기

1 **메뉴** → [통계] ▶ [표본크기] ▶ [비율 비교] 메뉴를 선택한다.

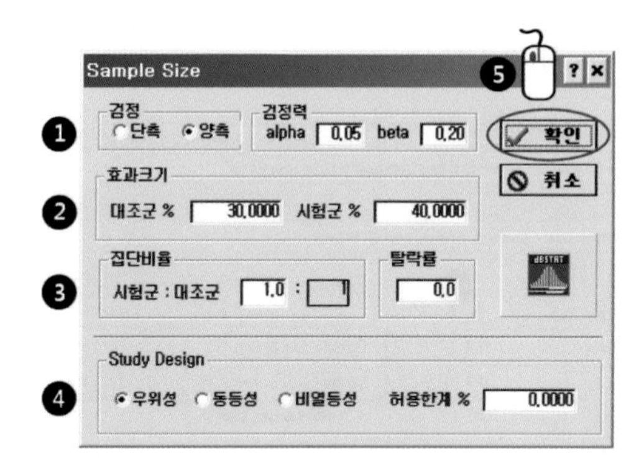

① [검정] ▷ 양측 선택, [검정력] ▷ alpha ⭘ 0.05, beta ⭘ 0.20

② [효과크기] 대조군 % ⭘ 30, 시험군 % ⭘ 40 입력한다.

③ [집단비율] 시험군:대조군 ⭘ 1:1, 탈락률 ⭘ 0 입력한다.

④ [Study Design] ⊙우위성, ○동등성, ○비열등성 ⭘ 우위성 선택. 허용한계 % ⭘ 0 입력한다.

⑤ [확인] 버튼을 클릭하면 통계결과 창이 나타난다.

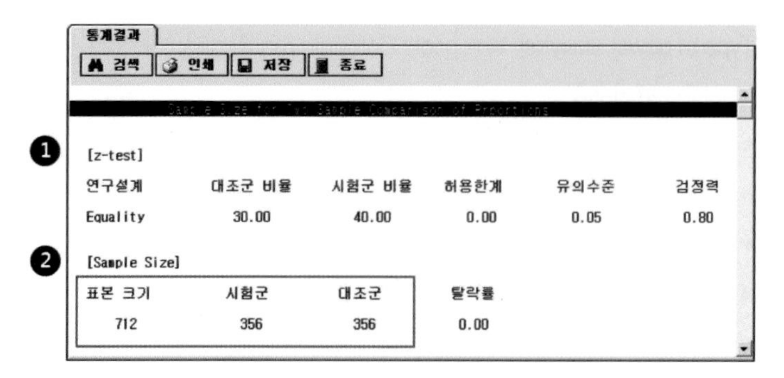

① [z-test] Equality test, 유의수준 5%, 검정력 80%

② [Sample Size] 시험군 356명, 대조군 356명으로 연구대상자 수는 총 712명이다.

표본크기

- 표본크기 계산은 전향적 연구에서 필수적이며 후향적 연구에서는 필요없다.
- 유의수준, 검정력, 정밀도, 효과크기에 따라서 표본크기가 결정된다.

❖ 후향적 연구 (Retrospective Study)

후향적 연구에서 최소 표본크기는 경험적 법칙(Rule of Thumb)에 의한다.

Characteristics		Bivariable Analysis		Multivariable
Goal	***Unit***	***Parametric***	***Nonparametric***	***Parametric***
Comparison	**Group**	**10**	**5**	**10**
Relationship	**Variable**	**10**	**5**	**10**

Logistic, Cox regression: 최소 event (non-event) 수 = 예측(독립)변수 x 10.

❖ 전향적 연구 (Prospective Study)

Graph	Factor	Example
power, β, α	유의수준	• $\alpha = 0.05$
	검정력	• $1-\beta = 0.80$
ES, SD, μ	정밀도	• SD, CI
	효과크기	• MD, SMD

Sample Size

전향적 연구에서 최소 표본크기는 4가지 요소(유의수준, 검정력, 정밀도, 효과크기) 이외에 시간과 비용, 통계적 검정법에 따라서 결정된다.

효과크기 (Effect Size)

- 효과크기는 임상적 유의성을 가지며 자료형과 분석목적에 따라서 종류가 결정된다.
- 효과크기는 선행연구 등을 기준으로 임상연구자에 의하여 최소 크기로 정해진다.

Medical Paper

Endometrial protection from tamoxifen-stimulated changes by a levonorgestrel-releasing intrauterine system: a randomised controlled trial

Lancet **2000; 356: 1711–17**

Methods

Study design
We did a randomised controlled trial, designed to detect a minimum clinically worthwhile difference of 23% in the proportion of women with quiescent or hormone stimulated histology samples compared with hormone suppressed (ie, from 98% to 75%) at the 5% significance level with 90% power and 50 women in each group.

Sample Size

① Control subjects (대조군): proportion = 98%

② Experimental subjects (시험군): proportion = 75%

③ Significant level (유의수준): α = 0.05

④ Power (검정력) = 90% (0.9): Beta(β) = 1 - power = 0.1

[Software]

G*Power, dBSTAT를 사용하여 연구대상자 수를 계산하면 대조군, 시험군 각각 피험자 수가 45(44)명으로 산출되어 논문에서 구한 표본크기와 비슷하다.

Statistical Error

Tissue Plasminogen Activator and Plasminogen Activator Inhibitor-1 Levels in Patients with Acute Paraquat Intoxication

J Korean Med Sci 2011; 26: 474-481

We enrolled 101 patients with acute PQ intoxication in this study. Fifty-six (55.4%) patients died in the PQ group. Multivariate binary logistic regression analysis to verify significant determinants of death in paraquat-intoxicated patients. Multivariate binary logistic regression analysis indicated that only PQ levels, from these factors, were a significant independent factor predicting death.

Variables	*P* value	OR	95% CI	
Amount of ingestion (mL)	0.456	1.037	0.943	1.140
PQ level (μg/mL)	0.014	16.052	1.747	147.520
Potassium (mEq/L)	0.850	1.362	0.055	33.742
Lipase (U/L)	0.859	1.002	0.980	1.025
pH	0.307	4.7×10^{11}	< 0.001	1.2×10^{34}
pCO_2 (mmHg)	0.541	0.894	0.623	1.281
HCO_3 (mEq/L)	0.835	1.044	0.693	1.573
WBC ($\times 10^3$/μL)	0.349	1.0003	0.9996	1.001
FDP (μg/mL)	0.835	1.081	0.521	2.242
PAI-1 (ng/mL)	0.997	0.801	< 0.001	8.7×10^{57}
tPA (ng/mL)	0.991	16.827	< 0.001	1.1×10^{219}

Retrospective study

① 후향적 연구에서는 경험적 법칙(rule of thumb)에 의하여 표본크기를 정한다.

② 다변량 로지스틱 회귀분석에서 최소 event (non-event) 수 = 예측변수 x 10 이다.

③ 논문에서 Outcome: Event(사망) = 56명, Non-event(생존) = 45명 이다.

④ 논문에서 사용할 수 있는 예측변수는 45 ÷ 10 ≈ 4 개 이다.

Meta-Analysis

"Give your evidence," said the King.

11

메타분석 Meta-Analysis

CONTENTS

단원 내용

- 체계적 문헌고찰
- 연구문헌 선정
- 메타분석의 정의
- 메타분석의 통계적 방법
- 메타분석 결과 해석

11-1 체계적 문헌고찰 Systematic Review

최근 임상의학 분야에 있어서 근거중심의학(evidence-based medicine, EBM)은 연구 논문의 질을 평가하고 문헌 정보를 종합하여 진료지침을 만드는데 기여하고 있다.

무작위배정 비교임상시험(randomized controlled trial, RCT)은 임상 연구에서 근거 수준(level of evidence)이 가장 높은 연구이다. RCT 논문은 MEDLINE 검색 결과에 의하면 2005년에 약 15,000편의 새로운 논문이 보고되어 지속적으로 증가세를 보이고 있다.

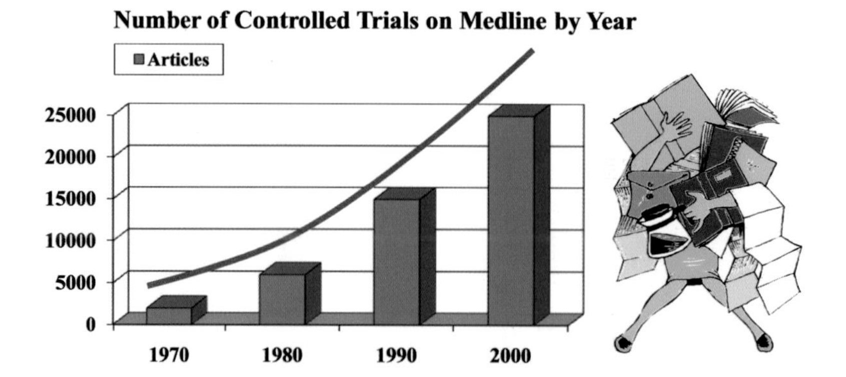

수많은 문헌정보의 홍수 속에서 특정한 주제에 대하여 논란이 되고 있는 연구논문들에 대한 종합적이고 체계적인 분석이 필요하며 이를 체계적 문헌고찰이라 한다.

체계적 문헌고찰이란 무엇인가?

문헌고찰(overview)은 서술적 문헌고찰(narrative review)과 체계적 문헌고찰로 나누어진다. 이전에 발표된 연구의 결과를 종합하는 전통적인 방법은 서술적 문헌고찰이라 한다.
체계적 문헌고찰이란 체계적인 방법에 의하여 시행된, 일차연구 문헌들에 대한 고찰을 뜻한다.
메타분석은 체계적 문헌고찰과정에서 통계적 분석을 하는 단계에 속한다.

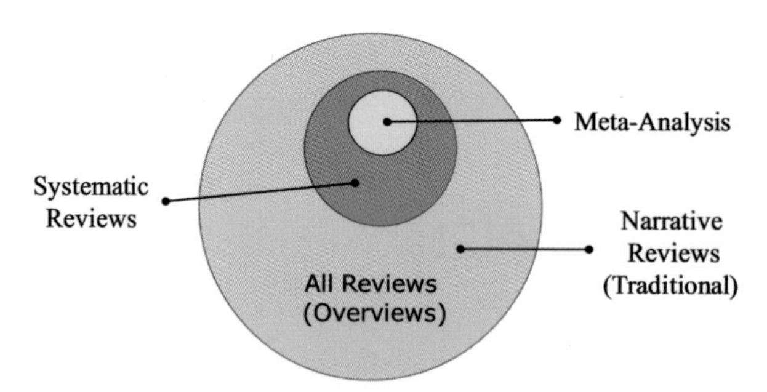

1. 서술적 문헌고찰

- 개별 연구의 결과들을 나열하고 결론을 내리는 것으로 종설에 속한다.
- 분석이 쉽고 빠른 반면 연구자의 편견에 따라서 결론이 달라질 수 있다.
- 연구문헌들이 증가할수록 이전 연구에 대한 종합적인 고찰이 어려운 단점이 있다.

2. 체계적 문헌고찰

- 체계적인 방법으로 연구문헌들을 수집하여 통계적 분석에 의한 결론을 내린다.
- 분석이 다소 어려우나 객관적 방법에 의하여 연구자의 편견을 배제할 수 있다.
- 새로운 연구문헌들의 증가에 따른 최신 종합적인 고찰이 용이한 장점이 있다.

체계적 문헌고찰 분석단계

체계적 문헌고찰은 5가지의 중요한 단계에 따라 이루어진다.

1. 연구주제 설정
2. 연구문헌 검색
3. 연구문헌 선택
4. 연구문헌 평가
5. 통계분석과 해석

체계적 문헌고찰은 일차연구와 마찬가지로 연구계획서에 의하여 연구주제(목적), 연구대상(문헌) 수집, 연구방법(통계분석), 연구결과, 결론 등의 절차에 의하여 연구를 수행하게 되며 원저로 분류되기도 한다.

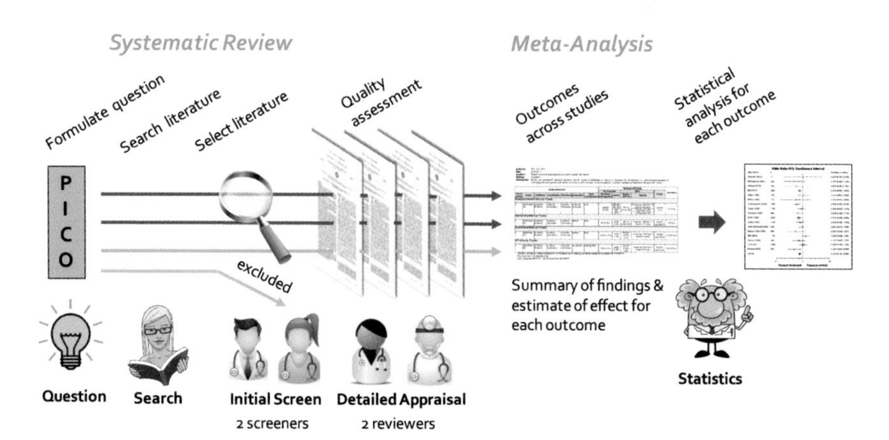

Figure. Steps of systemtic review and meta-analysis

연구주제 설정 Formulate Question

- 임상적 질문(Clinical Question)을 구체적으로 설정한다.
- PICO (Patient-Intervention-Control-Outcome)

연구문헌 검색 Literature Search

- 문헌 Database (MEDLINE, Cochrane, EMBASE 등) 모두 검색한다.
- 전자 Database에 등록되지 않은 출판물 등을 조사하여 수집한다.

연구문헌 선택 Literature Select

- 문헌 선택/제외 기준을 정하여 최소한 2명의 독립된 연구자가 문헌을 선택한다.
- 1차 선별(제목/초록), 2차 선택(본문)을 거쳐서 연구주제에 적절한 문헌을 선택한다.

연구문헌 평가 Quality Assessment

- 최종적으로 선택된 연구문헌들에 대하여 개별적으로 질적 평가를 시행한다.
- 대상 문헌들의 수가 많으면 질적 수준이 낮은 문헌들을 제외하기도 한다.

통계 분석 Meta-Analysis

- 체계적 문헌고찰에서 선정된 연구문헌들에 대한 통계분석 방법이 메타분석이다.
- 연구문헌들 사이에 이질성이 높으면 메타분석을 시행하지 못하는 경우도 있다.

1.1 연구주제 설정 PICO

체계적 문헌고찰에서 연구주제는 일차연구(primary study)와 유사하나 연구대상은 환자가 아니고 기존의 연구문헌 들이다.

임상적 질문 Clinical Question

임상적 질문을 명확히 정의하여 구체화함으로써 근거자료의 효과적인 검색과 평가, 체계적인 자료 분석을 가능하게 한다.

임상적 질문은 연구주제에 따라 달라지며 다음과 같이 **PICO**로 구체화한다.

- **P**: Patients / Population (환자, 연구대상)
- **I** : Intervention (중재, 치료)
- **C**: Control / Comparison (대조군, 비교군)
- **O**: Outcome (임상결과)

Example

심장동맥 심장병(Coronary Heart Disease) 환자에서 Aspirin 사용이 사망률(mortality)을 감소시키는 효과가 있는가?

[해설]

위의 임상적 질문은 다음과 같이 구체화시킬 수 있다.

① **P**: 심장동맥 심장병 환자 (patients with coronary heart disease)

② **I** : Aspirin 사용

③ **C**: 위약군 / 치료없음 (placebo/none)

④ **O**: 사망위험 (risk of mortality)

PICO

- PICO에서 중요한 요소는 PI (Patient + Intervention)이다.
- P, I가 정해지면 C, O는 설정하기가 용이하다.

PICO가 설정되면 체계적 문헌고찰 과정인 연구문헌 검색, 수집, 연구문헌 평가 등의 각 단계에서 PICO를 중심으로 과정을 실행하게 된다.

PICO는 치료, 역학, 진단 등 연구분야에 따라 다음과 같이 정의할 수 있다.

Table. 연구 분야별 임상적 질문의 구체화 (PICO)

PICO	Full Text	Field	Description
P	Patient Population Problem	치료	연구대상 환자
		역학	연구대상 집단
		진단	임상진단 대상
I	Intervention Indicator Index text	치료	새로운 치료방법
		역학	위험인자 노출 (+)
		진단	새로운 진단방법
C	Control Comparator	치료	기존 치료방법, 치료없음
		역학	위험인자 노출 (-)
		진단	기존 진단방법
O	Outcome	치료	치료효과, 부작용
		역학	위험인자 노출 결과
		진단	진단결과

연구주제에 따라 임상적 질문과 이에 적절한 연구 디자인은 다르다.

Table. Types of Questions and Study Design

Types	Description	Study Design
Therapy	효과적 치료방법	Randomized controlled trial
Prognosis	추적에 따른질병 예후	Cohort study
Diagnosis	질병 진단 (증상/증세/검사)	Diagnostic Study
Aetiology	질병 원인	• Cohort study • Case-control study

메타분석은 대부분 치료에 대한 주제를 다루며 무작위대조시험(randomized controlled trial) 논문들이 가장 적절한 대상문헌이다.

12 연구문헌 검색 Literature Search

체계적 문헌고찰에서 연구대상은 환자가 아니고 기존의 연구문헌들이다. 따라서 일차연구에서 표본을 선정하듯 다양한 문헌 검색(MEDLINE, EMBASE, Cochran Library 등)을 통하여 연구주제에 적합한 연구문헌들을 가능한 모두 수집한다.

일차연구의 경우에는 모집단을 대표할 수 있는 적은 수의 표본(환자)에서 자료를 얻는다. 이에 반하여 체계적 문헌고찰의 경우에는 표본이 연구주제를 다룬 일차연구 문헌들이다. 연구주제에 적합한 일차연구들을 다양하게, 광범위하게 가능한 모두 수집하여야 한다.

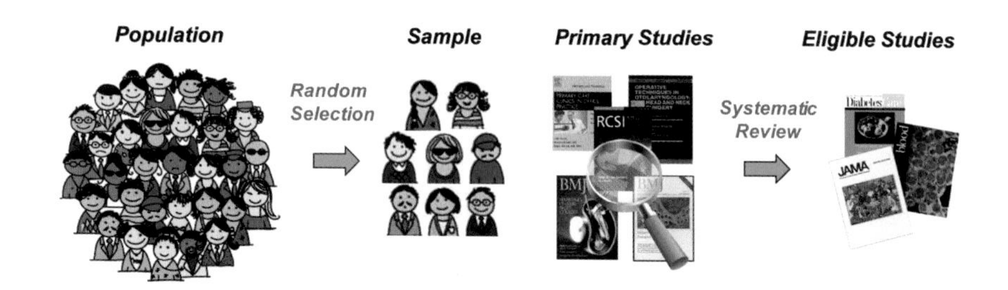

데이터베이스 Database

연구문헌 수집 방법은 다음과 같이 매우 다양하다.

- 전자 데이터베이스 (Electronic Database)
  인터넷 검색엔진을 사용하여 대부분 중요한 문헌을 검색한다.
- 수기검색 (Hand Searching)
  검색엔진으로 검색되지 않는 학술지 등을 직접 찾아 조사한다.
- 참고문헌 교차검색 (Cross-referencing)
  수집된 문헌에 수록된 참고문헌 찾기를 반복한다. (snowballing)
- 회색문헌 (Grey literature)
  학술대회 자료집, 보고서 등 정식 출판되지 않은 문헌을 검색한다.
- 관련분야 전문가 의견 (Contact with expert)
  해당 분야 전문가에게 조언을 구하여 미출판 연구 등을 찾아본다.

전자 데이터베이스 검색이 가장 중요하며 가장 대표적인 데이터베이스는 MEDLINE, EMBASE, CENTRAL (Cochrane Central Register of Controlled Trials)이다.

Table. Electronic database for systematic review

Database	Institute	Field	Website
MEDLINE	미국 국립의학도서관	의학, 간호학, 치의학	http://www.pubmed.gov
EMBASE	Elsevier	의학, 생물학, 약리학	http://www.embase.com
CENTRAL	Cochrane	근거중심의학 논문	http://cochrane.org
CINAHL	CINAHL 정보 system	간호학, 보건학	http://www.cinahl.com
Google Scholar	Google	학술논문 전반	http://scholar.google.com
KOREAMED	대한의학학술지편집인협의회	의학논문	http://www.koreamed.org

검색방법

연구문헌 검색은 임상적 질문에 대하여 PICO 방식에 의하여 만들어진 적절한 검색어를 사용한다.

① 주제어

- Text word: keyword (핵심 단어)
- MeSH (Medical Subject Headings) (의학주제표제)

② 단어 검색

- 동의어 (synonym) - 의학용어 사전 이용 (http://www.kmle.co.kr)
- 복수단어 - 만능문자(wild cards) * 사용하여 어근이 동일한 단어들을 검색한다.
  (예) death* ➲ death, deaths 포함 검색

③ 구 (phrase) 검색

- " " (따옴표) 사용하여 여러 단어를 하나로 묶어 한 단어로 인식하여 검색한다..
  (예) "coronary heart disease"

④ 검색어 조합

논리연산자 (Boolean Operator) **AND**, **OR**, **NOT**

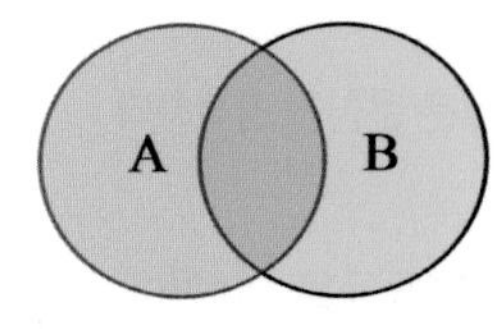

- A OR B : 두 단어 A, B 중 하나만 포함
- A AND B : 두 단어 A, B 모두 포함
- B NOT A : 단어 B 포함, A 단어 불포함

다음 임상 질문에 대한 문헌들을 PubMed를 이용하여 검색하여 보자.

Example

심장동맥 심장병(Coronary Heart Disease) 환자에서 Aspirin 사용이 위약(placebo)에 비하여 사망률(mortality)을 감소시키는 효과가 있는가?

[해설]

위의 임상적 질문에 대한 PICO 핵심어는 다음과 같다.

Key Words: **P** (coronary heart disease), **I** (aspirin), **C** (placebo), **O** (mortality)

PubMed (http://www.pubmed.gov)

PubMed는 MEDLINE Database를 무료로 이용할 수 있게 만든 검색엔진이다.

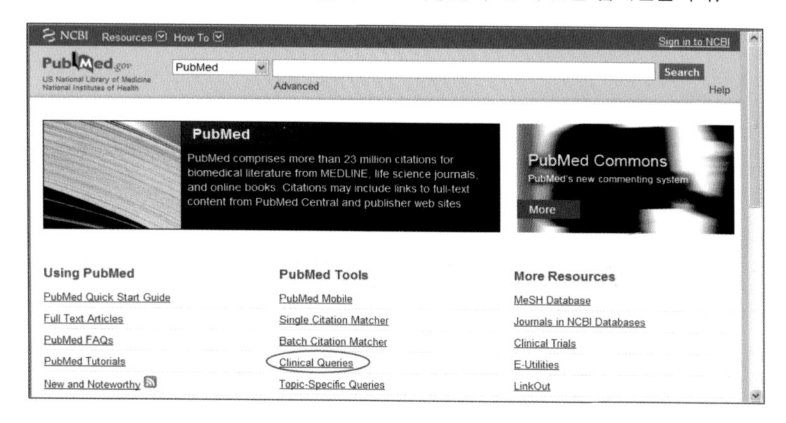

화면 하단에 Clinical Queries를 클릭하여 선택한다.

Clinical Queries

PubMed에서 임상연구 문헌에 대한 검색에 편리한 검색 도구이다.

① **검색창**

PICO keyword를 **AND** 결합 연산자를 사용하여 조합하여 입력한다.

➡ coronary heart disease AND aspirin AND placebo AND mortality

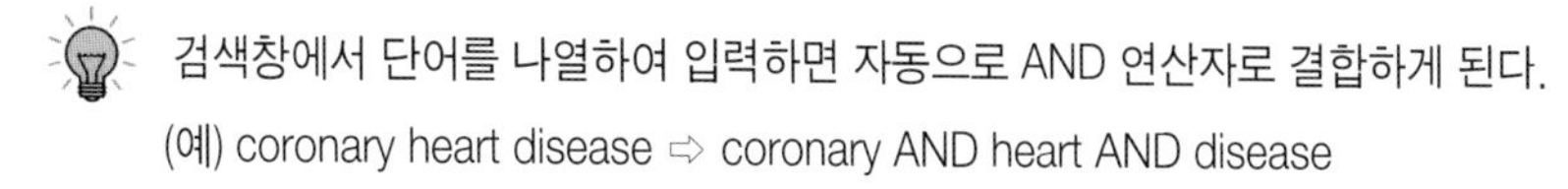

검색창에서 단어를 나열하여 입력하면 자동으로 AND 연산자로 결합하게 된다.

(예) coronary heart disease ⇨ coronary AND heart AND disease

② **결과창**

3가지 Category로 나누어 검색된 문헌들이 나타난다.

[Clinical Study Categories] 123 개의 문헌이 검색되었다. Category, Scope 사용으로 검색 범위를 제한할 수 있다.

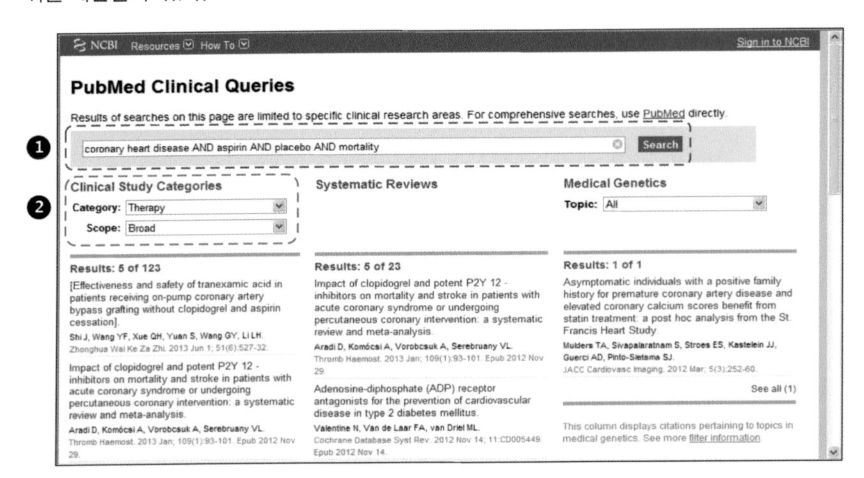

MeSH 검색어

PubMed는 입력된 검색어를 자동으로 MeSH 검색어로 변환시켜준다.

확장 검색

위의 기본 검색에 **OR** 연산자를 사용하여 동의어를 결합하여 검색한다.

➲ (coronary heart disease **OR** myocardial infarction) **AND** (aspirin **OR** "acetylsalicylic acid") **AND** (placebo **OR** control) **AND** (mortality **OR** death* **OR** survival*)

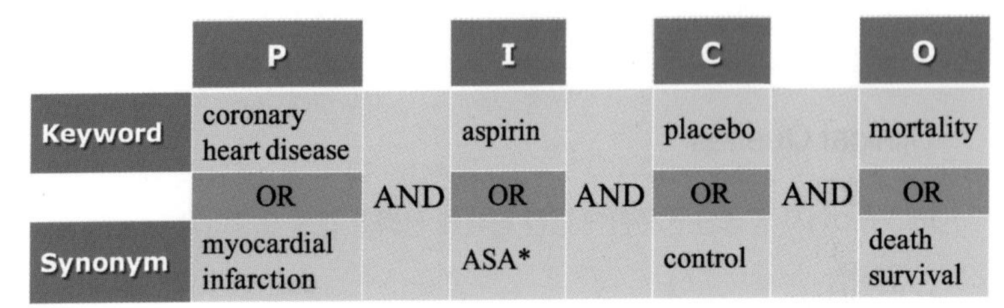

	P		I		C		O
Keyword	coronary heart disease		aspirin		placebo		mortality
	OR	AND	OR	AND	OR	AND	OR
Synonym	myocardial infarction		ASA*		control		death survival

동의어

① P (coronary heart disease) = coronary artery disease, myocardial infarction 등

② I (Aspirin) = acetylsalicylic acid (ASA)

③ C (placebo) = control, no treatment, no therapy 등

④ O (mortality): death, survival

1.3 연구문헌 선택

문헌검색에 의하여 수집된 문헌들을 대상으로 선택기준에 따라 메타분석에 적합한 적절한 문헌들을 선택하여야 한다.

우선 여러 Database를 통하여 검색된 문헌들 중에서 중복 논문(duplicates)을 제외시킨다. 검색 문헌들이 많을 때에는 EndNote, RefWorks 등 문헌관리 software를 사용한다..

연구문헌 선정은 1차 선별과 2차 선정 작업을 통하여 이루어진다. 2명 이상의 평가자가 미리 작성된 평가 점검표에 의하여 독립적으로 시행한 후 의견의 불일치가 있는 경우에는 경험이 많은 다른 전문가에게 의뢰하는 것이 바람직하다.

1차 선별 1st Screening

연구 문헌의 제목(titles)과 초록(abstracts)을 읽어서 **PICO** 핵심 단어를 중심으로 선택기준에 맞는 문헌을 선별한다.

2차 선정 2nd Selection

일차적으로 선별된 문헌들은 원문(full text)을 읽어서 연구주제에 적합하도록 미리 작성된 선택/제외 기준에 의하여 선정기준에 부합하는 연구문헌들만 최종 연구대상으로 다시 선택하게 된다.

연구 문헌의 선택기준

- **PICO** (연구대상, 연구방법, 연구결과)
- 연구설계(Study Designs)
- 출판연도(Years of Publication)
- 언어(Language)
- 중복출판(multiple articles)
- 표본크기(Sample size) 또는 추적기간(follow-up)
- 치료방법 또는 위험노출 유사성(Similarity of Exposure and/or Rx)
- 정보 수집의 완결성(Completeness of Information)

중복출판

동일한 저자에 의하여 동일한 주제로 여러 번 출판된 논문들은 표본크기, 출판연도 등 문헌 선택기준에 따라 가장 적절한 논문 1개만 선택하여야 한다.

문헌검색 Flow Chart

메타분석에 적절한 연구문헌 검색과 선택기준에 의한 선정 과정은 메타분석 논문에서 다음과 같이 flow chart로 정리하여 보고한다.

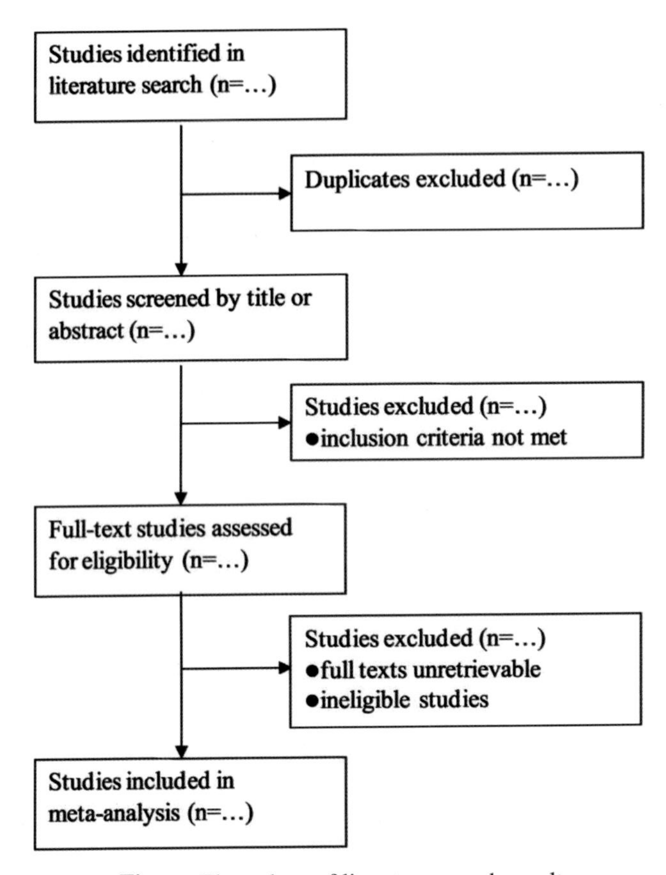

Figure. Flow chart of literature search results

Flow chart 형식은 메타분석 논문의 출판서식인 **QUOROM**(**Q**uality **O**f **R**eporting **O**f **M**eta-analyses) 또는 **PRISMA**(**P**referred **R**eporting **I**tems for **S**ystematic Reviews and **M**eta-**A**nalyses) 양식에 따라서 작성한다.

Moher D, Cook DJ, Eastwood S, Olkin I, Rennie D, Stroup DF. Improving the quality of reports of meta-analyses of randomised controlled trials: the QUOROM statement. Quality of Reporting of Meta-analyses. Lancet 1999;354:1834-1835.

1.4 연구문헌 평가

체계적 문헌고찰에서 개별 연구문헌의 비판적 평가(Critical Assessment)는 연구의 질 평가(Quality Assessment)이며 연구논문의 내적 타당도(Internal Validity), 즉 bias에 대한 평가이다.

연구문헌 평가 목적

메타분석에 bias가 많은 개별 연구를 포함시키면 메타분석 논문 역시 bias가 증가되며 연구 결과의 신뢰도가 낮아지게 된다. 개별 논문의 질 평가는 bias 위험도를 평가하여 메타분석 논문을 평가하거나, bias 위험도가 높은 개별 논문을 메타분석에서 제외시킴으로써 메타분석의 bias를 최소화하여 신뢰도를 높이는 목적으로 시행한다.

연구문헌 평가 방법

선정기준에 따라 최종적으로 선택된 연구문헌들은 여러 형태의 bias가 존재한다.
일반적으로 bias 평가항목은 P (연구대상), I (처치), C (비교대상), O (결과)로 나누어진다.

연구문헌의 질을 평가하는 방법은 연구설계의 종류에 따라 다양하며 다음과 같다.

1. **무작위 연구** (Randomized Study)

   무작위대조 임상시험 (randomized controlled trial)
   - Jadad Scale
   - Cochrane 연합 평가방법 (Cochrane' s assessment of risk of bias)

2. **비무작위 연구** (Non-Randomized Study, NRS)

   1) 코호트 연구 (Cohort study)
      - Newcastle-Ottawa Scale

   2) 사례-대조군 연구 (Case-Control study)
      - Newcastle-Ottawa Scale

연구의 질 평가는 최소한 2명 이상의 평가자가 독립적으로 시행하여야 하며 의견의 불일치가 있는 경우에는 다른 전문가에게 의뢰하여 토론하는 것이 바람직하다.

무작위 연구 Randomized Study

무작위 임상시험(RCT) 논문의 bias는 임상시험 단계별 과정에서 bias가 발생할 수 있으며 Selection bias, Performance bias, Attrition bias, Measurement bias로 나누어진다.

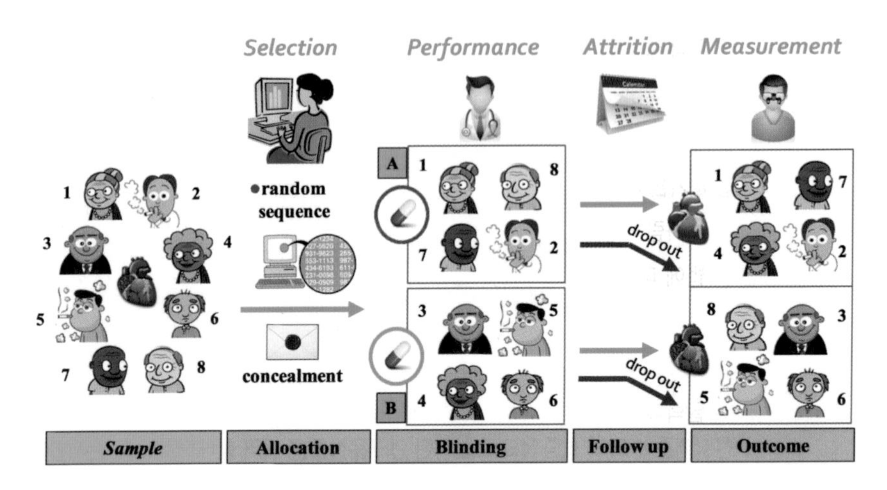

Figure. Sources of bias in randomized clinical trials

PICO와 비교하면 Selection bias는 연구대상(P, Patient)의 배정(Allocation) 관련 bias이며, Performance bias는 I(Intervention) 관련 Blinding bias, Measurement bias는 O(Outcome) 관련 bias 로 Outcome Detection/Reporting bias 이다. Attrition bias는 Drop Out bias 이다.

Table. A common classification scheme for bias

Type of bias	Description	Relevant domains
Selection bias	치료군과 대조군의 기본 특성	• Sequence generation • Allocation concealment
Performance bias	치료군과 대조군의 처치	• Blinding (피험자, 연구자, 평가자 • 기타 타당도(validity)에 대한 위험.
Attrition bias	치료군과 대조군의 중도탈락	• Incomplete outcome data. • Blinding (피험자, 연구자, 평가자)
Detection bias	치료군과 대조군의 Outcome 평가	• Blinding (피험자, 연구자, 평가자) • 기타 타당도(validity)에 대한 위험.
Reporting bias	Outcome 보고	• Selective outcome reporting

Jadad Scale

Jadad 척도는 무작위 임상시험(RCT) 논문을 평가하기 위한 척도이다.
평가문항은 총 3문항으로 구성되어 있으며 총 5점 만점으로 평가한다.

① **무작위화 (Randomization)**

RCT 문헌에서 무작위화를 언급하면 1점, 적절한 무작위화 방법을 포함하고 있으면 +1점 추가되며, 부적절한 무작위화 방법은 -1점 감점을 하여, 0~2점의 점수 분포를 갖는다.

② **눈가림 (Blinding)**

눈가림에 대한 평가는 이중눈가림(double blind)이 언급된 경우 1점, 적절한 이중눈가림 방법에 대한 기술이 있으면 +1점이 추가되며, 부적절한 이중눈가림 표현이 있으면 -1점의 감점을 하게 된다. 무작위배정에 관한 평가와 마찬가지로 0~2점의 점수를 부여할 수 있다.

③ **탈락 (Withdrawal)**

탈락에 관한 내용이 문헌에 기술되었을 경우 1점의 점수를 부여할 수 있다.

Table. Jadad scale

Item	Points		Description
Randomization	0~2	+1	1점: randomization 언급
		+1	1점 추가: randomization 방법이 적절함.
		-1	1점 삭감: randomization 방법이 부적절함.
Blinding (Double Blind)	0~2	+1	1점: blinding 언급
		+1	1점 추가: blinding 방법이 적절함.
		-1	1점 삭감: blinding 방법이 부적절함.
Withdrawals	0~1	1	1점: withdrawal에 대한 기술이 있음.
		0	0점: withdrawal에 대한 기술이 없음.

평가점수가 0~2점 범위이면 연구 문헌의 질이 낮은 것으로, 3점 이상이면 문헌의 질이 높은 것으로 평가한다. 1차, 2차 문헌 선택 후 최종 선택된 RCT 논문의 수가 너무 많으면 bias 위험을 낮추기 위하여 Jadad score 3점 이상 연구 문헌들만 메타분석에 포함시키기도 한다.

Jadad AR, Moore RA, Carroll D, et al. Assessing the quality of reports of randomized clinical trials: is blinding necessary? Control Clin Trials. 1996;17:1-12.

Cochrane 연합 평가방법 Cochrane 'Risk of Bias' assessment

RCT 문헌 평가를 위하여 7가지 근거중심 영역으로 구분하여 bias를 평가하는 방법이다.

Bias 평가 항목 (7 Evidence-based Domains)

1. 순서 생성 (Adequate sequence generation)
2. 배정 은닉 (Adequate allocation concealment)
3. 피험자/치료자 눈가림 (Adequate blinding of participants and personnel)
4. 평가자 눈가림 (Adequate blinding of outcome assessors)
5. 불완전한 결과자료 (Incomplete outcomes data adequately addressed)
6. 선택적 결과보고 (Free of selective outcome reporting)
7. 타당도를 위협하는 기타 잠재적 bias (Free of other sources of bias)

Risk of Bias (ROB) 판정

평가방법은 7개 영역별로 '예' (yes), '아니오' (no), '불분명' (unclear)으로 평가하도록 되어 있으며, '예' 는 낮은 위험(✓ Low risk of bias)을, '아니오' 는 높은 위험(*x* High xrisk of bias)을, 그리고 '불분명' (? Unclear)은 정보가 불충분한 경우를 의미한다.

판정근거 (Support for judgement)

① Quote : 연구문헌 또는 관련 문헌에서 판정 근거가 되는 본문 내용을 인용한다.

② Comment: 평가자의 판정 근거에 대한 설명을 기술한다.

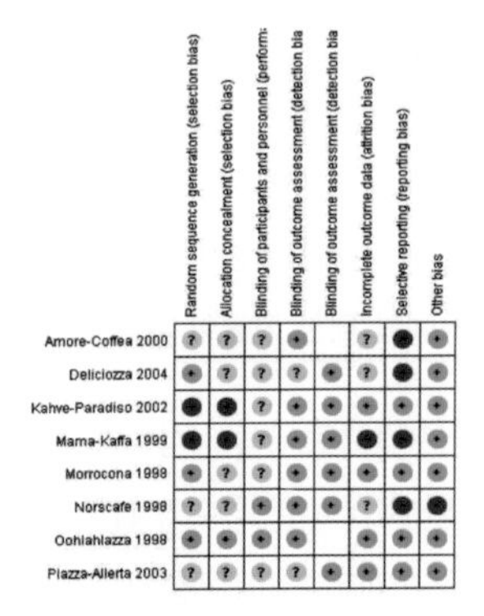

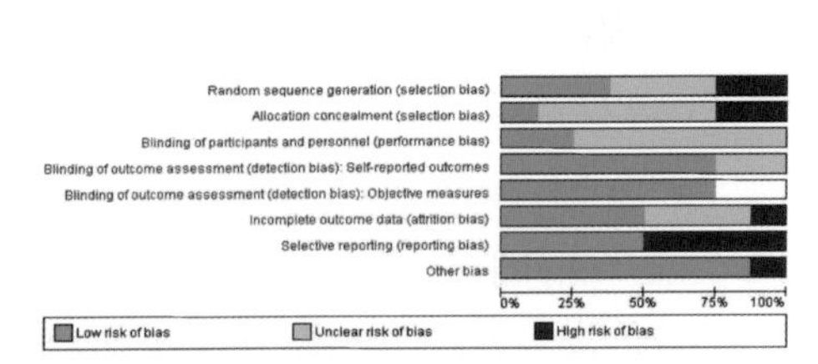

Figure. Risk of bias summary and risk of bias graph

Higgins JPT, Altman DG, Sterne JAC (editors). Chapter 8: Assessing risk of bias in included studies. In: Higgins JPT, Green S (editors). Cochrane Handbook for Systematic Reviews of Interventions Version 5.1.0 [updated March 2011]. The Cochrane Collaboration, 2011. Available from www.cochrane-handbook.org.

비무작위 연구 Non-Randomized Study, NRS

비무작위 연구(NRS)는 비무작위 임상시험과 관찰연구로 코호트 연구와 사례-대조군 연구가 있다. NRS 문헌의 질 평가도구로 Newcastle-Ottawa 척도가 사용되고 있다.

Newcastle-Ottawa Scale (NOS)

코호트 연구와 환자-대조군 연구에 따라 8개의 평가 항목이 두 종류로 개발 되었다.

평가 항목

1) 코호트 연구
- Selection (선택) – 4 개 항목
- Comparability (비교) – 1 개 항목
- Outcome (결과) – 3 개 항목

2) 환자-대조군 연구
- Selection (선택) – 4 개 항목
- Comparability (비교) – 1 개 항목
- Exposure (노출) – 3 개 항목

평가방법

평가방법은 각 항목에 대해 근거의 질이 높은 경우 '★' 로 표시하도록 되어 있는데, 각 항목에 한 개의 '★' 을 줄 수 있으며, Comparability(비교) 항목에 대해서는 교란변수 통제가 있으면 추가로 1개의 '★' 을 더 줄 수 있다.

Table. Newcastle-Ottawa scale for quality assessment

Author	Year	Selection	Comparability	Outcome
Study 1	1980	★★★	★★	★★
Study 2	1985	★★★★	★★	★★★
Study 3	1987	★★	★★	★★
Study 4	1990	★★	★	★★
Study 5	1996	★★★★	★★	★★★

Wells GA, Shea B, O' Connell D, Peterson J, Welch V, Losos M, Tugwell P. The Newcastle-Ottawa Scale (NOS) for assessing the quality of nonrandomised studies in meta-analyses [Inter net]. Ottawa: Ottwa Hospital Research Institute; c1996-2010 [cited 2011 Mar 28]. Available from: http://www.ohri.ca/ programs/ clinical_epidemiology/oxford.asp.

11-2 메타분석 Meta-Analysis

메타분석은 정량적 체계적 문헌고찰(quantitative systematic review)이라고도 하며 체계적 문헌고찰 과정 중 가장 핵심적인 통계적 분석방법이다. RCT 논문들에 대한 메타분석은 최상위 근거 수준을 제시한다.

Figure. Evidence pyramid

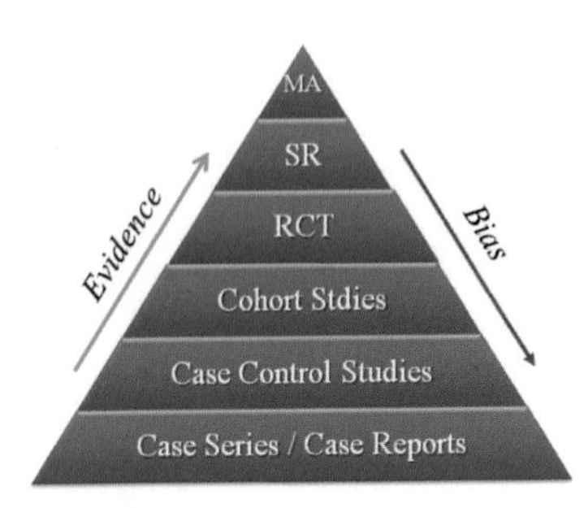

Table. Level of evidence for treatment

Level		Study designs
I	1a	Systematic review of RCT
	1b	Individual randomized controlled trial
II	2a	Systematic review of cohort study
	2b	Individual cohort study
III		Case-control study
IV		Case-series
V		Expert opinion

통계를 잘 모르는 임상 의학자들의 메타분석에 대한 이해를 돕기 위하여 복잡한 통계분석 방법에 대한 수학적 이론은 생략하고 메타분석의 개념과 가장 기본적인 절차를 일반 의학연구 논문과 비교하여 설명한다.

The Cochrane Collaboration Logo

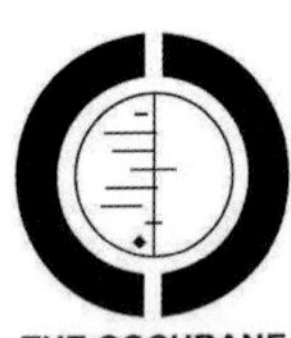

코크란연합 로고는 1989년 출판된, 조산아에서 steroid 사용 효과에 관한 7개의 RCT 논문에 대한 메타분석을 숲그림(forest plot)으로 나타낸 그림이다. 개별 논문들의 결과는 치료 효과가 확실치 않았으나 메타분석을 시행함으로써 조산아에서 steroid 사용이 placebo에 비하여 사망률 위험을 30-50% 낮추는 효과가 있다는 결론을 내렸다.

메타분석 동영상 강의 파일은 다음 주소에서 내려받을 수 있다.

http://www.webhard.co.kr (ID: MedStat PW: 12345)

2.1 메타분석 Meta-Analysis

1930년대에 Fisher와 Pearson은 개별연구의 연구결과를 종합하여 하나의 결론을 추론하려는 연구를 하였다. 메타분석이라는 용어는 Glass(1976)에 의하여 처음 사용되었다.

메타분석법의 개념

- 메타분석은 '분석의 분석(analysis of analyses)' 으로 정의되며 같은 주제로 선정된 다수의 개별적인 연구 문헌들의 연구결과를 통계적으로 통합하여 분석하는 방법이다.
- 주로 치료효과에 대한 무작위 임상시험(RCT) 문헌들을 연구대상으로 선정한다.

메타분석의 장점

메타분석은 연구방법으로서 다음과 같은 장점을 가지고 있다.

- 개별연구들의 표본을 통합하여 큰 표본에 대한 검정을 함으로써 검정력을 높일 수 있다.
- 단일 연구 결과에 비해 정밀도를 높여서 신뢰할 수 있는 객관적인 결과를 얻을 수 있다.

메타분석의 문제점

메타분석법은 일차연구의 결과들을 통계적으로 종합하는 유용한 방법이라고 할 수 있으나, 메타분석에서도 여러 가지 문제점이 존재한다.

- **동질성 문제 (Heterogeneity)**

  임상적 특징 등에 차이가 있는 개별연구들을 통합하면 잘못된 결론을 내릴 수 있다.

Mixing Apples with Oranges

사과와 오렌지를 섞어 놓고 통합된 맛을 추론하는 것은 비논리적이라고 주장한다.

- **연구문헌 타당성 (Validity, Quality)**

  연구의 질이 낮은 연구와 우수한 연구를 통합함으로써 왜곡된 결론을 도출할 수 있다.

GIGO (Garbage In, Garbage Out)

개별연구의 질이 낮은 연구결과를 통합하면 통계적 정밀도는 높일 수 있으나 Bias는 더 커질 수 있다.

- **연구문헌 선택 (Selection)**

  어떤 개별연구 결과들을 메타분석에 포함시키느냐에 따라 결과가 달라진다.

메타분석의 절차

메타분석은 일차 연구논문들에서 효과크기를 산출하여 효과크기에 대한 이질성 검사를 하여 적절한 통계모형을 선택한 다음, 효과크기에 가중값을 주어 통합하는 과정을 거친다.

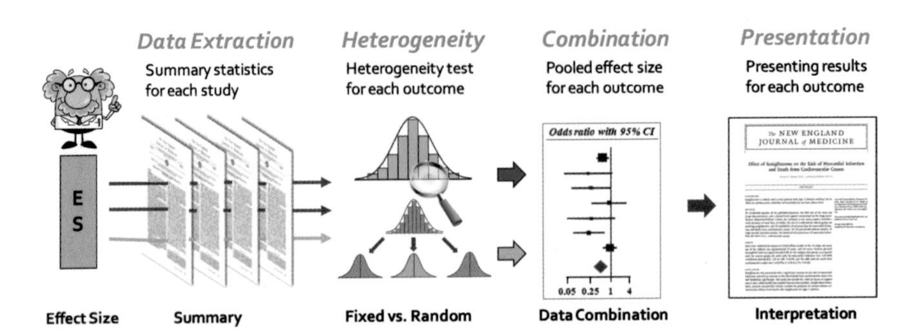

Figure. Stages of meta-analysis

메타분석 분석단계

메타분석은 4가지의 중요한 단계에 따라 이루어진다.

1. 자료추출 (Data Extraction)

일차 연구논문들에서 효과크기를 산출한다.

2. 이질성 검정 (Heterogeneity)

- 산출된 효과크기에 대한 동질성(이질성) 검사를 시행한다.
- 통계모형을 선택한다.

3. 효과크기 통합 (Combination)

개별 일차연구의 효과크기에 가중값을 주어 통합한다,

4. 분석결과 발표 (Presentation)

메타분석 결과를 발표하고 해석한다.

2.2 자료추출 Data Extraction

메타분석 방법을 사용하여 연구결과를 통합하는 방식에는 통계적인 확률을 통합하는 방법, 효과의 크기를 이용하는 방법, 상관관계의 결과를 통합하는 방법 등이 있는데 효과크기를 이용하는 방법이 가장 많이 사용되며 통계적으로 타당한 방법으로 여겨지고 있다.

효과크기 Effect Size

일반적인 연구에서 통계분석의 첫 번째 단계가 기술통계(descriptive statistics) 이며 자료의 통계량(평균, 표준편차 등)을 산출하게 된다. 메타분석에서는 개별 연구의 원자료가 없으므로 일차 연구의 결과로 제시된 여러 다양한 통계량을 하나의 동일한 척도(효과크기)로 통합하게 된다.

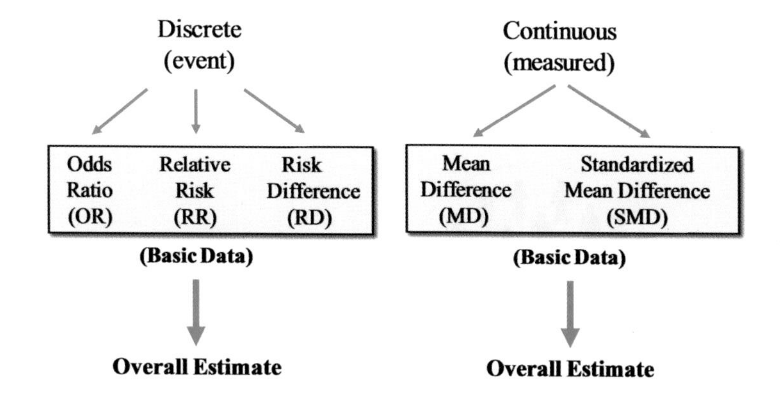

메타분석의 첫 단계는 효과크기를 구하는 것이다. 연구결과를 통합하기 위해 사용하는 가장 타당한 방법이 효과크기이다. 효과크기가 나타내는 의미는 어떤 처치가 가해졌을 때 대조군에 비하여 어느 정도 효과가 있는지를 동일한 척도로 변환한 것이다.

일반적 통계분석과 마찬가지로 효과크기의 종류는 변수의 형태에 따라 달라진다.

- 이분형(Discrete) 변수에서는 승산비(OR), 비교위험도(RR), 위험률(HR) 등이 이용된다.
- 연속형(Continuous) 변수에서는 표준화 평균차(SMD), 상관계수(r) 등이 이용된다.

점추정값과 신뢰구간 Point Estimate with CI

일반 개별연구에서 통계분석 결과에 평균과 신뢰구간을 제시하는 것처럼 메타분석에서도 개별 연구의 효과크기와 함께 신뢰구간을 구하여야 한다. 개별연구의 효과크기를 점추정값(point estimate)이라 부른다.

가중값 Weight

메타분석에서 일반적 통계분석과 다른 점은 효과크기를 산출한 다음 개별연구마다 표준오차(SE)의 크기에 반비례하여 가중값을 부여한다는 점이다.

- Weight = 1 / SE^2 (Standard Error)

일반적으로 표본크기(연구대상자 수)가 클수록 표준오차가 줄어들고 신뢰도가 높아지므로 표본크기가 큰 개별 연구가 전체 연구에서 차지하는 비중(가중값)이 높아진다.

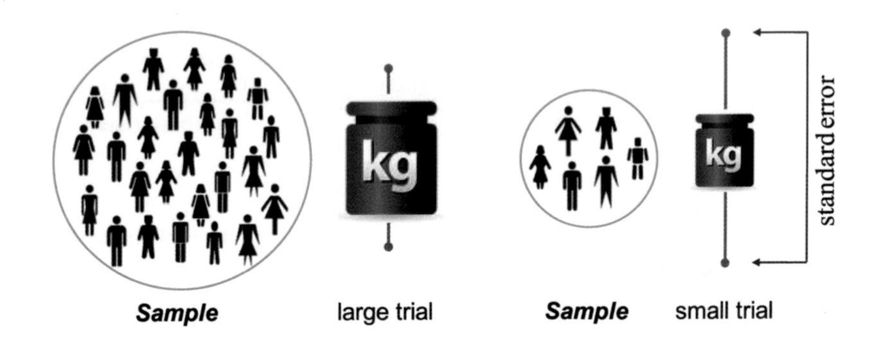

메타분석에서는 개별연구의 효과크기와 가중값을 이용하여 최종적으로 통합적인 효과크기(pooled estimate)를 산출하여 통계적 의의가 있는지 판정하게 된다.

심장동맥 심장병 환자에서 Aspirin이 사망률을 감소시키는 효과에 대한 5개 임상시험 연구논문에 대한 자료이다. 개별 연구마다 Aspirin 사용군과 Placebo 군에서 사망자 수와 전체 연구대상 수가 나와 있다. 승산비, 95% 신뢰구간, 가중값을 구한다.

Table. Five clinical trials of aspirin in coronary heart disease

Study	Year	Age	Sex	Dosage	Aspirin		Placebo	
				(mg/day)	deaths	total	deaths	total
UK-1	1974	55.0	Men	300	49	615	67	624
UK-2	1976	56.2	Women	900	102	832	126	850
CDPA	1979	56.5	Men	972	44	758	64	771
GAMS	1979	58.9	Women	1500	27	317	32	309
PARIS	1980	56.3	Women	972	85	810	52	406

Effect Size

위의 연구논문 중 UK-2 연구의 효과크기로 승산비(OR)와 95% 신뢰구간(CI)은 일반통계에서와 동일한 방법으로 구할 수 있다.

Treatment	Death	
	Yes	No
Aspirin	102	730
Placebo	126	724

➡

Effect Size

$$OR = \frac{102 \times 724}{730 \times 126} = 0.803$$

95% CI = (0.606, 1.063)

개별 연구의 승산비와 95% CI, 가중값(weight)을 산출한 결과는 다음 Table에 나타나 있다.

Study	Year	Aspirin		Placebo		OR	95% CI		Weight
		Deaths	Total	Deaths	Total		Lower	Upper	(%)
UK-1	1974	49	615	67	624	0.720	0.489	1.059	18.3
➡ UK-2	1976	102	832	126	850	0.803	0.606	1.063	34.7
CDPA	1979	44	758	64	771	0.681	0.457	1.013	17.3
GAMS	1979	27	317	32	309	0.806	0.471	1.380	9.5
PARIS	1980	85	810	52	406	0.798	0.553	1.153	20.2

UK-2 Study가 가장 표본크기가 크므로 가중값이 34.7%로 가장 크고, GAMS Study가 표본크기가 가장 작으므로 가중값이 9.5%로 가장 작은 비중을 차지한다.

2.3 이질성 Heterogeneity

일반적 연구에서 통계분석 방법 선정의 전제조건으로 자료의 정규분포와 등분산성이 있다. 메타분석은 개별연구의 효과크기를 하나의 표본 자료로 보고 통계적 검정을 하게 되므로 메타분석의 전제조건으로 개별연구들 간의 임상적, 통계적 동질성(homogeneity)을 가정한다.

이질성이란 무엇인가?

이질성은 개별 연구들 간에 효과크기의 변동(variability)을 뜻한다.

이질성의 원인

이질성의 원인은 다양하며 다음 3종류로 나눌 수 있다.

- 임상적 이질성 (Clinical Heterogeneity)
  PICO - 연구대상자(P), 처치(I), C(비교), 결과(O) 각각의 임상적 차이
- 연구방법 이질성 (Methodological Heterogeneity)
  연구설계(study design), 연구의 질(study quality) 차이
- 통계적 이질성 (Statistical Heterogeneity)
  임상적 혹은 연구방법 이질성에 따른 차이, 우연(chance)에 의한 효과크기 차이

이질성 검정 Heterogeneity Test

통합크기의 산출방법은 개별연구의 효과크기들의 동질성(이질성) 여부에 따라 달라진다. 따라서 통합된 효과크기를 구하기 전에 이질성 검정을 반드시 시행하여야 한다

이질성 검정 방법은 그래프에 의한 방법과 통계적 검정에 의한 방법이 있다.

1. Graphical Method
   - Forest plot
2. Statistical Method
   - x^2 *test (Cochran Q)*
   - I^2 *statistic*

1. 그래프 검정

숲그림(forest plot)에서 개별연구들 간에 효과크기(신뢰구간)를 비교하여 교차되는 정도로 이질성을 판단하는 방법이다. 주관적이기 때문에 통계적 검정을 필요로 한다.

다음은 8개의 일차연구에 대한 메타분석 결과이다. 통합된 효과크기(◆) 중심선(---)을 기준으로 개별 연구의 신뢰구간이 교차하면 동질성이 있다고 판단한다. Study 1, 3, 5, 7이 중심선에서 떨어져 있어 개별연구들 간에 이질성이 있다고 판정한다.

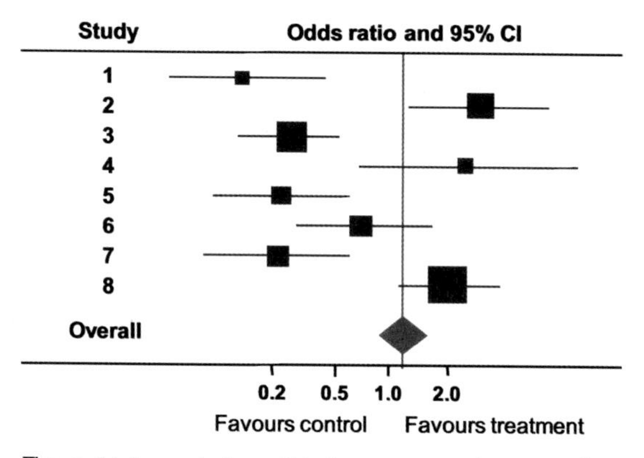

Figure. Meta-analysis on 8 heterogenous primary studies.

메타분석 예제에서는 통합된 효과크기(◆) 중심으로 개별 연구의 효과크기와 신뢰구간이 겹쳐져 있어 이질성이 없다고 판정할 수 있다.

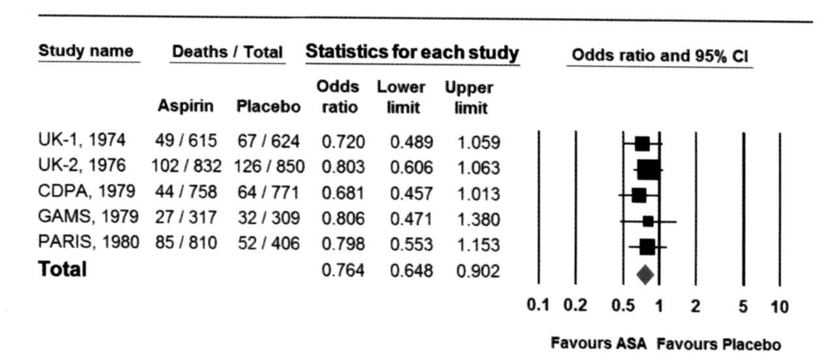

Study name	Deaths / Total: Aspirin	Deaths / Total: Placebo	Statistics for each study: Odds ratio	Lower limit	Upper limit
UK-1, 1974	49 / 615	67 / 624	0.720	0.489	1.059
UK-2, 1976	102 / 832	126 / 850	0.803	0.606	1.063
CDPA, 1979	44 / 758	64 / 771	0.681	0.457	1.013
GAMS, 1979	27 / 317	32 / 309	0.806	0.471	1.380
PARIS, 1980	85 / 810	52 / 406	0.798	0.553	1.153
Total			0.764	0.648	0.902

Fixed Effects Model

2. 통계적 검정

통계적으로 효과크기의 이질성을 검정하는 방법에는 Cochran Q 검정, I^2 검정 등이 있다.

① Cochran Q 검정 (Chi-square test)

- 표본크기에 민감하여 일차연구들의 수가 적은 경우 검정력이 낮아진다.
- 표본크기가 작은 경우가 많으므로 **$P < 0.1$** 기준으로 이질성이 있다고 판단한다.
- 표본크기가 작을 때 통계적 검정에 의의가 있으면 확실히 이질성이 있다고 할 수 있으나 통계적 의의가 없으면 이질성이 없다고 단정할 수는 없다.
- 반면 표본크기가 크면 검정력이 높아져서 임상적으로 중요하지 않은 매우 작은 이질성이 있어도 통계적 검정에서 의의가 있을 수 있으므로 해석에 주의를 요한다.

② I^2 검정

- 이질성의 정도를 %로 측정하는 방법인데 $I^2 = 0\%$ 이면 이질성이 없다고 판단한다.
- 판정기준: 25%, 50%, 75%를 기준으로 이질성의 정도를 저(25%-50%), 중(50%-75%), 고(≥75%)로 평가한다. 일반적으로 $I^2 = 50\%$를 기준으로 이질성을 판단한다.
- $I^2 = 30(40)\%$ 기준으로 $I^2 > 30(40)\%$ 이면 이질성이 있다고 판정하기도 한다.
- I^2 는 chi-square test에 비하여 표본크기에 적게 영향을 받는다.

5개 aspirin 임상시험 논문의 메타분석 예에서 Cochran Q 검정 결과 chi-square = 0.627, p = 0.960, $I^2 = 0.0\%$이므로 이질성이 없다고 해석한다.

이질성 대책

동질성 검정에서 이질성이 높으면 효과크기들의 통합에 앞서 연구문헌들을 재검토하여 자료 입력의 오류를 확인하고 이질성의 원인을 발견하여 교정하려는 노력을 하여야 한다.
이질성이 있다고 판정되면 다음과 같은 대책을 고려하여야 한다.

1. 메타분석 중지

이질성이 심하고 원인불명이며 교정이 안되면 체계적 문헌고찰 단계에서 연구를 마친다.

2. 통계 모형

- 무작위효과모형 (Random Effects Model)
  이질성을 고려하여 효과크기를 통계적으로 통합한다.

이질성이 있다고 판단되면 고정효과모형으로 통계적 분석을 하여서는 안된다.

3. 이질성 원인조사

다음 3가지 방법으로 이질성의 원인을 조사한다.

- **부분군 분석 (Subgroup Analysis)**

  임상적 특징, 연구방법 등 미리 선정된 기준에 따라 부분군으로 나누어 메타분석을 시행하여 부분군에 따라 이질성이 존재하는지 분석하는 방법이다.

- **메타회귀분석 (Meta-regression)**

  부분군 분석의 확장형으로 부분군으로 분류되지 않는 연속변수(공변량)와 이질성의 연관성을 일반통계의 다중회귀분석과 같은 방법으로 분석하는 방법이다.

- **민감도 분석 (Sensitivity Analysis)**

  ① 메타분석 연구결과의 강건성(robustness) 및 이질성 분석에 사용된다.
  ② 제외기준을 정하여 개별연구들을 제외시킨 후 재분석하는 방법이다.
  ③ 제외기준은 부분군과 함께 메타분석 과정에서 결과에 영향을 줄 수 있는 변수 (예, 연구의 질, Outlier, 효과모형 등)를 포함할 수 있다.

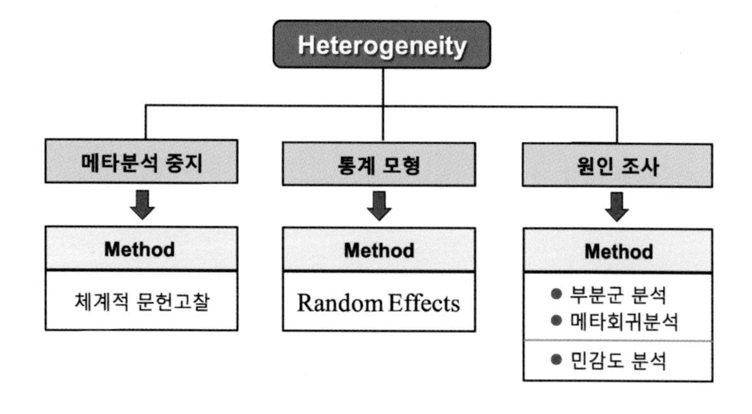

부분군 분석 Subgroup Analysis

부분군 분석은 이질성의 원인 조사에 흔히 사용되지만 이질성과 무관하게 시행할 수도 있다.

- 부분집단으로 나누어 효과크기를 기술적(descriptive)으로 분석하는 방법이다.
- 부분군 기준 - 임상적 특징(PICO - 성별, 연령군), 연구설계(RCT, Cohort) 등.
- 부분군은 연구결과(outcome)에 영향을 줄 수 있는 근거(plausible)가 있어야 한다.
- 부분군은 너무 많아서는 안되며 연구계획 단계에서 미리 선정되어야 한다.
- 전체 효과크기와 별도로 부분군의 효과크기를 통계적으로 해석하여서는 안된다.

다음은 8개의 개별연구에 대한 메타분석에서 Cohort 연구와 RCT 연구로 나누어 부분군 분석을 시행한 결과이다. 전체 연구는 이질성이 있으나 부분군 분석 후 Cohort 연구와 RCT 연구 집단 내에서 이질성이 없음을 알 수 있다. 즉, 연구설계의 차이에 따른 이질성이 있다고 판단할 수 있다. 부분군 간의 효과크기는 통계적으로 유의한 차이(p < 0.01)를 보인다.

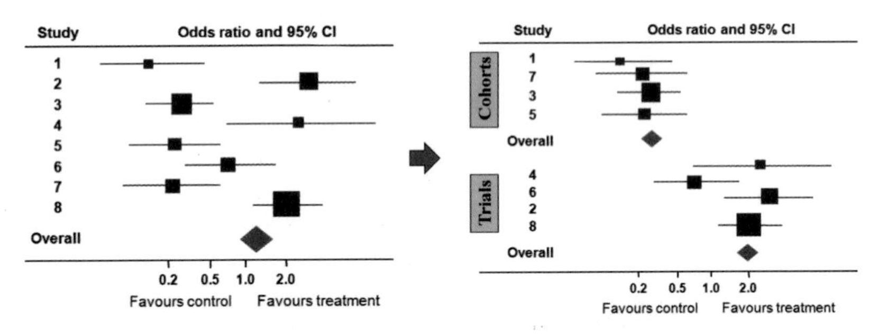

Figure. Subgroup analysis after division of primary studies as subgroups.

메타분석 예제에서 성별에 의한 부분군 분석 결과 통합 효과크기(◆) 와 신뢰구간의 범위가 겹쳐져 있어 남녀 집단 내에 이질성이 없으며, 남녀 간에 유의한 차이가 없다고 판정한다.

Group by Sex	Study name	Deaths /Total		Statistics for each study		
		Aspirin	Placebo	Odds ratio	Lower limit	Upper limit
Men	UK-1	49 / 615	67 / 624	0.720	0.489	1.059
Men	CDPA	44 / 758	64 / 771	0.681	0.457	1.013
	Subtotal			0.701	0.531	0.924
Women	UK-2	102 / 832	126 / 850	0.803	0.606	1.063
Women	GAMS	27 / 317	32 / 309	0.806	0.471	1.380
Women	PARIS	85 / 810	52 / 406	0.798	0.553	1.153
	Subtotal			0.802	0.653	0.985

Odds ratio and 95% CI

0.1 0.2 0.5 1 2 5 10

Favours ASA **Favours placebo**

메타회귀분석 Meta-Regression

연속형 변수에서 이질성의 원인을 조사하는 방법이며 이질성과 무관하게 시행할 수 있다.

- 메타회귀분석은 공변량(covariates)과 효과크기의 연관성을 분석한다.
- 일반회귀분석처럼 공변량은 독립변수이고 효과크기가 종속변수이다.
- 공변량 - 연령, 약의 용량, 사용기간 등 연속형 변수이다.
- 공변량은 연구계획 단계에서 미리 선정되어야 한다.
- 공변량마다 최소 10개의 연구결과(studies)가 있어야 분석이 가능하다.

Aspirin 용량과 상대위험도의 연관성을 조사한 메타회귀분석이다. 원(○)은 Aspirin 용량에 따른 상대위험도를 개별연구마다 표시한 것이다. 원이 회귀직선상에 놓이고 통계적으로 의의가 있으면 연관성이 있다고 판정한다. 즉 Aspirin 사용 용량이 개별연구마다 달라서 효과크기(상대위험도)의 이질성을 초래할 수 있다.

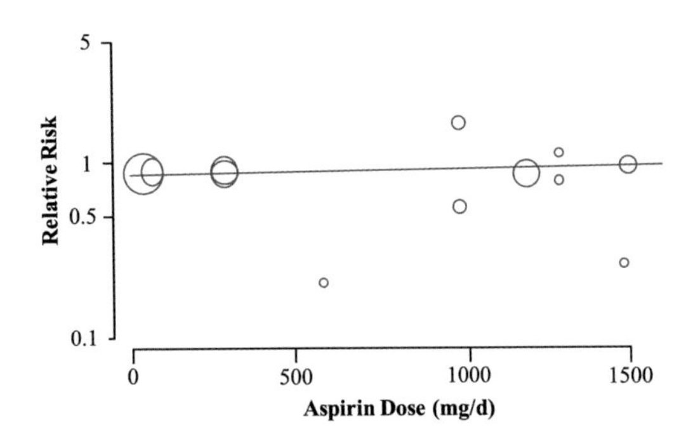

메타분석 예제는 개별연구의 수가 5개로 메타회귀분석이 적합하지 않으나 실습으로 Aspirin 용량을 공변량으로 메타회귀분석을 한 결과 회귀식이 통계적으로 유의하지 않다. (p=0.74)

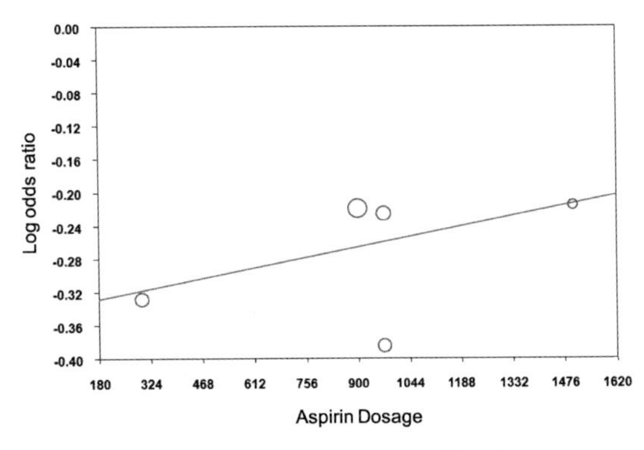

Fig. Regression of Aspirin Dosage on Log odds ratio

민감도 분석 Sensitivity Analysis

민감도 분석은 메타분석 연구결과의 강건성(일관성) 및 이질성 분석에 사용된다.

- 메타분석 과정에서 선택기준이 애매한 연구들을 제외시킨 후 재분석하는 방법이다.
- 제외기준을 갖는 개별연구들을 제외시킴으로써 이질성의 원인을 제거할 수 있다.
- 제외기준 - 개별연구(Outlier), 부분군(PICO, 연구설계 등), 분석방법(효과모형)
- 제외기준은 연구계획 단계에서 미리 선정되지 않아도 된다.

다음은 8개의 개별연구에 대한 메타분석에서 Cohort 연구를 제외하고 4개의 RCT 연구만으로 재분석한 민감도 분석이다. 전체 연구에 대한 메타분석 결과와 재분석 결과를 비교하면 통합 효과크기(◆)의 차이가 있어 연구설계에 영향을 받는다고 판단한다.

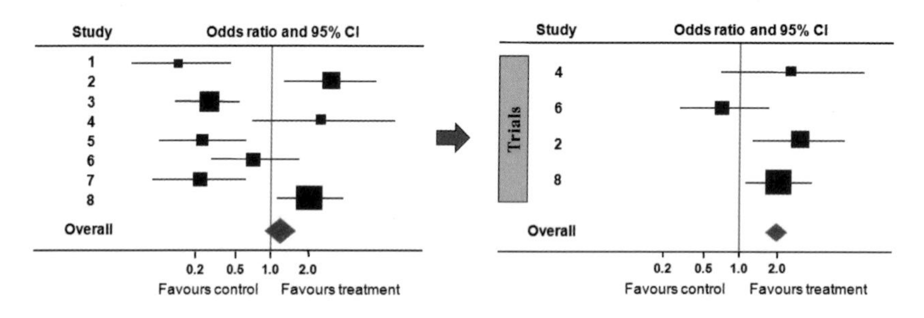

Figure. Sensitivity analysis after excluding subgroup of primary studies.

메타분석 예제에서 개별 연구(예, UK-1)를 순서대로 제외하면서 나머지 연구들(UK-2, CDPA, GAMS, PARIS)에 대한 메타분석을 한 결과, 민감도 분석 후 통합 효과크기(■) 와 전체 연구의 통합 효과크기(◆)는 차이가 없으므로 특정 개별연구에 영향을 받지 않는다.

Study name	Statistics with study removed			Odds ratio (95% CI) with study removed
	Point	Lower limit	Upper limit	
UK-1, 1974	0.775	0.645	0.930	
UK-2, 1976	0.744	0.607	0.913	
CDPA, 1979	0.783	0.653	0.939	
GAMS, 1979	0.760	0.639	0.904	
PARIS, 1980	0.756	0.628	0.910	
Total	0.764	0.648	0.902	

0.5 1 2

Favours ASA Favours placebo

2.4 효과크기 통합 Pooling Estimates

일반 통계분석에서 모집단 분포에 대한 가정을 전제로 분석방법이 정해지는 것처럼 메타분석에서도 효과크기를 통합하기에 앞서 모집단의 모형을 가정하여 적절한 분석방법을 선택한다.

효과모형은 고정효과모형과 무작위효과모형으로 나누어진다.

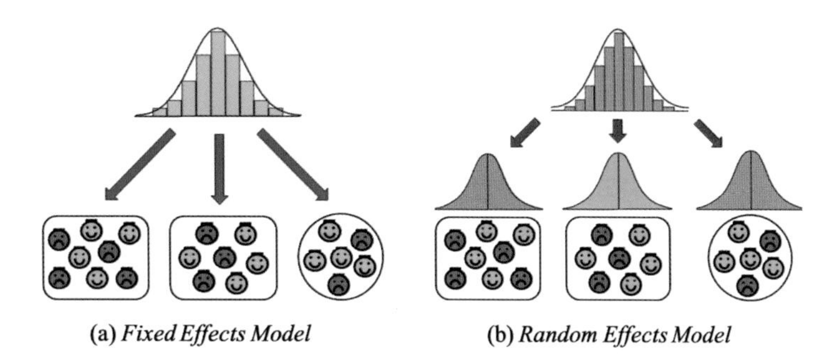
(a) *Fixed Effects Model* (b) *Random Effects Model*

(a) **고정효과모형** (fixed effects model)
고정효과모형은 개별 연구들 간의 차이는 없으며 개별 연구내 변동만을 고려한 모형이다.

(b) **무작위효과모형** (random effects model)
무작위 효과모형은 개별 연구내 변동과 연구들 간의 변동을 모두 고려한 모형이다.

효과크기에 대한 이질성 검사 결과에 따라 효과모형을 선택한 다음, 변수형태에 따라서 통계분석 방법을 결정하게 된다.

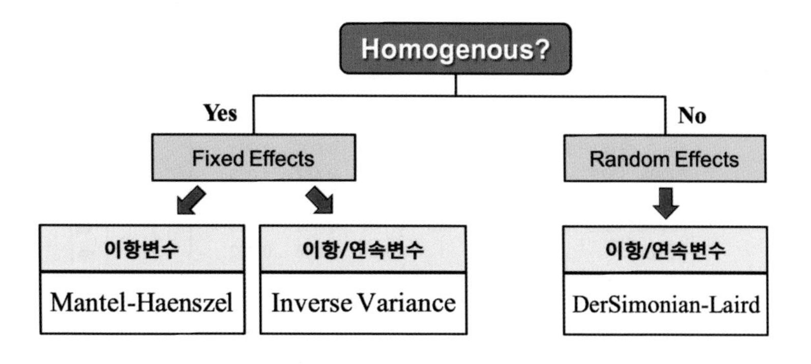

고정효과모형 fixed effects model

이질성 검정에서 이질성이 없다고 판단되면 고정효과모형을 이용한다.

고정효과모형에서 통합 유효크기를 산출하는 통계방법:

- **맨틀-헨첼(Mantel-Haenszel)** 방법 : 이항변수(OR, RR)에 사용
- **피토(Peto)** 방법 : 이항변수(OR, RR)에 사용
- **역분산가중법 (Inverse variance-weighted method)** : 이항/연속변수(MD) 모두 사용

무작위효과모형 random effects model

이질성 검정에서 이질성이 있다고 판단되면 무작위효과모형을 이용한다.

무작위효과모형에서 통합된 유효크기를 산출하는 통계방법은 유효크기의 종류에 관계없이 **DerSimonian-Laird (DL)** 방법이 주로 사용된다.

고정효과모형 (a)는 무작위효과모형 (b)에 비하여 개별연구 간 가중값의 차이가 크고 신뢰구간이 좁다. 이질성이 없으면 고정효과모형과 무작위효과모형의 결과는 동일하다.

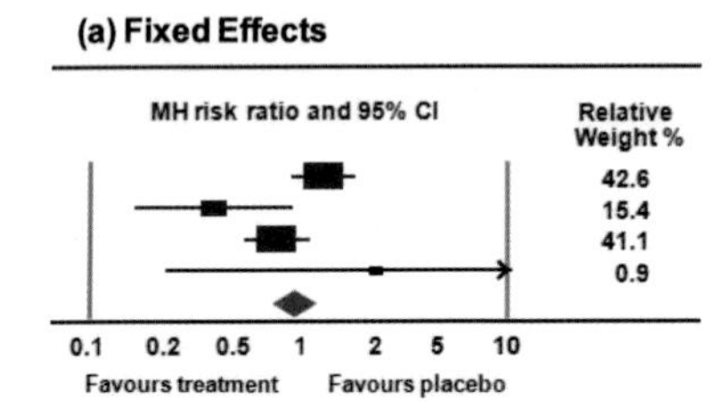

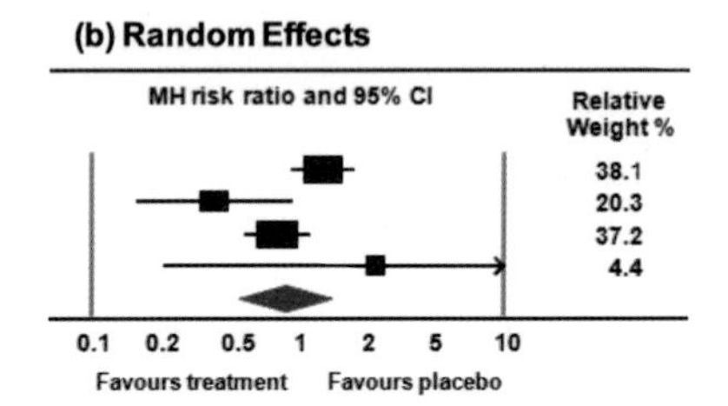

Aspirin 임상시험 논문의 메타분석 예에서 이질성이 발견되지 않아 고정효과 모형을 이용하여 산출된 통합 유효크기(◆)는 0.764, 95% 신뢰구간 범위는 0.648 ~ 0.902이다.

Study name	Deaths / Total		Statistics for each study			Odds ratio and 95% CI
	Aspirin	Placebo	Odds ratio	Lower limit	Upper limit	
UK-1, 1974	49 / 615	67 / 624	0.720	0.489	1.059	
UK-2, 1976	102 / 832	126 / 850	0.803	0.606	1.063	
CDPA, 1979	44 / 758	64 / 771	0.681	0.457	1.013	
GAMS, 1979	27 / 317	32 / 309	0.806	0.471	1.380	
PARIS, 1980	85 / 810	52 / 406	0.798	0.553	1.153	
Total			0.764	0.648	0.902	

0.1 0.2 0.5 1 2 5 10

Favours ASA Favours Placebo

Fixed Effects Model

2.5 결과해석 Presentation

메타분석 결과는 개별연구 및 통합 효과크기를 이해하기 쉽도록 숲그림으로 보여준다.

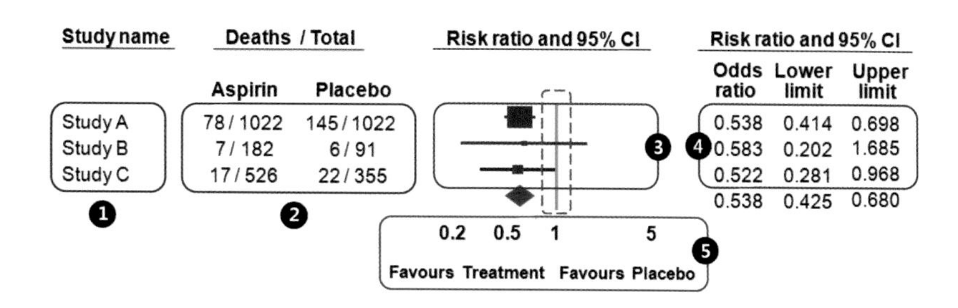

① 개별 연구문헌의 저자(제1저자)를 표시한다.

② 개별 연구에서 치료군과 대조군의 사망자수(event) / 전체 수(total)를 뜻한다.

③ 개별연구의 효과크기와 95% 신뢰구간을 사각형 상자(■)와 수평선으로 표시한다.

- 사각형 상자(■)의 크기는 상대적인 가중값(표본)의 크기를 나타낸다.
- x 축 값이 1을 지나는 수직선(—)은 치료효과(no effect) 판정 기준선이다.
- 그래프 하단에 다이아몬드(◆)는 통합 효과크기(중심)와 신뢰구간(양끝)을 나타낸다.

④ 개별연구의 효과크기와 95% 신뢰구간을 표시한다. Study A ➔ RR = 0.538 (0.414, 0.698)

⑤ 통합 효과크기 RR = 0.538 〈 1 로 위험률을 낮추므로 치료효과가 있다고 판정한다.

Aspirin 임상시험 논문의 메타분석 예에서 5개 개별논문은 신뢰구간에 1을 포함하므로 통계적 의의가 없으나 통합 OR (95% CI) = 0.764 (0.648, 0.902)으로 신뢰구간이 1을 포함하지 않으므로 Aspirin이 Placebo에 비하여 사망률을 낮추는 효과가 있다고 해석한다.

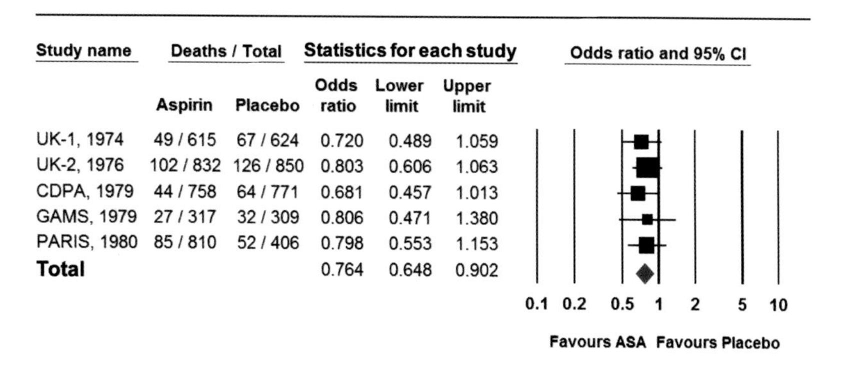

2.6 누적메타분석 Cumulative Meta-Analysis

시간(연도) 순서에 의하여 개별연구의 효과크기를 누적하여 메타분석을 시행하는 것이다. 연구 결과들이 누적됨으로써 표본크기가 증가되고 정밀도가 증가하게 되어 신뢰구간의 폭이 좁아지게 된다. 누적메타분석 그림을 보면 유의한 메타분석 결과의 시작점을 알 수 있다.

다음 좌측 그림은 표준 메타분석이고 우측은 누적메타분석이다. Study A, B, C 까지의 누적메타분석은 효과크기에 변동이 있으나 Study D 이후에는 별 차이가 없다. Study G 까지는 통계적 유의성이 없으나 Study H (1977)부터의 누적메타분석 결과는 치료효과가 통계적으로 유의함을 보여준다.

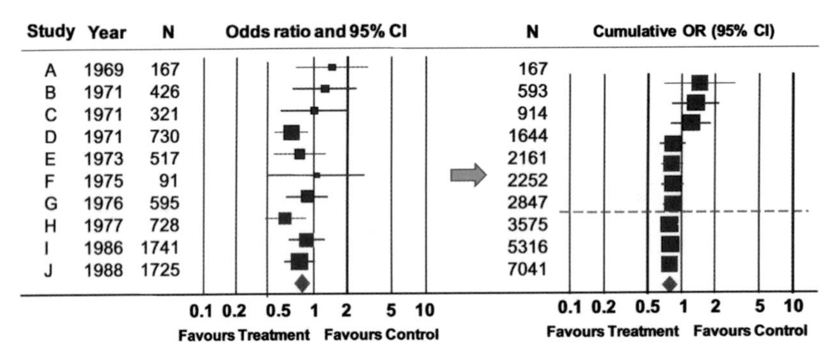

Figure. A standard meta analysis and on the right a cumulative meta-analysis. The size of the square reflects the amount of statistical information available at a given point in time

메타분석 예제에서 누적메타분석 결과, UK-2 (1976) 연구 시점부터 누적 효과크기 OR(95% CI) = 0.773(0.616, 0.970)로 통계적으로 유의한 치료효과가 있음을 보여준다.

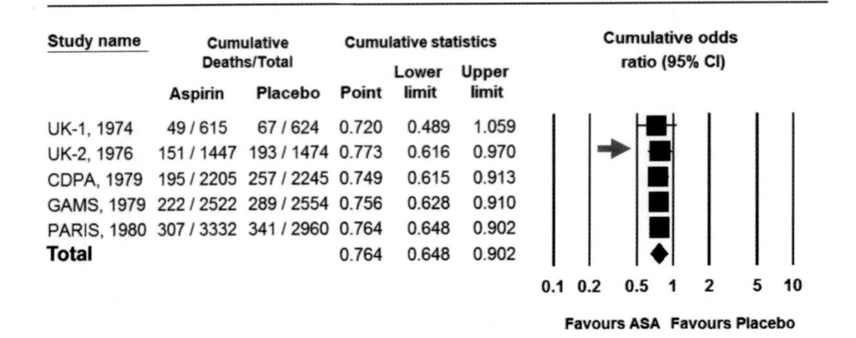

Study name	Cumulative Deaths/Total		Cumulative statistics		
	Aspirin	Placebo	Point	Lower limit	Upper limit
UK-1, 1974	49 / 615	67 / 624	0.720	0.489	1.059
UK-2, 1976	151 / 1447	193 / 1474	0.773	0.616	0.970
CDPA, 1979	195 / 2205	257 / 2245	0.749	0.615	0.913
GAMS, 1979	222 / 2522	289 / 2554	0.756	0.628	0.910
PARIS, 1980	307 / 3332	341 / 2960	0.764	0.648	0.902
Total			0.764	0.648	0.902

Fixed Effects Model

2.7 출판 비뚤림 Publication Bias

문헌선택의 비뚤림은 체계적 문헌고찰 과정에서 오므로 문헌선택 과정에 비뚤림이 있었는지 재검토를 하여야 한다. 출판 비뚤림이란 논문의 결과에 따라 출판되는 양이 달라지는 것을 뜻한다. 일반적으로 의미 있는 결과(예, 치료효과)를 보이는 논문에 비하여 의미 없는 결과를 보이는 논문은 연구자에 의하여 출판이 늦어지거나 출판이 되지 않는 경향이 있다. 이로 인하여 의미있는 결과를 가진 논문들이 더 많이 선택되어지게 되는 것을 출판 비뚤림이라고 한다.
출판 비뚤림은 메타분석에서 통합 효과크기를 과장되게 의미있는 방향으로 산출하게 되는 결과를 초래할 수 있다.

출판 비뚤림을 검사하는 방법은 그래프에 의한 방법과 통계적 검정방법이 있다.

1. Graphical Method
   - ✓ Funnel Plot
2. Statistical Method
   - ✓ Begg method – Rank correlation method
   - ✓ Egger method – Weighted regression method

1. 그래프 방법

깔때기 점도표 (Funnel Plot)를 그려 시각적으로 비뚤림을 검사하는 방법이다.
깔때기 점도표는 효과크기를 x 축으로, 표본크기(정밀도)를 y 축으로 하는 점도표(scatter plot)이다. 대표본 개별 연구는 표본오차가 작아 정밀성이 높아지게 되어 점도표의 상단에 위치하게 되는 반면, 소표본 개별 연구는 아래 부분에 위치하게 된다.

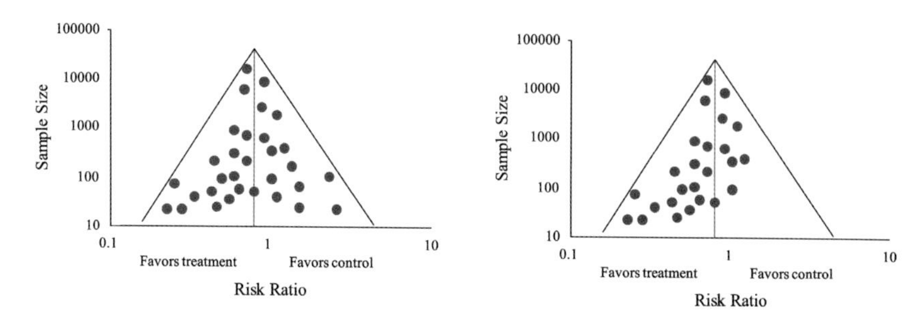

Figure. Funnel plots indicating (A) no publication bias and (B) publication bias.

출판 비뚤림이 없으면 대칭의 깔때기 모양으로 보이며 출판 비뚤림이 있으면 비대칭성으로 나타난다. 깔때기 점도표로 출판 비뚤림을 판정하기 위한 전제 조건은 개별연구들의 수가 많아야 한다. 대칭성의 판정은 주관적이므로 추가적인 통계적 검정이 필요하다.

Aspirin 임상시험 논문의 메타분석 예에서 깔때기 그림을 그려보면 대체적으로 대칭을 이루고 있음을 보여주나 개별 연구의 수가 적어 해석에 주의하여야 한다.

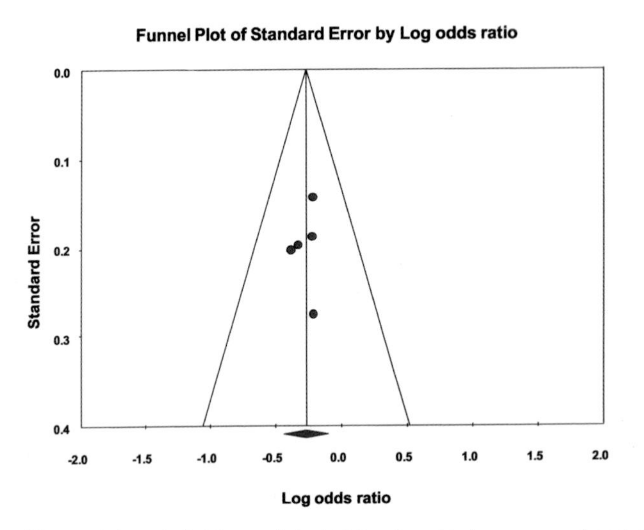

Figure. A funnel plot from clinical trials of aspirin in coronary heart disease.

2. 통계적검정

- Egger test가 깔때기 점도표의 비대칭성에 대한 통계적 검정방법으로 주로 사용되며 통계적 검정력이 Begg's test에 비하여 높다.
- P 〉 0.05이면 비대칭성이 아니다(publication bias가 없다)는 결론을 내린다.
- 통계적 검정을 하려면 적어도 10 개 이상의 개별 연구가 메타분석에 포함되어야 한다.

Aspirin 임상시험논문의 메타분석 예에서 Begg 검정 p = 0.22, Egger 검정 p = 0.64로 통계적 유의성이 없어 비대칭성이 없다(publication bias가 없다)고 판단할 수 있으나 메타분석에 포함된 개별 연구의 수가 5개로 너무 적어 통계적 검정이 적절하지 않다.

11-3 메타분석 소프트웨어

메타분석 소프트웨어는 상업용과 공개용이 있으며 다양한 기능을 가지고 있다.
공개용 무료 소프트웨어의 대표적인 것은 RevMan(Review Manager)과 Meta-Analyst (OpenMeta) 등이 있다.

상업용으로는 메타분석 전문 소프트웨어로 Comprehensive Meta-Analysis(CMA)와 범용 통계 패키지이면서 메타분석이 가능한 소프트웨어로 STATA와 SAS 등이 있다. 각각 소프트웨어마다 장단점이 있으며 대체적으로 메타분석 전문 소프트웨어가 범용 통계패키지에 비하여 사용방법이 쉬우며 상업용이 공개용에 비하여 고급 통계분석이 가능하다.

Table. Software for meta-analysis

Software	Description	Application
RevMan	무료 meta-analysis software http://tech.cochrane.org/revman/download	Cochrane reviews 기본 메타분석
OpenMeta [Analyst]	무료 meta-analysis software http://www.cebm.brown.edu/open_meta	사용 편리함 기본 메타분석
Comprehensive Meta-Analysis	상용 meta-analysis software http://www.meta-analysis.com	사용 편리함 고급 메타분석
STATA	상용 statistical software http://www.stata.com	사용 어려움 (명령어) 고급 메타분석
MIX	상용 Excel용 meta-analysis software http://www.cebm.brown.edu/open_meta	사용 편리함 고급 메타분석

메타분석 예

Example

RevMan을 사용하여 심장동맥 심장병 환자에서 Aspirin이 사망률을 감소시키는 효과에 대한 5개 임상시험 연구논문을 대상으로 메타분석을 하여 본다.

RevMan Review Manager

RevMan은 코크란 연합(Cochran collaboration)에서 개발된 무료 소프트웨어이다.

RevMan 프로그램은 다음 웹사이트에서 무료로 다운로드 받을 수 있다.
http://tech.cochrane.org/revman/download

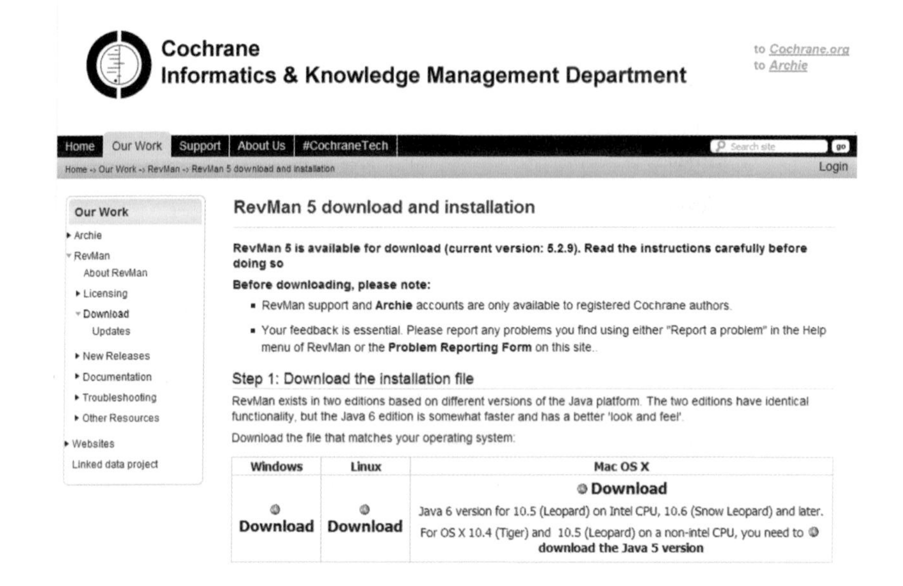

RevMan 설치 후 프로그램을 실행하면 첫 화면에 [Usage mode] 선택상자가 나타난다.

Usage mode

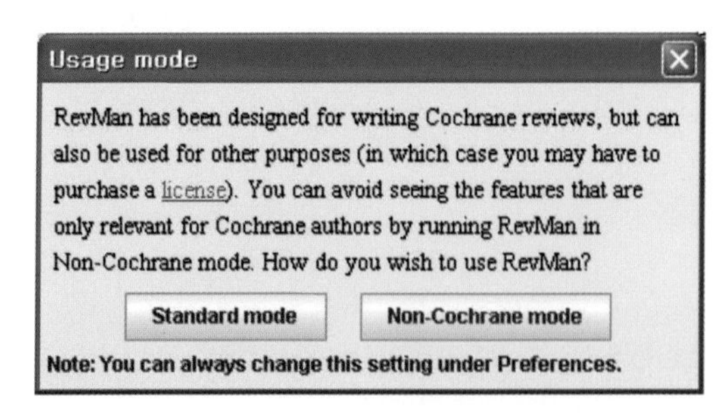

- **[Standard mode]**: Cochrane review 논문 투고에 필요한 mode 이다.
- **[Non-Cochrane mode]**: 메타분석이 주 목적이므로 이 mode를 선택한다.

RevMan 실행 후 **[Preference]** 메뉴에서 실행 mode를 선택할 수도 있다.

1 New Review Wizard

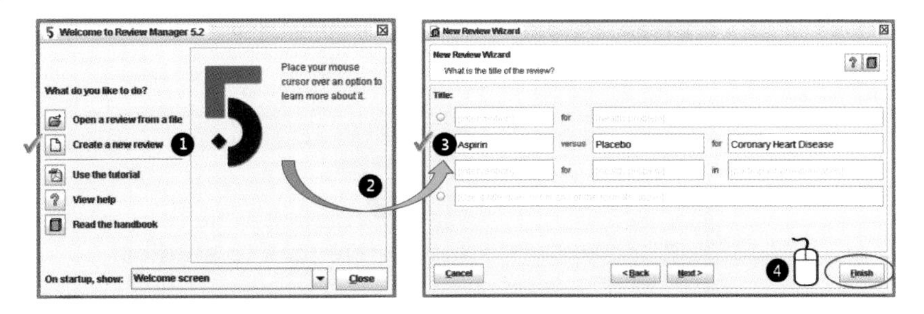

① **[Create a new review]** 선택하면 **[New Review Wizard]** 대화상자가 나타난다.

② **[New Review Wizard]** ⇨ [Type of Review] ▶ ⊙ **[Intervention review]** 선택한다.

③ **[Title]** ➲ (Aspirin) **versus** (Placebo) **for** (Coronary Heart Disease) 입력한다.

④ **[Finish]** 버튼을 클릭하여 대화상자를 닫는다.

Review Manager 프로그램의 주 화면이 나타난다.

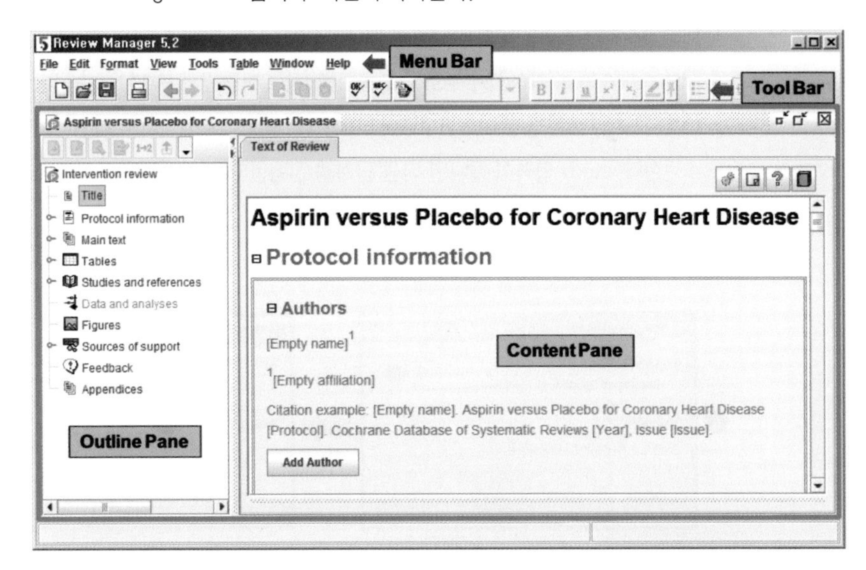

[Content Pane]에 메타분석 논문의 제목이 보인다. Protocol information에 저자명을 입력할 수 있다. RevMan은 Cochrane Protocol 양식에 맞추어 메타분석 논문을 작성할 수 있다.

RevMan을 이용하여 메타분석하는 것이 목적이므로 Cochrane Protocol 작성 처음 과정을 생략하고 **[Outline Pane]**에서 **[Studies and references]** 항목으로 진행한다.

2 Studies and References

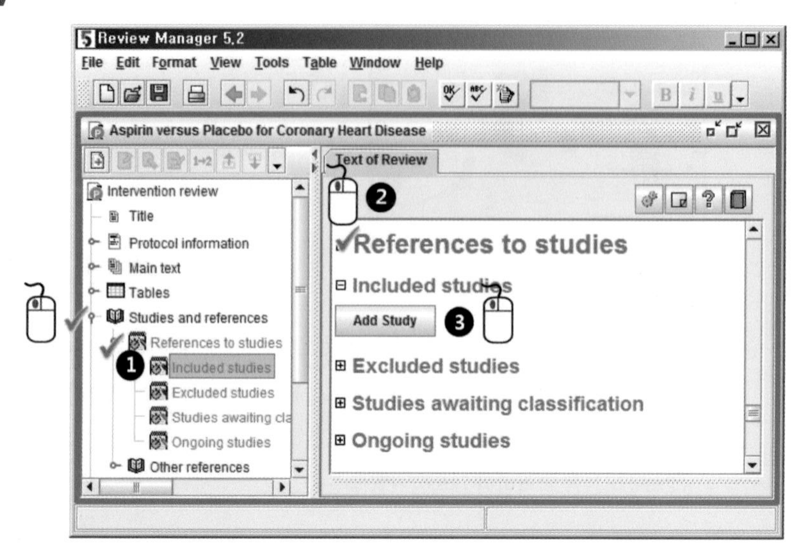

① [Studies and references] 선택하면 [Reference to studies] 세부 항목이 나타난다.

② [Reference to studies] [+] 부호를 클릭하면 [-]로 바뀌면서 [Add Study] 버튼이 보인다.

③ [Add Study] 버튼을 클릭하면 [New Study Wizard] 대화상자가 나타난다. 반복하여 study를 추가한다. study 입력이 끝나면 다음 단계를 진행한다.

1) New Study Wizard

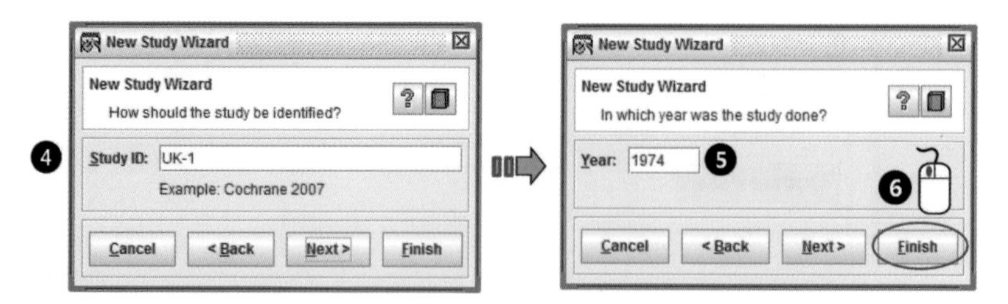

④ [Study ID] ➲ uk-1을 study name으로 입력하고 다음에 나오는 선택 창을 건너 뛴다.

⑤ **연구 연도** [Year] ➲ 1974를 입력한다.

⑥ [Finish] 버튼을 클릭하여 작업을 마친다.

2) Data and Analyses

(1) Add Comparison

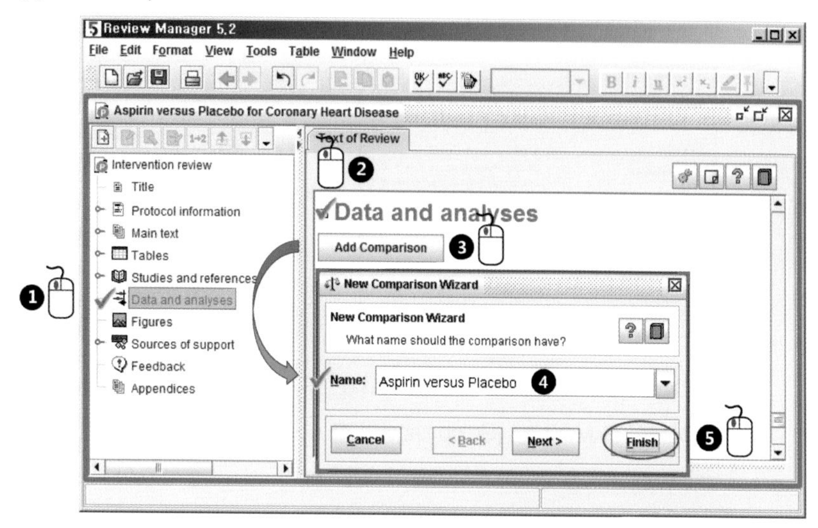

① [Studies and references] 아래 [Data and analyses] 세부 항목을 클릭한다.

② [Data and analyses] [+] 부호를 클릭하면 [Add Comparison] 버튼이 보인다.

③ [Add Comparison] 버튼을 클릭하면 [New Comparison Wizard] 창이 나타난다.

④ [New Comparison Wizard] ➲ [Name] Aspirin versus Placebo 입력한다.

⑤ [Finish] 버튼을 클릭하여 작업을 마치면 [Add Outcome] 버튼이 보인다.

(2) Add Outcome

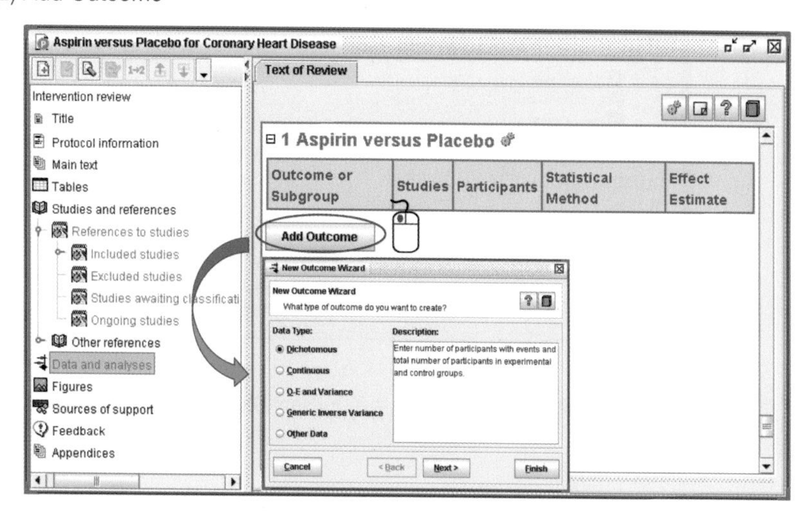

[Add Outcome] 버튼을 클릭하면 [New Outcome Wizard] 대화상자가 나타난다.

New Outcome Wizard

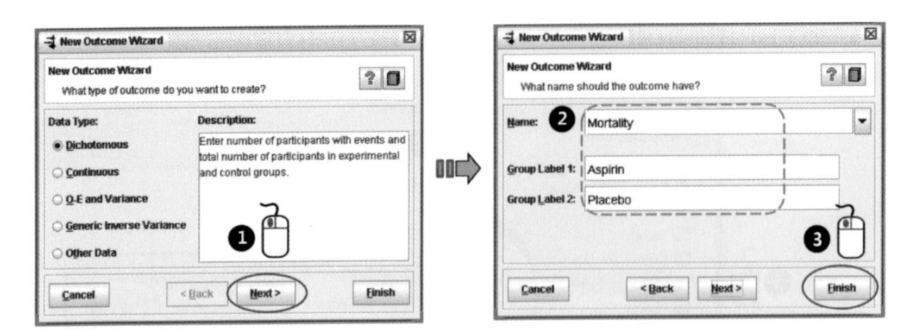

① [Data Type] ▶ ⊙ Dichotomous 선택하고 [Next] 버튼을 눌러 선택 창을 건너 뛴다.

② [Name] ➲ Mortality, [Group Label 1] ➲ Aspirin, [Group Label 2] ➲ Placebo를 입력

③ [Finish] 버튼을 클릭하여 작업을 마치면 Meta-Analysis 분석 창이 나타난다.

3 Meta-Analysis

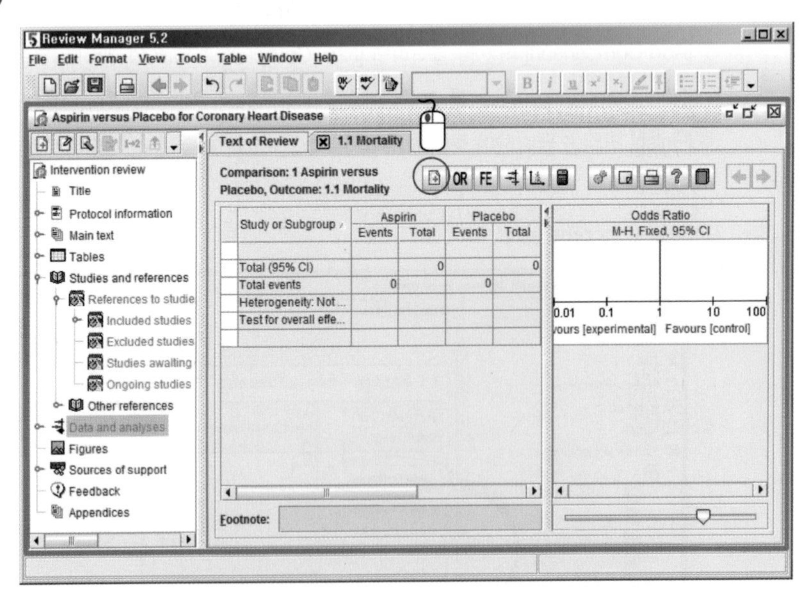

[Add Study Data] 버튼을 누르면 [New Study Data Wizard] 대화상자가 나타난다.

New Study Data Wizard

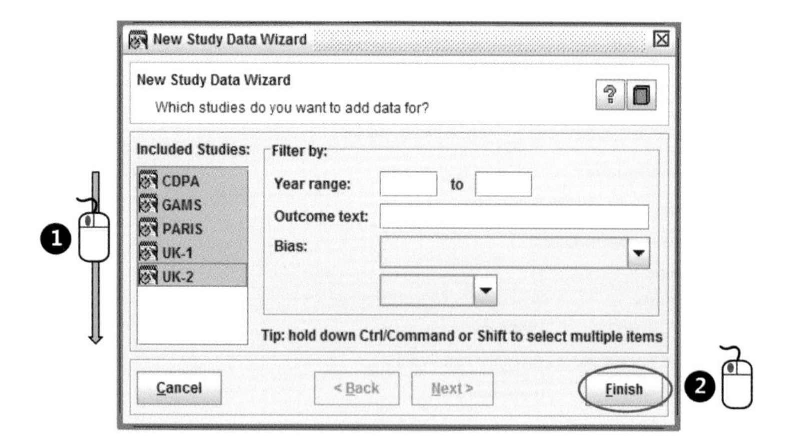

① [Included Studies] ▶ [Ctrl] 또는 [shift] + 마우스 좌측 버튼을 클릭하여 논문을 선택한다.
② [Finish] 버튼을 클릭하여 작업을 마치면 Study name이 입력되어 나타난다.

다음 창에서처럼 개별 Study 마다 Aspirin, Placebo Events/Total 수를 입력하면 아래 쪽에 메타분석 결과가 보인다. 우측에는 Forest Plot이 나타난다.

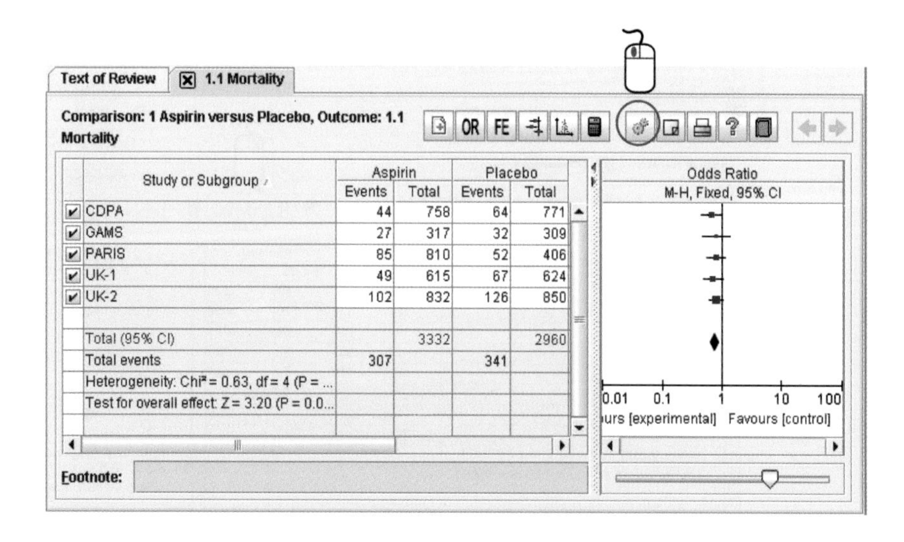

Study or Subgroup	Aspirin Events	Aspirin Total	Placebo Events	Placebo Total
CDPA	44	758	64	771
GAMS	27	317	32	309
PARIS	85	810	52	406
UK-1	49	615	67	624
UK-2	102	832	126	850
Total (95% CI)		3332		2960
Total events	307		341	
Heterogeneity: Chi² = 0.63, df = 4 (P = ...				
Test for overall effect: Z = 3.20 (P = 0.0...				

[Properties] 버튼을 누르면 [Outcome Properties] 대화상자가 나타난다.

Outcome Properties

[Graph] 폴더를 선택하여 기본 Forest Plot를 바꾼다.

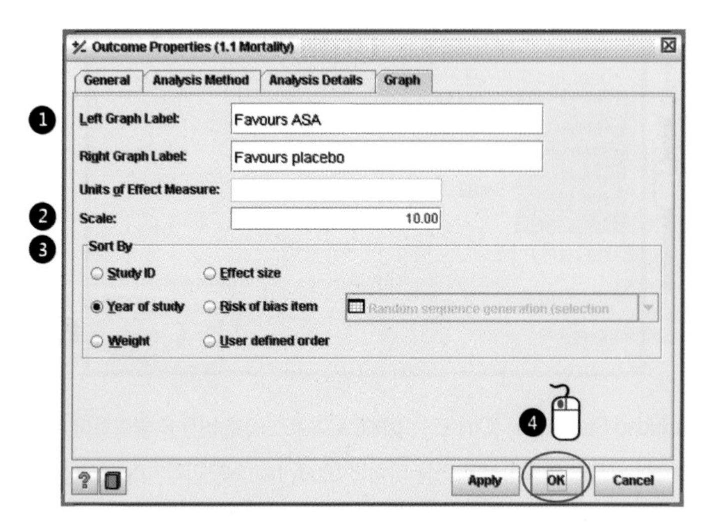

① [Graph Label] ▶ [Left] ◆ Favours ASA, [Right] ◆ Favours placebo 입력한다.

② [Scale] ◆ 10.00을 입력하여 X 축 범위를 좁힌다.

⑤ [Sort By] ⊙ [Year of study] 선택하면 개별연구가 연도순으로. 보여진다.

③ [OK] 버튼을 클릭하여 작업을 마치면 메타분석 결과가 바뀐다.

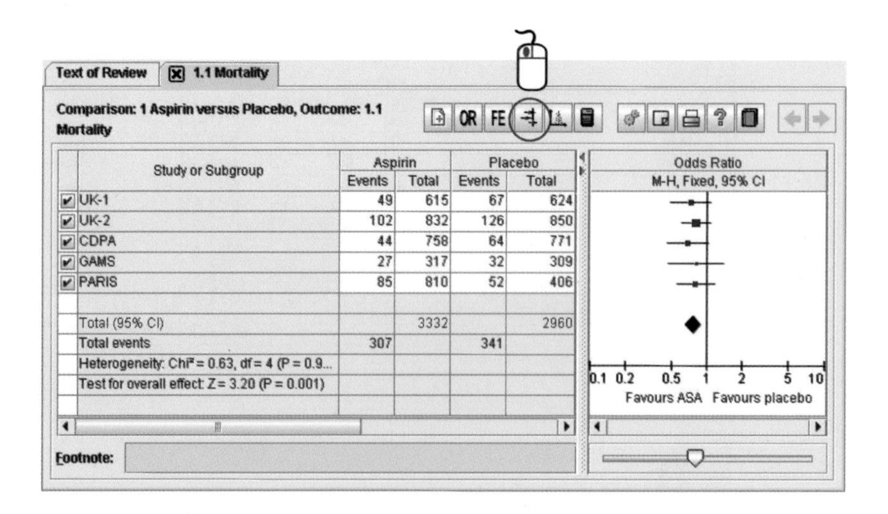

Study or Subgroup	Aspirin Events	Aspirin Total	Placebo Events	Placebo Total
UK-1	49	615	67	624
UK-2	102	832	126	850
CDPA	44	758	64	771
GAMS	27	317	32	309
PARIS	85	810	52	406
Total (95% CI)		3332		2960
Total events	307		341	
Heterogeneity: Chi² = 0.63, df = 4 (P = 0.9...				
Test for overall effect: Z = 3.20 (P = 0.001)				

[Forest plot] 버튼을 누르면 [Forest plot] 창에 결과가 나타난다.

Forest Plot

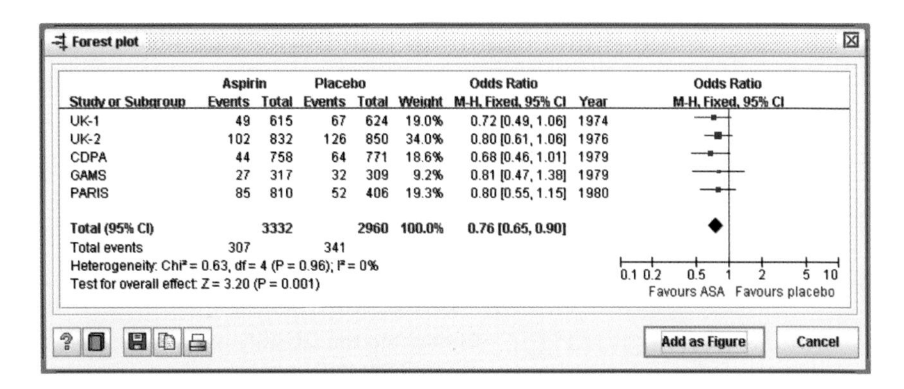

개별논문은 신뢰구간에 1을 포함하므로 통계적 의의가 없으나 통합 OR(95% CI) = 0.76 (0.65, 0.90)으로 신뢰구간이 1을 포함하지 않으므로(p=0.001) 치료 효과가 있다고 해석한다.

■ Heterogeneity test → chi-square test p = 0.96, I^2 = 0%로 이질성이 없다고 판단한다.

■ M-H, Fixed → Fixed effects model, Mantel-Haenszel test를 사용하여 Odds Ratio 계산

Funnel Plot

[Funnel plot] 버튼을 누르면 **[Funnel plot]** 창에 결과가 나타난다.

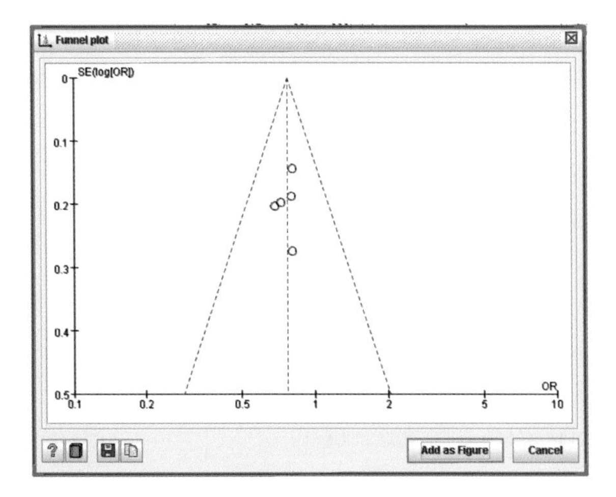

대체적으로 대칭을 이루고 있으나 개별 연구의 수가 적어 해석에 주의하여야 한다.

논문발표

RCT에 대한 메타분석 논문을 발표할 때에는 **QUOROM** 또는 **PRISMA** 지침을 따르는 것이 바람직하다. 일반연구와 마찬가지로 메타분석 연구결과에 대한 제한점도 분석하여 발표하여야 하며 새로운 연구 방향을 제시하기도 한다.

메타분석 논문의 보고서 양식은 **equator network** (www.equator-network.org)에 소개가 잘 되어 있으며 download 받을 수 있다.

- **PRISMA** : RCT 논문들에 대한 systematic reviews/meta-analyses 보고 양식
- **QUOROM** : RCT 논문들에 대한 meta-analyses 보고 양식
- **MOOSE** : 관찰연구(observational studies)에 대한 meta-analyses 보고 양식
- **AMSTAR** : Systematic reviews 논문의 quality 평가 지침

Stroup DF, Berlin JA, Morton SC, Olkin I, Williamson GD, Rennie D, et al. Meta-analysis of observational studies in epidemiology: a proposal for reporting. Meta-analysis of Observational Studies in Epidemiology (MOOSE) group. JAMA 2000; 283:2008-12.

메타분석

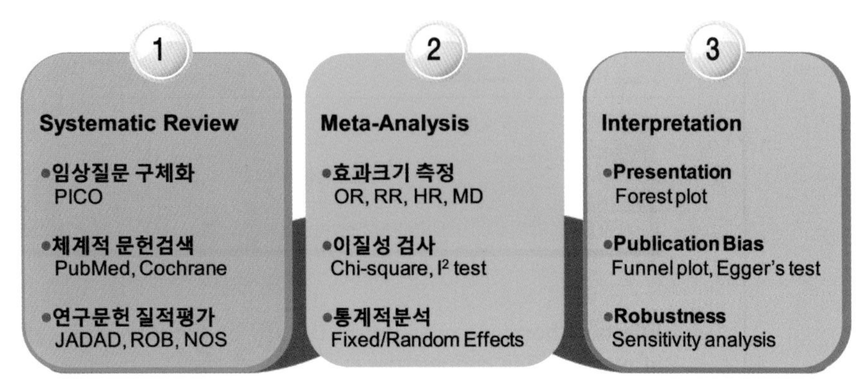

1
Systematic Review
•임상질문 구체화
PICO
•체계적 문헌검색
PubMed, Cochrane
•연구문헌 질적평가
JADAD, ROB, NOS
2
Meta-Analysis
•효과크기 측정
OR, RR, HR, MD
•이질성 검사
Chi-square, I2 test
•통계적분석
Fixed/Random Effects
3
Interpretation
•Presentation
Forest plot
•Publication Bias
Funnel plot, Egger's test
•Robustness
Sensitivity analysis

메타분석은 체계적 문헌고찰을 통하여 검색된 논문들의 결과(효과크기)를 통계적으로 통합하는 분석방법이다.

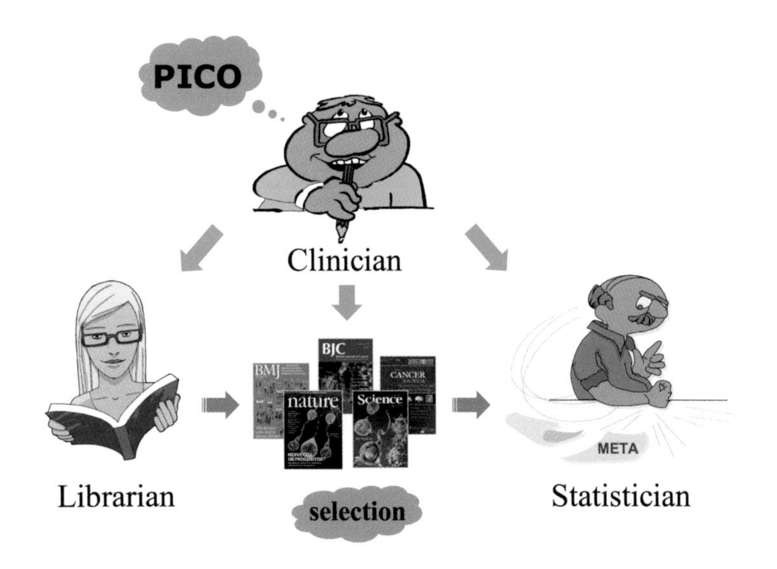

메타분석은 연구주제 설정, 문헌검색, 문헌선택, 통계적 분석의 단계를 시행하여야 하므로 임상 의사가 주 역할을 하며 도서관 사서, 통계학자와 의논하여 역할 분담을 하여 논문을 완성하는 것이 가장 쉬운 지름길이다.

Medical Paper

European Journal of Cancer (2014) 50, 1628–1637

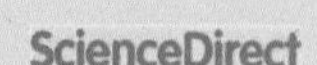

Available at www.sciencedirect.com
ScienceDirect
journal homepage: www.ejcancer.com

Effects of hormone replacement therapy on the rate of recurrence in endometrial cancer survivors: A meta-analysis

Seung-Hyuk Shim, Sun Joo Lee, Soo-Nyung Kim *

Department of Obstetrics and Gynecology, Konkuk University School of Medicine, Seoul, Republic of Korea

Received 12 December 2013; received in revised form 3 March 2014; accepted 6 March 2014
Available online 28 March 2014

KEYWORDS
Endometrial cancer
Hormone replacement therapy
Recurrence
Meta-Analysis

Abstract ***Background:*** To quantify the effect of hormone replacement therapy (HRT) on the recurrence in endometrial cancer (EC) survivors through a meta-analysis.
Methods: A systematic literature review was conducted through October 2013 and included studies reporting estimates of effect size for the relationship between HRT use and the risk of EC recurrence. Study design features that may affect the selection of participants, the detection of EC recurrence and manuscript publication were assessed. If there was no significant statistical heterogeneity across studies, then a fixed effects model was used to obtain pooled estimates for the effect of HRT use on EC recurrence by combining study-specific estimates of the odds ratio (OR).
Results: One randomised trial and five observational studies included 896 EC survivors who used HRT and 1079 non-users. Over the combined study period, 19 of the 896 HRT users experienced recurrence, whereas 64 of the 1079 controls did. The meta-analysis based on the fixed effects model indicates no significant increase in the risk of recurrence in EC survivors using HRT relative to the control group (OR: 0.53; 95% confidence interval: 0.30–0.96, $I^2 = 49.0$). This pattern was also observed in the subgroup analysis for the stage and type of HRT. There was no evidence of any publication bias.
Conclusions: Although based mainly on observational studies, the literature does not provide support for a positive relationship between HRT use and the risk of EC recurrence. Future research should verify this relationship through randomised controlled trials over a longer term.

* *Corresponding author:* Address: Department of Obstetrics and Gynecology, Konkuk University School of Medicine, 1 Hwayang-dong, Gwangjin-gu, Seoul 143-701, Korea. Tel.: +82 2 2030 7641; fax: +82 2 2030 7748.
E-mail address: snkim@kuh.ac.kr (S.-N. Kim).

http://dx.doi.org/10.1016/j.ejca.2014.03.006
0959-8049/© 2014 Elsevier Ltd. All rights reserved.

Epilogue

"Would you tell me, please, which way I ought to go from here?"

"That depends a good deal on where you want to get to," said the Cat.

"I don't much care where—" said Alice.

"Then it doesn't matter which way you go," said the Cat.

"—so long as I get somewhere," Alice added as an explanation.

"Oh, you're sure to do that," said the Cat, "if you only walk long enough."

Reference

dBSTAT
User's Manual
STATISTICS
Elementary Statistics
SPSS
5
Statistics
Utterly Confused
STATISTICS
HEALTH CARE RESEARCH
Measurement in Medicine
Biostatistics
DUMMIES
Discovering Statistics Using SPSS
ANDY FIELD
How To Report Statistics in Medicine
Thomas A. Lang
Michelle Secic
INTUITIVE BIOSTATISTICS
HARVEY MOTULSKY
MEDICAL STATISTICS MADE EASY
how to
Statistics with confidence
Medical Statistics
Statistical Analysis with Excel
DUMMIES
Primer of Biostatistics
Stanton A. Glantz
CLINICAL BIOSTATISTICS AND EPIDEMIOLOGY made ridiculously simple
The Essential Guide to EFFECT SIZES
PAUL D. ELLIS
an introduction to medical statistics
A Concise Guide to Clinical Trials
BIOSTATISTICAL ANALYSIS
MEDICAL STATISTICS
Fundamentals of Biostatistics
BERNARD ROSNER
MEDICAL STATISTICS
BIOSTATISTICS
What is a p-value anyway?

Index

Index

Index

Index

Index

Index

Index

N

O

P

R

Index

저자 약력

김수녕

Soo-Nyung Kim MD, PhD

건국대학교 의과대학 교수

(경력)

2012 Statistics Advisory of Infection & Chemotherapy

2010 대한부인종양학회 상임이사, 정보위원회 위원장

2007 대한부인종양학회 상임이사, 수련위원회 위원장

2007 한국보건정보통계학회 학술이사

2005 대한의학학술지편집인협의회 감사

2001 대한산부인과학회 학술이사

1999 대한의학학술지편집인협의회 정보위원장

(통계학 저서)

임상통계의 첫걸음 Q&A 2012, 군자출판사

의학 교육학을 위한 dBSTAT통계학 2005, 대왕사

1주 완성 윈도우용 통계소프트 2000, 탐진출판사

알기쉬운 데이터베이스 통계소프트웨어 1993, 정보문화사

(보건정보통계분야 연구)

코리아메드 개발 (의학논문의 웹 데이터베이스 구축 및 검색엔진) 1998-2001 보건복지부